| 3rd Edition |

CT 흉부영상진단

Thoracic Radiology

Thoracic Radiology

흉부영상진단CT (3판)

첫째판 1쇄 발행 | 2009년 8월 30일
둘째판 1쇄 발행 | 2014년 10월 6일
셋째판 1쇄 인쇄 | 2019년 10월 15일
셋째판 1쇄 발행 | 2019년 10월 30일
셋째판 2쇄 발행 | 2023년 7월 24일

지 은 이 대한흉부영상의학회
발 행 인 장주연
출판기획 김도성
책임편집 안경희
편집디자인 조원배
표지디자인 김재욱
발 행 처 군자출판사(주)
등록 제4-139호(1991. 6. 24)
본사 (10881) **파주출판단지** 경기도 파주시 회동길 338(서패동 474-1)
전화 (031) 943-1888 팩스 (031) 955-9545
홈페이지 | www.koonja.co.kr

ISBN 979-11-5955-473-5
979-11-5955-421-6 (set)

정가 80,000원
세트 160,000원

| 3rd Edition |

CT 흉부영상진단

집필진

편집위원장

정연주 (Jeong Yeon Joo) 부산의대 부산대학교병원

편집위원

이지원 (Lee Ji Won) 부산의대 부산대학교병원
이지원 (Lee Geewon) 부산의대 부산대학교병원
박소민 (Park So Min) 부산의대 부산대학교병원

집필진 (가나다 순)

강미진 인제의대 상계백병원
강은영 고려의대 고려대학교구로병원
김미영 울산의대 서울아산병원
김정숙 동국의대 동국대학교 일산병원
김혜영 국립암센터
남보다 순천향의대 순천향대학교 서울병원
남지은 연세의대 세브란스병원
박재성 순천향의대 순천향대학교 부천병원
백상현 한양대학교 서울병원
서재승 G샘병원
신경은 순천향의대 순천향대학교 부천병원
용환석 고려의대 고려대학교구로병원
우정주 을지의대 을지병원
유승민 차의과대학교 분당차병원
윤순호 서울의대 서울대학교병원
이경수 성균관의대 삼성서울병원
이경원 서울의대 분당서울대학교병원
이기남 동아의대 동아대학교병원
이기열 고려의대 고려대학교안산병원
이재욱 순천향의대 순천향대학교 부천병원
이지원 부산의대 부산대학교병원
이진아 성균관의대 연구교수
이창현 서울의대 서울대학교병원
이현주 서울의대 서울대학교병원
이혜정 연세의대 세브란스병원
전은주 서울의대 분당서울대학교병원
정연주 부산의대 부산대학교병원
정정임 가톨릭의대 서울성모병원
진공용 전북의대 전북대학교병원
채은진 울산의대 서울아산병원
한대희 가톨릭의대 서울성모병원
허 진 연세의대 세브란스병원
황정화 순천향의대 순천향대학교 서울병원

발간사

흉부 질환의 대표적인 영상 진단은 흉부 X-선과 흉부 CT를 들 수 있습니다. 흉부 X-선은 임상 진료에서 가장 많이 시행되는 기본적인 검사이지만 3차원적인 흉곽 구조물을 2차원의 평면에 투사하여 표현함에 따라 투사방향에 있는 구조물들이 중첩되어 보일 수 있어 해석에 어려움이 있을 수 있습니다. 반면에 흉부 CT는 흉곽구조물의 절편 영상을 얻을 수 있어 흉곽에서 발생할 수 있는 병리조직학적 변화를 이해하는 데 많은 도움을 얻을 수 있습니다.

1970년대부터 임상 진료에 적용되어 온 CT는 그 동안 하드웨어와 소프트웨어를 포함한 컴퓨터기술의 눈부신 발전에 힘입어, 흉부질환 진단에 획기적인 기여를 해 왔다고 할 수 있습니다. 스캔 절편의 두께를 보다 얇게 하여 폐의 미세구조 변화를 이해할 수 있게 되었으며, 횡단면뿐만 아니라 다양한 방향으로의 영상 재구성이 가능하여 3차원 구조의 흉곽을 이해할 수 있도록 해 주었으며, 이중에너지 CT를 이용하여 기능적 영상뿐만 아니라 흉부 질환의 물질 대사에 대한 영상이 가능하게 되었습니다. 최근에는 저선량 CT와 영상 재구성에 있어서 인공지능기법 등의 방법을 이용하여, 방사선량을 획기적으로 줄임으로써 CT스캔으로 인한 방사선 피폭의 위해를 현저히 줄일 수 있게 되었습니다. 이러한 발전에 힘입어 이제 흉부 CT는 폐 질환의 진단뿐만 아니라 폐암의 검진 등으로 그 이용가치가 확장되고 있으며, 전신에서 발생할 수 있는 종양성 질환의 추적관찰에 기본적인 검사가 되었습니다.

대한흉부영상의학회에서는 2009년도에 "흉부영상진단 CT"의 초판을 발간하였으며 2014년도의 2판에 이어 제3판을 발간하게 되었습니다. 이번에 출간하게 된 제3판에는 위에서 소개드린 CT의 발전된 부분을 보완하여 흉부영상에 관심이 의료인들은 물론 향후에 의료인이 되고자 하는 학생들에게도 유용한 교재가 될 수 있도록 편리하게 구성하였습니다.

아무쪼록 이번에 출간되는 흉부 CT 제3판이 흉부에 관한 임상진료를 담당하는 의료인은 물론 흉부영상의학을 이해하고자 하는 학생들에게도 많은 도움이 되기를 바랍니다.

끝으로 이번 3판 제작을 위해 수고해주신 저자 여러분들과 편집간행위원장님 그리고 출판사 담당자분들께 깊은 감사를 드립니다.

대한흉부영상의학회장

김 윤 현

추천사

지난 2009년 대한흉부영상의학회는 영상의학과 전공의 및 전문의를 위한 흉부영상진단 지침서인 '흉부영상진단 CT'를 발간하였다. 우리말로 된 전공 서적이 거의 없는 실정에서 발간된 대한흉부영상의학회의 '흉부영상진단 CT'는 흉부영상 전반에 관한 CT 소견을 집약하여 설명하고, 다양한 증례를 수록하여 일선 영상의학 전공 의학도에게 커다란 호응을 받았으며 무엇보다도 우리말로 된 공식적 흉부영상의학회의 서적임에 큰 의미를 가질 수 있었다. 우수교재로도 채택되고, 영상의학과 뿐 아니라, 영상의학을 전공하지 않는 임상 전공의와 전문의의 기초 지식 습득 및 임상 진단에 도움을 주는 참고 교재 및 진단 지침서가 되었다. 개정판이 발간되고, 이제 새로이 증보판이 발간됨에 따라 명실공히 흉부영상 CT 분야에서는 양적으로나 질적으로 우수한 교과서라 할 수 있다.

초판에서는 의학교육 및 임상 진료에 필수적인 내용만을 주로 도표나 그림으로 이해하기 쉽게 설명하고자 하였고, 이후 개정판에서는 영상의학과 전공의의 요구에 맞추어 보다 전문적인 내용을 추가하여 흉부영상판독에 도움을 주고자 하였다. 초판 발간 이후 10년이 경과하면서 질병의 개념 및 분류, 그리고 진단, 치료적인 측면에서 많은 변화가 있었다. 이러한 최신 지식에 부응하기 위하여 대한흉부영상의학회는 각 분야에서 활발한 교육연구활동을 하고 있으며 현장의 임상 경험이 풍부한 전문의들을 저자로 초빙하여 개정판을 발간하게 되었다. 이번 개정판에서는 새롭게 정립된 질병의 개념 및 분류 등을 반영하여 결핵, 간질성폐질환, 폐암 및 폐결절의 관리 분야에서는 전면 개정을 하여 임상 진료를 담당하는 의료인들에게 실질적인 도움을 주고자 하였다. 특히 이번 개정판에서는 대한흉부영상의학회에서 마련한 '흉부영상의학 용어사전'을 바탕으로 흉부영상의학을 접하는 독자들에게 표준화되고 통일된 용어 및 영상을 제시하고자 노력하였다.

이러한 대한흉부영상의학회와 집필진의 노력이 독자들에게 전달되어 흉부CT에 대한 이해와 지식의 습득이 이루어지기를 바라는 바이며, 흉부CT를 접하는 모든 의학도들에게 자신있게 이 책을 추천하는 바이다.

2019년 8월

경희대학교 의과대학 영상의학과 교수

성 동 욱

편집후기

의과대학 학생들, 영상의학 전공의 및 임상의사들에게 흉부영상의학에 대한 기본적인 이해와 임상진료에 실질적인 도움을 주고자 대한흉부영상의학회가 2009년 흉부영상진단 X선 및 CT 두 권의 교과서를 발간한지 10년의 세월이 흘렀습니다. 2014년 1차 개정에서는 심장영상의학, 흉부영상관련 인터벤션, 그리고 학생들을 위한 흉부영상판독 가이드를 추가하였고 이번 개정교과서에서는 각 분야별로 내용을 조금 더 업데이트하였으며 그간 새롭게 정립된 질병 개념 및 분류, 병기설정 등을 토대로 결핵, 간질성 폐질환, 폐암 및 폐결절의 관리 분야에서는 전면 개정을 하였습니다. 특히 2016년 마련한 "대한흉부영상의학회 용어사전"을 바탕으로 흉부영상의학을 접하는 독자들에게 표준화되고 통일된 용어를 제공하고자 노력하였습니다. 교과서 발간 당시 목표한 주 독자층은 의과대학 학생들이었지만, 발간 이후 많은 영상의학 전공의들이 이 교과서를 바탕으로 흉부영상의학에 대한 지식을 습득함에 따라 교과서의 내용을 조금 더 깊이 있게 다루고자 노력하였습니다.

이번 교과서 개정 작업에 참여하신 많은 저자 교수님들과 독자들을 위하여 많은 시간과 노력을 투자하여 주신 편집 위원님들께 다시 한번 감사를 드립니다. 대한흉부영상의학회의 새 로고로 단장한 개정판 교과서의 탄생에 큰 힘을 실어주신 송재우 전임 회장님, 김윤현 회장님, 그리고 권우철 총무이사님을 비롯한 대한흉부영상의학회 상임이사님들께 감사드리며 더불어 촉박한 일정 속에서도 이 책의 발간을 위해 애써 주신 군자출판사 및 관계자 여러분께 감사드립니다.

2019년 8월

흉부영상진단 X선 및 CT 편집위원장
정 연 주

목차

CHAPTER 05 선천성 흉부 질환

CHAPTER 06 CT에서 우연히 발견된 폐결절의 처치 및 저선량 흉부 CT 폐암검진

CHAPTER 07 폐암

CHAPTER 08 기타 종양

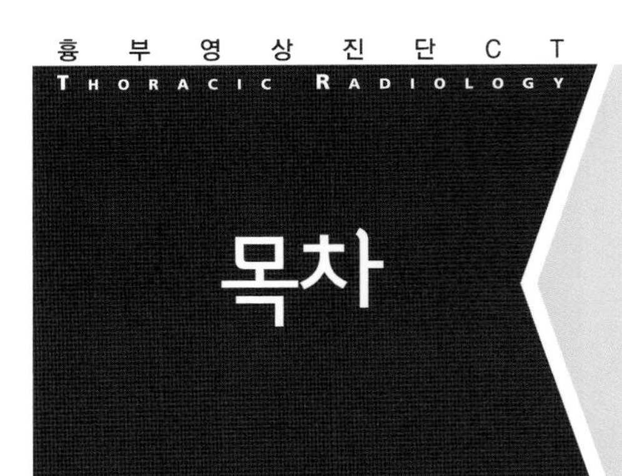

목차

목차

CT 물리

| 박재성 / 신경은 / 이재욱 |

Contents

I CT의 개념과 특성

CT (computed tomography, 전산화단층촬영) 스캐너를 이용한 컴퓨터 단층촬영법으로, X선을 여러 각도에서 인체에 투영하고 이를 컴퓨터로 재구성하여 내부의 단면상을 얻는 촬영방법이다. CT는 단순 X선 촬영에 비해 구조물이 겹쳐지는 것이 적어 구조물 및 병변을 좀 더 명확히 볼 수 있고 인체 조직 간의 대조도가 높은 장점이 있다. 대부분의 장기 및 질환에서 병변이 의심되고 정밀검사를 시행해야 할 필요가 있을 때 기본이 되는 검사법이다. 최근 들어 다중검출기CT (multidetector CT, MDCT)가 보급되면서 촬영 후 영상을 재구성하여 원하는 단면상 및 입체적인 삼차원(3D) 영상도 자유롭게 얻을 수 있게 되었다.

흉부 X선 사진은 3차원의 흉부 구조물을 필름에 평면적으로 중첩시켜 2차원으로 보여주므로, 앞뒤로 겹쳐서 나타나는 구조물의 해부학적인 위치나 상호관계를 정확히 알아낼 수 없다. 이를 해결하기 위해 측면이나 비스듬한 방향으로 촬영하지만 대조도가 작은 구조물이 중복되어 있을 때에는 문제의 해결이 어렵다. 이러한 흉부 X선 사진의 한계를 극복하기 위하여 개발된 CT는 단층촬영법과 컴퓨터를 결합한 기기로 인체 각 조직의 대조도 차이를 이용하여 영상을 만든다. 여러 방향에서 인체를 투과한 X선을 검출한 후 인체 단면에 대한 X선의 흡수치를 컴퓨터를 이용하여 재구성하는 것이다. CT는 고관전압(120-140 kVp)을 사용하여 투과력을 높임으로 고화질의 영상을 얻는다. CT 영상은 우수한 해상능과 조직의 대조도 차이를 잘 나타낼 수 있는 분해능을 바탕으로 양질의 해부학적 정보를 제공한다.

검출기에서 얻어진 X선으로 조직 대조도의 차이를 측정하고 이를 컴퓨터로 보내 영상으로 재구성한 후 모니터에 표시한다. 최근 컴퓨터 기술의 발달로 스캔 시간이 급격히 단축되어 동일 부위에 대한 다중시기촬영(multi-phase scan)과 호흡이나 움직임에 의한 인공물(artifact)을 최소화한 영상을 얻을 수 있으며, 소프트웨어의 향상으로 해부학적인 정보 외에도 기능적인 정보의 제공이 가능해졌고 3차원 영상화 소프트웨어를 통한 입체적인 영상을 재구성할 수 있게 되었다. 이러한 기술적인 향상에 힘입어 CT 검사는 CT 대조도(감약계수, CT number)를 이용한 정량적인 진단, CT 혈관조영, 양질의 다방면의 검사와 3차원적인 영상화, 관류(perfusion) 검사, 가상내시경(virtual bronchoscopy) 검사 등 여러 가지의 임상적 응용이 가능하게 되었다[1].

II 역사적 배경

Tomogram(단층촬영)이란 원래 희랍어의 '자르다'라는 의미의 TOMOS와 '기록하다'라는 의미의 GAMMA의 합성어로[2], X선의 영상능력과 컴퓨터의 고도의 계산 능력의 조합을 뜻한다.

1961년 William Oldendorf 등은 광자수의 차이로 X선의 흡수차이를 얻을 수 있다는 CT의 개념을 처음 도입하였다. 이후 1964년 Allan Cormack은 1차원 투영상으로부터 2차원 화상을 재구성하는 방법을 연구하여 CT 개발의 수학 및 물리학적 기초를 확립하였다. 1971년 10월 1일 Godfrey Hounsfield와 James Ambrose는 뇌종양 진단을 위해 CT 장치를 영국 런던의 Atkinson Morley's Hospital에서 최초로 임상에 적용하였으며(그림 1-1 A, B), 1972년 최초의 두부전용 CT 장치인 EMI사의 Mark I (그림 1-1 C)를 개발하였는데 80 x 80 matrix로 한 slice의 촬영에 5분, 영상을 얻는 시간도 5분이 걸렸다. 1974년에는 전신용 CT 장치가 개발되었다(표 1-1)[1]. 최근 10여 년간 개발된 흉부질환의 진단을 위한 여러 기법 중 가장 획기적인 것은 고해상CT (high resolution computed tomography, HRCT)와 나선형CT (spiral computed tomography, spiral CT)라고 할 수 있다. 고해상CT는 형태학적인 측면에서 육안적으로 보는 병리조직 표본에 필적하는 영상을 보여줄 수 있어 만성 침윤성 폐질환의 발견과 진단에 많은 공헌을 하였다. 나선형CT 촬영은 빠른 스캔 시간과 체적 데이터(volume data)를 얻음으로써 기존의 고식적 CT (conventional CT)의 단점을 극복하였고 더 나아가 기능적인 평가를 위한 초석이 되고 있다.

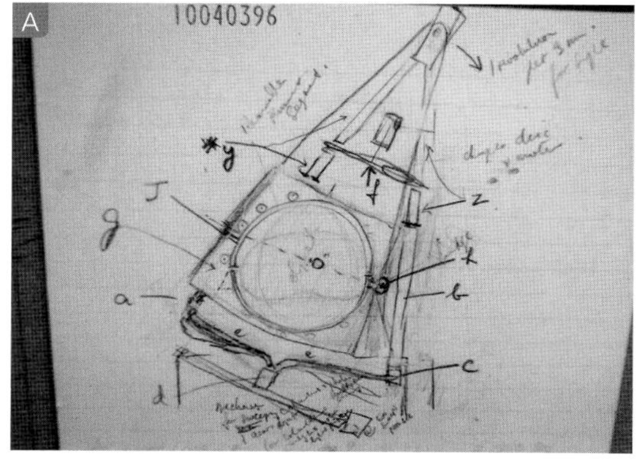

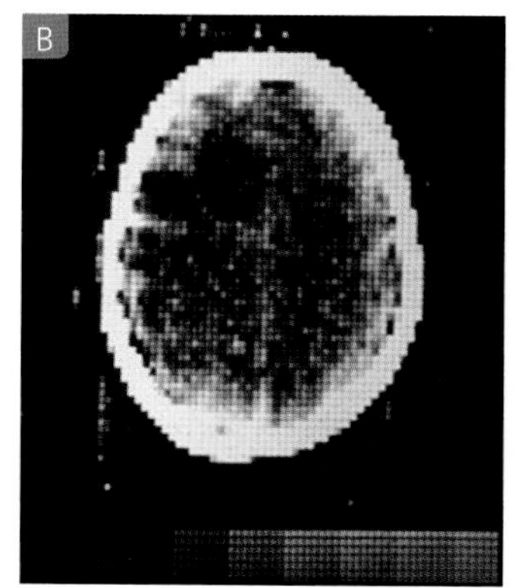

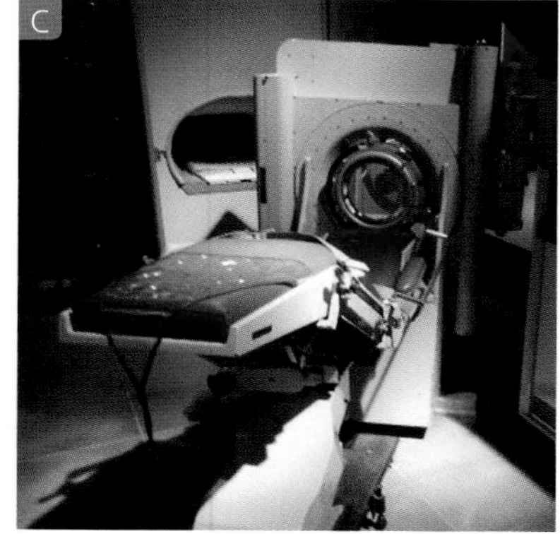

■ 그림 1-1. Hounsfield가 고안한 CT의 모식도(A), 뇌종양 환자의 최초 CT 영상(B), 최초 두부 전용 CT인 EMI-scanner(C)

표 1-1. CT의 역사

연도	인물/기관	내용
1895	W. Roentgen	X선 발견
1922	A. Bocage	Tomography 원리 고안(focal-plane tomography)
1961	W. Oldendorf	CT의 개념 도입
1964	A. Cormack	CT 개발의 기초 확립
1971	G. Hounsfield & J. Ambrose	최초의 뇌전용 CT 개발 및 임상 촬영
1974	G. Hounsfield	전신용 CT 개발
1991	T. Villafana	Spiral CT 개발
1998	RSNA	MDCT (4 slice) 발표

CT의 기본원리

1. 기본원리

CT의 기본원리는 '물체의 내부구조는 그 물체를 여러 방향에서 투사함으로써 재구성할 수 있다'라는 것이다. 여러 개의 네모 벽돌로 쌓아 만든 물체에서 가운데 5개의 벽돌을 십자모양으로 뺀 다음 세로, 가로 각 열별로 X선을 조사하였다고 하자. 이때 각 열의 투과 값을 투영도(ray projection 또는 shadow function)라 한다. 비어있는 물체(그림 1-2A)를 좌우와 위 아래 방향으로 X선이 통과할 때 통과한 벽돌의 개수를 각각 가로 X선의 합(horizontal ray sum)과 세로 X선의 합(vertical

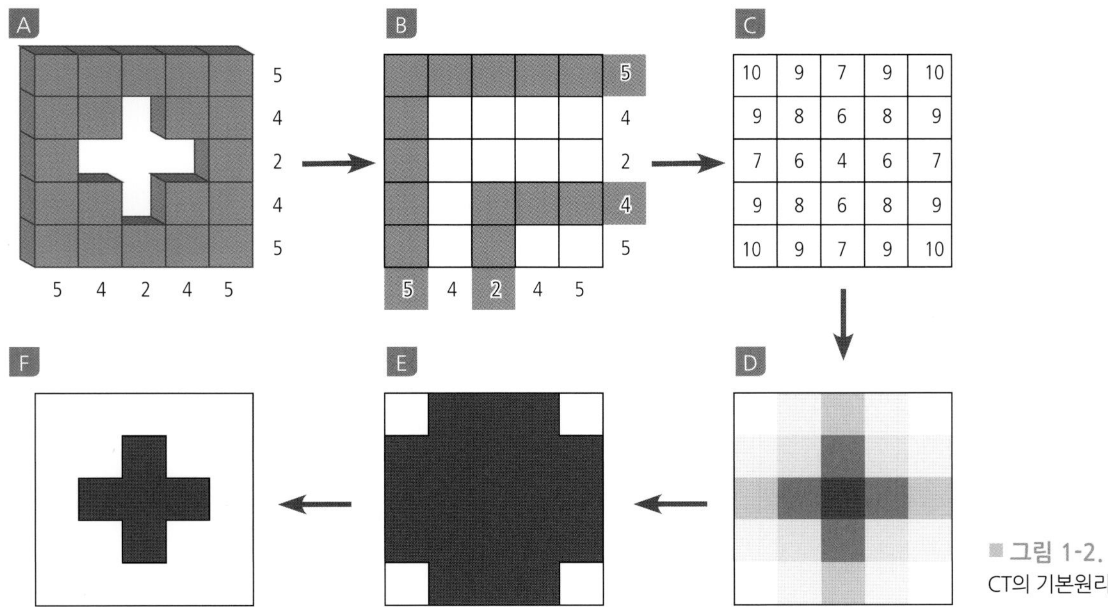

■ 그림 1-2.
CT의 기본원리에 대한 모식도

ray sum) 이라고 한다(그림 1-2B). 그림 1-2의 B에서 표시되어 있듯이 한 벽돌에 해당하는 가로 X선의 합과 세로 X선의 합을 합하며 물체를 숫자로 재구성할 수 있다(그림 1-2C). 이러한 숫자에 gray scale value를 적용하면 그림 1-2D와 같은 물체를 얻게 되며, 흑백(black-white) scale의 기준을 9-10으로 하였을 경우 그림 1-2E와 같은 물체를 얻게 되며, 기준을 6-7로 하였을 때에 그림 1-2F와 같은 물체로 재구성할 수 있다.

2. CT 장치의 발달과정

X선을 발생시켜 인체에 투과시키는 형태와 인체를 투과하면서 감약된 X선 에너지를 검출기에서 획득하는 방식은 CT의 발달과정과 밀접한 관계를 가지고 있으며, 이를 크게 4가지 유형(세대, generation)으로 구분할 수 있다. 이는 X선관과 검출기의 운동, X선속의 양상, 검출기의 수 등으로 분류할 수 있다(표 1-2).

1) 1세대 CT

1세대 CT는 한 슬라이스를 얻기 위해 단일 연필형(pencil beam)과 같은 한 개의 X선관과 검출기(single X-ray source, single X-ray detector)를 기반으로 하고 있다. 서로 평행한 X선들이 인체를 투과하여 검출기에 도달하는 방식이다(parallel beam geometry). X선관과 검출기가 그림 1-3의 A와 같이 직선운동 시 X선을 노출하고 직선운동이 끝난 후 다음 노출을

표 1-2. CT 장치의 발달과정

	X선관과 검출기 운동	선속	검출기 수
1세대	회전/직선 운동	단일 연필형	1-2
2세대	회전/직선 운동	좁은 부채형	20-60
3세대	회전/회전 운동	넓은 부채형	300-1,000
4세대	회전/고정	넓은 부채형	1,200-4,000
MDCT	회전 또는 고정/회전	넓은 부채형	10,000-40,000

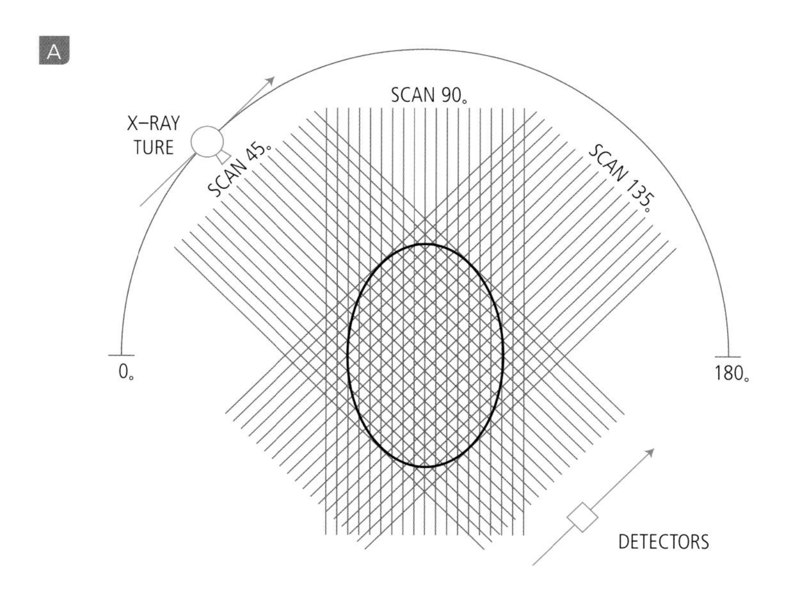

그림 1-3. **A.** 1세대 CT의 기본원리-Original EMI unit

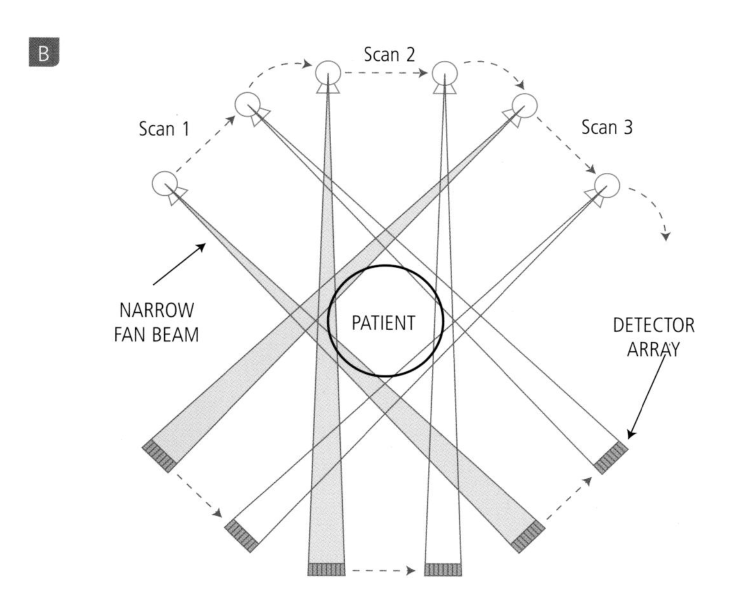

■ 그림 1-3. **B.** 2세대 CT의 기본원리

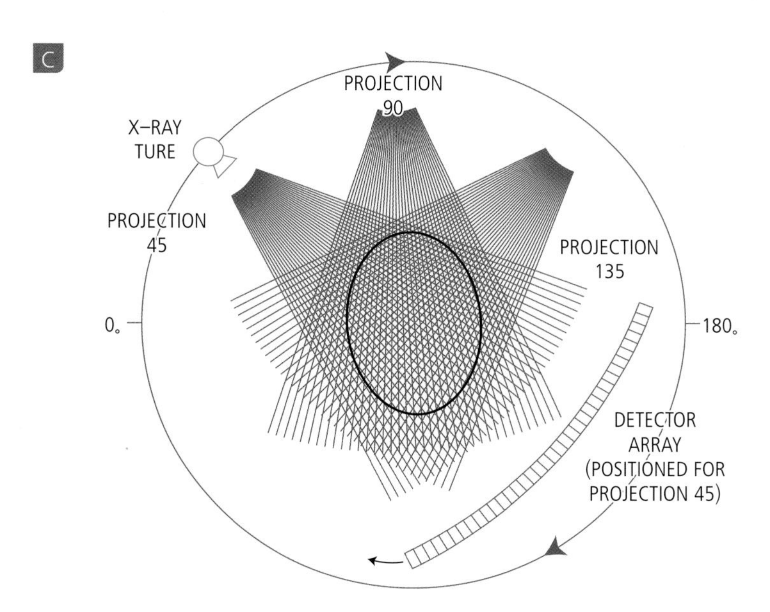

■ 그림 1-3. **C.** 3세대 CT-Rotate-rotate scanner

위하여 1°회전한다(translate-rotate scanner; 직선 회전 운동). 이러한 운동을 180° 반복하여 각 방향의 데이터를 획득하며(rectilinear pencil beam scan), 한 슬라이스를 얻기 위해 약 5분의 시간이 필요하였다.

2) 2세대 CT

2세대 CT는 단일선속이 아닌 좁은 부채형 선속(narrow fan beam)을 사용하고 넓은 각도가 있는 수십 개의 검출소자를 사용하는 발전이 있었으나, 여전히 직선운동과 회전운동을 통하여(translate-rotate scanner) 한번에 10° 넓이로 180°를 회전하였다(그림 1-3B). 2세대 CT의 부채형 선속은 영상의 질적 향상과 촬영시간의 단축을 가져와, 한 슬라이스를 얻기 위

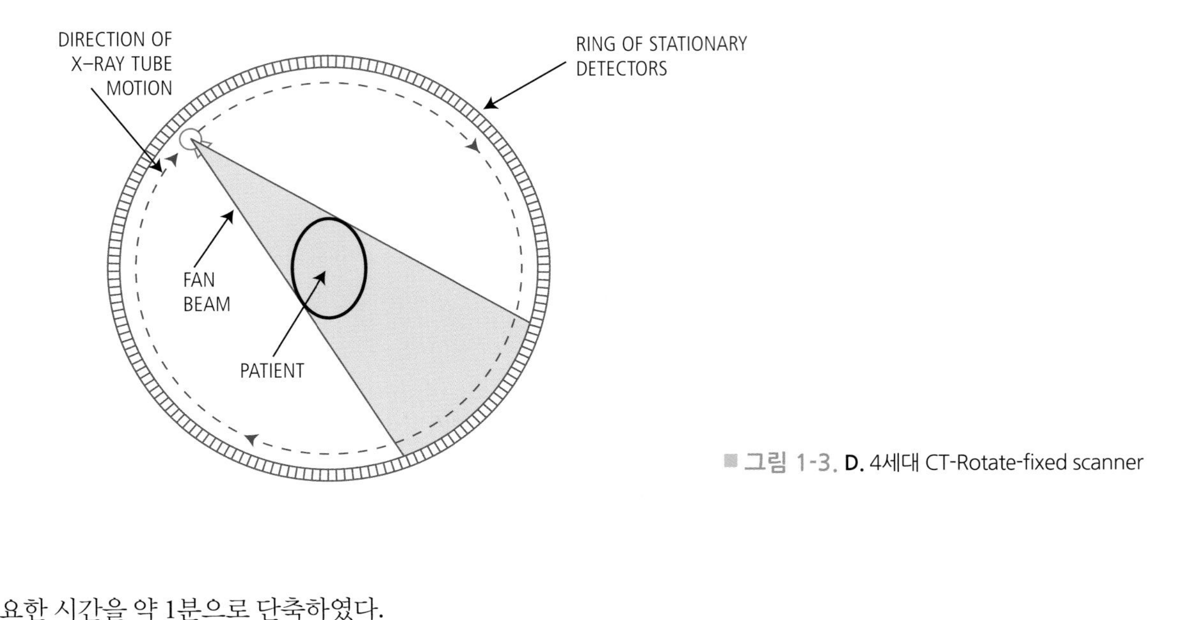

■ 그림 1-3. **D.** 4세대 CT-Rotate-fixed scanner

해 필요한 시간을 약 1분으로 단축하였다.

3) 3세대 CT

3세대 CT는 고출력 회전 X선관(higher-power rotation anode x-ray)을 이용하여 직선-회전 운동이 아닌 회전-회전 운동을 이용하였다. 인체를 중앙에 위치시키고 X선관과 검출기가 마주보고 위치한 상태에서 360°를 회전하면서 스캔하는 방식으로 변화하였다(rotating fan beam geometry). 수백 개의 검출소자가 사용되어 영상의 해상능이 향상되었으며, 한 슬라이스를 얻기 위한 시간이 1-10초로 단축되어 움직임이나 호흡에 의한 인공물이 많이 감소하였다. 그림 1-3C에서 보는 것과 같이 넓은 부채꼴 선속(40°-50°)을 사용하며 검출소자들의 형태가 타원형 곡선을 가지므로 X선관에서 검출소자까지의 거리가 항상 일정하여 영상 재구성의 화질을 향상시켰다.

4) 4세대 CT

그림 1-3D에서 보는 것과 같이 고정되어 있는 원형의 검출기 내에 X선관이 위치하며, 촬영 시 X선관만 회전한다(회전-고정 운동). 넓은 부채형의 선속(wide fan beam geometry)을 가지며, 1,000-5,000개의 검출소자를 가진다[1, 2]. 3세대 보다 검사시간을 단축시켰지만, 단점으로는 scanning시 한 곳에서 detector를 1/4만 사용하여 효율성이 줄어들었고, radiation dose의 efficacy는 줄어들었으며, scatter artifact에 취약해졌다는 점들이 있다.

5) 나선형CT와 다중절편검출기CT

나선형CT는 X선관이 나선형으로 연속적으로 회전하면서 X선을 조사하는 동안 환자의 테이블도 동시에 일정한 속도로 움직여 연속적인 체적 데이터(volume data)를 얻는다(그림 1-3E). 이를 위해서는 slip ring gantry design, very high power x-ray tubes, interpolation algorithm이 필요하게 되었다. 다중검출기CT는 X선관을 cone beam을 이용하고 X선 검출기를 세로로 복수 배열하는 것으로 X선관이 1회전하는 동안에 복수의 슬라이스 화면영상을 동시에 촬영할 수 있는 CT장치로 scan time을 줄이고 z-axis의 resolution이 향상되었다. 다열 검출기와 고속 수집 데이터 처리시스템에 의해 실현된 기술이다(그림 1-3F)[4-6].

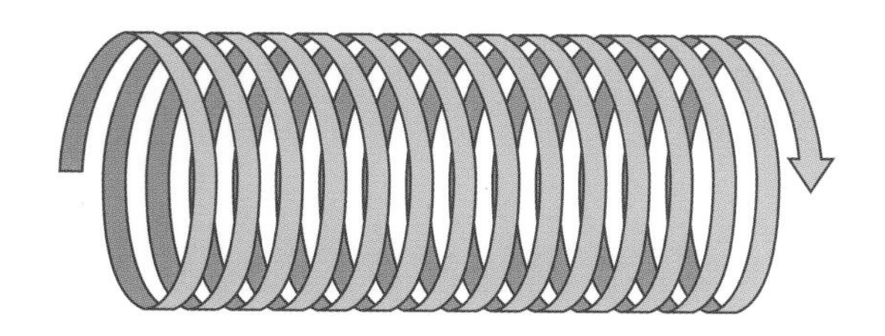

■ 그림 1-3. E. 나선형 CT의 원리

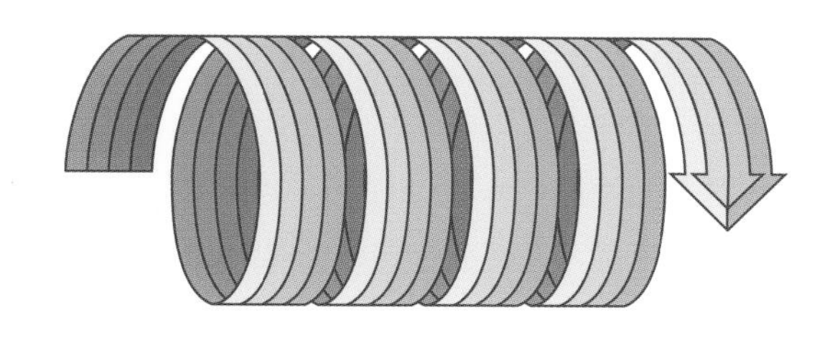

■ 그림 1-3. F. MDCT의 다열 검출기

3. CT 값

CT 값(number)은 물의 선감약계수(linear attenuation coefficient, 일정한 두께의 물질을 투과할 때 흡수 또는 산란되는 X선 광자 수를 측정하여 표시함)를 기준으로 하여 상대적으로 설정된 값으로, Hounsfield scale에서 물의 CT 값은 항상 0이고, 뼈와 공기는 각각 +1,000과 -1,000이다. 인체 각 조직과 기관의 CT 값은 표 1-3과 같다[1-3].

표 1-3. 인체 각 조직과 기관의 CT 값

조 직	CT Number	조 직	CT Number
뼈(피질)	250 이상	림프절	45±5
뼈(수질)	130±100	췌장	40±10
갑상선	70±10	신장	30±10
간	50±10	지방	−100±20
근육	45±5	혈액	40±10
비장	45±5	응고된 혈액	80±10

4. 창폭과 창고

CT 영상은 기본적으로 공기, 물과 뼈를 표준으로 하여 설정된 상대적 선감약계수인 CT 값을 이용하여 흑백을 여러 단계로 나누어 나타낸다. 창폭(window width)이란 흑백의 여러 단계인 gray scale로 표현할 수 있는 CT 값의 범위이며, 창고(window level)는 gray scale의 중앙값이다.

창폭을 높이면(넓게 설정하면) 표시되는 값(CT number)의 범위가 커지며 영상의 대조도가 나빠진다. 또한 해상도가 저하되며 적은 흡수차이를 나타내는 조직의 식별능이 저하된다. 반대로 창폭을 좁게 하면 표시되는 값의 범위가 작

표 1-4. 임상에서 주로 이용하고 있는 창설정

조직 또는 병변	Window level/width	조직 또는 병변	Window level/width
뇌실질 복부연부 뼈 측두골 간(narrow window)	0~30/80~100 0~30/300~350 200~300/1,000~2,000 300~400/3,000~4,000 50~80/70~100	흉부 종격 흉부 폐실질 기관지벽 폐기종 폐색전증	40~60/400~500 −700~−800/1,000~1,700 −450/1,000~1,400 −800~−900/500 100/700

아져서 영상의 대조도가 좋아진다. 그러므로 적은 흡수차이를 나타내는 조직의 식별이 향상된다. 일반적으로 창설정(window setting)은 관심을 가지고 보고자 하는 물질에 맞추어 창고를 설정한 후 창폭을 설정하는 방법이 주로 이용된다. 영상의 판독을 위해 임상에서 일반적으로 사용하는 창설정은 표 1-4와 같다[1-3].

Ⅳ 임상적 이용

흉부 CT는 흉부 X선과 함께, 흉부 영상진단의 근간이 되는 영상방법이다. 흉부 CT는 초기에 정상 종격(mediastinum)의 방사선 해부학을 명확히 하는 데 많은 공헌을 하였다. 흉부 CT의 임상적 응용을 보면 종격동 질환, 폐질환 그리고 흉막과 흉벽질환에의 응용으로 나누어 볼 수 있으며, 현재까지 종격 질환의 진단에 있어 다른 방사선학적 진단방법에 비해 가장 우수한 민감도와 특이도를 나타낸다. 흉부 CT는 X선 사진에서 평가가 힘든 흉막하 부위, 폐첨부, 척추체 주위, 늑골횡격막각과 종격에 근접한 함요(recess) 등의 병변을 발견하는 데 큰 도움을 준다. 그리고 흉부 CT는 X선 사진에서 발견이 어려운 작은 폐결절을 발견할 수 있어서, 폐암 생존율을 높이는 효과가 있는 것으로 보고되었으며 다발성 전이성 결절의 발견에 있어서 효과적이다. 또한 흉부 X선에서 발견된 폐병변의 특징을 파악하거나, 연관된 합병증 등을 발견하는 데에도 사용되고 있으며, 이외에 공동 질환, 기포(bulla)나 폐기종 등도 흉부X선사진 등에 비해 정확하게 평가할 수 있다[7]. 흉막과 흉막 주위 병변의 CT의 이용은 특히 흉막과 폐실질 병변의 감별에 도움이 된다. 그리고 흉부 CT는 석면증(asbestosis)과 연관된 흉막반(pleural plaque)뿐만이 아니라 여러 종류의 흉벽 병변의 검출에도 많이 쓰이고 있다. 응급진료의 현장에서도 흉부 외상 등의 평가에서 CT는 중요한 역할을 하고 있으며, 대동맥 박리 혹은 폐색전증과 같은 질환에서도 민감도 및 특이도가 높아 선호되는 검사이다. CT는 진단을 위한 시술에 이용되기도 하는데, 경피적 흡인이나 생검을 위하여 침을 위치시킬 때, CT 유도하에 정확히 위치시킬 수도 있다.

1. 다중검출기CT

다중검출기CT는 기술의 발전에 힘입어 비약적인 발전을 하였다. 대표적인 발전 요소들은 다음과 같다. 첫째, 검출기 열(detector row)의 수가 증가하여, z축 공간 분해능이 향상되었고, 이로 인해 한 번의 짧은 숨참기로 흉부 체적(volume) 데이터를 얻을 수 있게 되었다. 둘째, X선 튜브 회전 속도가 빨라져, 시간 분해능의 향상이 있었고, 이로 인해 움직임에 의한 인공물, 특히 심장 경계부 혹은 횡격막 주변의 인공물이 현저하게 감소되었다. 셋째, 두 개의 X선 튜브를 장착하여 시간 분해능을 향상시키고, 두 개의 X선 튜브에서 서로 다른 준위의 에너지를 발생시키거나, 혹은 하나의 X선 튜브에서 서로 다른 준위의 X선을 번갈아가며 발생시키는 이중에너지(dual energy) 기법이 상용화되면서, 물질의 특성을 구분할 수 있는 토대를 마련하게 되었다[8].

일반적인 흉부 CT 검사의 방법은 다음과 같다.

① 자세: 앙와위(supine) 자세로 양손은 머리 위로 올려서, 흉부영역에 인공물이 생기지 않도록 한다.

② 호흡: 일반적으로 흡기영상을 획득하게 되며, 수검자는 안내 방송에 맞추어 호흡을 최대 흡기 상태로 참고 유지한다(약 10초 내외).

③ 스캔방향: 속도가 빠른 다중검출기CT에서는 일반적으로 무관하나, 아래서 위로(caudocranial) 영상을 획득하는 방식이, 움직임이 큰 폐의 기저부 영상을 초기에 획득할 수 있어서, 움직임에 의한 인공물이 적다.

검사의 종류에 따라, 복와위(prone)의 자세를 취하거나, 호흡을 호기(expiratory)상태로 유지하고 촬영할 수 있다.

1) 조영증강

조영증강 흉부 CT는 흉부 CT에서 가장 흔하게 시행되는 검사로, 정맥내 조영제 주입으로 혈관 구조물을 구별하고, 종격동 혹은 흉벽의 연조직을 특성화할 수 있다. 폐암이나, 전이성 종양 등을 평가할 때 이용되며, 폐렴 등의 폐실질 질환에서도 병변의 특징을 파악하는데 도움을 준다.

폐색전증이 의심되는 환자에서 CT검사가 일차 검사로 이용되고 있으며(그림 1-4), 폐색전증 CT는 조영증강 초기단계에서, 폐동맥에 최대 조영증강이 이루어 졌을 때 획득하는 것이 중요하다.

2) 재구성

얻어진 원 데이터(raw data)를 이용하여 원하는 재구성 알고리즘으로 3차원 단면에 대한 영상을 재구성할 수 있으며, 흉부CT는 일반적으로는 표준(standard) 및 고해상(high resolution) 재구성 알고리즘을 이용한다. 표준 영상은 일반적으로 2 mm ~ 5 mm의 절편 두께(slice thickness)를 가지며, 재구성 간격(reconstruction interval)은 절편 두께와 동일하거나 얇

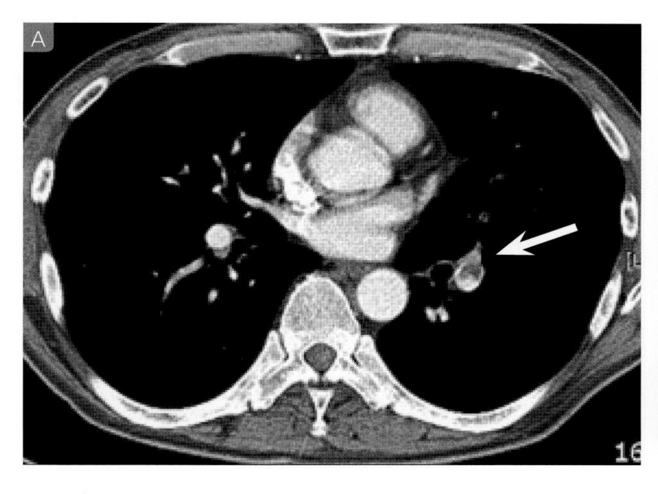

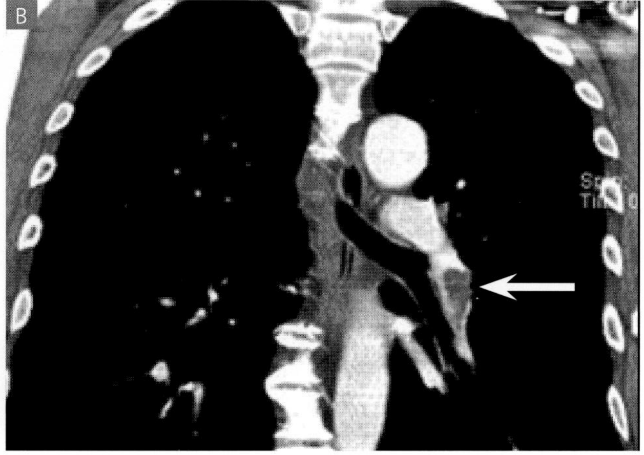

■ 그림 1-4. **폐색전증 CT**
축상면 영상(A)과 관상면 다중평면영상(B)에서 좌측 하행폐동맥 내에 조영제 충만결손(화살표)이 보인다.

게 하여, 절편 사이의 공간(gap)이 없도록 구성한다. 고해상 영상은 1 mm 내외의 얇은 절편 두께를 가지며, 3 mm 혹은 5 mm의 재구성 간격을 둔다. 추가로 관상면(coronal) 혹은 시상면(sagittal) 재구성을 하여, 진단에 도움을 얻을 수 있다.

2. 고해상CT

고해상CT는 다중검출기CT의 발전으로 현재 그 의미가 다소 퇴색되었지만, 흉부 CT에서 중요한 역할을 했던 촬영기법으로 그 원리 및 특징을 간략하게 논하고자 한다.

고해상CT는 폐의 미세한 해부학 구조를 최적의 해상력을 이용하여 CT 영상을 얻고자 개발된 것으로 다음과 같은 특징이 있다. 첫째, 절편 두께를 얇게(1 mm 내외) 하는 점과, 둘째, 영상재구성시 물체의 경계면을 선명하도록 하는 고공간주파수연산(sharp, high-spatial frequency, bone algorithm, high-resolution algorithm)을 사용한다는 점, 셋째, 좁은 조사야(small field of view)를 사용하여 공간해상도가 증가한다는 점이다. 고해상 CT에서는 폐혈관은 주위 폐조직과 높은 대조도를 보여 더욱 선명하게 보이고, 보다 많은 폐혈관의 가지를 볼 수 있으며, 미세한 기관지 벽을 볼 수 있다. 고공간주파수연산을 사용하여 영상을 재구성하면 영상의 매끈함(image smoothing)은 감소되지만 해상력은 증가되어 폐의 구조물이 더욱 선명한 경계를 보인다. 위와 같은 기법은 미만폐질환이나, 폐실질을 침윤하는 질환들을 진단하는데 도움을 준다. 과거에는 고해상CT영상을 얻기 위해서는 고식적CT와는 또 다른 추가적인 영상획득이 필요하였으며, 이로 인해 반복적인 숨참기의 횟수도 증가하고 검사시간도 많이 소요되어, 선택적으로 이용되어 왔다. 현재는 다중검출기CT의 발전에 힘입어, 단 한번의 숨참기로 체적 데이터를 얻을 수 있고, 원 데이터를 이용하여 여러 차례 선택적으로 재구성할 수 있어서, 한번의 영상획득으로 표준(standard) 및 고해상(high resolution) 재구성 알고리즘 영상을 모두 재구성할 수 있다.

기존 고해상CT의 부가적인 검사 방법으로 호기 영상획득(expiratory scan) 및 복와위 영상획득(prone position scan) 방법이 있다. 일반적인 앙와위 자세의 흡기상태 영상과는 영상획득 방식이 달라서, 추가적으로 영상획득이 필요하며, 이에 따른 방사선량 증가가 있기 때문에, 필요한 경우에만 선택적으로 시행되는 검사이다.

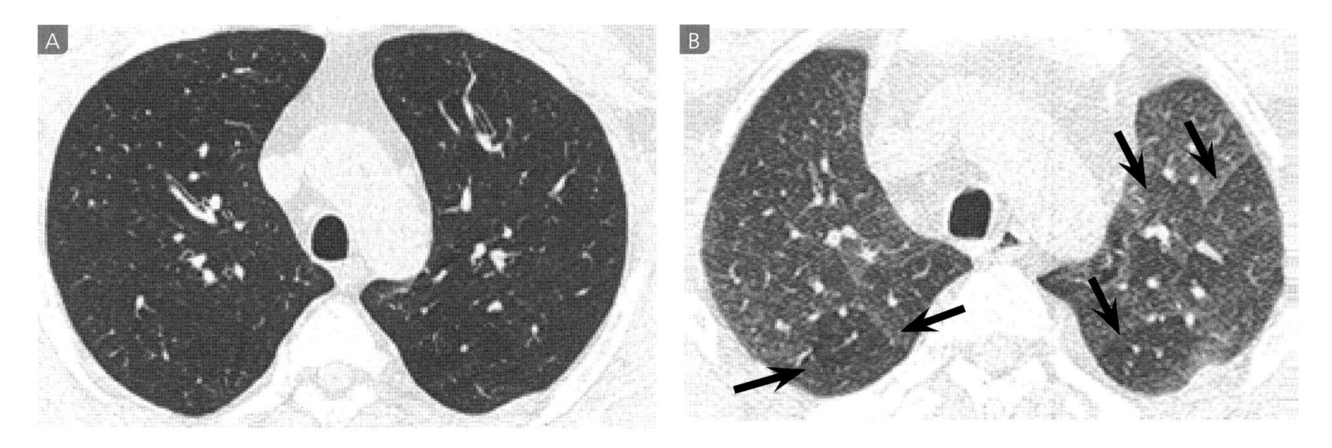

■ 그림 1-5. 폐쇄성 세기관지염 환자의 흡기(A)와 호기(B) 고해상CT로 호기 고해상CT에서 공기가둠 현상(화살표들)이 잘 보인다.

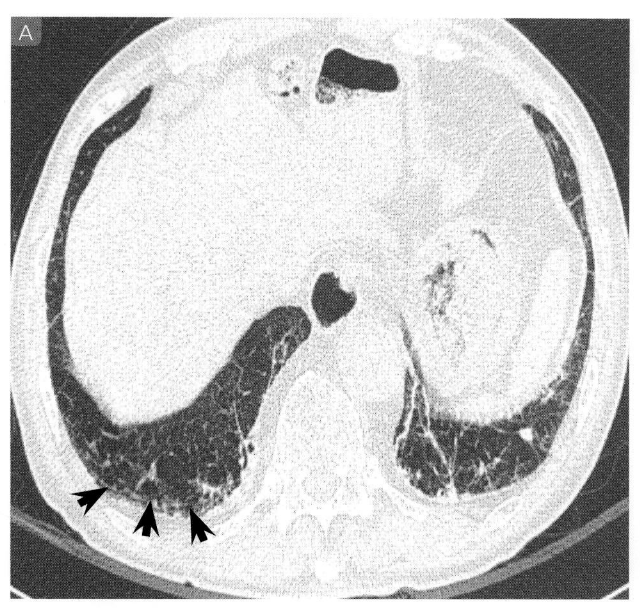

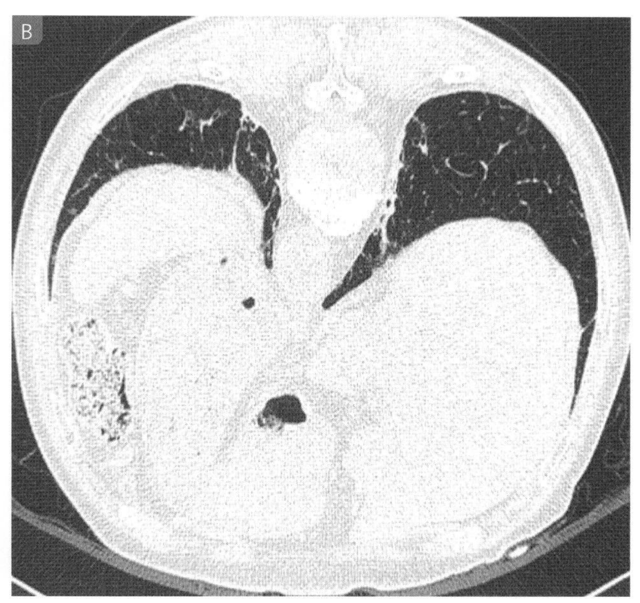

■ 그림 1-6. 앙와위 스캔(A)에서는 흉벽에 평행한 선상음영(subpleural line, 화살촉들)이 보이나 복와위 스캔(B)에서는 소실되어 중력 의존적 음영임을 알 수 있다.

호기 고해상CT (expiratory HRCT)는 높은 대조해상도에 의하여 폐의 국소적 통기 차이를 볼 수 있으므로 과팽창(hyperinflation)된 폐와 정상 폐를 구분할 수 있다. 이러한 상태를 비균질적 통기(inhomogeneous aeration)라고 하며 소기도의 폐쇄성 질환의 간접적 징후이기도 하다. 호기 고해상CT는 통상적인 흡기 고해상CT에서 보이는 소기도 질환이나 공기가둠(air trapping), 혈관폐쇄 등에 의해 나타날 수 있는 불균일 폐감쇄도(inhomogeneous lung attenuation; mosaic attenuation pattern)를 보이는 환자에서 나타나는 대조도의 차이를 강조시켜 기도 질환 및 폐쇄성 폐질환에 의한 저음영과 혈관 폐쇄에 의한 저음영을 구분하는데 도움을 주고, 통상적인 흡기 고해상CT의 보조적인 방법으로 미만성 폐질환의 진단에 도움을 줄 수 있다(그림 1-5).

앙와위(supine) 자세의 스캔이 대부분 적절한 검사이지만 복와위(prone) 자세는 불분명한 미만성 폐침윤성 질환의 진단에 유용하다. 의존적(dependent) 음영 혹은 흉막하 선상음영(subpleural line)은 정상이나 비정상 환자에 무관하게 폐의 의존적 부위에 나타난다. 이러한 의존적 음영은 초기의 폐섬유화 소견과 유사하며 앙와위 자세에서는 실제 병변과 구별되지 않는다. 그러나 앙와위와 복와위 자세로 같은 환자를 두 번 촬영하면 의존적 음영은 쉽게 병변과 구별이 가능하다. 정상 의존적 음영은 복와위 자세에서 소실되며, 병변은 자세와 무관하게 항상 같은 부위에 보인다(그림 1-6).

고해상CT에서 주의해야 할 점이 있다면, 고해상 재구성 알고리즘을 이용하면, 영상의 잡음이 증가하여, 구조물간의 대조도가 상대적으로 낮은 종격동이나 흉벽구조물은 진단에 어려움이 있을 수 있으므로 표준 재구성 알고리즘을 사용한 영상을 꼭 참고하는 것이 좋으며, 작은 결절 등을 진단하거나 경과 관찰할 때는, 고해상 재구성 알고리즘의 경우 재구성 간격(reconstruction interval)이 넓어서, 결절을 놓치거나, 평가에 오차가 생길 수 있으므로, 위와 같은 경우에는 재구성 간격이 좁은 표준 영상을 통해 진단해야 한다[9, 10].

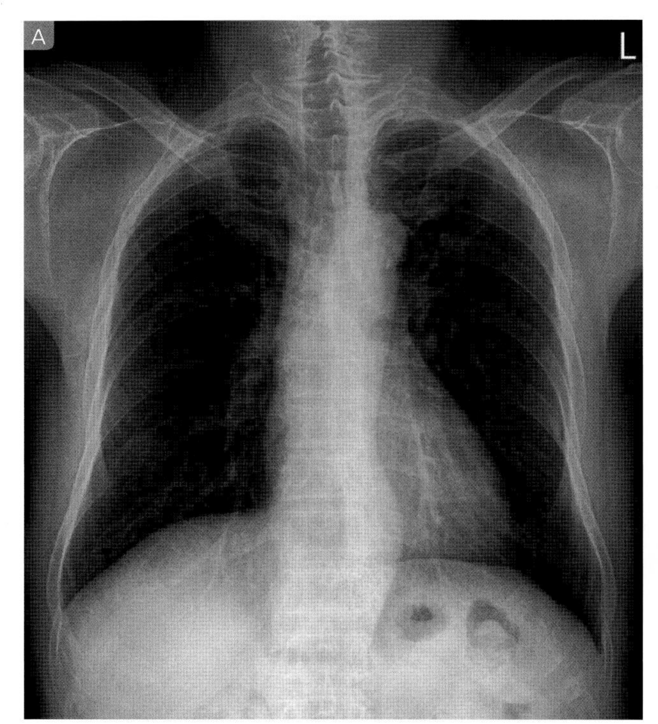

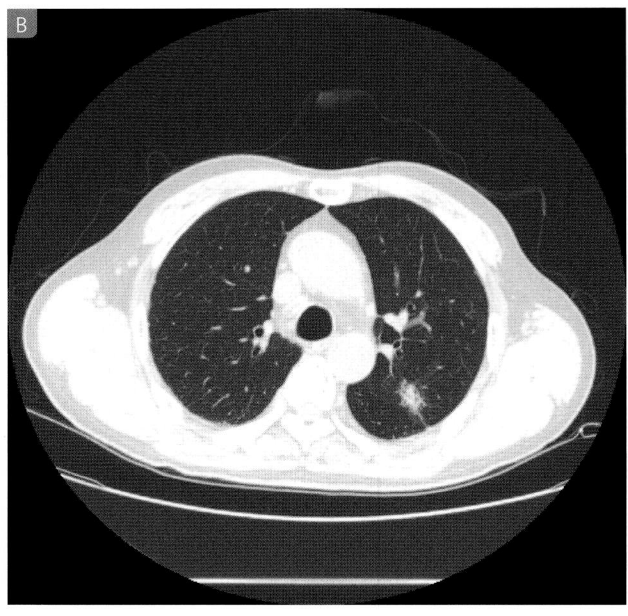

■ 그림 1-7. 흉부X선에서 발견이 어려운 결절을 저선량CT를 이용하여 발견할 수 있다.

3. 저선량CT

저선량CT (low dose computed tomography, LDCT)는 판독이 가능한 범위에서 관전압 및 관전류를 낮추어 환자의 피폭선량을 줄이기 위한 방법으로, 일반적인 폐암의 선별검사에 이용되고 있다. 저선량CT에서는 관전압을 120 kVp 이하, 관전류를 20-60 mA로 낮추어 실제적인 피폭량을 고식적 CT와 비교할 때 1/5 이하로 감소시켰다. 저선량CT는 작은 크기의 폐결절 발견에 있어서, 흉부X선에 비해 월등한 성적을 보이며, 크기가 작아서 흉부X선 사진으로 발견이 어려운 폐암도 저선량CT를 이용하여 진단할 수 있다(그림 1-7).

흡연력 30갑년 이상의 고위험 환자군을 대상으로 한 미국의 대규모 폐암검진 임상시험에서 저선량CT을 이용한 검진이 흉부X선을 이용한 검진보다 약 20%의 사망률 감소를 보였다는 보고 이후로, 미국에서는 Medicare 및 Medicaid service에서 폐암검진을 권고하고 보험적용을 시작하였다. 국내에서도 고위험군을 대상으로 2019년 7월부터 국가 암 검진에 저선량CT가 포함되었다[7, 11, 12].

4. 이중에너지CT

CT 기술의 발전과 함께, 2개의 X선 튜브를 이용하거나, 하나의 X선 튜브에서 고준위 및 저준위 에너지를 빠르게 번갈아가면서 방출할 수 있는 장비가 개발되면서, 이중 에너지(dual energy) CT기법이 도입되었다. 이는 서로 다른 준위의 X선이 특정 물질에서 일으키는 감쇠 정도의 차이가 있다는 점을 이용하여 각각의 물질을 구분하며, 생체조직과는 서로 다른 감쇠 정도를 보이는 요오드, 칼슘, 제논 등을 구분할 수 있다.

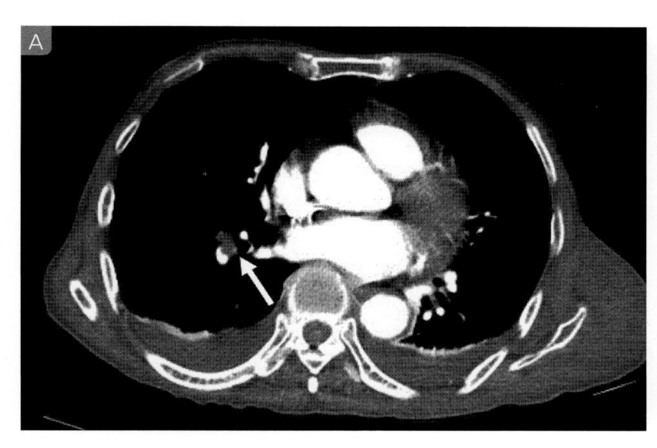

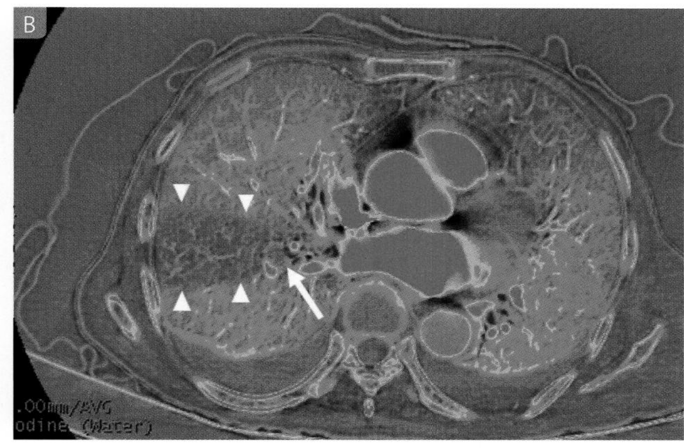

■ 그림 1-8. CT 혈관 조영술에서 우하엽 전분절 폐혈관에 충만결손(화살표)이 관찰된다(A). Iodine map에서 동일 부위 혈관내 충만결손(화살표) 및 해당 영역의 관류결손(화살촉들) 이 관찰된다(B).

흉부 영상의학의 임상적 측면으로는, 폐색전증 환자에서 폐실질 내 관류결손(perfusion defect)을 확인할 수 있어서, 폐색전증을 더욱 민감하게 진단할 수 있게 되었다(그림 1-8). 그 밖에도 제논 가스를 이용하여, 천식이나 만성폐쇄성폐질환(chronic obstructive pulmonary disease, COPD) 등의 환기장애 환자를 평가하는데 이용될 수 있지만, 임상적으로 쓰이기에는 제약사항이 많아서 일반적으로 사용되지는 않는다. 일반적으로 이중 에너지 검사는 한 개의 에너지 준위를 이용하는 것보다 방사선량이 높은 것으로 알려져 있지만, 조영증강된 이중 에너지 검사를 이용하여 가상 비조영증강(virtual non-contrast enhanced) 영상을 만들 수 있어서, 비조영(non-contrast) 검사를 시행하지 않고도 종격동 내의 고감쇠 림프절을 확인할 수 있고, 폐병변의 조영증강 정도를 추정하거나, 석회화와 조영증강의 감별에 이용할 수 있다[13].

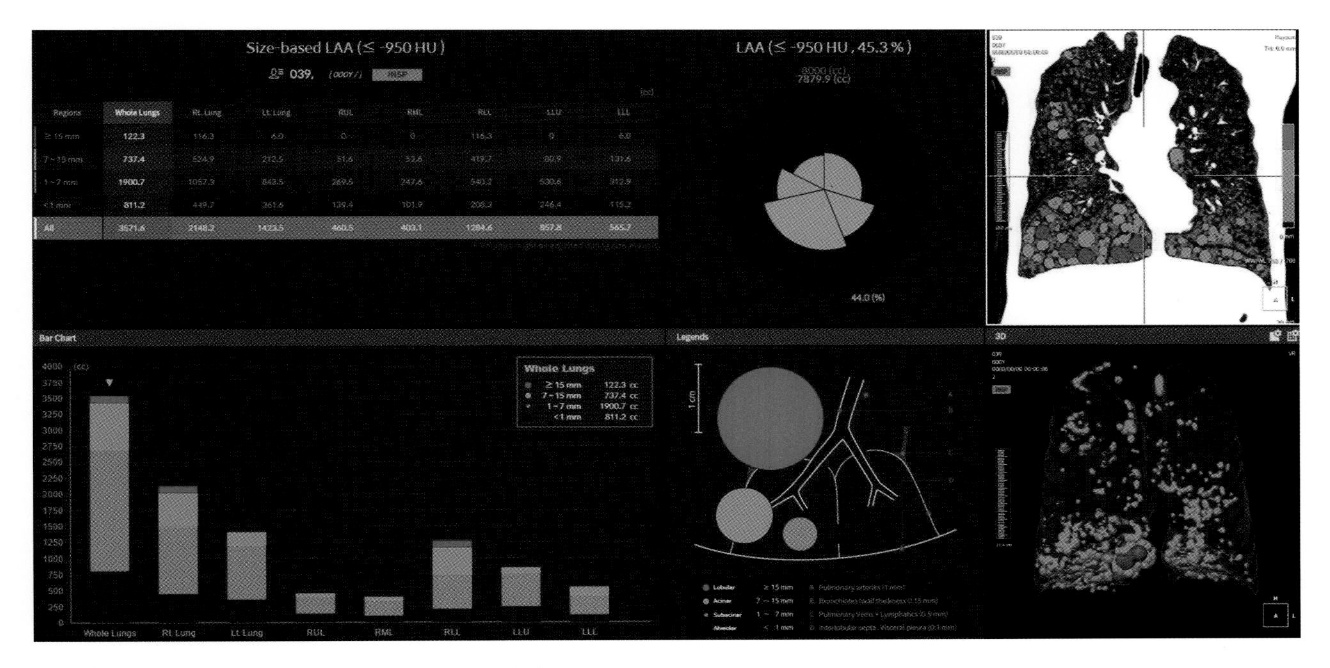

■ 그림 1-9. 상용 소프트웨어를 이용한 폐기종 정량화의 예.

5. 정량적 평가 기법

다중검출기CT의 보급으로 폐암 혹은 폐결절의 3차원 체적 평가 및 비교분석이 가능해졌으며, 과거 2차원 단면에서 측정하던 방식과 비교하여, 정확성이 크게 향상되었다. 컴퓨터 보조진단기술(computer-aided detection and diagnosis)이 개발되면서, 폐결절의 자동 검출 혹은 폐결절 자동 추적평가에 컴퓨터를 이용할 수 있게 되었지만, 위음성(false negative) 혹은 위양성(false positive)을 줄이기 위한 추가적인 연구 개발이 필요하다.

컴퓨터의 발전과 함께, 흉부 CT에서 정량화할 수 있는 지표들에 대한 연구가 진행되고 있다. 특히, 만성폐쇄성폐질환에 대한 연구는 매우 활발하며, 상용 소프트웨어를 이용하여 폐기종 지수, 기도 두께, 공기 가둠 등의 정량적 평가가 가능하다(그림 1-9). 또한 미만폐질환 등에서도 정량적 평가가 시도되고 있다. 최근에는 딥러닝(deep learning) 분석방법을 활용한 연구들도 활발히 진행되고 있다[14-18].

6. 심장의 CT 검사

CT를 이용한 심장의 영상검사는 이미 오래전부터 시도되어 왔지만 최근 기기의 기술적 발전으로 인하여 그 임상적 이용이 급격히 증가하고 있다. CT는 아주 짧은 시간에 높은 3차원 공간 해상도로 심장을 검사할 수 있다. 심전도 동기 CT는 영상자료를 얻으면서 동시에 심전도를 기록하여 여러 심박동의 같은 심주기에 위치한 영상정보들을 모아 심장의 정지영상을 재구성하는 기법으로 관상동맥의 평가뿐만 아니라 심장의 기능평가와 판막의 검사에도 이용하고 있다. 급성 관상동맥 증후군의 원인이 되는 동맥경화반은 석회화를 동반하는 경우가 흔하고 관상동맥의 석회화는 동맥 경화반이 존재한다는 간접적인 증거이므로 석회화의 정량화를 위하여 석회화 점수(calcium scoring)를 이용한다. CT를 이용한 관상동맥조영술은 관상동맥의 협착을 직접 진단할 수 있는데(그림 1-10 A, B) CT 검사의 높은 민감도와 음성예측도를 고려할 때 관상동맥질환의 중등도 위험도를 가지는 흉통이 있는 환자에서 허혈성 심질환을 배제하는데 쉽게 이용할 수 있다. 또한 관상동맥우회술을 시행하거나 스텐트를 삽입한 환자에서 혈관의 개통 여부를 판정하는데 CT는 우수한 성적을 보인다(그림 1-10 C, D). 심장에서의 해부학적 변이, 다양한 선천성 심장병을 비롯하여 관상동맥의 기형과 판막의 이상 등을 CT의 높은 해상도와 3차원적 영상기법으로 실제와 유사하게 표현할 수 있다. 그 외에도 좌심실 용적 측정을 통한 심장기능의 평가, 판막의 석회화와 개폐 시 면적 측정, 심근 관류 영상 등을 얻을 수 있다[19].

7. 방사선 선량의 최적화

CT는 의학적 영역의 방사선 피폭의 가장 큰 요인으로, 흉부 CT를 시행할 때에도 방사선량 저감을 위해 노력해야 한다. 첫째, 영상획득 횟수를 가급적 최소화한다. 조영증강이 포함된 영상을 획득할 경우에는, 조영 전(pre-contrast enhanced) 영상을 관례적으로 얻는 것에 유의하며, 특히 방사선 감수성이 높은 소아청소년 환자나, 젊은 환자에서는 검사의 득과 실을 고려하여 판단한다. 둘째, 반복재구성(iterative reconstruction)기법을 활용한다. 컴퓨터 기술의 발전으로, 반복재구성의 속도 및 효율이 증가되고 있으며, 이 기법의 적용으로 방사선량을 최대 20-50%까지 낮출 수 있다. 셋째, 저선량CT를 활용한다. 저선량CT의 일차 목적은 선별검사이나, 나이가 어린 환자나 방사선 노출을 두려워하는 환자에서 적절히 이용해 볼 수 있다. 다만, 폐실질에 이외에 대한 평가는 제한적일 수 있으므로, 저선량CT의 한계점은 분명히 알고 진행하는 것이 좋다. 넷째, 영상획득 범위(scan range)를 확인한다. 일반적으로 흉부 CT의 촬영범위는 폐첨부에서부터 아래

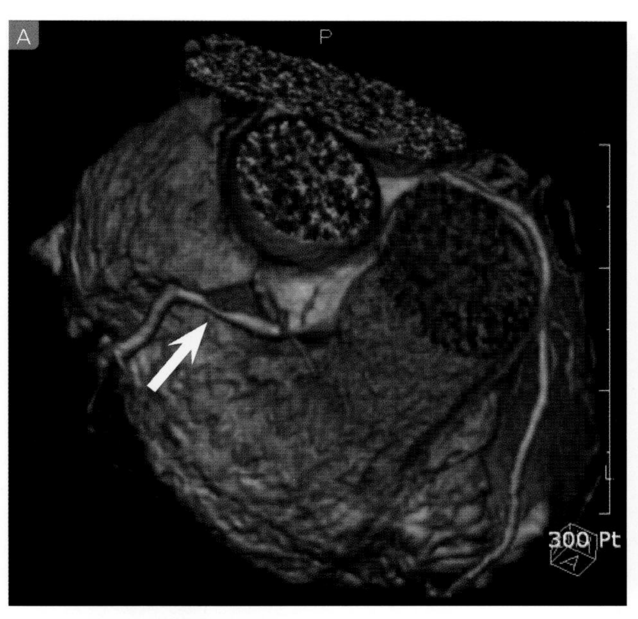

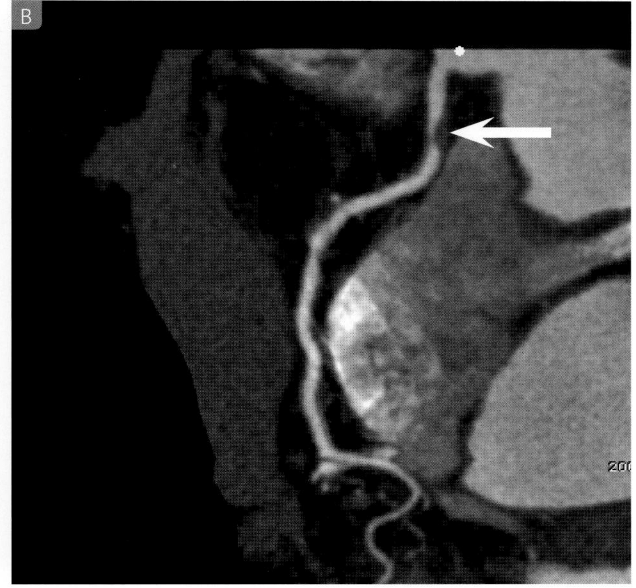

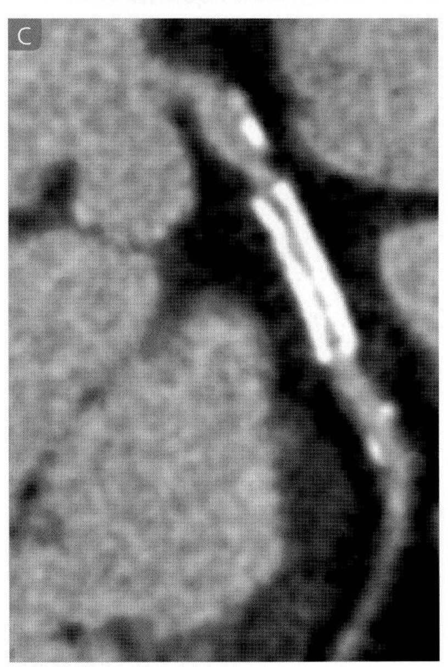

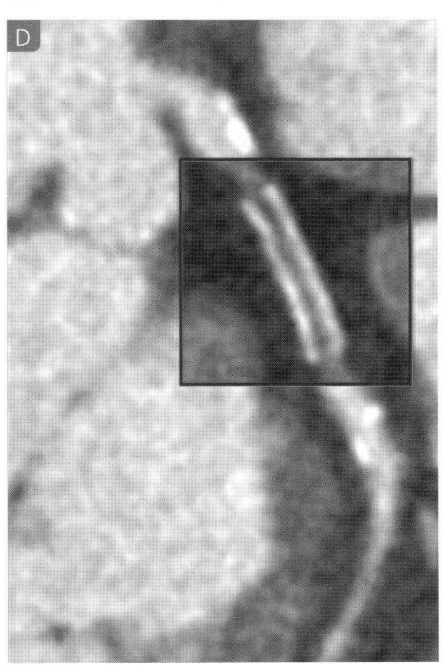

■ 그림 1-10. 우측 관상동맥 협착 환자의 3D volume rendering(A)과 다중평면영상(화살표들)(B)으로 스텐트 삽입 후 혈관의 개통 상태를 CT를 통하여 확인할 수 있다(C, D).

쪽으로는 양측 부신을 포함하는 것으로 되어 있으나, 종종 경부 혹은 복부의 상당부분을 포함하는 경우를 볼 수 있다. 특히 갑상선과 같은 방사선 감수성이 높은 장기에 무분별한 방사선 노출이 없도록, 임의적으로 영상획득 범위를 늘리지 않도록 노력해야 한다. 다섯째, 적절한 방호용구(shielding)를 활용한다. 방사선 감수성이 높은 유방, 갑상선, 수정체 등을 보호하기 위해, 적절한 보호용구의 사용이 권장된다. 여섯째, 흉부X선을 적절히 이용한다. 흉부 CT가 높은 해상력을 가지고 있으나, 방사선량은 십수배에서 수십 배까지 달한다. 추적관찰 등의 검사에서도 흉부X선은 큰 역할을 발휘할 수 있으므로, 흉부X선과 CT를 적절하게 혼용하여 검사하는 것도 방사선 선량의 최적화에 도움이 된다[20].

참고문헌

1. 김문찬. 최신 CT영상기술학. 서울, 청구문화사. 2007.
2. 김함겸, 박재성, 이혜경 등. 영상진단학, 서울, 대학서림. 2005.
3. Kalender WA. X-ray computed tomography. Phys Med Biol 2006; 51(13); 29-43.
4. Mahadevappa Mahesh. Search for isotropic resolution in CT from conventional through multiple-row detector. RadioGraphics 2002; 22:949-962.
5. Hu H. Multi-slice helical CT: Scan and reconstruction. Med Phys 1999; 26:5-18.
6. Brink JA, Heiken JP, Wang G, McEnery KW, Schlueter FJ, Vannier MW. Helical CT: Principles and technical consderation. RadioGraphics 1994; 14:887-893.
7. Aberle DR, Adams AM, Berg CD, Black WC, Clapp JD, Fagerstrom RM, et al.Reduced lung-cancer mortality with low-dose computed tomographic screening. N Engl J Med 2011; 365: 395–409.
8. 송재우. 흉부영상의학, 서울, 일조각. 2015.
9. Mayo JR. High-resolution computed tomography: Technical aspect. Radiol Clin North Am 1991; 29: 1043-10493.
10. Webb WR. High-resolution CT of the lung. 4th edition. Lippincott Williams & Wilkins 2009.
11. Zhu X, Yu J, Huang Z. Low-dose chest CT: optimizing radiation protection for patients. AJR Am J Roentgenol 2004; 183(3):809-816.
12. Hwang JH. Review: Lung Cancer Screening with Low-dose Computed Tomography. Tuberc Respir Dis 2005; 57(2):118-124.
13. Kim WW, Lee CH, Goo JM, Park SJ, Kim JH, Park EA, et al. Xenon-Enhanced Dual-Energy CT of Patients With Asthma:Dynamic Ventilation Changes After Methacholine and Salbutamol Inhalation. AJR Am J Roentgenol 2012; 199(5):975-81.
14. Park EA, Goo JM, Lee JW, et al. Efficacy of computer-aided detection system and thin-slab maximum intensity projection technique in the detection of pulmonary nodules in patients with resected metastases. Invest Radiol 2009; 44:104-113.
15. Goo JM, Lee JW, Lee HJ, et al. Automated lung nodule detection at low-dose CT: preliminary experience. Korean J Radiol 2003; 4:211-216.
16. Lee JW, Goo JM, Lee HJ, et al. The potential contribution of computer-aided detection system for lung nodule detection in multidetector row computed tomography. Invest Radiol 2004; 39:649-655.
17. Goo JM, Tongdee T, Tongdee R, et al. Volumetric measurement of synthetic lung nodules with multi-detector row CT: effect of various image reconstruction parameters and segmentation thresholds on measurement accuracy. Radiology 2005; 235:850-856.
18. Grydeland TB, Dirksen A, Coxson HO, et al. Quantitative computed tomography measures of emphysema and airway wall thickness are related to respiratory symptoms. Am J Respir Crit Care Med 2010; 181:353-359.
19. Ohnesorge B, Flohr T, Becker C, Kopp AF, Schoepf UJ, Baum U. et al. Cardiac imaging by means of electrocardiographically gated multisection spiral CT: initial experience. Radiology 2000; 217: 564-571.
20. Geleijns J, Salvadó Artells M, Veldkamp WJ et al (2006) Quantitative assessment of selective in-plane shielding of tissues in computed tomography through evaluation of absorbed dose and image quality. Eur Radiol 16:2334-2340.

Contents

I 기도

1. 기관

기관(trachea)은 윤상연골(cricoid cartilage) 아래부터 기관분기부(tracheal carina)에 이르는 관상의 구조물로 평균 길이는 10-12 cm이다. 정상 전후경은 여자에서 약 1.6 cm, 남자에서 약 1.9 cm이다[1, 2]. 전벽 및 측벽은 말발굽 모양의 연골(cartilage)로 이루어져 있으며 후벽은 근섬유막(fibromuscular membrane)으로 되어 있다(그림 2-1A). 40세 이후부터 연골이 석회화되어 CT에서 고음영으로 나타날 수 있고, 연골의 석회화는 여성에서 좀 더 흔하다(그림 2-1B). 최대 흡기시와 비교하여 최대 호기시 흉강내압(intrathoracic pressure)의 증가로 전후경이 감소하고 후벽이 전방으로 오목하게 되면서 단면적이 감소한다(그림 2-1C, D).

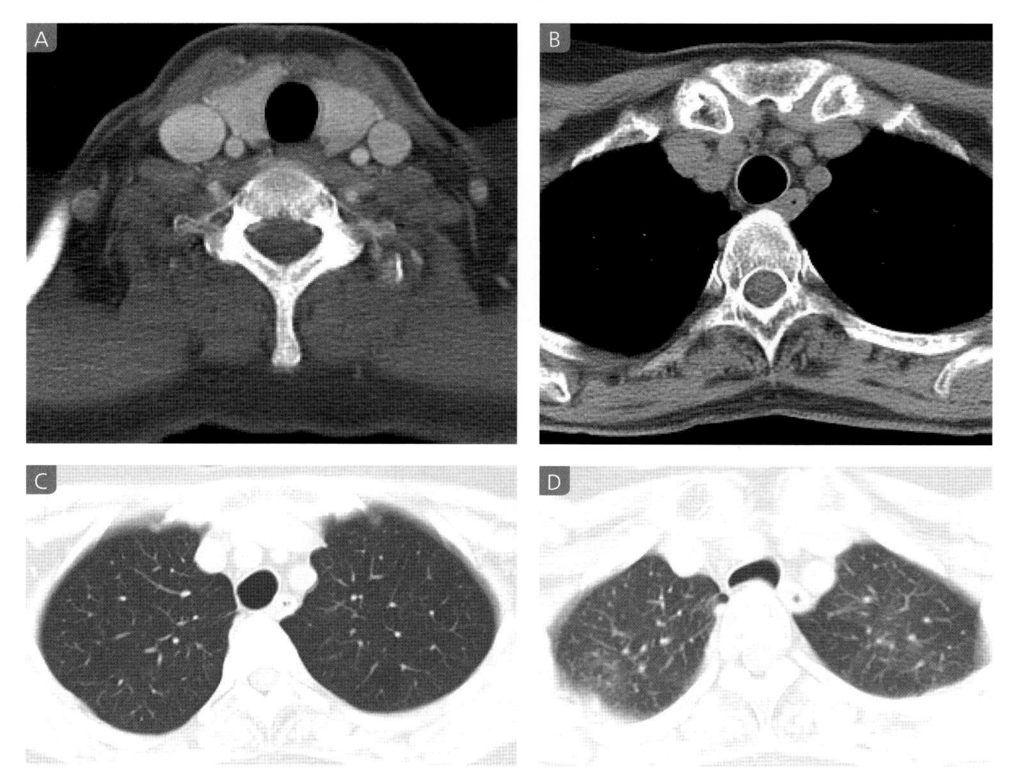

■ 그림 2-1. **정상 기관의 CT 소견** 갑상선 근처의 정상(A). CT 62세 여자 환자에서 기관 연골의 석회화가 있다(B). 기관의 단면적은 최대흡기(C) 때 비하여 최대호기(D) 때 감소한다.

2. 주기관지

기관은 기관분기부(tracheal carina)에서 좌, 우 주기관지(main bronchi)로 분지된다. 우측은 상엽기관지(upper lobar bronchus)와 중간기관지(bronchus intermedius)로 분지하기 전 2 cm에 해당하고 좌측은 상엽기관지와 하엽기 관지로 분지하기 전 5 cm 정도의 길이이다(그림 2-2). 근위부는 기관(trachea)과 같은 말발굽 모양의 연골을 포함하며 주변부로 갈수록 불규칙한 연골 모양을 보인다. 기관(trachea)과 마찬가지로 연골의 석회화가 발생할 수 있으며 연골을 침범하는 질환의 경우 기관(trachea)과 함께 침범된다[3, 4].

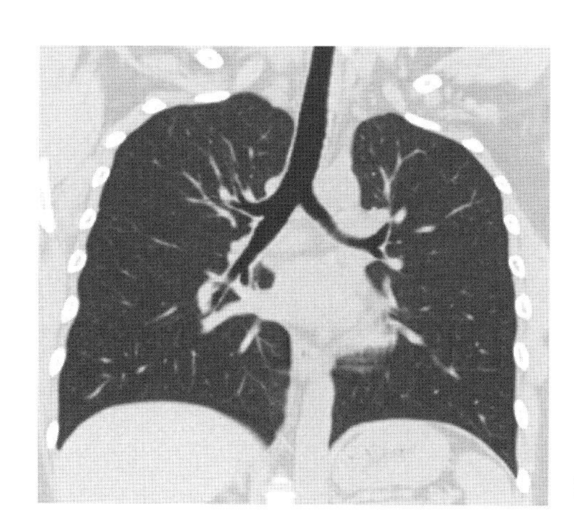

■ 그림 2-2. CT 관상면 영상(coronal image)에서 좌, 우 주기관지의 모습

3. 엽기관지와 분절기관지, 엽과 분절

좌, 우측 주기관지(main bronchi)에서 엽기관지(lobar bronchus)들을 분지하고 각 엽기관지(lobar bronchus)에서 여러 개의 분절기관지(segmental bronchus)들을 분지한다(그림 2-3)[5, 6].

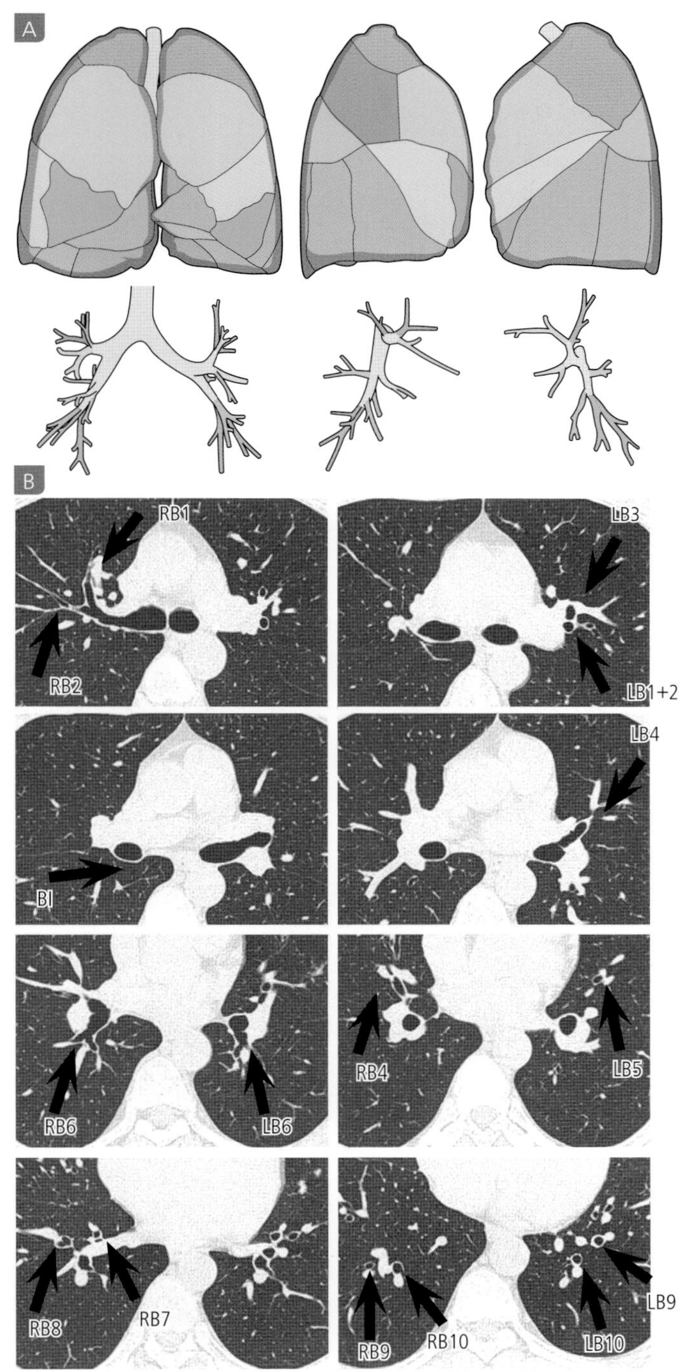

B1(B1+2) Apical(apicoposterior)
B2 Posterior
B3 Anterior
B4 Lateral, superior
B5 Medial, Inferior
B6 Basal superior
B7(B7+8) Basal medial/anterior
B8 Basal anterior
B9 Basal lateral
B10 Basal posterior

■ 그림 2-3. 분절 기관지의 모식도(A)와 CT에서 분절 기관지의 해부학(B). R, right; L, left; BI, bronchus intermedius.

표 2-1. 엽기관지와 분절기관지

엽기관지	분절기관지
우상엽기관지(right upper lobar bronchus)	첨분절(apical, B1) 후분절(posterior, B2) 전분절(anterior, B3)
중간기관지(bronchus intermedius)	
우중엽기관지(right middle lobar bronchus)	외분절(lateral, B4) 내분절(medial, B5)
우하엽기관지(right lower lobar bronchus)	상분절(superior, B6) 내저분절(medial basal, B7) 전저분절(anterior basal, B8) 외저분절(lateral basal, B9) 후저분절(posterior basal, B10)
좌상엽기관지(left upper lobar bronchus)	첨후분절(apicoposterior, B1+2) 전분절(anterior, B3) 상설분절(superior lingular, B4) 하설분절(inferior lingular, B5)
좌하엽기관지(left lower lobar bronchus)	상분절(superior, B6) 전내저분절(anteromedial basal, B7+8) 외저분절(lateral basal, B9) 후저분절(posterior basal, B10)

II 폐혈관과 림프계

1. 폐동맥

폐동맥판막에서 기시한 주폐동맥(main pulmonary trunk)이 짧은 좌폐동맥(left pulmonary artery)과 긴 우폐동맥(right pulmonary artery)으로 분지한다. 좌폐동맥은 폐문에서 주기관지 위를 지나 좌엽간동맥(left interlobar artery)을 내고 여기에서 상, 하엽의 각 분절동맥(segmental arteries)을 분지한다. 우폐동맥은 주기관지의 아래를 지나 상행 동맥(truncus anterior, ascending branch)과 하행동맥(right interlobar artery or descending branch)으로 분지된다(그림 2-4).

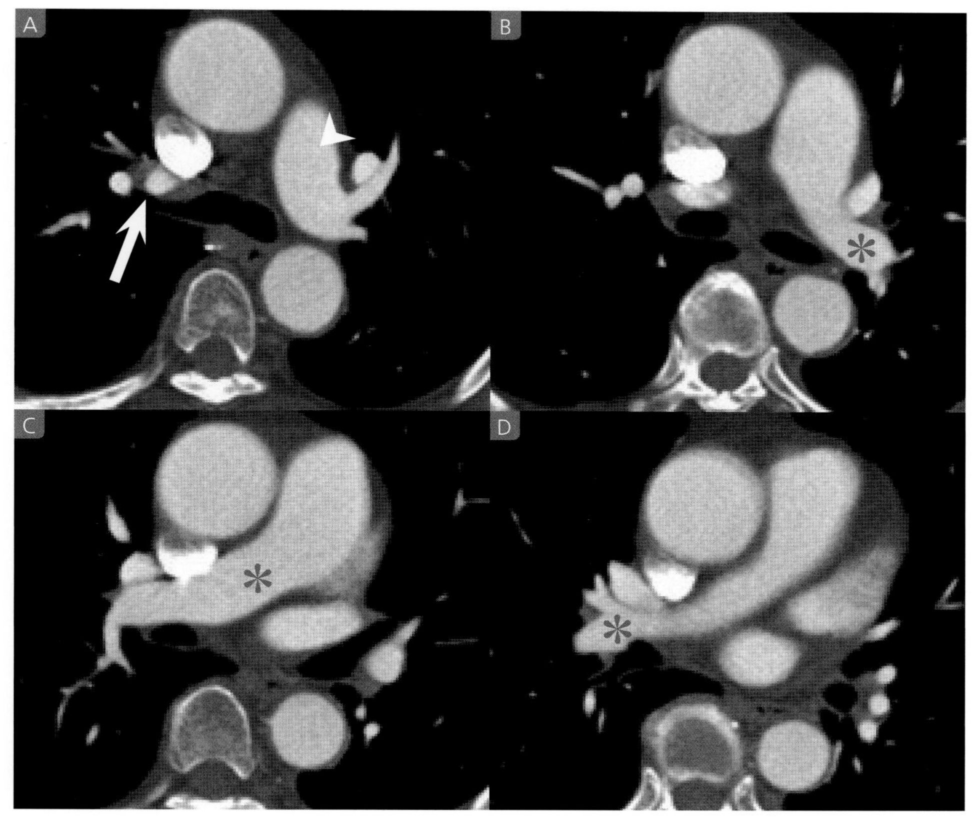

■ 그림 2-4. **폐동맥의 CT소견**
우상행동맥[(A), 흰 화살표], 주폐동맥[(A), 흰 화살촉], 좌폐동맥[(B), 별표], 우폐동맥[(C), 별표], 우하행동맥[(D), 별표]

2. 폐정맥

폐정맥(pulmonary veins)은 폐실질과 흉막의 정맥을 유입하며 양측 폐엽으로부터의 우상(right superior), 우하(right inferior), 좌상(left superior), 좌하(left inferior) 폐정맥(pulmonary veins)이 좌심방으로 유입된다(그림 2-5). 우상 폐정맥이 우상엽, 우중엽으로부터, 좌상 폐정맥이 좌상엽으로부터의 정맥을 유입한다. 우하, 좌하 폐정맥은 각각 우하엽과 좌하엽의 정맥을 유입한다.

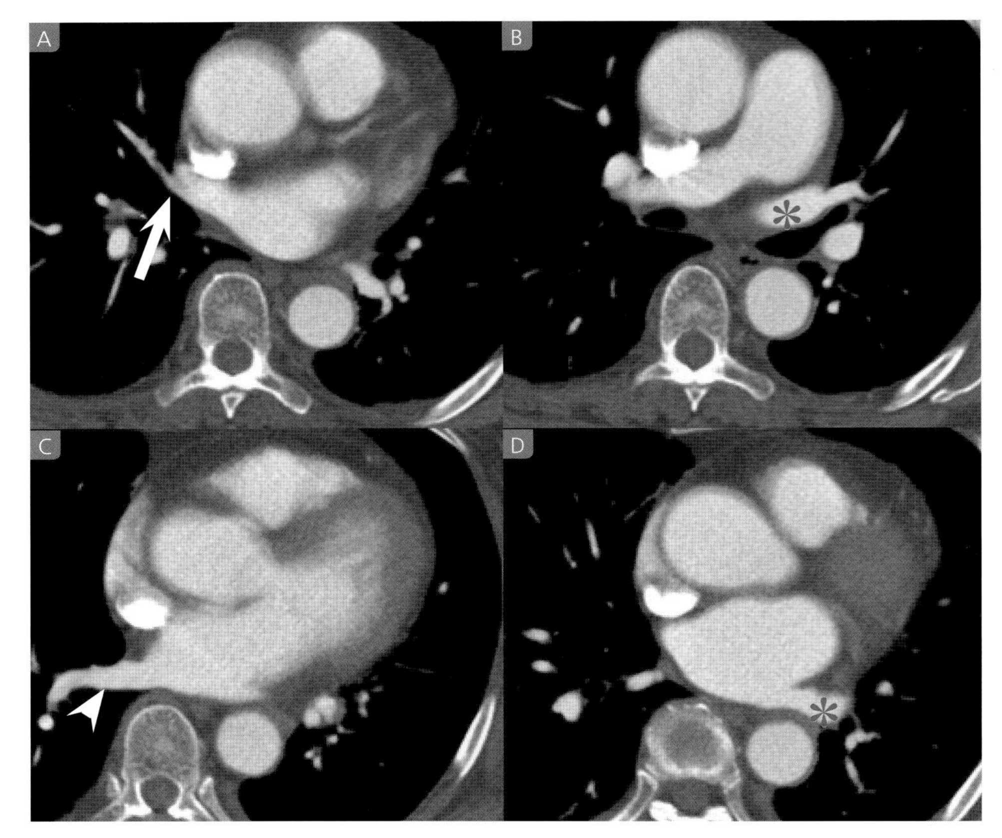

■ 그림 2-5. **폐정맥의 CT소견**
우상폐정맥[(A), 흰 화살표], 좌상폐정맥[(B), 별표], 우하폐정맥[(C), 흰 화살촉], 좌하폐정맥[(D), 별표]

3. 기관지동맥

기관지동맥(bronchial arteries)은 수와 기시부의 다양한 정상 변이를 보이며 우측 1개, 좌측 2개의 형태가 가장 흔하다. 폐실질내에서는 기관지주위 결합조직(peribronchial connective tissue)내에 위치하여 말단세기관지(terminal bronchiole)까지 연결된다. 기관지확장증과 같은 만성 폐질환에서 보상적으로 커져서 폐혈류 공급을 담당하기도 한다(그림 2-6).

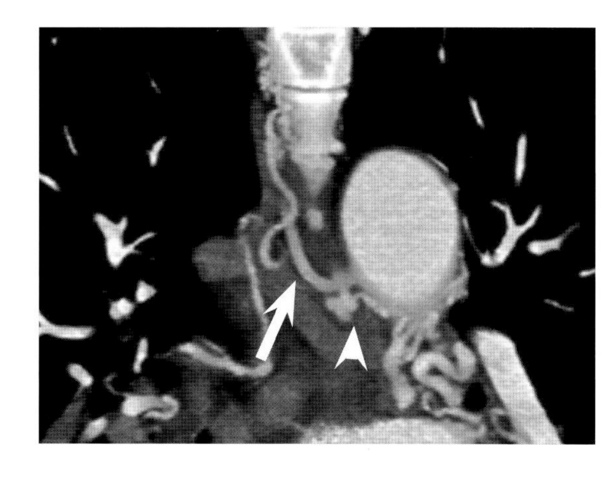

■ 그림 2-6. 동맥류(화살촉)를 동반한 기관지동맥 비후(화살표)

4. 림프계

1) 가슴림프관

두개의 허리림프관줄기(lumbar lymphatic trunks)가 T12-L2의 앞쪽에서 만나 가슴림프관팽대(cisterna chyli)가 되고 횡격막의 대동맥구멍(aortic hiatus)을 통해 흉곽 내로 들어오면 가슴림프관(thoracic duct)이 된다. 하부흉곽에서는 대동맥의 우측에서 상방으로 주행하다가 기관분기부에서 좌주기관지를 가로질러 기관의 좌측벽과 평행하게 상방으로 주행한다. 좌팔머리정맥(left brachiocephalic vein) 후방으로 올라가 주로 좌쇄골하정맥(left subclavian vein)에서 정맥계로 유입된다. 가슴림프관은 정상 CT에서 발견가능한 구조물로 나타나지 않으며, 가슴림프관팽대(cysterna chyli)는 낭성 병변으로 나타나 림프절로 오인될 수 있다.

2) 림프절

대부분 폐문 주위와 종격동 내에 분포하며 종격동 림프절(lymph nodes)은 양측 폐 및 상복부, 유방, 흉벽 등으로부터 림프배액(lymphatic drain)을 받는다. 정상 림프절은 그 크기가 단경 3-5 mm, 장경 4-10 mm 정도이며 위치에 따라 정상 크기가 조금씩 다른데, 우하기관주위(right lower paratracheal), 우폐문(right hilar), 그리고 기관분지하(subcarinal) 림프절이 다른 부위에 비해 더 크다. 림프절의 크기는 단경이 장경에 비해 변화가 적어 크기에 의한 정상 여부를 판단할 때 더 유용하게 사용된다. CT에서 림프절은 원형 혹은 난원형의 연부조직 음영을 보이며 석회화나 지방 음영을 동반할 수 있다 (그림 2-7).

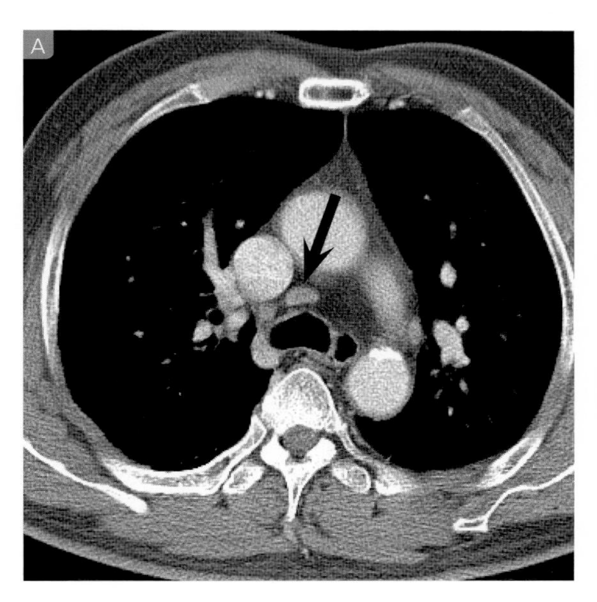

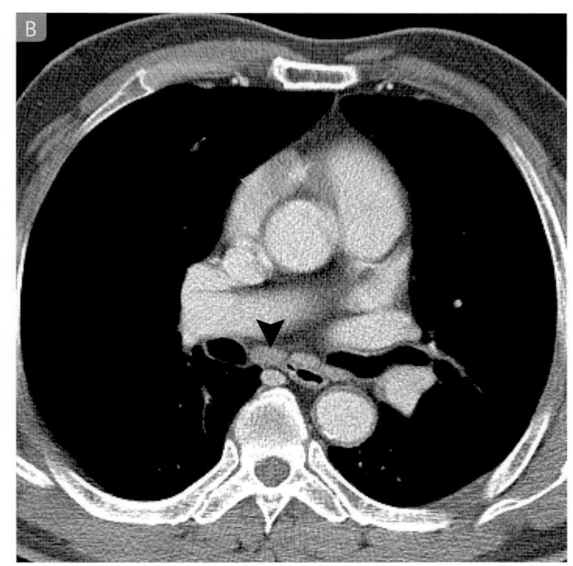

■ 그림 2-7. **정상 림프절의 CT 소견**
A. 우하기관주위(right lower paratracheal) 정상 림프절(화살표) **B.** 기관분지하(subcarinal) 정상 림프절(검은 화살촉)

Ⅲ 폐실질

1. 세기관지

세기관지는 비연골성 기도로서 말단세기관지(terminal bronchiole)는 순수한 공기 전도 역할을 하는 기도의 가장 원위부에 해당하며 호흡세기관지(respiratory bronchiole)와 폐포관(alveolar duct) 및 폐포로 분지하여 산소 교환에 기여한다(그림 2-8).

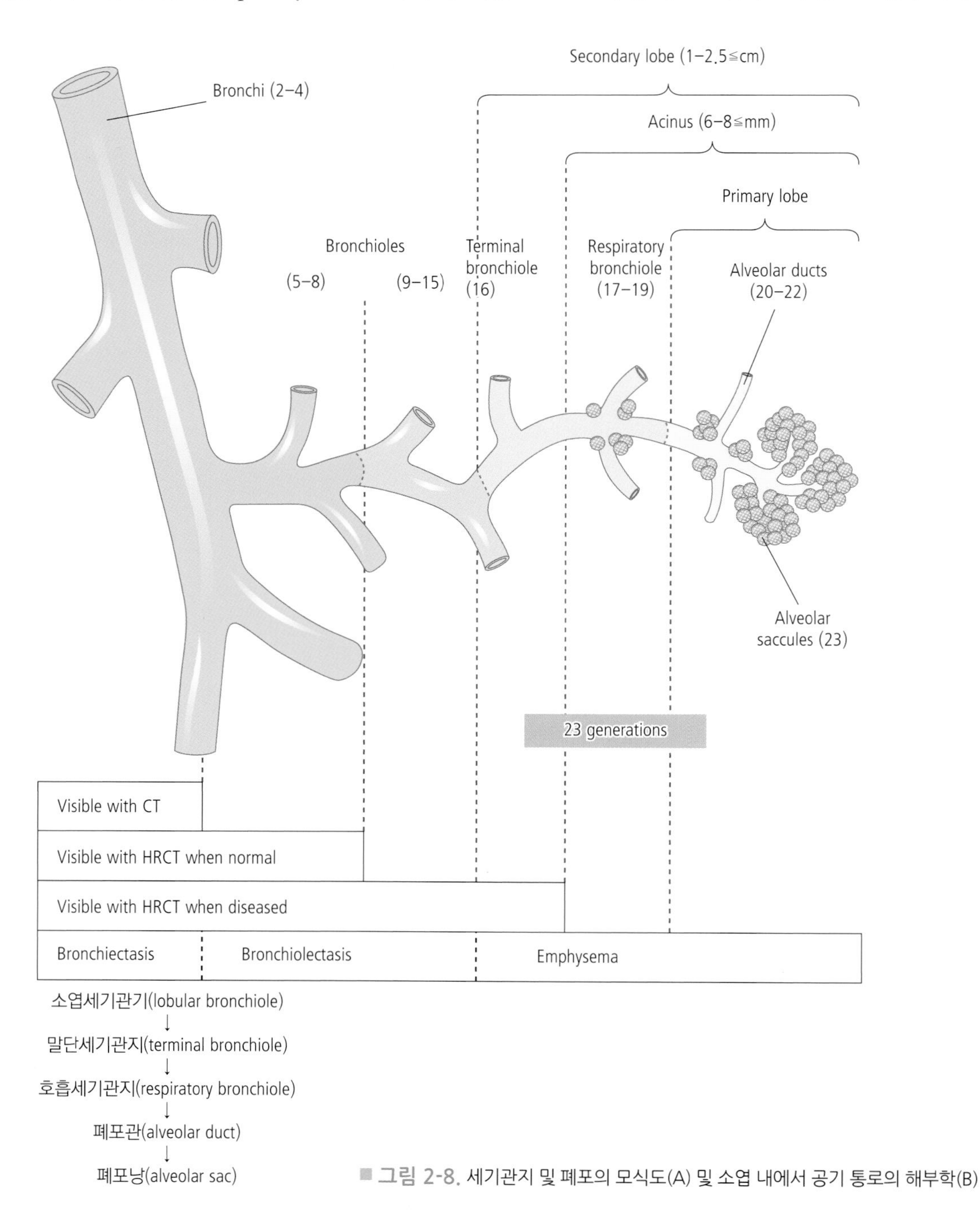

■ 그림 2-8. 세기관지 및 폐포의 모식도(A) 및 소엽 내에서 공기 통로의 해부학(B)

2. 세엽

말단세기관지(terminal bronchiole)에 의해 공급되는 폐실질의 단위로서 호흡세기관지(respiratory bronchiole), 폐포관(alveolar duct), 폐포낭(alveolar sac), 폐포(alveoli), 그리고 혈관 및 결합조직을 포함한다(그림 2-9).

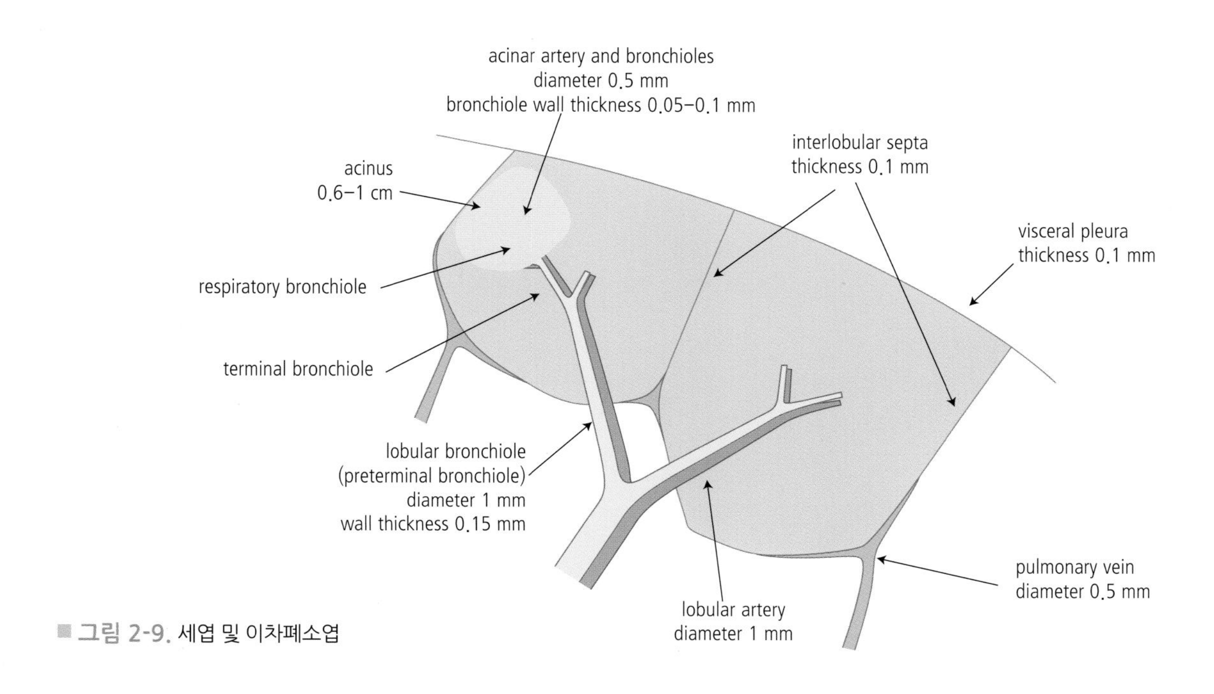

■ 그림 2-9. 세엽 및 이차폐소엽

3. 이차폐소엽

폐병변의 육안적 분석의 기본이 되는 해부학적 단위로서 1.0-2.5 cm 크기이고 다각형(polyhedral) 모양이다. 대략 3-24개의 세엽(acinus)들이 모여 1개의 이차폐소엽(secondary pulmonary lobules)을 형성한다(그림 2-9)[8, 9]. 소엽간중격(interlobular septa), 소엽중심구조물(central core structure), 소엽실질로 구성되어 있는데, 소엽중심부에 세기관지(bronchiole)와 폐세동맥(pulmonary arteriole), 소엽간중격에 폐세정맥(pulmonary venule)이 위치하고, 소엽간 중격과 폐동맥 및 세기관지 주변에 림프관이 분포한다. 소엽은 상엽과 중엽의 폐 주변부로 주로 전방과 측방 및 종격동 옆에(juxtamediastinal) 잘 발달되어 있다. 고해상CT에서 정상 폐세동맥(pulmonary arteriole, 직경 약 0.5-1.0 mm)이 소엽중심부에서 보이며 벽이 얇은 정상 세기관지(bronchiole, 두께 약 0.15 mm)는 잘 보이지 않는다(그림 2-10)[8-10].

4. 소엽간중격

이차폐소엽의 경계를 이루는 결체 조직으로 폐 주변부에서 흉막에 수직을 이루는 10-20 mm 길이, 두께 약 0.1 mm의

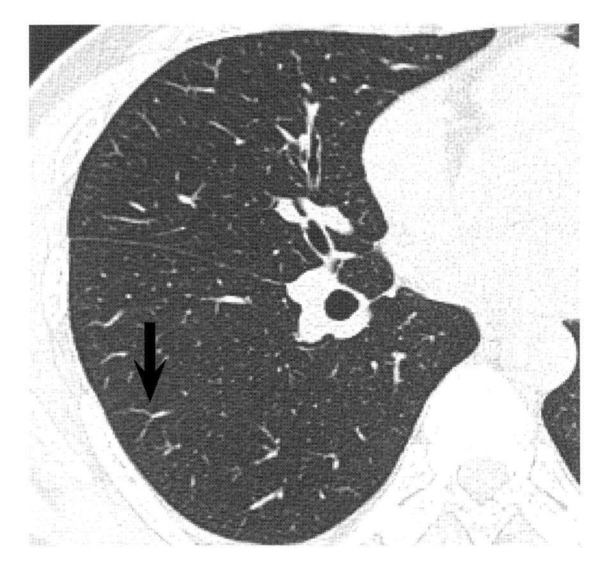

■ 그림 2-10. 정상 폐세동맥(화살표)

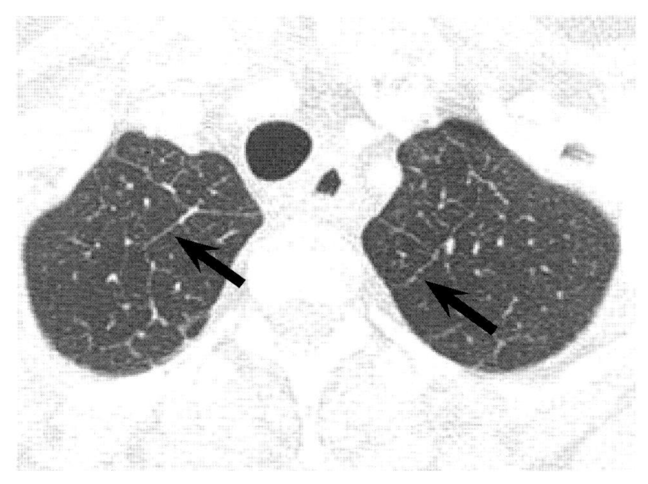

■ 그림 2-11. 정상 소엽간중격(화살표)

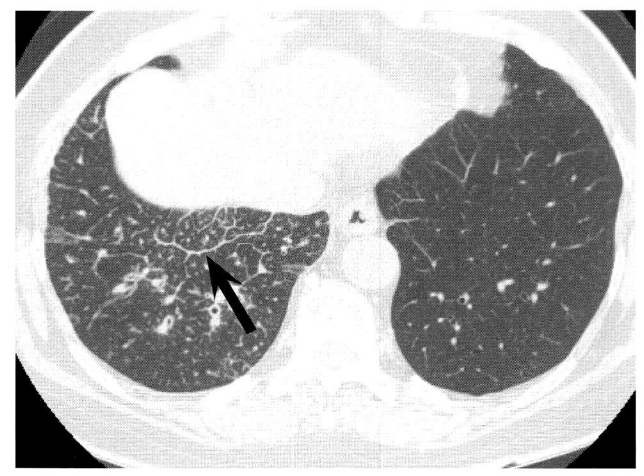

■ 그림 2-12. 림프관성 폐전이암에 의해 비후된 소엽간중격(화살표)

얇은 격벽과 같은 구조물이다(그림 2-11). 소엽간중격(interlobular septa) 내에는 림프관과 폐세정맥이 있다. CT에서 이차 폐소엽(secondary pulmonary lobules) 사이의 얇은 선상 음영으로 보이며 정상에서는 잘 보이지 않고 부종, 섬유화, 세포 침윤 등에 의해 비정상적으로 두꺼워지면 잘 보이게 된다(그림 2-12).

Ⅳ 흉막

1. 흉막 및 흉막공간

흉막(pleura)은 폐, 종격동, 횡격막과 흉벽을 싸고 있는 막으로서, 폐실질을 싸는 장측흉막(visceral pleura)과 종격동, 횡격막과 흉벽을 싸는 벽측흉막(parietal pleura)으로 구성된다. CT에서 정상 흉막은 보이지 않거나 1-2 mm 두께의 가는 선으로 보인다. 두 흉막 사이의 잠재공간인 흉막공간(pleural space)은 정상에서 2-10 mL 정도의 소량의 흉막 삼출액을 포함하고 있으며 CT에서 따로 구분되어 보이지 않는다[11, 12].

2. 엽간열

엽간열(interlobar fissures)은 두 개의 엽(lobes)을 구분하는 구조물로 장측흉막이 함입하여 형성된다(그림 2-13). 주엽간열 혹은 경사열(major or oblique fissures)은 5번 흉추에서 시작되어 6번 늑골과 평행하게 주행하여 전흉막골(anterior costophrenic angle) 수 cm 뒤에서 횡격막과 만난다. 부엽간열 혹은 수평열(minor or horizontal fissures)은 우상엽과 우중엽을 나누는 엽간열이다. CT에서 주변에 1 cm 두께의 혈관이 없는 부위(avascular area)로 둘러싸인 얇은 선으로 보인다(그림 2.13 A). 많은 경우에서 엽간열은 불완전열(incomplete fissure)이어서 질병의 파급경로가 되기도 하며 불완전열(incomplete fissure)을 통해 엽간 측부순환이 발생하기도 한다(그림 2-13B).

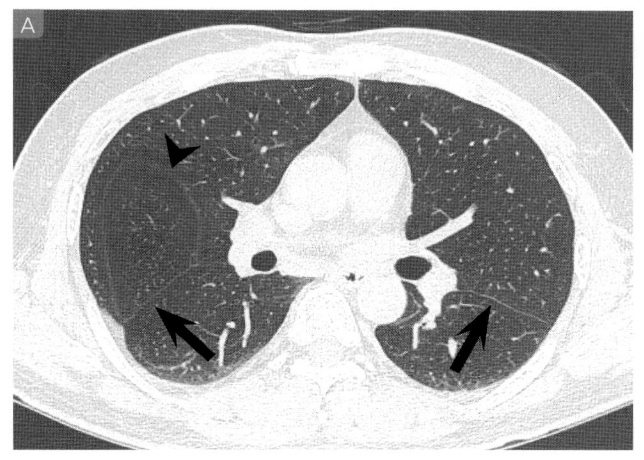

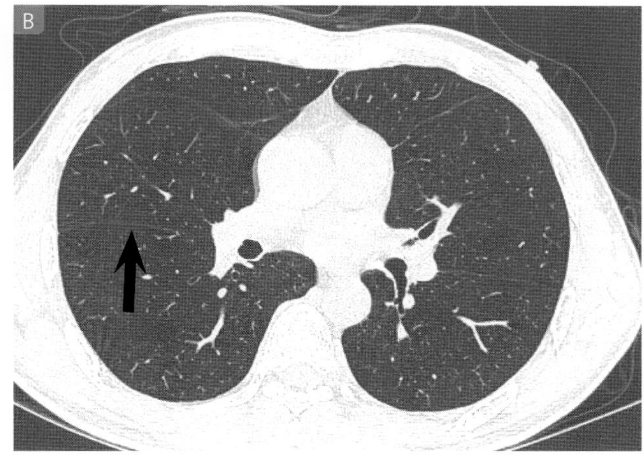

■ 그림 2-13. **엽간열의 CT 소견**
A. 주엽간열(화살표) 및 수평열(화살촉), **B.** 불완전열(화살표)

3. 부엽간열과 홀열

정상인의 50%에서 다양한 부엽간열(accessory fissure)을 보이는데 내기저분절(medial basal segment)을 분리하는 하부열(inferior accessory fissure), 상분절(superior segment)을 분리하는 상부열(superior accessory fissure), 설분절(lingular divi-

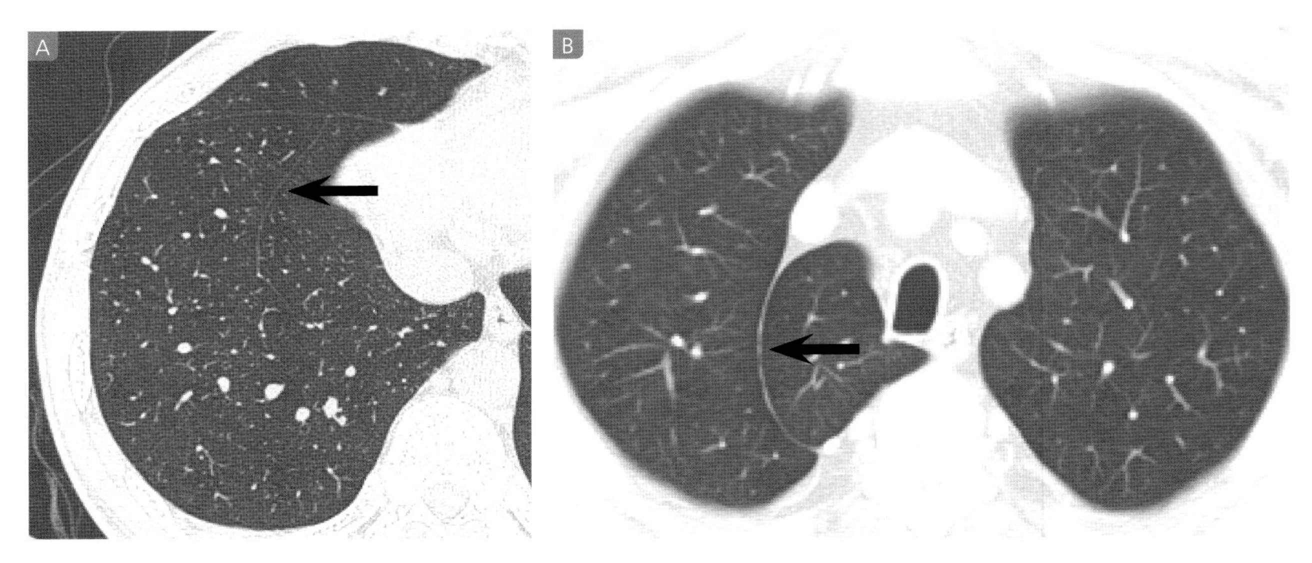

■ 그림 2-14. **부엽간열 및 기열** **A.** 하부열(화살표), **B.** 홀열(화살표).

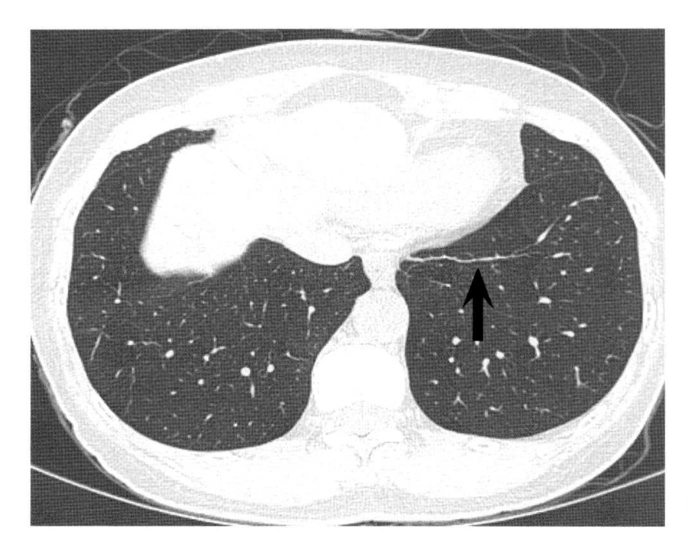

■ 그림 2-15. 하폐인대(화살표)

sion)을 분리하는 좌부엽간열(left minor fissure)이 흔하다(그림 2-14 A)[13]. 홀열(azygos fissure)은 기정맥(azygos vein)이 우상엽 내로 함입되면서 생긴다(그림 2-14 B).

4. 하폐인대

하폐인대(inferior pulmonary ligament)는 폐문을 둘러싸는 종격흉막(mediastinal pleura) 두 겹이 하폐정맥의 아래 쪽에서 만나 하엽의 내측을 횡격막에 연결시키는 지지구조이다(그림 2-15). 좌측이 우측보다 더 자주 보이고 상엽 무기폐나 상엽절제 등과 같은 폐 용적의 감소로 폐가 위로 당겨질 때 하폐인대가 하부폐를 제자리에 잡아주게 된다.

Ⓥ 종격동

종격동(mediastinum)은 위가슴문(thoracic inlet)에서 횡격막(diaphragm)까지 흉곽의 중앙에 위치하는 공간이며, 전방에는 흉골(sternum)과 후방에는 척추(vertebra)와 늑골(rib)에 의해 경계 지워진다. 종격동에는 심장, 혈관, 기관, 양측 주기관지의 일부, 식도, 결체조직(지방, 림프절), 횡격(phrenic) 및 미주(vagus)신경, 흉선, 가슴림프관 등이 포함된다. 종격동의 구획 분류는 크게 해부학적 분류와 호발질환에 따른 분류가 있다. 해부학적 분류는 종격동을 흉골병연골결합(manubriosternal joint)과 4번 흉추 하연을 연결한 가상선을 경계로 상부와 하부(superior and inferior compartments)로 나누고, 하부종격동을 다시 전, 중, 후종격동으로 나눈다. 호발질환에 따른 분류는 상부종격동을 따로 구분하지 않고 전종격동, 중종격동, 후종격동 세 구획으로 나눈다(표 2-2)[14].

표 2-2. 종격동의 분류

해부학적 분류	
상종격동 전중격동 중종격동 후종격동	흉골병연골결합(manubriosternal joint)과 4번 흉추 하연을 연결한 선의 상방 흉골과 중종격동 사이 공간 심장막을 포함하는 공간 중종격동과 흉추 전연 사이 공간
호발질환에 따른 분류	
전종격동 중종격동 후종격동	흉골(전방), 심장막, 대동맥, 대혈관(후방), 흉곽입구(상방), 횡격막(하방)으로 경계지워지는 공간 심장막(전방), 기관후벽(후방), 심장막(후방), 흉곽입구(상방), 횡격막(하방)으로 경계지워지는 공간 기관후벽(전방), 심장막(전방), 흉곽입구(상방), 횡격막(하방), vertebral column(후방)으로 경계지워지는 공간

1. 전종격동

전종격동(anterior mediastinum)은 전방으로 흉골, 후방으로 심장막, 대동맥, 팔머리혈관(brachiocephalic vessels), 상방으로 흉곽입구, 하방으로는 횡격막에 의해 경계지워지는 공간이다. 이 공간은 흉선(thymus), 림프절, 지방, 그리고 내유혈관(internal mammary vessels)을 포함한다(그림 2-16).

1) 정상 흉선

정상 흉선(normal thymus)는 갑상선의 하방, 심장과 대혈관의 전방에 위치한다. 좌우 두 개의 엽으로 나누어져 있으며, 사춘기가 되면서 퇴화하기 시작하며, 25세 정도 되면 지방으로 대치된다[15]. CT에서 유아기나 초기 유년기에는 전혈관공간(prevascular area)을 채울 정도로 크기도 하지만 나이가 들면서 작아지고 삼각형 또는 화살촉 모양으로 변한다. 경계(margin)는 매끄러우며(smooth) 두께는 1-2 cm 정도이다. 조영증강 전에는 근육과 비슷한 정도의 음영을 보이나 조영증강을 하면 비교적 균질하게 음영이 증가된다(그림 2-17).

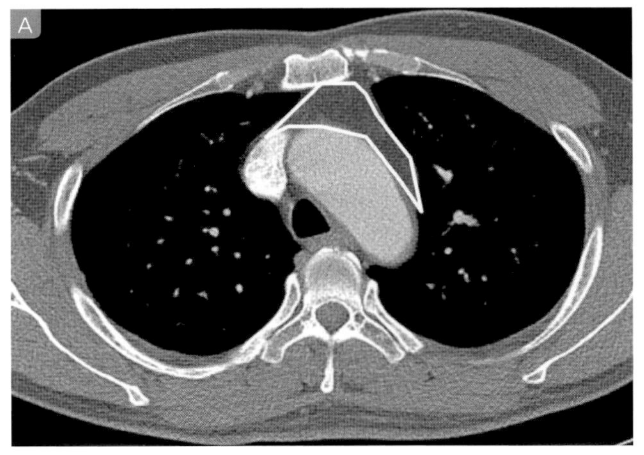

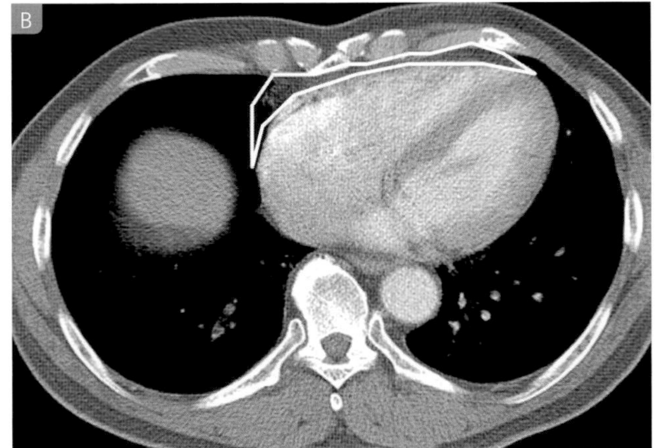

■ 그림 2-16. 전종격동의 구획(A, B)

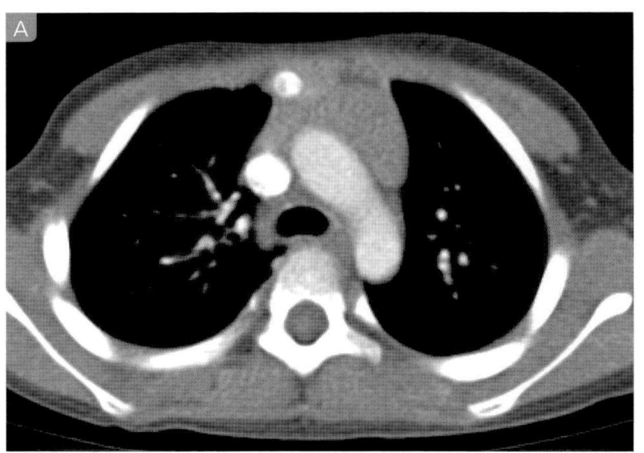

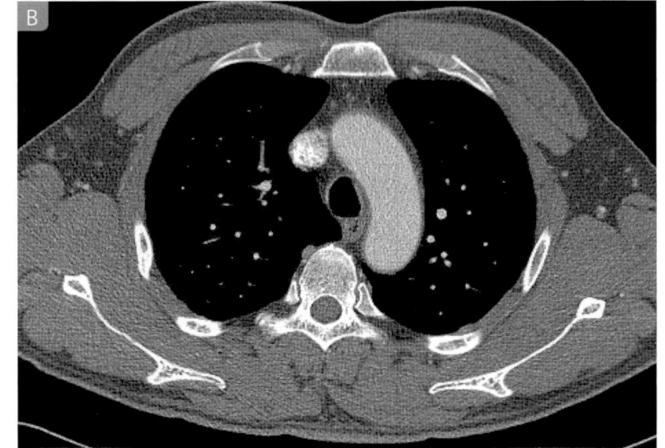

■ 그림 2-17. 정상 흉선의 나이에 따른 CT소견 3세(A), 54세(B)

2. 중종격동

중종격동(middle mediastinum)은 전방으로 심장막, 후방으로 기관후연과 심장막, 상방으로 흉곽입구, 하방으로는 횡격막에 의해 경계지워지는 공간이다. 이 공간은 심장, 심장막, 상행대동맥, 대동맥활(aortic arch), 상대정맥, 하대정맥, 팔머리혈관(brachiocephalic vessels), 폐동맥, 폐정맥, 기관, 양측 주기관지, 림프절, 횡격(phrenic) 신경, 미주(vagus) 신경, 좌회후두신경(left recurrent laryngeal nerve) 등을 포함한다(그림 2-18)[16].

3. 후종격동

후종격동(posterior mediastinum)은 전방으로 기관후연과 심장막, 전하방으로 횡격막, 후방으로 척추기둥(vertebral column), 상방으로 흉곽입구로 경계지워지는 공간이다. 이 공간은 식도, 하행대동맥, 기정맥(azygos vein), 반기정맥(hemiazygos vein), 가슴림프관(thoracic duct), 미주신경(vagus nerve), 교감신경(sympathetic nerve), 림프절, 지방 등을 포함한다(그림 2-19). 후종격동의 해부학적 후방경계는 척추기둥(vertebral column)이지만 척추옆공간(paraspinal region)도 후종격동에 포함된다(그림 2-19).

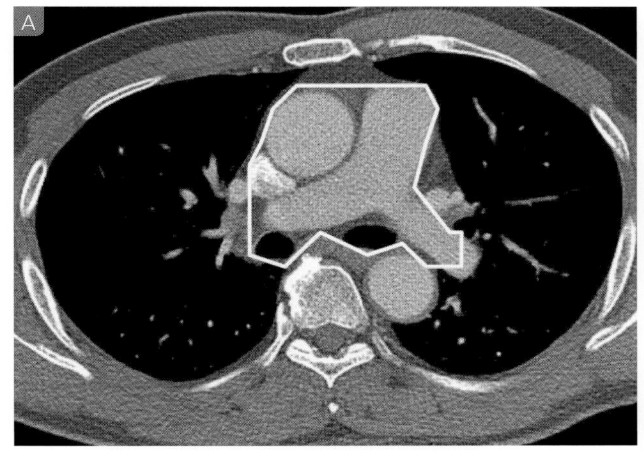

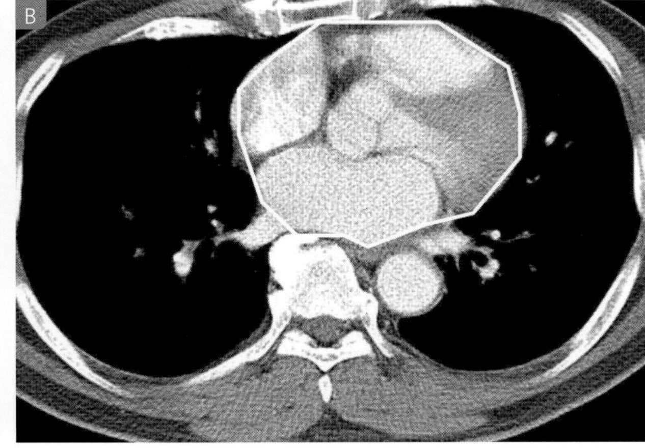

■ 그림 2-18. 중종격동의 구획(A, B)

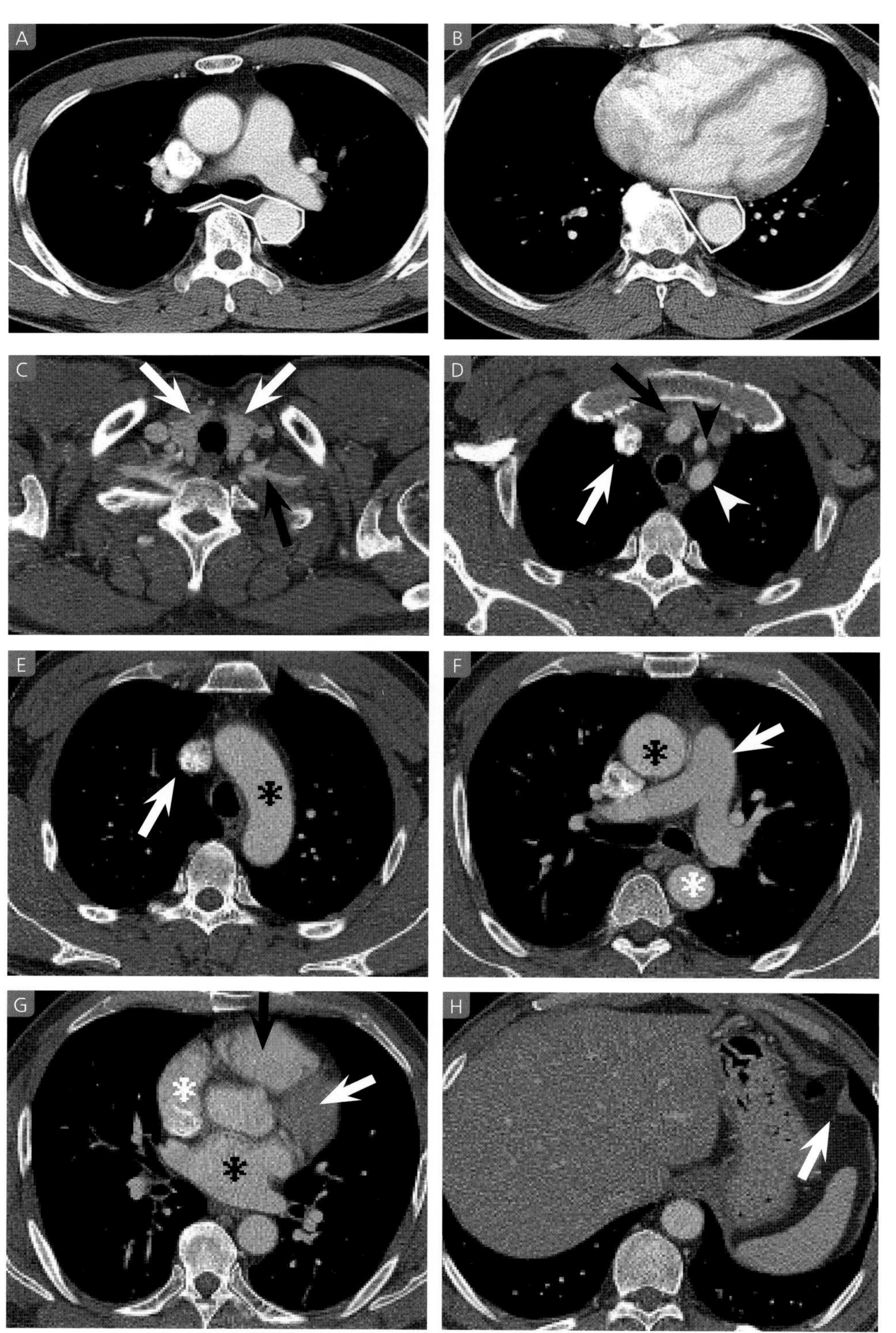

■ 그림 2-19. 후종격동의 구획 (A, B) 및 종격동의 구조물(C-H)

C. 좌쇄골하동맥(검은 화살표), 갑상선(흰 화살표)
D. 상대정맥(흰 화살표), 좌쇄골하동맥(흰 화살촉), 좌총경동맥(검은 화살촉), 우쇄골하동맥(검은 화살표)
E. 상대정맥(흰 화살표), 대동맥(검은 별)
F. 상행대동맥(검은 별), 하행대동맥(흰별), 폐동맥(흰 화살표)
G. 좌심방(검은 별), 우심방(흰 별), 우심실(검은 화살표), 좌심실(흰 화살표)
H. 좌가로막(흰 화살표)

VI 횡격막

횡격막(diaphragm)은 흉부와 복부를 구획 짓는 막이며, 흉벽과 함께 흉곽내 장기를 보호하고 호흡 운동을 한다. 둥근 지붕모양의 중심건(central tendon)이 가운데 있고 방사상으로 배치된 판상의 횡문근(striated muscle)으로 구성된 구조물이며 우측 횡격막이 좌측에 비해 1.5-2.5 cm 상방에 위치한다(그림 2-20)[17]. 두 횡격막다리(diaphragmatic crus) 사이에 형성되는 대동맥구멍(aortic hiatus)을 통해 대동맥, 기정맥, 반기정맥, 가슴림프관이 통과하고, 식도구멍(esophageal hiatus)을 통해 식도, 미주신경, 식도동맥이 통과한다. CT에서 횡격막은 얇은 띠 모양으로 보이고 주위 장기와 비슷한 음영을 보여, 복강과 후복강의 지방이 적은 환자는 식별이 어려운 경우가 있다. 횡격막은 호흡의 상태에 따라 다양한 모양을 보이고, 나이가 들면 결손(defect)이 생기거나 횡격막의 비균일한 수축과 과잉(redundancy) 때문에 마치 종양처럼(pseudotumor) 보일 수 있다. 고령에서 보이는 결손은 대부분 횡격막 근육이 약해져서 생긴다.

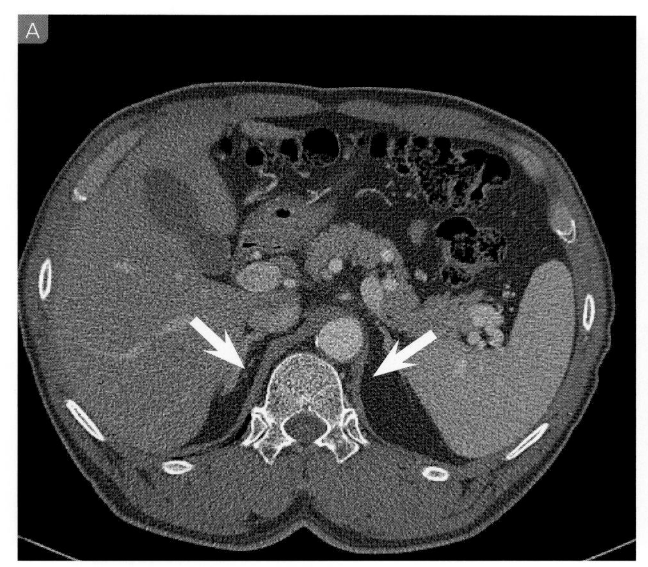

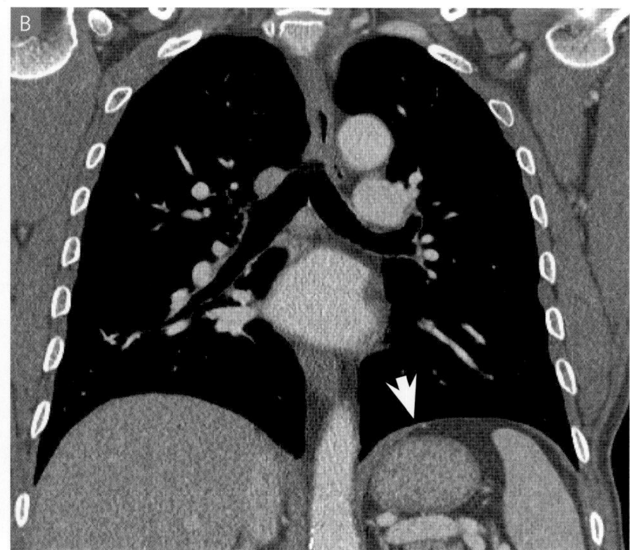

■ 그림 2-20. **횡격막의 축면(A) 및 관상면(B) 영상** **A.** 좌우 횡격막다리(흰 화살표), **B.** 좌횡격막(흰 화살촉).

VII 흉곽

1. 뼈와 근육

흉골(sternum)은 흉곽(thoracic cage)의 전벽의 중심부를 구성하고 늑골(ribs)은 흉곽의 외벽 및 후벽을 구성한다. 늑골은 일반적으로 대응하는 척추의 상부와 관절을 형성한다. 늑골은 앞으로 가면서 아래쪽을 향하여 비스듬하게 진행한

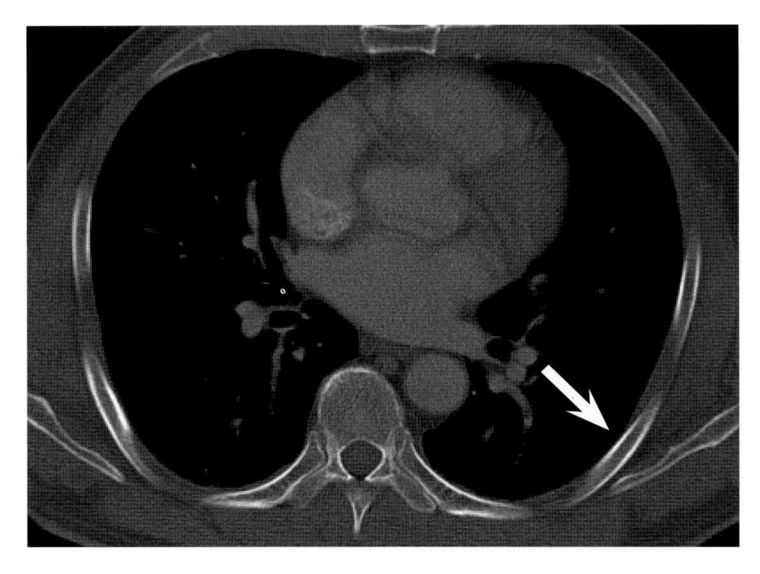

■ 그림 2-21. CT 축면영상(axial image)상 늑골(흰 화살표)

다. 1-7번 늑골은 흉골에 부착되는데, 마지막 7번 늑골은 칼돌기(xiphoid process)-흉골 연결부위에 부착된다. 8번 이하의 늑골은 거짓 늑골(pseudo-rib)로 바로 위에 있는 늑골의 아래에 부착되거나 아무 곳에도 부착되지 않는다. 늑골은 축면영상(axial images)에서는 그 단면만 볼 수 있다(그림 2-21). 흉벽의 앞쪽 근육은 큰가슴근(pectoralis major muscle), 작은가슴근(pectoralis minor muscle), 앞톱니근(serratus anterior muscle)으로 구성되어 있다. 흉벽의 뒤쪽은 표층에 등세모근(trapezius), 넓은등근(latissimus dorsi), 어깨올림근(levator scapulae)과 마름근(rhomboid muscle)으로 구성되어 있고 팔운동에 관여한다. 중층 근육은 위·아래 뒤톱니근(serratus posterior muscle)으로 구성되어 있으며, 호흡에 관여한다. 심층 근육은 등허리근막에 싸여 있으며, 척추운동에 관여한다.

2. 흉벽

흉벽(chest wall)은 안쪽에서 바깥쪽으로 내측흉막(visceral pleura), 벽측흉막(parietal pleura), 흉막외지방 (extrapleural fat), 흉내근막(endothoracic fascia), 최내측늑간근(innermost intercostal muscle), 내측늑간근(inner intercostal muscle), 외측늑간근(outer intercostal muscle)의 순서로 분포한다(그림 2-22)[18]. 안쪽에 분포하는 내측 흉막, 벽측흉막, 흉막외 지방, 흉내근막, 최내측늑간근은 1-2 mm 두께의 얇은 막을 형성하고 외측의 늑간근(내측늑 간근과 외측늑간근)과는 지방층에 의해 분리된다. 최내측늑간근과 내측늑간근 사이에 느슨한 지방층이 있고, 그 지방층 속에 늑간혈관(intercostal vessel)과 신경(intercostal nerve)이 분포한다. 최내늑간근은 흉곽의 앞쪽 및 뒤쪽에서 불완전하여 대신 횡흉근(transverse thoracis)과 늑골하근(subcostalis muscle)이 있을 수 있다(그림 2-23). 최내측 늑간근은 늑간에만 있고 늑골의 안쪽에는 없기 때문에 늑골 안쪽에 선상음영이 보이는 경우 흉막비후나 흉막삼출 등의 이상 소견을 의미한다.

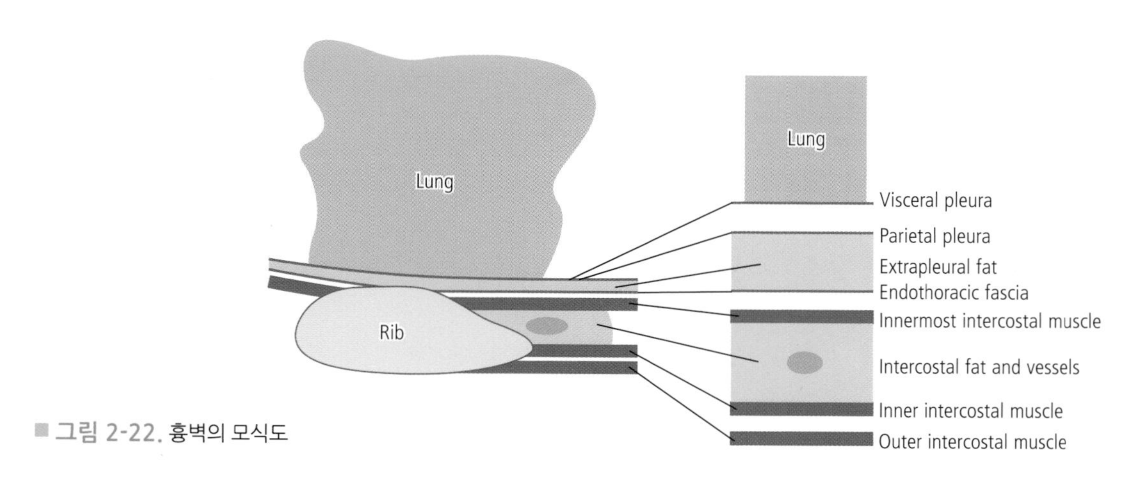

■ 그림 2-22. 흉벽의 모식도

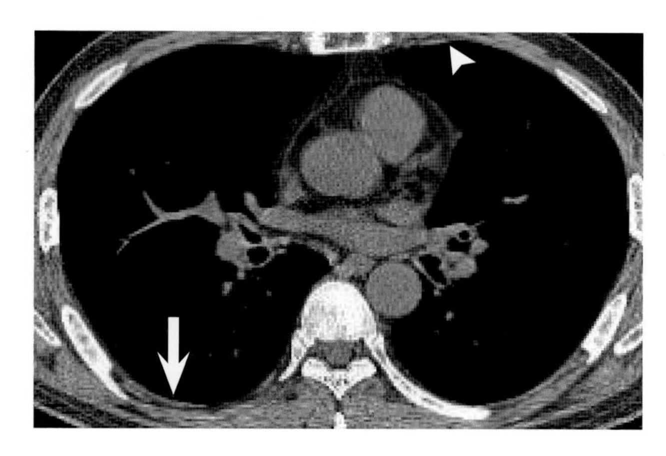

■ 그림 2-23. 횡흉근(화살촉)과 늑골하근(화살표)

CHAPTER 02

참고문헌

1. Muller NL, Silva CIS. Imaging of the chest. 1st ed. Philadelphia: Saunders 2008;34-80.
2. 임정기, 이경수. 흉부방사선과학. 1st ed. 서울; 일조각, 2000;3-28.
3. Fraser RS, Colman N, Muller NL, Pare PD. Synopsis of Diseases of the Chest. 3rd ed. Philadelphia; Saunders 2005.
4. Breatnach E, Abbott GC, Fraser RG. Dimensions of the normal human trachea. AJR Am J Roentgenol 1984;142:903-906.
5. Jackson Cl, Huber JF. Correlated applied anatomy of the bronchial tree and lungs with a system of nomenclature. Dis Chest 1943;9:319-326.
6. Boyden EA. Segmental anatomy of the lungs. New York, McGraw-Hill, 1955.
7. Kim SJ, Im JG, Kim IO, Cho ST, Cha SH, Park KS, et al. Normal bronchial and pulmonary arterial diameters measured by thin section CT. J ComputAssist Tomogr 1995;19:365-369.
8. Austin JH, Muller NL, Friedman PJ, Hansell DM, Naidich DP, Remy-Jardin M, et al. Glossary of terms for CT of the lungs: recommendations of the Nomenclature Committee of the Fleischner Society. Radiology 1996;200:327-331.
9. Webb WR, Muller NL, Naidich DP. High-resolution CT of the lung. 3rd ed. Philadelphia: Lippincott Williams & Wilkins, 2009; 42-64.
10. Kazerooni EA. High-resolution CT of the lungs. AJR Am J Roentgenol 2001;177:501-519.
11. Raasch BN, Carsky EW, Lane EJ, O'Callaghan JP, Heitzman ER.Radiographic anatomy of the interlobar fissures: a study of 100 specimens. AJR Am J Roentgenol 1982;138:1043-1049.
12. Aziz A, Ashizawa K, Nagaoki K, Hayashi K.High resolution CT anatomy of the pulmonary fissures. J Thorac Imaging 2001;19:186-191.
13. Yildiz A, Golpinar F, Calikog、lu M, Duce MN, Ozer C, Apaydin FD.HRCT evaluation of the accessory fissures of the lung.Eur J Radiol 2004;49:245-249.

14. Whitten CR, Khan S, Munneke GJ, Grubnic S. A diagnostic approach to mediastinal abnormalities. Radiographics. 2007;27(3):657-71.
15. Baron RL, Lee JK, Sagel SS, Peterson RR.Computed tomography of the normal thymus. Radiology 1982;142:121-125.
16. Quint LE, Glazer GM, Orringer MB, Francis IR, Bookstein FL.Mediastinal lymph node detection and sizing at CT and autopsy. AJR Am J Roentgenol 1986;147:469-472.
17. Panicek DM, Benson CB, Gottlieb RH, Heitzman ER.The diaphragm: anatomic, pathologic, and radiologic consideration.Radiographics 1988;8:385-425.
18. Wechsler RJ, Steiner RM. Cross-sectional imaging of the chest wall. J Thorac Imaging 1989;4:29-40.

CHAPTER

03 흉부 영상의 용어정리

| 남보다, 황정화, 강은영 |

(Pulmonary) Acinus ((폐)세엽)

해부학: 말단세기관지의 원위부에 위치하는 폐의 기본적인 구조적 단위이며 한 개의 종말세기관지(terminal bronchiole) 이하의 호흡세기관지(respiratory bronchiole), 폐포관(alveolar duct), 폐포낭(alveolar sac) 및 폐포(alveolus)로 구성된다. 산소 교환에 관여하는 구조물 중 가장 큰 단위이며 직경이 약 6-10 mm이다. 한 개의 이차폐소엽은 약 3-25개의 세엽으로 구성된다(그림 3-1)[1].

영상소견: 정상 폐세엽은 CT에서 보이지 않으며 세엽 내에 병적 물질들이 쌓이면 경계가 좋지 않은 결절 음영이 CT에서 보일 수 있다.

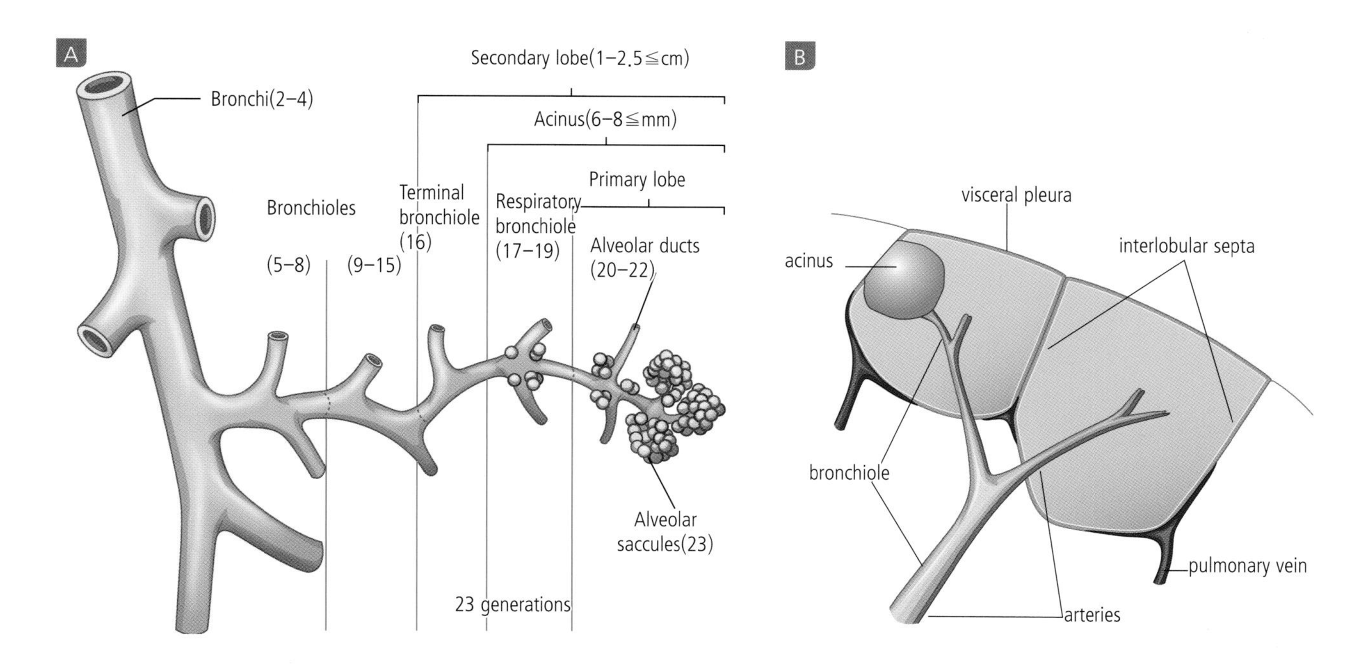

■ 그림 3-1. **A.** 세기관지 및 폐포의 모식도, **B.** 세엽 및 이차폐소엽

Acute interstitial pneumonia (AIP, 급성간질폐렴)

병리: 원인 불명의 질환으로 조직학적 소견은 성인호흡곤란증후군(ARDS)에서 보이는 것과 동일하며 급성기 또는 기질화 시기(acute and/or organizing phases)의 미만성폐포손상(diffuse alveolar damage, DAD) 소견이다. 급성 삼출기(early exudative phase)에는 폐포의 부종 및 유리질막(hyaline membrane) 형성과 함께 폐 간질의 급성 염증이 보이며, 기질화 시기(organizing phase)에는 폐포벽의 섬유화 및 제2형 폐포상피세포(type II pneumocyte)의 증식이 보인다.

영상소견: 급성기에는 양 폐에 광범위한 간유리음영과 폐경화가 보이며, 보존된 개개의 소엽과 함께 지도 모양의 분포를 보이기도 한다. 또한 좀 더 치밀한(dense) 음영이 폐 하중부에 보이는 경향이 있다(그림 3-2). 기질화와 섬유화 과정으로 진행하면 폐구조 뒤틀림(architectural distortion), 견인성기관지확장증, 기낭성 음영 및 그물음영이 보인다[2].

Air bronchogram (공기기관지조영)

영상소견: 음영이 증가된 폐 실질(폐경화 또는 간유리음영)과 대조되어 공기로 찬 기관지가 저음영으로 보이는 것을 말하며(그림 3-3) 이는 (a) 근위부 기관지가 개방되어 있고, (b) 폐포 내 공기가 흡수(무기폐)되거나 대치(예, 폐렴)되어 있음을 시사한다. 드물게는 심한 간질의 확장(예, 림프종)에 의해 공기가 전위되어 있을 때에도 보일 수 있다.

Air crescent (공기초생달 모양)

영상소견: 공동 벽과 공동 내부의 덩어리 사이에 위치한 초생달 모양의 과투과 음영(공기)을 가리킨다(그림 3-4). 공기초생달 징후는 공동 내부 곰팡이덩이(fungus ball)나 혈관침습아스페르길루스증(angioinvasive Aspergillosis)에서 괴사된 폐조직 퇴축(retraction)과 동반된 영상소견이다[3]. 그 외 폐결핵, 다발성 혈관염과 동반된 육아종증(granulomatosis with polyangiitis, GPA), 공동 내 출혈 및 드물게는 공동에 동반된 폐암 또는 주변 폐에 낭성 변화를 동반한 폐암 등에서도 볼 수 있다.

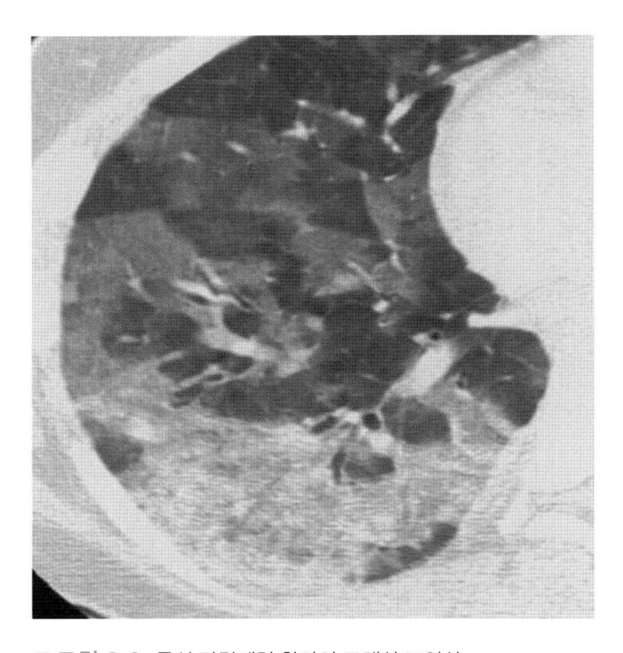

■ 그림 3-2. 급성 간질폐렴 환자의 고해상CT영상

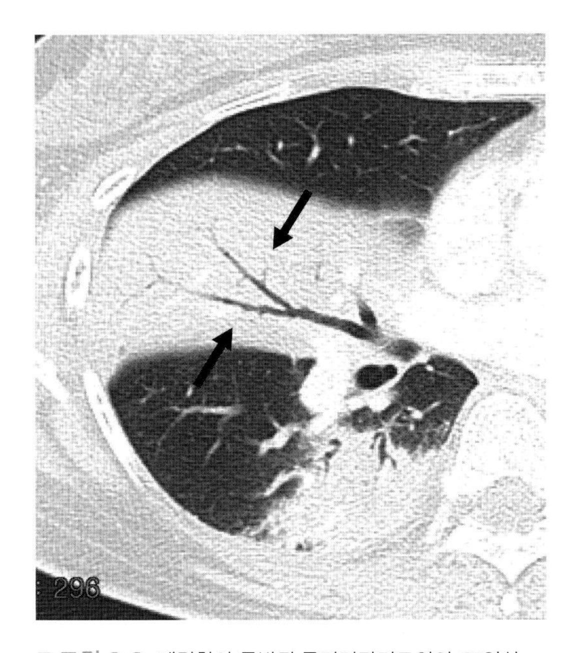

■ 그림 3-3. 폐경화와 동반된 공기기관지조영의 CT영상

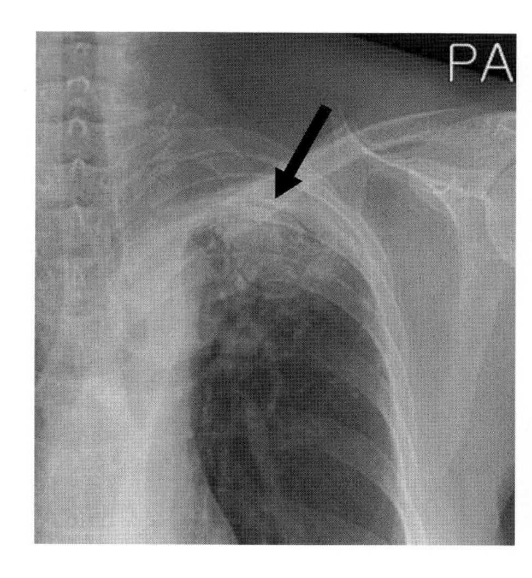

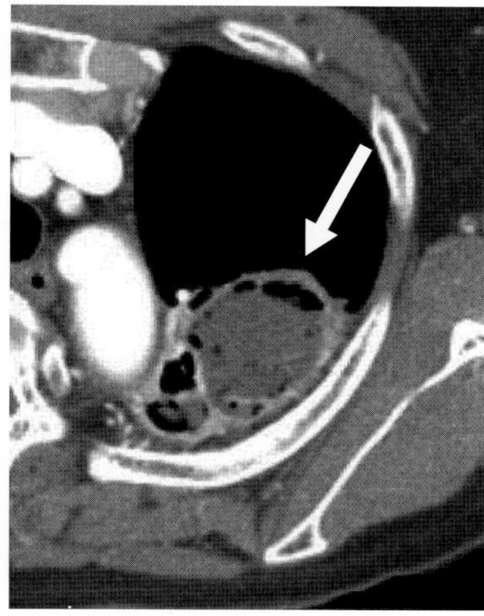

■ 그림 3-4. 공기초생달징후를 보이는 곰팡이 덩이의 흉부X선과 CT영상

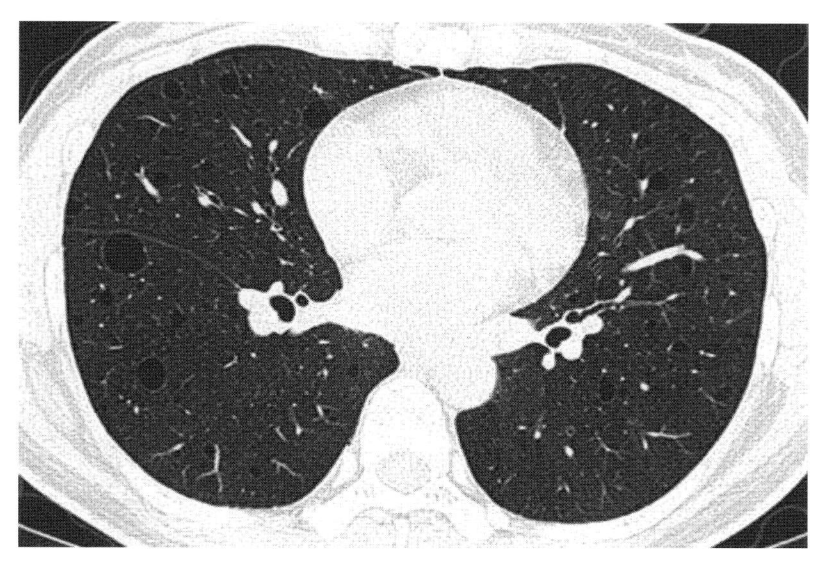

■ 그림 3-5.* 다양한 크기의 기낭이 양 폐에 보이는 CT영상

Air (-filled) cyst (기낭)

병리: 다양한 두께의 상피 조직 또는 섬유화 벽에 의해 둘러싸인 공기를 함유한 둥근 형태의 공간이다.

영상소견: 정상 폐와 구분이 되는 원형의 방사선 투과성 또는 저음영 부위로 보인다(그림 3-5). 다양한 벽 두께를 보일 수 있으나 대부분 얇고(<2 mm) 대개 공기를 포함하나 때로 액체나 고형 물질을 포함할 수 있다. 얇은 벽을 가진 낭포성 폐질환에는 대표적으로 림프관평활근종증(lymphangioleiomyomatosis, LAM)과 랑게르한스세포조직구증(Langerhans cell histiocytosis)이 있으며 좀 더 두꺼운 벽을 가진 벌집모양 기낭들은 말기 폐섬유화(end-stage pulmonary fibrosis)에서 보인다.

Air-fluid level (공기액체층)

영상소견: 정상 및 비정상 공간 내에 공기와 액체가 같이 있으면서 중력에 의해 아래쪽에 위치한 액체 음영과 위쪽에 위

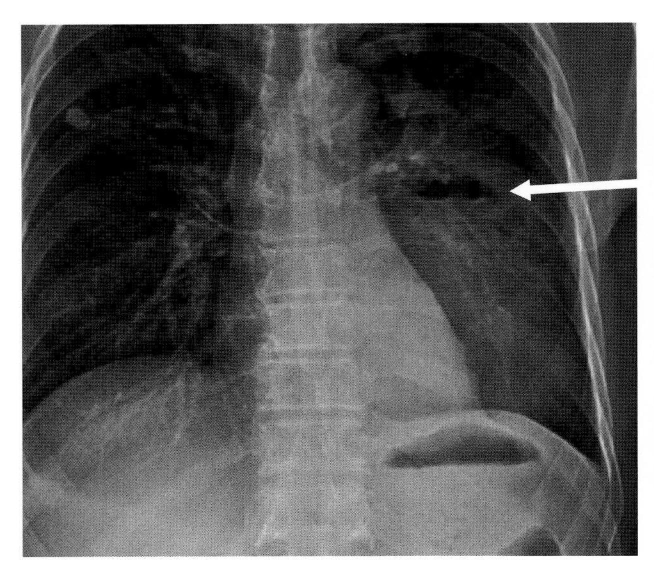
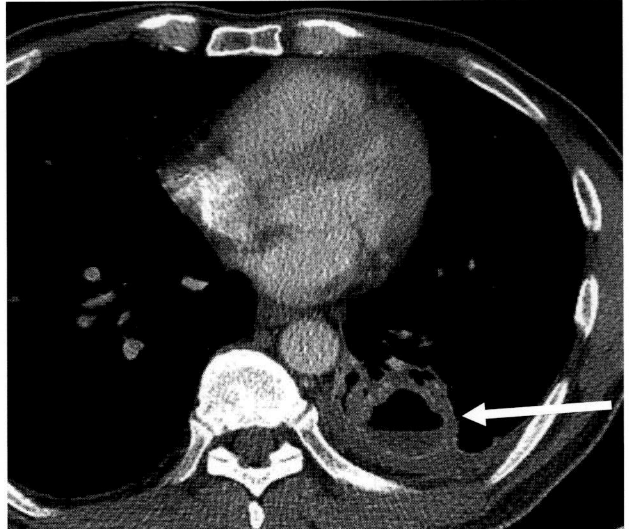

■ 그림 3-6.* 공동성 폐 병변 내에 공기액체층이 보이는 흉부X선과 CT영상

치한 공기 음영이 대비되어 생기는 수평의 경계선을 말한다(그림 3-6).

Airspace (공기공간)

해부학: 폐에서 호흡세기관지 이하, 폐포관, 폐포낭, 폐포 등 공기를 함유하는 부분으로 단순히 공기 전달에만 관여하는 부분은 포함하지 않는다. 영상소견: 경화(consolidation), 음영(opacity), 결절(nodules) 등의 용어와 함께 사용하며 이는 폐의 다양한 질병의 산물에 의해 공기공간이 채워지는 소견을 표현할 때 사용된다.

Air trapping (공기가둠)

병태생리학: 호기시에 폐 내부 공기가 충분히 배출되지 못하고 비정상적으로 저류되는 것을 말하며 주로 기도 폐쇄(대개 부분적) 원위부에 자주 보인다.

영상소견: 호기 말 CT에서 정상적인 폐 실질 음영증가 및 폐 용적 감소가 저하된 부위로 보인다. 이러한 공기가둠 현상이 미미하거나 미만성으로 보일 때에는 호기 및 흡기 CT의 비교가 도움이 된다(그림 3-7)[4]. 폐쇄성 혈관 질환에 의한 관류저하(예, 만성혈전색전증)로 인해 보이는 저음영과의 감별이 문제가 될 수 있으나 대개의 경우 같이 동반되어 보이는 기도 또는 혈관질환의 영상소견들이 감별에 도움이 될 수 있다(mosaic attenuation pattern 참조).

Airway (기도)

해부학: 공기가 폐로 전달되기 위해 지나가는 통로로 코부터 세기관지까지를 포함한다. 성문(glottis)을 경계로 그 위 부분을 상기도와 그 아래 부위 기도를 하기도로 구분한다.

Apical cap (폐첨부 모자)

병리: 폐첨부에 보이는 모자 모양 연부조직음영을 말하며 대부분 폐 실질 및 인접한 흉막 섬유화에 따른 흉막 외 지방층

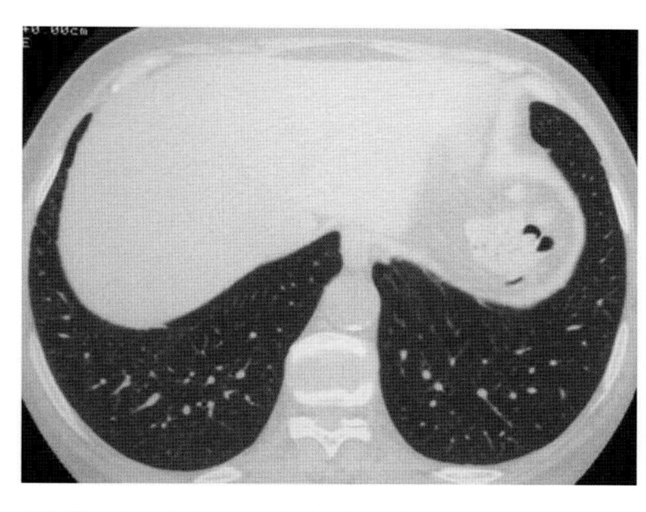
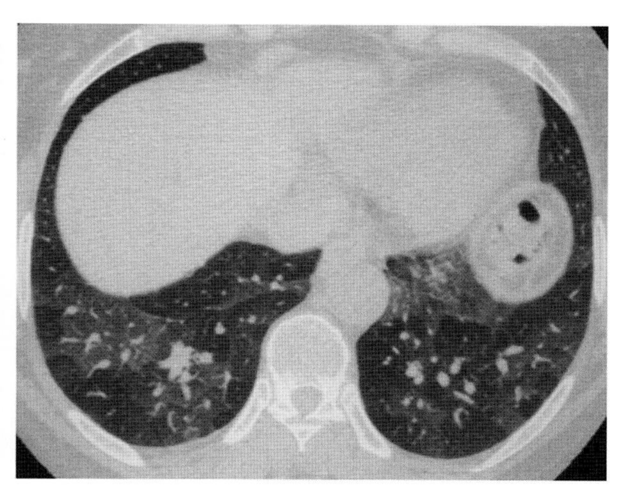

■ 그림 3-7. 좌측 흡기시 CT와 비교하여 우측 호기시 CT에서 군데군데(patchy), 모자이크 감쇄 양상의 저음영이 보인다.

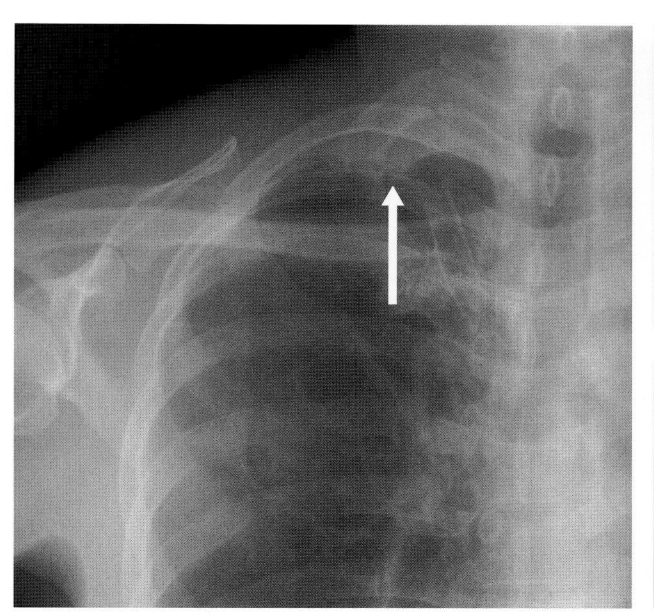
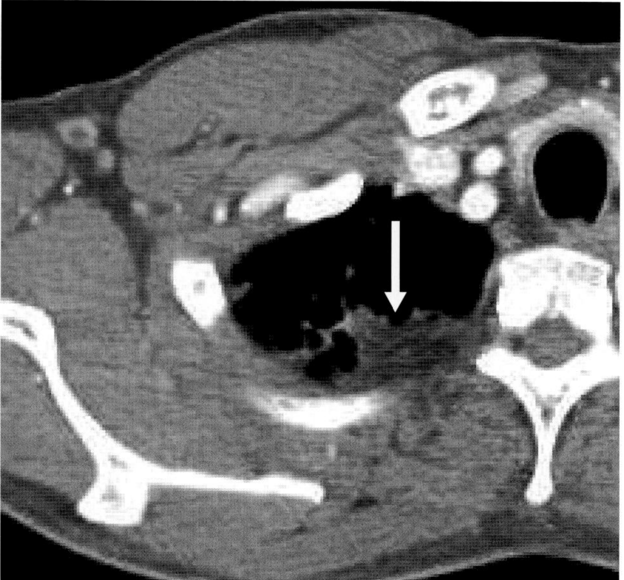

■ 그림 3-8. 우상엽 폐첨에 보이는 폐첨 모자

의 비후 및 당김[5] 또는 만성 허혈에 의한 장측흉막의 유리질막 형성에 의해 보인다. 나이가 들면서 더 잘 보이는 경향이 있으며 흉강 내 또는 벽측흉막 외에 대동맥 파열에 의한 혈종 및 감염이나 종양과 동반된 액체 저류가 있을 때에도 보일 수 있다.

영상소견: 폐첨부에 비교적 균질한 연부 조직 음영으로 보이며(일측성 또는 양측성) 명확하거나 불규칙적인 하부 경계를 보인다(그림 3-8). 두께는 다양하며 30 mm까지도 보일 수 있다.

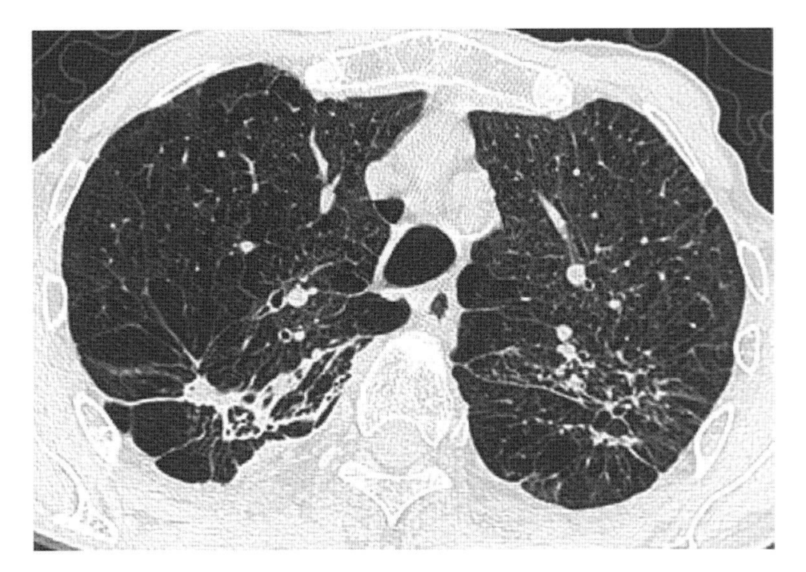

■ 그림 3-9. 고해상CT에서 폐 구조물의 뒤틀림이 보인다.

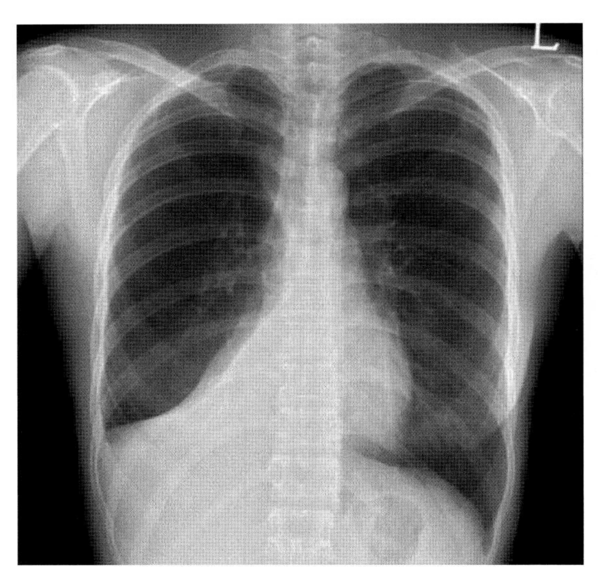

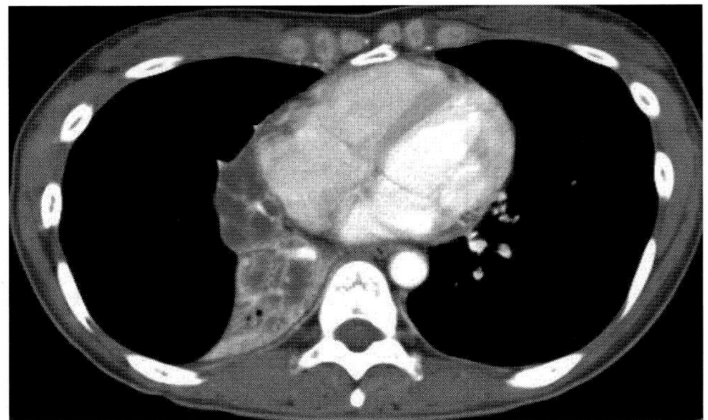

■ 그림 3-10.* 우중엽과 우하엽의 흡수성/폐쇄성무기폐가 보이는 흉부X선과 CT영상

(Lung) Architectural distortion (폐구조 뒤틀림)

병리: 기관, 혈관, 엽간열 및 소엽간중격 등의 폐 해부학적 구조물들이 비정상적으로 뒤틀린 상태를 말하며, 미만성 또는 국한성으로 보일 수 있다.

영상소견: 폐 해부학적 구조물들의 뒤틀림이 보이며 대개 폐 섬유화를 동반하고 폐용적은 감소된다(그림 3-9).

Atelectasis (무기폐)

병리: 폐 일부 혹은 전체의 공기 감소를 말하며, 일반적으로 폐 부피의 감소를 동반한다. 기전에 따라 흡수성(resorption)/폐쇄성(obstructive), 유착성(adhesive), 수동성(passive), 압박성(compressive), 반흔성(cicatrization)으로 분류할 수 있

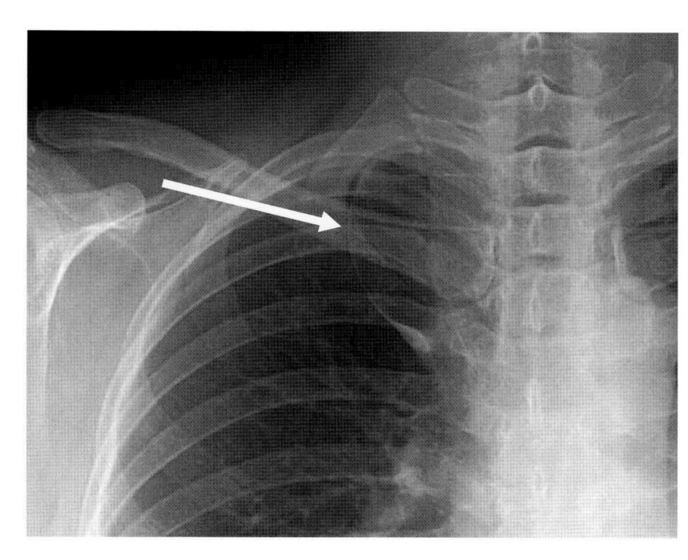
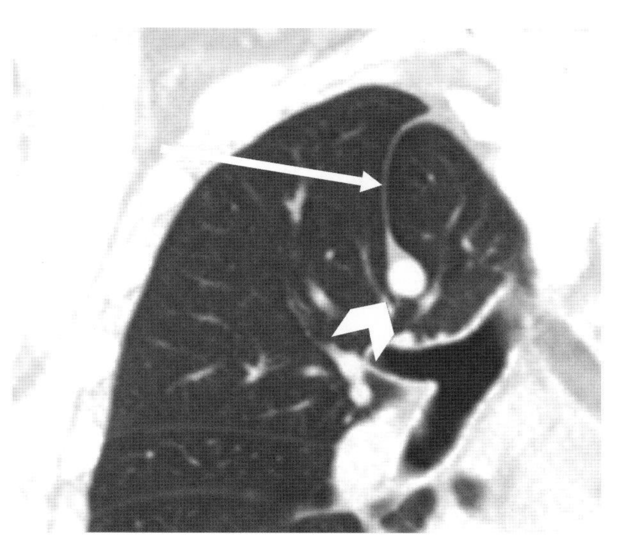

■ 그림 3-11.* 흉부X선에서 우상엽 상부 내측에 기정맥열(화살표)이 보인다. CT에서 기정맥열(화살표)이 보이며, 그 아래 끝에 기정맥(화살촉)이 위치한다. 기정맥열의 안쪽이 기정맥엽이 된다.

고, 범위에 따라 전폐, 대엽성, 복합 대엽성, 분절성, 세분절성, 미만성 등으로 분류할 수 있다.

영상소견: 흉부X선과 CT에서 폐의 음영 증가와 함께 부피 감소가 있다. 엽간열, 폐문, 기관지 혈관, 종격(동), 횡격막, 심장 등의 구조물이 무기폐 쪽으로 이동하기도 한다(그림 3-10).

Azygos fissure (기정맥열)

해부학: 태아 발생 과정에서 기정맥(azygos vein)의 전신인 우측 후방 주정맥(right posterior cardinal vein)이 폐첨부에서 내측으로 이동할 때, 우상엽을 통과하면서 4장의 흉막으로 둘러싸여 우상엽의 일부를 분리시키는 정상 변이(normal variant)이다.

영상소견: 흉부X선과 CT에서 우상엽 내측에 안으로 굽은 선명한 곡선으로 보이며, 기정맥열의 끝부분에 기정맥이 위치하게 되어 눈물모양으로 보인다(그림 3-11).

Azygos lobe (기정맥엽)

해부학: 기정맥열에 의해 형성된 우상엽 첨부에 위치한 부엽(accessory lobe)이다(azygos fissure 참조).

Beaded septum sign (염주모양중격징후)

영상소견: CT에서 소엽간중격이 불규칙하고 결절모양으로 비후되어 염주처럼 보일 때 사용하는 기술이다(그림 3-12). 림프관성암종증(lymphangitic carcinomatosis)이나 사르코이드증(sarcoidosis)에서 자주 볼 수 있다.

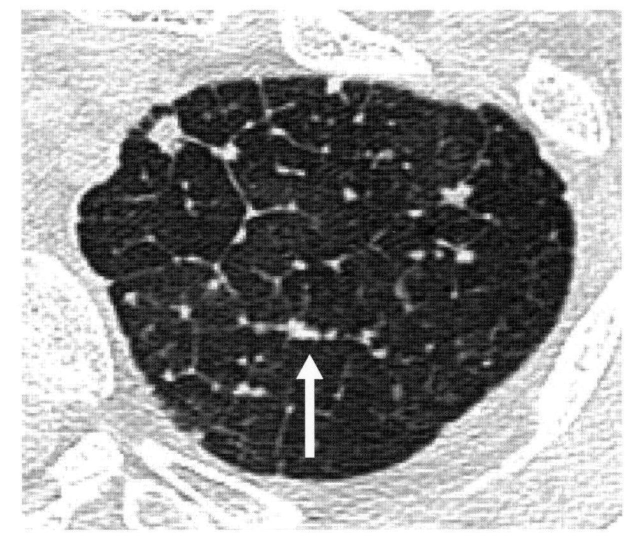

■ 그림 3-12. 좌상엽에서 염주모양중격징후가 보이는 CT영상

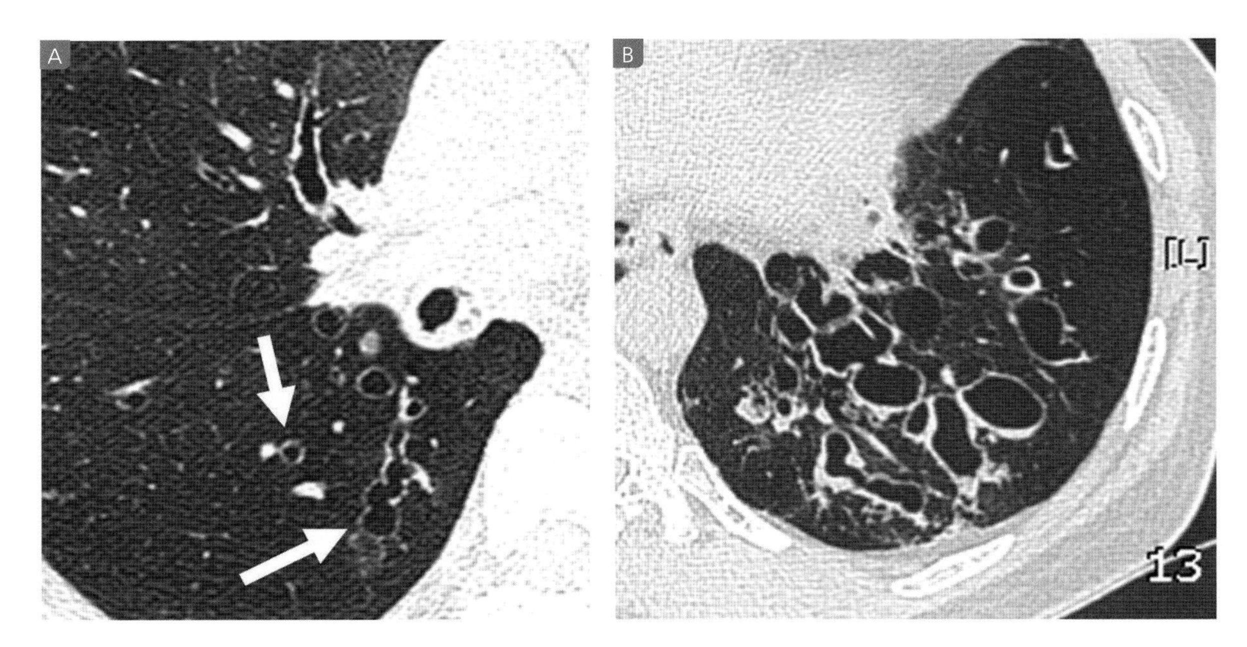

■ 그림 3-13. **A.** 고해상CT영상에서 같이 주행하는 폐동맥보다 기관지 직경이 크며, 기관지 주행에 따른 tapering이 소실되어 있다(화살표). **B.** 좌하엽 부위의 CT영상에서 기관지들이 낭종형으로 확장되어 있으며 확장된 기관지 내에 공기 액체층을 볼 수 있다.

Bleb (소기포)

해부학: 장측흉막이나 흉막 하부 폐에 위치한 1 cm 이하의 공기공간이다.

영상소견: 흉막과 인접하여 얇은 벽을 가진 공기공간으로 폐 첨부에서 자주 보인다. Bulla와 bleb의 구분은 큰 의미가 없으며 bulla가 보다 추천되는 용어이다.

Bronchiectasis (기관지확장증)

병리: 기관지의 비가역적인 확장이며 국소적(localized) 또는 미만성(diffuse)으로 나타날 수 있다. 만성 염증, 근위부 기도 폐쇄, 선천성 기도질환 및 폐 섬유화에서 흔히 보인다.

영상소견: CT에서는 같이 주행하는 폐동맥보다 기관지 내경이 클 때(signet ring sign), 기관지 주행에 따른 tapering이 감소되었을 때(lack of tapering), 흉막에서 1 cm 이내 폐 주변부에서 기관지 음영이 보일 때 진단할 수 있다(그림 3-13)[6]. 기관지확장증은 형태에 따라 관상형 또는 원통형(tubular or cylindrical), 낭종형(cystic), 정맥류형(varicose) 기관지확장증으로 분류할 수 있다. 기관지확장증은 기관지 벽의 비후, 점액박힘, 세기관지 질환, 폐렴, 무기폐 등을 자주 동반한다.

Bronchiole (세기관지)

해부학: 기도의 끝부분으로 연골과 점액샘이 없는 보통 직경 1 mm 이하의 주변부 기도를 말한다. 세기관지는 공기전달만을 하는 막성세기관지(membranous bronchiole)와 일부 폐포벽을 갖고 공기전달과 호흡의 이행성 기도인 호흡세기관지(respiratory bronchiole)로 구분한다. 종말세기관지는 순수한 공기 전도 역할을 하는 기도의 가장 원위부에 해당하며 호흡세기관지와 폐포관 및 폐포로 분지하고 이들은 산소 교환에 관여한다. 호흡세기관지에서 여러 개의 폐포관들이 분지하여 폐포낭, 폐포로 끝난다(그림 3-1 A).

영상소견: 정상 폐에서 세기관지는 벽이 매우 얇아 보이지 않는다. 하지만 염증성 소기도 질환이 동반된 경우 세기관지가 비후되거나 점액으로 채워졌을 때 폐결절이나 나뭇가지발아모양(tree-in-bud pattern)으로 보인다.

Bronchiolectasis (세기관지확장증)

병리: 세기관지의 확장으로 정의하며 기도의 염증성 질환이나 폐 섬유화에 의해 보인다. 염증성 기도 질환에 의한 세기관지확장증은 가역적일 수 있다.

영상소견: 확장된 세기관지 내 삼출액이 채워지고 세기관지벽이 두꺼워지면, 나뭇가지발아모양(tree-in-bud pattern or appearance)이나 중심소엽성결절(centrilobular nodule)로 보인다. 견인성세기관지확장은 폐 섬유화와 동반되어 작은 기낭성 또는 관상형 공기 음영으로 보인다(그림 3-14).

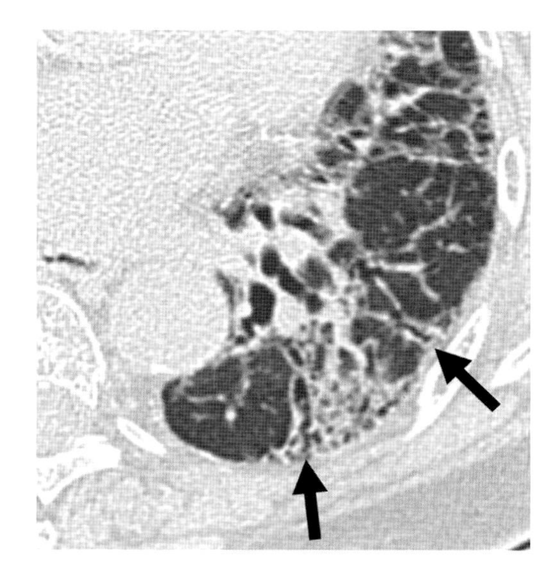

■ 그림 3-14. 폐 섬유화와 동반된 견인성 세기관지확장증

Bronchiolitis (세기관지염)

병리: 다양한 감염성 또는 비감염성 원인에 의한 세기관지 중심의 염증이다.

영상소견: 세기관지 염증(예, 감염성세기관지염)의 직접적인 소견으로 흔히 나뭇가지발아모양, 중심소엽성결절, 세기관지 벽 비후가 보인다(그림 3-15). 또한 폐쇄성 공기가둠에 의한 폐 실질의 모자이크 감쇄 양상이 보일 수 있다.

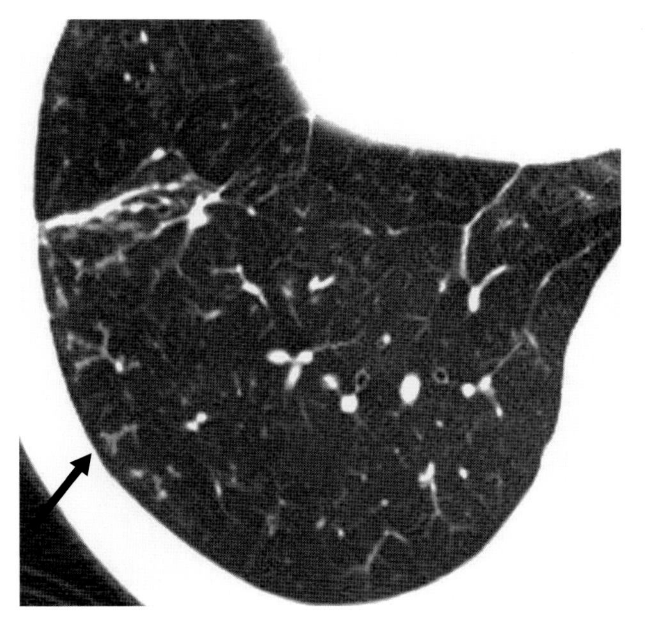

■ 그림 3-15. CT영상에서 세기관지 벽 비후와 나뭇가지발아모양의 결절이 보인다.

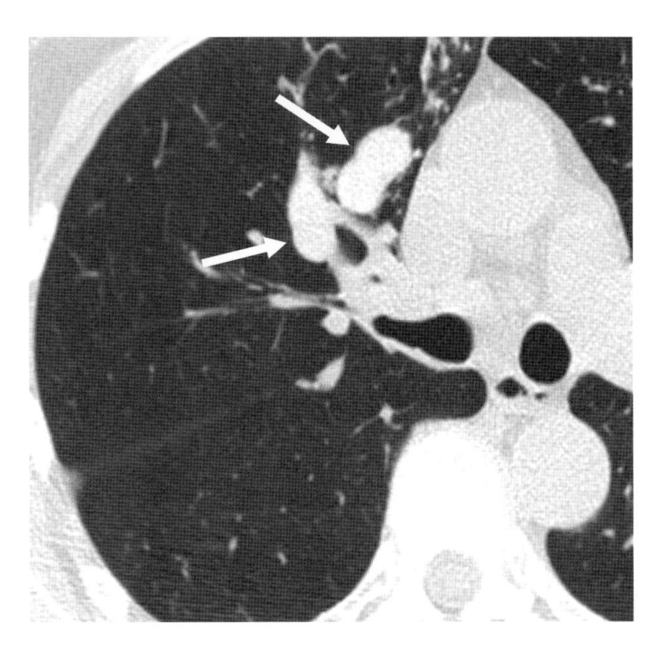

■ 그림 3-16. CT영상에서 분지하는 형태의 구조물이 보인다.

Bronchocele (기관지류)

병리: 근위부 기관지 폐쇄에 따른 기관지 내부 점액 축적과 동반된 기관지확장이다. 선천적(예, 기관지폐쇄증) 또는 후천적(예, 종양) 원인에 의해 유발될 수 있다[7].

영상소견: Y자 또는 V자 모양의 관상 또는 분지하는 형태의 구조물(장갑 낀 손가락 모양)로 보인다(그림 3-16). 점액은 주로 연부 조직 음영으로 보이나 구성 성분에 따라 다양하게 보일 수 있다.

Bronchocentric (기관중심성)

영상소견: CT에서 기관지혈관다발을 중심으로 하는 질환 분포를 기술하는 것이다(그림 3-17). 이러한 분포를 보이는 것으로 사르코이드증, 카포시육종(Kaposi sarcoma) 및 기질화폐렴 등이 대표적이다.

Broncholith (기관지결석)

병리: 기관지 내에 석회화된 물질이 있을 때 기관지결석이라고 한다. 석회화 물질은 주로 석회화된 기관지 주위 림프절이 인접 기관지로 침식하여 발생한다. 때로는 석회화된 기도 연골이 떨어져 나와 발생하며 흡입한 이물질이 석회화되어 생기기도 한다.

영상소견: 흉부X선과 CT에서 기관지 내에 또는 기관지와 바로 인접하여 작은 석회결절을 볼 수 있다. 기관지결석의 원위부는 폐쇄성 무기폐, 기관지 내 점액충만, 기관지확장 등을 볼 수 있다(그림 3-18).

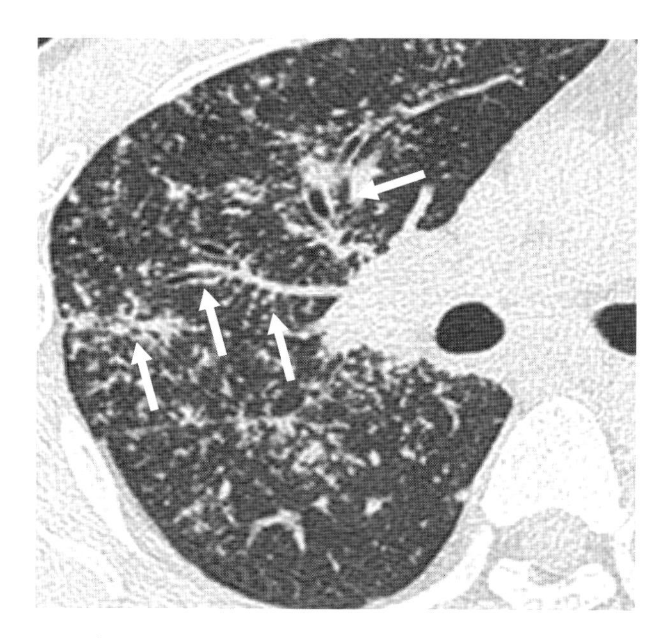

■ 그림 3-17. 기관지혈관다발을 중심으로 결절들이 분포하고 있는 사르코이드증의 CT영상

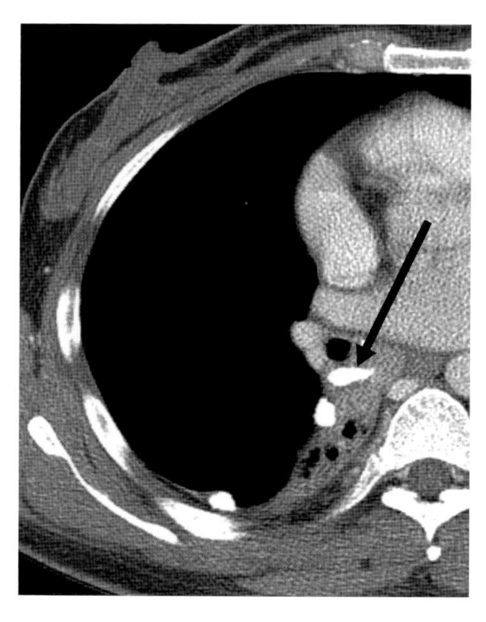

■ 그림 3-18.* CT에서 우하엽 기관지 내 기관지결석(화살표)이 있고, 원위부 무기폐가 있다.

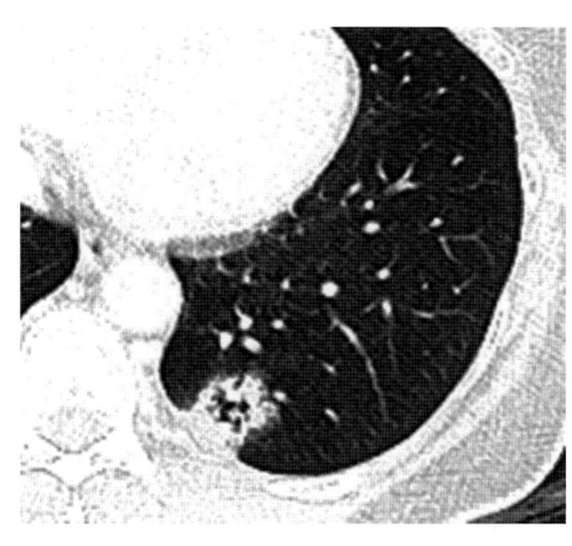

■ 그림 3-19.* 내부에 거품음영을 보이는 악성 폐결절의 CT영상

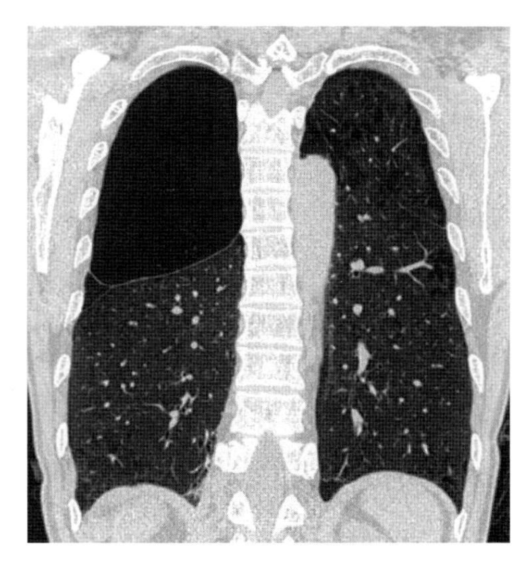

■ 그림 3-20.* CT에서 우상엽에 큰 기포가 있고, 주변부 및 기타 폐에 폐기종이 보인다.

Bronchovascular bundle (기관지혈관다발)

해부학: 기관지, 기관지와 같이 주행하는 폐동맥, 그리고 이를 둘러싸는 결합조직을 포함하여 통칭하는 용어이다.

Bubble lucency (거품음영)

영상소견: 흉부 CT영상에서 결절 내부에 5 mm 이하의 공기음영이 비누방울모양으로 보이는 것이다(그림 3-19). 악성을 시사하는 소견이 될 수 있다.

Bulla (기포)

병리: 1 cm 이상 크기의 공기공간으로 대개 1 mm 이하의 얇은 벽에 의해 명확히 경계된다. 주변부에 폐기종을 자주 동반한다.

영상소견: 1 cm 이상 크기에 얇은 벽에 의해 경계되는 원형의 방사선 투과성 또는 저음영 병변이다. 기포는 흔히 영상에서 다수로 나타나며 모든 형태의 폐기종이 자주 동반된다(그림 3-20).

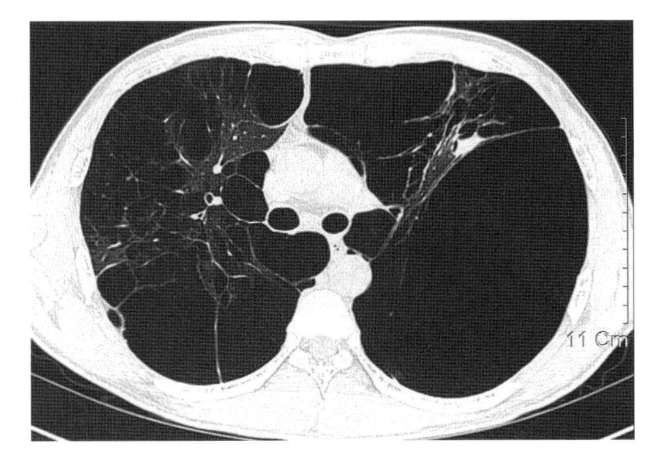

■ 그림 3-21.* 양측 상부 폐에 기포폐기종이 보인다.

Bullous emphysema (기포(성)폐기종)

병리: 폐 실질의 기포성 파괴가 주소견인 폐기종이다. 기포가 폐의 1/3 이상을 차지할 때 거대 기포(성) 폐기종(giant bullous emphysema)이라고 한다(그림 3-21).

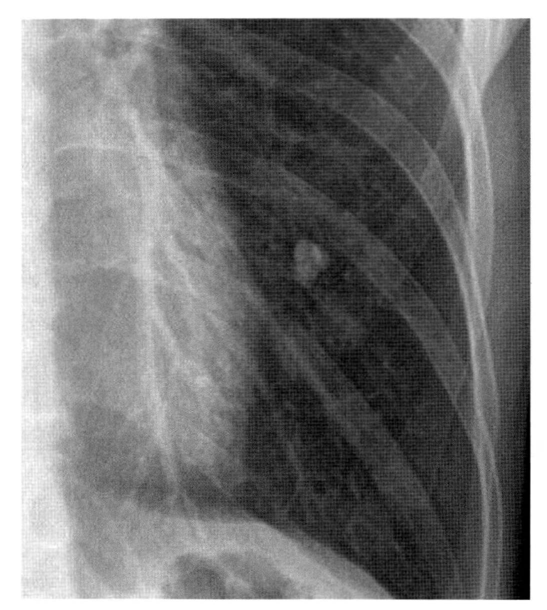
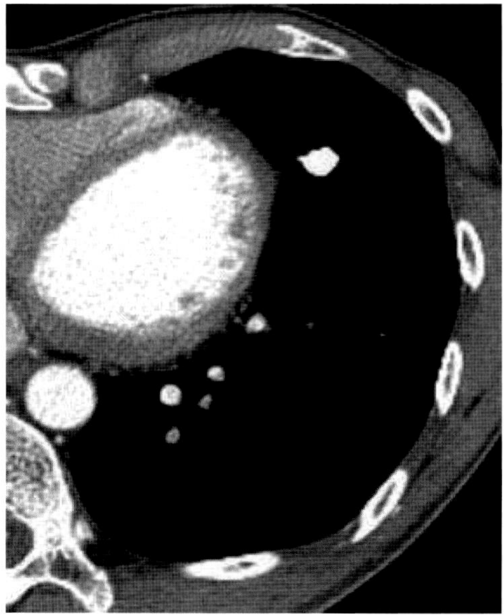

■ 그림 3-22.* 왼쪽 폐에 석회화 육아종이 보이는 흉부X선과 CT영상

Calcific granuloma (석회화 육아종)

영상소견: 흉부X선과 CT에서 결절 내부가 대부분 석회화로 되어있는 양성 폐결절을 말한다(그림 3-22). 흔히 결핵, 비결핵 항산균, 또는 진균 감염의 결과로 생기는 결절에서 볼 수 있다.

Cavity (공동)

영상소견: 폐경화, 종괴 또는 결절 내부에 방사선 투과성 또는 저음영의 공기로 차 있는 공간을 말한다(그림 3-23). 주로 내부의 괴사된 물질이 기도로 빠져나가 형성되며 공기-액체층(air-fluid level)을 보일 수 있다. 폐농양(lung abscess)과 동의어로 사용되지 않도록 유의한다.

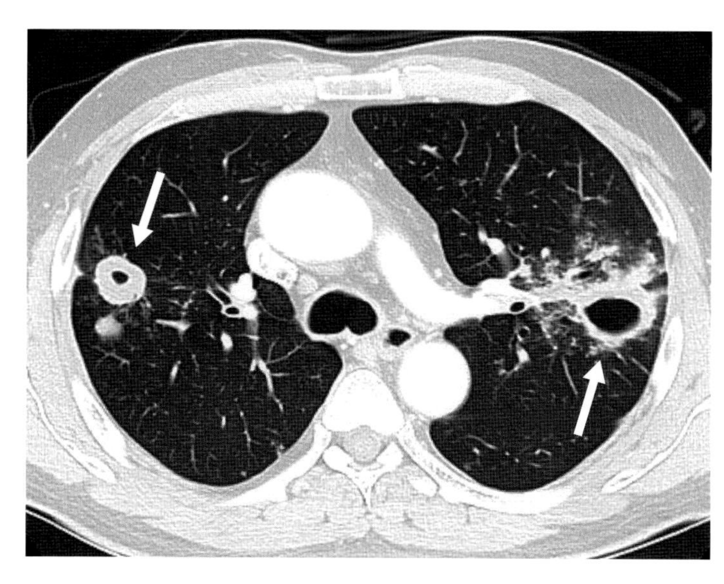

■ 그림 3-23. 흉부 CT영상에서 양측폐에 비교적 매끄러운 경계의 두꺼운 벽을 가진 공동들이 있으며, 주변에 중심소엽성 결절들이 동반되어 있다.

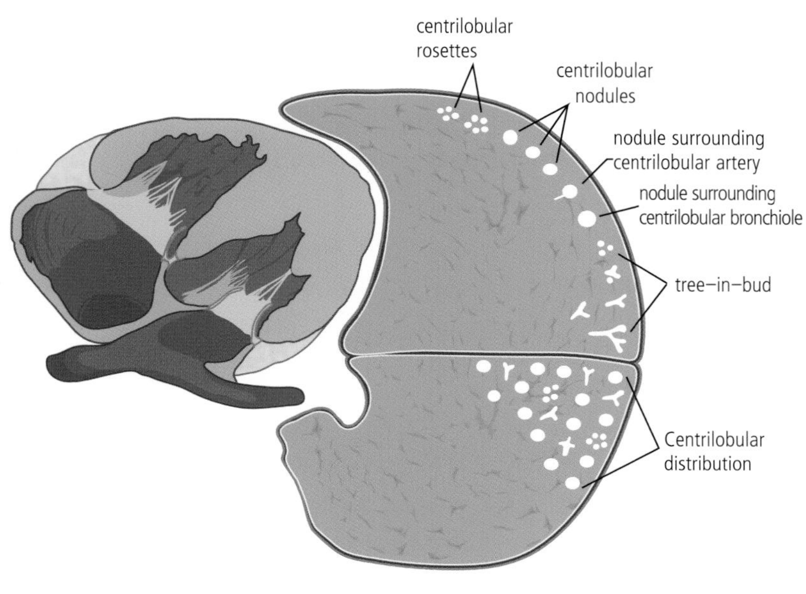

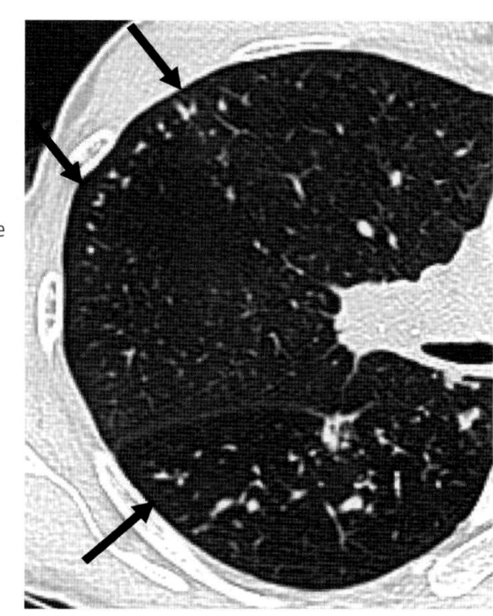

■ 그림 3-24. 중심소엽성 이상소견을 보이는 중심소엽성 결절과 나뭇가지발아모양

Centrilobular distribution (중심소엽 분포)

해부학: 중심소엽성은 이차폐소엽 중심부의 세기관지혈관다발이 위치한 부위를 말한다[1].

영상소견: CT에서 보이는 정상 이차폐소엽 중앙의 작은 점 또는 선상의 음영은 소엽내동맥이며 이는 흉막 표면에서 1 cm 이내에서 가장 잘 보인다. 정상 세기관지는 잘 보이지 않는다. 중심소엽성 분포는 CT에서 흉막 또는 소엽간중격과 일정 거리를 두고 분포하며 다음과 같이 보인다. (a) 결절, (b) 나뭇가지발아모양(tree-in-bud pattern), (c) 이차폐소엽 중심 구조물들의 비후, (d) 중심소엽성 폐기종에 의한 저음영(그림 3-24).

Centrilobular/centriacinar emphysema (중심소엽/중심세엽폐기종)

병리: 소엽중심부 폐포벽의 파괴와 함께 호흡세기관지 및 원위부 폐포의 확장이다. 흡연자에서 가장 흔한 폐기종의 형태이다.

영상소견: 소엽중심부에 벽이 잘 보이지 않는 저음영 부위로 보인다(그림 3-25). 비균일한 분포를 보이며 상부 폐에서 잘 보인다.

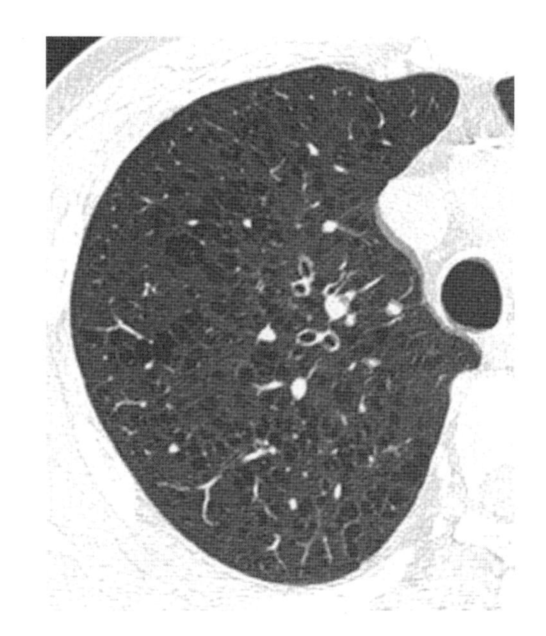

■ 그림 3-25. 소엽 중심부에 저음영으로 보이는 중심소엽폐기종의 CT영상

Chest CT (흉부CT)

정의: 폐첨부에서 폐기저부까지 전 흉부를 포함한 CT이다.

Chest high-resolution CT (흉부고해상CT)

정의: CT 절편두께를 1 mm 내외로 매우 얇게 하고, 영상 재구성에 높은 공간분해능을 갖도록 경계면을 선명하게 하는 연산법을 사용하는 CT 기법이다. 높은 공간분해능을 보이므로 병리조직과 유사한 정도로 해부학적 구조물들이 상세히 보인다. 흉부고해상CT 용어보다 흉부세절편CT 용어의 사용을 권장한다(chest thin-section CT 참조).

Chest low-dose CT (흉부저선량CT)

정의: 기존 흉부CT에 비해 X선 노출량을 1/5-1/10로 줄인 흉부CT검사 방법으로, 특히 폐암 검진에 유용하게 사용된다.

Chest radiographs (흉부X선사진)

정의: 흉부 영상의학분야의 가장 기본이 되는 검사법으로, X선을 흉부에 조사하여 조직에 따른 X선 감쇄 정도를 2차원 사진으로 투사하여 인체 내부를 보여주는 영상기법이다. 후전사진, 전후사진, 측면사진이 임상에서 가장 많이 사용되며, 이외에 측와위사진, 폐첨사진 등이 있다.

Chest thin-section CT (흉부세절편CT)

정의: CT 절편두께를 1-2mm 정도로 얇게 재구성한 CT영상이다. MDCT (multi-detector row CT)가 보편화되면서, MDCT에 의한 용적 자료는 정육면체에 가까운 삼차원 화소(voxel)로 이루어지고 세절편의 높은 해상도 영상을 구현하여, 고해상CT (high-resolution CT)와 동일한 고해상도 CT영상을 제공한다(chest high-resolution CT 참조).

(Lung) Collapse (폐허탈)

병리: 폐 내부 공기가 완전히 없어지고 폐의 부피가 현저히 감소된 상태로, 특히 현저하게 부피가 감소한 무기폐의 기술

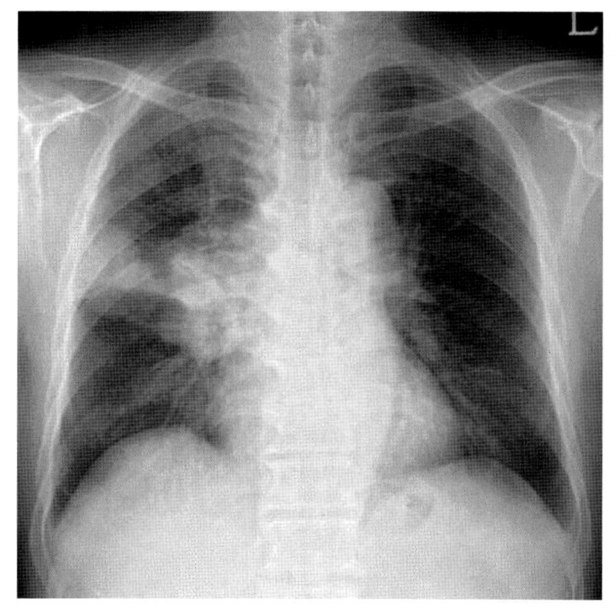

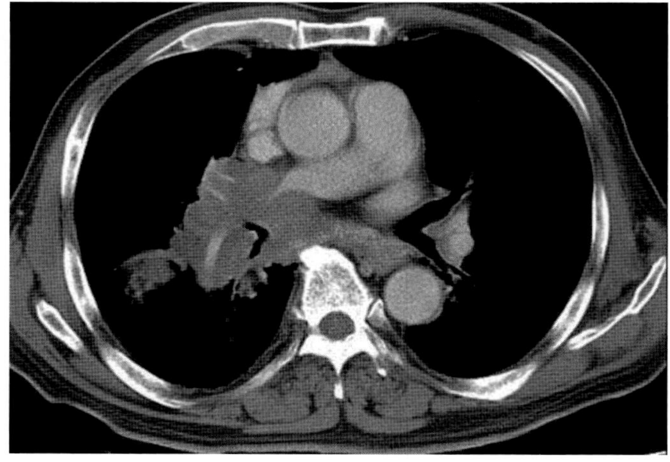

■ 그림 3-26.* 흉부X선에서 오른쪽 폐문 주위로 큰 뭉친 덩어리가 보인다. CT에서 우측 폐문과 엽간 림프절 및 기관하부 림프절이 서로 뭉쳐서 큰 종괴 덩어리로 보인다.

에 사용한다. 폐 부피 감소를 기술하는 데는 일반적으로 폐허탈 보다는 무기폐(atelectasis)의 용어 사용을 권장한다.

Conglomerate mass (뭉친 덩어리)

영상소견: 종괴 혹은 결절이 서로 뭉쳐서 큰 덩어리를 이루는 모양을 말한다(그림 3-26).

(Lung) Consolidation (폐경화)

병리: 주로 질환의 산물인 액체, 세포, 조직 등에 의해 폐포 내 공기가 대치되어 폐가 단단해진(solid) 상태이다. 한편 심한 간질성 폐질환에서도 보일 수 있다.

영상소견: 폐혈관 음영과 기도의 경계를 소실시키는 비교적 균질한 폐음영 증가로 보이며 내부에 공기기관지조영이 보일 수 있다(그림 3-27). 폐경화의 음영 정도가 감별 진단에 도움을 주는 경우는 비교적 제한적이다.

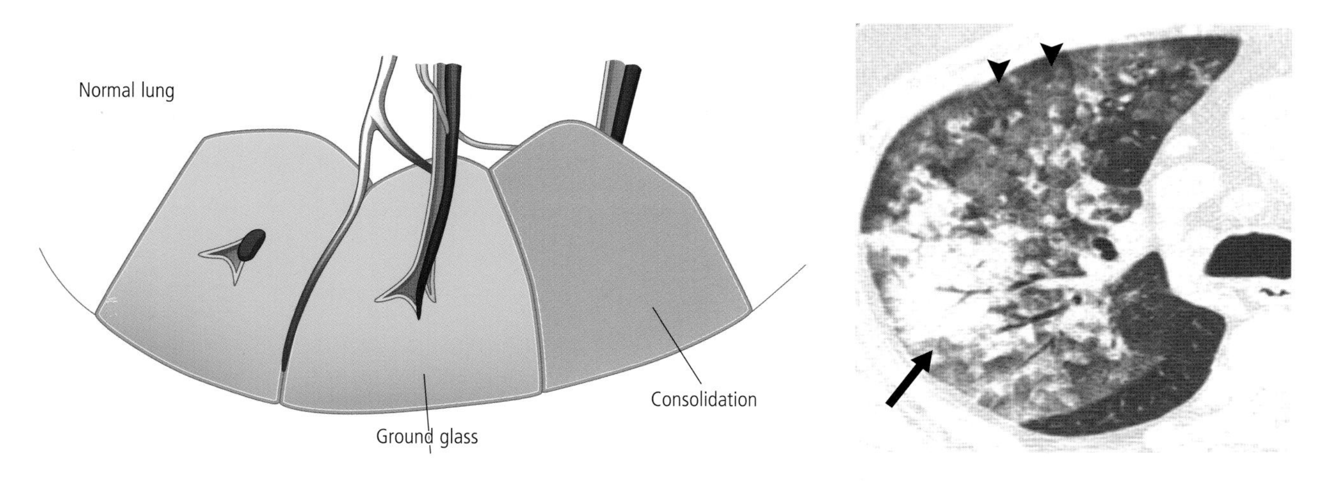

■ 그림 3-27. CT에서 내부에 공기기관지조영을 보이는 폐경화(화살표)와 간유리음영(화살촉)이 혼재되어 있다.

Crazy-paving pattern (돌조각보도양상)

영상소견: 간유리음영 바탕에 소엽간중격(interlobular septa)과 소엽내선(intralobular lines)들의 비후로 인한 음영이 중첩되어 다양한 크기와 모양의 돌조각을 깔아놓은 보도처럼 보인다. 흔히 정상 폐와 분명한 경계를 보임으로써 지도모양(geographic)의 윤곽을 보인다(그림 3-28). 원래 폐포단백증(pulmonary alveolar proteinosis)에서 기술되었으나 이외에도 지질폐렴(lipoid pneumonia), 성인호흡곤란증후군, 급성간질폐렴, 뉴모시스티스폐렴 등과 같이 폐 간질 또는 폐포 및 이를 함께 침범하는 미만성 폐질환에서 모두 보일 수 있다[8].

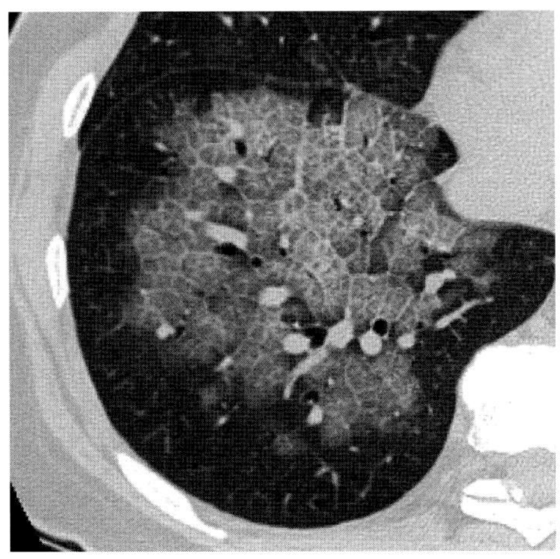

■ 그림 3-28. CT영상에서 간유리음영 바탕에 소엽간중격과 소엽내간질의 비후로 인한 선상음영이 겹쳐서 돌조각보도모양을 보이며 정상 폐와 분명한 경계를 보인다.

Cryptogenic organizing pneumonia (COP, 특발(성)기질화폐렴)

병리: 특발간질폐렴의 한 형태로 독립적인 임상질환이다. 조직학적으로는 원인이 있는 기질화폐렴(organizing pneumonia, OP)과 동일한 소견을 보인다.

영상소견: 흉부X선과 CT에서 폐경화가 특징적으로 흉막 하부와 기저부에 주로 분포하며 때로는 기관지중심성 분포를 보인다(그림 3-29).

Cyst (낭종)

병리: 상피조직 또는 섬유화 벽에 의해 둘러싸인 동그란 국한성 공간으로, 공간 안은 일반적으로 액체가 채워져 있다. 다양한 벽 두께를 보일 수 있으나 대부분 2 mm 미만의 얇은 벽을 갖는다(그림 3-30).

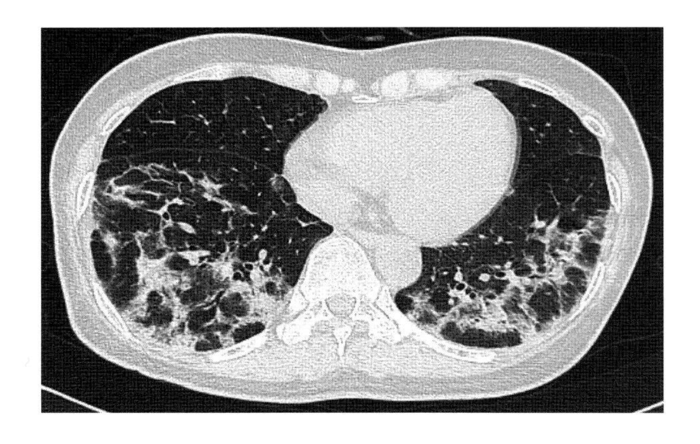

■ 그림 3-29. CT에서 폐경화와 간유리음영이 양쪽 폐 하엽 흉막 하부와 기관지 주변에 비교적 대칭적으로 분포하는 특발기질화폐렴이다

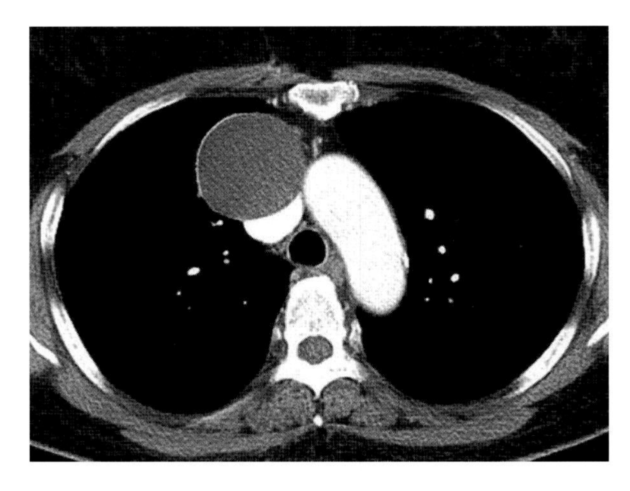

■ 그림 3-30.* CT에서 전종격(동)에 액체로 채워진 낭종이 있다.

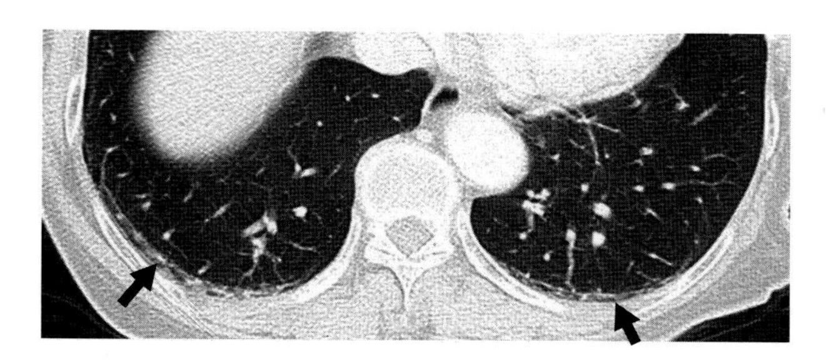

■ 그림 3-31. 흉부CT의 누워있는 자세에서 등쪽 흉막 하부 폐에 중력의존음영(화살표)이 보인다.

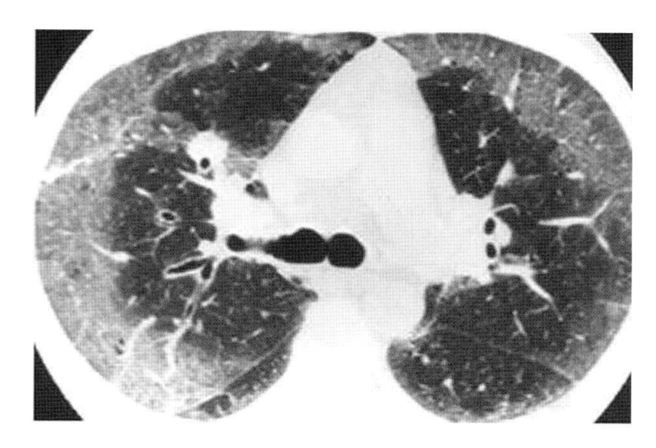

■ 그림 3-32. 박리 간질 폐렴 환자의 CT영상에서 양측 폐의 흉막 하부에 주로 분포하는 미만성 간유리음영이 보인다.

Dependant density/opacity (중력의존 음영)

영상소견: 흉부 CT에서 중력의 영향을 많이 받는 폐에 경계가 불분명하게 음영이 증가되는 것으로 주로 1 cm 이내 두께이다(그림 3-31).

Desquamative interstitial pneumonia (DIP, 박리간질폐렴)

병리: 특발간질폐렴의 한 형태이며 폐포 내 미만성 대식세포 축적(intra-alveolar diffuse macrophage accumulation)이 주된 소견이다. 박리간질폐렴은 호흡세기관지염 및 호흡세기관지염-간질폐질환과 같이 흡연과 상관된 일련의 폐질환 중 한 형태로 생각한다.

영상소견: 주로 폐 기저부와 주변부에 분포하는 간유리음영이 주된 소견이다(그림 3-32). 간유리음영 내부에 미세 낭성(microcystic) 병변이나 벌집모양이 동반 될 수 있다[9].

Diffuse alveolar damage (DAD, 미만(성)폐포손상)

병리: 임상적으로 급성호흡곤란증후군(acute respiratory distress syndrome, ARDS)의 병리 조직 소견이다. 병변의 진행에 따라 삼출기, 증식기, 섬유화기로 나눈다(acute interstial pneumonia 참조).

Disseminated (널리 퍼진/파종)

정의: 병변의 분포가 특정 조직 또는 장기에 일관성 없이 널리 퍼져 있는 상태의 기술이다.

Egg-shell calcification (달걀껍질모양 석회화)

영상소견: 림프절의 주변부에 석회화가 있어 마치 달걀껍질모양처럼 보이는 것이다(그림 3-33). 규폐증(silicosis)과 탄광부진폐증(coal worker's pneumoconiosis)의 종격(동) 및 폐문의 림프절에서 주로 보인다.

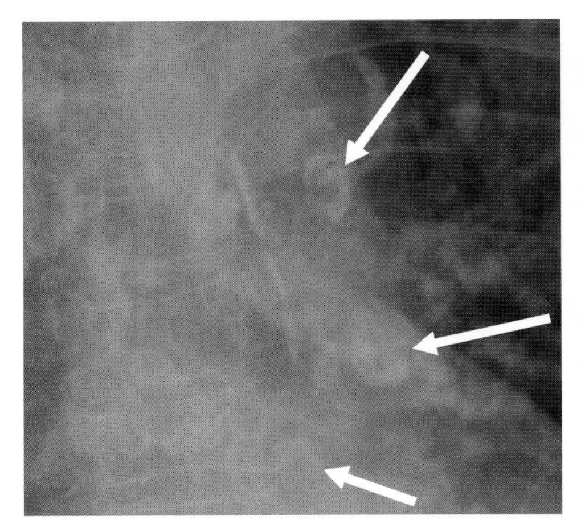

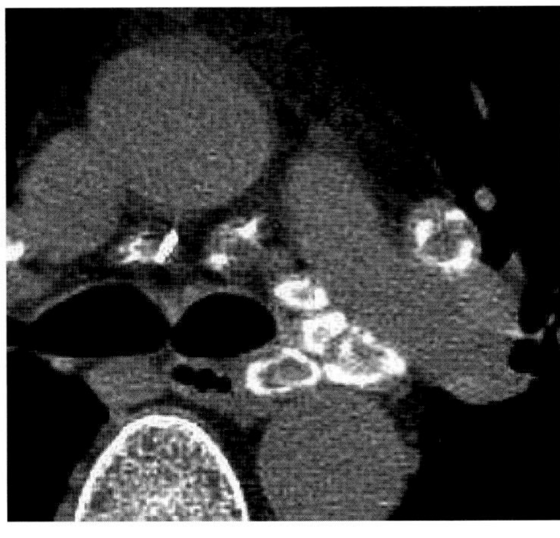

■ 그림 3-33.* 흉부X선과 CT에서 종격(동) 및 폐문 림프절에 달걀껍질모양 석회화가 보인다.

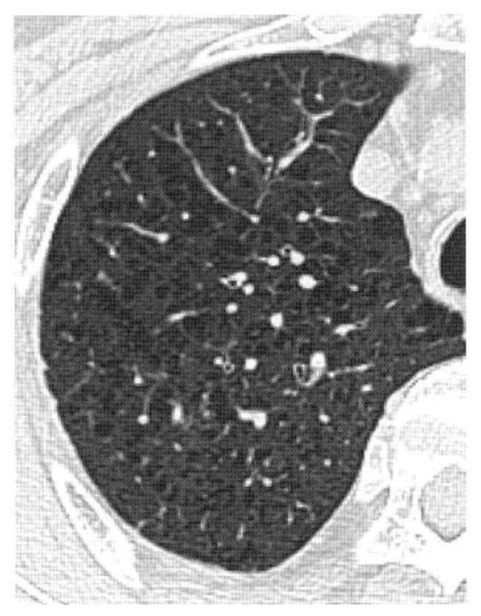

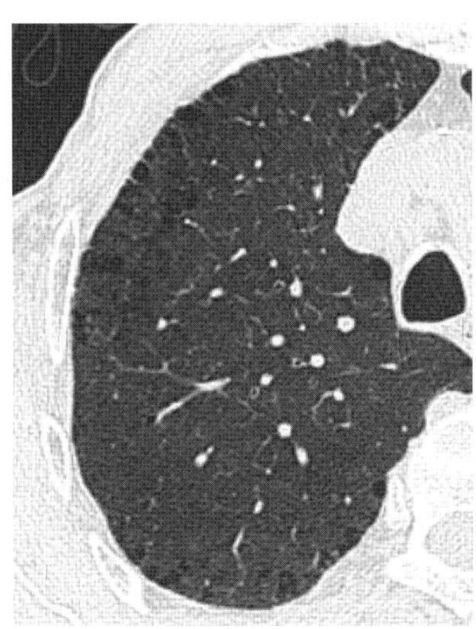

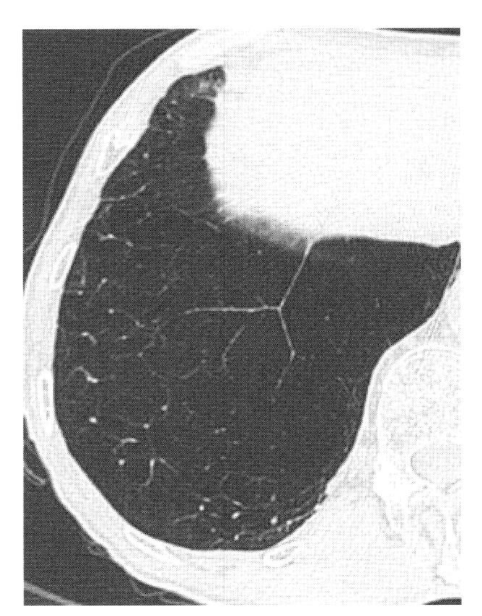

■ 그림 3-34. 왼쪽부터 centriacinar emphysema, distal acinar emphysema, panacinar emphysema의 CT영상소견

(Pulmonary) Emphysema (폐기종)

병리: 종말세기관지 원위부 공기공간의 영구적 확장으로 폐포벽의 파괴를 동반한다. 조직학적으로 주변에 명백한 섬유화가 없다는 점이 부가적인 진단 기준이나 흡연과 관련된 폐기종의 경우 경미한 섬유화가 동반될 수 있다. 폐소엽에서 주로 침범되는 부위에 따라 중심세엽/중심소엽(centriacinar/centrilobular, proximal), 말단세엽/중격주위(distal acinar/paraseptal), 범세엽/범소엽(panacinar/panlobular) 폐기종으로 분류한다.

영상소견: CT에서 대부분 벽이 보이지 않는 국소적인 저음영으로 보인다. 범세엽폐기종의 경우보다 광범위한 저음영 부위로 보인다(그림 3-34).

Endstage lung (말기폐)

병리: 폐질환이 진행하여 극심하게 손상된 폐를 말한다. 대개 만성적인 폐섬유화를 일으키는 질환에서 적용된다. 폐가 파괴되어 폐 구조가 심하게 뒤틀리고, 폐 구조를 구분할 수 없으며, 섬유화 덩어리, 세기관지확장, 벌집폐, 극심한 기낭성 변화 등의 소견이 복합적으로 보인다.

Fungus ball (곰팡이덩이)

병리: 곰팡이 균사들이 점액, 섬유소, 세포 등과 섞여서 만들어진 덩어리이다. 기존의 공동성 폐 병변 안에서 곰팡이덩이는 중력에 따라 움직일 수 있다. 진균종(mycetoma)이라고도 부른다(air crescent, 그림 3-4 참조).

Gloved finger appearance (장갑낀손가락모양)

영상소견: 늘어난 기관지 내부에 점액이 차서 마치 장갑 낀 손가락처럼 보이는 형태를 말한다(그림 3-35). 기관지확장증, 기관지폐쇄, 알레르기기관지폐아스페르길루스증 등에서 주로 보인다.

Granuloma (육아종)

영상소견: 일반적으로 흉부X선사진 또는 CT에서 보이는 폐 결절 중 양성 염증성 결절을 통칭한다. 조직 현미경에서 보이는 육아종과는 차이가 있어 구분하여 사용하여야 한다.

Ground-glass (opacity) nodule (GGN, 간유리결절)

영상소견: 폐 결절 중 CT에서 혈관경계를 소실시키지 않을 정도의 약간의 음영증가를 보이는 결절이다(그림 3-36).

■ 그림 3-35.* 우하엽 기관지에 장갑낀손가락모양을 보이는 CT영상

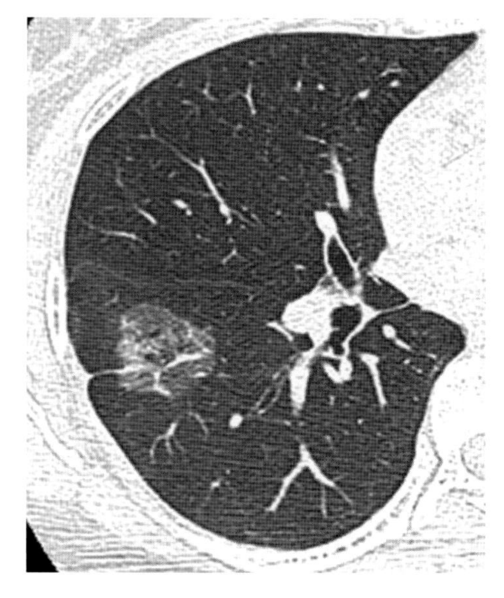

■ 그림 3-36.* 우하엽에 간유리결절이 보이는 CT영상

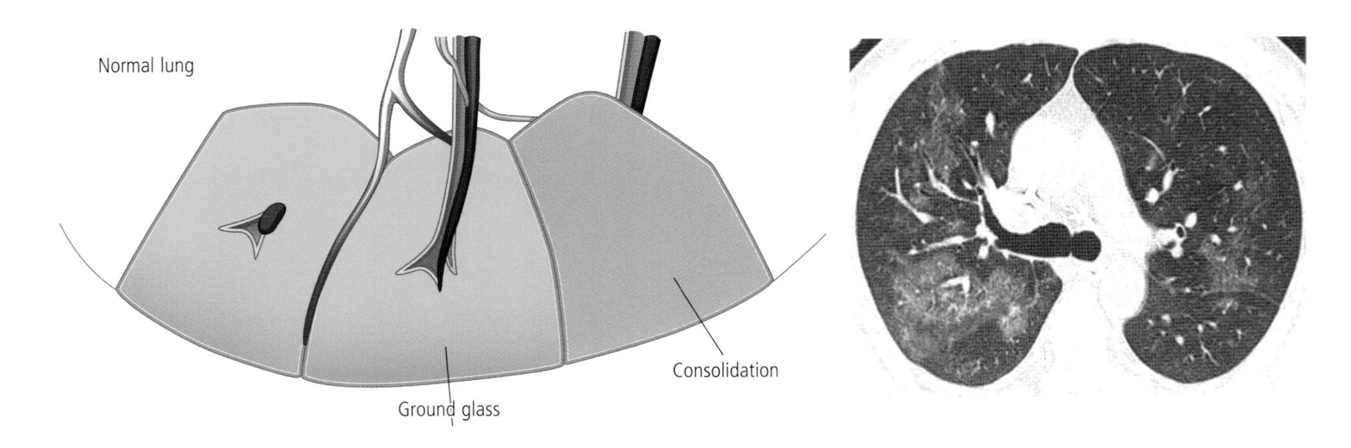

■ 그림 3-37. 뉴모시스티스폐렴 환자의 폐 CT영상에서 양측 폐에 군데군데 경계가 불분명한 간유리음영이 보인다.

Ground-glass opacity (GGO, 간유리음영)

영상소견: 흉부X선에서 폐경화보다 덜 진한 약간의 폐 음영 증가로 보이며 CT에서 증가된 폐 음영 내부 중첩된 폐혈관 음영을 소실시키지 않는 정도의 증가 음영에 대한 기술이다. 폐포의 부분적 충만이나 허탈, 경미한 폐간질 비후, 폐 모세혈관 혈류 증가 등에 의해 보이는 소견이다. 많은 경우에 간유리음영은 활동성이거나 급성 질환을 시사하는 소견이나, 내부에 불규칙한 선상음영, 견인기관지확장, 엽간열 또는 폐 실질의 구조적 변형이 있는 경우는 그렇지 않다(그림 3-37).

(CT) Halo sign (달무리징후)

영상소견: CT에서 폐 결절이나 종괴 주변에 간유리음영이 둘러싸고 있는 모양을 말한다(그림 3-38). 이는 비특이적인 소견으로 주로 혈관침습성아스페르길루스증(angioinvasive Aspergillosis)에서 기술되었으나[10] 그 외 다른 폐 결절과 동반된 출혈이나 종양의 국소적 폐 침윤에 의해서도 보인다.

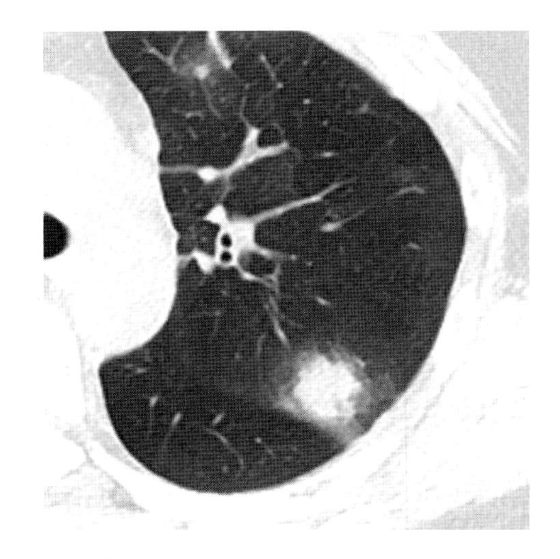

■ 그림 3-38. 폐 CT영상에서 혈관침습아스페르길루스증 병소 주변으로 간유리음영의 달무리 징후가 보인다.

(Pulmonary) Hilum (폐문)

해부학: 종격(동)과 폐를 연결하는 부위로 주 기관지, 폐동맥, 상 폐정맥, 기관지 혈관, 림프절 및 기타 연부 조직으로 구성된다.

영상소견: 흉부X선에서 주로 폐동맥과 상 폐정맥이 폐문 음영을 이루게 된다. 정상적으로 왼쪽 폐문이 오른쪽보다 1-2 cm 높다.

Honeycombing (벌집모양)

병리: 섬유화로 인한 폐 조직의 파괴 및 폐포의 소실(dissolution)와 동반된 비교적 두꺼운 벽을 가지는 다수의 기낭성 공간을 말하며 다양한 폐 질환의 말기 단계에 보인다. 기낭의 직경은 수 mm 에서 수 cm 에 이르며 다양한 벽 두께를 보이고 주로 변형된 세기관지 상피(metaplastic bronchiolar epithelium)로 구성되어 있다.

영상소견: 흉부X선에서 3-10 mm 크기의 둥근 기낭들이 여러 층으로 인접하여 모여서 벌집모양으로 보인다. CT에서 주로 밀집해(clustered) 모여 있는 기낭성 공간으로 보통은 직경 3-10 mm 이나 2.5 cm 까지도 이를 수 있으며 벽 두께는 1-3 mm 정도이다. 벌집모양은 경계가 분명하고 주로 흉막하부에서 여러 층으로(layered) 보인다(그림 3-39). 폐 섬유화의 확실한 CT 소견으로 특발폐섬유증/상용간질폐렴(idiopathic pulmonary fibrosis/usual interstitial pneumonia, IPF/UIP)의 진단에 중요한 영상 소견이다[2].

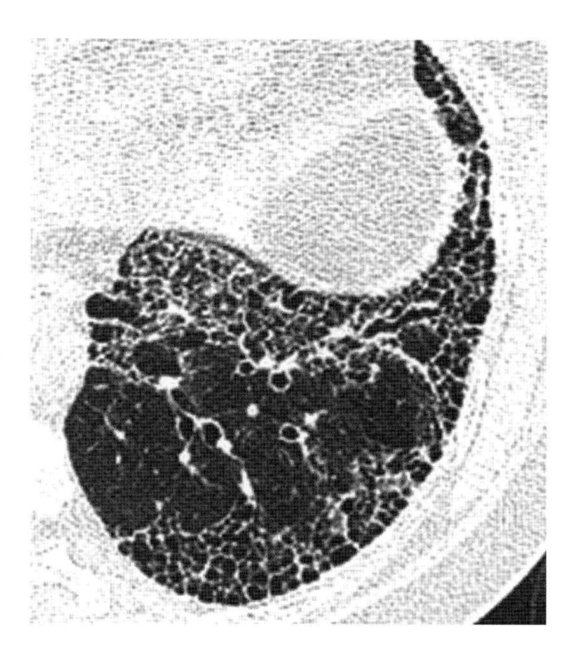

■ 그림 3-39.* 특발폐섬유증/상용간질폐렴 환자의 고해상CT영상이며 폐 기저부의 흉막하부에 여러 층을 이루는 경계가 분명한 기낭성 공기공간들이 밀집해 있다.

Idiopathic pulmonary fibrosis (IPF, 특발(성)폐섬유증)

병리: 조직학적으로 상용간질폐렴 소견을 보이는 원인 불명의 만성 섬유화성 간질폐렴이다.

영상소견: 폐 주변부 및 기저부에 주로 분포하는 그물음영 및 벌집모양 소견이 특징적이다. 간유리음영은 그물음영이나 벌집모양 소견에 비하여 덜 광범위하다(그림 3-39). 석면과 관련된 폐 섬유화(asbestosis) 및 만성과민폐렴(chronic hypersensitivity pneumonitis)과 같이 특정 원인에 의한 간질폐렴에서도 같은 소견이 보일 수 있으며 이와 같은 원인 질환을 배제한 후 진단할 수 있다[2].

Infiltrate (침윤)

영상소견: 흉부X선과 CT에서 폐포공간 또는 폐간질 질환에 의한 증가 음영을 기술하는 비특이적인 기술이다. 바람직하지 않은 용어로 사용하지 않을 것을 권장하며 "음영(opacity)"과 같은 용어로 대치하는 것이 좋다.

Inflammation (염증)

병리: 물리적 자극, 기계적 자극, 화학적 자극 또는 생물학적 자극 등 해로운 자극에 대한 생체의 방어 반응이며 자극이 가해지고 나서 수복까지의 모든 경과 과정에 해당한다.

영상소견: 흉부X선과 CT에서 염증이 폐포를 침범하는 경우에는 주로 폐경화나 간유리음영으로 나타난다. 한편 염증이 폐간질을 주로 침범하는 경우에는 간유리음영이나 그물음영(reticular opacity)으로 나타나고, 기관지 염증은 기관지 벽 비후 또는 결절로 보인다.

Inflammatory nodule (염증성결절)

영상소견: 염증성 병변에 의한 결절이나 결절형 폐경화 등의 양성 폐결절을 지칭하는 비특이적인 기술이다.

Interface sign (경계면징후)

영상소견: CT에서 폐의 기관지, 혈관, 흉막 등의 경계면이 불규칙하거나 불분명하게 보이는 것이며 간질성 폐질환이 있을 때 주로 보인다(그림 3-40).

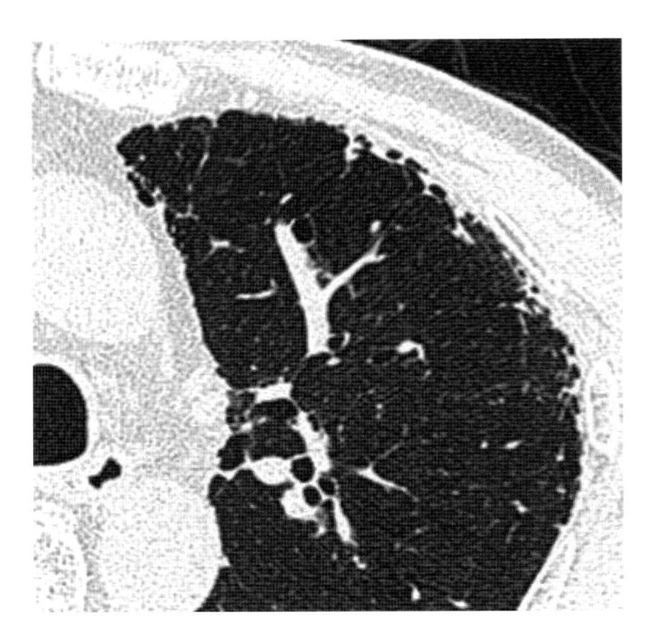

■ 그림 3-40.* 간질폐섬유화로 인해 흉막 표면이 매끄럽지 않고 불규칙하게 보인다.

Interlobar fissure (엽간열)

해부학: 장측흉막이 폐 안으로 접혀 폐엽을 감싸면서 폐엽을 구분하게 된다. 오른쪽에 두 개, 왼쪽에 한 개가 일반적이다.

영상소견: 흉부X선과 CT에서 1 mm 두께 이하의 매끈한 선음영으로 보인다.

Interlobular septal thickening (소엽간중격비후)

영상소견: 흉부X선에서 주로 폐 기저부에 측면 흉막과 수직으로 닿아있는 1-2 cm 길이의 얇은 선상 음영으로 보이며 이를 컬리B선(Kerley's B line)이라 부른다. 악성 종양의 림프관성 전이 및 폐부종 등에서 흔히 잘 보인다. 컬리A선(Kerley's A line)은 주로 폐문을 향해 비스듬하게 주행하는 2-6 cm 길이의 선상 음영으로 보인다. 최근 컬리선 보다는 septal lines 또는 septal thickening이라는 용어를 주로 사용한다. CT에서 1-2.5 cm 정도의 다각형(polygonal) 및 육각형(hexagonal)의 arcade로 보이며 소엽간중격비후는 형태가 매끈(smooth)하거나 결절성(nodular)으로 보일 수 있고 이러한 소견은 질환의 감별 진단에 도움을 줄 수 있다(그림 3-41)(beaded septum sign 참조).

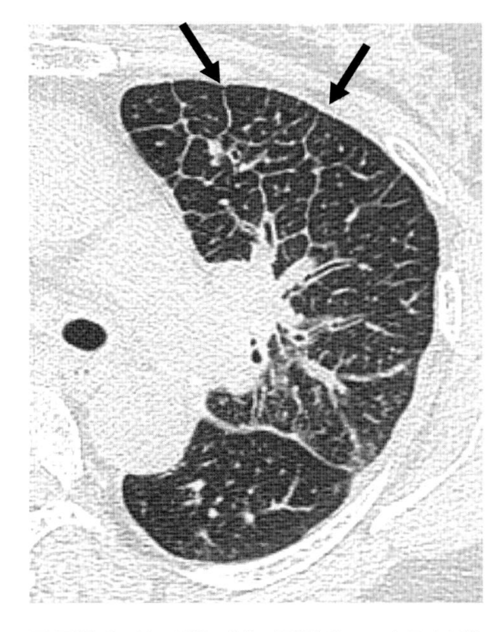

■ 그림 3-41. 왼쪽 폐에 다각형의 arcade로 보이는 소엽간중격비후와 중심소엽성 구조물의 형태가 잘 보이는 림프관성암종증의 CT영상

Interlobular septum (소엽간중격)

해부학: 이차폐소엽의 경계를 이루는 결체조직으로 폐 주변부에서 흉막에 수직을 이루는 1-2 cm 길이의 얇은 (약 0.1 mm 두께) 격막과 같은 구조물이다. 소엽간중격 내부에는 림프관과 폐세정맥이 있다. 폐엽의 전면, 측면, 종격동과 인접한 폐, 횡격막과 인접한 폐 주변부에 잘 발달되어 있다.

영상소견: 이차폐소엽 사이에서 가는 선상 음영으로 보이며 정상 폐에서는 잘 보이지 않고 부종, 섬유화, 세포 침윤 등

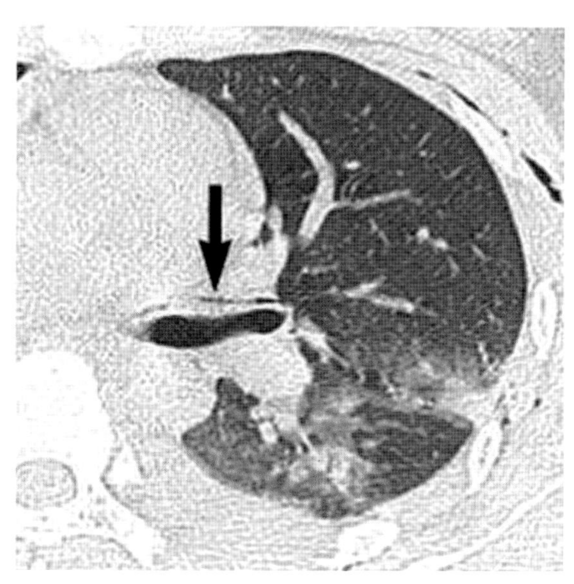

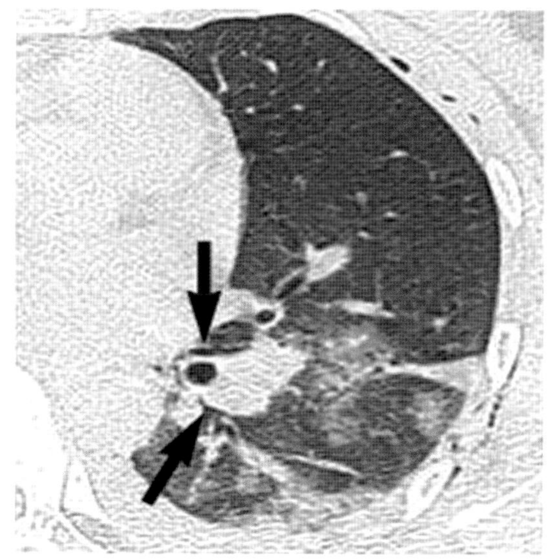

■ 그림 3-42. CT영상에서 좌측 주기관지와 좌하엽 기관지 주위로 공기음영이 보인다.

에 의해 비정상적으로 두꺼워지면 잘 보이게 된다(interlobular septal thickening, lobule 참조).

Interstitial emphysema (간질(성)폐기종)

병리: 공기가 폐 간질을 박리하며 들어가 있는 소견으로 특히 기관지혈관다발 주변 간질, 소엽간중격 및 장측흉막 등에 비정상적인 공기가 보인다. 기계 환기를 하는 신생아에서 가장 흔히 보인다.

영상소견: 성인의 흉부X선사진에서는 드물게 보이며 CT에서 종종 볼 수 있다. 간질폐기종은 혈관 주위에 방사선 투과성 또는 저음영의 halo와 작은 기낭으로 보인다(그림 3-42).

(Pulmonary) Interstitium ((폐)간질)

해부학: 폐를 지지하는 역할을 하는 폐 전반에 걸친 결체조직의 연속체이며 다음과 같이 세 부분으로 구성 된다: (a) 축성(axial, bronchovascular) 간질은 폐문을 중심으로 한 중심부 폐의 기관지 및 폐혈관을 둘러싸고 지지해 주며 호흡세기관지 수준까지 이른다, (b) 실질성(parenchymal, intralobular) 간질은 폐포와 모세혈관 기저막 사이에 존재한다, (c) 주변부(peripheral, subpleural) 간질은 장측흉막 및 소엽간중격 주변부로 구성된다(그림 3-43)[11].

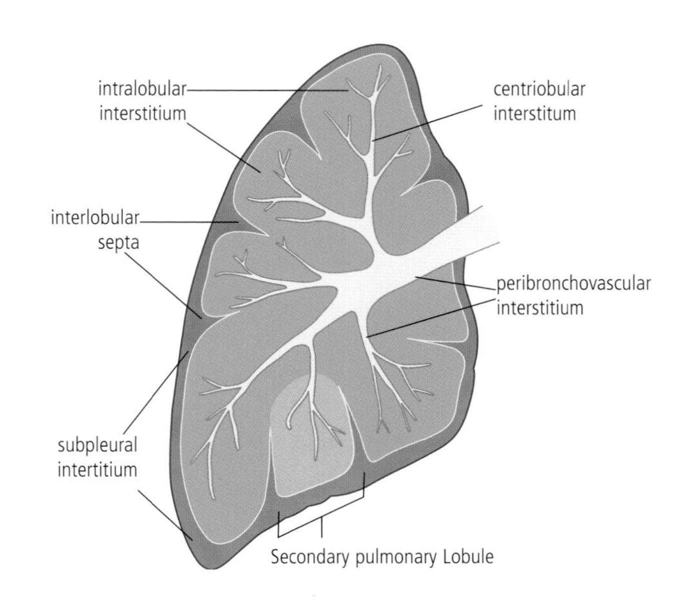

■ 그림 3-43. 폐의 간질

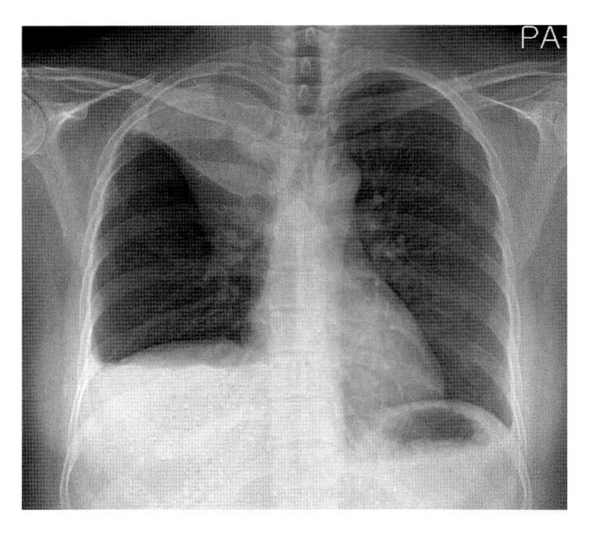

■ 그림 3-44. 우상엽 중심부 폐종양과 원위부의 폐쇄성 무기폐로 인한 역S자징후가 보이는 흉부X선영상

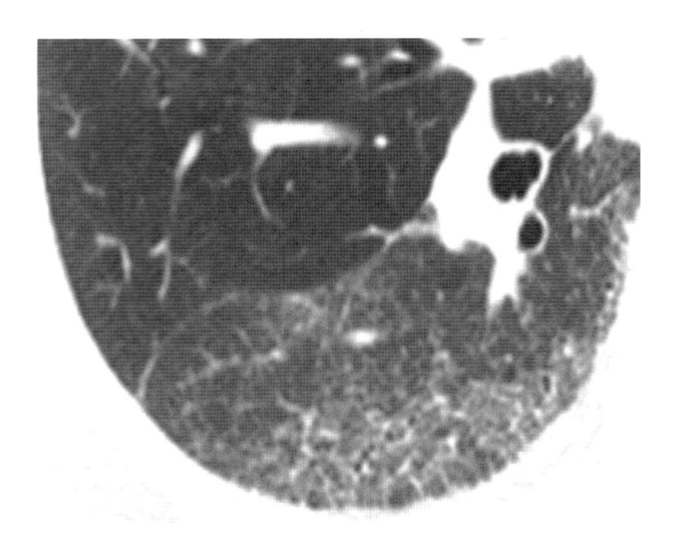

■ 그림 3-45. 우하엽 흉막 하에 폐 간질의 섬유화에 의한 섬세한 그물모양이 있으며 흉막하에 연해서 폐소엽 내부에 미세한 선상음영들이 보인다.

Inverted S/Golden S sign (역S자/골든S징후)

영상소견: 폐문부의 중심성 종양으로 인한 볼록한 음영과 원위부 폐허탈에 의한 엽간열의 오목한 음영이 이어져 (거꾸로 뒤집힌) S자 모양의 변연부를 보인다(그림 3-44). 흉부X선에서 중심성 폐암을 시사하는 소견이다.

Intralobular interstitial thickening/Intralobular line (소엽내간질비후/소엽내선)

영상소견: 소엽내간질(intralobular interstitium)이 비정상적으로 두꺼워지면 폐소엽 내부에 미세한 선상 음영(intralobular lines)으로 보이며 진행하면 섬세한 그물모양을 보인다(그림 3-45). 폐간질 섬유화(interstitial fibrosis)나 폐포단백증(pulmonary alveolar proteinosis)에서 잘 보인다(crazy-paving pattern 참조).

Juxtaphrenic peak (횡격막근접 봉우리)

영상소견: 흉부X선에서 상승된 횡격막 첨부에 기저부를 두는 작은 삼각형 음영으로 폐 상엽 용적 감소를 시사하는 소견이다. 흉부 후전사진에서 잘 보이며 하방 부속 열구(inferior accessory fissure) 또는 하폐인대(inferior pulmonary ligament)와 동반된 폐 내부 격막이 위쪽으로 당겨져서 보이게 된다(그림 3-46).

Kerley line (컬리선)

영상소견: 폐소엽간중격비후가 흉부X에서 보일 때 위치에 따라 A, B, C선으로 구분한다(그림 3-47). 폐 주변부에서 흉막과 직각으로 주행하는 1-2 cm의 짧은 수평선을 컬리B선이라고 한다. 폐문을 향하는 2-6 cm 길이의 비스듬하게 주행하는 얇은 선을 컬리A선이라고 한다. A선 또는 B선이 아닌 짧은 선들을 컬리C선이라고 한다. 동의어로 중격선(septal line)이라고도 하며, 컬리선보다는 "소엽간중격비후" 용어의 사용을 권장한다(interlobular septal thickening, septal line 참조).

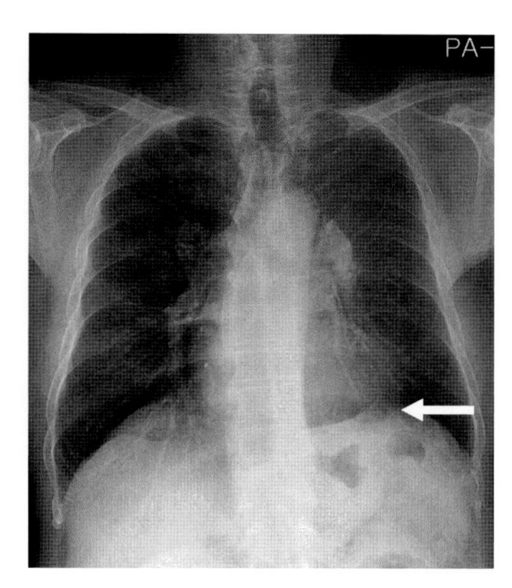

■ 그림 3-46. 왼쪽 폐 하엽 기저부에 위쪽으로 당겨져 보이는 작은 삼각형 음영이 보인다.

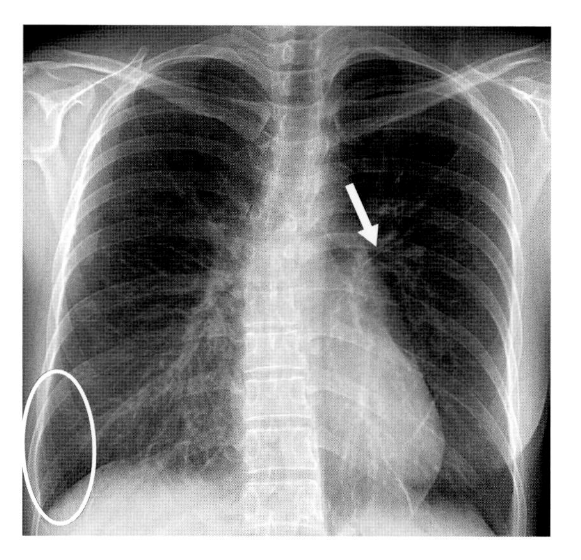

■ 그림 3-47.* 우하엽 주변부에 컬리B선(타원형 구역)이 보이며, 좌폐문 주위에 컬리A선(화살표)이 보인다.

CHAPTER
03

Linear atelectasis (선형무기폐)

영상소견: 세분절 이하의 경도의 무기폐로 흉막으로 향하는 얇은 선 또는 띠 음영으로 보인다. 주로 폐 기저부에 수평으로 보이며, 비스듬하게 또는 수직의 선으로도 보인다. 흉부X선에서는 원판형(discoid) 또는 평판형(plate-like) 무기폐라고도 한다.

(Lung) Lobe ((폐)엽)

해부학: 폐에서 주가 되는 분할로 보통은 오른쪽에 세 개의 엽과 왼쪽에 두 개의 엽이 있다. 폐문부나 불완전한 엽간열이 있는 경우를 제외하고는 각각의 폐엽은 장측흉막으로 둘러싸여 있다.

Lobular core structures (중심소엽 구조물)

해부학: 이차폐소엽의 중심부에 위치하는 구조물들로 세기관지, 폐세동맥 및 이들 주변을 둘러싸는 간질로 구성된다.
영상소견: 폐동맥과 그 분지는 CT에서 이차폐소엽의 중심부에서 볼 수 있으며 특히 두꺼워져 있는 경우(예, 폐부종) CT 에서 잘 보인다. 폐세동맥은 보통 0.5-1.0 mm 의 직경이다. 반면 이차폐소엽 중심의 정상 세기관지는 그 벽이 매우 얇기 때문에(약 0.15 mm) CT영상에서 보이지 않는다(그림 3-48).

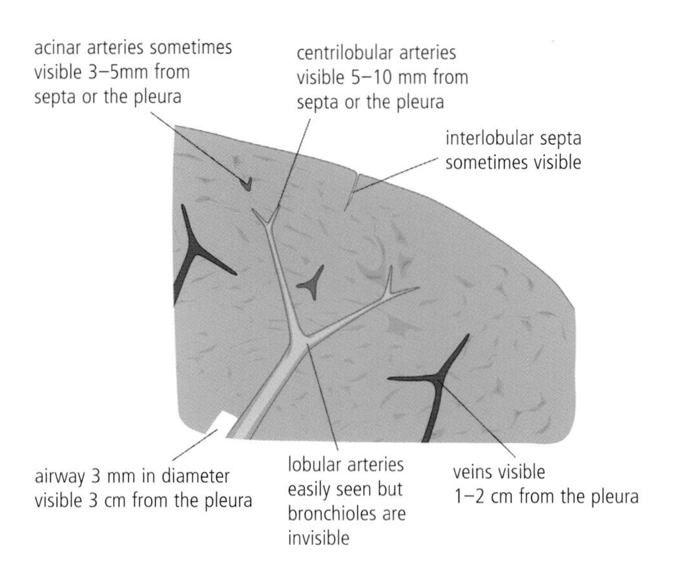

■ 그림 3-48. 정상 중심소엽 구조물들의 모식도

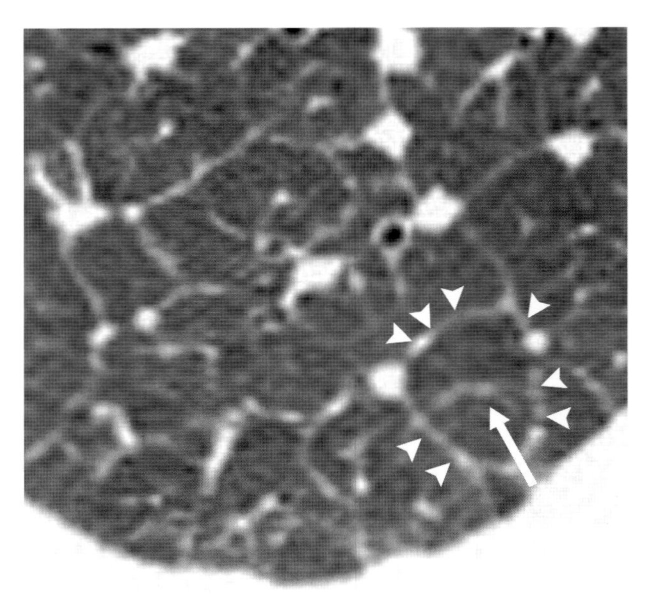

■ 그림 3-49. 병적으로 소엽간 중격이 비후 되어 있으며(화살촉) 이차 폐소엽 중앙에 폐세동맥이(화살표) 보이는 반면 세기관지는 CT영상에서 보이지 않는다.

(Lung) Lobule ((폐)소엽)

해부학: 결체조직 중격(connective tissue septa)에 의해 경계되는 가장 작은 폐의 구조적 단위이며 일반적으로 이차폐소엽(secondary pulmonary lobule)을 말한다. 내부에는 다양한 숫자의 세엽(acini)을 포함하며 직경 약 1.0-2.5 cm 크기의 불규칙한 다면체(polyhedral) 모양으로 소엽간중격(interlobular septa)에 의해 경계된다.

영상소견: 소엽의 세 가지 기본 구성 요소인 소엽중심성 구조물(centrilobular structures), 소엽간중격(interlobular septa) 및 소엽 실질(lobular parenchyma)은 특히 병적 상황에서 잘 보인다(그림 3-49) (interlobular septa, secondary pulmonary lobule 참조).

Lung parenchyma (폐실질)

해부학: 산소 교환에 관여하는 폐 영역을 지칭하며 폐포, 폐포관, 호흡세기관지와 모세혈관으로 구성된다.

영상소견: 흉부X선과 CT영상에서 볼 수 있는 폐혈관과 기도를 제외한 나머지 부위에 해당한다.

Lymphadenopathy (림프절병증)

병리: 여러 원인에 의하여 림프절에 병이 생기는 것이다. 림프절병증의 림프절이 모두 크기가 커지는 것은 아니다. 림프절병증과 림프절비대(lymph node enlargement)를 자주 혼용하여 사용하나, 림프절비대가 더 옳은 기술이다.

영상소견: CT에서 종격(동) 및 폐문 림프절은 축상면에서 단경 1 cm 까지를 정상 범위로 보고하고 있으나, 크기만으로 정상 림프절과 림프절병증을 구분하는 데에는 제한이 있다.

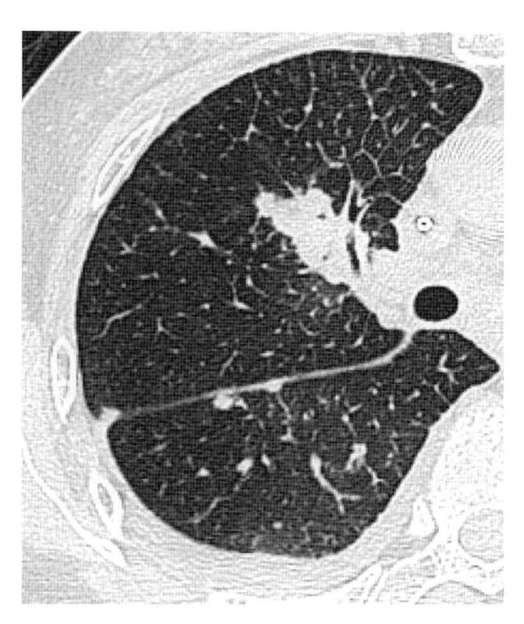

■ 그림 3-50. 오른쪽 폐의 기관지혈관간질, 소엽간중격, 엽간열의 결절성 비후가 보이는 림프관성암종증이다.

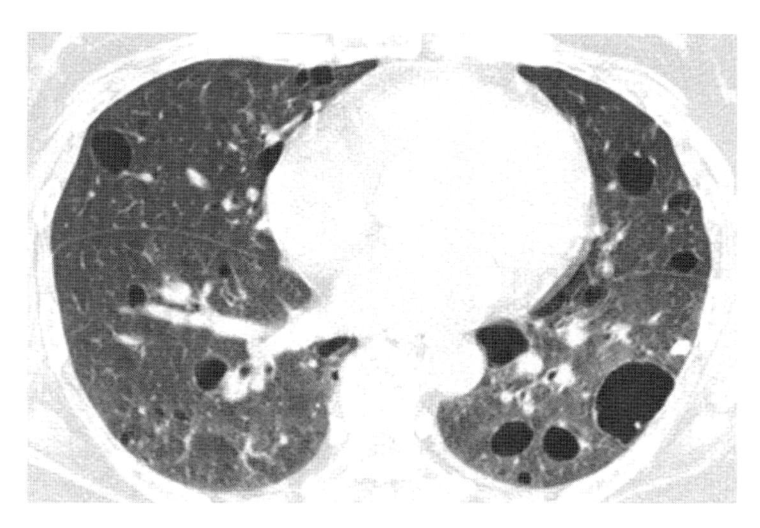

■ 그림 3-51. 기저에 쇼그렌증후군이 있는 환자의 폐 CT영상이며 양측 폐에 림프구간질폐렴을 시사하는 여러 개의 기낭들과 결절들이 보인다.

Lymphangitic carcinomatosis (림프관성암종증)

병리: 폐 림프계에 종양이 파종하여 증식하는 것이다.

영상소견: 림프계가 있는 기관지혈관간질(bronchovascular interstitium)과 주변부간질인 소엽간중격(interlobular septum) 및 엽간열(interlobar fissure)의 결절성 비후로 나타난다(그림 3-50).

Lymphoid interstitial pneumonia (LIP, 림프구간질폐렴)

병리: 폐의 미만성 림프증식증(diffuse pulmonary lymphoid hyperplasia, DPLH)의 한 형태로 생각되며 특징적으로 주로 폐포벽을 중심으로 하는 폐 간질(alveolar septal interstitium)에 림프구와 형질세포 및 조직구의 심한 침윤을 보인다. 대개 쇼그렌증후군과 같은 자가면역 질환이나 후천성면역결핍증과 동반되어 보일 수 있다.

영상소견: 양측성 간유리음영이 주된 소견이며 혈관 주변에 얇은 벽을 가진 기낭이 보일 수 있다(그림 3-51). 그 외 중심소엽성결절, 그물음영, 소엽간중격과 기관지혈관다발의 비후 및 광범위한 폐경화 등이 보일 수 있다.

Mass (종괴)

영상소견: 흉부X선에서 모양, 경계, 음영 등의 특징과 무관하게 폐, 흉막, 종격(동) 등에 있는 직경 3 cm 보다 큰 덩어리 모양 증가 음영을 말한다. 종괴는 대개 고형(solid) 또는 반고형(semi-solid, sub-solid, part-solid) 음영을 보이며 정확한 크기, 모양, 경계, 감쇄 정도 및 다른 특징들을 평가하는 데는 CT가 더 유용하다.

Mediastinal compartment (종격(동) 구역)

해부학: 흉곽의 중앙에 위치하는 종격(동)을 3개 또는 4개의 구역으로 구분하며 구역간에 정확한 해부학적 장벽(barrier)이 있지는 않다. 일반적으로 흉골상단과 4번째 흉추 추간판 사이를 연결한 선의 위쪽을 상종격(동), 그 아래로 심장의 앞부분을 전종격(동), 심장 부위를 중종격(동), 심장 뒷부분을 후종격(동)으로 나눈다.

Mediastinum (종격(동))

해부학: 흉곽 중앙에 위치한 공간으로 양쪽 폐 사이에 위치한다. 전후로는 흉골 직후방에서 척추까지 이르고 그 내부에 심장, 혈관, 기관과 양측 주 기관지의 일부, 식도, 흉선, 림프절, 흉관(thoracic duct), 신경, 지방으로 이루어진 결합조직 등이 있다.

Micronodule (미세결절)

영상소견: 매우 작은 경계가 분명한 원형의 결절을 말한다. 직경 3 mm 이하의 결절에서 기술하기를 권장한다.

Miliary pattern (속립양상)

영상소견: 흉부X선과 CT에서 직경 3 mm 이하의 매우 작고 비교적 경계가 분명한 둥근 음영들이 폐에 광범위하게 고루 퍼져 있는 것을 말한다. 속립결핵과 혈행성전이에서 보인다(그림 3-52).

Mosaic attenuation pattern (모자이크감쇄양상)

영상소견: 서로 다른 폐음영 부위가 헝겊을 군데군데 기운 모양(patchywork)으로 섞여 있는 소견을 말하며 (a) 소기도질환, (b) 폐쇄성 혈관질환, (c) 간질성 폐질환에서 보인다[12]. 모자이크감쇄양상이라는 용어가 모자이크저(폐)관류(mo-

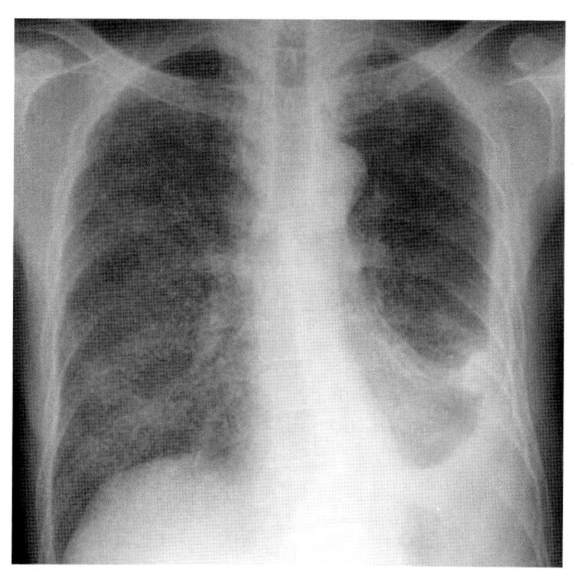
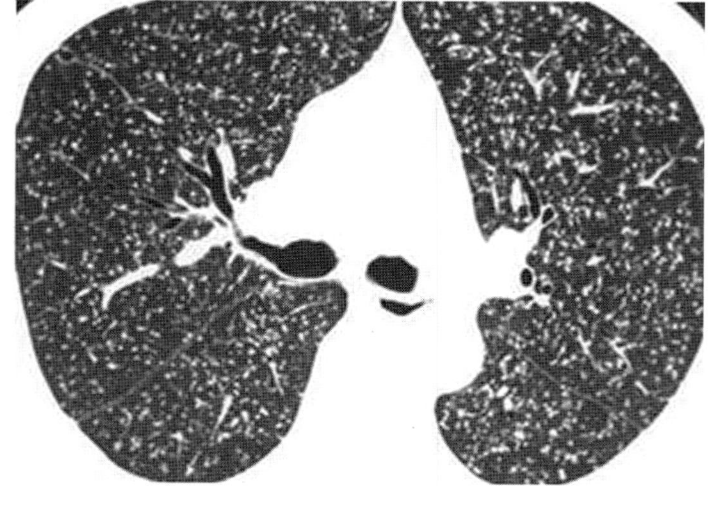

■ 그림 3-52. 양측 폐에 비교적 균일한 크기의 작은 결절들이 광범위하게 분포하고 있는 속립결핵의 영상소견이다.

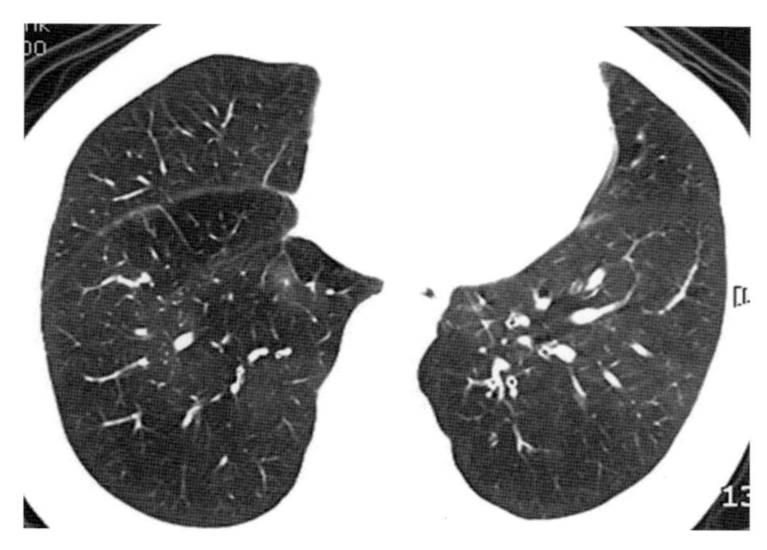

■ 그림 3-53. 양측 폐 하엽에 서로 다른 음영 섞여 있는 모자이크 감쇄 양상이 보이며 기관지 벽의 비후가 동반되어 있다.

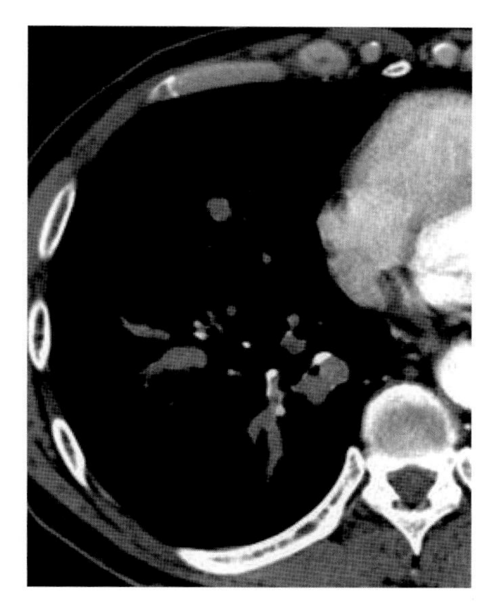

■ 그림 3-54.* 오른쪽 폐에 가지 치는 형태의 기관지 내 점액박힘이 보인다.

saic oligemia)와 모자이크폐관류(mosaic perfusion)보다 포괄적인 용어이다. 기관지나 세기관지 폐쇄에 의한 공기가둠(air trapping)에 의해 국소적 저음영 부위를 보일 수 있으며 이는 호기성 CT에서 더욱 강조되어 보인다. 반면 주로 간유리음영을 동반한 간질성 폐질환에서 보일 경우 음영 증가 부위가 간질성 병변을 나타내며 상대적으로 낮은 음영 부위가 정상 폐를 나타낸다(그림 3-53).

Mucoid/mucus impaction (점액박힘)

영상소견: 주로 기관지 내에 점액성 물질이 꽉 차 있을 때 기술하는 용어이다. 기관지확장이 흔히 동반될 수 있다(그림 3-54).

Nodular pattern (결절양상)

영상소견: 흉부X선에서 비교적 경계가 좋은 직경 2-10 mm 정도의 작은 원형 음영들이 무수히 많이 산재해 있는 것을 말한다. CT영상에서 해부학적 분포에 따라 임의(random), 중심소엽성(centrilobular), 림프관주위(perilymphatic) 분포로 분류한다(그림 3-55) (centrilobular distribution, perilymphatic distribution, random distribution 참조).

(Lung) Nodule ((폐)결절)

영상소견: 흉부X선에서 직경 3 cm 이하의 원형 음영으로 경계는 좋을 수도 있고 나쁠 수도 있다. (a) 세엽성 결절(acinar nodule)은 5-8 mm 직경의 원형 또는 난원형 음영으로 결절의 경계가 불분명하다. (b) 유사 결절(pseudonodule)은 폐 결절을 흉내낼 수 있는 것들로 늑골골절, 피부 병변, 환자 보조 장치, 해부학적 변이, 음영 증가 병변이 혼재되어 있는 경우 등이 있다. CT영상에서도 결절은 경계가 좋거나 좋지 않은 직경 3 cm 이하의 원형 또는 불규칙 음영으로 보인다. (a) 중심소엽성 결절(centrilobular nodule)은 흉막, 엽간열, 소엽간중격으로부터 수 mm 떨어져서 연부조직 또는 간유리음영

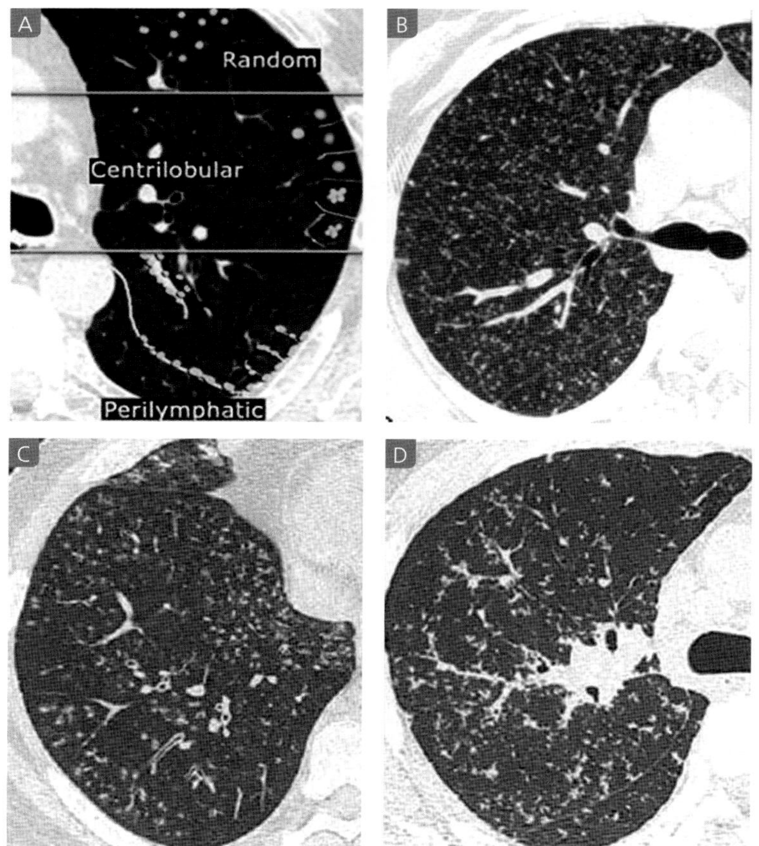

■ 그림 3-55. **A.** 결절성 병변의 분포 모식도, **B.** 임의분포, **C.** 중심소엽성분포, **D.** 림프관주위 분포

으로 보인다. 크기는 수 mm 에서 수 cm 에 이르며 대부분 경계가 불분명하다. (b) 미세결절(micronodule)은 직경 3 mm 이하를 말한다. (c) 성상에 따라 고형(solid), 부분고형(semi-solid, sub-solid, part-solid), 간유리(ground glass, non-solid) 결절(그림 3-56 A)로 분류 할 수 있다. 고형 결절은 균질한 연부조직 음영으로 보인다(그림 3-56 B). (e) 부분고형 결절은 결절 내에 간유리음영과 고형의 연부조직 음영이 모두 있을 때를 말한다(그림 3-56 C).

Nonspecific interstitial pneumonia (NSIP, 비특이간질폐렴)

병리: 폐 간질에 다양한 정도의 만성 염증과 섬유화 소견 및 질병의 시간적 진행 과정이 비교적 균질하게 보이는 것(spatial and temporal homogeneity)을 특징으로 한다. 비특이간질폐렴은 이전에 다양한 원인과 관련하여 보일 수 있는 병리 조직학적 소견의 하나로 간주되었던 바와 달리 최근에는 특발폐섬유증(IPF)과 감별에 있어서 중요하며 반면 특발폐섬유증과 비교하여 상대적으로 좋은 예후를 보이는 특정한 형태의 특발간질폐렴으로 알려져 있다[2].

영상소견: CT에서 비교적 다양하게 보이며 가장 흔한 소견은 간유리음영과 함께 동반된 그물음영, 견인기관지확장증 또는 세기관지확장증이며 벌집모양은 잘 보이지 않는다. 흉막하부 및 기저부 폐에 주로 분포한다[2] (그림 3-57).

(Radio) Opacity (방사선비투과성/음영증가)

영상소견: 주변부에 비하여 X선 투과가 적어(X선이 더 많이 감쇄됨) 증가된 음영으로 보이는 것을 주로 말한다. 이는 이

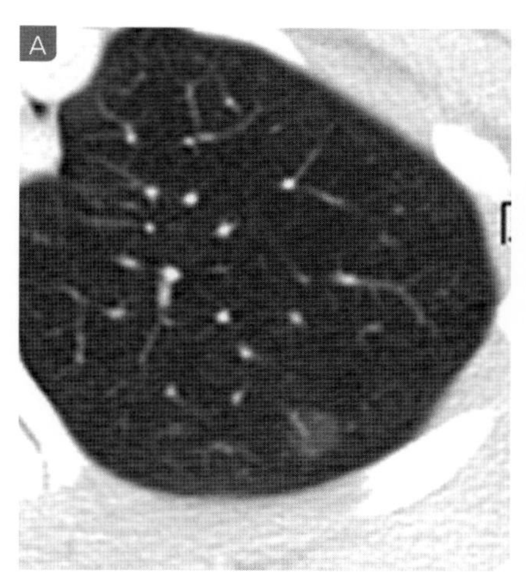

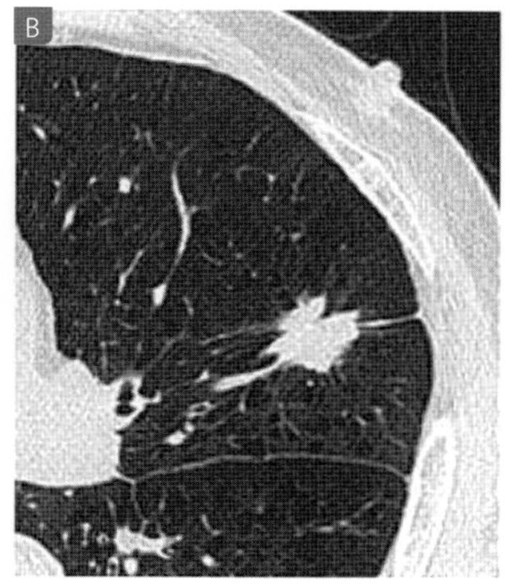

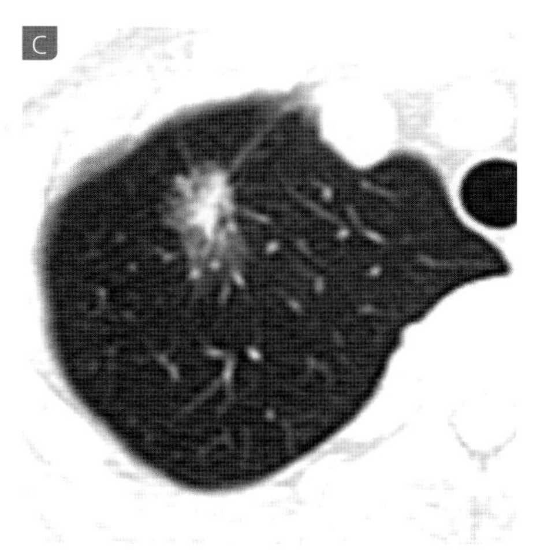

■ 그림 3-56. **A.** 간유리결절, **B.** 고형 결절, **C.** 부분 고형 결절

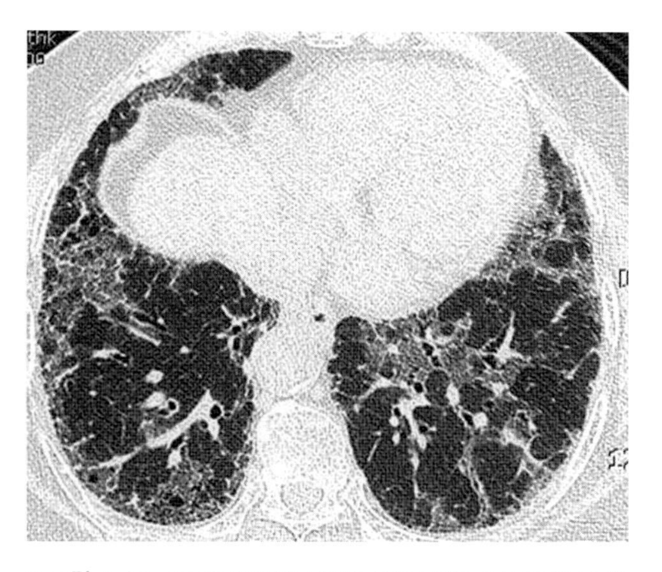

■ 그림 3-57. 비특이간질폐렴 환자의 CT영상이며 양측 폐 기저부에 그물음영, 견인기관지확장증, 세기관지확장증이 간유리음영과 함께 동반되어 있다.

상 소견의 크기나 병리학적인 성상과 무관하게 사용되는 비특이적 용어이며 이보다는 결절, 종괴, 폐경화, 간유리음영과 같은 특정한 용어를 사용하는 것이 바람직하다.

Organizing pneumonia (기질화폐렴)

병리: 폐포관과 폐포강 및 일부 세기관지 내부에 폴립형의 결체조직(polypoid granulation tissue, Masson's body)이 전형적으로 보이며 주변 폐포벽과 간질에 만성 염증 소견이 동반될 수 있다. 특발기질화폐렴(cryptogenic organizing pneumonia, COP)은 특발간질폐렴의 분류에 속하며 이외에 기질화폐렴의 조직학적 소견을 보일 수 있는 원인 질환으로 폐 감염, 약물과 관련된 폐 질환, 교원혈관병 등이 있다.

영상소견: 흉부X선과 CT에서 모두 폐경화가 주된 소견이다. 특발기질화폐렴은 특징적으로 하부 폐에 흉막하부 및 기관중심성 분포를 잘 보인다(그림 3-58). 기타 소견으로 간유리음영, 결절 또는 종괴음영이 보일 수 있다[2](cryptogenic organizing pneumonia 참조).

Panlobular/panacinar emphysema (범소엽/범세엽폐기종)

병리: 폐세엽과 이차폐소엽 전체를 침범하는 폐기종이다. 하부 폐에서 잘 보이며 알파1-항트립신 결핍증과 관련되어 보일 수 있다.

영상소견: CT에서 전반적인 폐 실질 음영의 감소로 보이며 침범된 폐의 혈관 직경도 감소된다. 심한 소엽중심성 폐기종 및 이들이 융합하는 소견이 동반될 수 있다[13]. 심한 협착성 폐쇄성 세관지염과 유사하게 보일 수 있다(emphysema 참조).

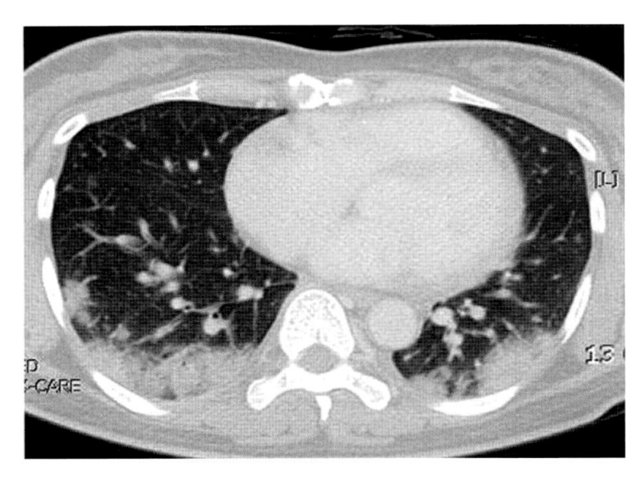

■ 그림 3-58. 흉부 CT에서 양측 폐 하엽, 기저부에 주로 흉막 하부에 위치하는 폐경화가 보인다.

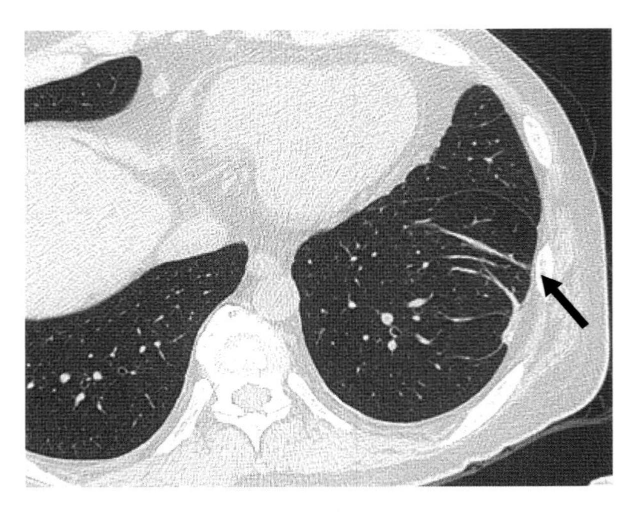

■ 그림 3-59. 좌하엽에 선상 음영이 폐실질에서 장측흉막까지 뻗어 있으며 약간의 구조적 변형이 동반되어 있다.

(Pulmonary) Parenchymal band (폐실질 띠)

영상소견: 1-3 mm 두께와 길이 약 2-5 cm에 이르는 선 또는 띠 모양 음영으로 대개 장측흉막까지 뻗어 있으며 이때 주로 흉막은 비후되고 폐실질 띠와 접촉하는 부분에서 당겨진 소견을 보인다(그림 3-59). 흉막과 폐실질의 섬유화를 시사하며 대부분 폐의 구조적 변형을 동반한다. 석면 노출과 관련되어 흔히 보인다.

Part-solid nodule (부분고형결절)

영상소견: CT에서 간유리음영(ground glass opacity)과 고형 연조직음영이 함께 있는 폐 결절이다(그림 3-60).

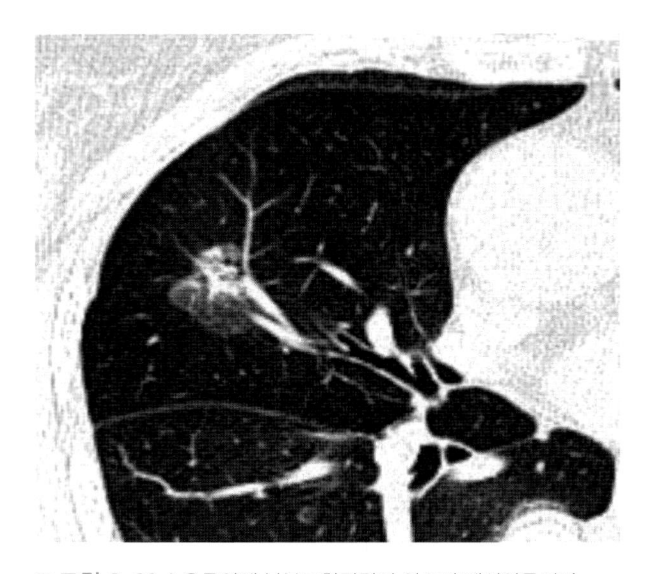

■ 그림 3-60.* 우중엽에 부분고형결절이 있으며 폐선암종이다.

Passive atelectasis (수동(성)무기폐)

병리: 기흉이나 흉막삼출과 같이 흉막 공간을 채우는 병변이 있을 때 흉막 공간의 음압이 유지되지 못해 폐 고유의 탄성반동(elastic recoil)에 의해 생기는 무기폐이다.

Patchy (반점형)

영상소견: 폐 병변이 국소적이며, 병변의 경계가 불규칙하고, 음영의 정도가 일정하지 않은 경우에 주로 사용하는 비특이적인 수식어이다. "반점형 폐음영", "반점형 폐경화" 등의 예와 같이 쓰인다.

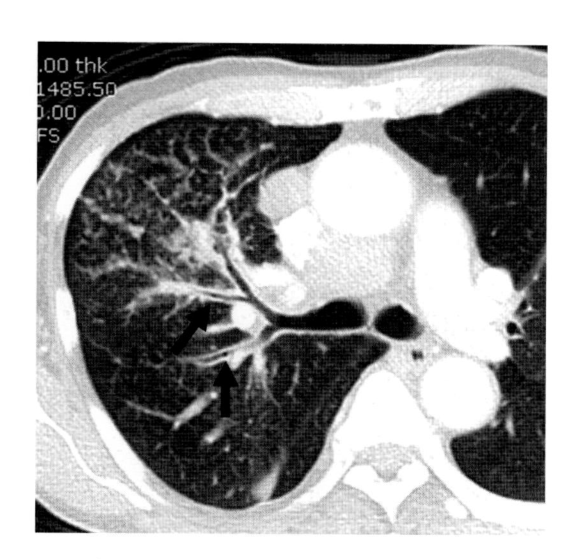

■ 그림 3-61. 국소적인 림프관성암종증의 CT영상. 우상엽 전분절과 후분절 기관지벽의 두께가 현저히 두꺼워져 있으며(화살표) 원위부에는 기관지혈관주위와 소엽간중격의 불규칙한 또는 결절성의 비후가 동반되어 있다.

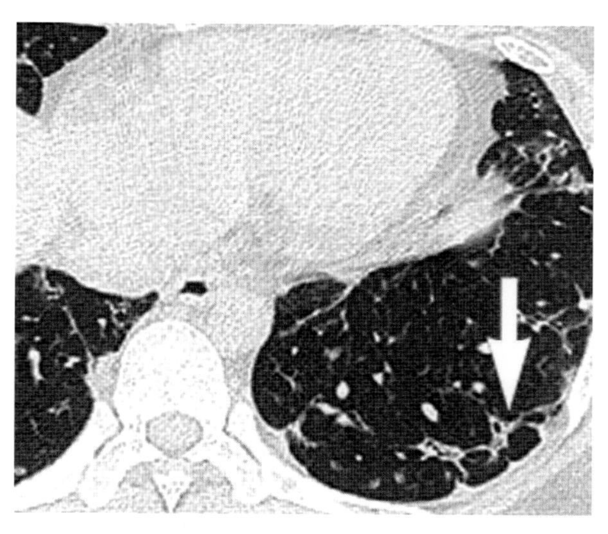

■ 그림 3-62. 폐 좌하엽 기저부에 소엽간중격, 장측흉막 및 혈관으로 경계가 지어지는 소엽주변부 영역이 보인다.

CHAPTER 03

Peribronchovascular interstitium (기관지혈관주위 간질)

해부학: 기관지와 함께 주행하는 폐동맥을 둘러싸고 지지해 주는 결합조직집(connective tissue sheath)을 말하며, 폐문부부터 호흡세기관지 수준의 폐 주변부까지 뻗어 있다. 폐간질 중 축성간질(axial interstitium)에 해당한다.

영상소견: 두꺼워진 기관지혈관주위 간질은 기관지벽이나 폐동맥과 구분되지 않으므로 CT에서 기관지벽 두께나 폐혈관 직경이 증가한 소견으로 보인다(그림 3-61). 기관지혈관주위 간질의 비후는 각각의 질환에 따라 평활하거나(smooth), 결절모양(nodular) 또는 불규칙한(irregular) 모양을 보일 수 있으며, 흉부X선에서 "peribronchovascular cuffing" 소견으로 보인다.

Perilobular distribution (소엽주변부 분포)

해부학: 이차폐소엽의 주변부 즉 소엽간중격이나 흉막하부에 주로 분포하는 모양을 말한다.

영상소견: CT에서 소엽간중격 및 장측흉막 및 혈관과 같은 폐소엽의 경계부를 따른 분포를 말하며 소엽간중격 및 흉막의 불분명한 비후와 유사하게 보일 수 있다[14]. 소엽 주변부 폐포와 흉막하부 간질 및 소엽간중격을 주로 침범하는 병변에서 보인다(그림 3-62).

Perilymphatic distribution (림프관주위 분포)

해부학: 폐의 림프관을 따라 또는 이와 인접하여 분포하는 양상을 말한다. 림프관은 기관지혈관 다발 주변, 소엽간중격 및 흉막 하부에 분포하며 폐포에는 분포하지 않는다.

영상소견: 폐 림프관을 따른 이상소견으로 즉, 폐문 주변(perihilar), 기관지혈관다발 주변, 중심소엽간질, 소엽간중격 및

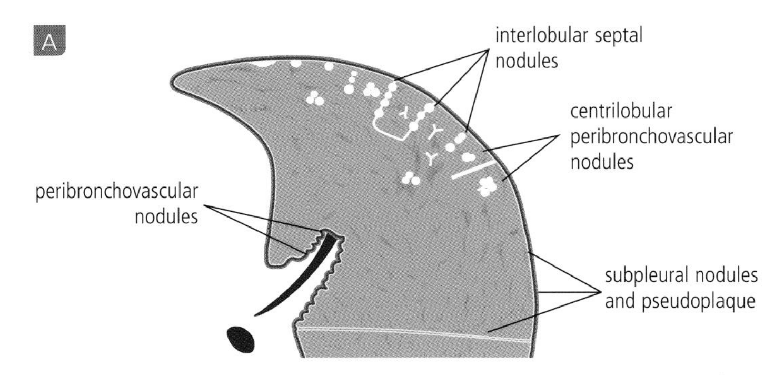

■ 그림 3-63. **A.** 림프관주위 분포의 모식도, **B,C.** 사르코이드증 환자의 흉부 CT영상이며 림프관주위 분포를 보이는 무수히 많은 결절들이 있다.

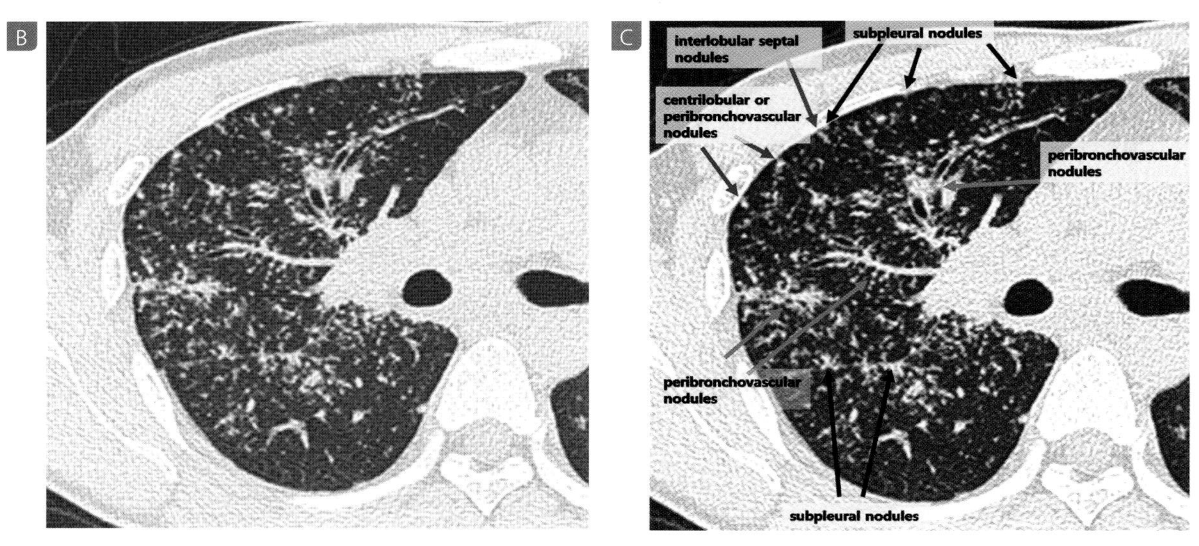

흉막 하부를 침범하는 소견으로 보인다(그림 3-63 B, C). 사르코이드증, 규폐증 및 림프관성암종증 등에서 특징적으로 보인다(nodular pattern, 그림 3-55 참조).

Plate-like atelectasis (평판형무기폐)

병리: 세분절무기폐의 한 종류로 선, 띠, 원반 형태를 보이는 무기폐이다.

영상소견: 두께가 수 mm에서 1 cm 정도이고, 흉막 표면까지 이른다(그림 3-64).

Pleural plaque (흉막반)

병리: 벽측흉막에 생기는 무세포성 섬유화 유리질로 구성된 흉막비후이다. 대부분에서 석면노출과 관련되어 보인다.

영상소견: 경계가 분명한 편평하거나 결절모양의 흉막비후이며 종종 석회화를 동반한다(그림 3-65). 약 1-5 cm 직경이고 다양한 두께이며 흉부X선보다 CT에서 잘 보인다[15].

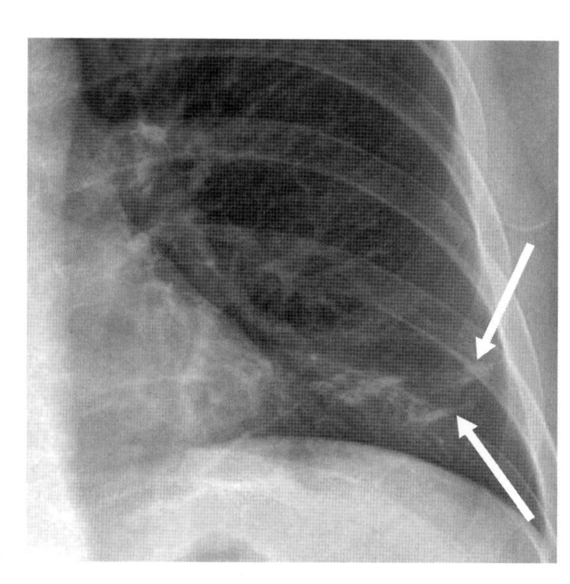

■ 그림 3-64.* 선 또는 띠 음영의 평판형무기폐(화살표)가 좌하엽에 있다.

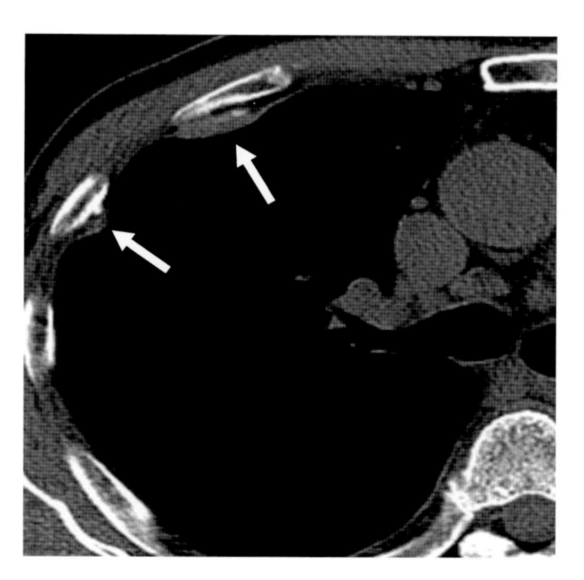

■ 그림 3-65. CT영상에서 흉막에 편평하게 또는 결절상으로 융기되어 있는 국소적 흉막비후가 있으며 내부에 국소적으로 석회화가 동반되어 있다.

Pneumatocele (폐기류)

병리: 폐 실질 내에 얇은 벽을 가진 공기로 차있는 공간이며 주로 급성 폐렴, 폐 외상 등과 관련하여 일시적으로 생기며 폐 실질의 괴사 또는 체크밸브 형태의 기도 폐쇄에 의한 소견으로 생각된다.

영상소견: 거의 원형에 가까운 얇은 벽으로 둘러싸인 공기로 차 있는 공간으로 보인다(그림 3-66).

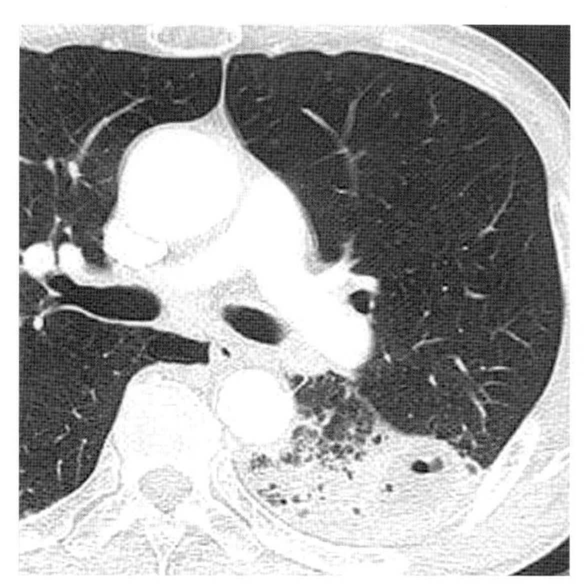

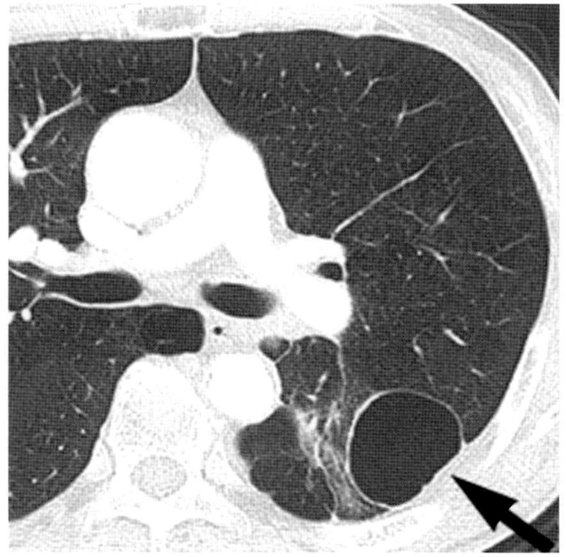

■ 그림 3-66. 흉부 CT영상에서 괴사성 폐렴이 좌하엽에 있고 추적 검사에서 폐 실질에 위치한 원형에 가까운 얇은 벽을 갖는 공기를 포함한 기류가 보인다.

Pneumomediastinum (기종격)

병리: 종격(동)에 기도나 식도 이외의 조직에 공기가 비정상적으로 존재하는 것이다.

Pneumonia (폐렴)

병리: 폐의 염증을 일컫는 포괄적인 용어이다. 감염성 원인뿐 아니라 비감염성 원인에 의한 염증도 폐렴으로 정의한다. 좁은 의미로는 감염성 급성 폐렴을 일컫는다.

Pneumonitis (폐렴)

정의: 폐의 염증을 일컫는 용어이다(pneumonia 참조).

Pneumopericardium (기심낭)

병리: 심막강 내에 공기가 존재하는 것이다.

Pneumothorax (기흉)

병리: 흉막강 내에 공기가 고이는 것이다.

Popcorn calcification (팝콘모양 석회화)

영상소견: 결절 내부에 팝콘모양의 불규칙한 석회화를 말하며, 결절 내에 연골이 있을 때 보일 수 있다. (폐)과오종(pulmonary hamartoma)이나 연골성 종양의 특징적인 소견이 될 수 있다(그림 3-67).

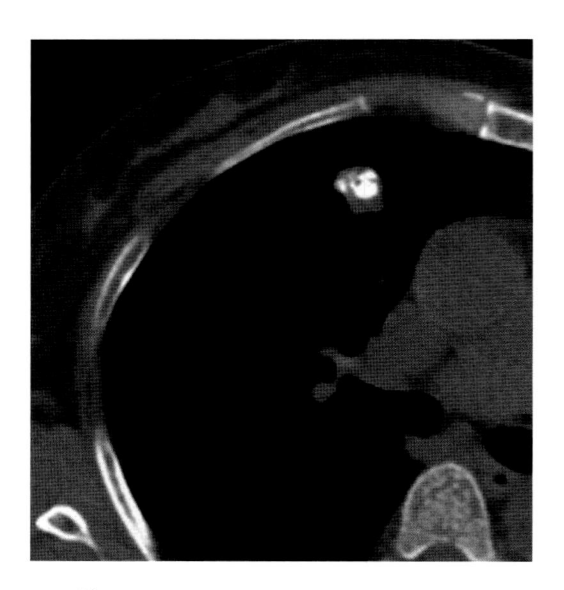

■ 그림 3-67.* 결절 내부에 팝콘모양 석회화가 있다.

Primary pulmonary lobule (일차폐소엽)

해부학: 일차폐소엽은 폐세엽(acinus)보다 작은 폐의 단위로서 호흡세기관지 이하의 폐포관, 폐포낭, 폐포 및 혈관, 신경, 결합조직으로 구성된다. 흉부X선이나 CT영상에서는 보이지 않는다(acinus, lobule, secondary pulmonary lobule 참조).

Progressive massive fibrosis (PMF, 진행성거대섬유증)

병리: 진폐증에서 진폐 입자들의 융합과 동반된 콜라겐침착으로 1 cm 이상의 큰 덩어리를 형성한 것을 말한다. 무기분진(inorganic dust) 노출과 관련한 규폐증과 탄광부진폐증에서 주로 보인다.

영상소견: 대부분 양측성의 폐 상엽 종괴 모양으로 보이며 흉벽과 평행한 모양(parallel to chest wall)을 보인다. 다수의 작은 결절들은 동반된 진폐증을 시사하며 종괴 음영과 인접한 주변부 폐에는 폐 실질의 파괴와 폐기종이 동반될 수 있다(그림 3-68). 이와 유사한 병변이 보일 수 있는 질환으로 사르코이드증과 활석증(talcosis) 등이 있다[16].

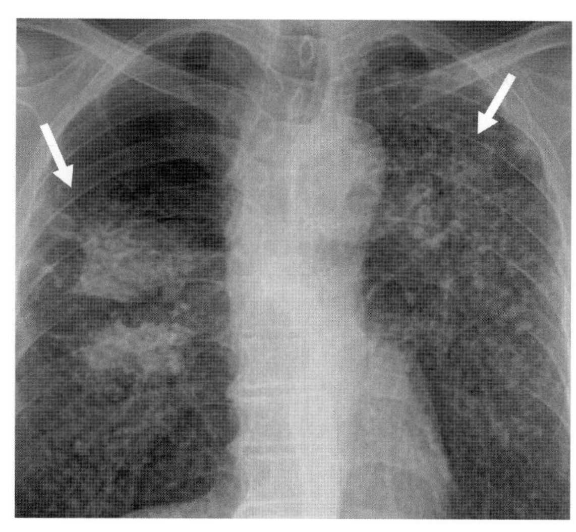

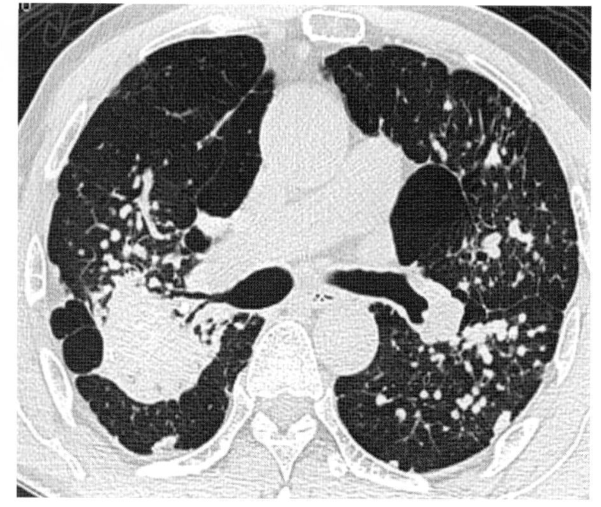

■ 그림 3-68. 흉부X선사진에서 양측 폐에 무수히 많은 결절음영이 있으며 폐문부 주위와 상엽으로 종괴모양의 음영이 보인다. 고해상CT에서 우상엽에 거대 종괴가 있으며 주변으로 폐기종이 동반되어 있다. 양측 폐야에 진폐증을 시사하는 무수히 많은 결절 음영들이 있다.

Pulmonary edema (폐부종)

병리: 혈관 밖의 폐 조직인 폐간질 및 폐포에 비정상적으로 액체가 고이는 것이다.

Pulmonary embolism (폐색전증)

병리: 혈류를 타고 이동한 물질이 폐동맥에 걸려 막힌 상태이다. 심부정맥(deep vein)에서 형성된 혈전(thrombus)이 정맥혈을 통해 폐동맥으로 이동하여 폐동맥을 막는 혈전색전증(thromboembolism)이 가장 흔하다.

Pulmonary hemorrhage (폐출혈)

병리: 폐에 생긴 다양한 형태의 출혈을 의미하는 포괄적인 용어이다. 많은 원인에 의해 발생할 수 있다.

영상소견: 흉부X선과 CT에서 다양한 정도와 범위의 간유리음영이나 폐경화로 보인다.

Pulmonary infarction (폐경색)

병리: 폐에 적절하게 혈액이 공급되지 않아 폐 조직의 괴사가 생기는 것으로 폐색전증이 가장 흔한 원인이다.

영상소견: 흉부X선과 CT에서 폐 변연부에 쐐기 모양의 폐경화가 가장 전형적인 소견이다.

Radiolucent (방사선투과성의/음영감소)

영상소견: X선 투과도가 증가하여 어둡게 음영이 감소하여 보이는 것을 말한다.

Random distribution (무작위분포)

영상소견: 이차폐소엽이나 폐의 다른 해부학적 구조물과 무관하게 임의로 분포하는 양상을 말한다(그림 3-69). 혈행성

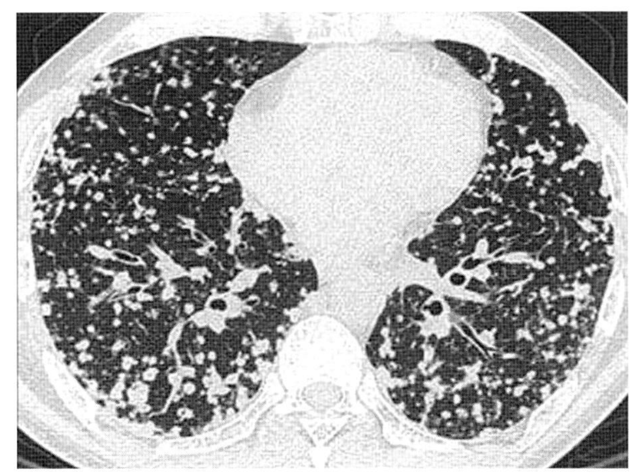
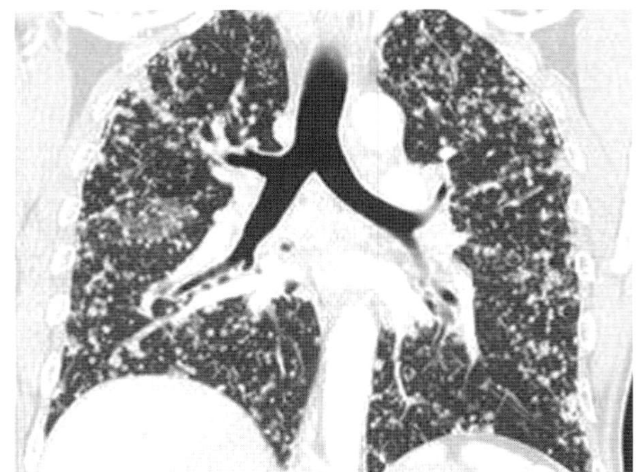

■ 그림 3-69. 고해상CT에서 양측폐에 무수히 많은 결절들이 있으며 폐의 내부 구조물과 무관한 분포를 보인다.

폐전이, 속립결핵, 진균감염 등에서 잘 보인다(nodular pattern, 그림 3-55 참조).

Respiratory bronchiolitis-interstitial lung disease (RB-ILD, 호흡세기관지염-간질폐질환)

병리: 조직병리학적으로 호흡세기관지염(respiratory bronchiolitis, RB)의 소견을 보이며 임상적으로 간질폐렴 양상으로 발현한다[2]. 호흡세기관지염은 흡연과 관련된 조직학적 소견이며 특징적으로 원위부 호흡세기관지 내부 및 주변부에 색소 침착을 동반한 대식세포(pigmented macrophage)의 축적을 보인다. 호흡세기관지염(RB), 호흡세기관지염-간질폐질환(RB-ILD) 및 박리간질폐렴(DIP)은 흡연과 상관된 일련의 폐질환으로 생각한다[2].

영상소견: CT에서 중심소엽성결절(centrilobular nodule), 반점 모양의 간유리음영 및 기관지 벽 비후가 보인다[17]. 상부 폐에 중심소엽성 폐기종이 자주 동반된다. 호흡세기관지염의 고해상CT 소견도 이와 매우 유사하게 보이나 호흡세기관지염-간질폐질환의 경우 좀 더 광범위한 양상을 보인다(그림 3-70)[17].

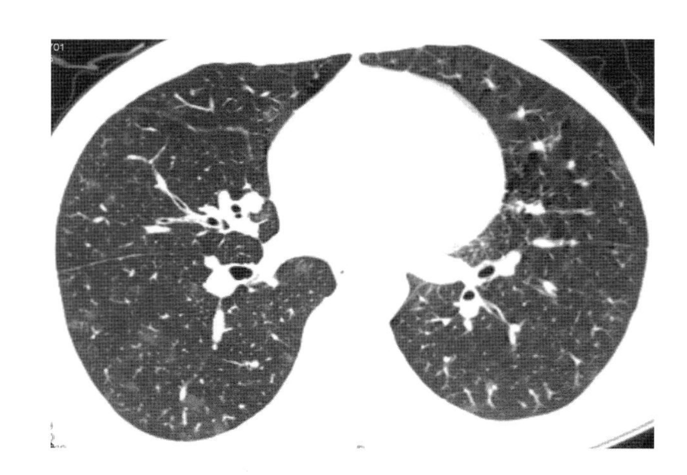

■ 그림 3-70. 고해상CT에서 양측 폐야에 반점상 간유리음영들이 있다.

Reticular pattern (그물음영양상)

영상소견: 흉부X선과 CT에서 수많은 작은 선음영 또는 기낭음영들이 서로 겹쳐져 미세한 그물모양으로 보인다(그림 3-71). 이러한 소견은 흔히 미만성 간질폐질환을 시사한다. 그물모양 병변을 이루는 구조물들은 CT에서 더 잘 보이며

이는 주로 소엽간중격의 비후, 소엽내선음영, 벌집모양(honeycombing) 등에 의한 소견이다.

Reticulonodular pattern (그물결절음영양상)

영상소견: 흉부X선과 CT에서 볼 수 있는 미만성 간질폐질환의 전형적 소견으로, 그물음영들의 심한 중첩에 의해 그물음영과 미세결절음영이 혼재되어 있는 모양으로 보인다. 즉, 수많은 선음영들이 서로 겹치면서, 중첩되는 부분들이 마치 미세결절과 같이 보이는 것이다.

Reversed halo sign (역달무리징후)

영상소견: 원형의 간유리음영 주변부로 고리모양의 폐경화(ring of consolidation)가 둘러싸는 모양을 말한다(그림 3-72). 특발기질화폐렴(COP)에서 처음 기술하였으나 파라콕시디오이데스진균증(paracoccidioidomycosis) 및 폐결핵 등에서도 보고되었다[18]. "환상산호도징후(atoll sign)"라고도 불린다.

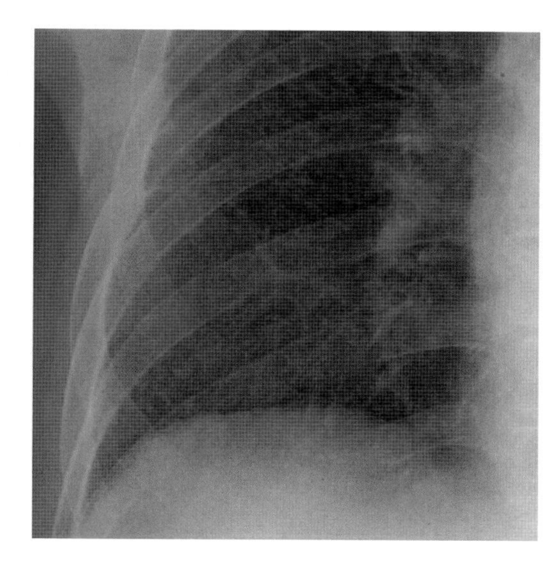

■ 그림 3-71. 흉부X선사진에서 늑골횡격막각 부위에 미세한 선상음영들이 그물모양으로 보인다.

Round(ed) atelectasis (원형무기폐)

병리: 무기폐가 둥근 종괴 모양을 보이는 것으로 주로 섬유화로 인해 비후된 흉막과 붙어 있고 비후된 소엽간중격의 함입(invagination)이 동반된다. 석면노출과 관련된 흉막삼출 및 흉막반과 관련하여 가장 잘 보이나 흉막 섬유화를 유발하는 다른 질환에서도 보인다.

영상소견: 흉부X선에서 대개 폐 하엽 후방에 비후된 흉막과 인접한 종괴 음영으로 보인다. 뒤틀린 폐혈관이 곡선 모양

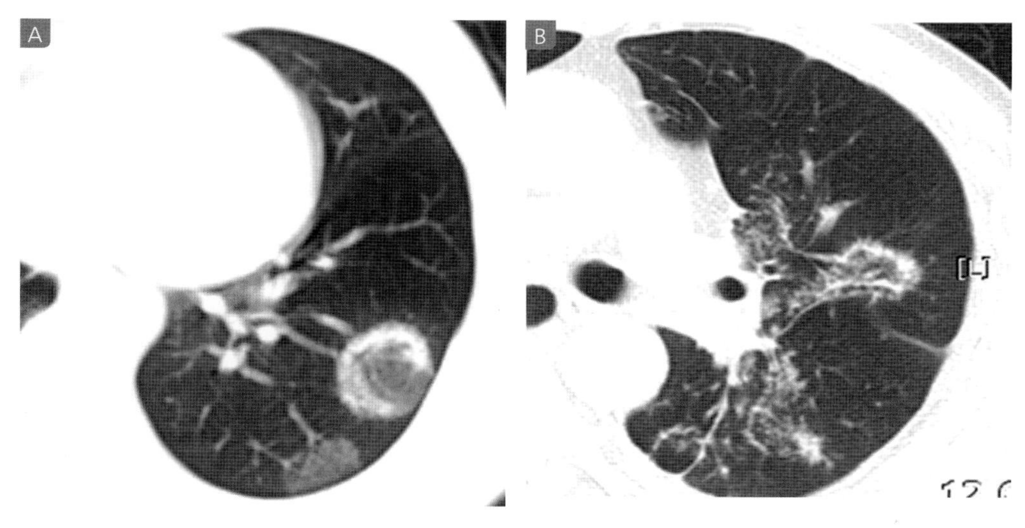

■ 그림 3-72. 특발기질화폐렴(A)과 폐결핵(B)에서 보이는 역 달무리 징후(Reversed halo sign)

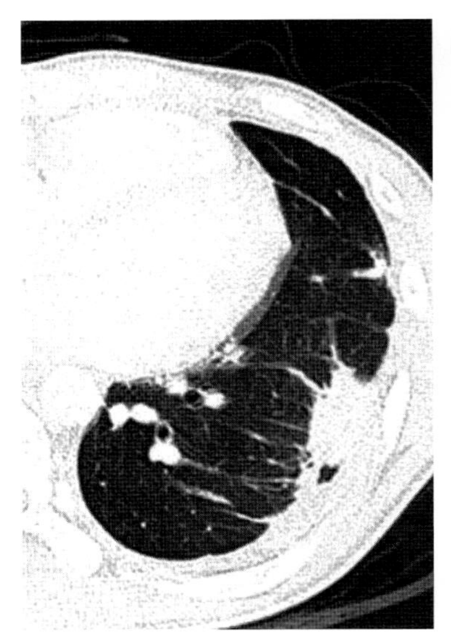
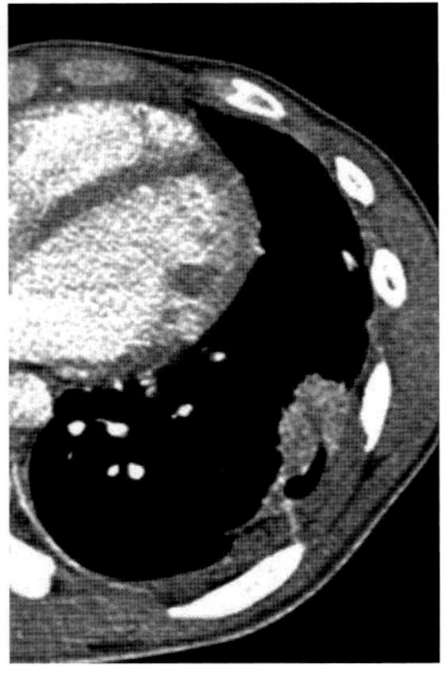

■ 그림 3-73.* CT에서 좌하엽에 흉막비후와 동반하여 인접한 폐실질이 원형으로 허탈되어 있으며 주변 폐혈관들이 뒤틀린 곡선 모양으로 종괴 주변으로 딸려 들어오고 있다. 종격동 영상에서 원형무기폐의 균질한 조영증강이 보인다.

으로 종괴 주변으로 딸려 들어가는 소견을 보인다(comet tail sign). 대부분에서 흉막 섬유화의 다른 영상 소견 및 폐 용적 감소를 동반한다. 원형무기폐는 CT에서 좀 더 잘 볼 수 있으며 무기폐 부분은 균질한 조영증강을 보인다(그림 3-73)[19]. 동의어로 "folded lung syndrome, helical atelectasis, pleural pseudotumor, pleuroma"가 있다.

Satellite nodule (위성(폐)결절)

영상소견: 흉부X선과 CT에서 폐결절이나 종괴와 인접하여 또 다른 작은 결절들이 보이는 것이다(그림 3-74). 양성과 악성 병변에서 모두 보일 수 있으나 양성에서 보다 흔히 보인다.

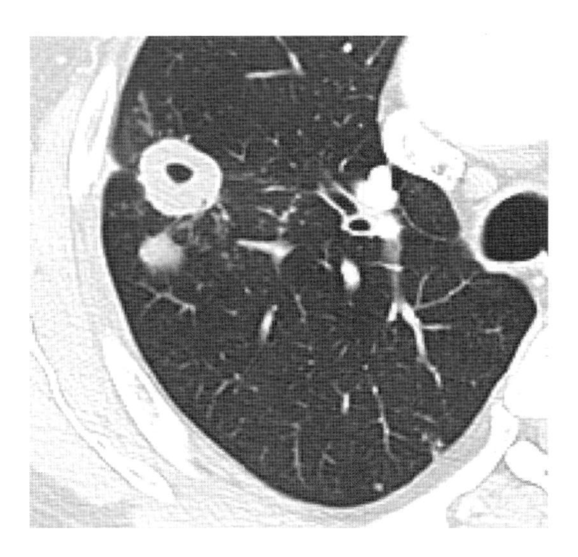

■ 그림 3-74.* 우상엽 공동성 폐결핵 병변 주위에 위성결절들이 보인다.

Secondary/(post) obstructive pneumonia (속발/폐쇄(성)폐렴)

병리: 근위부 기관지 협착이나 폐쇄로 인해 발생하는 기관지 말단부 폐의 폐렴이다. 무기폐, 기관지점액박힘, 기관지확장, 폐경화 등의 소견들이 섞여서 보이며, 감염에 의한 폐렴과 구분이 필요하다.

Secondary pulmonary lobule (이차폐소엽)

해부학: 폐의 형태학적인 단위로, 3-25개의 폐세엽을 포함하고 있으며 결합조직 격막으로 둘러싸여 있다. 불규칙한 다면체로 보이며, 각 측면이 약 1-2.5 cm 정도의 크기이다.

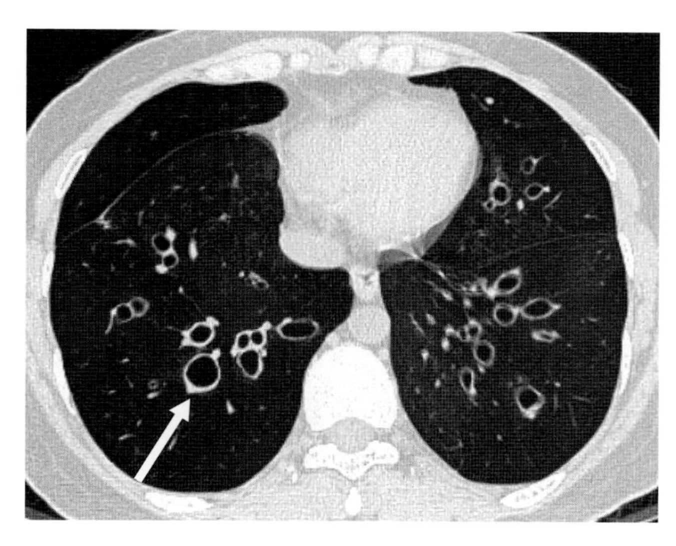

■ 그림 3-75. 기관지확장증에서 보이는 반지고리징후(화살표)이다

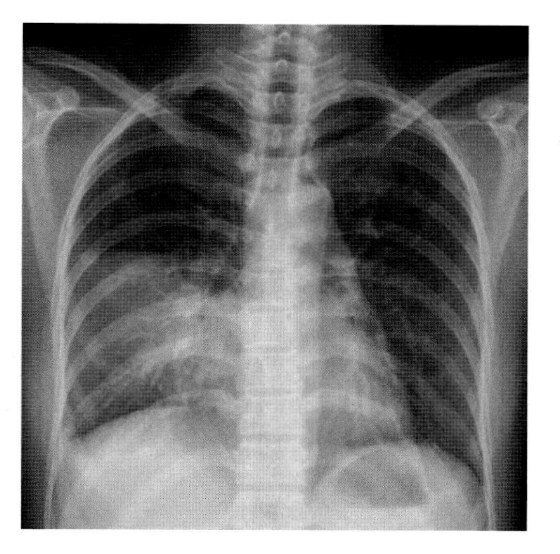

■ 그림 3-76.* 흉부X선 후전영상에서 폐경화가 오른쪽 하부 폐야에 있고, 이로 인해 심장의 오른쪽 경계가 소실되어 실루엣징후 양성이다. 폐 병변이 우중엽에 있음을 알 수 있다.

영상소견: CT에서 정상 폐세동맥이 소엽중심부에서 보이며 정상 세기관지는 보이지 않는다(lobule 참조).

(Lung) Segment ((폐)분절)

해부학: 분절기관지와 폐동맥에 의해서 공급되는 폐의 한 부분으로, 결체성 조직의 층에 의해 서로 분리된다. 해부학적 및 기능적 단위로 서로의 기능에 영향을 주지 않으면서 외과적으로 제거할 수 있는 단위이다. 일반적으로 오른쪽에 10개, 왼쪽에 8개의 폐분절이 있다.

Septal line (중격선)

영상소견: 흉부X선에서 폐소엽간중격비후가 보이는 것이다. 컬리선과 동의어이다(interlobular septal thickening, Kerley line 참조).

Signet ring sign (반지고리징후)

영상소견: CT에서 기관지와 인접한 폐동맥이 주행 방향에 수직으로 스캔 되어, 기관지가 반지의 고리를 이루고, 폐동맥이 반지 알을 이루는 형태이다(그림 3-75). 기관지확장증의 소견이며, 폐동맥혈류가 감소되어 상대적으로 폐동맥 직경이 감소하는 질환에서도 보일 수 있다.

Silhouette sign (실루엣징후)

영상소견: 흉부X선에서 음영증가 병변이 심장, 대동맥, 또는 횡격막 등의 해부학적 구조물과 인접하여 있을 때 그 경계면이 소실되는 것이다(실루엣징후 양성) (그림 3-76). 병변과 해부학적 구조물이 실제로 인접하고 있지 않을 때는 그 경계면이 소실되지 않고 유지된다(실루엣징후 음성). 흉부X선 후전사진에서 병변의 위치를 결정하는데 도움이 되며 음영증

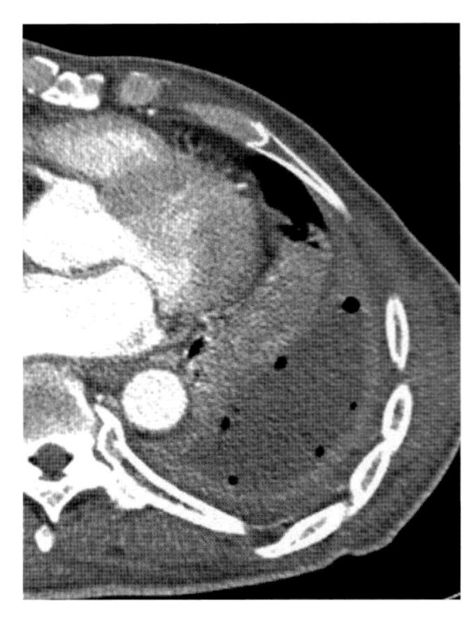

■ 그림 3-77.* 좌측 농흉이 있어 흉막분리징후를 보인다.

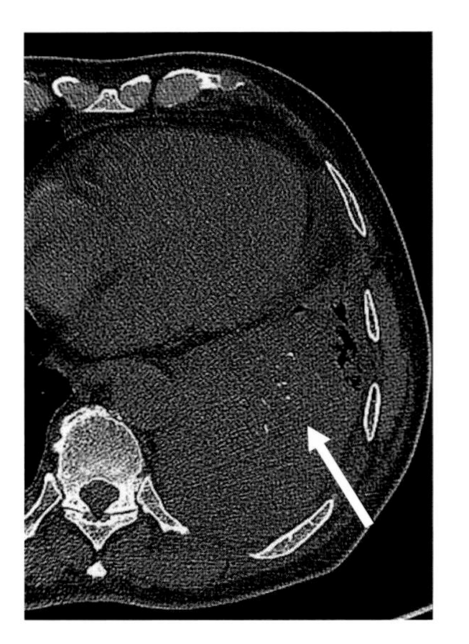

■ 그림 3-78. 악성 종양 내부에 반점모양 석회화가 보이는 CT영상

가 병변은 폐, 흉막, 종격(동) 병변에 대하여 모두 적용된다.

Small airway (소기도)

해부학: 직경이 2-3 mm 이하이며 정상 벽 두께 0.5 mm 미만의 기도로써 작은 기관지, 막성세기관지, 호흡세기관지를 포함한다(bronchiole 참조).

Small airways disease (소기도 질환)

병리: 일반적으로 세기관지를 주로 침범하는 질환을 말하며 세기관지염(bronchiolitis)은 보다 특정적으로 세기관지의 염증을 지칭한다.

영상소견: CT에서 소기도 질환은 모자이크감쇄양상, 공기가둠, 소엽중심성결절, 나뭇가지발아모양 및 세기관지확장 등의 소견으로 보인다(bronchiolitis 참조).

Solid nodule (고형(폐)결절)

영상소견: CT에서 고형 연조직으로 구성된 폐 결절이다(nodule 참조).

Split pleura sign (흉막분리징후)

영상소견: CT에서 흉수를 둘러싸고 조영증강되는 두꺼워진 장측흉막과 벽측흉막이 분리되어 보이고 그 끝은 모아지는 모양이다(그림 3-77). 농흉의 소견이 될 수 있으며, 농흉과 폐농양을 감별할 때 유용하다.

Stippled calcification (반점모양 석회화)

영상소견: 모양과 크기가 불규칙한 석회화가 작은 점모양으로 흩어지거나 모여있는 모양이다(그림 3-78). 종양의 괴사

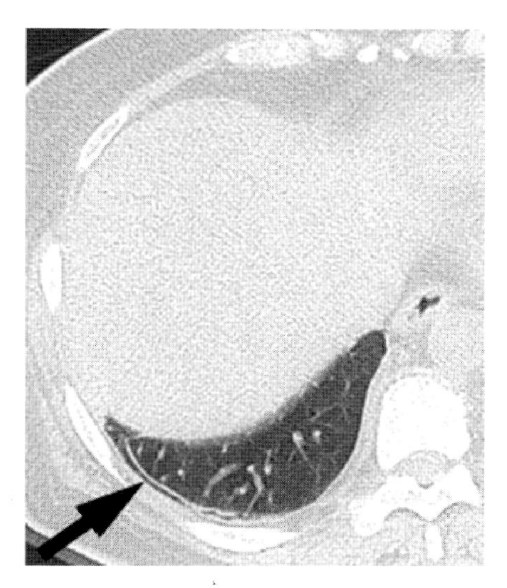

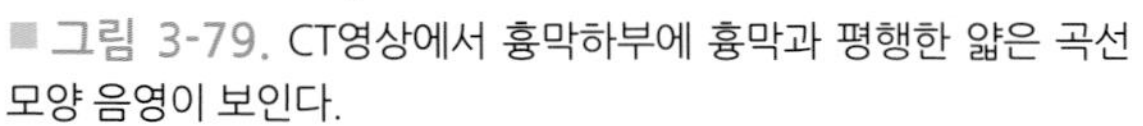

■ 그림 3-79. CT영상에서 흉막하부에 흉막과 평행한 얇은 곡선 모양 음영이 보인다.

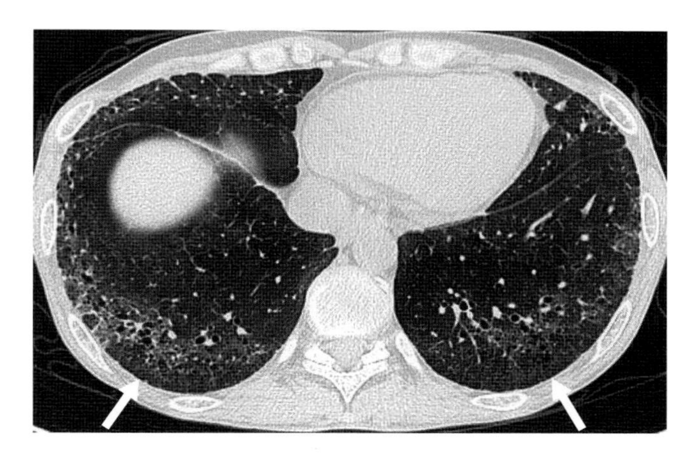

■ 그림 3-80. 비특이간질폐렴에서 흉막하부 보존(화살표)이 보인다.

또는 비정상조직석회화(dystrophic calcification)와 관련된다. 폐 결절 내부에 적은 양의 반점모양 석회화는 양성보다는 악성 폐 결절을 시사하는 소견이다.

Subpleural curvilinear line/opacity (흉막하부 곡선음영)

영상소견: 흉막에서 1 cm 이내에 흉막과 평행한 얇은 곡선모양 음영이며 두께는 약 1-3 mm이다(그림 3-79). 석면폐, 폐 섬유화 초기 등에서 볼 수 있으나 특이적인 소견은 아니다. 앙와위(supine)에서 정상 폐의 후하방 중력의존 음영(dependent opacity)은 복와위(prone)로 촬영하면 소실되어 구분할 수 있다.

Subpleural sparing (흉막하부 보존)

영상소견: CT에서 흉막에 매우 인접한 폐 부위에 기저 질환의 침범이 덜하여 상대적으로 폐가 보존되어 보이는 것이다(그림 3-80). 비특이간질폐렴(nonspecific interstitial pneumonia)의 진단에 도움이 될 수 있다.

Subsegmental atelectasis (세분절무기폐)

병리: 폐 세분절 단위 이하의 영역을 침범하는 무기폐이다(atelectasis, linear atelectasis 참조).

영상소견: 수 mm에서 1 cm까지 정도의 두께로, 흉막 표면까지 연장되어 보이는 수평선, 사선, 수직선 등의 선 음영, 띠 음영 또는 원반 음영으로 보인다. 유사어는 선형(linear), 평판형(plate-like), 원판형(discoid) 무기폐이다.

Tension pneumothorax (긴장(성)기흉)

병리: 급속하게 발생한 매우 많은 양의 기흉으로 인해 흉막강 압력이 급격히 높아진다. 이로 인해 심장이 반대쪽으로 밀리면서 정맥혈이 심장으로 돌아오지 못하여 쇼크 상태가 되고 같은 쪽 폐가 갑자기 기능 부전에 빠지게 되는 응급상황의 기흉이다.

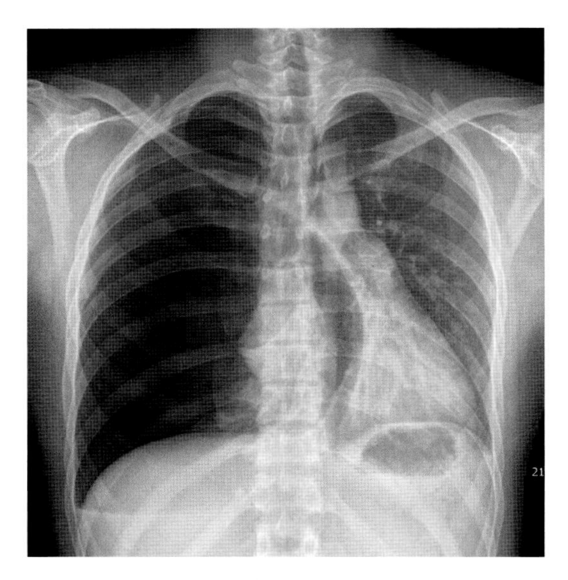

■ 그림 3-81.* 오른쪽 긴장(성)기흉으로 인해 심장이 왼쪽으로 밀려있다.

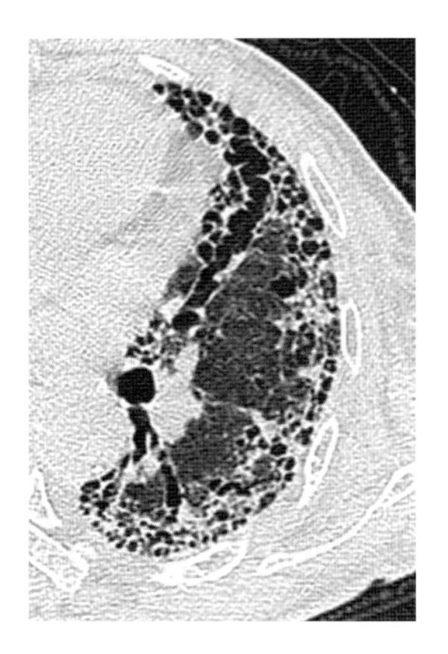

■ 그림 3-82. 고해상CT에서 흉막하부 폐실질에 미세낭포들이 있으며 가지가 분지하는 모양의 기관지들이 늘어나 있는 것이 보인다.

영상소견: 과다한 기흉으로 인해 같은 쪽 늑골 사이가 넓어지고, 같은 쪽 폐의 허탈, 같은 쪽 횡격막이 아래로 밀려 내려가며, 기도와 종격(동)은 반대쪽으로 밀린다(그림 3-81).

Traction bronchiectasis/bronchiolectasis (견인성기관지/세기관지확장)

영상소견: 주변 폐의 수축성 섬유화에 의한 기관지나 세기관지의 불규칙한 확장을 말한다(그림 3-82). 확장된 기도는 기낭성(기관지) 또는 미세기낭성(폐 주변부의 세기관지) 모양으로 보일 수 있으며 이들 병변이 나란히 놓이게 되면 섬유화에 의한 벌집폐와 유사하게 보일 수 있다.

Tree-in-bud appearance (나뭇가지발아모양)

영상소견: CT에서 소엽중심부에 분지하는 구조물로, 분지 음영의 끝이 뭉툭하게 보여 마치 나뭇가지가 발아하는 모양과 비슷하게 보이는 것을 기술하는 용어이다(그림 3-83). 세기관지(bronchiolar) 및 세기관지 주변부(peribronchiolar)의 질환으로 인한 소견이며 기도벽의 비후, 확장, 기도 내부에 염증성 삼출액 또는 점액박힘 등에 의해 주로 보인다. 주로 폐 주변부에서 보이며 보다 큰 기도의 이상을 자주 동반한다. 미만성범세기관지염(diffuse

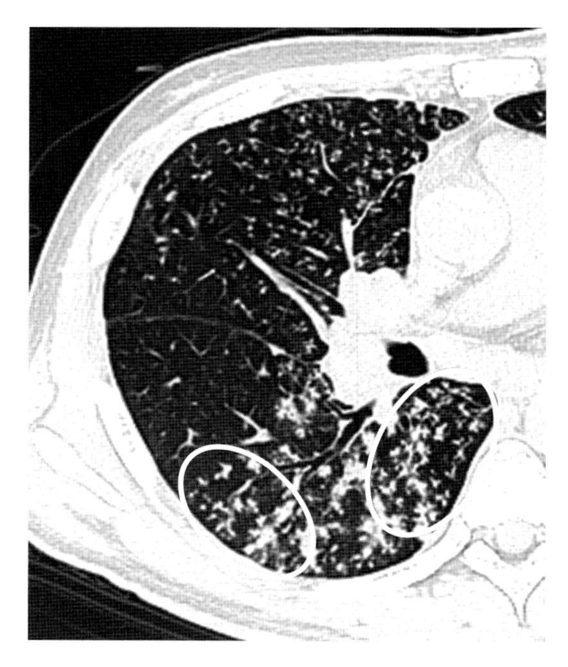

■ 그림 3-83.* 기관지 파급성 폐결핵으로 나뭇가지발아모양(타원형 구역)이 보인다.

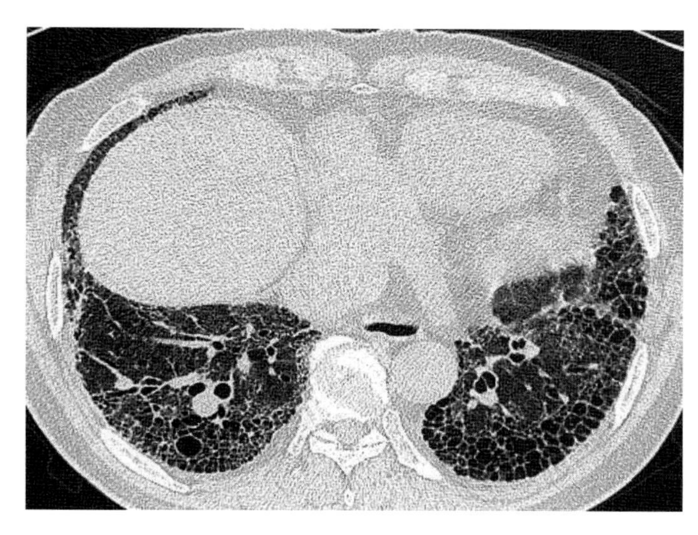

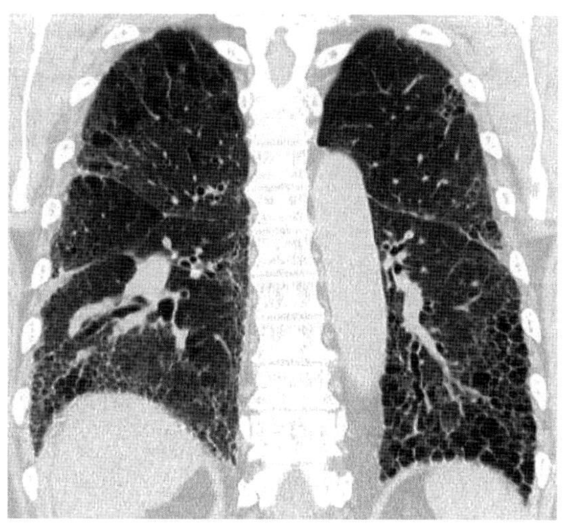

■ 그림 3-84. 양쪽 주로 기저부 폐의 흉막 하부에 여러 층의 기낭들이 벌집모양으로 분포하고 있으며 간유리음영이나 폐경화 소견은 미미하다.

panbronchiolitis, DPB)에서 특징적으로 보이며 기관지를 통한 결핵의 파급(bronchogenic dissemination of tuberculosis), 낭성섬유증(cystic fibrosis) 등에서 잘 보인다. 폐세동맥(arteriolar) 질환에서도 비슷한 소견이 보일 수 있다(centrilobular distribution 참조).

(Pulmonary) Tuberculoma ((폐)결핵종)

병리: 결핵에서 보이는 경계가 분명하게 그려지는 원형의 폐결절 또는 폐종괴를 일컫는 비특이적인 용어이다.

Usual interstitial pneumonia (UIP, 상용간질폐렴)

병리: 특발폐섬유증(IPF)의 전형적인 조직학적 형태로, 저배율 현미경 시야에서 공간적으로 다양한 폐 섬유화 소견이 혼재되어 보이는 것(spatial heterogeneity)이 특징적이며 이는 매우 진행된 폐 섬유화 소견인 벌집폐에 의한 기낭성 변화, 비교적 섬유화가 심하지 않은 부위 및 정상 폐 실질이 혼재되어 보이는 것이다. 또한 이러한 폐 섬유화는 주로 교원성 다발(mature dense collagen bundle)로 이루어져 있으나 한편 활동성 진행성 섬유화 병변을 시사하는 상피세포 하부의 섬유아세포(fibroblastic foci) 및 근섬유아세포 증식 또한 자주 보여 각각 다른 시기의 폐 섬유화 소견이 함께 존재하는(temporal heterogeneity) 소견을 보인다. 이러한 조직병리학적 변화는 주로 흉막하부와 소엽간중격 근처에서 가장 심하게 보인다. 상용간질폐렴은 특발폐섬유증의 전형적인 패턴이나 그 외 다른 질환에서도 보일 수 있다(예, 만성과민성폐렴의 일부 사례).

영상소견: 흉부X선과 CT에서 흉막 하부 및 기저부 폐에 분포하는 벌집모양이 특징적인 소견이다(그림 3-84)[2].

Acknowledgement

* 표기된 그림 및 그림에 대한 기술은 "대한흉부영상의학회 흉부영상의학 용어사전"에서 발췌하였습니다. 대한흉부영상의학회와 흉부영상의학 용어위원회에 깊은 감사드립니다.

참고문헌

1. Web WR. Thin-section CT of the secondary pulmonary lobule: anatomy and the image - the 2004 Fleischner lecture.Radiology 2006;239:322-338.
2. Lynch DA, Travis WD, Muller NL, Galvin JR, Hansell DM, Grenier PA et al. Idiopathic interstitial pneumonias: CT features. Radiology 2005;236:10-21
3. Abramson S. The air crescent sign. Radiology 2001;218:230-232.
4. Arakawa H, Webb WR. Air trapping on expiratory high-resolution CT scans in the absence of inspiratory scan abnormalities: correlation with pulmonary function test and differential diagnosis AJR Am J Roentgenol 1998;170:1349-1353.
5. Im JG, Webb WR, Han MC, Park JH. Apical opacity associated with pulmonary tuberculosis: high-resolution CT findings.Radiology 1991;178:727-731.
6. Naidich DP, McCauley DI, Khouri NF, Stitik FP, Siegelman SS. Computed tomography of bronchiectasis. J Comput Assist Tomogr 1982;6:437-444.
7. Woodring JH. Unusual radiographic manifestation of lung cancer. Radiol Clin North Am 1990;28:599-618.
8. Rossi SE, Erasmus JJ, Volpacchio M et al. "Crazy-paving" pattern at thin-section CT of the lungs: radiologic-pathologic overview. RadioGraphics 2003; 23:1509?1519.
9. Hartman TE, Primack SL, Swensen SJ, Hansell D, McGuinness G, Muller NL. Desquamative interstitial pneumonia: thinsection CT findings in 22 patients. Radiology 1993;187:787-790.
10. Franquet T, Muller NL, Gimenez A, Guembe P, de La Torre J, Baque S. Spectrum of pulmonary aspergillosis: histologic, clinical, and radiologic findings. Radiographics 2001;21:825-837.
11. Weibel ER. Looking into the lung: what can it tell us? AJR Am J Roentgenol 1979;133:1021-1031.
12. Worthy SA, Muller NL, Hartman TE, Swensen SJ, Padley SP, Hansell DM. Mosaic attenuation pattern on thin-section CT scans of the lung: differentiation among infiltrative lung, airway, and vascular diseases as a cause. Radiology 1997;205:465-470.
13. Spouge D, Mayo JR, Cardoso W, Muller NL. Panacinar emphysema: CT and pathologic findings. J Comput Assist Tomogr 1993;17:710-713.
14. Johkoh T, Muller NL, Ichikado K, Nakamura H, Itoh H, Nagareda T. Perilobular pulmonary opacities: high-resolution CT findings and pathologic correlation. J Thorac Imaging 1999;14:172-177.
15. Lynch DA, Gamsu G, Aberle DR. Conventional and high-resolution computed tomography in the diagnosis of asbestosrelated diseases. RadioGraphics 1989;9:523-551.
16. Chong S, Lee KS, Chung MJ, Han J, Kwon OJ, Kim TS. Pneumoconiosis: comparison of imaging and pathologic findings. RadioGraphics 2006;26:59-77.
17. Attili AK, Kazerooni EA, Gross BH, Flaherty KR, Myers JL, Martinez FJ. Smoking-related interstitial lung disease:radiologic-clinical-pathologic correlation. RadioGraphics 2008;28:1383-1398 18. Marchiori E, Zanetti G, Meirelles GS, Escuissato DL, Souza AS Jr, Hochhegger B. The reversed halo sign on highresolution CT in infectious and noninfectious pulmonary diseases. AJR Am J Roentgenol 2011;197:69-75 19. O'Donovan PB, Schenk M, Lim K, Obuchowski N, Stoller JK. Evaluation of the reliability of computed tomographic cirteria used in the diagnosis of round atelectasis. J Thorac Imaging 1997;12:54-58.

Contents

고해상CT를 이용하여 많은 폐질환들의 유형을 분석함으로써 특이적 진단이 가능하다. 대표적으로 음영증가성 병변, 음영감소성 병변, 모자이크 병변으로 나눌 수 있고 각각의 병변을 나타낼 수 있는 음영들을 기술하고자 한다[1, 2].

I 음영증가성 병변

1. 선상 및 그물음영

폐 간질을 이루는 조직들이 액성물질, 섬유화, 혹은 세포 등에 의해 두꺼워질 때 고해상CT에서 선상음영(linear opacity) 또는 그물음영(reticular opacity)으로 나타난다. 이는 기관지혈관주위간질(peribronchovascular or axial interstitium) (그림 4-1, 4-2) (표 4-1) 및 소엽간중격(interlobular septa or peripheral interstitium) (그림 4-3, 4-4) (표 4-2)이 두꺼워질 때, 소엽중심구조물(central core structure), 소엽내간질(intralobular or parenchymal interstitium)의 비후(그림 4-5, 4-6) (표 4-3) 및 벌집폐(honeycombing lung) (그림 4-7) (표 4-4)에서 잘 보인다.

표 4-1. 기관지혈관주위 간질 비후의 감별진단

감별진단	참고
림프관성 폐전이, 림프종, 백혈병	평활/결절성 비후
림프세포증식질환(예, 림프구간질폐렴)	평활/결절성 비후
폐부종	평활한 비후
사르코이드증(말기)	결절성/불규칙한 비후
특발폐섬유증/상용간질폐렴	불규칙한 비후
비특이간질폐렴	
과민폐렴(만성)	

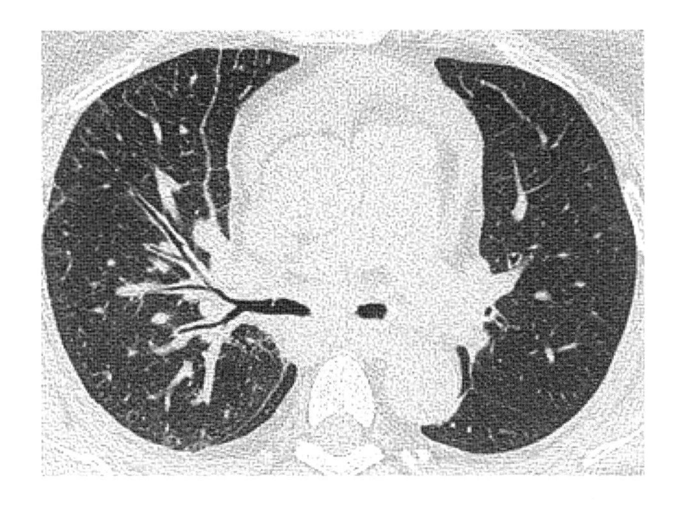

■ 그림 4-1. **기관지혈관주위간질 비후: 림프관성 전이**
고해상CT에서 우측 폐에 기관지 및 혈관 주위의 종양 침윤에 의한 기관지벽 및 폐혈관의 평활한 비후가 보인다.

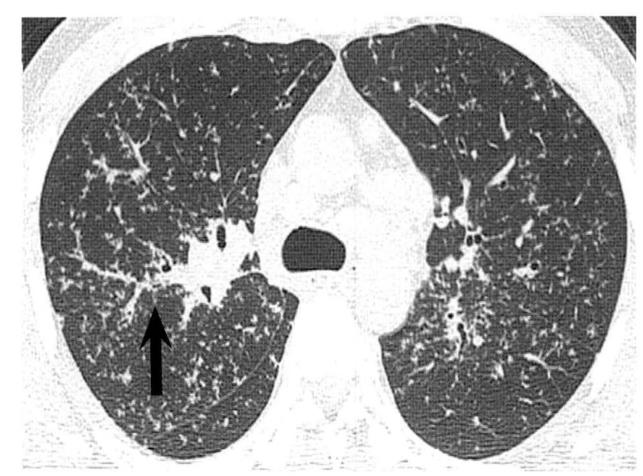

■ 그림 4-2. **기관지혈관주위간질 비후: 사르코이드증**
고해상CT에서 폐상엽에 미세결절과 동반된 결절성 기관지혈관다발의 결절성 비후가 보인다(화살표).

표 4-2. 소엽간중격비후의 감별진단

감별진단	참고
림프관성 폐전이, 림프종, 백혈병	평활/결절성 비후
림프세포증식질환(예, 림프구간질폐렴)	평활/결절성 비후
폐부종	평활한 비후
폐출혈	평활한 비후
폐렴(예, 바이러스, 뉴모시스티스)	평활한 비후
사르코이드증	결절성/불규칙한 비후
특발폐섬유증/상용간질폐렴	불규칙한 비후
비특이간질폐렴	
규폐증/탄광부진폐증	
석면증	

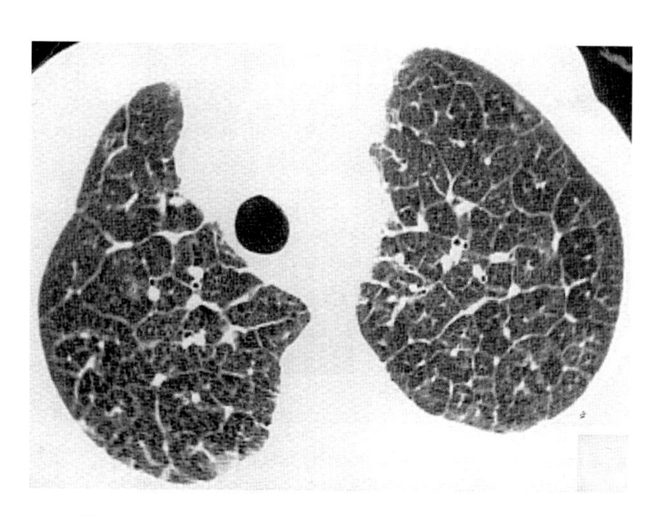

■ 그림 4-3. **소엽간중격 비후: 간질성 폐부종**
고해상CT에서 미만성으로 소엽간중격이 두꺼워져 있다.

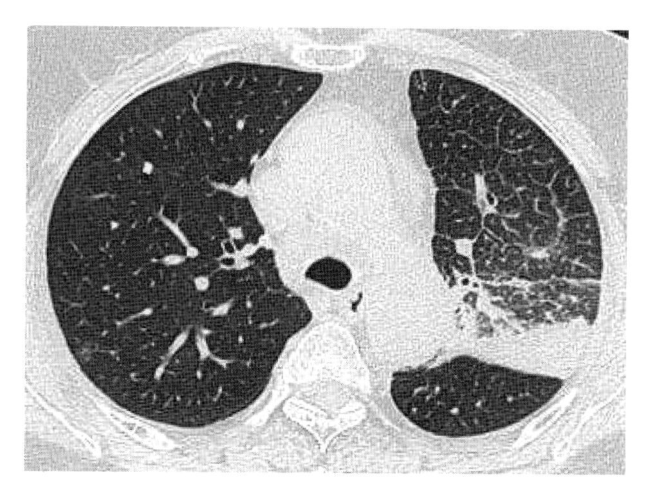

■ 그림 4-4. **소엽간중격 비후: 폐암의 림프관성 폐전이**
고해상CT에서 좌상엽에 미만성으로 소엽간중격이 두꺼워져 있고 좌상엽 후방에 폐암의 일부가 보인다.

표 4-3. **소엽내간질비후의 감별진단**

감별진단	참고
특발폐섬유증/상용간질폐렴	
비특이간질폐렴	
기타 특발성간질폐렴	
림프관성 폐전이, 림프종, 백혈병	평활/결절성 비후
폐부종	평활한 비후
폐출혈	평활한 비후
폐렴(예, 바이러스, 폐포자충)	평활한 비후
폐포단백증	평활한 비후

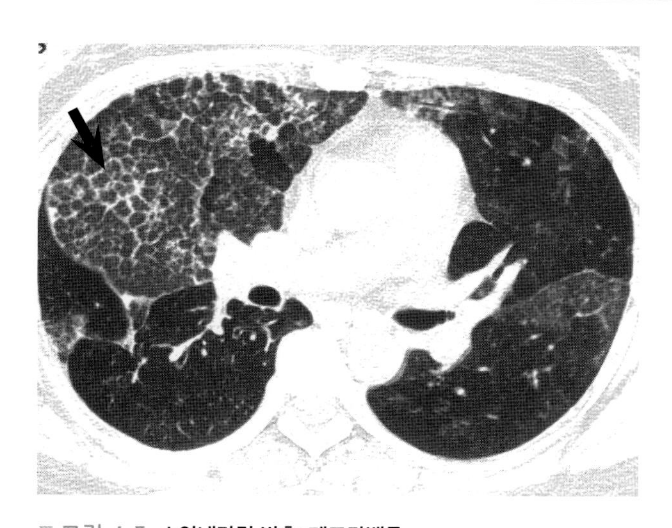

■ 그림 4-5. **소엽내간질 비후: 폐포단백증**
고해상CT에서 양폐에 불규칙한 경계의 간유리음영이 보이며 내부에 소엽간중격 및 소엽실질의 비후에 의한 돌조각보도모양(crazy-paving)(화살표)이 보인다.

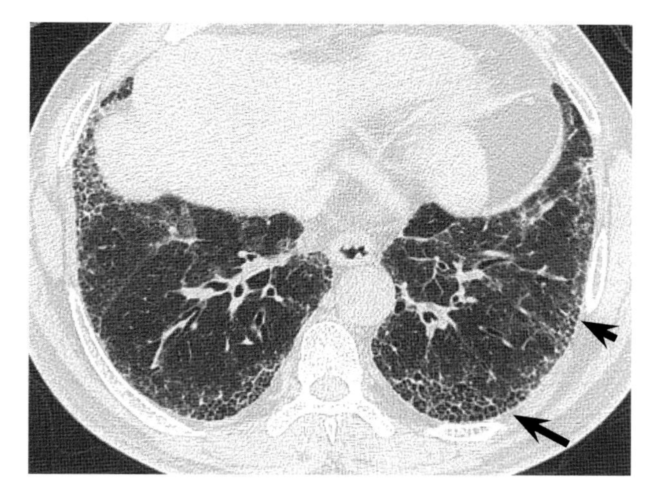

■ 그림 4-6. **소엽내간질 비후: 상용간질폐렴**
고해상CT에서 양폐 기저부에 폐 간질의 섬유화에 의한 미세그물음영(화살촉) 및 벌집폐(화살표)가 보인다.

표 4-4. **벌집모양의 감별진단**

감별진단	참고
특발폐섬유증/상용간질폐렴	폐주변부/폐기저부/흉막하부 침범
석면증	폐주변부/폐기저부/흉막하부 침범
과민폐렴(만성)	폐주변부/반점상 침범
사르코이드증	폐주변부/반점상/폐상부 침범
비특이간질폐렴	경미함
기타 특발성간질폐렴	경미함
규폐증/탄광부진폐증	

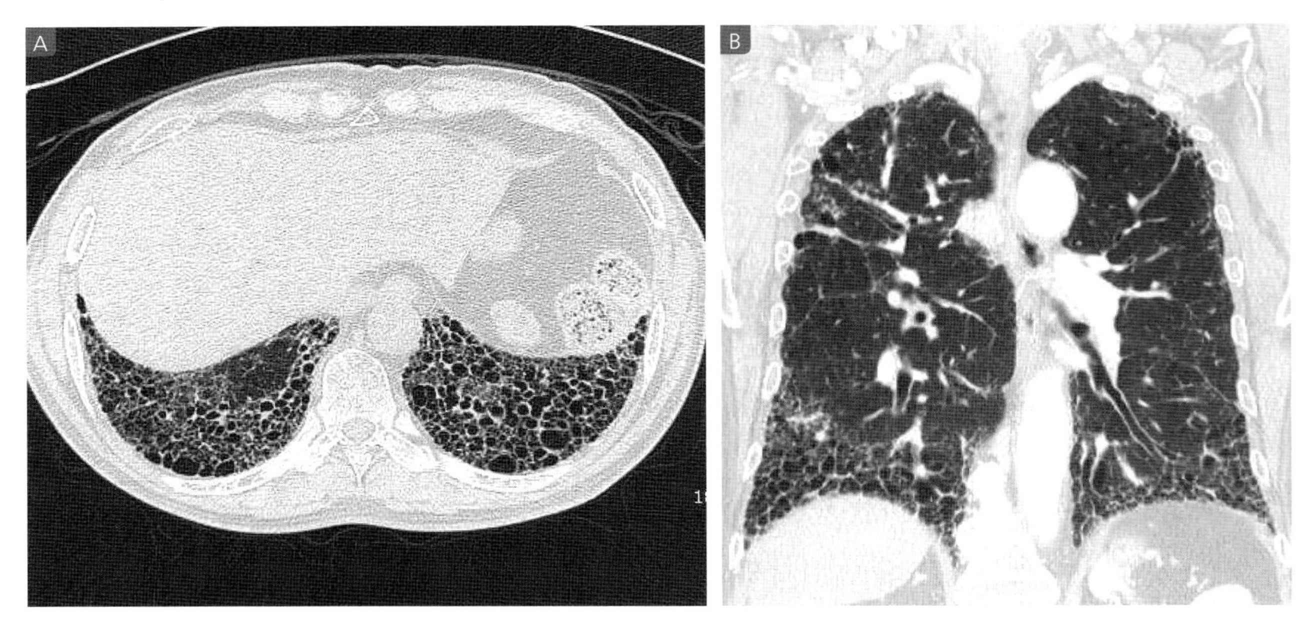

■ 그림 4-7. **벌집폐: 상용간질폐렴**
고해상CT(A, B)에서 양폐 기저부에 폐 간질의 섬유화에 의한 전형적인 벌집폐가 보인다.

2. 결절 및 종괴

결절(nodule)은 이차폐소엽(secondary pulmonary lobule)과 연관된 분포에 따라 중심소엽성(centrilobular), 림프관주위(perilymphatic), 무작위(random) 분포로 나누는 것이 진단적 접근에 유용하다. 다수의 폐결절이 있을 때 결절의 크기, 모양 및 분포를 분석하는 것이 감별 진단에 도움을 준다[3-5].

1) 결절 및 종괴의 크기

대개 직경 1 cm 미만을 작은 결절(small nodule), 1 cm 이상을 큰 결절(large nodule)이라 부르며 3 cm 이상은 종괴(mass)로 칭한다. 미세결절(micronodule)은 대개 3 mm 미만의 결절을 말한다.

2) 결절의 모양

간질성 결절(interstitial nodule)은 비교적 치밀한 간질 내의 병변이므로 크기가 작아도 경계가 명확하다. 간질성 결절은 인접한 혈관이나 다른 구조물들의 경계를 불분명하게 한다. 이차폐소엽 중심부의 기관지 및 혈관 주위, 소엽간중격 및 흉막하부 림프관 주위로 위치하는 림프관주위 분포(perilymphatic distribution)가 특징적이다. 사르코이드증, 림프관성 전이, 규폐증, 탄광부진폐증에서 잘 보인다.

폐포성 결절(airspace nodule)은 주로 이차폐소엽 중심부 세기관지 주위에 경계가 불분명한 수 mm 내지 1 cm 정도의 결절로 보이며 소엽성 폐렴, 경기관지파급 폐결핵 및 폐출혈 등에서 자주 보인다.

CHAPTER 04

3) 결절의 분포

(1) 이차폐소엽

이차폐소엽(secondary pulmonary lobule)은 폐실질의 기본적인 구성 단위로 변연부에서는 장측흉막에 기저부를 둔 잘려진 원뿔형(truncated cone)이고 중앙부에서는 다각형(polygonal) 혹은 육각형(hexagonal)으로 보인다. 이차폐소엽은 소엽간중격(interlobular septum), 소엽중심구조물(central core structure), 그리고 소엽실질(parenchyma)로 구성되어 있다. 소엽간중격은 이차폐소엽의 윤곽을 형성하는 결체조직으로 소엽 중심부의 폐동맥 및 세기관지 주위의 간질이나 소엽 내의 폐포벽에 무수한 결체조직섬유로 연결되어 있으며 소엽 내의 구조물이 공간적 형체를 유지하도록 돕는 지지구조의 역할을 한다. 또한 장측흉막에서 안쪽으로 뻗는 간질섬유와도 연결된다. 특히 폐의 변연부에 잘 발달되어 있으며 폐의 중심부에서는 이보다 얇고 덜 발달되어 있다. 소엽 중심부에는 폐동맥과 이와 같이 주행하는 세기관지가 있다. 소엽 중심부의 폐동맥은 흉막으로부터 3-5 mm 안쪽에서 0.3-0.5 mm 크기의 미세한 점상 혹은 가지치는 선상으로 보이며, 세기관지는 그 벽의 두께가 고해상CT의 해상력 범위를 벗어나므로 보이지 않는다. 림프관은 소엽간중격과 소엽 중심부의 폐동맥 및 세기관지 주위에 분포하며 소엽 내의 폐포벽에는 분포하지 않는 것이 특징이다. 소엽실질은 폐의 기능적 부분인 폐포, 폐포벽의 실핏줄 부분으로서 이들은 소엽내간질(intralobular interstitium)에 의해서 지지되고 있다.

(2) 중심소엽성 결절

중심소엽성 결절(centrilobular nodule) (그림 4-8, 4-9) (표 4-5)은 이차폐소엽 중심부에 1 mm 이상의 결절로 보이며 이는 세기관지 자체 또는 세기관지 주위의 간질 병변을 의미한다. 중심소엽 결절은 흉막 표면에서 5-10 mm 떨어져서 작은 혈관을 둘러싸고 있으며 흉막에 붙어 있는 결절은 거의 볼 수 없다. 중심소엽 결절이 보이는 경우 나뭇가지발아모양(tree-in-bud pattern)의 유무가 감별 진단에 도움이 된다. 나뭇가지발아모양은 중심소엽 내 기관지의 확장 및 충만(impaction)으로 인해 보이며 세기관지의 감염이나 점액 축적(mucus retention)을 시사한다. 이 소견은 경기관지파급의 결핵, 감염성 세기관지염, 선천성 질환인 cystic fibrosis, Katagener 증후군, 기관지확장증, 알레르기기관지폐아스페르길루스증 등에서 흔히 볼 수 있다.

표 4-5. 중심소엽성 결절의 감별진단

감별진단	참고
감염의 경기관지 파급(예, 폐결핵)	Tree-in-bud 자주 보임
미만성범세기관지염	Tree-in-bud 및 기관지확장증 자주 보임
과민폐렴	간유리결절
랑게르한스세포조직구증	기낭성 병변 보임
호흡세기관지염	반점상 간유리음영 자주 보임
여포성세기관지염	Tree-in-bud 자주 보임
석면증	초기 소견, 그물음영 자주 보임
종양의 경기관지 파급	
혈관염	
폐부종, 폐출혈	소엽간중격 비후(±)

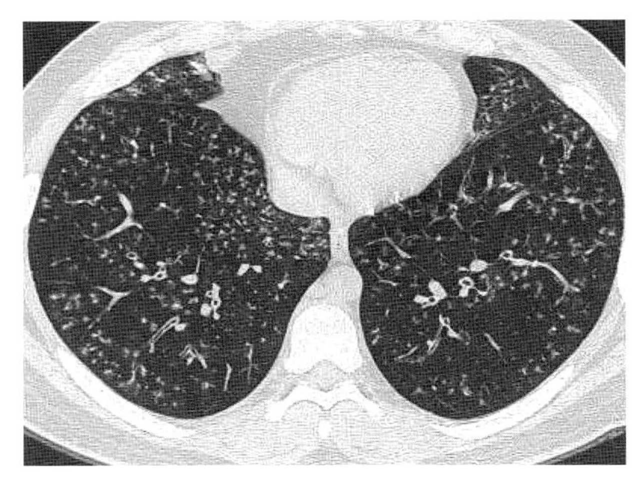

■ 그림 4-8. **중심소엽성 결절: 미만성범세기관지염**
고해상CT에서 양폐에 미만성의 소엽중심성 미세 결절이 보이며 세기관지 및 기관지벽이 두꺼워져 있다.

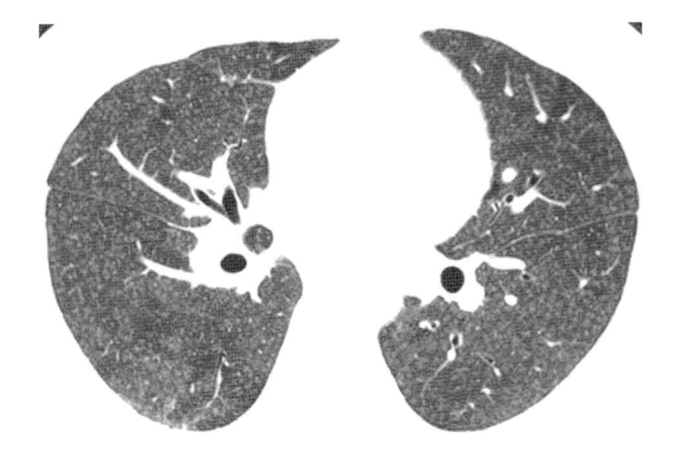

■ 그림 4-9. **중심소엽성 결절: 과민폐렴**
고해상CT에서 소엽중심성 분포를 보이는 간유리음영의 결절이 양폐에 미만성으로 보인다.

(3) 림프관주위 결절

림프관주위 결절(perilymphatic nodule) (그림 4-10, 4-11) (표 4-6)은 흉막하부 간질(subpleural interstitium), 기관지 및 혈관주위(peribronchovascular), 소엽간중격(interlobular septa) 및 중심소엽의 간질을 침범한다.

표 4-6. 림프관주위 결절의 감별진단

감별진단	참고
사르코이드증	흉막하부, 기관지혈관주변 분포
규폐증	소엽중심성, 흉막하부 분포; 상엽, 후방
림프관성 폐전이	소엽간중격, 기관지혈관주변 분포
아밀로이드증	소엽간중격, 흉막하부 분포
림프구간질폐렴	기낭성 병변이 보일 수 있음

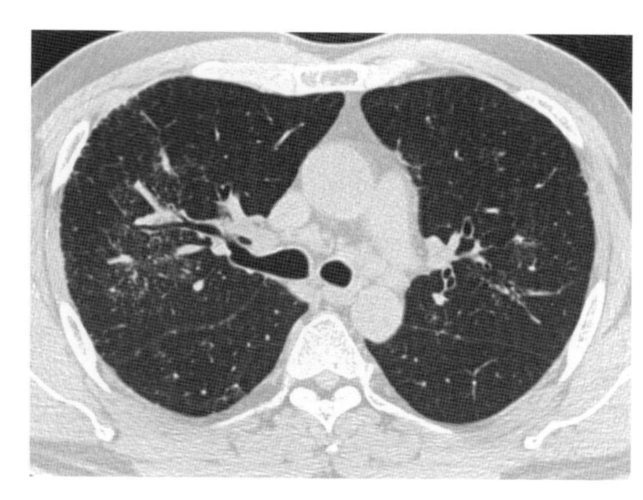

■ 그림 4-10. **림프관주위 결절: 사르코이드증**
고해상CT에서 양폐 상엽에 미세 결절이 보이고 결절들은 소엽중심과 흉막하부 및 기관지혈관다발을 따라 분포한다.

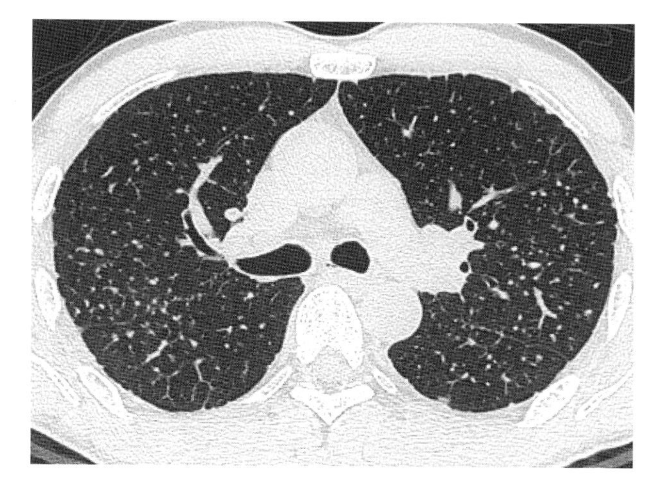

■ 그림 4-11. **림프관주위 결절: 규폐증**
고해상CT에서 양폐에 비교적 균질한 미세 결절이 보이고 다수의 결절들이 소엽중심 분포를 보이나 흉막하부 결절이 자주 보인다.

(4) 무작위분포 결절

무작위분포 결절(random distribution nodule) (그림 4-12, 4-13) (표 4-7)은 이차폐소엽 구조물과 무관하게 무작위로 분포하고 미만성이며 비교적 균질한 분포 양상을 보인다. 흉막하부 결절이 자주 보인다.

표 4-7. **무작위분포 결절의 감별진단**

감별진단	참고
감염의 혈행성 파급 혈행성 폐전이	미만성, 균질성 분포

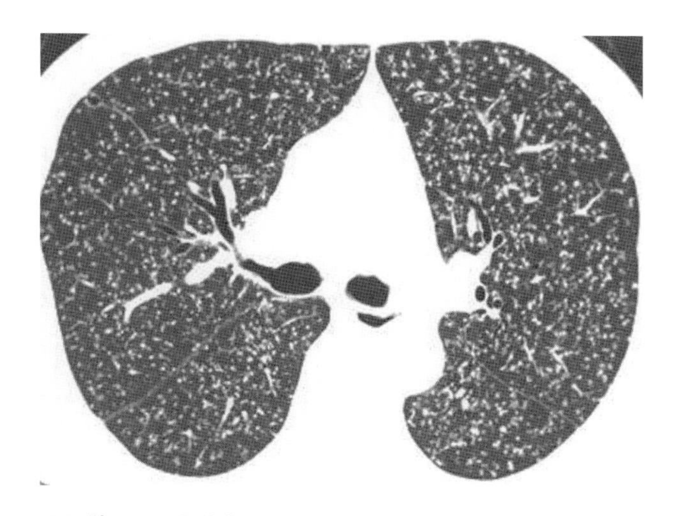

■ 그림 4-12. **무작위분포 결절: 좁쌀결핵**
고해상CT에서 양폐에 경계가 분명한 미세 결절이 산재되어 있다. 결절들은 비교적 크기가 일정하며 기도 및 이차폐소엽과 무관한 무작위분포를 보인다.

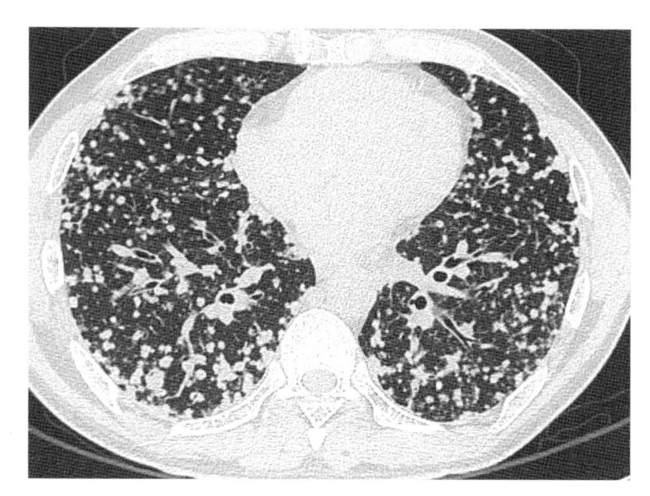

■ 그림 4-13. **무작위분포 결절: 혈행성 폐전이**
고해상CT에서 양폐에 경계가 분명한 다양한 크기의 결절이 산재되어 있으며 폐 하부 및 주변부의 결절이 더 큰 경향을 보인다.

(5) 결절의 분포 분석

결절의 분포를 분석하기 위하여 먼저 흉막이나 엽간열에 결절 유무를 살펴보아야 한다. 흉막이나 엽간열 결절이 없는 경우 이는 중심소엽성 결절이다. 엽간열 결절이 있다면 림프관주위 분포이거나 무작위분포를 시사한다. 결절이 비교적 불균질하게 분포하며 특히 기관지 및 혈관 주위를 따라 자주 보이는 것은 림프관주위 분포를 나타내며 결절이 미만성으로 균질하게 보이는 경우 무작위분포를 시사한다.

4) 큰 결절 및 종괴

(그림 4-14, 4-15) (표 4-8)

표 4-8. **큰 결절 및 종괴의 감별진단**

감별진단	참고
사르코이드증	상엽, 기관지혈관주변 분포
규폐증/탄광부진폐증	상엽, 주변부 폐기종
활석증(talcosis)	
폐전이	폐주변부 및 기저부에 호발
폐암	
림프종	공기기관지조영 자주 보임
림프세포증식질환	공기기관지조영 보일 수 있음
기질화폐렴	역달무리 징후
Wegener's granulomatosis (granulomatosis with polyangiitis)	
Churg-Strauss 증후군(eosinophilic granulomatosis with polyangiitis)	
아밀로이드증	
폐감염	면역저하에서의 진균 감염
원형무기폐	석면증에서 자주 보임

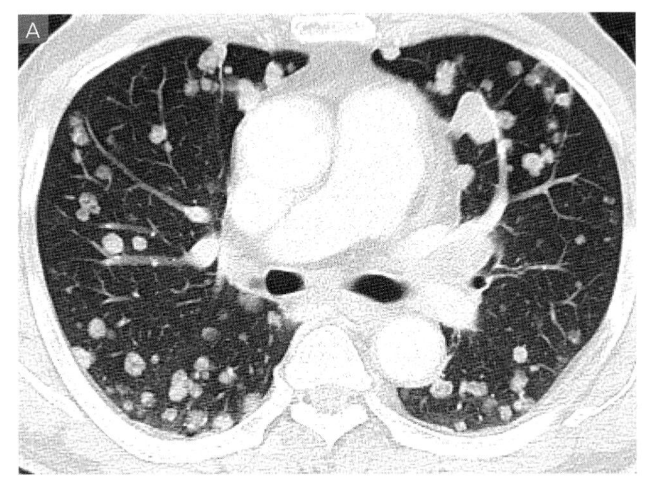

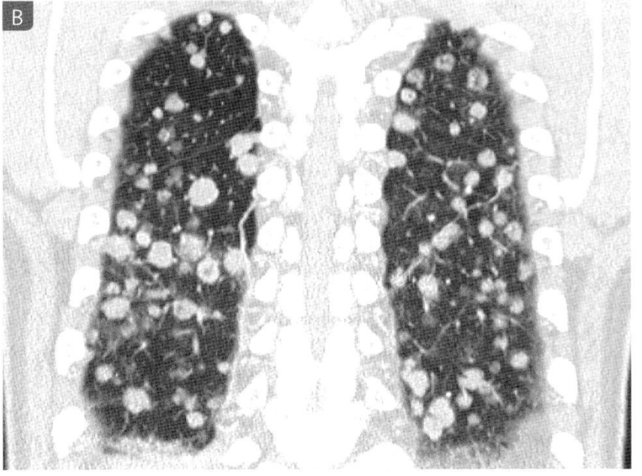

■ 그림 4-14. **다발성 결절: 혈행성 폐전이**
고해상CT(A, B)에서 양폐에 경계가 분명한 다양한 크기의 결절이 산재되어 있으며 다수의 결절이 폐동맥 끝에 달려 있는 모양이다.

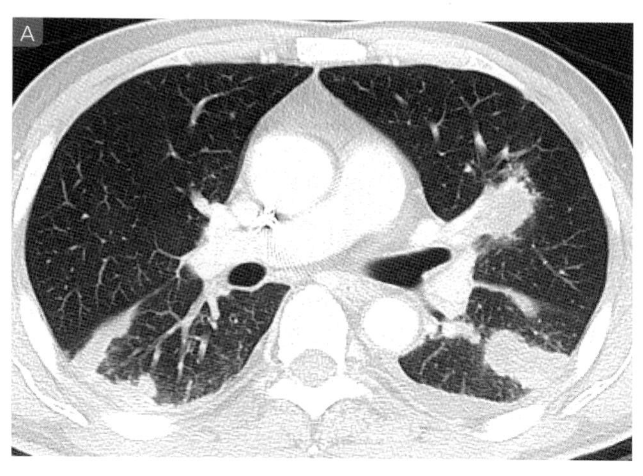

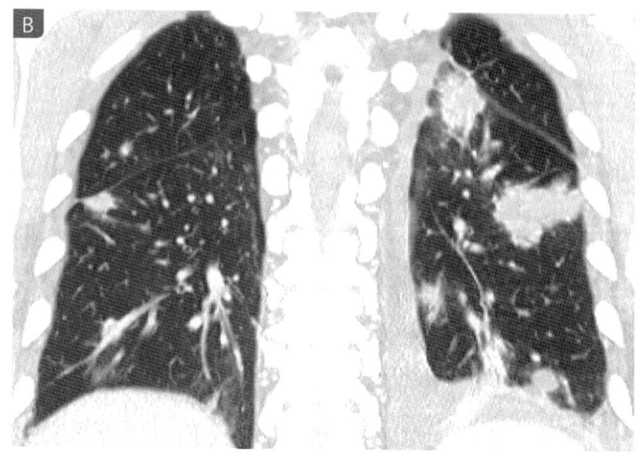

■ 그림 4-15. **다발성 종괴: 속발성 림프종**
CT(A, B)에서 양폐에 경계가 불분명한 종괴 또는 경화가 보이며 주로 기관지혈관다발을 따라 분포하고 있다.

3. 폐음영 증가

1) 간유리음영

간유리음영(ground glass opacity or attenuation, GGO or GGA) (그림 4-16, 4-17) (표 4-9)은 폐포강의 부분적 충만이나 폐포벽의 비후가 있을 때 고해상CT가 명확한 개체 음영으로 인지하지 못하고 흐릿하게 증가된 음영을 보이는 것으로, 폐혈관이나 기관지 음영의 윤곽을 소실시키지 않는 정도의 증가 음영을 말한다. 간유리음영 자체는 비특이적인 소견으로 미만성 또는 결절성으로 보일 수 있다. 내부의 불규칙한 선상 음영, 견인성기관지확장, 엽간열이나 폐구조의 뒤틀림이 없는 경우 급성, 활동성, 가역성의 치료 가능한 병변을 시사하며 언급한 소견들이 동반된 경우 주로 소엽내간질(intra-

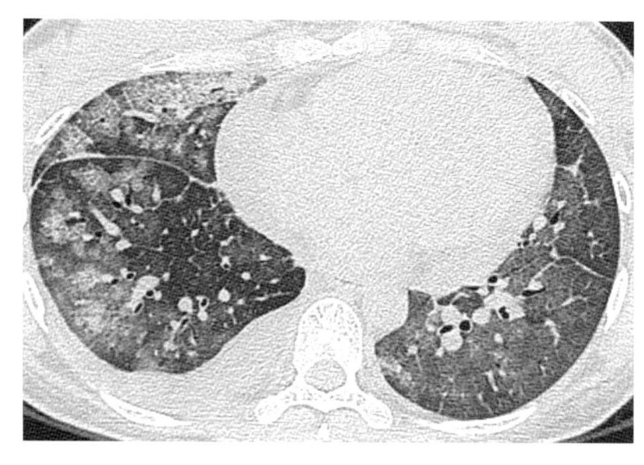

■ 그림 4-16. **간유리음영: 백혈병 환자에서의 폐출혈**
고해상CT에서 양측성 간유리음영이 보이며 우측 폐에 소엽성 분포 및 돌조각보도모양이 보인다.

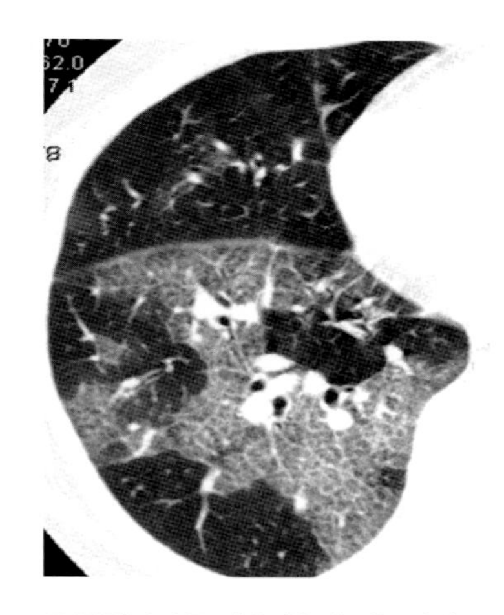

■ 그림 4-17. **간유리음영: 폐포단백증**
고해상CT에서 지도모양의(geographic) 간유리음영이 보이며 내부에 돌조각보도모양이 보인다.

표 4-9. 간유리음영의 감별진단

감별진단	임상경과	참고
급성간질폐렴; 급성호흡곤란증후군	급성	반점상/미만성; 폐경화 자주 동반
폐부종	급성	미만성/소엽중심성; 소엽간중격 비후
폐출혈	급성	반점상/미만성; 소엽간중격 비후(±)
폐렴(예, 바이러스, 뉴모시스티스)	급성	미만성/반점상; 소엽간중격 비후(±)
급성호산구폐렴	급성	미만성
방사선폐렴	급성	방사선 조사 영역을 따라 분포하는 모양
과민폐렴	아급성/만성	반점상/결절성/소엽중심성
비특이간질폐렴	아급성/만성	반점상/폐주변부; 그물음영 자주 동반
상용간질폐렴	아급성/만성	흉막하부 및 폐기저부; 폐섬유화 소견
박리간질폐렴	아급성/만성	미만성/반점상; 섬유화는 드물게 보임
호흡세기관지염-간질폐질환	아급성/만성	반점상/소엽중심성; 섬유화는 드물게 보임
기질화폐렴	아급성/만성	폐주변부; 때로 결절성; 폐경화(±)
만성호산구폐렴	아급성/만성	반점상/결절성; 폐주변부; 폐경화가 보다 흔함
Churg-Strauss 증후군	아급성/만성	결절성; 폐경화(±)
지질폐렴	아급성/만성	반점상/소엽성
폐포단백증	아급성/만성	반점상/미만성; 소엽간중격 비후
폐암	아급성/만성	미만성/반점상/소엽중심성, 폐경화

lobular interstitium)의 섬유화가 주된 조직학적 소견임을 시사한다. 간유리음영은 흉부X선사진에서 잘 인지되지 않는 경우가 많으므로 고해상CT의 역할이 중요하다.

2) 폐경화

폐경화(consolidation) (그림 4-18, 4-19) (표 4-10)는 폐포 내 공기가 액체, 세포, 조직 및 다른 물질로 대부분 혹은 완전히 대치된 것을 의미하며 음영 증가 부위에 폐혈관이나 기관지 음영의 윤곽이 소실된다. 공기기관지조영(air bronchogram)이 자주 보인다. 폐경화는 대부분 공기공간 충만성(airspace filling) 병변을 시사하나, 광범위하며 융합성의 폐 간질 질환

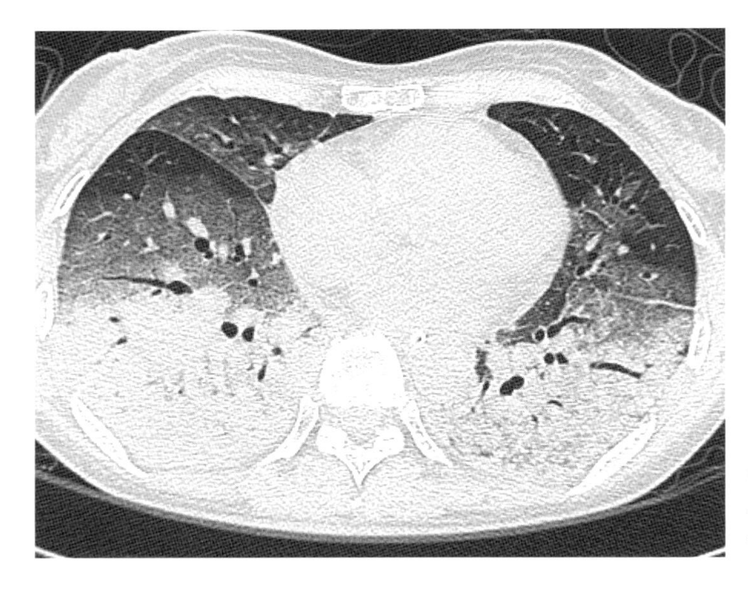

■ 그림 4-18. **폐경화: 급성호흡곤란증후군**
고해상CT에서 비교적 미만성의 간유리음영이 보이며 양폐 하엽의 중력 의존 부위에 공기기관지조영을 동반한 폐경화가 있다.

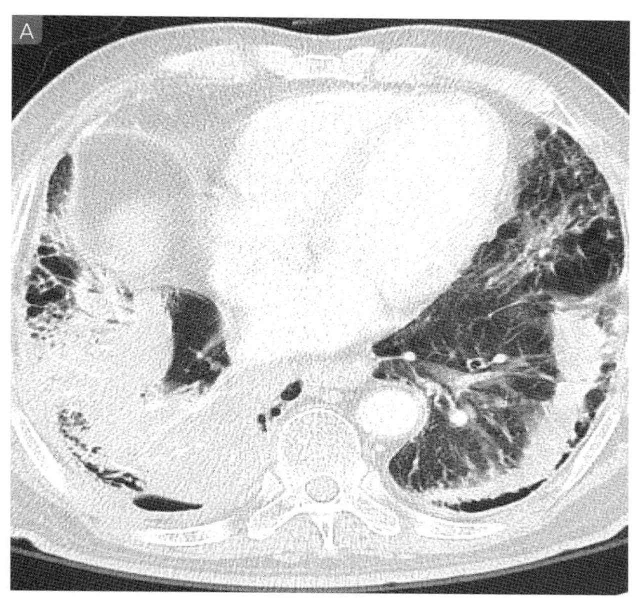

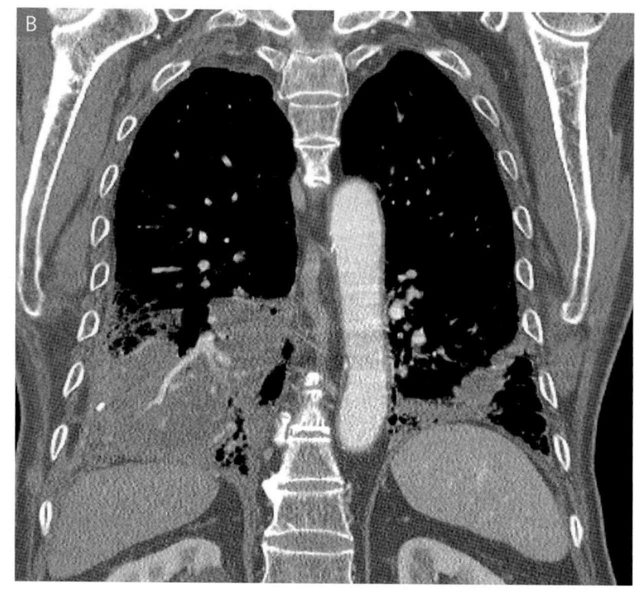

■ 그림 4-19. **폐경화: 폐경화로 보인 폐암**
CT(A, B)에서 양폐 하엽 주변부에 폐경화가 보이며 원래 폐기종이 있던 흉막 바로 아래 부위는 저음영으로 남아 있다.

표 4-10. **폐경화의 감별진단**

감별진단	임상경과	참고
폐렴	급성	반점상/결절성/소엽성/미만성
급성간질폐렴; 급성호흡곤란증후군	급성	반점상/미만성
폐부종	급성	미만성
폐출혈	급성	반점상/미만성
급성호산구폐렴	급성	미만성
방사선폐렴	급성	방사선 조사 영역을 따라 분포하는 모양
기질화폐렴	아급성/만성	폐주변부; 종괴처럼 보일 수 있음
만성호산구폐렴	아급성/만성	반점상/결절성; 폐주변부
Churg-Strauss 증후군	아급성/만성	결절성
폐암	아급성/만성	미만성/반점상/결절성
림프종	아급성/만성	미만성/반점상/결절성
비특이간질폐렴	아급성/만성	반점상; 흉막하부에 호발
상용간질폐렴	아급성/만성	흉막하부 및 폐기저부에 호발
과민폐렴	아급성/만성	반점상, 간유리음영이 보다 흔히 보임
지질폐렴	아급성/만성	반점상/소엽성
사르코이드증	아급성/만성	육아종들의 융합
폐포단백증	아급성/만성	간유리음영이 보다 흔히 보임

에서도 보일 수 있다. 또한 폐경화가 벌집폐나 폐기종과 중첩되어 있는 경우 폐경화가 없는 부위의 폐를 잘 살펴보아 기저 병변의 유형을 판단하고 그 병변의 변형임을 인지할 수 있다.

3) 무기폐

무기폐(atelectasis) (그림 4-20~4-24)는 부피 감소를 동반한 폐 내부 공기의 감소를 뜻하며 무기폐, 허탈(collapse), 폐 부피 감소(loss of lung volume) 등은 감소된 폐 팽창을 뜻하는 동의어로 쓰인다. 무기폐는 흉부X선사진과 CT에서 증가된 음영으로 보이며 무기폐와 폐경화는 부피 감소 유무로 서로 감별할 수 있다. 즉 대부분 폐경화에서는 폐포 내 공기가 거의 동일한 부피의 액체나 세포 등으로 대치되므로 그 부피는 유지되거나 증가한다.

대엽성 무기폐의 직접 소견(direct signs)은 엽간열(interlobar fissure)의 전위 및 폐혈관과 기관지음영의 밀집(crowding of pulmonary vessels and bronchi)이다. 간접 소견(indirect signs)은 폐음영증가(pulmonary opacification) 및 부피 감소의 이차적인 소견들로서 주위 엽들의 보상성 과팽창(compensatory hyperinflation), 횡격막의 거상(elevation), 기관, 심장, 종격동 및 폐문의 무기폐측으로의 이동, 늑간 간격의 감소(approximation of ribs), 횡격막근접 봉우리(juxtaphrenic peak) 등이다.

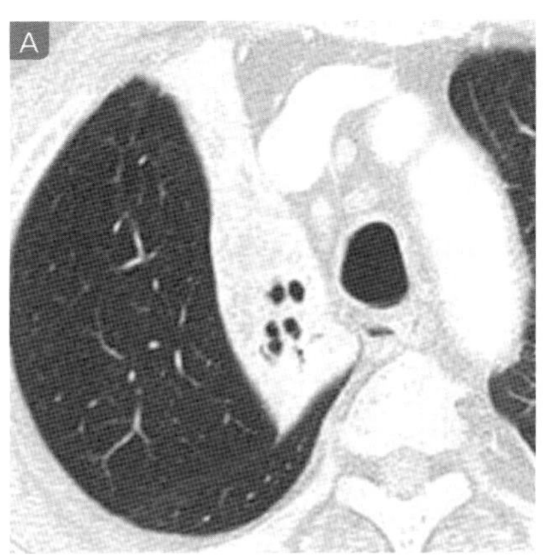

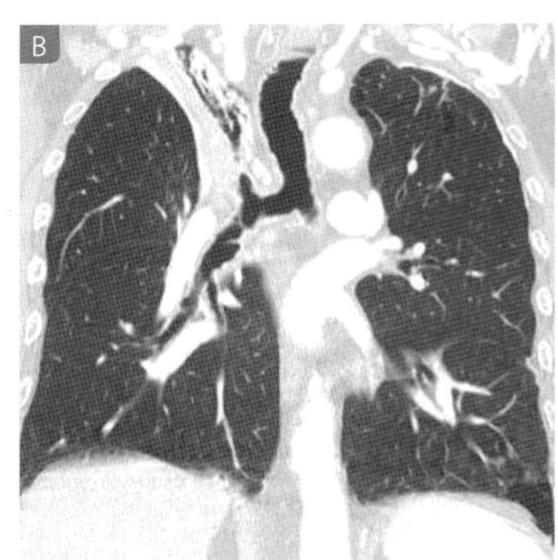

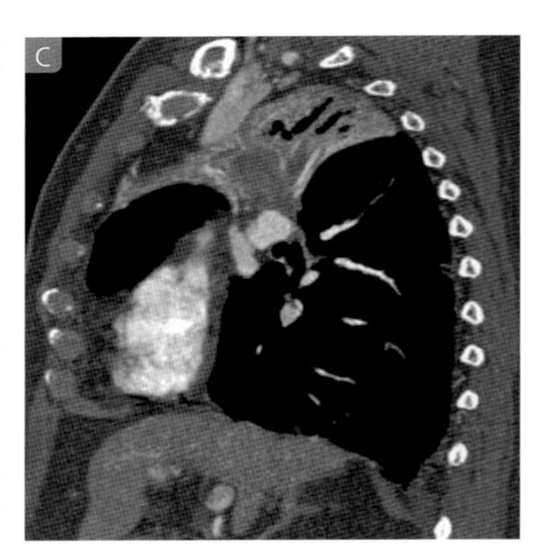

■ 그림 4-20. **우상엽 무기폐**
CT 축상면(A) 및 관상면(B) 영상에서 허탈된 우상엽은 음영이 증가하며 부피 감소가 매우 심해지면 종격동과 흉곽 첨부에 납작하게 붙게 된다. 이 음영은 외측으로 거상된 부엽간열에 의해, 후방으로 주엽간열에 의해 경계된다. 시상면(C) 영상에서 허탈된 우상엽은 상부 종격동과 앞쪽 흉벽에 접하는 삼각형 모양의 연부조직 음영으로 보인다. 부엽간열과 주엽간열의 윗부분은 마치 책을 접는 것처럼 상방으로 이동하며 허탈된 우상엽은 뒤집어진 원뿔 모양의 종격동 쐐기(mediastinal wedge)를 보이게 된다.

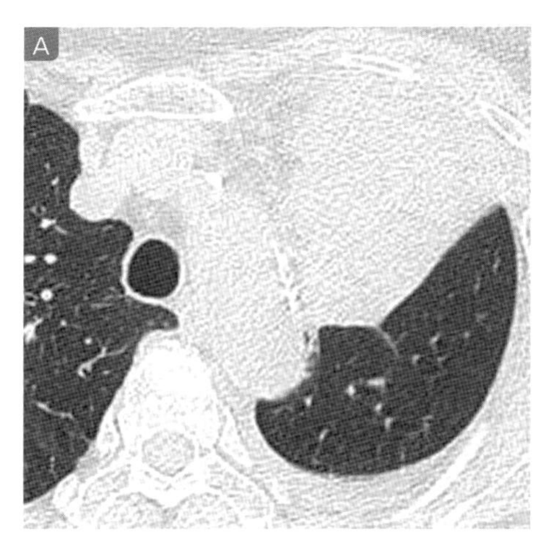

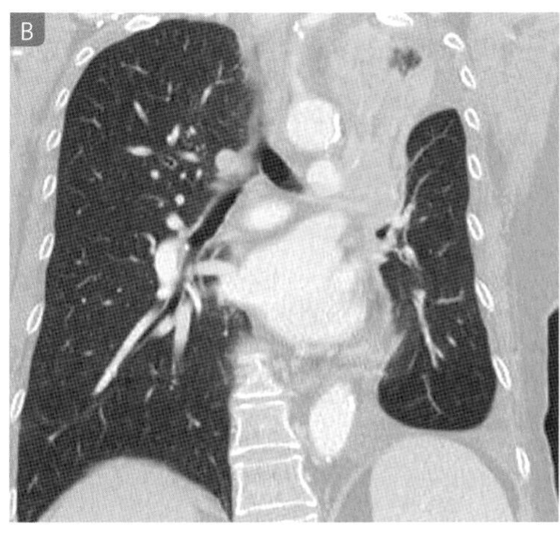

■ 그림 4-21. **좌상엽 무기폐**
CT(A, B)에서 허탈된 좌상엽은 종격동과 앞쪽 흉벽에 닿아 있는 균일한 음영으로 보이며, 특징적으로 후방 경계는 폐문에서 폐첨부에 이르는 V자 형태를 취한다.

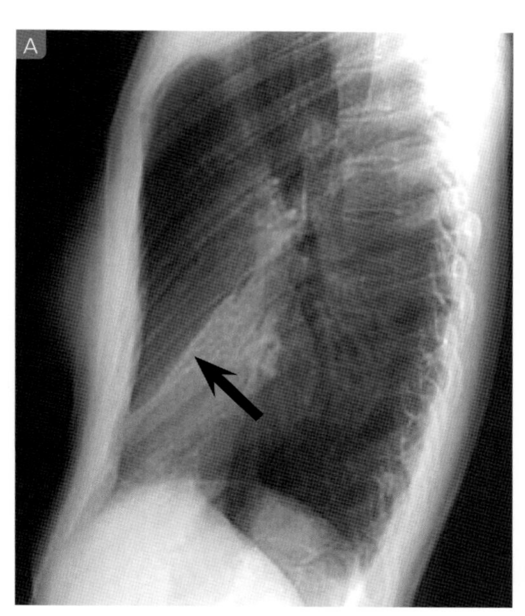

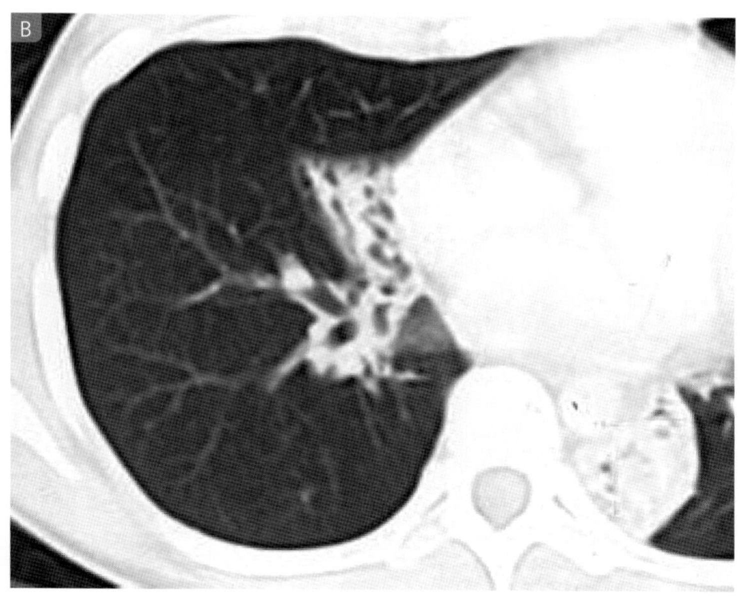

■ 그림 4-22. **우중엽 무기폐**

흉부X선 측면(A) 사진에서 부엽간열과 주엽간열의 아랫부분은 책을 접는 모양으로 가까워져 결국 부피 감소가 심해지면 우중엽은 폐문에서 전하방 흉벽에 이르는 얇은 사선 모양으로 보이게 되며 이는 주엽간열 내에 고인 흉막삼출이나 흉막비후로 오인될 수 있다(화살표). CT(B)에서 허탈된 우중엽은 삼각형이나 능형(trapezoidal)으로 보인다. 음영의 뒤쪽은 주엽간열에 의해 경계되어 분명하게 보이며 부엽간열이 내측 하방으로 전위된다.

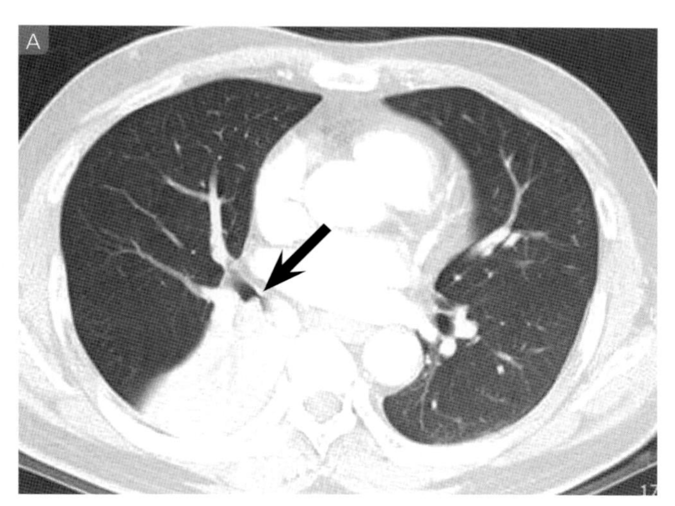

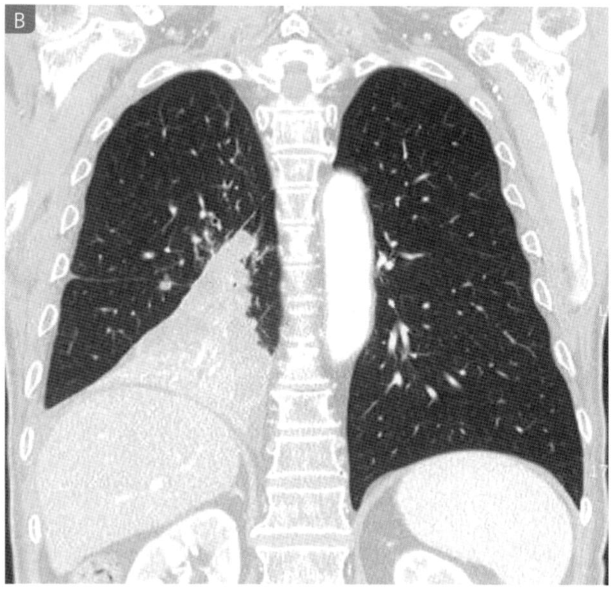

■ 그림 4-23. **우하엽 무기폐**

CT 축상면(A) 영상에서 우하엽 중심기관지 내 결절(화살표)과 동반되어 허탈된 우하엽이 후방 내측 방향으로 부피가 감소한다. CT 관상면(B) 영상에서 허탈된 우하엽은 척추에 닿아 있으며 횡격막에 기저를 두고 첨부가 폐문을 향하는 삼각형의 증가 음영으로 보인다. 우상엽이 과팽창하면서 부엽간열도 점차 내려간다.

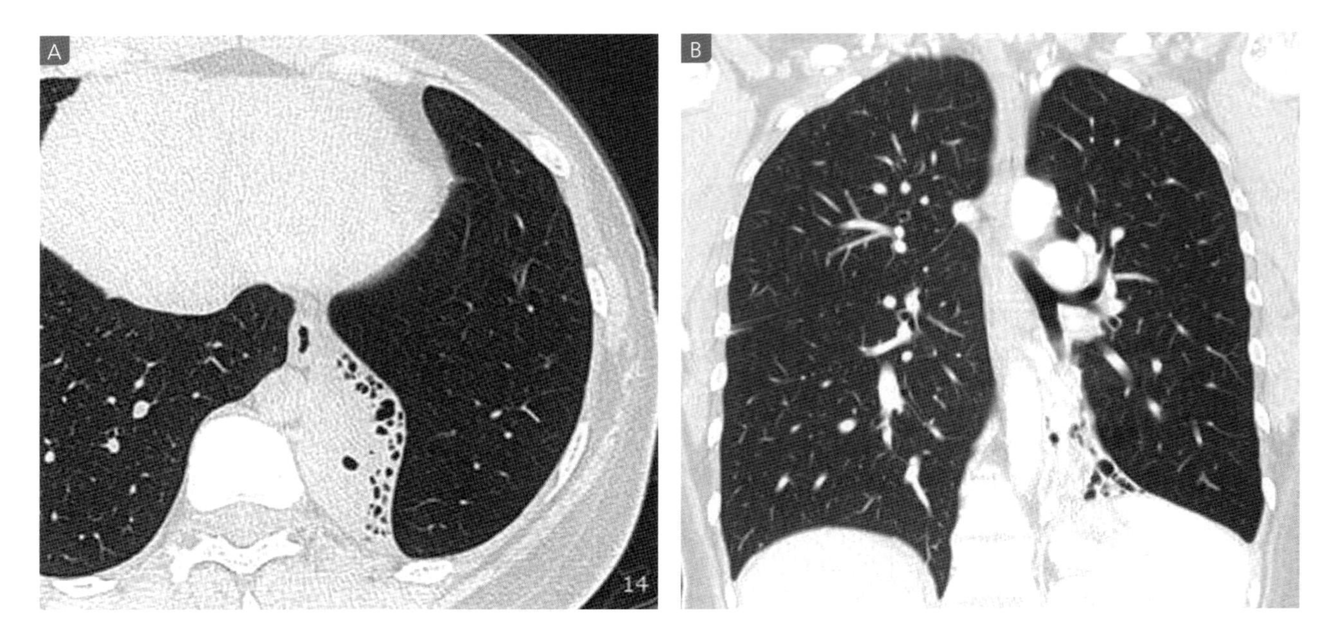

■ 그림 4-24. **좌하엽 무기폐**
CT 축상면(A) 영상에서 좌하엽 부피가 감소하면서 주엽간열의 상방 외측 부분이 하방 내측으로 이동한다. CT 관상면(B) 영상에서 부피 감소가 진행되면 허탈된 좌하엽은 폐문 하부에 삼각형 음영 증가로 보이며 횡격막에 기저를 두고 첨부가 폐문을 향하는 모양을 보인다. 이때 흉부X선사진에서 좌측 심장의 경계는 명확하게 유지된다. CT(A, B)에서 주엽간열이 후방 내측 전위되어 있으며 좌상엽의 과팽창이 잘 보인다.

II 음영감소성 병변

1. 폐기종

폐기종(emphysema)은 고해상CT에서 주위의 증가된 정상 폐 실질과 대조되는 낮은 감쇄계수(-600 ~ -800 HU)를 갖는 국소적 음영 감소로 보여 쉽게 알아 볼 수 있다. 폐포벽이 파괴되어 경계가 잘 보이지 않지만 간혹 융합된 중심소엽 폐기종 또는 동반된 섬유화에 의해 기낭의 벽으로 보일 수 있다. 폐기종은 이차폐소엽의 주된 침범 부위에 따라서 중심소엽성(centrilobular), 중격주위(paraseptal), 범세엽성(panacinar)으로 분류한다.

2. 낭성 폐병변

낭성 폐병변(cystic lung lesions) (그림 4-25~4-28) (표 4-11)은 2-3 mm에서 1 cm 정도의 직경과 두께 약 3 mm 이하의 얇은 벽을 갖는 공기를 함유한 병소이다. 그 벽은 여러 가지 세포로 구성될 수 있으나 보통 섬유조직 또는 상피세포로 구성된다. 고해상CT에서 낭성 병변은 그물음영과 쉽게 구별되나 흉부X선 사진에서는 음영들이 겹쳐보이므로 작은 낭성 폐병변들이 그물음영으로 인지될 수 있다.

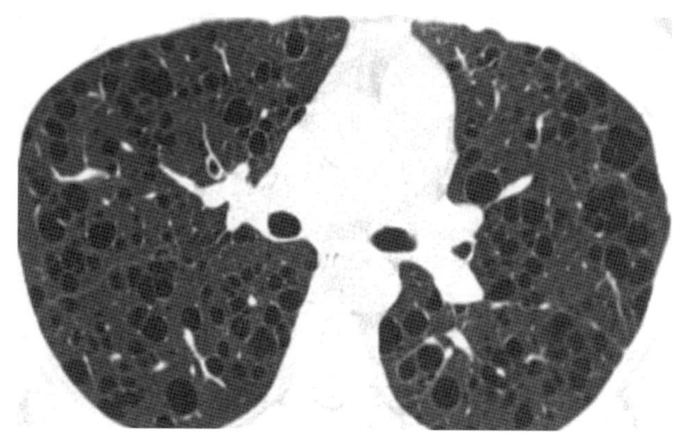

■ 그림 4-25. **낭성 폐병변: 37세 여자의 림프관평활근종증**
고해상CT에서 얇은 벽을 가지는 다수의 낭종이 양폐에 산재해 있으며 비교적 균일하고 둥근 모양을 보인다.

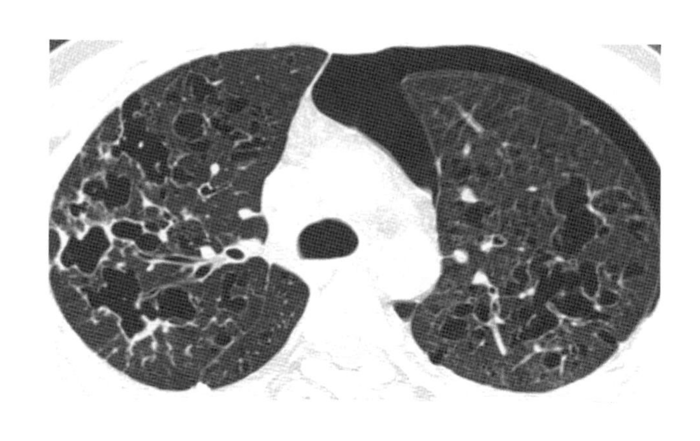

■ 그림 4-26. **낭성 폐병변: 29세 남자의 랑게르한스세포조직구증**
고해상CT에서 양폐 상엽에 크기와 모양이 다양하고 불규칙한 낭성 병변이 보이며 좌측 기흉이 동반되어 있다.

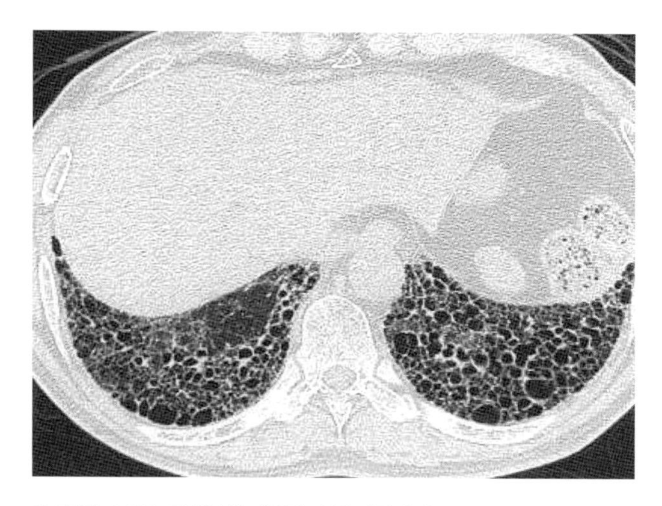

■ 그림 4-27. **미세낭성 폐병변: 상용간질폐렴**
고해상CT에서 양폐 기저부 및 흉막하부에 주로 분포하는 여러층의 낭성 병변으로 보이는 전형적인 벌집폐 소견이다.

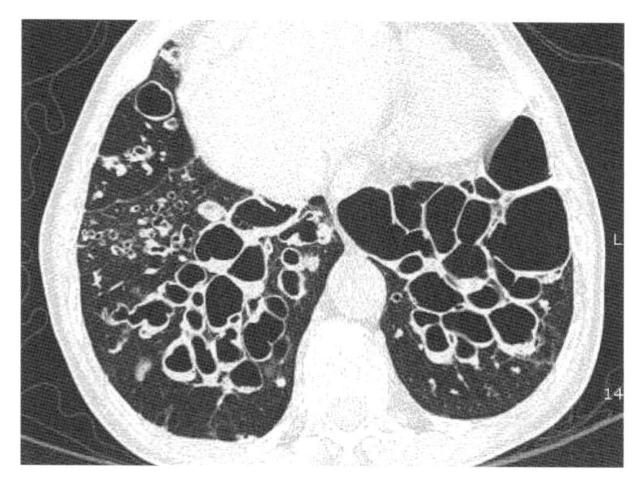

■ 그림 4-28. **낭성 폐병변: 낭성 기관지확장증**
고해상CT에서 양폐 하엽에 많은 공기가 찬 낭성 병변이 포도송이 모양으로 보인다. 기관지벽은 두껍고 다수에서 내부에 공기 액체층을 포함한다.

표 4-11. 낭성 폐병변의 감별진단

감별진단	모양	참고
림프관평활근종증	둥근모양; 균일한 크기와 모양	미만성; 가임기 여성
랑게르한스세포조직구증	불규칙한 모양(bizarre); 비균일한 크기와 모양	상엽; 소결절이 보일 수 있음
기포	흉막하부; 상엽	소엽중심성 폐기종 자주 동반
기류	얇은 벽의 공기주머니	감염 혹은 외상 후 발생
벌집모양	흉막하부에 여러층으로 보임; 기저폐	Sharing cyst walls; 폐섬유화
낭성 기관지확장증	포도송이 모양 분포; 폐문 주변부	공기-액체층(±)
림프구간질폐렴		폐결절이 보일 수 있음

3. 공기가둠

폐 음영 감소는 폐기종이나 낭성 병변이 아닌 공기가둠(air trapping), 저환기(decreased ventilation), 저관류(decreased perfusion)에 의해 보일 수 있다. 소엽성(lobular), 대엽성(lobar), 또는 다병소성(multifocal) 분포를 보일 수 있으며 주로 폐쇄성기관지염(bronchiolitis obliterans, constrictive bronchiolitis), 아급성과민폐렴, 천식 등의 기도질환에서 볼 수 있다.

III 모자이크 병변

모자이크 병변(mosaic attenuation pattern)은 비정상적인 비균질성 폐실질 음영(inhomogeneous lung attenuation)을 말하며 기본적으로 소기도 질환(small airways disease), 폐쇄성 혈관 질환(occlusive vascular disease) 및 침윤성 폐질환(infiltrative lung disease)의 3가지 질환에서 보일 수 있다[6].

소기도 질환에서 비정상적인 저음영 부위의 폐혈관은 직경 및 숫자가 감소되며 호기성(expiratory) CT에서 비정상 저음영 부위의 공기가둠으로 인한 모자이크 양상의 비균질 폐 감쇄(inhomogeneous lung attenuation)를 특징적으로 볼 수 있다. 폐쇄성 혈관 질환에서 비정상 저음영 부위의 폐혈관 직경 및 숫자가 감소되나 저음영 부위의 호기시 공기가둠은 보이지 않는다. 침윤성 폐질환에서 염증세포 및 삼출액으로 인한 폐 간질의 팽창과 공기공간의 부분적 충만으로 인한 음영 증가 부위와 대조되는 정상 폐의 저음영으로 인하여 비균질 폐 감쇄가 보이나 음영 증가 및 음영 감소 부위의 폐혈관 크기 및 숫자의 차이는 없다.

IV 병변의 분포에 따른 분석

미만성 폐질환에서 병변의 주된 분포(distribution)를 분석하는 것은 질환의 감별 진단에 많은 도움을 준다(표 4-12, 4-13, 4-14).

표 4-12. 고해상CT에서 병변의 주된 분포양상: 폐중심부 vs. 폐주변부

폐중심부	폐주변
사르코이드증 규폐증/탄광부진폐증 림프관성 폐전이 기관지 질환(기관지확장증)	상용간질폐렴 비특이간질폐렴 만성호산구폐렴 특발성기질화폐렴 박리간질폐렴 혈행성 폐전이

표 4-13. 고해상CT에서 병변의 주된 분포양상: 폐상부 vs. 폐하부

폐상부	폐하부
사르코이드증 규폐증/탄광부진폐증 랑게르한스세포조직구증 폐결핵 중심소엽성 폐기종 호흡세기관지염	상용간질폐렴 비특이간질폐렴 특발성기질화폐렴 지질폐렴 혈행성, 림프관성 폐전이

표 4-14. 고해상CT에서 병변의 주된 분포양상: 폐후방부 vs. 폐전방부

폐후방부	폐전방부
상용간질폐렴 비특이간질폐렴 석면증 규폐증/탄광부진폐증 사르코이드증 폐부종; 급성호흡곤란증후군 지질폐렴	급성호흡곤란증후군 후 폐섬유화

참고문헌

1. Hansell DM, Bankier AA, MacMahon H, McLoud TC, Muller NL, Remy J. Fleischner society: glossary of terms for thoracic imaging. Radiology 2008;246:697-722.
2. Webb WR, Muller NL, Naidich DP. High-resolution CT of the lung, 4th ed. Philadelphia: Lippincott Williams & Wilkins, 2009:65-176.
3. Webb WR. Thin-section CT of the secondary pulmonary lobule: anatomy and the image-the 2004 Fleischner lecture. Radiology 2006;239:322-338.
4. Raoof S, Amchentsev A, Vlahos I, Goud A, Naidich DP. Pictorial essay:multinodular disease-a high resolution CT scan diagnostic algorithm. Chest 2006;129:805-815.
5. Boitsios G, Bankier AA, Eisenberg RL. Diffuse pulmonary nodules. AJR Am J Roentgenol 2010;194:W354-W366.
6. Ridge CA, Bankier AA, Eisenberg RL. Mosaic attenuation. AJR Am J Roentgenol 2011;197:W970-W977.

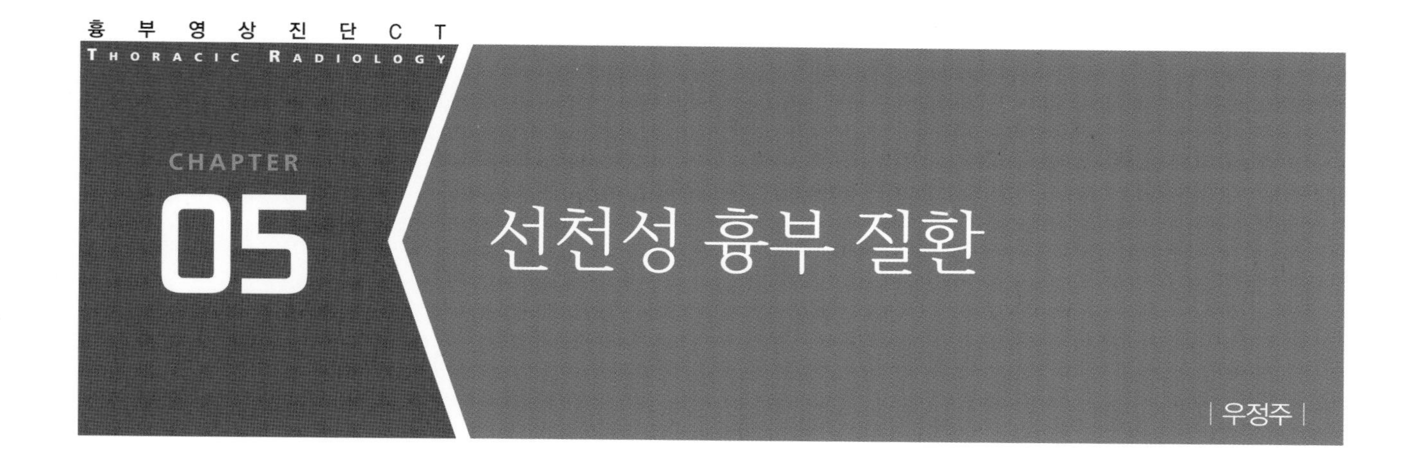

Contents

폐의 발육과 성장은 자궁내(intrauterine)시기와 출생 후(postnatal)시기로 이루어지며 자궁내시기는 배아 (embryonic), 거짓샘 또는 가선(pseudoglandular), 세관(canalicular), 폐포주머니(alveolar, saccular)의 4시기로 구분된다[1-5].배아시기에 폐의 형성은 임신(gestation) 3-4주째 전장(foregut)의 배쪽 게실(ventral diverticulum)로 부터 시작되어 내배엽 상피(endodermal epithelium)로 덮여진 융기부위가 자라나 호흡기계와 식도구성 부분으로 분리된다. 이어서 폐 낭(sac)과 5개의 기관지 형태가 배아시기 말에 형성된다.거짓샘(가선)시기는 임신 5주부터 16주까지의 시기로 이분지(dichotomous) 양식의 기관지 발달이 이루어져 16주에는 전도기도(conducting airway)인 기관지가 모두 형성된다. 이 때 기도는 원주상피 또는 입방상피로 덮여진 맹관이므로 거짓샘시기(pseudoglandular)라 한다. 기관연골은 임신 7주부터 관찰된다.세관시기는 임신 17주부터 25-28주 사이로 이행기도(transitional airway)인 세기관지 형성 시기이다. 중간엽조직 (mesenchymal tissue)이 감소하며 공기용적이 모세혈관과 동반하여 성장한다. 폐포주머니시기는 임신 28주부터 40주로 폐포(alveoli)가 증식되는 시기이며 출생 후 8세까지 폐포 증식이 지속 된다. 폐동맥 발달은 6번째 대동맥활에서 기원한다. 임신 16-28주 사이에 세엽(acinus)의 혈관생성이 시작되는데 기관지와 폐포 발달과 동반하여 출생 후 8세까지 폐혈관 가지 증식이 계속된다.

폐의 선천성 기형은 크게 기관지폐 기형(전장기형)과 폐혈관계 기형, 그리고 폐와 혈관기형이 동반되어 있는 복합 기형군으로 나눌 수 있다. 그러나 서로 혼합된 기형도 흔하여 폐실질, 폐혈관계, 또는 양쪽 모두와 관련된 발육불량의 스펙트럼으로 이해된다. 많은 수에서 산전초음파에서 발견되거나 동반된 합병증에 의한 심각한 증상으로 신생아기 또는 영아기에 발견되지만, 증상이 없는 경우 청년기나 성인에서 우연히 발견되거나 이차적인 감염이 동반되어 발견된다. 성인에서 발견되는 선천성 질환은 간혹 심각한 후천적인 병과 혼동을 줄 수 있어 선천성질환의 소견을 숙지하는 것이 감별에 도움이 된다. 흉부X선사진에서 특이적인 소견으로 보이는 경우는 드물지만 폐동맥중단, 저발생폐 증후군 등 에서는 단순 촬영 소견으로도 의심할 수 있으며, 그 외 대부분의 폐기형 진단에 중요한 실마리를 제공한다. CT는 다중검출기 CT(MDCT, multidetector CT)의 발달로 단층영상과 혈관조영증강영상 외에도 여러 방향의 재구성 영상과 3차원 영상을 제공하여 선천성 질환의 조기진단에 필수적인 검사이며 그 외 핵의학 검사, MRI 등의 검사를 이용해 진단에 도움을 얻을 수 있다[5].

I 기관지폐 기형

1. 폐 무발생증, 폐 무형성증, 폐 형성저하증

폐 무발생증(pulmonary agenesis)은 한쪽 또는 양쪽 폐가 완전히 없는 것으로 폐실질과 혈관, 기관지의 흔적이 없다 (그림 5-1). 폐 무형성증(pulmonary aplasia)의 경우 폐실질과 혈관은 없으면서, 기관지가 퇴화된 맹관으로 남아있다. 폐 형성저하증(pulmonary hypoplasia)에서는 기도, 혈관, 폐포의 수와 크기가 감소되어 있다(그림 5-2)(표 5-1). 폐 무발생증은 배아기(임신 4주)에 이상이 생긴 것으로 대부분 일측성이며 좌·우, 남·녀 발생빈도는 차이가 없다. 우측 폐 무발생증이 좌측 폐 무발생증보다 예후가 좋지 않다. 드물게 한 엽에 국한되어 폐혈관과 기관지가 없는 경우는 증상이 없이 성인에서 우연히 발견되기도 한다(그림 5-3). 폐 형성저하증은 원인인자가 없는 일차성과, 폐 형성부전을 야기할 수 있는 선천성 기형을 동반한 이차성 폐 형성저하증으로 나누어진다. 선천성 횡격막 탈장과, 신 폐 무발생증이 포함된 Potter's 증후군 등의 신장이상이 흔히 동반된다. 또 연골무형성증(achondroplasia), 질식성 흉부이상증(asphyhxiating thoracic dystrophy), 난쟁이증(thanatophoric dwarfism) 등의 골 이형성증의 경우 흉곽 변형과 용적 감소로 인해 폐 형성저하증을 초래할 수 있다. 영상소견에서 폐 무발생증, 폐 무형성증, 심한 저형성증은 구분이 되지 않는데 한쪽 흉곽 내에 폐가 완전히 또는

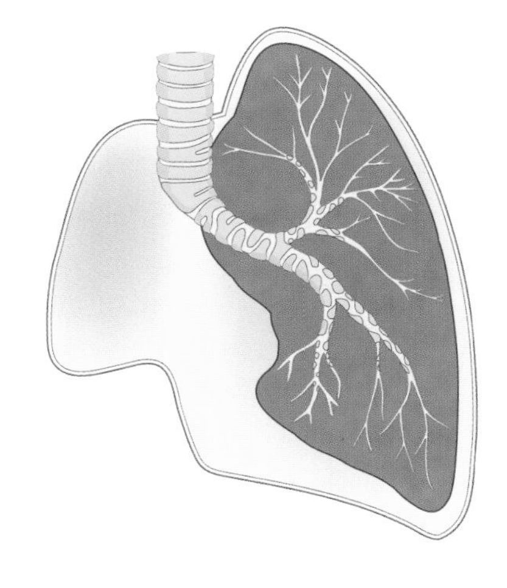

■ 그림 5-1. 우폐 무발생

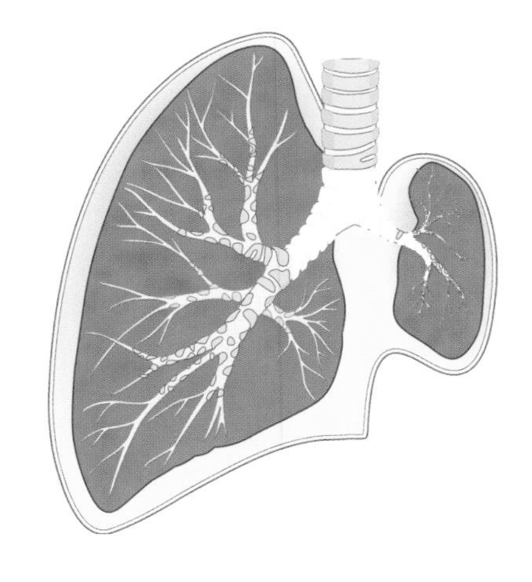

■ 그림 5-2. 좌폐 형성저하증

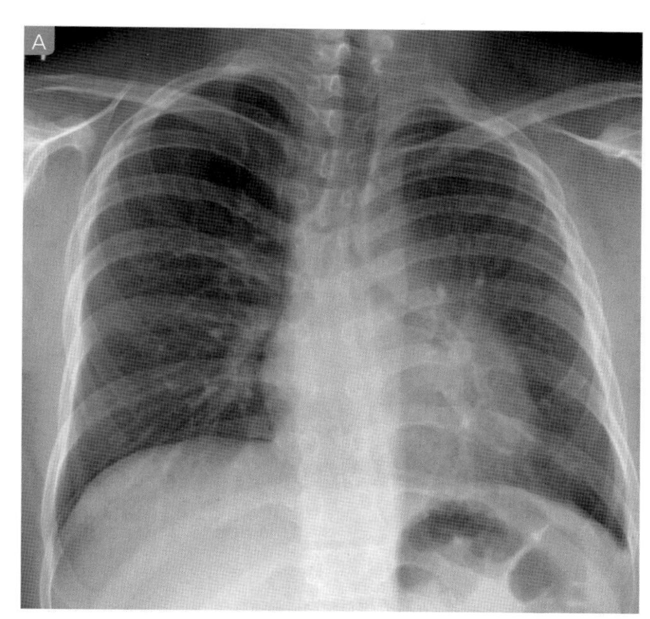

■ 그림 5-3. **좌상엽 무발생증(LUL agenesis)**
22세 남자 흉부X선 사진에서 우연히 발견된 이상소견이다. (A) X선 사진에서 좌측으로 종격동 이동과 좌측 폐 용적 감소가 보인다. CT에서 좌상엽 기관지, 폐혈관이 안보이며 좌측으로의 종격동 이동이 관찰된다(B,C). 동반된 기관의 삼분지 기형이 관상면 재구성 CT(C)에서 관찰되며 Volume rendering 혈관 CT(D)에서 좌상엽 폐혈관이 안보인다. 삼차원. Volume rendering CT(E)에서 좌측폐 부피 감소와 삼분지 기관지 기형이 관찰된다.

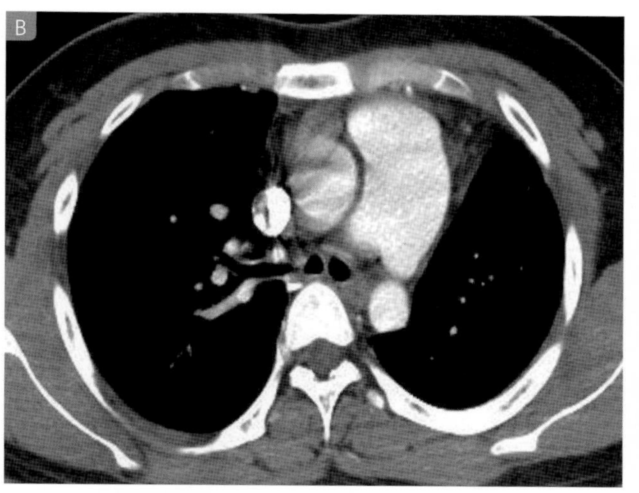

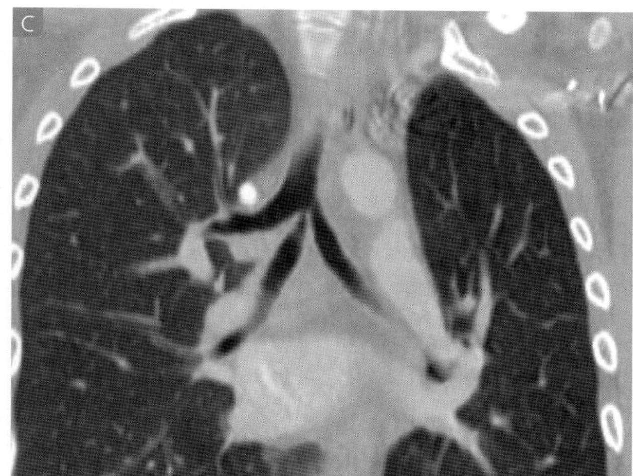

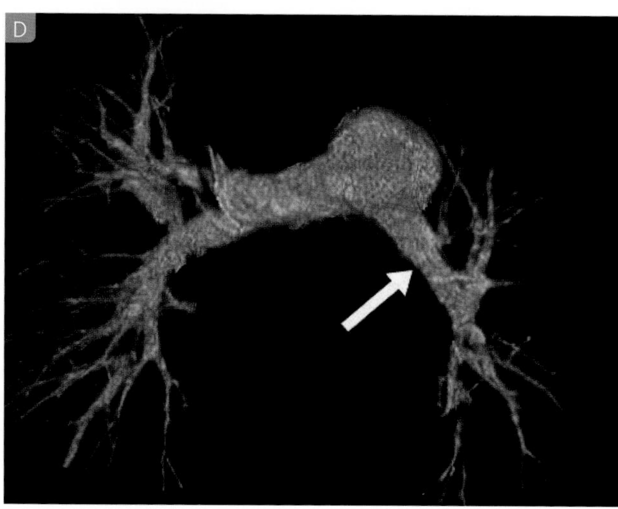

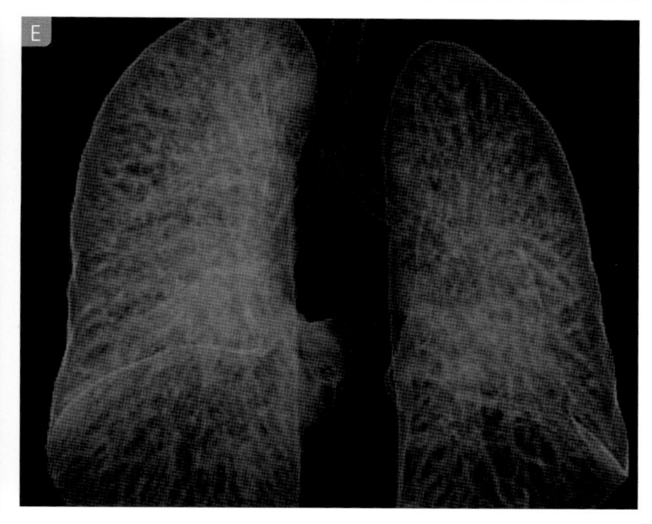

표 5-1. 폐 이상발육의 분류

종류	설명
폐 무발생증 폐 무형성증 폐 형성저하증	폐조직, 기관지, 폐혈관이 없음 폐조직, 폐혈관 없이 맹관의 발육 부전 기관지만 존재 기도, 폐포, 폐혈관의 크기 및 수가 감소된 발육 부전 폐

표 5-2. 선천성 기관지폐쇄증의 CT소견

우연히 발견되는 중심성 종괴유사 음영(점액낭종) 상엽, 특히 좌상엽에 흔함 주위 폐 과도팽창 호기시 공기가둠

거의 보이지 않으며, 늑골 사이가 좁아지고 횡격막이 올라가 있으며, 종격동이 끌려와 보인다. 반대측 폐는 과도팽창(overinflation)되어 전종격동(anterior mediastinum)을 통해 병측으로 이동된다. 폐 형성저하증은 그 정도에 따라 소견이 다양하며 이환된 부위의 부피감소, 음영증가로 나타나며 우폐에 더 흔하다. 신생아기 호흡부전, 청색증, 저산소증 등이 나타나며 기흉과 폐동맥고혈압 등의 심각한 합병증이 나타나기도 한다[1-4].

2. 선천성 기관지폐쇄증

선천성 기관지폐쇄증(congenital bronchial atresia)은 분절(segmental) 또는 하위분절(subsegmental) 기관지가 기시부에서 폐쇄를 보이는 기형으로, 원위부 기관지와 폐는 정상적으로 발육된다. 선천성 엽성과팽창, 선천성 폐기도기형, 폐분리증 등의 다른 폐기형과 같이 동반되는 경우가 많아 이들 기형과 발생기전을 같이 하는 일련의 이상소견으로 여겨지기도 한다[6,7].

폐쇄된 기관지의 원위부 폐는 부수적인(collateral) 공기유입이 되어 공기가둠(air trapping)이 생겨 과도팽창 되나 선천성 엽성폐기종보다 팽창의 정도는 약하다. 이는 선천성 엽성폐기종에서 관찰되는 기관지협착에 의한 볼밸브효과(ball-valve effect)가 없기 때문이다. 상엽 특히 좌상엽의 첨후분절기관지(apicoposterior segemental bronchus)에 가장 흔하다. 단독으로 나타나는 경우 대부분 증상 없이 우연히 발견되며 수술이 필요 없으나 재발성 폐렴이 동반되는 경우(약 20%) 수술의 적응증이 되기도 한다. 영상소견으로 해당 분절의 과도 팽창 및 점액낭종(mucocele) 음영이 특징적이다. 점액낭종은 곤봉모양, 타원형, 구형, 또는 나뭇가지 모양으로 폐문 주위에서 보이고 원위부 폐의 과팽창이 보인다(그림 5-4). 호기(expiration)사진에서 공기가둠(air trapping)이 더 잘보인다(표 5-2)[8, 9].

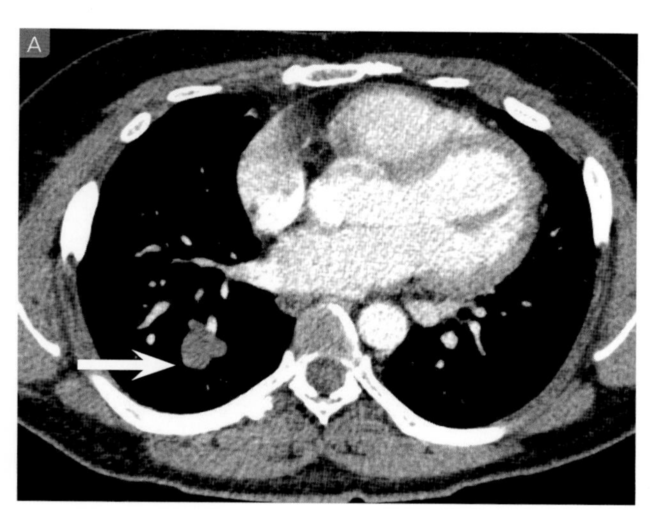

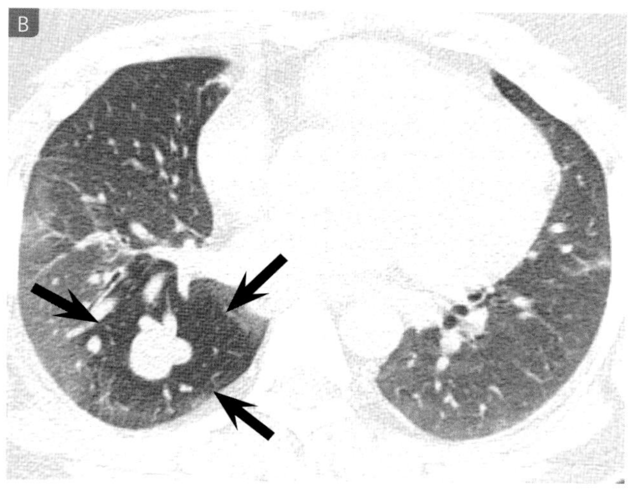

■ 그림 5-4. **선천성 기관지폐쇄증**
조영증강 CT(A)에서 우하엽 뒤바닥구역기관지에 나뭇가지 모양의 조영증강이 안 되는 저음영의 점액낭종이 보인다(화살표). 고해상CT(B)에서 점액낭종 주위 폐는 과팽창에 의한 저음영을 보인다(화살표).

3. 선천성 엽성폐기종 / 선천성 엽성과팽창

선천성 엽성폐기종(congenital lobar emphysema)/선천성 엽성과팽창(congenital lobar overinflation)은 폐의 한엽이 과팽창 되어 주위 폐조직을 압박하는 소견을 보인다. 폐포가 팽창되나 폐포벽은 유지되므로 조직학적으로 폐기종은 잘못된 명칭이며 과팽창이 옳은 용어이나 아직 혼용되고 있다[3, 4]. 50%에서는 원인을 알 수 없으며 약 25% 에서는 기관지 연골의 형성이상에 의한 대엽 기관지의 부분 협착으로 볼밸브효과(ball-valve effect)에 의한 심한 이차적 과팽창으로 나타난다. 그 외 동맥관(ductus arteriosus), 폐동맥슬링 등에 의한 외인성 기관지 압박이나 점액 플러그에 의한 후천적 기관지 폐쇄가 원인일 수 있다. 드물게 폐실질에 세엽의 수, 크기가 증가해 생기기도 한다. 호흡 곤란을 초래하여 대부분 생후 6개월 이내에 진단되며 10-30%에서 선천성 심질환이 동반된다. 증상이 약한 경우 인공 호흡기 치료를 하나 심한 호흡곤란증이 있는 경우엔 이환된 폐엽절제가 요구된다. 남아에서 여아보다 3배 많이 나타난다. 좌상엽에 50% 정도가 발생하고 그 다음 우중엽, 우상엽 순서로 호발한다. 영상소견에서는 특징적 호발부 위에 과팽창, 공기가둠을 보인다(그림 5-5)(표 5-3). 가끔 얇은 낭벽을 지닌 선천성 낭성 질환이나 국한성 기흉, 후천성 폐기종 등과 감별이 힘든 경우도 있다.

표 5-3. **선천성 엽성폐기종/ 선천성 엽성과팽창**

좌상엽(40%)〉 우중엽 〉 우상엽에 호발하는 과팽창, 공기가둠 종격동 전이와 주위 조직의 압박 남아에 호발 신생아기 호흡곤란 초래(90%)

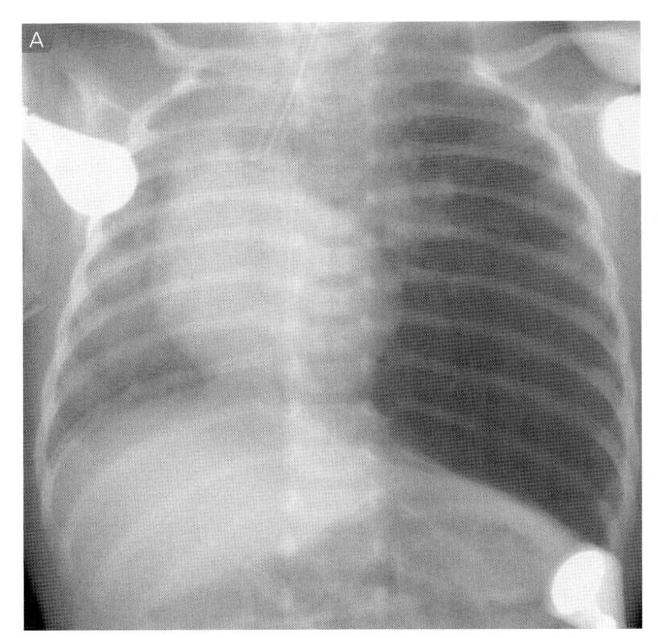

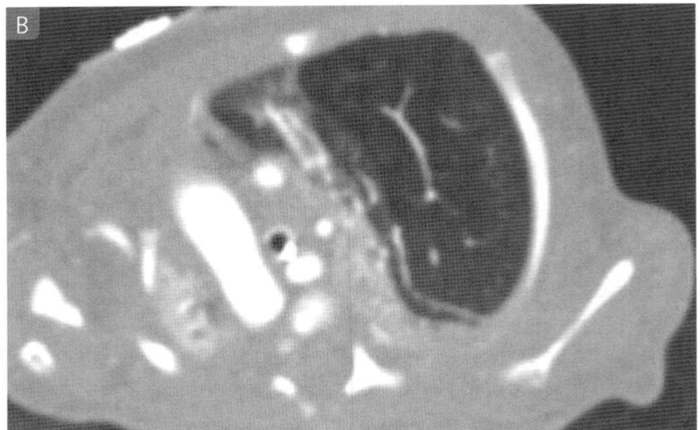

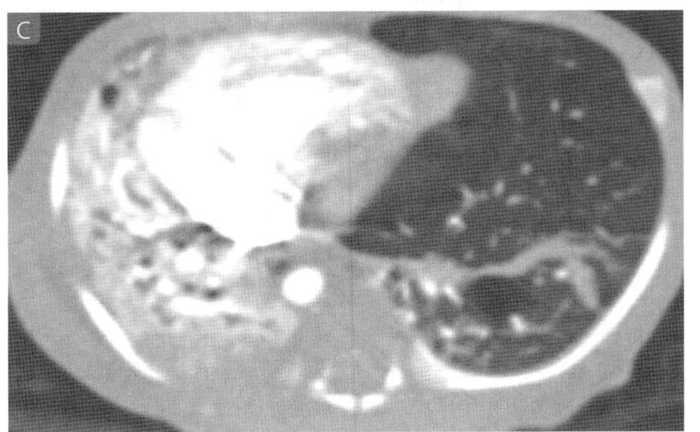

■ 그림 5-5. **선천성 엽성 폐기종**
(A)에서 좌상엽의 심한 과팽창과 반대측으로의 종격동 이동이 관찰된다. CT(B,C)에서 좌상엽이 저음영을 보이고 과팽창되어 있으며 혈관 크기가 작고 가늘다. 심장이 우측으로 이동되어 있고 좌하엽 일부와 우측 폐는 압박에 의해 폐허탈을 보인다. 우측 대동맥궁 기형이 동반되어 있다.

4. 선천성 폐기도기형

선천성 폐기도기형(congenital pulmonary airway malformation, CPAM)은 신생아기에 호흡곤란을 초래하는 원인 중 하나로 선천성 폐기형의 30-40%를 차지하는 가장 흔한 기형이다. 이전에는 선천성 낭성선종양기형(congenital cystic adenomatoid malformation, CCAM)으로 불렸으나 낭종이나 선종모양의 기형이 동시에 모두 관찰되는 것은 아니라 선천성 폐기도기형(congenital pulmonary airway malformation, CPAM) 용어가 권장된다[3, 5]. 7-10 주 태아기에 폐조직 분화과정의 이상으로 인한 세기관지의 선종양 과증식과 폐포 발생부전으로 생긴다. 조직학적으로 원주 또는 입방호흡기세포로 덮인 낭들을 포함하는 섬유조직과 평활근의 과오종성 종괴이다. 폐과오종과는 다르게 연골은 존재하지 않는다. 종괴는 기관지와 정상적으로 연결되어 있지 않으나 정상적인 동맥 공급 및 정맥 유출을 가진다. 조직학적으로 3개의 형태로 구분되는데 1형이 가장 흔하며(50-75%) 여러 개의 2 cm 이상의 다양한 크기의 낭종으로 이루어져있다(그림 5-6, 5-7). 1형은 대개 출생 직후나 생후 수개월 후 호흡곤란, 청색증 등이 나타난다. 증상이 늦게 발현되는 경우에는 반복되는 감염으로 나타나며 흉부사진에서 우연히 발견되기도 한다. 하나의 폐엽이나 그 이상을 침범하고 종격동 전위가 보일 수 있다. 2형은 15-40%에서 관찰되는데 1 cm 이하의 작은 낭종들로 구성되며 낭종 주변으로는 정상폐가 서로 섞이는 양상을 보이기도 한다. 종격동 이동은 드물고 치명적인 다른 선천성 기형이 동반되는 경우가 많아 예후가 좋지 않으나, 신생아기 이후에 발견되는 경우는 예후가 좋다. 3형은 5% 정도를 차지하며, 세기관지와 유사한 미세 낭종으로 구성되어 선종

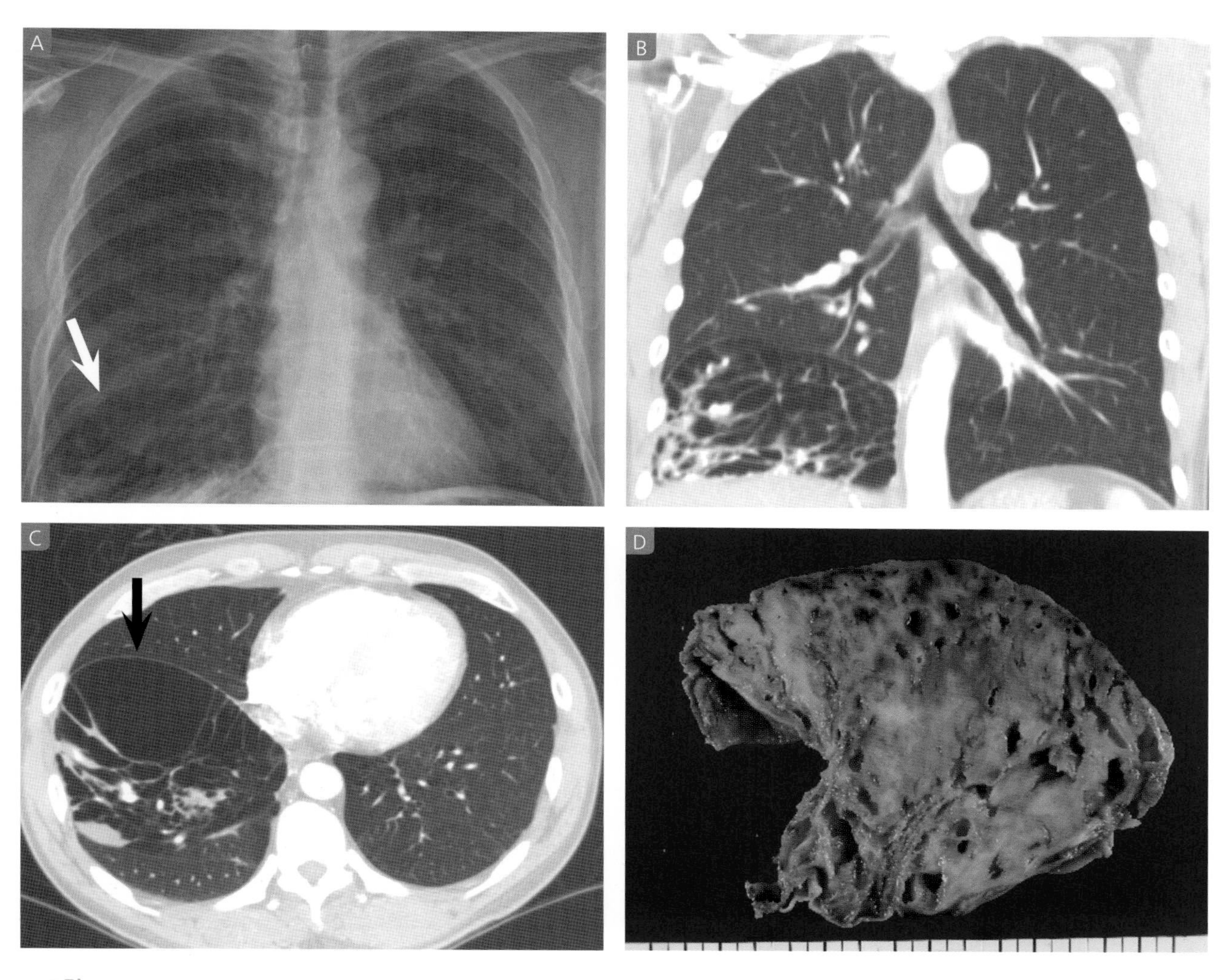

■ 그림 5-6. **선천성 폐기도기형**
흉부X선사진(A)에서 우하엽에 여러개의 공기-액체층을 보이는 격막형의 음영을 동반한 음영증가 부위가 관찰된다(화살표). 관상면재구성CT(B)와 고해상CT(C)에서 우하엽에 공기와 액체로 찬 얇은 벽을 갖는 여러개의 낭종이 관찰되며 엽간열이 전방으로 이동되는 종괴효과를 보인다(화살표). (D)우하엽 절제 후 조직에서 작은 낭종들이 관찰된다(화살표).

(adenomatoid)형태의 큰 고형 종괴로 보이며 폐 저형성증, 태아수증 등이 초래되어 대부분 사산된다. 영상소견은 각 형에 따라 차이가 있으며, 낭종 내 공기유입, 염증의 유무에 따라 다양하게 보인다(표 5-4). 흉부X선사진에서 경계가 좋은 공기가 찬 낭종으로 된 종괴로 보이지만 액체가 찬 경우 고형종괴로 보인다. 생후 바로 발견된 경우 점액으로 차서 종괴로 보이나 공기가 유입되면서 공기낭종으로 보이고 공기가둠으로 낭종이 커지면 종격동이 반대로 이동되고 횡격막이 하방으로 이동되며 정상폐가 압박을 받는다. CT에서 1형은 얇은 낭벽을 가진 다양한 크기의 공기 또는 액체로 찬 다낭성 종괴로 보이며 2형에서는 불균질하게 조영증강이 되는 부분과 작은 낭종으로 보인다. 그러나 낭종의 크기만으로 각 형을 구분하기 어려운 경우도 많으며 치료에도 차이가 없어 구별은 큰 의미가 없다. 3형은 고형종괴로 보이나 대부분 사산되므로 보기 힘들다. CT에서 이환 부위를 잘 보여주며 기관지원성 낭종이나 선천성 대엽성폐기종과 감별이 가능하

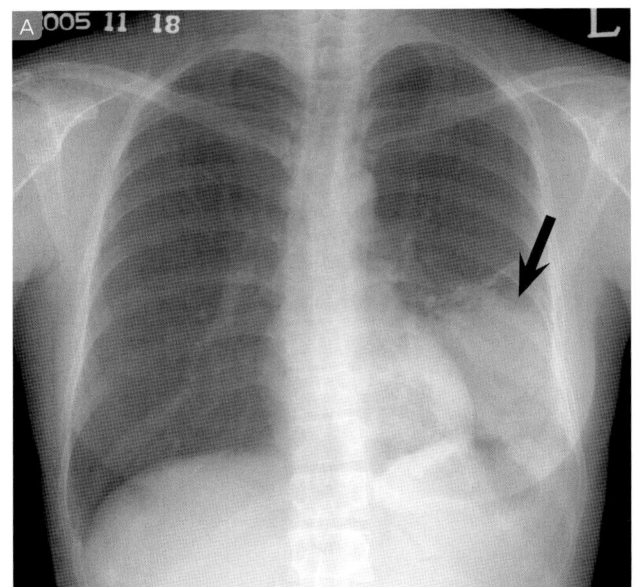

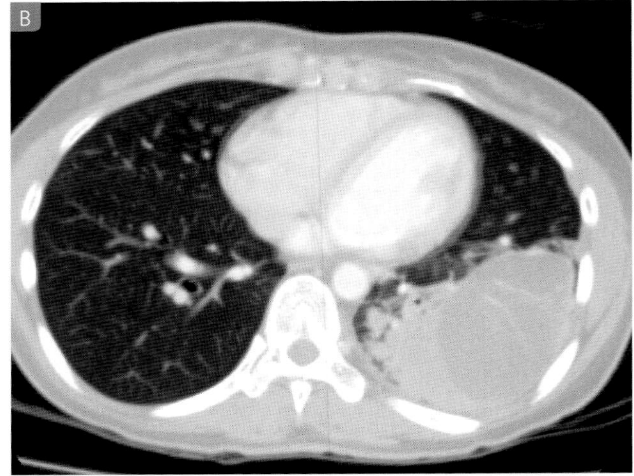

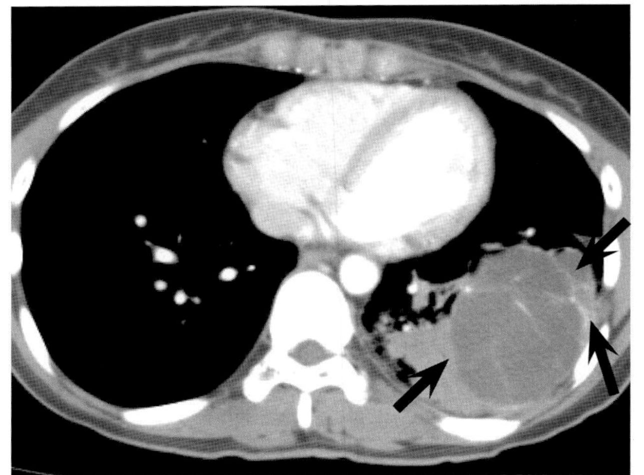

■ 그림 5-7. **선천성 폐기도기형**
흉부X선(A)에서 좌폐야의 하부에 균질한 음영의 종괴가 있다(화살표). CT(B)에서 좌하엽에 다낭성의 액체 낭종이 관찰된다(화살표).

다. 대부분 한 엽에 보이나 여러 엽에 있는 경우도 드물게 있다[10,11]. 산전초음파에 발견되는 경우가 많고 주로 신생아기나 영아기에 호흡곤란, 반복 감염 등의 증상이 있는 경우 폐엽 절제나 분엽절제 등의 수술적 치료를 한다. 증상이 없는 경우의 치료에 대해서는 논쟁이 있으나 감염 위험이나 악성 전환의 가능성이 있을 수 있어 수술이 필요하다는 주장이 있다[12].

표 5-4. **선천성 폐기도기형**

종괴효과를 동반한 고형 또는 부분 낭성 종괴 신생아기 호흡곤란(70% : 생후 1주내 발견, 10% : 생후 1년내 발견) 하엽에 호발
1형(50–70%) 2 cm 이상의 낭종 고형 종괴처럼 보이다가 공기가 차면서 여러개의 공기낭종 모양 2형(15–40%) 2 cm 미만의 낭종 작은 낭종과 경화 부위 혼재 심장, 신장 기형 동반 3형(5%) 미세낭종(<3–5 mm) 고형종괴 대부분 사산되어 보기 힘듦

5. 기관지낭

기관지낭(bronchogenic cyst)은 대략 태아시기 26-40일경에 발생중인 기관-기관지에서 기원한 이소성허파싹(ectopic lung bud)이 액체로 채워진 맹공의 주머니로 변하면서 생긴 것으로 여겨지며 75-90%에서 종격동에 위치하고 나머지는 주로 폐실질에 위치한다. 드물게 경부, 횡격막아래, 척추 옆에서 발견되는 경우도 있다. 가끔 기관지폐 분리증이나 선천성 엽성폐기종/선천성 엽성과팽창과 동반하여 나타나기도 한다. 얇은 벽을 가진 구형의 단일 낭종으로 장액성 또는 점액성 액체로 차 있다. 대부분 우연히 발견되나 흉통, 기침, 호흡곤란 등의 증상이 있을 수 있다. 낭종 내로 출혈이 생길 수도 있고 염증이 생기기도 하는데, 염증이 생기면 기관지와 교통이 될 수 있어 낭종 내 공기가 보이기도 한다(표 5-5). 조직학적으로 호흡기 상피인 섬모원주상피(ciliated columnar epithelium)를 갖으며 낭벽에는 연골, 평활근, 탄성조직, 점액선이 관찰된다. 그러나 낭종에 염증이 반복해 생기면 상피와 낭벽의 일부가 소실되어 후천성 폐낭포 또는 폐농양과 구별이 힘들어 지기도 한다[1-5, 13].

1) 종격동 기관지낭

기관용골(carina) 주위에 가장 호발하며, 기관지 주변부에도 잘 생긴다. 흉부사진에서 경계가 좋은 구형 또는 난형의 균질한 음영의 종괴로 보이며 낭벽에 석회화가 드물게 보인다(그림 5-8). CT에서 대부분 중간 종격동에 위치한 균일하게 얇은 벽의 낭종으로 보인다. 주위 조직에 압박 소견이 미약하다. 대부분 물의 음영(-10 HU ~ +10 HU)을 보이나 종종 물보다 높은 음영을 보이는 경우가 많은데 이는 점액성 액체, 출혈, 감염 등에 의한 것이다.

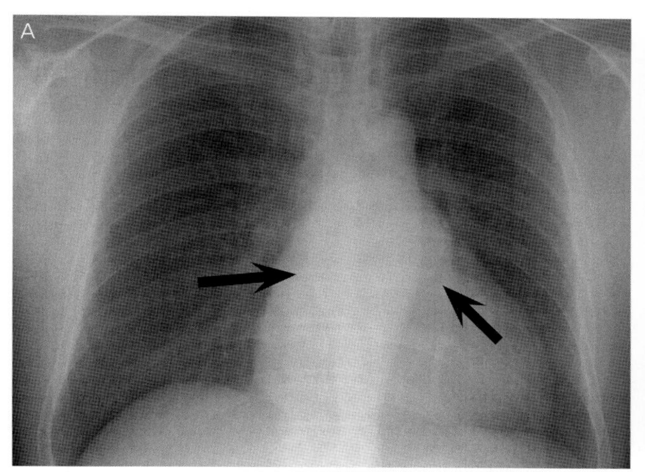

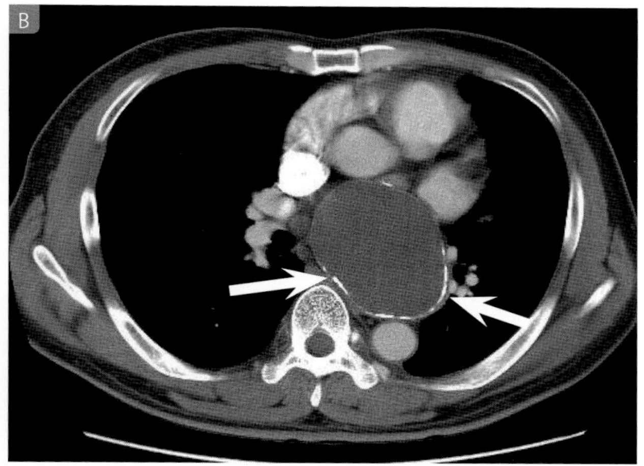

■ 그림 5-8. **37세 남자에서 우연히 발견된 종격동 기관지낭**
흉부X선사진(A)에서 기관용골(carina) 아래에 구형의 종괴가 보인다(화살표). 조영증강 CT(B)에서 조영증강이 안되며 낭벽에 석회화가 동반된 낭종 종괴가 심장 후방에 관찰된다(화살표).

2) 폐내 기관지낭

흉부X선사진에서 경계가 뚜렷한 둥근 종괴로 우연히 발견되는 경우가 많으며 폐하엽, 중심 폐야에 좀더 호발한다. 감염은 폐내 기관지낭의 약 20%에서 나타나며 객혈, 공기가슴증이 생길 수 있다. 감염에 의해 낭종과 기관지 사이에 교통이 생겨 낭종 내 공기가 차게 되며 인접한 폐를 압박하는 모양을 보인다(그림 5-9).

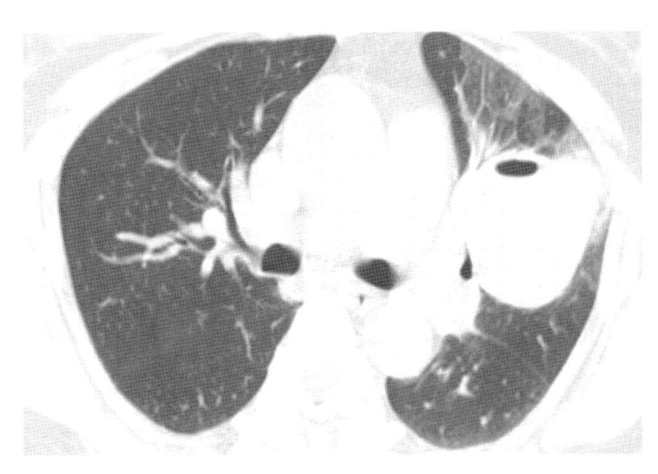
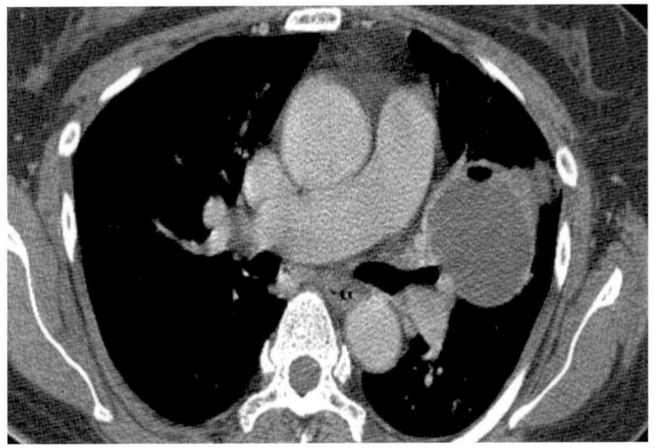

■ 그림 5-9. **폐내 기관지낭**
CT에서 좌상엽에 공기액체층을 보이는 구형의 종괴가 보인다.

표 5-5. **기관지낭의 CT소견**

호흡기 상피를 갖는 비정상적인 이소성 허파싹에서 생긴 낭종 종격동(75-90%), 폐내(10-15%) 위치 기관이나 주기관지 주위에 위치한 경계가 분명한 종괴음영 주위조직에 심하지 않은 압박효과 다양한 CT감쇄 수치

6. 기관-기관지 이상

1) 기관기관지

기관기관지(tracheal bronchus)는 가장 흔한 기관지 이상으로 기관용골(carina) 상방에서 기관으로부터 기관지가 분지되는 기형으로 우측에서만 발생한다(그림 5-10). 대부분 증상이 없으나 반복 감염, 기관지 확장증이 동반되기도 한다.

2) 부심장기관지

부심장기관지(accessory cardiac bronchus)는 우폐 주기관지나 중간기관지(bronchus intermedius)의 내측 벽에서 주로 기원하는 이상 기관지다(그림 5-11). 맹공으로 끝나기도 하고 비정상 폐조직이 동반되기도 한다.

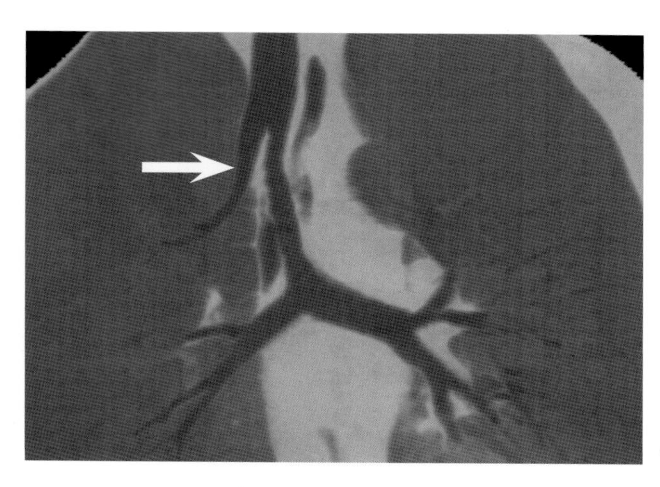

■ 그림 5-10. **기관-기관지**
기도의 3차원CT에서 우상엽의 첨분절 기관지가 이소성으로(ectopic) 기관에서 기시한다(화살표).

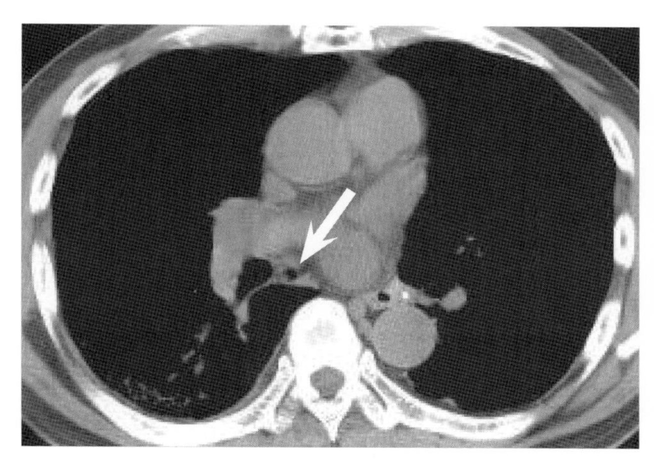

■ 그림 5-11. **부심장 기관지**
우측 중 기관지의 내측 벽에서 기시해 맹공으로 끝나는 이상 기관지가 보인다(화살표).

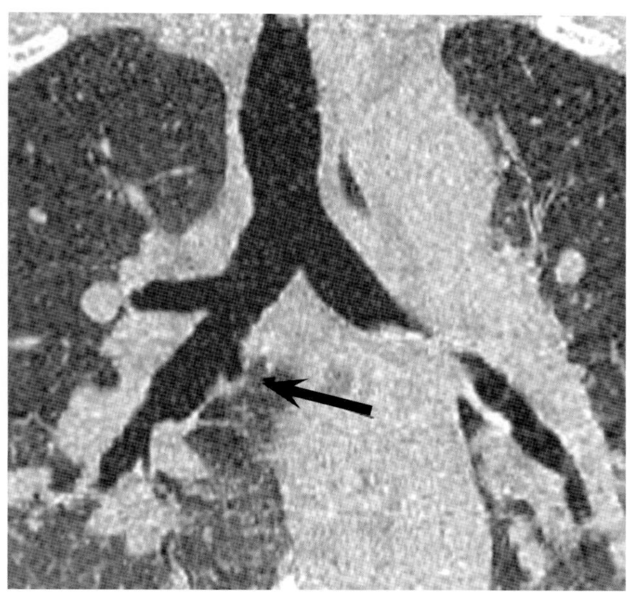

II 폐혈관 이상

1. 폐동맥중단, 결여증

근위부 폐동맥중단(pulmonary arterial interruption)은 우측에 더 호발하며 좌측 폐동맥중단의 경우 팔로 4증(tetralogy of Fallot)이나 심실중격결손 같은 선천성 심질환을 동반하는 경우가 많다. 이환된 폐는 용적이 감소하며 폐문부 크기가 작고 혈관이 감소되어 과투과되어 보인다(그림 5-12). 그러나 호기시 공기가둠은 없다. 말초 폐혈관은 종격동과 흉막경유(transpleural) 체순환(systemic) 혈관에서 공급되어 흉막하부 톱날모양 비후나 띠모양 음영을 초래한다. 환기-관류스캔

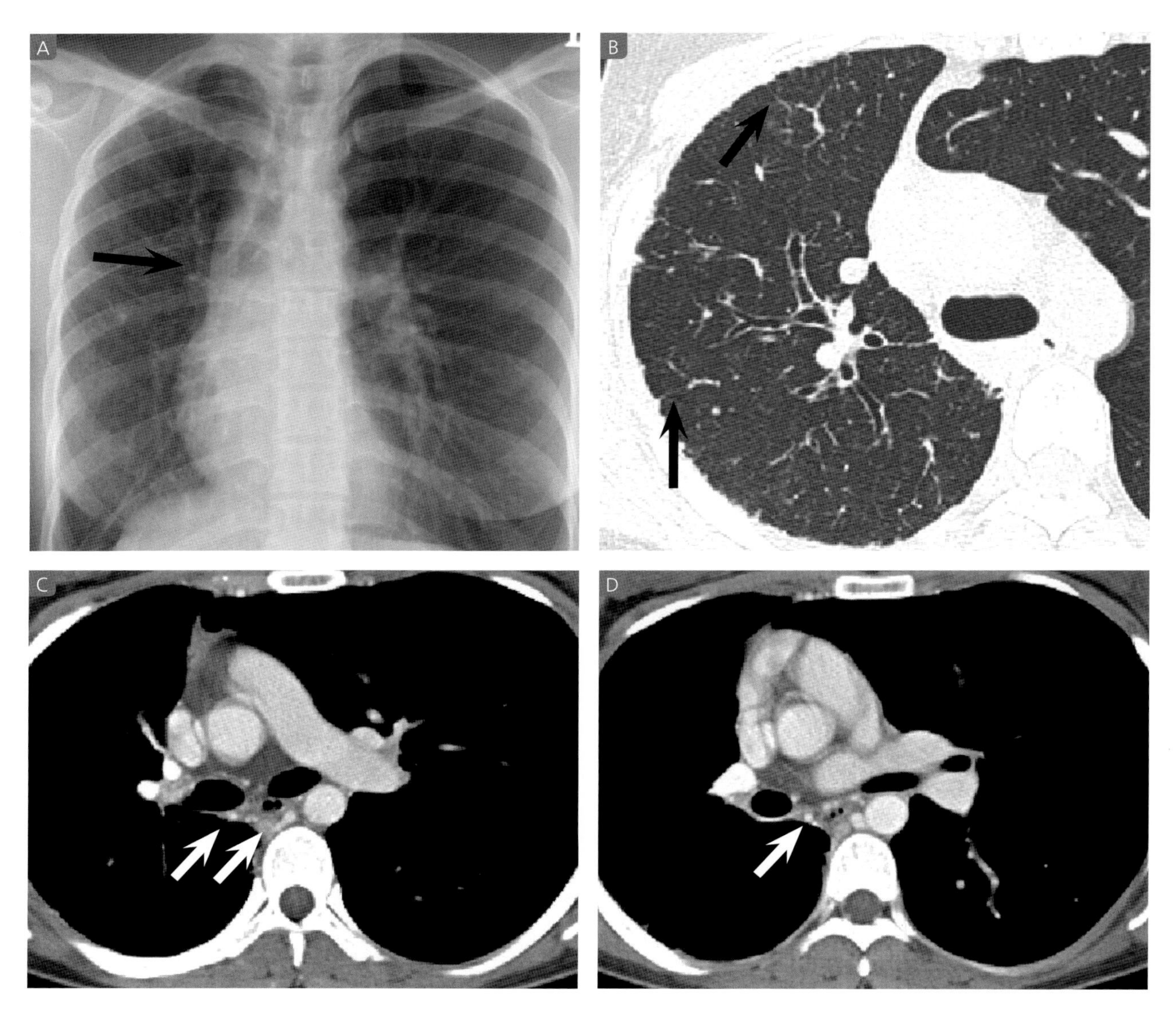

■ 그림 5-12. **우측 폐동맥중단**
흉부X선사진(A)에서 우측 폐용적이 감소되어 있고 폐문이 작다(화살표). 고해상CT(B)에서 흉막하부에 체순환 혈관 비후에 의한 중격 비후가 관찰된다(화살표). 조영증강 CT(C,D)에서 우측 폐동맥이 없고 종격동에 체동맥이 비후되어 보인다(화살표).

표 5-6. **폐동맥중단, 결여증**

이환된 폐의 부피 감소 동측 폐혈관 크기 감소, 공기가둠 없는 과투과 양상 기관지 동맥 등의 체동맥에서 혈류 공급

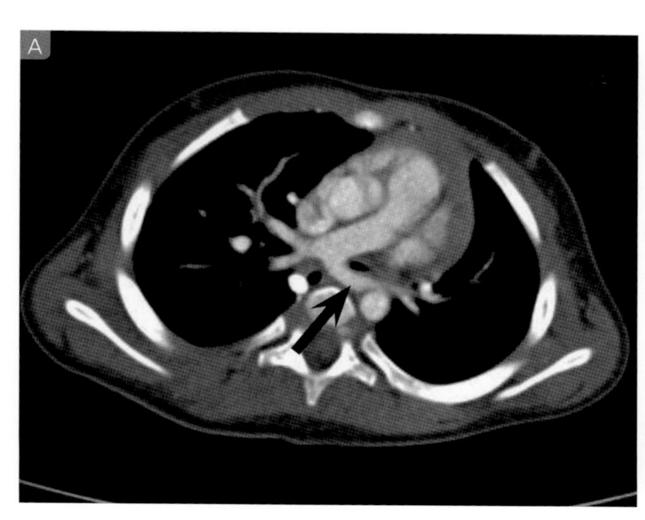

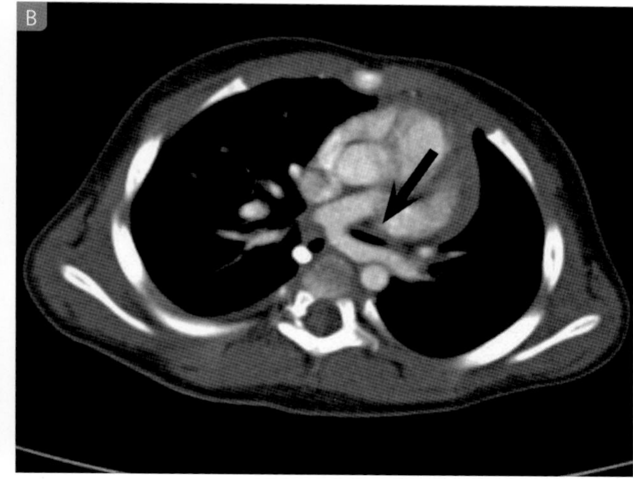

■ 그림 5-13. **폐동맥슬링**
2세 환자의 CT에서 우폐동맥에서 기시하는 좌폐동맥(화살표)이 보인다(A). 좌폐동맥에 눌린 좌측 기관지(화살표)가 관찰된다(B).

(ventilation-perfusion scan)에서 환기는 관찰되나 관류결손이 보인다. 감별을 요하는 Swyer-James 증후군에서는 환기와 관류가 같이 감소되어 보이며 공기가둠이 보인다(표 5-6)[1-5].

2. 폐동맥슬링

폐동맥슬링(pulmonary artery sling, anomalous origin of the left pulmonary artery from the right)에서는 좌폐동맥이 비정상적으로 우폐동맥에서 기시하여 뒤쪽으로 주행하여 식도와 기관 사이를 지난다(그림 5-13). 기도협착을 초래하여 증상이 주로 신생아기에 나타나며 반복성 감염, 연하장애 등이 초래될 수 있다. 기관 또는 주기관지의 긴 분절에 걸친 협착증이 50% 정도에 있다. 흉부사진에서 우폐, 또는 양측 폐의 과팽창이 보이며, 기관은 T자를 거꾸로 한 모양이 된다. 식도조영술은 식도가 기관분기부 높이에서 전방이 눌리는 것을 보여준다[1-5].

3. 폐정맥 배출이상

폐정맥 배출이상(anomalous pulmonary venous drainage)에서는 폐정맥이 기형적으로 우심방, 관상정맥동 또는 체정맥으로 배출되는 경우로 심장 외 좌-우 단락을 야기한다(그림 5-14). 부분 폐정맥 배출이상(partial pulmonary venous drainage)은 0.5% 빈도를 보이며 대부분 증상이 없다. 전체 폐정맥 배출이상(total anomalous pulmonary venous drainage)은 반드시 중격결손이 동반되므로 선천성 심기형에 속한다[14, 15].

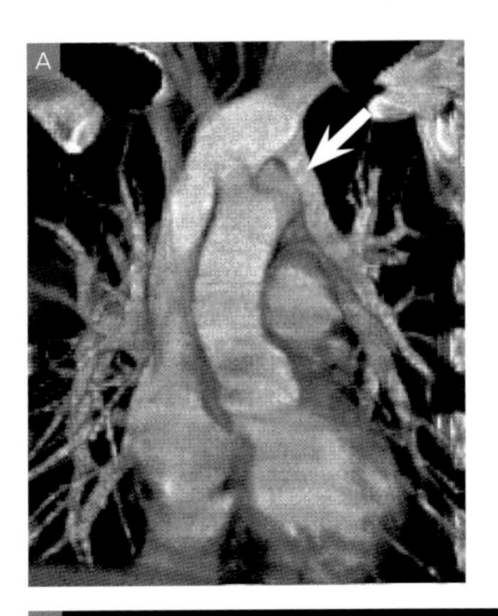

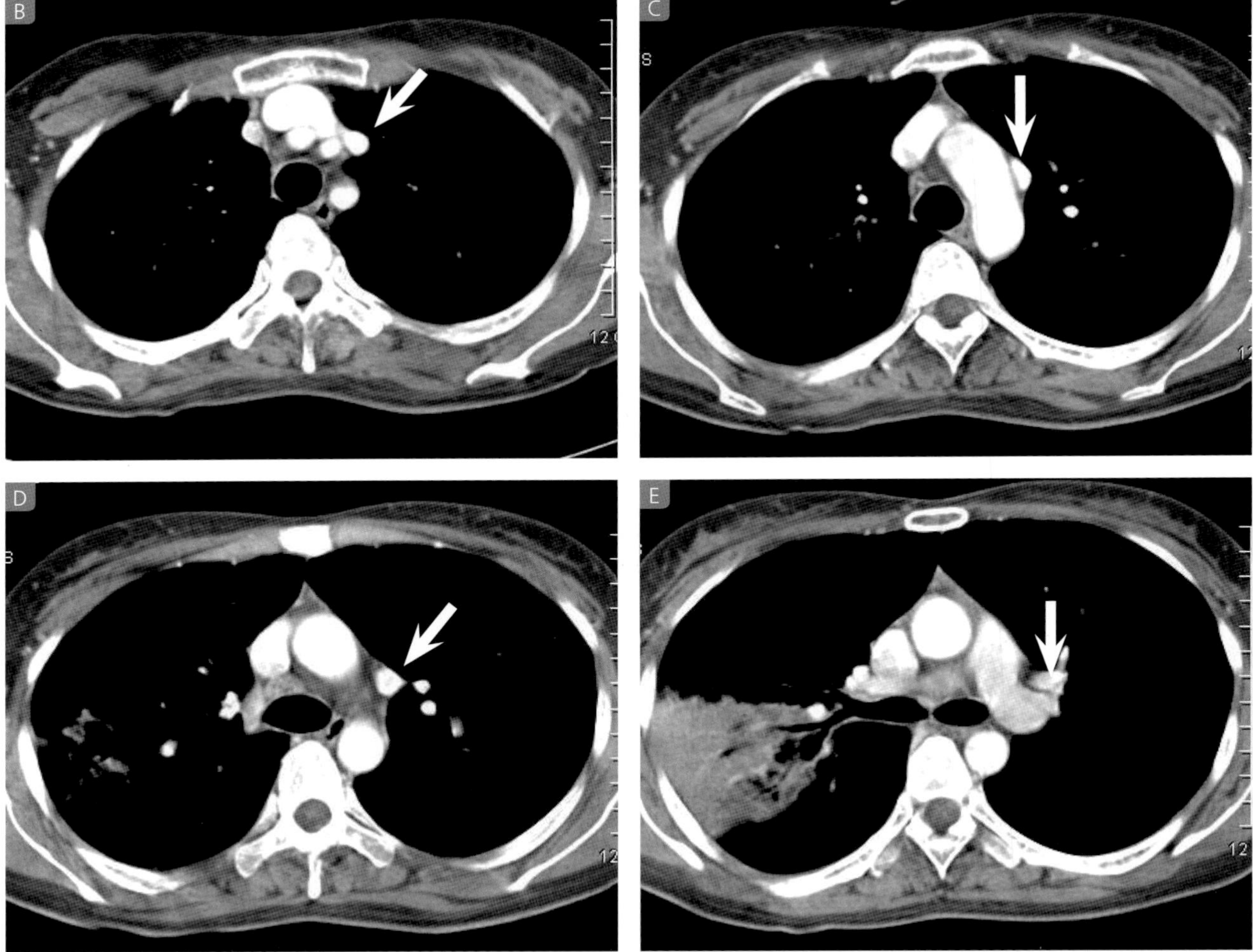

■ 그림 5-14. **폐정맥 배출이상**
3차원 재구성 영상CT(A)와 조영증강 CT(B-E). 좌상엽 폐정맥이 이상 주행을 보이며 좌측 팔머리정맥(brachiocephalic vein)으로 유입된다(화살표).

4. 선천성 폐동정맥루/ 폐동정맥기형

선천성 폐동정맥루 또는 폐동정맥기형(congenital pulmonary arteriovenous fistula or malformation)은 모세혈관 벽의 발육 결함으로 모세혈관이 확장되고 혈관낭을 형성하는 것이다. 2/3에서는 단일 병소로 나타나고 1/3에서 다발성으로 나타나며 하엽의 흉막하 부위에 호발한다. 피부, 점막, 다른 장기에도 동정맥루가 있는 경우 유전성 출혈성 모세혈관확장증 또는 Rendu-Osler-Weber 병이라고 하며 이는 상염색체 우성으로 유전된다. 여자에게 2배 정도 흔하며 20-30대에 많이 발견된다. 대부분 증상이 없으나 청색증, 호흡곤란, 객혈 등의 증상이 있을 수 있으며 증상은 다발성인 경우에 더 자주 나타난다(표 5-7). 흉부X선에서 다양한 크기의 원형, 타원형 또는 소엽형상의 음영이 보인다. 공급혈관과 배출혈관은 흉부X선에서 보이는 경우는(그림 5-15) 흔하지 않다. CT에서 이런 공급혈관과 배출혈관이 쉽게 확인된다. 공급혈관 직경이 3 mm 이상인 경우엔 폐동맥색전술(embolization)이 안전하고 효과적인 치료방법이다[1-5].

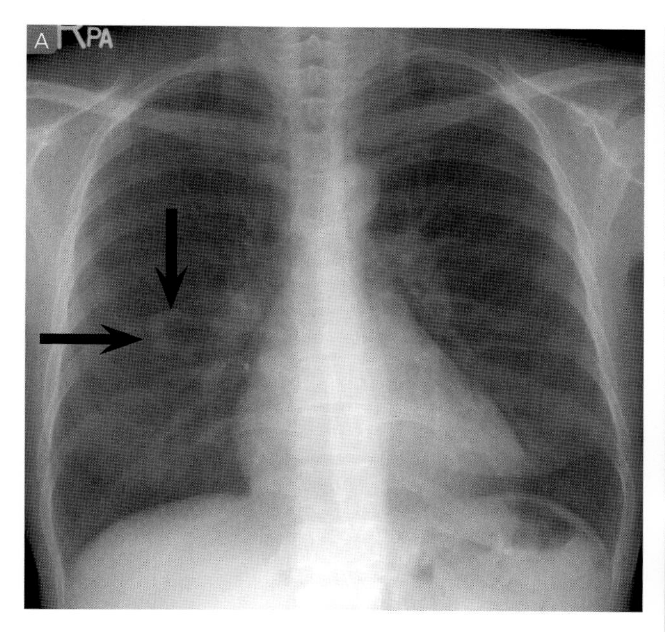

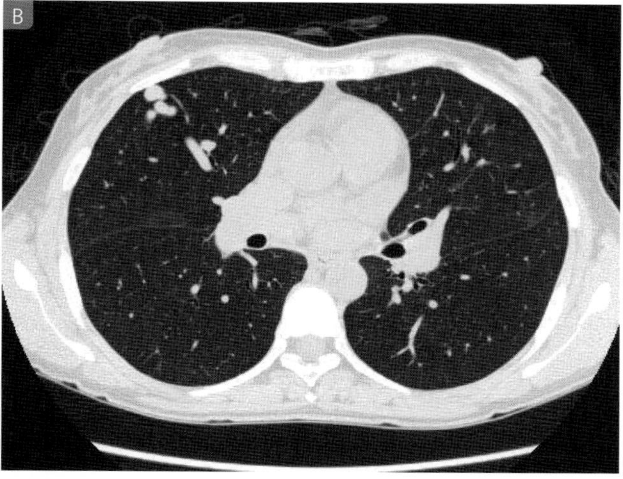

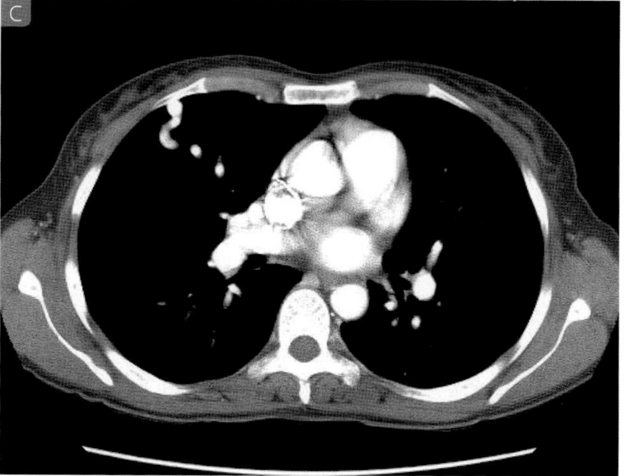

■ 그림 5-15. **폐 동정맥루**
객혈이 있는 35세 여자환자의 흉부X선사진(A)에서 우폐 중간부위에 소엽형상의 결절이 있고(화살표), 결절 주위에 꾸불꾸불한 선상 음영이 폐문부와 연결되어 있다. CT(B,C)에서 우중엽에 흉벽에 연해 비정상 폐동맥과 폐정맥으로 연결된 폐 동정맥루가 관찰된다.

표 5-7. 선천성 폐동정맥루

Osler-Weber-Rendu 증후군 동반(35-67%) 다발성 35% 양측성 10% 우연히 성인에서 발견되는 경우가 많으나 청색증, 호흡곤란, 객혈 증상 있기도 함

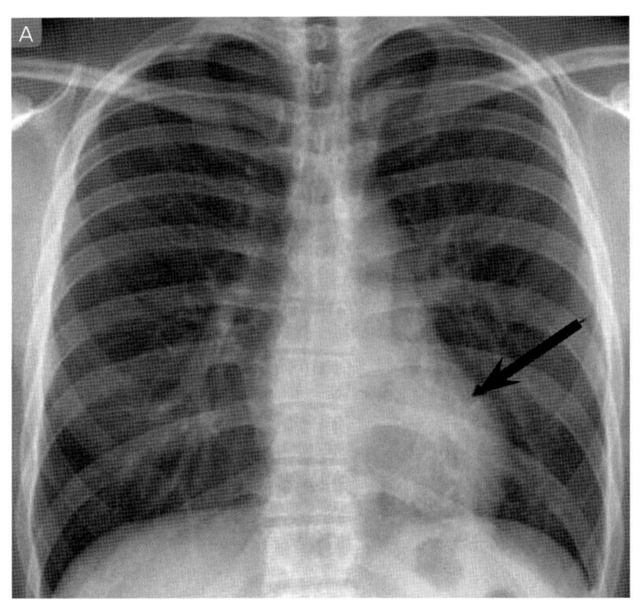

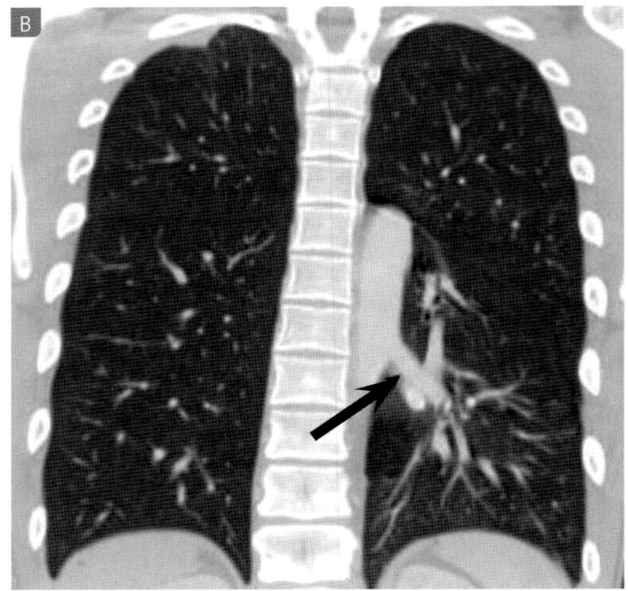

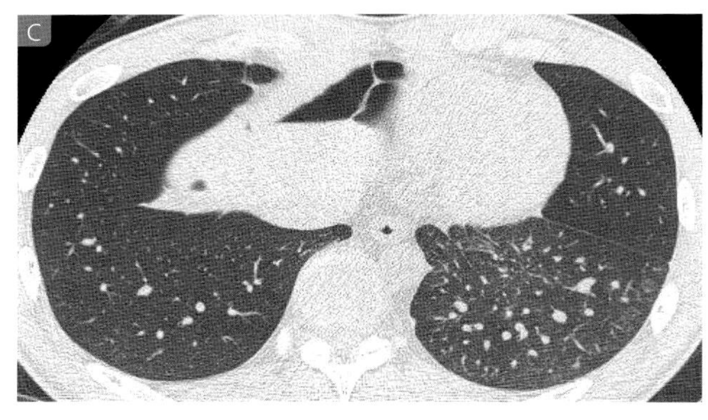

■ 그림 5-16. **기형적 체동맥 공급폐**
A. 40세 남자의 흉부사진에서 우연히 발견된 좌하엽 폐음영 증가가 보인다(화살표). **B.** 관상면재구성 조영증강 CT에서 대동맥에서 기시하는 기형적 동맥이 관찰된다(화살표). 기관지는 정상적으로 분지한다. **C.** CT에서 우측에 비해 증가된 폐혈관 음영이 좌하엽에 관찰된다.

5. 기형적 체동맥 공급폐

기형적 체동맥 공급폐(anomalous systemic arteries without sequestration)는 허파분리증이 없는 정상폐가 기형적으로 흉부 대동맥에서 분지되는 체동맥에서 공급받는 경우이다(그림 5-16). 좌하엽에 흔하며 이 부위의 폐동맥 공급은 정상이거나 없기도 한다. 폐정맥 배출은 정상이다. 대부분 무증상으로 우연히 발견되나 객혈이 있을 수 있고 좌-우 동맥 단락을 유발하므로 좌심실 비대와 심부전을 초래할 수 있다[16].

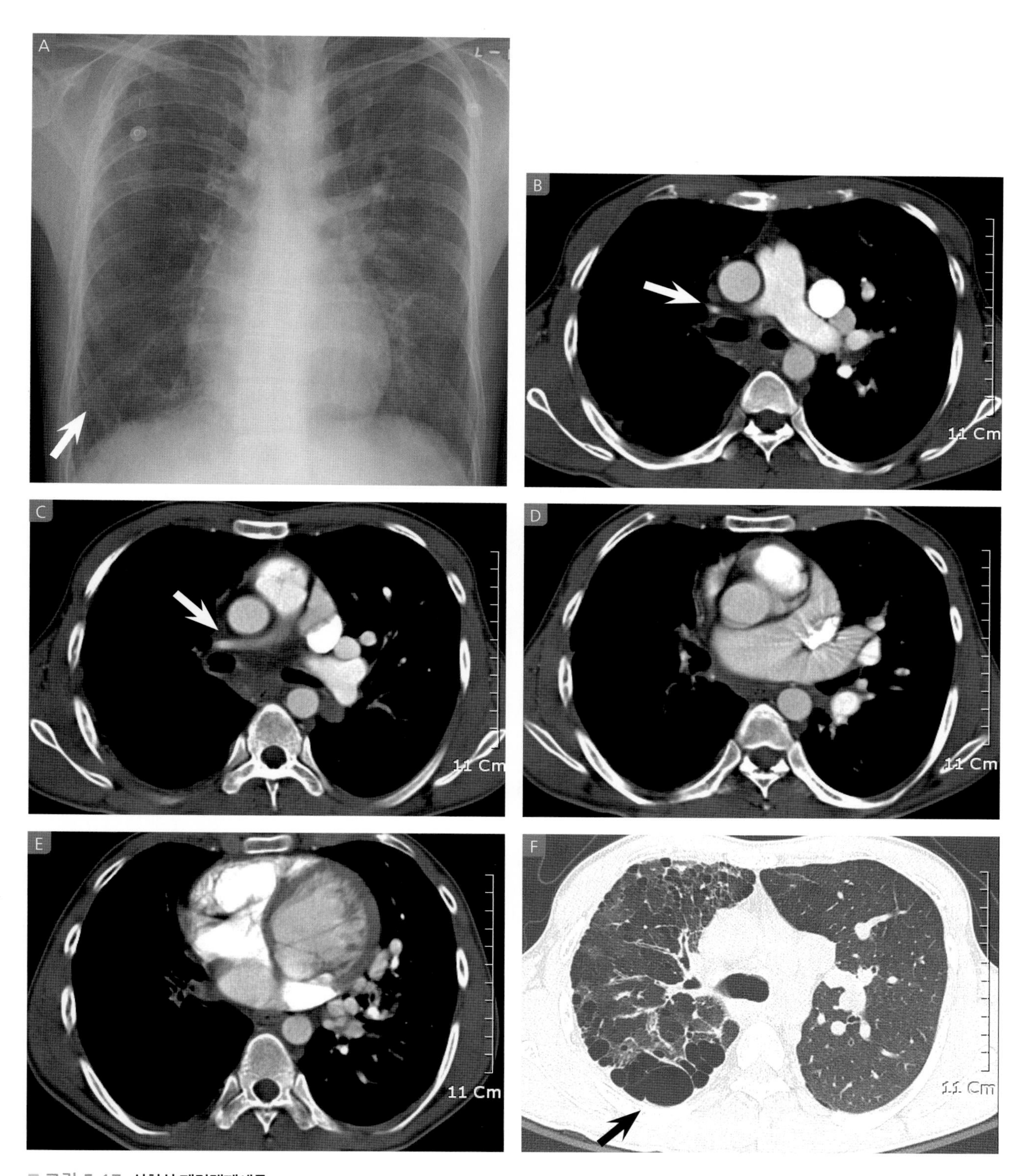

■ 그림 5-17. **선천성 폐정맥폐쇄증**

흉부X선사진(A)에서 우폐 용적이 작고 혈관음영이 감소되어 있다. Kerley's B 선이 우폐하부에서 관찰된다(화살표). 조영증강 CT(B-E)에서 우측 폐정맥이 없으며 우측 폐동맥이 작아져있다(화살표). 고해상CT(F)에서 우측 폐 용적이 감소되어 있고 소엽간중격비후가 관찰된다. 동반된 공기 낭종이 보인다(화살표).

6. 폐정맥폐쇄증

폐정맥폐쇄증(pulmonary vein atresia)은 폐정맥을 침범하는 드문 기형으로 폐정맥이 내피비후(intimal thickening)나 섬유화에 의해 폐쇄된 것으로 폐정맥-좌심방 접합부(venoatrial junction)에 생긴다[13,14]. 폐저형성 증이 동반된 경우가 많다. 폐정맥 고혈압, 폐울혈이 생기고 폐동맥 고혈압과 우심실 비대가 초래된다. 기관지동맥이나 다른 체동맥을 통해 측순환(collateral circulation)이 이루어져 이는 객혈을 초래할 수 있다. 폐에는 폐울혈에 의한 간질성 변화, 폐림프관 확장 등이 생기고 결국은 섬유화에 의해 작은 공기 낭종, 폐용적의 감소가 야기된다. 영상소견으로 이환된 폐가 작고 폐동맥도 감소되어 있다. 만성 폐정맥 저류(stasis)로 인해 Kerley's B 선이 보이며 망상음영, 공기 낭종, 흉막 변화가 보인다(그림 5-17)(표 5-8).

표 5-8. **폐정맥폐쇄증**

한 쪽 폐의 폐정맥 결손 이환된 폐 부피 감소 또는 정상 동측 폐동맥 크기 감소 폐간질 음영 증가

III 폐-혈관 복합기형

1. 저발생폐 증후군

저발생폐 증후군(hypogenetic lung syndrome, scimitar syndrome, venolobar syndrome)은 드문 일부 폐정맥 배출이상(partial pulmonary venous drainage) 중 하나로 우폐와 우폐동맥의 저발생을 동반하는 증후군이다[14, 15]. 폐정맥 배출은 주로 횡격막 아래 하행대정맥으로 되나 간정맥, 간문맥, 기정맥, 관상정맥동, 우심방으로도 될 수 있다. 우폐가 비정상적인 체동맥 공급을 받기도 하며 기관지이상, 횡격막기형, 척추기형, 비뇨생식기 기형 등이 동반될 수 있다. 우폐는 작고 과투과 되어 보이며 신월도 징후, 종격동의 우측이동 등이 보인다(그림 5-18). CT에서 우측 폐실질 저형성, 저형성 폐동맥, 기형적 폐정맥 배출, 기관지 이상 등을 확인할 수 있다(표 5-9).

2. 기관지폐 분리증

기관지폐 분리증(bronchopulmonary sequestration)은 기관지와 연결이 없어 기능을 못하는 폐실질의 일부가 폐동맥이 아닌 체동맥에서 혈류공급을 받는 폐기형으로 엽내분리증과 엽외분리증으로 나누어진다(표 5-10). 주로 대동맥에서 동맥혈을 공급받고 엽내분리증에서는 폐정맥으로, 엽외분리증에서는 기정맥, 하대정맥 등의 체정맥으로 정맥유출된다. 폐 기형 중 가장 흔하며 엽내 기관지폐분리증이 엽외형보다 6배 흔하다. 흉부사진에서 우연히 발견되는 경우가 흔하나 객혈이나 반복감염 등의 증상으로 발견되기도 한다. 산전초음파에서 선천성 폐기도기형 다음으로 흔하게 발견된다[3].

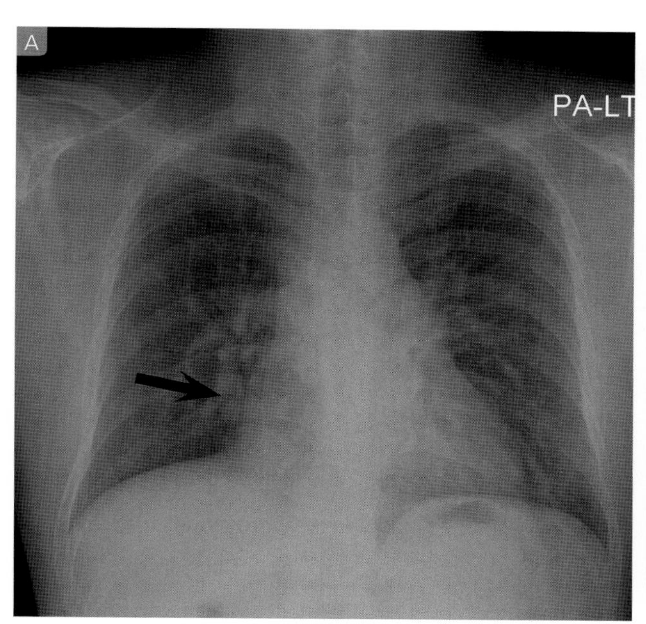

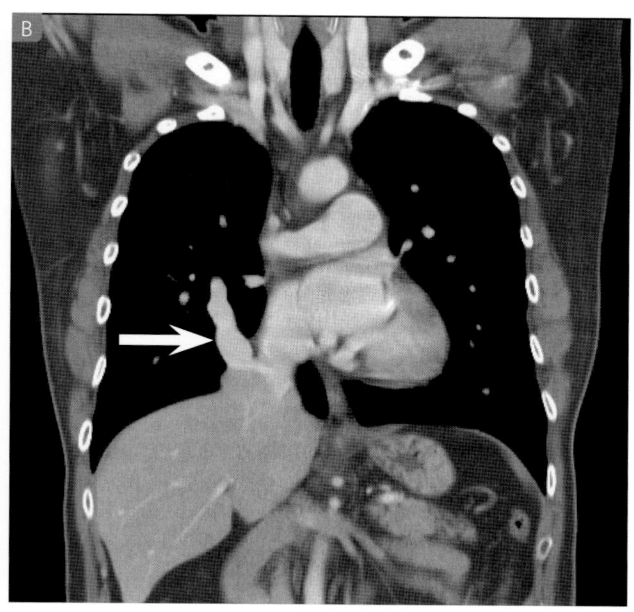

■ 그림 5-18. **저발생폐 증후군**
흉부X선사진(A)에서 우폐 용적이 작고 우폐 혈관음영도 감소되어 있다. 우폐 하부에 심장 쪽으로 휘어진 혈관 음영이 보인다(화살표). 관상면재구성 조영증강 CT(B)에서 하대정맥으로 유입되는 비정상 우폐정맥이 관찰된다(화살표).

표 5-9. **저발생폐 증후군**

작은 우폐(우폐 저형성증) 작은 우측 폐문, 동측 폐동맥 크기 감소 심장의 우측전위 횡격막으로 이어지는 초승달모양의 혈관음영 25%에서 동반된 심기형(심방판막결손, 동맥관개존증) 반복감염, 호흡곤란

1) 엽내 기관지폐분리증

엽내 기관지폐분리증(intralobar bronchopulmonary sequestration)은 폐안에 위치하며 대부분 좌하엽에 60%, 우하엽에 40% 비율로 하엽에 관찰된다(98%). 장측 흉막에 싸여 있으며 공급 동맥은 대동맥 또는 그 분지에서 기시하고 정맥 배출은 폐정맥으로 된다(그림 5-19). 염증이 생기기 전에는 고형 종괴로 보이나 염증이 생겨 기관지와 교통이 생기면 내부에 공기가 찰 수 있다. 기관지확장증, 폐농양, 괴사성 폐렴, 선천성 폐기도기형 등과 감별을 요한다[15-17].

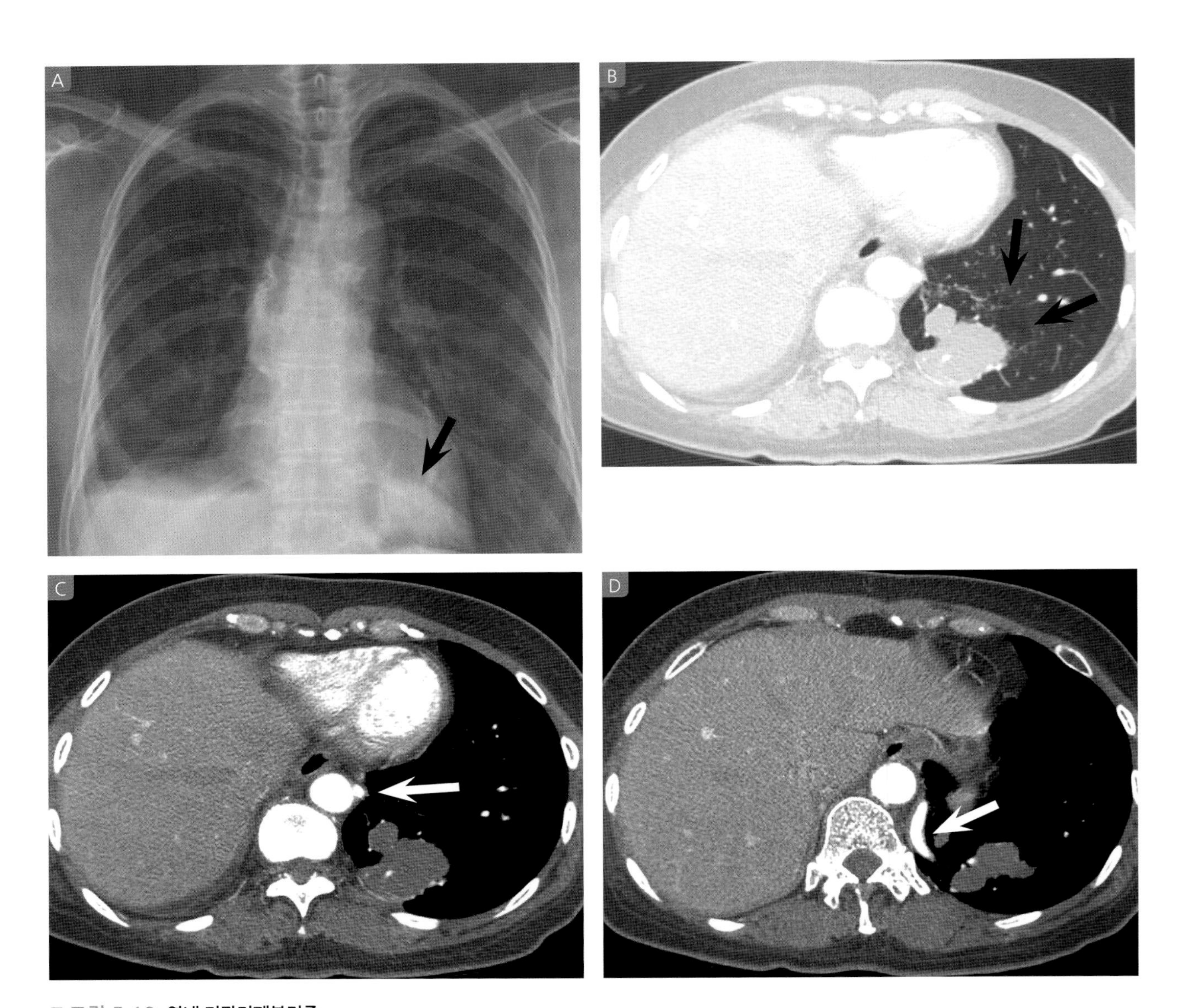

CHAPTER 05

■ 그림 5-19. **엽내 기관지폐분리증**
흉부X선사진(A)에서 좌하엽에 종괴 음영이 보인다(화살표). 고해상CT(B)에서 좌하엽에 엽성 경계를 보이는 종괴가 있고 주위에 공기가둠(air trapping)에 의한 저음영이 보인다(화살표). 조영증강CT(C)에서 저음영의 종괴가 좌하엽에 있고 대동맥에서 기시하여 분리폐를 공급하는 비정상 체동맥이 관찰된다(화살표).

2) 엽외 기관지폐분리증

엽외 기관지폐분리증(extralobar bronchopulmonary sequestration)은 엽내형에 비해 드물며 엽내형과 달리 남아에서 네 배 많이 관찰된다. 공급 동맥은 복부대동맥에서 비교적 작은 체동맥에서 기시하고 하대정맥, 기정맥, 반기 정맥, 간문맥 등의 체정맥으로 정맥 배출된다. 독립된 흉막에 싸여 있는 연부조직 종괴로 하엽에서 주로 관찰되는데 90% 정도가 좌하엽에 위치한다(그림 5-20). 횡격막 탈장, 선천성 심질환, 선천성 폐기도기형 등과 동반된 경우가 많아 신생아기에 주로 발견된다[17-19].

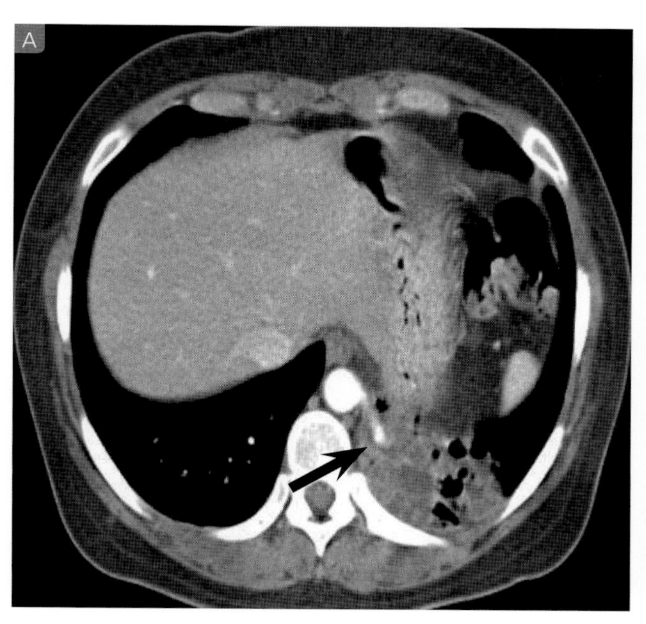

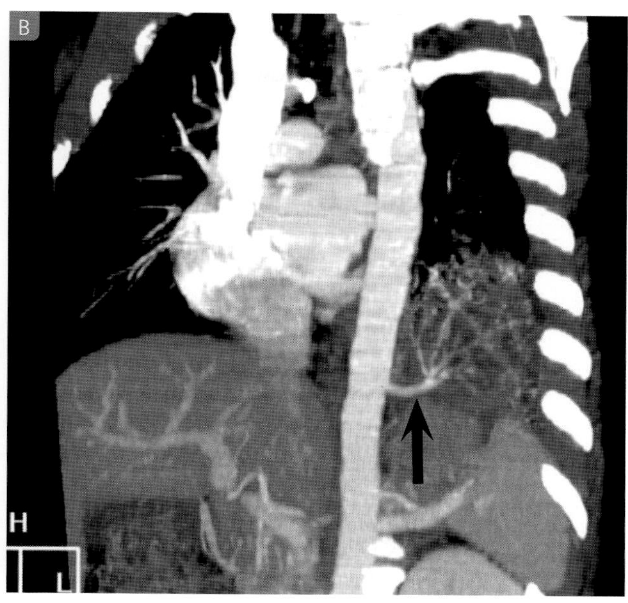

■ 그림 5-20. **엽외 기관지폐분리증**
조영증강CT(A)에서 좌측 흉곽 하부에 저음영 종괴가 있으며 대동맥에서 나오는 체동맥이 관찰된다(화살표). 관상면MIP(maximum-intensity-projection image) CT(B)에서 대동맥에서 기시하여 분리허파를 공급하는 비정상 체동맥이 보인다(화살표).

표 5-10. **엽내 기관지폐분리증과 엽외 기관지폐분리증의 비교**

	엽내형	엽외
빈도	5/6	1/6
진단시기	성인	신생아기(선천성 심질환 동반)
성별	남 = 여	80% 남아
위치	60% 좌하엽, 40% 우하엽	90% 좌하엽
흉막	독립된 흉막 없음	독립된 흉막 있음
공급 동맥	큰 하나의 체동맥	비교적 작은 체동맥
정맥 유출	폐정맥(95%)	체정맥(하대정맥, 기정맥, 반기정맥, 간문맥)
전장과의 교통	드묾	가끔 있음
동반기형	드묾	흔함
영상소견	균일한 종괴음영, 공기와 액체 저류된 다낭성 병변,과투과, 저혈관성 주위폐 등이 복합적으로 보임	균일한 종괴음영으로 액체로 찬 다낭성 병변으로 보임, 종괴내 공기는 대부분 안보임

참고문헌

1. Mata JM, Caceres J, Lucaya J, Garcia-Conesa JA. CT of congenital malformations of the lung. Radiographics 1990;10: 651-674
2. Zylak CJ, Eyler WR, Spizarny DL, Stone CH. Developmental Lung Anomalies in the Adult: Radiologic-Pathologic Correlation. Radiographics 2002;22:S25-S43
3. Biyyam DR, Chapman T, Ferguson MR, Deutsch G, Dighe MK. Congenital Lung Abnormalities: Embryologic Features, Prenatal Diagnosis, and Postnatal Radiologic-Pathologic Correlation. Radiographics 2010;30:1721-1738

4. Kuhn C 3rd, West WW, Craighead JE. Lungs. In: Damjanow I, Linder J, eds. Anderson's pathology 10th ed. St Louis, Mo:Mosby 1996;1471
5. Lee EY, Boiselle PM, and Cleveland RH. Multidetector CT Evaluation of Congenital Lung Anomalies. Radiology 2008;247: 632-648
6. Riedlinger WF, Vargas SO, Jennings RW, et al. Bronchial atresia is common to extralobar sequestration, intralobar sequestration, congenital cystic adenomatoid malformation,and lobar emphysema. Pediatr Dev Pathol. 2006;9:361–373.
7. Thacker PG, Schooler GR, Caplan MC, Lee EY. Developmental Lung Malformations in Children Recent Advances in Imaging Techniques, Classification System, and Imaging Findings. J Tho Imaging 2015;30:29-43
8. Ghaye B, Szapiro D, Fanchamps J, Dondelinger RF. Congenital Bronchial Abnormalities Revisited. Radiographics 2001;21:105-119
9. Berrocal T, Madrid C, Novo S, Gutierrez J, Arjonilla A, Gomez-Leon N. Congenital Anomalies of the Tracheobronchial Tree, Lung, and Mediastinum: Embryology, Radiology, and Pathology. Radiographics 2004;24(1):e17
10. WS Kim, KS Lee, IO Kim, YL Suh, JG Im, KM Yeon, et al. Congenital cystic adenomatoid malformation of the lung: CTpathologic correlation. AJR Am J Roentgenol 1997; 168: 47-53
11. Stocker JT. Congenital pulmonary airway malformation: a new name for and an expanded classification of congenital cystic adenomatoid malformation of the lung. Symposium 24: non-neoplastic lung disease. Histopathology 2002;41(suppl 2):424-430
12. Azizkhan RG, Crombleholme TM. Congenital cystic lung disease: contemporary antenatal and postnatal management. Pediatr Surg Int 2008;24(6):643-657
13. McAdams HP, Kirejczyk WM, Rosado-de-Christenson ML, Matsumoto S. Bronchogenic cyst: imaging features with clinical and histopathologic correlation. Radiology 2000;217:441-446
14. Konen E, Raviv-Zilka L, Cohen RA, Epelman M, Boger-Megiddo I, Bar-Ziv F, et al. Congenital Pulmonary Venolobar Syndrome: Spectrum of Helical CT Findings with Emphasis on Computerized Reformatting. Radopgraphics 2003;23:1175-1184
15. Dillman JR, Yarram SG, Hernandez RJ. Imaging of Pulmonary Venous Developmental Anomalies. AJR Am J Roentgenol 2009;192: 1272-1285
16. Do KH, Goo JM, Im JG, Kim KW, Chung JW, Park JH. Systemic arterial supply to the lungs in adults: spiral CT findings.Radiographics 2001;21:387-402
17. Rosado-de-Christenson ML, Frazier AA, Stocker JT, Templeton PA. From the archives of the AFIP. Extralobar sequestration: radiologic- pathologic correlation. Radiographics 1993; 13: 425-441
18. Laurine S, Hagerstrabd I. Intralobar bronchopulmonary sequestration in the newborn: a congenital malformation.Pediatr Radiology 1999;29(3);174-178
19. 김우선, 제 4장 선천성 흉부 질환, In; 임정기,이경수의 흉부영상의학 서울, 일조각, 2015

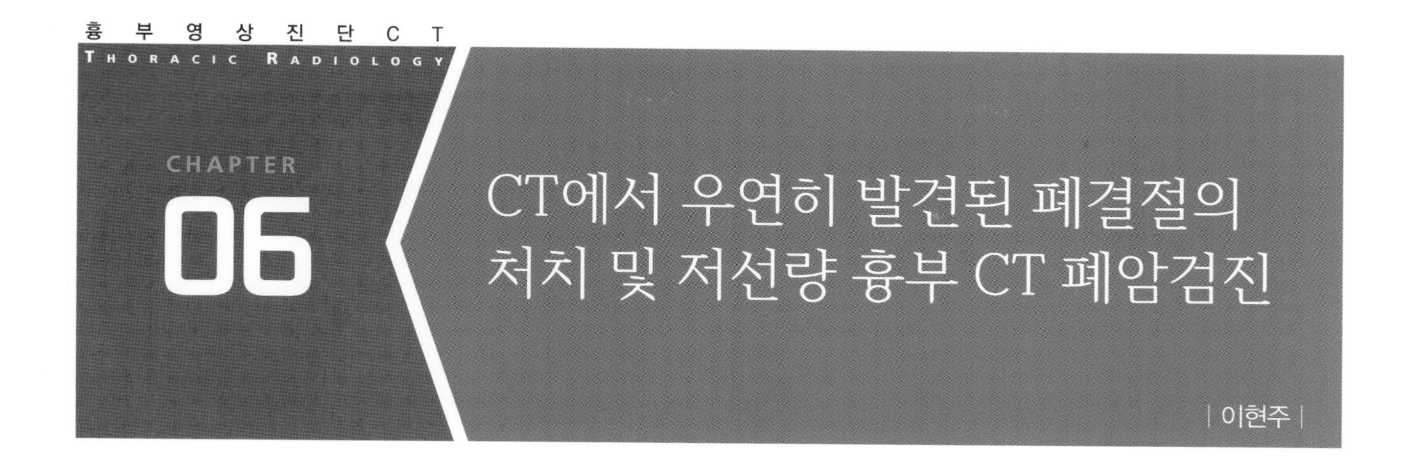

CT에서 우연히 발견된 폐결절의 처치 및 저선량 흉부 CT 폐암검진

| 이현주 |

Contents

I 서론

전산화단층촬영(computed tomography, CT) 기기의 기술적 발전 및 스캔 속도의 향상에 힘입어 흉부 CT에서 우연히 발견되는 폐결절(lung nodule)의 빈도가 매우 증가하였다. 이 장에서는 흉부 CT에서 우연히 발견되는 폐결절의 관리를 위한 Fleischner 가이드라인을 소개하고자 한다. 또한 최근 폐암 고위험군에 적용할 경우 폐암 사망률이 감소함이 증명된 저선량 흉부 CT 폐암검진에 관하여 다루고, 폐암 조기검진 목적으로 촬영된 저선량 흉부 CT에서 발견된 폐결절의 처치에 관해서는 미국 American College of Radiology (ACR)이 제시한 lung RADS (Lung CT Screening Reporting and Data system) 카테고리에 대하여 소개하고자 한다.

II CT에서 우연히 발견된 폐결절의 처치: Fleischner 가이드라인

CT에서 우연히 발견된 폐결절의 관리 가이드라인 중 가장 널리 사용되는 것은 Fleischner 가이드라인이다. Fleischner Society의 고형결절에 대한 관리 가이드라인은 2005년에 발표되었으며[1] 2013년에는 비고형결절에 대한 별도 가이드라인이 발표되었다[2]. 그 이후 2017년에 추가된 정보 및 경험들을 반영하여 개정된 가이드라인에는 고형 및 비고형결절에 대한 가이드라인이 함께 보고되었다[3].

이 가이드라인의 목적은 35세 이상의 성인 환자에서 흉부 CT에서 우연히 발견된 폐결절을 불필요한 추적 검사의 횟수를 줄이면서, 의학적 지식에 근거하여 관리하기 위함이다. 이 가이드라인은 전이(metastasis) 위험이 있는 원발성 암을 진단받은 환자, 감염 위험이 있는 면역저하 환자, 폐암검진 목적의 저선량 CT에서는 사용하지 않는 것이 권고된다. 이러한 경우에 발견된 폐결절의 처치는 특정 임상상황이나 별도의 가이드라인에 근거해야 한다. 또한 35세 미만의 소아 및 성인에서는 폐암이 드물기 때문에 이 가이드라인은 적절하지 않으며, 젊은 환자에서 우연히 발견된 폐결절의 관리는 사례별로 해야 하며, 추적검사를 위한 CT 사용을 최소화해야 한다. 1 cm 보다 작은 상당수의 결절은 흉부X선사진에서는 보이지 않는다. 그러나 흉부X선사진에서 분명히 보이지만, 폐암의 위험성이 낮은 대형 폐결절에 대해서는 CT가 아닌 흉부X선사진을 통한 추적으로 비용 절감과 방사선 피폭 감소의 이점을 누릴 수 있다. 또한 저선량 CT 폐암 검진을 위한 별도의 가이드라인은 American College of Radiology (ACR)에서 발표된 lung-RADS 등이 있다.

Fleischner 가이드라인의 내용은 표 6-1에 요약되어 있다. 각 항의 권고내용은 American College of Chest Physicians (ACCP)에서 사용하는 증거 등급 체계(evidence grading system)을 사용하였다[4]. 추적 CT 검사를 권장하기 위한 최소 한계 크기(minimum threshold size)는 각 폐결절에서 추정 폐암 위험도(estimated cancer risk)가 1 % 이상인 경우로 정하였다. 이 기준은 임의로 정해진 것이므로, 일부 환경에서는 더 높은 최소 한계 크기가 적절할 수 있으며, 이 최소 한계 크기는 궁극적으로 사회 경제적 요인에 의해 결정된다.

1. 일반적인 가이드라인

성인의 흉부 CT 스캔은 작은 폐결절의 정확한 특성 분석과 측정, 관상 및 시상면(coronal and sagittal image)의 수집 및 보관을 위해, 1.5 mm 두께보다 얇은 연속적인 단면(contiguous thin sections, ≤1.5 mm, 보통 1.0 mm)의 재구성이 권장된다(grade 1A; strong recommendation, high-quality evidence). Thick section을 사용하면 부피 일반화(volume averaging)의 영향이 커질 수 있다. 초기 검사가 thick section으로 수행된 경우, contiguous thin sections으로 시행된 추적 CT가 향후 비교를 위한 기준검사로 고려되는 것이 좋다.

또한 흉부 CT 검사는 방사선 피폭을 최소화하여 촬영해야 한다(grade 1A: strong recommendation, high quality evidence). 추적 CT 검사가 수행되는 빈도를 감안할 때 방사선량을 줄이는 기술이 특히 중요하다. 표준 크기 환자(신장 170 cm, 체중 70 kg)에서 부피 CT 선량지수(volumetric CT dose index, CTDIvol)를 3 mGy 이하로 촬영하는 것이 권장된다. 이를 위해 방사선량 조절(dose modulation) 및 반복적 재구성(iterative reconstruction) 등 다양한 방사선량 감소 기술(dose reduction technique)을 사용할 수 있다.

폐결절의 크기를 수기로 측정하는 경우, 폐결절이 가장 크게 보이는 단면에서 측정된 장축 및 단축의 평균값을 사용해야 한다. 측정은 electronic calipers를 이용하거나 반자동 방식(semiautomated method)으로 이루어져야 하며, 반올림한 밀리미터 단위로 기록해야 한다(grade 1C; strong recommendation, low- or very-low-quality evidence). 수기 측정(manual measurement)의 대안으로, 자동 또는 반자동 용적 측정(volumetric measurements)을 사용할 수 있으며, 이는 수기 측정[5]보다 재현성이 높다는 이점이 있다. 100 및 250 mm^3의 폐결절 용적은 6 및 8 mm 의 직경에 해당된다. 그러나 용적은 사용된 특정 소프트웨어에 따라 크게 달라질 수 있기 때문에[6, 7], 결절 성장을 평가하기 위한 용적 측정은 동일한 소프트웨어 버전으로 수행되어야 한다.

표 6-1. 성인에서 우연히 발견된 폐결절의 처치를 위한 Fleischner Society 2017 가이드라인 [3]

▲ 고형결절(solid nodule)

		결절의 크기			
결절의 종류		〈6 mm (〈100 mm^3)	6-8 mm (100-250 mm^3)	〉8 mm (〉250 mm^3)	비고
단일					
	저위험	CT 추적검사를 요하지 않음.	6-12개월 후 CT 추적검사, 변화가 없을 경우 18-24개월 후의 CT 추적검사 고려.	3개월 후 CT 추적검사, PET/CT, 조직검사 등을 고려.	Nodules 〈6 mm의 경우 CT 추적검사를 요하지 않으나, 악성 위험도가 높은 결절의 모양이거나, 폐상엽에 위치하는 경우에는 12개월 CT 추적검사를 요함 (recommendation 1A).
	고위험	필요시(optional) 12개월 CT 추적검사	6-12개월 후 CT 추적검사, 변화가 없을 경우 18-24개월 후의 CT 추적검사 고려.	3개월 후 CT 추적검사, PET/CT, 조직검사 등을 고려.	
다발성					
	저위험	CT 추적검사를 요하지 않음.	3-6개월 후 CT 추적검사, 변화가 없을 경우 18-24개월 후의 CT 추적검사 고려.	3-6개월 후 CT 추적검사, 변화가 없을 경우 18-24개월 후의 CT 추적검사 고려.	가장 악성도가 높아 보이는 결절(most suspicious nodule)을 기준으로 처치 계획을 정함. 추적검사 간격은 결절의 크기와 악성위험도에 따라 다름 (recommendation 2A).
	고위험	필요시(optional) 12개월 CT 추적검사	3-6개월 후 CT 추적검사, 변화가 없을 경우 18-24개월 후의 CT 추적검사 고려.	3-6개월 후 CT 추적검사, 변화가 없을 경우 18-24개월 후의 CT 추적검사 고려.	

▲ 비고형결절(sub-solid nodule)

		결절의 크기		
결절의 종류		〈6 mm (〈100 mm^3)	≥6 mm (〉100 mm^3)	비고
단일				
	순수간유리결절 (ground-glass)	CT 추적검사를 요하지 않음.	6-12개월 CT 추적검사에서 지속되는 경우 (persistent nodule), 5년 시점까지 2년에 1차례씩 CT 추적검사.	순수간유리결절 <6 mm의 경우 2년 그리고 4년 시점에서 추적관찰을 요함. 만약 고형부분이 새로 생기거나 커졌을 경우 절제를 고려해야 함 (recommendation 3A and 4A).
	부분고형결절 (part-solid)	CT 추적검사를 요하지 않음.	3-6개월 CT 추적검사로 지속성 (persistence) 여부 결정. 변화가 없거나, 고형부분 크기가 6 mm보다 작은 경우 5년 시점까지 1년에 1차례씩 CT 추적검사.	일반적으로 부분고형결절은 6 mm 이상 크기에서 정의되고, 6 mm 미만 크기 결절은 보통 추적검사를 요하지 않음. ≥6 mm의 지속성 부분고형결절의 경우 악성 위험성이 높음 (recommendation 4A-4C).
다발성				
		3-6개월후 CT 추적검사, 변화가 없을 경우 2년과 4년 시점에서의 CT 추적검사 고려.	3-6개월 CT 추적검사. 가장 악성도가 높아 보이는 결절 (most suspicious nodule)을 기준으로 처치 계획을 정함.	<6 mm의 다발성 순수간유리결절은 대개 양성이나, 고위험군의 환자에서는 2년과 4년 시점에서 추적관찰을 고려해야 함 (recommendation 5A).

1. 결절의 크기는 장경과 단경의 평균값
2. 위험도의 결정은 American College of Chest Physicians (ACCP)에서 제안한 위험도 예측 모델이 의거할 것 [4].

2. 고형결절(solid lung nodule)에 관한 가이드라인

권고안 1: 단일 고형 비석회화 결절(single solid noncalcified nodule)

고위험군에서 6 mm 미만의 고형결절의 폐암 위험도가 1% 미만인 것을 감안할 때, 저위험군에서는 더욱 낮은 폐암 위험도를 보일 것은 분명하며[8, 9], 이러한 이유로 6 mm 미만의 고형결절을 가진 저위험군에서는 정기적인 CT 추적 관찰이 필요하지 않다(grade 1C; strong recommendation, low- or very-low-quality evidence) (그림 6-1). 추적관찰이 필요 없는 고형결절의 크기를 4 mm 에서 6 mm 로 상향 조정한 것은 대규모 폐암검진 임상시험들의 결과에 근거한다[8,10]. 미국에서 진행된 연구에 따르면 고형결절의 경우, 비흡연자와 어린이의 경우 고흡연자와 비교해, 0.15 정도의 상대 위험이 보고되었다[11]. 그러나 악성을 시사하는 형태를 보이거나, 상엽에 결절이 위치하거나 둘 다에 해당하는 6 mm 보다 작은 결절은 12개월 후 추적 검사를 받을 수 있다(grade 2A; weak recommendation, high-quality evidence).

6-8 mm 크기의 고형결절은 저위험군에서는 매우 낮은(1% 미만) 악성 위험도를 가지며, 고위험군에서는 0.5-2.0% 정도의 악성 위험도를 가지는 것으로 알려져 있다. 6-8 mm 크기의 고형결절은 저위험군(grade 1C: strong recommendation, low- or very-low-quality evidence) 및 고위험군(grade 1B: strong recommendation, moderate quality evidence) 모두에서 6개월에서 12개월 후에 초기 추적 CT검사를 받는 것이 좋다. 고전적으로 고형결절은 2년간의 추적관찰 기간 동안 변화가 없을 경우 양성으로 간주하여 왔다. 그러나 결절의 성장이 실제로 없더라도 CT절편두께, 측정도구 등에 의해 측정오차가 발생하여 결절의 크기가 변하여 보일 수 있으므로 주의를 요한다[12]. 변화가 없다는 것을 확신할 수 있는 객관

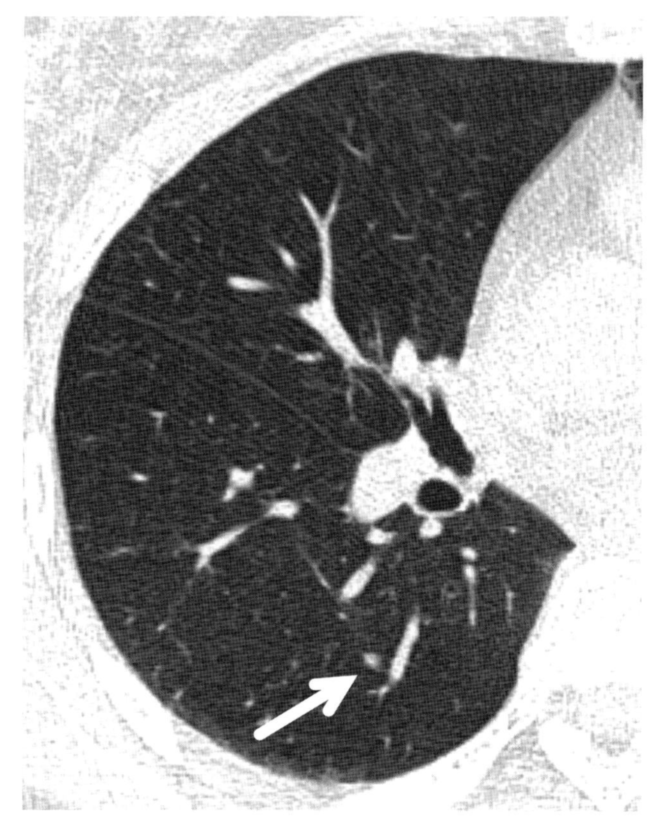

■ 그림 6-1. **56세 비흡연 여성에서 발견된 3.6 mm의 고형결절(solid nodule)**
Fleischner 가이드라인에서는 폐암 위험요인이 없는 사람의 경우 흉부 CT에서 발견된 6 mm 이하 크기의 폐결절은 더 이상의 관찰이나 처치가 필요 없다고 하였다.

적인 여건이 충분하다면, 12-18개월의 추적기간만으로도 양성으로 결론 내릴 수 있다[13].

직경이 8 mm 를 초과하는 고형결절의 경우, 비록 평균 암발생 위험도가 3%에 불과하지만, 결절에 따라서는 이보다 더 높은 위험도를 보일 수 있으며, 특히 크기가 커질수록 크기보다는 결절의 형태에 더 큰 영향을 받는다[14,15]. 그러므로 3개월 CT 추적검사 및 PET/CT 등 비침습적 검사뿐 아니라 조직검사와 같은 침습적 검사를 각 경우에 따라 적용할 필요가 있다(grade 1A; strong recommendation, high-quality evidence) (그림 6-2).

권고안 2: 다발성 고형 비석회화 결절(multiple solid noncalcified nodules)

다발성 고형결절은 감염성 육아종, 폐내 림프절, 전이성 폐결절 등이 흔한 원인이다. 앞에서 설명하였듯이 이 가이드라인은 전이(metastasis) 위험이 있는 원발성 암을 가진 환자, 감염 위험이 있는 면역저하 환자, 폐암검진 목적의 저선량 CT에서는 사용하지 않는 것이 권고되었다. 이러한 경우에 발견된 폐결절의 처치는 특정 임상상황이나 별도의 가이드라인에 근거해야 한다. 다발성 고형 결절의 처치는 악성 위험이 가장 높아 보이는 결절(most suspicious nodule)을 기준으로 결정해야 한다.

3. 비고형결절에 관한 가이드라인

최근 들어 비고형결절(subsolid nodule)에 대한 관심이 매우 높은 것은 이들 병변이 폐선암일 가능성이 매우 높기 때문이다. 전향적 저선량 흉부 CT screening 연구인 Early lung cancer action project (ELCAP)의 결과에 따르면 baseline 저선량

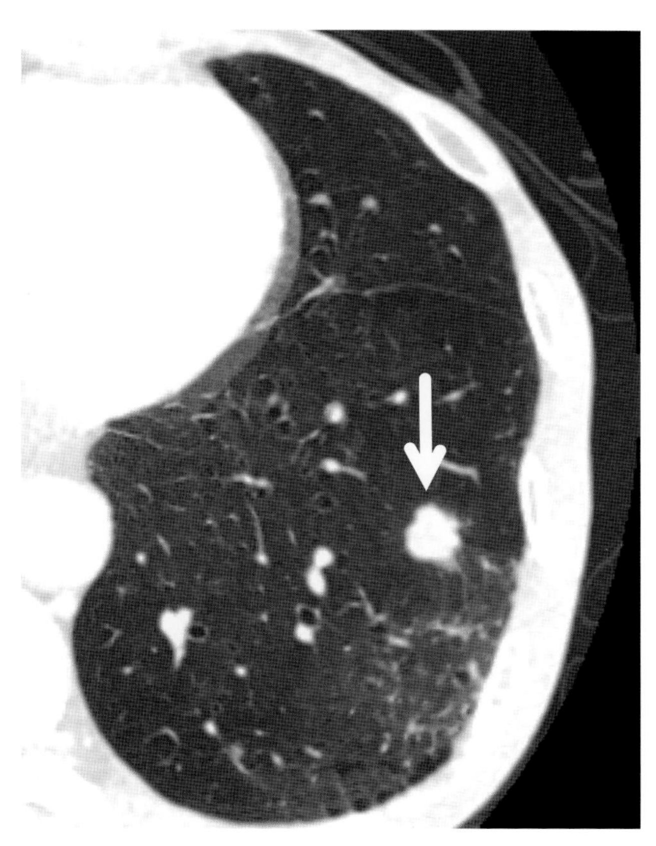

■ 그림 6-2. **67세 15 pack-year 흡연 남성에서 발견된 13 mm 의 고형결절(solid nodule)**

Fleischner 가이드라인에서는 8 mm 보다 큰 폐결절은 폐암 위험요인과 상관없이 3개월 후 CT 추적검사, dynamic contrast-enhanced CT, PET/CT, 조직 생검 등을 포함한 다양한 진단 방법에 대한 논의가 필요하다고 하였다.

흉부 CT 폐암검진에서 발견된 233개의 폐결절 중 44개(19%)가 비고형결절에 해당하였다. 이 결과에서 Henschke 등은 부분고형결절(part-solid nodule), 순수간유리결절(nonsolid nodule)이라는 용어를 처음 사용하였다. 이 연구에서 고형결절(189개), 부분고형결절(16개), 순수간유리결절(28개)의 악성도는 각각 32%, 63%, 13%로 부분고형결절의 악성도가 현저히 높았다[16].

폐결절 내부의 고형부분(병리적으로 invasive component)의 직경과 환자의 예후가 연관성이 있다는 여러 보고들이 있다[17,18]. IASLC/ATS/ERS 폐선암 분류법에 따르면, 결절 내부에 침습성 조직의 직경이 5 mm 이하인 폐선암을 매우 예후가 좋은 최소침습 폐선암(minimally invasive lung adenocarcinoma)으로 따로 분류하고 결절 내부에 침습성 조직의 직경이 5 mm 초과인 경우 침습성 폐선암으로 분류하였다[19]. 최소침습 폐선암(minimally invasive lung adenocarcinoma)의 경우 수술적으로 절제하는 경우 5년 생존율은 거의 100%이다[20,21]. 이러한 결과에 기반하여 개정된 폐암병기 체계에서는 폐선암의 경우 고형부분(병리적으로 invasive component)의 직경을 T 병기 결정에 사용하고 있다[22-25].

CT에서 추적 관찰에도 사라지지 않는 순수간유리결절이면서 크기가 10 mm 미만인 경우 상피내 폐선암(adenocarcinoma in situ)이나 비전형 선증식증(atypical adenomatous hyperplasia)과 같은 비침습성 병변의 가능성이 높다. 또한 폐결절을 고형결절, 부분고형결절, 순수간유리결절 3가지로 구분하는 경우 각각의 용적배가시간(volume doubling time)은 고형결절이 가장 빠르며 폐결절 내부에 간유리음영 비율이 높을수록 천천히 성장할 가능성이 높다. 그러므로 결절 내부에 고형부분의 직경이 6 mm 미만인 경우는 보다 천천히 자라는 예후가 좋은 폐선암일 가능성이 높으므로 좀 더 비침습적인 진단방법을 사용하는 것이 권장된다[2,3].

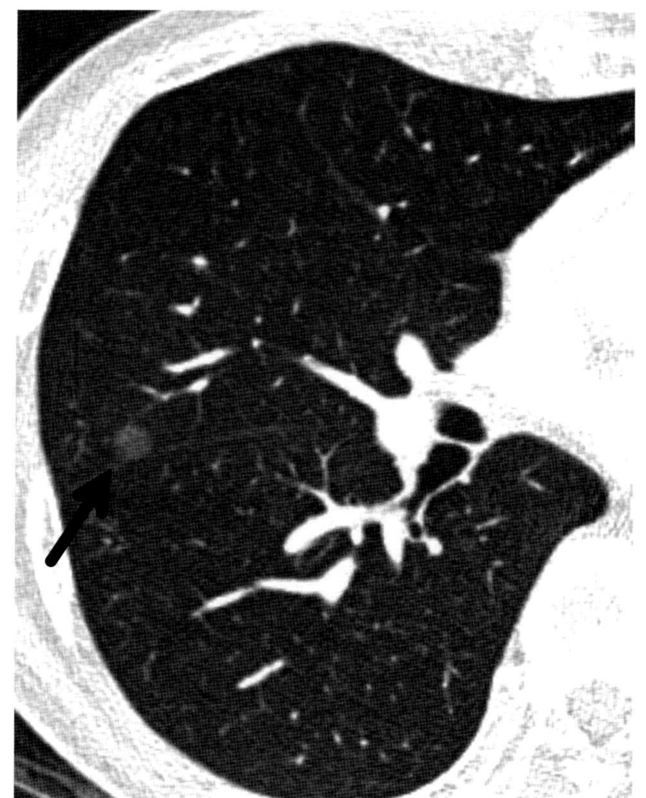

■ 그림 6-3. **8 mm의 순수간유리결절(nonsolid or pure ground-glass nodule)**
병리학적으로 비전형 선증식증(atypical adenomatous hyperplasia)로 진단되었다. Fleischner society의 비고형결절에 관한 가이드라인에서는 6 mm 초과 크기의 순수간유리 결절 (>6 mm, solitary pure GGN)이면서 단기 추적검사상 변화 없이 지속되는 결절 (persistent nodule)의 경우, 최소 5년간 2년에 한 차례씩 CT 추적검사를 권고하고 있다.

권고안 3: 단일 순수간유리결절(solitary pure ground-glass nodule)

지름이 6 mm 미만인 순수간유리결절의 경우, 추적 검사는 권장되지 않는다(grade 1B; strong recommendation, moderate-quality evidence). 이것은 아시아 인구 집단의 자료를 반영한 것으로, 이러한 결절의 10 % 정도가 자라며, 이 중 약 1% 정도의 결절이 선암(adenocarcinoma)으로 진행될 수 있다. 그러나 악성화 가능성이 1 % 미만이므로 추적 검사는 권장되지 않는다[26].

6 mm 이상의 순수간유리결절의 경우 6개월에서 12개월 추적검사를 권장하고 5년 시점까지 2년마다(grade 1B; strong recommendation, moderate-quality evidence) 추적검사를 권하고 있는데(그림 6-3), 이러한 결절은 일반적으로 성장에 약 3-4년이 소요되기 때문이다[26-30]. Yankelevitz 등은[30] 57,496건의 폐암검진 임상시험 baseline CT 검사에서 2,392 (4.2 %)개의 순수간유리결절을 발견하였고, 이들 중 총 73개가 폐선암으로 판명되었다. 진단에서 치료까지 걸린 기간의 중간값은 19개월이었고, 폐암병기는 모두 1기였으며, 생존율은 100 %였다. 그러나 6개월 초기 추적검사는 여전히 권장되며, 특히 직경이 10 mm [8,31-34]보다 크고, 거품음영(bubbly lucencies)을 보이는 결절의 경우에 더욱 권장된다[31,32,35,36].

권고안 4: 단일 부분고형결절(solitary part-solid lung nodule)

6 mm보다 작은 부분고형결절의 경우, 추적검사는 권장되지 않는다(grade 1C; strong recommendation, low- or very-low-quality evidence). 이는 6 mm 미만의 작은 크기의 부분고형결절의 경우, 고형부분이 확실히 정의되기 어렵기 때문에 동일 크기의 순수간유리결절과 동일하게 취급하는 것이 합당하기 때문이다.

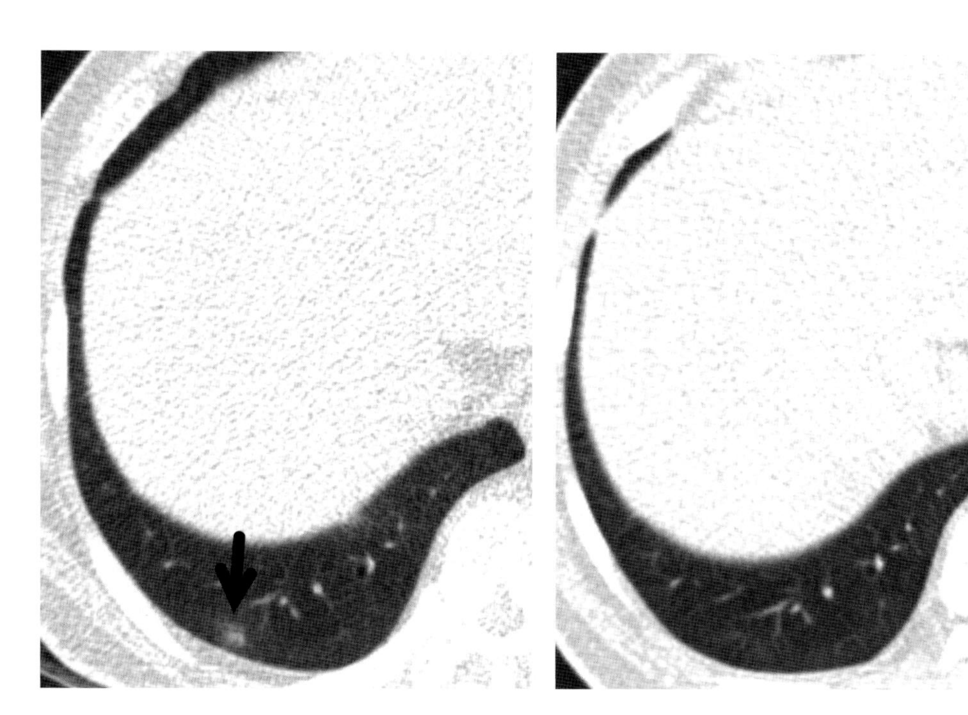

■ 그림 6-4. **일시적인 염증성 질환으로 CT 추적검사에서 사라진 비고형결절(subsolid nodule)**
흉부CT에서 부분고형결절로 발견되었고 (좌) 당시 혈액검사상 호산구증을 보였다. 1개월 후 CT 추적검사에서 사라져 (우) 단순호산구성폐렴(simple eosinophilic pneumonia)로 진단되었다. 일시적인 염증성 질환의 가능성을 배제하기 위하여 수 개월 이내에 CT 추적검사를 시행하여 결절이 변화없이 지속되는 지 관찰하는 것이 감별진단에 도움이 된다.

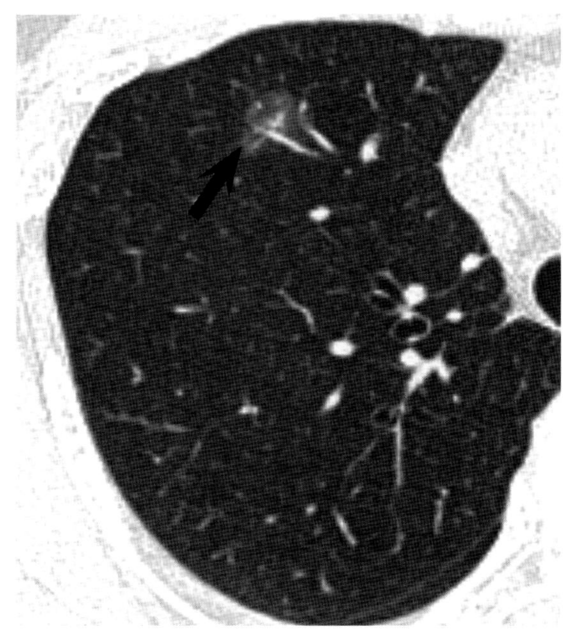

■ 그림 6-5. **내부 고형부분의 직경이 6 mm 미만인 부분고형결절(part-solid nodule)**
병리학적으로 최소침습 폐선암(miminally invasive lung adenocarcinoma)으로 진단되었다. 내부 고형부분의 직경이 5 mm 미만인 부분고형결절의 경우 5 mm 이상인 경우보다 예후가 좋은 폐선암의 가능성이 높다. Fleischner society의 비고형결절에 관한 가이드라인에서는 고형부분의 직경이 6 mm 미만인 단일 부분고형결절(solitary part-solid nodule)이면서 단기 추적검사상 지속되는 결절(persistent nodule)의 경우, 이후 최소 5년간 1년에 한 차례씩의 CT 추적검사를 권고하였다.

직경 6 mm 미만의 고형부분을 지닌 6 mm 이상의 부분고형결절에 대해서는 3-6개월까지 추적관찰하고, 최소 5년간 추적 관찰하는 것이 좋다. 초기 3-6개월 단기 추적검사의 목적은 단순호산구성 폐렴 등 일시적인 염증성 질환의 가능성을 배제하기 위함이며[37] (그림 6-4), 단기 추적검사에서 변화없이 지속되는 결절(persistent nodule)의 경우 고형부분의 안정성을 평가하기 위해 5년간 1년 간격의 추적검사가 권장된다(그림 6-5). 5년의 종료시점은 증거가 충분하다고는 볼 수 없으나, 6 mm 미만의 고형부분을 가진 결절이 대부분 상피내 폐선암(adenocarcinoma in situ)이나 최소침습 폐선암(minimally invasive lung adenocarcinoma)일 가능성이 높은 것을 감안한 결과이다[38,39].

6 mm 이상의 고형부분을 가진 부분고형결절에서, 암의 위험이 높은 형태(lobulated margins 또는 cystic components), 고형부분의 성장, 8 mm 이상의 고형부분을 보이는 경우, PET / CT, 조직 생검, 수술적 절제가 권장된다(grade 1B;

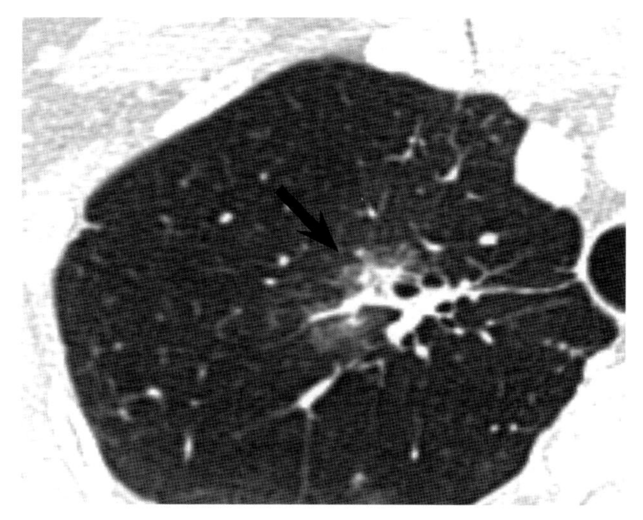

■ 그림 6-6. **내부 고형부분의 직경이 6 mm 이상인 부분고형결절(part-solid nodule)**
병리학적으로 침습성 폐선암의 일종인 레피딕 폐선암(lepidic adenocarcinoma)으로 진단되었다. 내부 고형부분의 직경이 6 mm 이상인 부분고형결절의 경우 이와 같이 침습성 폐선암의 가능성이 높다. Fleischner society의 비고형결절에 관한 가이드라인에서는 고형부분의 직경이 6 mm 이상인 단일 부분고형결절(solitary part-solid nodule)이면서 단기 추적검사상 지속되는 결절(persistent nodule)의 경우, 침습성 폐선암의 확률이 높으므로 PET/CT, 조직 생검, 수술적 절제 등을 포함한 다양한 진단 및 치료 방법에 대한 논의가 필요하다고 권고하였다.

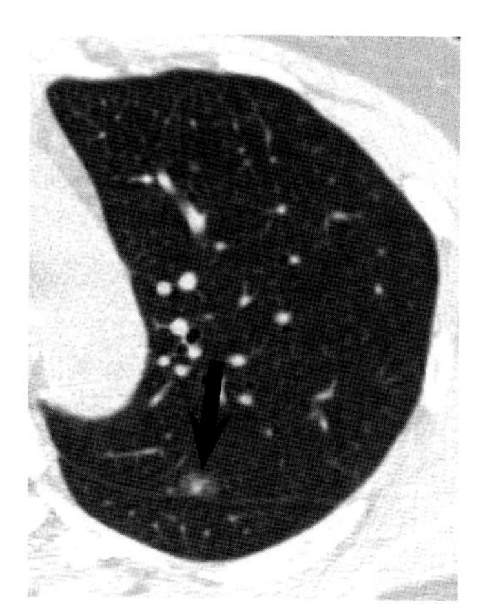
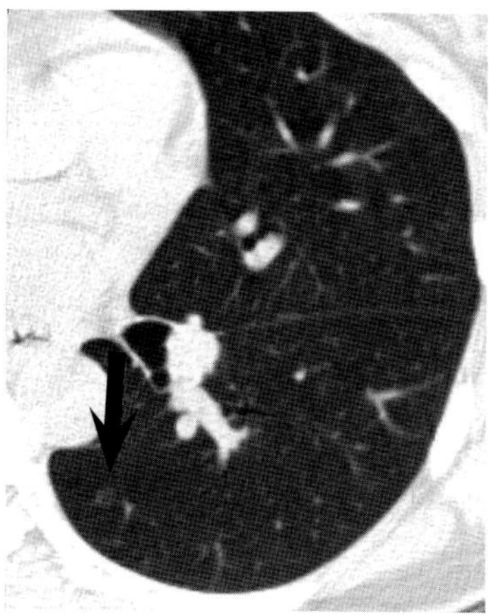
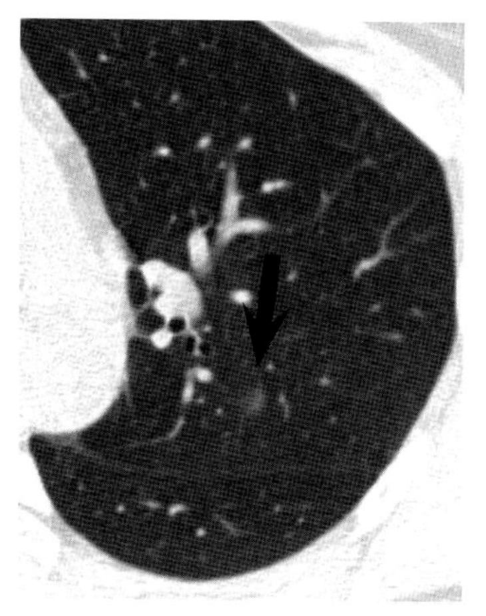

■ 그림 6-7. **다발성 비고형결절(multiple subsolid nodule) 및 우세결절(dominant nodule)**
양측 폐에 10개 이상의 다발성 비고형결절이 발견된 환자로 폐암의 가능성이 가장 높은 결절(the most suspicious nodule)은 좌상엽에 위치한 12 mm 직경의 부분고형결절(내부 고형부분 4 mm)이었다. Fleischner society의 다발성 비고형결절에 관한 가이드라인에서는 폐암의 가능성이 가장 높은 결절 (most suspicious nodule)이 고형부분의 직경이 6 mm 이상인 부분고형결절이면서 단기 추적검사상 지속되는 경우, 침습성 폐선암의 확률이 높으므로 PET/CT, 조직 생검, 수술적 절제 등을 포함한 다양한 진단 및 치료 방법에 대한 논의가 필요하다고 권고하였다.

strong recommendation, moderate-quality evidence) (그림 6-6). 또한 부분고형결절의 고형성분 크기가 클수록 조직침습 및 전이 위험은 더 크다고 알려져 있다[8,39,40-49].

권고안 5: 다발성 비고형결절(multiple subsolid lung nodules)

다발성 비고형결절의 처치는 악성 위험도가 가장 높아 보이는 결절(most suspicious nodule)을 기준으로 결정해야 한다. 암위험이 가장 높아 보이는 결절(most suspicious nodule)의 크기가 6 mm 미만인 다발성 비고형결절의 경우, 일시적인 염증성 질환의 가능성을 배제하기 위하여 3-6개월의 초기 추적검사를 시행하며[37], 단기 추적검사에서 변화 없이 지속되는 결절(persistent nodule)의 경우 2-4년의 추적검사를 통해 성장이 없는지 확인해야 한다[30]. 악성 위험도가 가장 높아 보이는 결절(most suspicious nodule)의 크기가 6 mm 이상인 다발성 비고형결절의 경우, PET / CT, 조직생검, 수술적 절제 등을 위한 논의가 필요하다(그림 6-7).

III CT에서 우연히 발견된 폐결절의 악성도 연관인자

1. 폐결절의 크기 및 형태

일반적으로 폐결절의 크기가 커질수록 악성일 확률이 높다고 알려져 있다. 이러한 사실은 최근 보고된 저선량 흉부 CT 폐암검진을 이용한 무작위배정 임상시험을 통하여 더욱 명백히 증명되었다. The National Lung Screening Trial (NLST)의 결과를 살펴보면 저선량 흉부 CT에서 발견된 폐결절의 크기에 따른 양성 예측도(positive predictive value)는 첫 번째 검진 (baseline), 1년 후(T1), 2년 후(T2) 검진 모두에서 크기가 증가함에 따라 일관되게 증가하는 양상을 보였다. 4-6

mm 크기 폐결절의 양성 예측도는 baseline, T1, T2 시기 모두에서 1% 미만이었고, 7-10 mm 크기 폐결절의 양성 예측도는 1.7-5.1%였다. 1-2 cm 크기의 폐결절의 양성 예측도는 9.1-14.6%였고, 2-3 cm의 경우 17.5-29.7%, 3 cm 이상의 경우에는 14.5-41.3%였다[50,51]. 결절의 가장자리 spiculation은 악성 종양과 관련이 있는 인자로 오래 전부터 알려졌으며, Canada에서 진행된 전향적 저선량 흉부 CT 폐암검진(the PanCan trial) 데이터 분석을 포함한 다른 연구 결과에서도 암의 위험인자로 판명되었다[8,52].

2. 폐결절의 음영

폐결절은 그 결절의 음영에 따라 고형결절(solid nodule)과 비고형결절(subsolid nodule)로 분류한다. 비고형결절은 결절 내부에 간유리음영 부위를 포함하는 경우를 말한다. 비고형결절 중 내부에 고형부분을 포함한 경우를 부분고형결절(part-solid nodule or mixed)이라 하고 순수한 간유리음영으로만 구성된 경우를 순수간유리음영결절(pure GGN or nonsolid nodule)이라 부른다. Van Riel 등[53]은 경험이 풍부한 흉부영상의학과 의사가 폐결절을 이러한 카테고리로 분류하는 데 있어서의 평가 일치도를 조사하였다. 그 결과 참여한 모든 의사가 같은 카테고리로 분류한 폐결절은 58 %에 불과하였다. 그럼에도 불구하고, 현재의 합의는 폐창(lung-window setting)과 가장자리 강화필터(edge-enhancing (sharp) filter)를 사용하여 재구성한 CT영상으로 이러한 비고형결절 내부의 고형부분의 존재 및 범위를 가장 잘 평가할 수 있다는 것이다[47, 54].

고형결절은 악성 폐종양뿐 아니라 염증성 육아종, 폐 과오종과 같은 양성 폐종양을 아우르는 조직학적으로 넓은 스펙트럼을 보인다. 비고형결절(subsolid nodule)의 경우 조직학적으로 선암(adenocarcinoma), 비전형 선증식증(atypical adenomatous hyperplasia), 단순호산구성 폐렴(simple eosinophilic pneumonia)와 같은 염증성 질환인 경우가 대부분이고, 드물게 혈관육종(angiosarcoma)의 폐전이나 악성흑색종(malignant melanoma)의 폐전이가 비고형결절로 보일 수 있다. 악성결절일 확률은 부분고형결절(part-solid nodule)이 가장 높고, 고형결절(solid nodule)과 순수간유리음영결절(pure GGN or nonsolid nodule)의 경우, 악성결절일 확률이 부분고형결절의 경우보다 훨씬 낮다[2,3]. 최근 Canada에서 진행된 전향적 저선량 흉부 CT 폐암검진(the PanCan trial) 데이터에 기반한 분석 결과에서도 부분고형결절은 악성폐결절을 시사하는 중요한 요인 중 하나로 보고되었다[8].

3. 폐결절의 위치, 갯수

폐암은 폐상엽에서 더 자주 발생하며, 우측 폐에 호발한다[55,56]. Canada에서 진행된 전향적 저선량 흉부 CT 폐암검진(the PanCan trial) 데이터에 기반한 분석 결과, 상엽 위치는 위험 인자로 확인되었고(odds ratio는 약 2.0)[8]. 한 환자에서 발견된 폐결절의 숫자가 적을수록 악성 확률이 높게 나타났다[8]. NELSON 임상시험에서는 다발성 결절을 가진 환자를 분석한 결과 총 결절 수가 1에서 4로 증가할 경우에는 원발성 암의 위험이 증가했으나, 개수가 5개 이상일 경우 그 위험이 감소하였다[57].

4. 폐결절의 성장속도

악성 폐결절의 경우 폐과오종(pulmonary hamartoma) 등의 양성 폐종양이나 염증성 육아종에 비해 성장속도가 빠르다.

그러나 폐렴이나 결핵과 같은 염증성 질환보다는 진행속도가 느리다. 폐결절의 용적이 2배가 되는 데 걸리는 시간(용적배가시간, volume doubling time)을 폐결절의 악성도를 판단하는 지표로 사용하여 왔다. 참고로 폐결절의 용적의 2배증가는 직경의 26% 증가에 해당된다. 고형암의 용적배가 시간은 잘 알려져 있고, 대부분의 경우 100일에서 400일 사이이다. 반면 비고형결절로 나타나는 폐선암의 경우는 매우 성장 속도가 느리며, 평균용적배가 시간은 3-5년으로 알려져 있다[3].

5. 폐기종, 폐섬유화 동반 유무

CT에서 폐기종의 존재는 폐암의 독립적인 위험인자이다[58]. NLST 폐암검진 임상시험에서 폐암과 폐기종의 연관성을 분석한 결과 폐암발생빈도는 폐기종 환자에서 1,000명당 25건, 폐기종이 없는 사람에서는 1,000명당 7.5건이었다[59]. Chiles 등[60]은 NLST 폐암검진 임상시험에서 발견된 불확실한 결절에서 만성 폐쇄성 폐질환 표현형과 암의 위험성 사이의 관계를 조사하였는데, 폐기종이 우세한 만성 폐쇄성 폐질환과 중심소엽 폐기종이 암 위험의 증가와 관련이 있다는 것을 발견했다. 폐섬유증, 특히 특발성 폐섬유화(idiopathic pulmonary fibrosis)는 또한 독립적인 암 위험인자이며, 폐기종 단독에 비해 특발성 폐섬유화와 폐기종이 동반된 경우 약 4.2의 위험비(hazard ratio)를 보였다[61].

6. 연령, 성별, 인종, 가족력, 흡연력

Canada에서 진행된 전향적 저선량 흉부 CT 폐암검진(the PanCan trial) 데이터에 기반한 분석에서는 임상요인 중 고령(older age), 여성(female sex), 폐암가족력(family history of lung cancer)이 악성 위험도를 높이는 요소들이었다[8]. 흡연자는 비흡연자와 비교해 폐암 위험이 10-35배 증가한다는 것이 1960년대 이후 증명되었고, 흡연은 폐암의 주요 위험인자로 확립되었다. 간접흡연은 직접흡연보다는 위험이 낮지만 역시 폐암 위험인자이다[62-64]. 폐선암(adenocarcinoma)과 흡연의 연관성은, 소세포폐암이나 편평상피암과 흡연과의 연관성보다 약하다. 또한 비흡연자에서의 선암의 발생률은 증가하고 있으며, 비흡연자에서 발생하는 선암은 남성 비흡연자보다 여성 비흡연자에서 더 빈발한다[62,64]. 폐암의 위험 인자로 알려진 다른 발암 물질로는 석면, 우라늄 또는 라돈이 있다[65-67]. 그러나 무연 전자 담배와 관련된 잠재적 위험은 아직 증명되지 않았다[68].

7. 폐암 위험추정 및 위험추정 모델

우연히 발견된 폐결절 관리에 대한 가이드라인은 악성 종양의 개별 위험에 대한 평가를 기반으로 한다. 결절 크기와 형태가 위험 예측에 중요한 요소이지만 흡연, 다른 발암 물질에 노출, 폐기종, 폐섬유증, 상엽 위치, 폐암의 가족력, 나이, 성별 등 여러 요인들이 연관되기 때문에 여러가지 위험 예측 모델이 개발되었다. 그러나 Fleischner 가이드라인에서는, American College of Chest Physicians (ACCP)에서 제안한 범주에 따라 위험도 범주를 지정하였다[4]. 저위험(low risk)은 추정 암위험도(estimated risk of cancer)가 5 % 미만인 경우이며, 젊은 나이, 적은 흡연량, 작은 결절 크기, 규칙적인 경계모양, 및 비상부엽 위치 등과 관련이 있다. 고위험(high risk)은 추정 암위험도(estimated risk of cancer)가 65 % 이상인 경우이며, 고령, 과도한 흡연, 큰 결절 크기, 불규칙한 혹은, spiculation된 결절의 가장자리 등과 관련이 있다. 중간위험 intermediate-risk (5-65% risk)은 추정 암위험도(estimated risk of cancer)가 5-65 %인 경우이며, 이 경우 고위험 및 저위험

특성을 공유한다[4].

8. 폐엽간열 결절(peri-fissural nodule)

폐엽간열 결절(peri-fissural nodule)은 폐엽간 흉막 틈새에 위치한 폐내 림프절을 나타내는 것으로 생각되는 작은 고형 결절을 나타내는 용어이다. 일반적으로, 이들은 횡단면상 삼각형 또는 타원형이며, 시상 또는 관상면 영상에서 편평하거나 렌즈모양(lentiform) 모양이고, 인접한 흉막의 미세한 두께증가를 동반한다. 이 경우 크기가 6 mm 이상이라고 해도 추적 CT는 권장하지 않는다. NELSON (Dutch-Belgian randomized lung cancer screening trial) 폐암검진 임상시험에서, 결절의 20 %가 폐엽간열 결절로 분류되었고, 이들 중 16%가 임상시험 중에 크기 증가를 보였지만, 이들 중 악성은 발견되지 않았다[69]. 하지만 spiculation, 주변 폐엽간열의 위치 변화, 폐암의 병력이 있는 경우에는 폐암 위험도가 증가되므로, 6-12 개월 후의 추적 검사가 고려되어야 한다[70,71].

Ⅳ 저선량 흉부 CT 폐암검진

NLST의 결과에 따르면, 저선량 흉부 CT를 이용한 폐암검진은 흉부X선사진을 이용한 폐암검진과 비교하여 폐암사망률을 20% 이상 감소시켰다[51,72]. 폐암에 대한 진단과 치료의 발전이 있었음에도 불구하고 폐암은 전세계적으로 빈도가 높을 뿐 아니라, 사망률이 다른 암에 비해 현저하게 높고 개선이 가장 되지 않는 질환 중 하나이다. 그러나 비교적 최근까지도 추천될 만한 조기검진 방법이 없어왔다는 것은 매우 유감스러운 일이었다. 조기검진 방법이 없었던 중요한 원인은 1970년대부터 진행되어 온 폐암 조기검진 방법 확립에 관한 무작위배정 대조군 임상시험(randomized controlled clinical trial)들이 모두 조기검진에 의한 폐암사망률 감소를 증명하는 데 실패하였기 때문이다[73-80]. NLST는 저선량 흉부 CT를 이용한 폐암조기검진이 폐암사망률을 낮추는 데 기여할 수 있다는 증거를 제시한 최초의 연구이며, 폐암 고위험군을 대상으로 미국에서 시행된 대규모의 무작위배정 임상시험이다[51]. 2018년에는 유럽에서 시행된 NELSON 임상시험 결과가 발표되었는데, 저선량 흉부 CT를 이용한 폐암검진군에서 검진을 시행 받지 않은 대조군과 비교하여, 폐암사망률이 26% 이상 감소되었다[81]. 저선량 흉부 CT를 이용한 폐암조기검진이 공식적으로 추천되기 위해서는 검사비용 문제, 보험적용 문제, 적절한 조기검진 주기 등 해결할 문제점들이 많이 남아 있다. 그러나 적어도 향후 폐암 고위험군(50세 이상, 고도 흡연자)에서 저선량 흉부 CT가 폐암조기검진 방법으로 적극 권장 및 활용될 것임은 매우 자명하다.

1. 폐암 조기검진의 필요성

폐암에 대한 이해와 치료의 발전에도 불구하고 폐암은 전세계적으로 사망률이 가장 높은 암종이다. 폐암발생률을 낮추는 가장 효과적인 방법은 흡연율을 낮추는 것이며, 폐암사망률을 낮추는 가장 효과적인 방법은 완치가 가능한 병기에 폐암을 발견해 내는 것이다. 현재의 의학기술로는 폐암의 완치방법은 수술적 절제뿐이며, 특히 제1 병기의 조기 폐암은 예후가 좋은 편으로 5년 생존율이 약 60-70%에 이른다. 그러나 기침이나 객혈 등 증상이 발생한 후 병원을 찾는 상당수의 폐암환자는 이미 완치시기를 놓친 진행성 폐암으로 진단되는 경우가 많다. 그러므로 증상이 없는 시기에 폐암을 발견하여 폐암의 자연적인 질병 경과를 바꿀 수 있는, 즉 바꾸어 말해 폐암사망률을 의미 있게 낮출 수 있는 조기검진의 필요성은 매우 높다.

2. 효과적인 조기검진의 조건

증상을 일으키지 않고, 조절이나 치료가 가능한 시기에 질병을 찾아내는 것이 조기검진의 역할이다. 조기검진의 조건은 첫째, 질병이 있는 환자를 조기에 찾아내야 하며, 둘째, 확진을 위한 검사방법이 확보되어 있어야 하고, 셋째, 조기 치료로 자연적인 질병 경과를 바꿀 수 있어야 한다. 바꾸어 말하면 조기검진을 통하여 질병을 좀더 일찍 발견한다고 하더라도, 질병을 확진하기 어렵거나, 조기발견이 질병에 의한 사망률 감소에 기여하지 못한다면 조기검진은 의미가 없다고 할 수 있다[82].

어떠한 조기검진 방법이 자연적인 질병 경과를 바꿀 수 있는 지를 증명하기 위하여 사용하는 지표는 '질병특이사망률(질병이 있는 것으로 진단된 수에 대한 질병에 의해 사망한 사람의 숫자)'이다. 일반적인 의학 연구들, 특히 특정 치료법의 효과를 증명하기 위한 연구에서 사용되는 지표가 '생존율(질병이 있는 것으로 진단된 수에 대한 질병 검출과 치료에 의해 생존한 사람의 숫자)'인데 반하여 조기검진 방법의 지표는 '질병특이사망률'이라는 점은 꼭 기억할 필요가 있다. 조기검진을 시행 받은 인구에서 조기검진을 받지 않은 인구와 비교하여 통계적으로 유의한 '질병특이사망률' 감소를 보이는 지를 증명하기 위해서는 무작위배정 대조군 임상시험(randomized controlled clinical trial)이 시행되어야 한다[82].

조기검진 방법의 지표로서 '생존율'을 사용하지 않는 것은 '생존율'이 lead time bias, length time bias, over-diagnosis bias 등 치우침(bias)에 영향받기 쉽기 때문이다. Lead time bias란 실험군에서 질병이 조기에 발견되었기 때문에 더 오래 생존하는 것처럼 보이나(lead-time) 실제로 대조군과 사망하는 시간은 다르지 않은 것을 말한다. 단지 대상 환자는 좀 더 오랫동안 병이 있다는 것을 인지하게 되었을 뿐인 것이다. 이는 암이 조기에 발견되었을 때 시술이 질병의 자연 경과에 영향을 주지 못하였을 때 발생한다. Length time bias는 질병을 발견하는 가능성은 종양의 성장률과 관계된 것으로, 빨리 자라는 종양은 잠재적인 선별검사 기간이 짧고(발견 가능 시기와 증상 발현의 간격), 따라서 선별검사를 짧은 기간에 반복하지 않는 한 이러한 환자는 증상이 생겼을 때 발견될 확률이 높다. 천천히 자라는 종양은 좀 더 긴 선별검사 기간에서도 발견될 수 있으며, 무증상기에 발견될 확률이 높다. 따라서, 천천히 자라는 종양이 선별검사에서 발견되는 부분이 많고, 마치 생존율이 향상된 것처럼 보일 수 있다. Over-diagnosis bias는 length time bias의 극단적인 예로, 선별검사 대상군에서 아주 천천히 자라는 종양을 발견함으로 폐암 환자수 및 생존율이 증가한 것처럼 보이는 것을 말한다. 그러나 사망률에는 영향이 없고 대조군에서 폐암이 있더라도 환자의 생존에 영향이 없이 평생 발견되지 않은 채 사망하게 된다[82].

3. 흉부X선을 이용한 폐암조기검진 연구

폐암 조기검진을 위한 randomized controlled trial들이 1970년대에 시행되었다. 대표적인 4개의 연구는 Memorial Sloan-Kettering Study, Johns Hopkins Study, Mayo Lung Project, Czechoslovakian randomized controlled trial이다. 4개의 연구 중 어떠한 연구에서도 조기검진을 시행한 실험군에서 유의한 폐암사망율의 감소를 증명하지 못하였다[73-80]. 이 연구들이 시행된 1970년대에 가장 흔한 폐암의 조직학적 유형은 상피세포암(squamous cell carcinoma)이었고 상피세포암은 기관지와 인접한 중심성폐암인 경우가 흔하므로 흉부X선에서 발견이 힘들었을 것으로 추측된다. 그러나 현재는 주변부 폐실질에서 발견되는 경우가 흔한 선암(adenocarcinoma)이 가장 흔하므로, 이들 1970년대의 연구를 현재의 실정에 정확히 적용하기는 어려울 수 있다.

미국에서 진행된 또 하나의 대규모 무작위배정 임상시험인 PLCO (The Prostate, Lung, Colorectal, and Ovarian Cancer Screening Trial) 연구 결과가 2011년에 발표되었는데, 다시 한번 흉부X선이 폐암 조기검진에 무용함을 입증하였다[83]. 1993년부터 2001년까지 55-74세까지의 인구 중 77,445명이 흉부X선 조기검진군(chest X-ray screening arm)에 배정되었고, 7만 7,446명이 대조군(usual care arm)으로 배정되었다. 조기검진군에서는 1년에 한 차례씩 4년간 흉부X선 조기검진을 시행하였고 대조군에서는 조기검진을 시행하지 않았다. 연구 결과 흉부X선 조기검진군에서는 1,213명의 폐암사망이 보고되었고, 대조군에서는 1,230명의 폐암사망이 보고되어 통계적으로 유의한 차이가 없었다[83].

4. 저선량 흉부 CT (low-dose chest CT)를 이용한 폐암조기검진 연구

2010년 11월 미국 National Cancer Institute (NCI)는 National Lung Screening Trial (NLST) 연구 결과를 최초로 발표하였고[84], 2011년 NEJM (The New England Journal of Medicine)에 공식적으로 게재되었다[72]. NLST는 미국 NCI 역사상 최고 금액의 연구비를 할당 받은 것으로도 유명하며, 무작위배정 대조군 임상시험(randomized controlled clinical trial)으로서 30-pack year 이상의 흡연력이 있는 55-74세의 53,456명이 이 연구에 연구대상자로 참여하였다. 이들은 저선량 흉부 CT로 검진을 받는 군(low-dose chest CT screening arm)과 흉부X선으로 검진을 시행 받는 군(chest X-ray screening arm)으로 무작위 배정되었다[72,85]. NLST의 일차 연구목표는 흉부X선으로 검진을 시행 받은 대조군과 비교하여 저선량 흉부 CT로 폐암검진을 시행 받은 군에서 폐암사망률이 통계적으로 의미 있게 20% 이상 감소함을 증명하는 것이었는데, 연구 결과에 따르면 NLST의 일차 목표는 충족되었다[72]. 즉 흉부X선 검진군(chest X-ray screening arm)에서 442건의 폐암에 의한 사망을 보고한 것과 비교하여 저선량 흉부 CT 검진군(low-dose chest CT screening arm)에서는 354건의 폐암에 의한 사망이 보고되었다. 두 군 간의 88건의 폐암사망건수 차이는 20.3%의 폐암사망률 차이를 의미하며 저선량 흉부 CT 검진군(low-dose chest CT screening arm)에서의 폐암사망률이 20% 이상 낮았음을 말한다. 이로써 저선량 흉부 CT를 이용한 무작위배정 대조군 임상시험을 통하여 최초로 폐암조기검진이 폐암사망률 감소에 기여한다는 객관적 증거를 제시하게 된 것이다[72].

2018년에는 유럽에서 진행된 NELSON trial 연구결과가 발표되었다. 이 연구 역시 무작위배정 대조군 임상시험(randomized controlled clinical trial)으로 50-75세의 고도흡연자 15,792명이 연구대상자로 참여하였고, 폐암검진군과 대조군인 비검진군으로 무작위 배정되었다. 폐암검진군에서 157명의 폐암사망이 보고되었고, 비검진군에서 250명의 폐암사망이 보고되었다. 폐암검진군에서는 69%가 1기(stage 1), 10% 내외가 4기(stage 4) 폐암이었던 데 반해, 비검진군에서는 50%가 4기(stage 4) 폐암이었다. 폐암검진군에서 67.7%가 수술적 치료를 받은 데 비해, 비검진군에서는 24.5%만 수술적으로 치료되었다. 저선량 CT를 이용한 폐암검진으로 폐암을 보다 낮은 병기에서 발견하여, 적극적으로 완치적 절제술을 시행할 수 있었다는 증거라고 볼 수 있다[81].

5. 폐암조기검진의 유용성과 부작용

저선량 흉부 CT 폐암조기검진을 전체 인구를 대상으로 시행될 경우 유용성보다 부작용일 더 커질 우려가 있다. 저선량 흉부 CT 폐암조기검진의 가장 중요한 유용성은 폐암사망률의 감소이다. 폐암조기검진으로 초래될 수 있는 부작용 역시 매우 중요한데 극도로 빨리 진행하여 치료가 어렵거나 매우 서서히 진행하여 사망률 감소와 무관한 폐암의 발견, 검사 결과에 따른 불안감으로 인한 삶의 질 저하, 위양성 결과로 인한 불필요한 검사와 의료비용 증가, 위음성 결과로 인한 치료 기회 상실, 반복적 방사선 피폭, 폐암 진단과정에서 발생하는 신체적 합병증 등이 대표적인 부작용이다[86].

6. 저선량 흉부 CT를 이용한 폐암검진의 고려사항

가장 첫번째로 고려해야 할 사항은 폐암검진 대상자의 선정기준이다. 지금까지 폐암사망률 감소가 입증된 2개의 무작위 배정 임상시험은 모두 폐암 고위험군을 대상으로 시행된 연구들이다. NLST는 55-74세, 30 pack-year 이상의 장기흡연자가 대상이었고, NELSON trial은 50-75세, 하루 15개피 이상 25년 이상 흡연자 또는 하루 10개피 이상 30년 흡연자가 대상이었다. 폐암 저위험군(50세 미만, 20년갑 미만 흡연력)에서는 폐암사망률 감소가 입증된 적이 없다. 그러므로 현재로서는 폐암 고위험군에 한해서만 저선량 흉부 CT 폐암조기검진을 시행하는 것이 바람직하다고 할 수 있다. 이외에 고려할 사항은 폐암검진 주기, 저선량 흉부 CT 장비, 촬영 프로토콜, 저선량 흉부 CT 판독의사의 자격요건, 저선량 흉부 CT에서 발견된 폐결절의 처치 가이드라인, 저선량 흉부 CT 장치의 품질정도관리 등이 있으며 지속적인 가이드라인 개발과 업데이트가 필요하다.

V 저선량 흉부 CT 폐암검진에서 발견된 폐결절의 처치: Lung RADS

저선량 CT를 이용한 폐암검진에서 풀어야 할 난제 중 하나는 빈도가 높은 위양성(false positive) 결과이다. 미국 폐영상학회(American Radiology College of Lung Imaging)에서 제안한 Lung-RADS 시스템은 저선량 CT 폐암검진 결과를 표준화하고 민감도를 현저하게 저하시키지 않으면서 위양성을 낮추기 위해 고안된 폐결절 처치에 관한 가이드라인이다(표 6-2, 표 6-3) [87,88]. 미국 등의 몇 나라에서는 Lung-RADS 시스템을 저선량 CT를 이용한 폐암검진 결과의 리포트에 이용하고 있다. Lung-RADS 1.0 버전이 2014년 이후로 사용되어 오다가, 2019년에 개정판인 Lung-RADS 1.1 버전이 발표되었다. 기본적으로 Lung-RADS 시스템은 CT에서 발견된 폐결절의 직경에 따라 처치방법이 결정된다. 그러므로 흉막 삼출이나 기관지 중심성 폐암 등을 놓칠 수 있는 한계가 있어, 이러한 한계점을 극복하기 위한 지속적인 전략이 필요하다. 유럽에서 진행된 NELSON trial에서는 저선량 CT 폐암검진에서 발견된 폐결절의 직경 측정과 더불어 용적(volume) 측정을 병행하였고, 보다 정교히 고안된 폐결절 처치에 관한 알고리즘을 사용하여, NLST의 결과와 비교하여 낮은 위양성 결과를 보고하였다[81].

표 6-2. Lung-RADS 1.0 분류법[87]

Category	Category Descriptor	Category	Findings	Management	Probability of Malignancy	Estimated Population Prevalence
Incomplete	불충분한 검사	0	Prior chest CT examination(s) being located for comparison	폐암검진 CT를 다시 시행하거나, 이전에 시행한 흉부 CT와 비교.	n/a +	1%
			Part or all of lungs cannot be evaluated			
Negative	결절이 없거나, 확실한 양성결절	1	No lung nodules	12개월 간격의 저선량 CT 폐암검진 지속.	〈 1%	90%
			Nodule(s) with specific calcifications: complete, central, popcorn, concentric rings and fat containing nodules			
Benign Appearance or Behavior	폐암일 확률이 매우 낮은 결절	2	Solid nodule(s): 〈 6 mm new 〈 4 mm			
			Part-solid nodule(s): 〈 6 mm total diameter on baseline screening			
			Non-solid nodule(s) (GGN): 〈 20 mm OR ≥ 20 mm and unchanged or slowly growing			
			category 3 or 4 nodules unchanged for ≥ 3 months			
Probably Benign	폐암일 확률이 낮은 결절이면서 단기 CT 추적검사를 요하는 경우	3	Solid nodule(s): ≥ 6 to 〈 8 mm at baseline OR new 4 mm to 〈 6 mm	6개월 후 저선량 CT.	1-2%	5%
			Part-solid nodule(s) ≥ 6 mm total diameter with solid component 〈 6 mm OR new 〈 6 mm total diameter			
			Non-solid nodule(s) (GGN) ≥ 20 mm on baseline CT or new			
Suspicious	폐암이 의심되어 추가적인 영상검사나 조직검사를 요하는 경우	4A	Solid nodule(s): ≥ 8 to 〈 15 mm at baseline OR growing 〈 8 mm OR new 6 to 〈 8 mm	3개월 후 저선량 CT; 고형부분이 8 mm보다 큰 경우 PET/CT 고려할 수 있음.	5-15%	2%
			Part-solid nodule(s): ≥ 6 mm with solid component ≥ 6 mm to 〈 8 mm OR with a new or growing 〈 4 mm solid component			
			Endobronchial nodule			
		4B	Solid nodule(s) ≥ 15 mm OR new or growing, and ≥ 8 mm	Chest CT, PET/CT, 조직검사 등을 고려. 고형부분이 8 mm보다 큰 경우 PET/CT 고려할 수 있음.	〉 15%	2%
			Part-solid nodule(s) with: a solid component ≥ 8 mm OR a new or growing ≥ 4 mm solid component			
		4X	Category 3 or 4 nodules with additional features or imaging findings that increases the suspicion of malignancy			
Other	폐암은 아니지만 임상적으로 중요한 소견이 있는 경우	S	Modifier - may add on to category 0-4 coding	CT 소견에 따라 적절한 처치.	n/a+	10%
Prior Lung Cancer	이전에 폐암으로 진단되었던 환자가 폐암검진으로 내원한 경우	C	Modifier - may add on to category 0-4 coding	—	—	—

+ n/a: not available

표 6-3. Lung-RADS 1.1 분류법[88]

Category	Category Descriptor	Lung-RADS Score	Findings	Management	Risk of Malignancy	Est. Population Prevalence
Incomplete	불충분한 검사	0	Prior chest CT examination(s) being located for comparison	폐암검진 CT를 다시 시행하거나 이전에 시행한 흉부 CT와 비교.	n/a †	1%
			Part or all of lungs cannot be evaluated			
Negative	결절이 없거나, 확실한 양성결절	1	No lung nodules	12개월 간격의 저선량 CT 폐암검진 지속.	< 1%	90%
			Nodule(s) with specific calcifications: complete, central, popcorn, concentric rings and fat containing nodules			
Benign Appearance or Behavior	폐암일 확률이 매우 낮은 결절	2	Perifissural nodule(s): < 10 mm (524 mm^3)			
			Solid nodule(s): < 6 mm (< 113 mm^3) new < 4 mm (< 34 mm^3)			
			Part solid nodule(s): < 6 mm total diameter (< 113 mm^3) on baseline screening			
			Non solid nodule(s) (GGN): <30 mm (<14137 mm^3) OR ≥ 30 mm (≥ 14137 mm^3) and unchanged or slowly growing			
			Category 3 or 4 nodules unchanged for ≥ 3 months			
Probably Benign	폐암일 확률이 낮은 결절이면서 단기 CT 추적검사를 요하는 경우	3	Solid nodule(s): ≥ 6 to < 8 mm (≥ 113 to < 268 mm^3) at baseline OR new 4 mm to < 6 mm (34 to < 113 mm^3)	6개월 후 저선량 CT.	1-2%	5%
			Part solid nodule(s) ≥ 6 mm total diameter (≥ 113 mm^3) with solid component < 6 mm (< 113 mm^3) OR new < 6 mm total diameter (< 113 mm^3)			
			Non solid nodule(s) (GGN) ≥ 30 mm (≥ 14137 mm^3) on baseline CT or new			
Suspicious	폐암이 의심되어 추가적인 영상검사를 요하는 경우	4A	Solid nodule(s): ≥ 8 to < 15 mm (≥ 268 to < 1767 mm^3) at baseline OR growing < 8 mm (< 268 mm^3) OR new 6 to < 8 mm (113 to < 268 mm^3)	3개월 후 저선량 CT; 고형부분이 8 mm (268 mm^3) 보다 큰 경우 PET/CT 고려할 수 있음.	5-15%	2%
			Part solid nodule(s): ≥ 6 mm (≥ 113 mm^3) with solid component ≥ 6 mm to < 8 mm (≥ 113 to < 268 mm^3) OR with a new or growing < 4 mm (< 34 mm^3) solid component			
			Endobronchial nodule			
Very Suspicious	폐암이 의심되어 추가적인 영상검사나 조직검사를 요하는 경우	4B	Solid nodule(s) ≥ 15 mm (≥ 1767 mm^3) OR new or growing, and ≥ 8 mm (≥ 268 mm^3)	Chest CT, PET/CT, 조직검사 등을 고려. 고형부분이 8 mm (268 mm^3) 보다 큰 경우 PET/CT 고려할 수 있음. 연례 폐암검진 CT에서 새로 생긴 큰 결절에 대해 염증성 병변을 감별하기 위해 1 개월 저선량 CT를 권장 할 수 있음.	> 15%	2%
			Part solid nodule(s) with: a solid component ≥ 8 mm (≥ 268 mm^3) OR a new or growing ≥ 4 mm (≥ 34 mm^3) solid component			
		4X	Category 3 or 4 nodules with additional features or imaging findings that increases the suspicion of malignancy			
Other	폐암은 아니지만 임상적으로 중요한 소견이 있는 경우	S	Modifier – may add on to category 0–4 coding	CT 소견에 따라 적절한 처치.	n/a †	10%

† n/a: not available

참고문헌

1. MacMahon H, Austin JH, Gamsu G, et al; Fleischner Society. Guidelines for management of small pulmonary nodules detected on CT scans: a statement from the Fleischner Society. Radiology. 2005 Nov;237(2):395-400.
2. Naidich DP, Bankier AA, MacMahon H, et al. Recommendations for the management of subsolid pulmonary nodules detected at CT: a statement from the Fleischner Society. Radiology. 2013 Jan;266(1):304-317.
3. MacMahon H, Naidich DP, Goo JM, et al. Guidelines for Management of Incidental Pulmonary Nodules Detected on CT Images: From the Fleischner Society 2017. Radiology. 2017 Jul;284(1):228-243.
4. Gould MK, Donnington J, Lynch WR, et al. Evaluation of individuals with pulmonary nodules: when is it lung cancer? diagnosis and management of lung cancer, 3rd ed: American College of Chest Physicians evidence-based clinical practice guidelines. Chest 2013;143(5 Suppl):e93S–e120S.
5. Hein PA, Romano VC, Rogalla P, et al. Linear and volume measurements of pulmonary nodules at different CT dose levels: intrascan and interscan analysis. Rofo 2009;181(1):24-31.
6. Ashraf H, de Hoop B, Shaker SB, et al. Lung nodule volumetry: segmentation algorithms within the same software package cannot be used interchangeably. Eur Radiol 2010;20(8):1878-1885.
7. de Hoop B, Gietema H, van Ginneken B, Zanen P, Groenewegen G, Prokop M. A comparison of six software packages for evaluation of solid lung nodules using semiautomated volumetry: what is the minimum increase in size to detect growth in repeated CT examinations. Eur Radiol 2009;19(4):800-808.
8. McWilliams A, Tammemagi MC, Mayo JR, et al. Probability of cancer in pulmonary nodules detected on first screening CT. N Engl J Med 2013;369(10):910-919.
9. Horeweg N, van der Aalst CM, Vliegenthart R, et al. Volumetric computed tomography screening for lung cancer: three rounds of the NELSON trial. Eur Respir J 2013;42(6):1659-1667.
10. Horeweg N, van Rosmalen J, Heuvelmans MA, et al. Lung cancer probability in patients with CT-detected pulmonary nodules: a prespecified analysis of data from the NELSON trial of low-dose CT screening. Lancet Oncol 2014;15(12):1332-1341.
11. Samet JM, Avila-Tang E, Boffetta P, et al. Lung cancer in never smokers: clinical epidemiology and environmental risk factors. Clin Cancer Res 2009;15(18):5626-5645.
12. Zhao B, James LP, Moskowitz CS, et al. Evaluating variability in tumor measurements from same-day repeat CT scans of patients with non-small cell lung cancer. Radiology 2009;252(1):263-272.
13. Shin KE, Lee KS, Yi CA, Chung MJ, Shin MH, Choi YH. Subcentimeter lung nodules stable for 2 years at LDCT: long-term follow-up using volumetry. Respirology 2014;19(6):921-928.
14. Gould MK, Fletcher J, Iannettoni MD, et al. Evaluation of patients with pulmonary nodules: when is it lung cancer? ACCP evidencebased clinical practice guidelines (2nd edition). Chest 2007;132(3 Suppl):108S-130S.
15. Soardi GA, Perandini S, Motton M, Montemezzi S. Assessing probability of malignancy in solid solitary pulmonary nodules with a new Bayesian calculator: improving diagnostic accuracy by means of expanded and updated features. Eur Radiol 2015;25(1):155-162.
16. Henschke CI, Yankelevitz DF, Mirtcheva R, McGuinness G, McCauley D, Miettinen OS; ELCAP Group. CT screening for lung cancer: frequency and significance of part-solid and nonsolid nodules. AJR Am J Roentgenol. 2002 May;178(5):1053-1057.
17. Sakurai H, Maeshima A, Watanabe S, et al. Grade of stromal invasion in small adenocarcinoma of the lung: histopathological minimal invasion and prognosis. Am J Surg Pathol. 2004 Feb;28(2):198-206.
18. Borczuk AC, Qian F, Kazeros A, et al. Invasive size is an independent predictor of survival in pulmonary adenocarcinoma. Am J Surg Pathol. 2009 Mar;33(3):462-9.
19. Travis WD, Brambilla E, Noguchi M, et al. International association for the study of lung cancer/american thoracic society/european respiratory society international multidisciplinary classification of lung adenocarcinoma. J Thorac Oncol. 2011 Feb;6(2):244-85.
20. Lee HJ, Lee CH, Jeong YJ, et al. IASLC/ATS/ERS International Multidisciplinary Classification of Lung Adenocarcinoma: novel concepts and radiologic implications. J Thorac Imaging. 2012 Nov;27(6):340-53.
21. Austin JH, Garg K, Aberle D, et al. Radiologic implications of the 2011 classification of adenocarcinoma of the lung. Radiology. 2013 Jan;266(1):62-71.
22. International Agency for Research on Cancer. Minimally invasive adenocarcinoma in WHO Classification of Tumors of the Lung, Pleura, Thymus and Heart. 4th ed. Lyon, France: International Agency for Research on Cancer, 2015.
23. Ujiie H, Kadota K, Chaft JE, et al. Solid predominant histologic subtype in resected stage I lung adenocarcinoma is an independent predictor of early, extrathoracic, multisite recurrence and of poor postrecurrence survival. J Clin Oncol 2015;33(26):2877-2884.
24. Travis WD, Brambilla E, Noguchi M, et al. International Association for the Study of Lung Cancer/American Thoracic Society/European Respiratory So-

ciety international multidisciplinary classification of lung adenocarcinoma. J Thorac Oncol 2011;6(2):244-285.
25. Travis WD, Asamura H, Bankier AA, et al. The IASLC Lung Cancer Staging Project: proposals for coding T categories for subsolid nodules and assessment of tumor size in part-solid tumors in the forthcoming eighth edition of the TNM Classification of Lung Cancer. J Thorac Oncol 2016;11(8):244-285.
26. Kakinuma R, Muramatsu Y, Kusumoto M, et al. Solitary pure ground-glass nodules 5 mm or smaller: frequency of growth. Radiology 2015;276(3):873-882.
27. Aoki T. Growth of pure ground-glass lung nodule detected at computed tomography. J Thorac Dis 2015;7(9):E326-E328.
28. Kobayashi Y, Fukui T, Ito S, et al. How long should small lung lesions of groundglass opacity be followed? J Thorac Oncol 2013;8(3):309-314.
29. Lim HJ, Ahn S, Lee KS, et al. Persistent pure ground-glass opacity lung nodules ¥ 10 mm in diameter at CT scan: histopathologic comparisons and prognostic implications. Chest 2013;144(4):1291-1299.
30. Yankelevitz DF, Yip R, Smith JP, et al. CT screening for lung cancer: nonsolid nodules in baseline and annual repeat rounds. Radiology 2015;277(2):555-564.
31. Hwang IP, Park CM, Park SJ, et al. Persistent pure ground-glass nodules larger than 5 mm: differentiation of invasive pulmonary adenocarcinomas from preinvasive lesions or minimally invasive adenocarcinomas using texture analysis. Invest Radiol 2015;50(11):798-804.
32. Lee HY, Choi YL, Lee KS, et al. Pure groundglass opacity neoplastic lung nodules: histopathology, imaging, and management. AJR Am J Roentgenol 2014;202(3):W224-W233.
33. Lee SM, Park CM, Goo JM, Lee HJ, Wi JY, Kang CH. Invasive pulmonary adenocarcinomas versus preinvasive lesions appearing as ground-glass nodules: differentiation by using CT features. Radiology 2013;268(1):265-273.
34. Silva M, Bankier AA, Centra F, et al. Longitudinal evolution of incidentally detected solitary pure ground-glass nodules on CT: relation to clinical metrics. Diagn Interv Radiol 2015;21(5):385-390.
35. Jin X, Zhao SH, Gao J, et al. CT characteristics and pathological implications of early stage (T1N0M0) lung adenocarcinoma with pure ground-glass opacity. Eur Radiol 2015;25(9):2532-2540.
36. Xiang W, Xing Y, Jiang S, et al. Morphological factors differentiating between early lung adenocarcinomas appearing as pure ground-glass nodules measuring ≤ 10 mm on thin-section computed tomography. Cancer Imaging 2014;14(1):33.
37. Lee SM, Park CM, Goo JM, et al. Transient part-solid nodules detected at screening thin-section CT for lung cancer: comparison with persistent part-solid nodules. Radiology 2010;255(1):242-251.
38. Lee JH, Park CM, Lee SM, Kim H, McAdams HP, Goo JM. Persistent pulmonary subsolid nodules with solid portions of 5 mm or smaller: their natural course and predictors of interval growth. Eur Radiol 2016;26(6):1529-1537.
39. Cohen JG, Reymond E, Lederlin M, et al. Differentiating pre- and minimally invasive from invasive adenocarcinoma using CTfeatures in persistent pulmonary part-solid nodules in Caucasian patients. Eur J Radiol 2015;84(4):738-744.
40. Kim HY, Shim YM, Lee KS, Han J, Yi CA, Kim YK. Persistent pulmonary nodular groundglass opacity at thin-section CT: histopathologic comparisons. Radiology 2007;245(1): 267-275.
41. Saito H, Yamada K, Hamanaka N, et al. Initial findings and progression of lung adenocarcinoma on serial computed tomography scans. J Comput Assist Tomogr 2009;33(1):42-48.
42. Suzuki K, Kusumoto M, Watanabe S, Tsuchiya R, Asamura H. Radiologic classification of small adenocarcinoma of the lung: radiologicpathologic correlation and its prognostic impact. Ann Thorac Surg 2006;81(2):413-419.
43. Hwang EJ, Park CM, Ryu Y, et al. Pulmonary adenocarcinomas appearing as partsolid ground-glass nodules: is measuring solid component size a better prognostic indicator? Eur Radiol 2015;25(2):558-567.
44. Liao JH, Amin VB, Kadoch MA, Beasley MB, Jacobi AH. Subsolid pulmonary nodules: CT-pathologic correlation using the 2011 IASLC/ATS/ERS classification. Clin Imaging 2015;39(3):344-351.
45. Matsuguma H, Mori K, Nakahara R, et al. Characteristics of subsolid pulmonary nodules showing growth during follow-up with CT scanning. Chest 2013;143(2):436-443.
46. Tamura M, Shimizu Y, Yamamoto T, Yoshikawa J, Hashizume Y. Predictive value of one-dimensional mean computed tomography value of ground-glass opacity on highresolution images for the possibility of future change. J Thorac Oncol 2014;9(4):469-472.
47. Lee KH, Goo JM, Park SJ, et al. Correlation between the size of the solid component on thin-section CT and the invasive component on pathology in small lung adenocarcinomas manifesting as ground-glass nodules. J Thorac Oncol 2014;9(1):74-82.
48. International Early Lung Cancer Action Program Investigators, Henschke CI, Yankelevitz DF, et al. Survival of patients with stage I lung cancer detected on CT screening. N Engl J Med 2006;355(17):1763-1771. [Published corrections appear in N Engl J Med 2008;358(17):1875 and N Engl J Med

CHAPTER 06

2008;359(8):877.]

49. Saji H, Matsubayashi J, Akata S, et al. Correlation between whole tumor size and solid component size on high-resolution computed tomography in the prediction of the degree of pathologic malignancy and the prognostic outcome in primary lung adenocarcinoma. Acta Radiol 2015;56(10):1187-1195.
50. Aberle DR, DeMello S, Berg CD, et al; National Lung Screening Trial Research Team. Results of the two incidence screenings in the National Lung Screening Trial. N Engl J Med. 2013 Sep 5;369(10):920-31.
51. National Lung Screening Trial Research Team, Church TR, Black WC, et al. Results of initial low-dose computed tomographic screening for lung cancer. N Engl J Med. 2013 May 23;368(21):1980-91.
52. Xu DM, van der Zaag-Loonen HJ, Oudkerk M, et al. Smooth or attached solid indeterminate nodules detected at aaseline CT screening in the NELSON study: cancer risk during 1 year of follow-up. I. Radiology, 2009;250(1):264-272.
53. van Riel SJ, Sánchez CI, Bankier AA, et al. Observer variability for classification of pulmonary nodules on low-dose CT images and its effect on nodule management. Radiology 2015;277(3):863-871.
54. Matsuguma H, Oki I, Nakahara R, et al. Comparison of three measurements on computed tomography for the prediction of less invasiveness in patients with clinical stage I non-small cell lung cancer. Ann Thorac Surg 2013;95(6):1878-1884.
55. Lindell RM, Hartman TE, Swensen SJ, et al. Five-year lung cancer screening experience: CT appearance, growth rate, location, and histologic features of 61 lung cancers. Radiology 2007;242(2):555-562.
56. Horeweg N, van der Aalst CM, Thunnissen E, et al. Characteristics of lung cancers detected by computer tomography screening in the randomized NELSON trial. Am J Respir Crit Care Med 2013;187(8):848-854.
57. Peters R, Heuvelmans MA, Vliegenthart R, Van Ooijen PM, De Bock GH, Oudkerk M. Prevalence of pulmonary multi-nodularity in CT lung cancer screening and lung cancer probability [abstr]. In: Radiological Society of North America Scientific Assembly and Annual Meeting Program. Oak Brook, Ill: Radiological Society of North America, 2015; 111.
58. Wilson DO, Weissfeld JL, Balkan A, et al. Association of radiographic emphysema and airflow obstruction with lung cancer. Am J Respir Crit Care Med 2008;178(7):738-744.
59. de Torres JP, Bastarrika G, Wisnivesky JP, et al. Assessing the relationship between lung cancer risk and emphysema detected on low-dose CT of the chest. Chest 2007;132(6):1932-1938.
60. Chiles C, Duan F, Amorosa JK, et al. Sex- and gender-linked differences in baseline characteristics of the National Lung Screening Trial [abstr]. In: Radiological Society of North America Scientific Assembly and Annual Meeting Program. Oak Brook, Ill: Radiological Society of North America, 2015; 111.
61. Kwak N, Park CM, Lee J, et al. Lung cancer risk among patients with combined pulmonary fibrosis and emphysema. Respir Med 2014;108(3):524-530.
62. Kobayashi Y, Sakao Y, Deshpande GA, et al. The association between baseline clinicalradiological characteristics and growth of pulmonary nodules with ground-glass opacity. Lung Cancer 2014;83(1):61-66.
63. Oberg M, Jaakkola MS, Woodward A, Peruga A, Prüss-Ustün A. Worldwide burden of disease from exposure to second-hand smoke: a retrospective analysis of data from 192 countries. Lancet 2011;377(9760):139-146.
64. Tamura M, Shimizu Y, Yamamoto T, Yoshikawa J, Hashizume Y. Predictive value of one-dimensional mean computed tomography value of ground-glass opacity on highresolution images for the possibility of future change. J Thorac Oncol 2014;9(4):469-472.
65. Field RW, Steck DJ, Smith BJ, et al. Residential radon gas exposure and lung cancer: the Iowa Radon Lung Cancer Study. Am J Epidemiol 2000;151(11):1091-1102.
66. Gottlieb LS, Husen LA. Lung cancer among Navajo uranium miners. Chest 1982; 81(4):449-452.
67. Lee PN. Relation between exposure to asbestos and smoking jointly and the risk of lung cancer. Occup Environ Med 2001; 58(3):145-153.
68. Lauterstein D, Hoshino R, Gordon T, Watkins BX, Weitzman M, Zelikoff J. The changing face of tobacco use among United States youth. Curr Drug Abuse Rev 2014;7(1):29-43.
69. de Hoop B, van Ginneken B, Gietema H, Prokop M. Pulmonary perifissural nodules on CT scans: rapid growth is not a predictor of malignancy. Radiology 2012;265(2):611-616.
70. Ahn MI, Gleeson TG, Chan IH, et al. Perifissural nodules seen at CT screening for lung cancer. Radiology 2010;254:949-956.
71. Bankoff MS, McEniff NJ, Bhadelia RA, Garcia-Moliner M, Daly BD. Prevalence of pathologically proven intrapulmonary lymph nodes and their appearance on CT. AJR Am J Roentgenol 1996;167:629-630.
72. National Lung Screening Trial Research Team, Aberle DR, Adams AM, Berg, et al. Reduced lung-cancer mortality with low-dose computed tomographic screening. N Engl J Med. 2011 Aug 4;365(5):395-409.
73. Flehinger BJ, Melamed MR, Zaman MB, Heelan RT, Perchick WB, Martini N. Early lung cancer detection: results of the initial (prevalence) radiologic

and cytologic screening in the Memorial Sloan-Kettering study. Am Rev Respir Dis. 1984 Oct;130(4):555-60.
74. Melamed MR. Lung cancer screening results in the National Cancer Institute New York study. Cancer. 2000 Dec 1;89(11 Suppl):2356-2362.
75. Frost JK, Ball WC Jr, Levin ML, et al. Early lung cancer detection: results of the initial (prevalence) radiologic and cytologic screening in the Johns Hopkins study. Am Rev Respir Dis. 1984 Oct;130(4):549-554.
76. Fontana RS, Sanderson DR, Taylor WF, Woolner et al. Early lung cancer detection: results of the initial (prevalence) radiologic and cytologic screening in the Mayo Clinic study. Am Rev Respir Dis. 1984 Oct;130(4):561-565.
77. Fontana RS, Sanderson DR, Woolner LB, et al. Screening for lung cancer. A critique of the Mayo Lung Project. Cancer. 1991 Feb 15;67(4 Suppl):1155-1164.
78. Marcus PM, Bergstralh EJ, Fagerstrom RM, et al. Lung cancer mortality in the Mayo Lung Project: impact of extended follow-up. J Natl Cancer Inst. 2000 Aug 16;92(16):1308-1316.
79. Kubík A, Polák J. Lung cancer detection. Results of a randomized prospective study in Czechoslovakia. Cancer. 1986 Jun 15;57(12):2427-2437.
80. Kubík AK, Parkin DM, Zatloukal P. Czech Study on Lung Cancer Screening: post-trial follow-up of lung cancer deaths up to year 15 since enrollment. Cancer. 2000 Dec 1;89(11 Suppl):2363-2368.
81. NELSON Study Shows CT Screening for Nodule Volume Management Reduces Lung Cancer Mortality by 26 Percent in Men. September 25, 2018. https://wclc2018.iaslc.org/media. Accessed January 30, 2019.
82. Patz EF Jr, Goodman PC, Bepler G. Screening for lung cancer. N Engl J Med. 2000 Nov 30;343(22):1627-33.
83. Oken MM, Hocking WG, Kvale PA, et al; PLCO Project Team. Screening by chest radiograph and lung cancer mortality: the Prostate, Lung, Colorectal, and Ovarian (PLCO) randomized trial. JAMA. 2011 Nov 2;306(17):1865-1873.
84. National Cancer Institute. Lung cancer trial results show mortality benefit with low-dose CT: Twenty percent fewer lung cancer deaths seen among those who were screened with low-dose spiral CT than with chest X-ray [news conference]. November 4, 2010. http: //www.cancer.gov/newscenter/radio-broadcasts. Accessed November 4, 2010.
85. National Lung Screening Trial Research Team, Aberle DR, Berg CD, et al. The National Lung Screening Trial: overview and study design. Radiology. 2011 Jan;258(1):243-253.
86. Bach PB, Mirkin JN, Oliver TK, et al. Benefits and harms of CT screening for lung cancer: a systematic review. JAMA. 2012 Jun 13;307(22):2418-2429.
87. American College of Radiology. Lung CT Screening Reporting and Data System (Lung-RADS), 2014. https://www.acr.org/-/media/ACR/Files/RADS/Lung-RADS. Accessed January 30, 2019.
88. https://www.acr.org/Clinical-Resources/Reporting-and-Data-Systems/Lung-Rads. Accessed June 25, 2019.

Contents

폐암은 전세계적으로 발병빈도가 가장 높은 암 중의 하나로, 암으로 인한 사망의 가장 흔한 원인이다. 폐암은 60대 이상 고령에서 가장 많이 발생하고 40세 이전에 발생하는 경우는 드물다. 수술, 항암요법 및 방사선치료 등의 적극적인 치료에도 불구하고 폐암의 예후는 좋지 않으며, 폐암 5년생존율이 15-20% 정도에 불과하다. 폐암은 이미 수술이 불가능한 시기에 발견되는 경우가 많으며, 비소세포폐암의 약 20-30% 정도만이 수술 가능한 I-IIIA병기에서 진단된다. 폐암 5년생존율은 조기 폐암은 50-70% 정도이고 원격전이가 된 경우는 5% 정도이다. 최근에 상피세포 성장인자 수용체 억제제(epidermal growth factor receptor tyrosine kinase inhibitor, EGFR-TKI) 등의 표적치료제 및 암세포와 면역세포가 결합하는 면역관문(immune checkpoint)인 CTLA-4와 PD-1을 차단하는 면역치료제로 폐암생존율을 증가시킨 임상연구 결과들이 보고되고, 저선량CT (low-dose CT)를 이용한 폐암 조기진단으로 폐암사망률을 감소시키고 조기폐암으로 병기이동이 가능하여 폐암 생존 향상을 기대하고 있다.

I 폐암의 조기검진

흉부X선과 객담검사로 폐암검진을 시행한 연구들은 폐암사망률을 감소시키지 못했고, 이에 따라 폐암검진을 권고하지 않았다. 저선량CT는 흉부X선에 비해 폐암 발견율이 높다(그림 7-1). 미국(National Lung Screening Trial, NLST)에서 약 5만 명의 30갑년 이상의 흡연력이 있고 금연한 지 15년 이내인 현재 혹은 과거 흡연자로 55-74세인 고위험군을 대상으

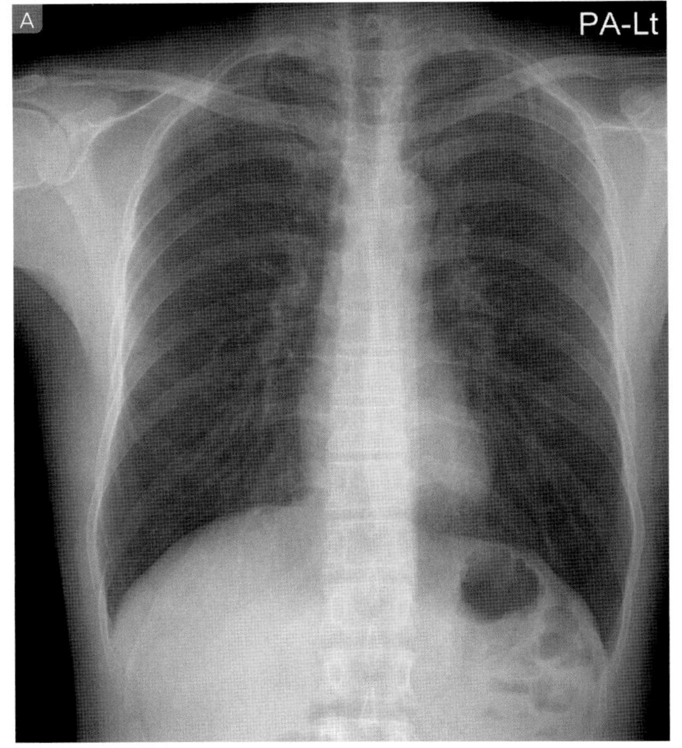

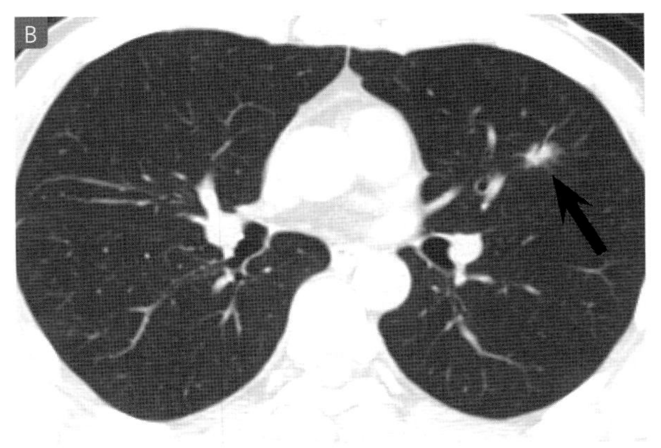

■ 그림 7-1. **저선량CT로 조기검진을 시행한 무증상의 55세 수검자**
흉부X선(A)은 정상소견이다. 저선량CT(B)에서 좌상엽에 약 1 cm 크기의 주변에 약간의 간유리음영이 동반된 부분고형결절이 보인다(화살표). 침습선암 제I병기로 진단되었다.

로 대규모 무작위 대조군 폐암검진연구를 시행하였다. 흉부X선을 촬영한 대조군과 비교하여 저선량CT군에서 폐암사망률은 20%, 전체 사망률은 6.7%가 감소하였다[1]. NLST의 결과를 근거로 미국 및 유럽의 학회에서 저선량CT로 폐암검진을 권고하고 있고, 최근 부피측정을 이용한 저선량CT로 폐암검진을 시행한 NELSON 연구도 검진을 시행하지 않은 관찰군에 비해 폐암사망률이 감소함을 발표하였다. 중등도위험군이나 저위험군에서 폐암검진의 유용성이 증명된 바 없고, 현재까지는 폐암검진을 권고하지 않는다.

그러나, 저선량CT에서 발견되는 결절은 90% 이상이 양성결절로 위양성율이 매우 높고, 이를 감별하기 위해 추적검사 또는 불필요한 침습적 검사를 시행하게 되며, 이에 따른 의료비용상승, 검사에 따른 합병증, 방사선노출 등은 폐암검진의 위해이다. 폐암이 있지만 이를 진단하지 못하는 위음성, 치료해도 소용없는 진행이 매우 빠른 폐암을 진단하거나 수검자의 생명과 관계없는 매우 천천히 자라는 폐암을 발견하게 되는 과잉진단 및 불안감 등도 고려해야 할 위해이다. 또한, 폐암검진을 광범위하게 도입하였을 때, 검사의 질을 높게 유지하는 것도 숙제이다. 폐암검진으로 조기폐암을 발견하는 것도 중요하지만, 폐암예방에 있어서 가장 중요한 것은 금연이다.

II 폐암의 위험원인과 임상소견

폐암발생의 80-90%는 흡연이 원인이다. 흡연자에서 폐암의 위험도는 비흡연자와 비교하여 20배나 증가한다. 하루 흡연량과 흡연기간이 길수록 위험이 증가하며 현재 흡연자의 위험이 가장 높고, 흡연과 폐암발생의 잠복 기간(latency)은 대략 20년 정도이다. 다른 위험인자로는 간접흡연, 라돈을 포함한 방사선, 비소, 크로뮴, 니켈, 석면, 타르나 숯 등의 직업 노출, 실내 및 실외의 대기오염이 있다. 임상인자로는 고령, 남자, 가족력, 폐쇄성폐질환, 결핵, 진폐증, 간질폐질환, 전신경화증 등의 폐질환과 실리카 가루에 노출된 직업력, HIV 감염 등이 있다[2].

폐암은 비흡연자에서도 발생하며, 폐암사망자의 약 20% 정도가 비흡연자인 것으로 추정된다. 비흡연자 폐암의 상당수에서 EGFR 변이가 있고, 이는 아시아인 및 여성에서 더 흔하다. 폐암은 무증상일 때 발견되기도 하지만 증상이 생겨 발견되는 경우가 많고, 대부분 진행된 상태에서 발견된다. 가장 흔한 증상은 기침, 호흡곤란이며 그 외, 체중감소, 흉부통증, 객혈, 뼈 통증, 피로감, 연하장애, 천명(쌕쌕 거리는 소리)이 있다. 전이를 의심할 수 있는 증상은 4.5 kg 이상의 체중감소, 식욕저하, 피로감, 뼈로 전이된 경우 뼈통증, 신경증상으로 두통, 실신, 발작, 사지 쇠약, 최근 정신상태의 변화 등이 있다. 이학적검사에서 쇄골상림프절비대, 쉰소리, 상대정맥증후군, 뼈압통, 간비대, 국소신경증상, 유두부종(papilledema), 연부조직종괴 등이 있다[3].

III 폐암의 분류: 세계보건기구 분류(2015)

폐암은 임상적으로 간단히 비소세포폐암과 소세포폐암으로 분류하며 비소세포폐암이 약 80-85%, 소세포폐암이 약 15-20%를 차지한다. 비소세포폐암에는 선암, 편평세포암, 대세포암이 있다. 선암이 좀 더 흔한 형으로 편평세포암은 감소하는 추세로, 이는 담배의 변화에 따라 깊은 흡입으로 폐의 변연부에 생기는 선암이 증가하였기 때문이다. 비소세포암은 종양성장을 유도하는 유전적 변이에 따라 분류하고, 다른 조직형의 종양은 비교적 드물다. 선암은 병리학적, 방사선학적, 임상범위가 매우 다양하고 분자변이 소견이 치료와 예후에 중요하며, 이에 따라 2011년 세계폐암연구회(IASLC), 미흉부학회(ATS), 유럽호흡기학회(ERS)의 국제다학협의회에서 폐선암을 새로 분류하였고, 2015 세계보건기구분류에 이를 반영하였다. 현재는 2015년 세계보건기구 분류(표 7-1)를 사용한다[4].

IV 폐암의 CT소견

1. 조직학형태에 따른 폐암 및 CT 소견

1) 선암(adenocarcinoma)

선암은 폐암의 약 3분의 1을 차지하며 편평세포암보다 발생빈도가 높다. 선암은 약 60-70% 정도가 말초성 종양이다. 조직학적으로 샘(gland)과 유두형 구조물(papillary structure)을 형성하거나 점액분비를 보이는 특징이 있다. 표적치료를 위한 분자유전검사를 위해 적은 양의 샘플이라도 조직핵심(core)과 세포블록으로 분자돌연변이검사를 시행한다. 선암에서 EGFR 돌연변이는 EGFR-TKI (erlotinib, gefitinib 등)에 대한 치료 반응을 예측하는데 매우 중요하며, 여자, 비흡연자, 아시아, 비점액성 선암에서 흔히 발견된다. EGFR 돌연변이는 분화가 나쁜 선암보다는 좋거나 중등도인 선암에서 더 흔하고, 침습점액선암에서는 보이지 않는다. 표적 치료제에 대해 결국 내성이 생기며 그 기전으로 EGFR-TK domain의 돌연변이(T790M 돌연변이)획득 및 c-MET 유전자 증폭 등이 밝혀졌다. KRAS 돌연변이는 선암에서 다양하게 발견되며 비아시아인, 흡연자와 침습점액선암에서 주로 보인다. 이는 유두형의 3%, 고형의 10-30%, 미세유두형의 33%, 침습점

표 7-1. 2015년 세계보건기구 폐암 분류(상피종양 일부)

선암(Adenocarcinoma)
우세형(predominant) 레피딕(lepidic), 세엽형(acinar), 유두형(papillary), 미세유두형(micropapillary), 고형(solid)
변종(variants) 침습점액(invasive mucinous), 교질형(colloid), 태아형(fetal), 장형(enteric)
최소침습선암(minimally invasive adenocarcinoma) 비점액성(nonmucinous), 점액성(mucinous)
침습전병변(preinvasive lesions) 비전형선증식(atypical adenomatous hyperplasia) 상피내선암(adenocarcinoma in situ): 비점액성, 점액성
편평세포암(Squamous cell carcinoma)
각화(keratinizing), 비각화(nonkeratinizing), 기저(basaloid)
침습전병변: 상피내편평세포암(squamous cell carcinoma in situ)
신경내분비종양(Neuroendocrine tumors)
소세포암(small cell carcinoma)
대세포신경내분비암(large cell neuroendocrine carcinoma)
카르시노이드종양(carcinoid tumors) 전형카르시노이드종양(typical carcinoid tumor) 비전형카르시노이드종양(atypical carcinoid tumor)
침습전병변: 미만성특발폐신경내분비세포증식(diffuse idiopathic pulmonary neuroendocrine cell hyperplasia)
대세포암(Large cell carcinoma)
선편평세포암(Adenosquamous carcinoma)
육종양암종(Sarcomatoid carcinomas)
다형성암(pleomorphic carcinoma) 방추체세포암(spindle cell carcinoma) 거대세포암(giant cell carcinoma) 암육종(carcinosarcoma) 폐모세포종(pulmonary blastoma)

액선암의 80-100%에서 보인다. EGFR과 KRAS 돌연변이는 사실상 상호 배타적이며, EGFR/KRAS 돌연변이가 음성이면 EML4-ALK 융합이 발견되기도 한다. EML4-ALK는 선암의 약 5%에서 발견되며 젊은 나이, 남자, 비흡연자 또는 경미한 흡연자에서 보이고 crizotinib 치료에 반응한다[5].

선암에서 세기관지폐포암종(bronchioloalveolar cell carcinoma, BAC)과 혼합아형(mixed subtype) 선암이라는 용어는 더이상 사용하지 않고, 폐포벽을 따라 자라는 비침습적 성장을 레피딕(lepidic)이라 부른다. 선암의 영상소견(표 7-2)은 조직형에 따라 다양하다. 비전형선증식(atypical adenomatous hyperplasia, AAH)은 일반적으로 크기가 5 mm 이하이

표 7-2. 폐선암의 조직병리분류에 따른 CT 소견

Noguchi 형	WHO 2004	WHO 2015	가장 흔한 CT 소견
	AAH BAC (점액성, 비점액성과 혼합 형태 혹은 부정형)	AAH 상피내선암	순수간유리결절, 부분고형결절
A. 국소성 BAC			
B. 폐포허탈이 있는 국소성 BAC			
C. 활동성 섬유모세포 증식이 있는 국소성 BAC	선암, 혼합아형(BAC 성분 우세)	최소침습선암	순수간유리결절, 부분고형결절
		레피딕우세선암(비점액성)	부분고형결절, 고형결절
		침습점액선암	부분고형결절(주로 고형성분), 고형결절, 폐경결
D. 분화가 나쁜	선암, 혼합아형(우세한 BAC 형태가 없는 형)	침습선암, 우세한 아형에 따라 분류	부분고형결절(주로 고형성분) 고형결절
E. 관상형(tubular)			
F. 유두형			

AAH (atypical adenomatous hyperplasia): 비전형선증식
BAC (bronchioloalveolar cell carcinoma): 세기관지폐포암종

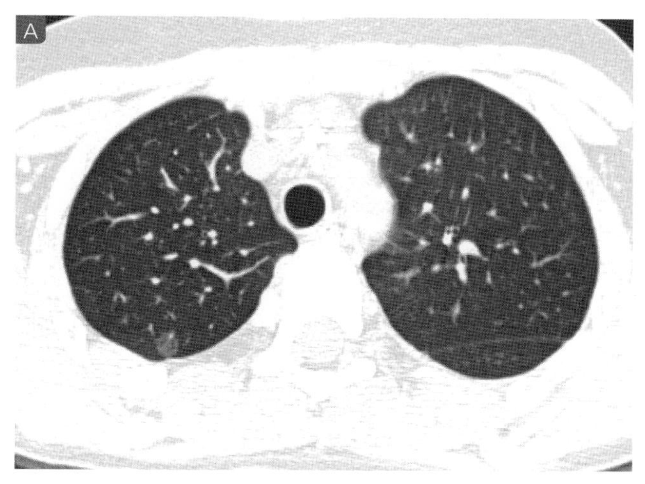

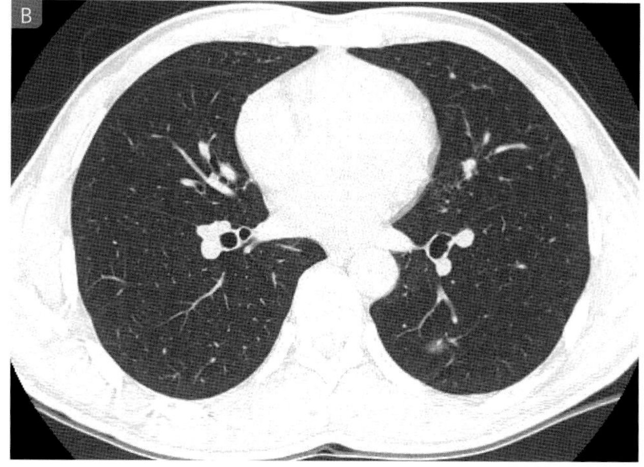

■ 그림 7-2. **침습전 병변**
9세 림프종환아에서 우상엽에 위치한 약 1 cm 크기의 순수간유리결절은 비전형선증식으로 진단되었다(A). 48세 남자에서 좌하엽에 위치한 약 1.1 cm 크기의 순수간유리결절은 비점액성상피내선암으로 진단되었다(B). 상피내선암이 비전형선증식에 비하여 조금 더 불투명하게 보인다.

다. 매우 천천히 자라며 순수간유리결절로 보인다. 상피내선암(adenocarcinoma in situ, AIS)은 3 cm 이하의 침습전선암으로 종양세포가 폐포벽을 따라 자라며 침습 부분이 없고, 대부분 비점액성(non-mucinous)이다. CT에서 대부분 간유리음영으로 보이며 천천히 자란다. 비전형선증식 및 상피내선암은 폐암 생존율이 100%이다. 얇은 절편CT에서 상피내선암은 비전형선증식에 비해 좀더 불투명(그림 7-2)하게 보이는 경향이 있다. 결절이 빨리 커지거나(일 년에 두 배 이상 증

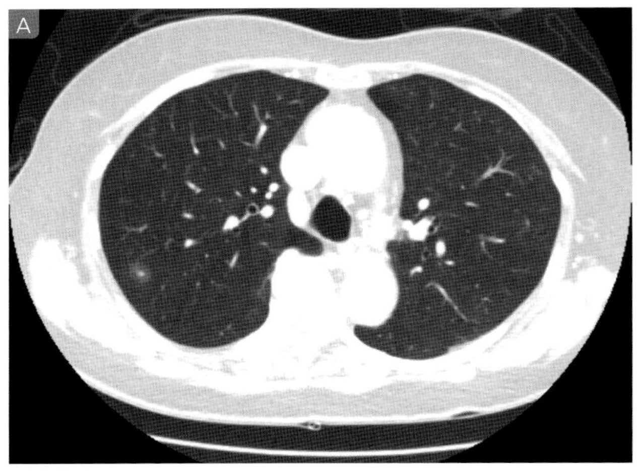
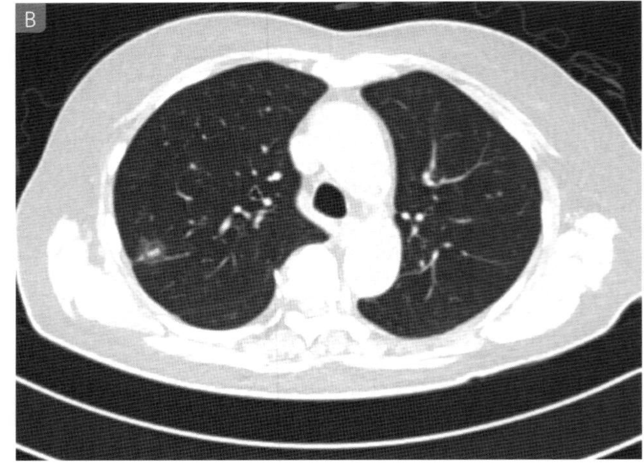

■ 그림 7-3. **침습전선암이 침습선암으로 진행**
71세 여자에서 우상엽에 고형성분 2 mm 크기인 전체 크기 11 mm 크기의 부분고형결절(A)이 있다. 5년 후 고형성분이 약 7 mm 로 전체 크기는 약 15 mm 로 크기 증가하였다. 우상엽 절제를 시행하였고 레피딕선암으로 진단되었다.

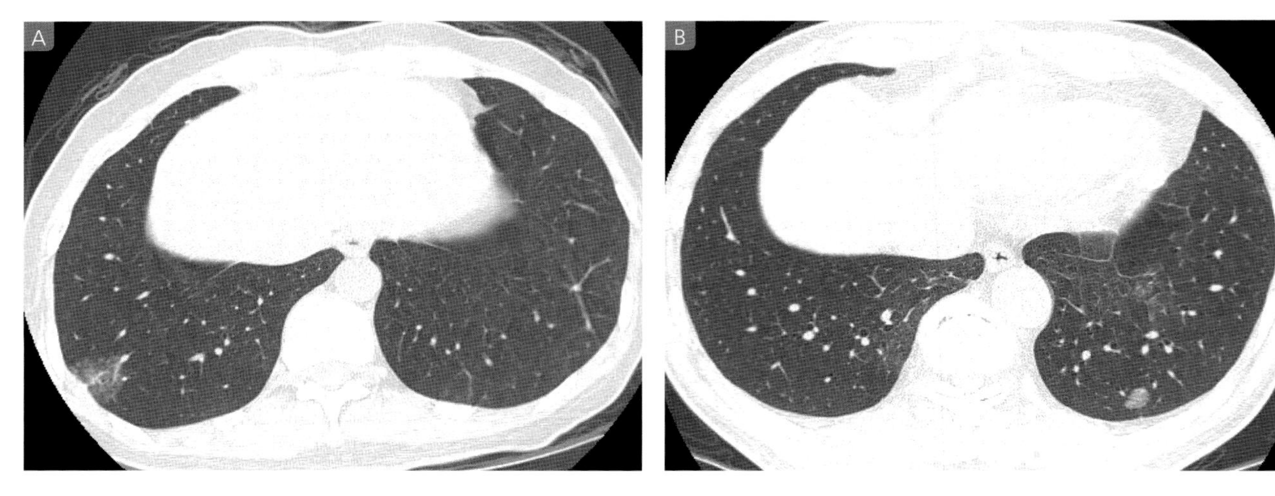

■ 그림 7-4. **비점액성최소침습선암**
49세 여자에서 우하엽에 위치한 약 2.5 cm 크기의 부분고형결절로 간유리음영 내부에 5 mm 미만의 고형부분이 보인다(A). 67세 남자에서 좌하엽에 위치한 약 1.2 cm 크기의 순수간유리결절로 조금 진한 음영을 보인다(B).

가), 감쇄(attenuation)가 증가하거나 고형부분이 생기면 침습선암으로 진행(그림 7-3) 하는 것으로 생각한다. 최소침습선암(minimally invasive adenocarcinoma, MIA)은 3 cm 이하의 크기로 레피딕 성장을 보이며 침습부위가 5 mm 이하인 선암을 말하며 대부분 비점액성이다. 완전히 절제하였을 때 5년생존율이 거의 100%이다. 조직병리상 정의가 쉽지 않고 크기와 성장률에 대해서 알려진 바는 적지만, CT에서 주로 부분고형결절로 보이며, 고형부분은 5 mm 이하(그림 7-4)의 크기이다.

혼합아형(mixed subtype)이라는 용어는 더이상 사용하지 않고, 침습선암의 아형으로 레피딕(lepidic, 비늘모양), 세엽형(acinar), 유두형(papillary), 고형(solid), 미세유두형(micropapillary) 중 가장 우세한 형태로 분류한다(표 7-1). 침습 부분

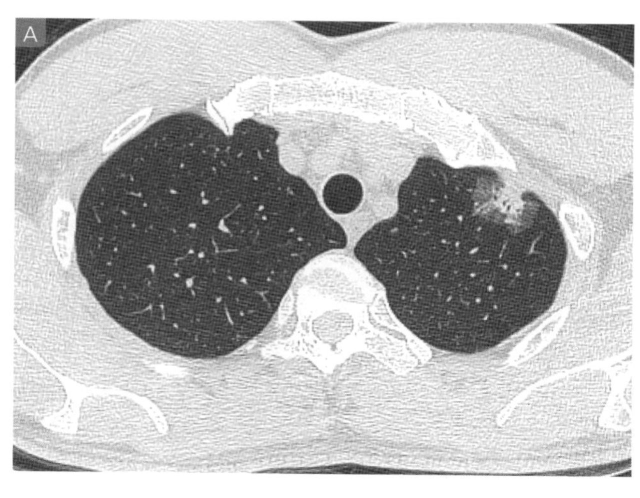

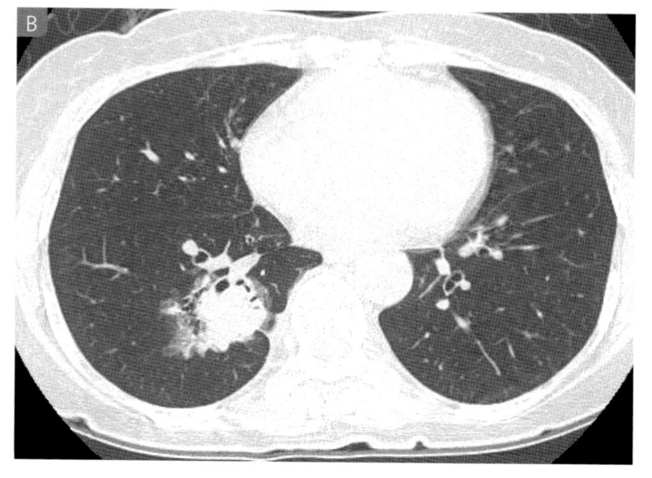

■ 그림 7-5. **침습선암**
49세 남자에서 좌상엽에 3 cm 크기의 부분고형결절이 있으며 고형부분이 약 1.2 cm 크기로 레피딕선암으로 진단되었다(A). 53세 여자에서 우하엽에 약 4.7 cm 크기의 종괴가 있고 종괴의 변연부에 간유리음영이 동반되어 있다. 유두형선암으로 진단되었다(B).

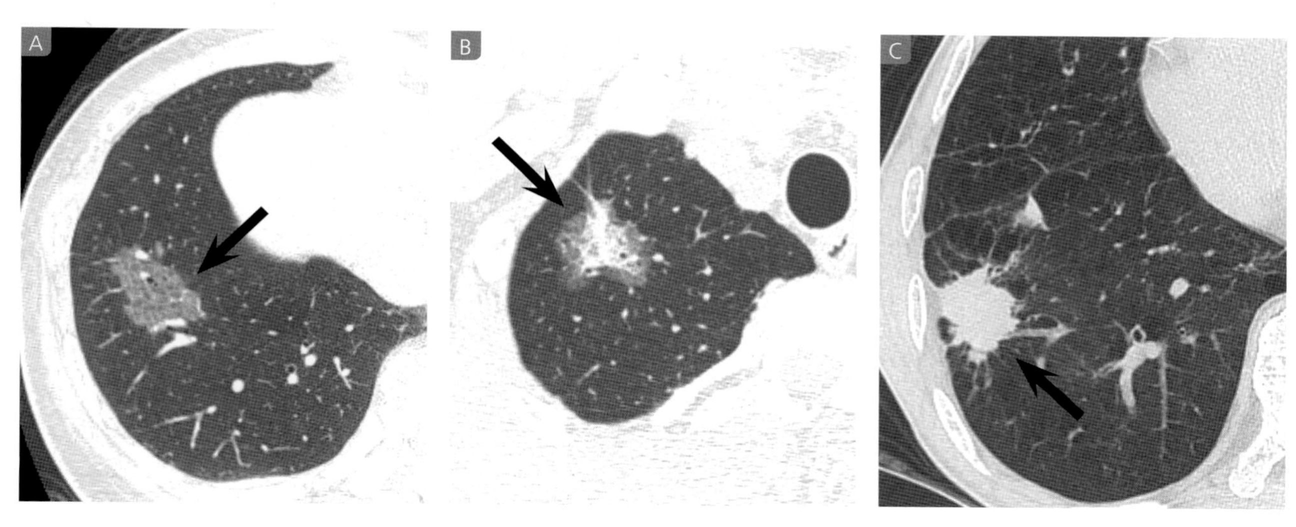

■ 그림 7-6. **결절형 선암**
우하엽에 순수간유리결절이 있다(화살표)(A). 우상엽에 간유리음영 내부에 고형성분이 있는 부분고형결절이 있다(화살표)(B). 우하엽에 침상 및 분엽상 경계의 고형결절이 있다(화살표)(C).

이 5 mm 초과이고, 레피딕 우세형태라면 레피딕선암으로 분류한다. 미세유두형은 다른 형태에 비하여 예후가 나쁘다[6,7]. 비점액성 레피딕선암은 비늘모양의 비점액성 성장이 우세하고 CT에서 대부분 부분고형 병변이나 간유리 병변일 수도 있고 종종 낭성성분을 보인다. 다른 형태의 선암은 CT에서 대부분 침습성분으로 주로 고형병변이지만 약간의 레피딕 성분이 있다면 간유리음영이 있을 수도 있다(그림 7-5).

선암은 간유리결절에서부터 고형종괴, 폐경화에 이르기까지 CT 소견이 다양하다(그림 7-6~10). 부분고형결절은 간유리 부분이 많으면(50% 이상) 예후가 좋다. 부분고형결절은 전체크기보다는 고형부분의 크기가 예후와 상관 있다. 결절이나 종괴는 종종 공기기관지조영상(그림 7-7), 열린기관지징후, 침상 경계, 흉막꼬리(그림 7-8) 등의 소견을 보인다. 거

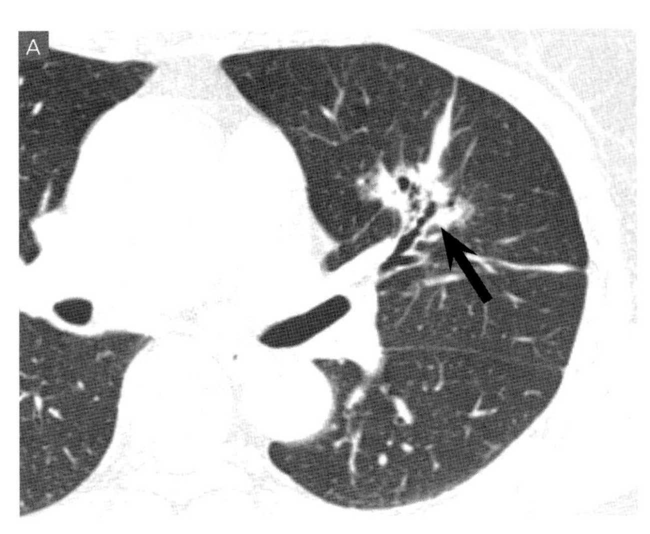

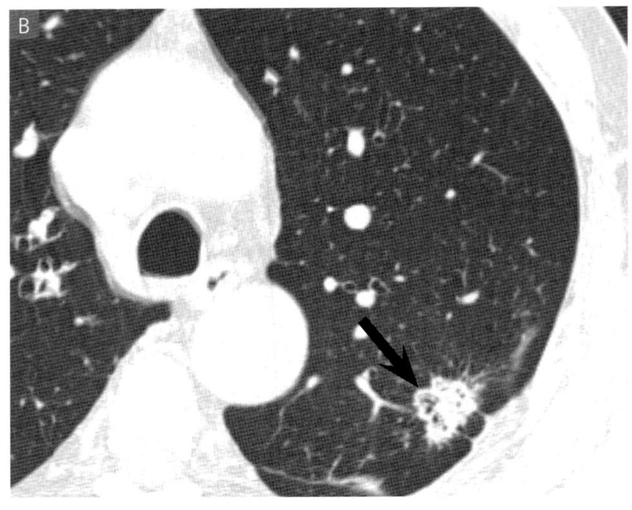

■ 그림 7-7. **악성결절에서 공기조영**
공기기관지조영상 및 열린기관지징후 소견으로 결절내로 기관지모양의 공기음영이 있거나 결절 내부로 향하는 열린 기관지가 보인다(화살표)(A). 공기폐포조영상으로 분엽상 및 침상 경계의 결절 내부에 공기음영의 직경이 5 mm 이하로 보이며 이를 거품음영 혹은 거짓공동이라고 부른다(화살표)(B).

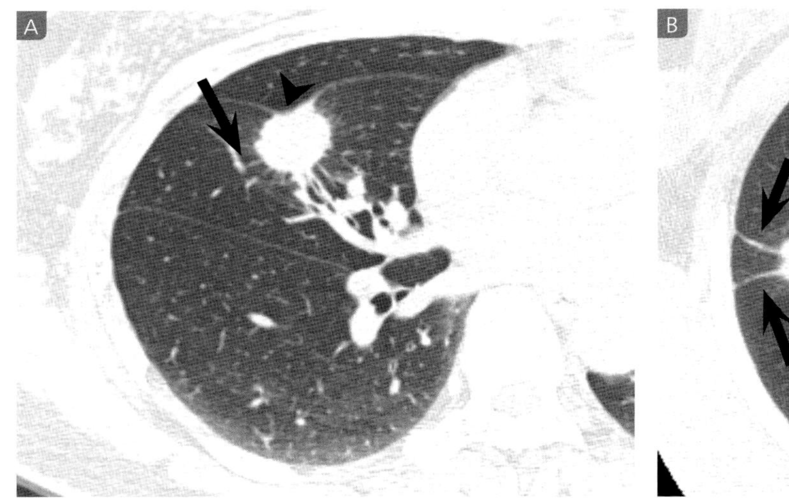

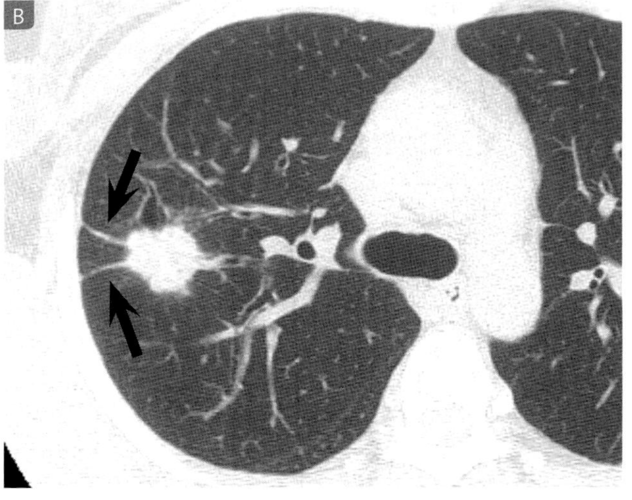

■ 그림 7-8. **악성결절의 모양 및 경계**
우중엽의 결절은 소엽상 및 침상 변연(화살표)을 보이고 및 엽간을 끌어당기고(화살촉) 있다(A). 우상엽의 결절에서부터 장측흉막으로 뻗는 선상 음영(화살표)이 보이며 이를 흉막꼬리 혹은 꼬리징후라고 한다(B).

품음영이나 낭성음영이 보이면 분화가 좋은 선암일 가능성이 있고(그림 7-7), 흉막견축(pleural retraction)이 없으면 예후가 좋은 편이다. 침상 두께가 2 mm 이상이면 림프절전이 및 혈관침습의 가능성 있고, 수술 후 생존율 감소와 관련 있다. 패임(notch)이 있거나 오목한 고형 선암은 조직학적으로 분화가 나쁘며 예후도 좋지 않다[7]. 추적검사에서 폐암의 크기가 감소하기도 하며 이는 측정 오차일 수도 있지만, 폐포허탈이나 섬유화에 의한 견축 때문에 생기는 현상으로, 추적검사에서 일시적으로 크기가 감소하였다 하더라도 폐암을 배제해서는 안 된다. 선암은 말초성 결절이나 종괴의 형태뿐 아

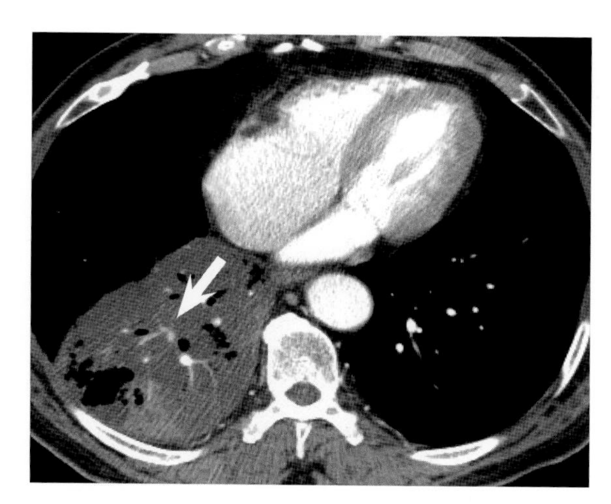

■ 그림 7-9. **침습점액선암**
침습점액선암으로 확진된 폐경화형폐암으로 우하엽에 점액성 물질에 의해 저감쇄를 보이는 폐경화 내부에 늘어난 공기기관지조영상이 있고 CT혈관조영징후를 보인다(화살표).

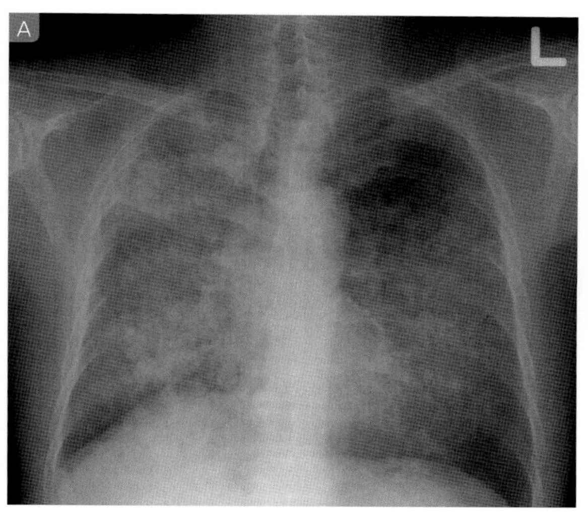

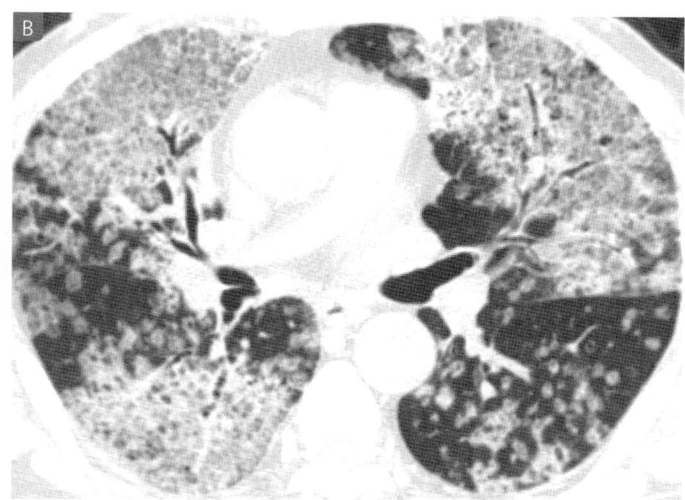

■ 그림 7-10. **미만성침습점액선암**
68세 남자환자의 흉부X선(A)에서 양측 폐야에 폐경화 및 간유리음영이 미만성으로 보인다. CT(B)에서 양측 폐에 간유리음영이 보이며 좌하엽에는 공동을 보이는 작은 결절들이 흩어져 있다.

니라 중심성 또는 기관지내 종양으로 나타나기도 하며 드물게는 중피종(mesothelioma)처럼 미만성흉막비후의 소견을 보이기도 한다.

점액세기관지폐포암종(mucinous bronchioloalveolar carcinoma)으로 불리던 선암은 침습점액선암(invasive mucinous adenocarcinoma)으로 분류한다. 풍부한 첨부점액과 작은 기저부 쪽으로 핵이 위치한 키가 큰 원주세포로 구성된 점액성 종양세포가 비점액성 선암과의 감별점이다. 중심소엽성 혹은 기관지중심에 위치하는 경향을 보이며 하엽에 호발한다. 종양의 대부분이 레피딕 성장을 보이지만 주로 침습 성분이고, 부분고형 혹은 고형 결절 형태부터 폐엽을 대치하는 폐경화형까지 매우 다양한 소견을 보인다. 점액 성분에 의해서 주변 근육보다 낮은 감쇄를 보이는 균일한 폐경화로 조영증강 후에 혈관이 잘 보이는 CT혈관징후(그림 7-9)를 보인다. 단일성 또는 다발성일 수 있고, 다발성인 경우 양측 폐야에 미만성(그림 7-10)으로 보인다.

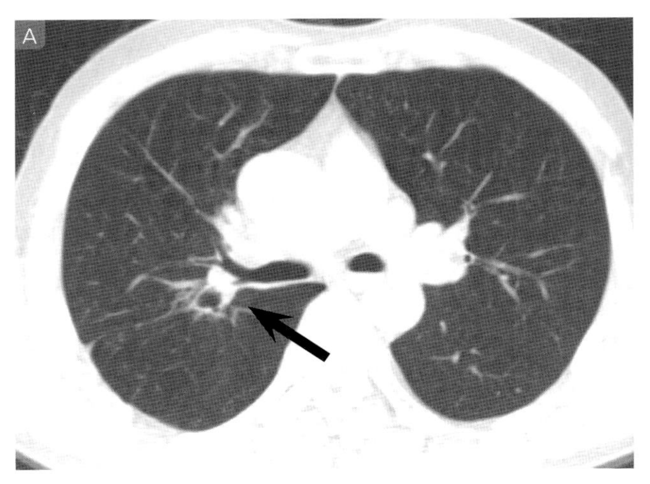

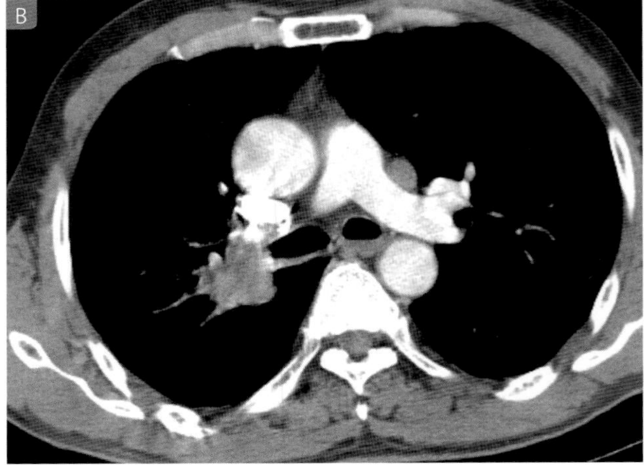

■ 그림 7-11. **편평세포암**
52세 남자의 저선량CT(A)에서 발견되었으며 우상엽 후분절기관지의 벽이 두꺼워져 있다(화살표). 6개월 후 객혈을 주소로 내원하였고 CT(B)에서 우상엽에 종괴가 보인다(화살표).

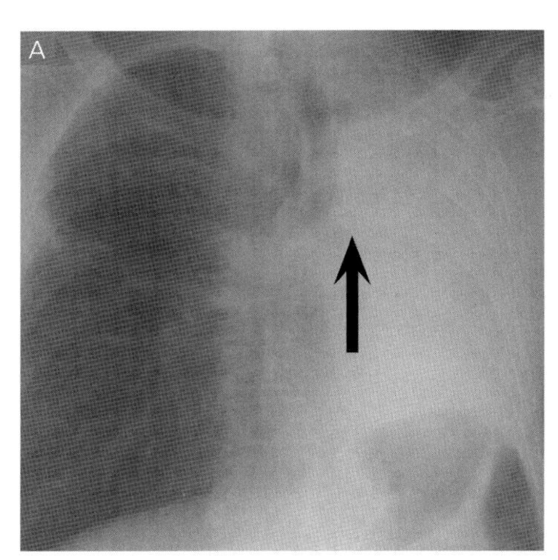

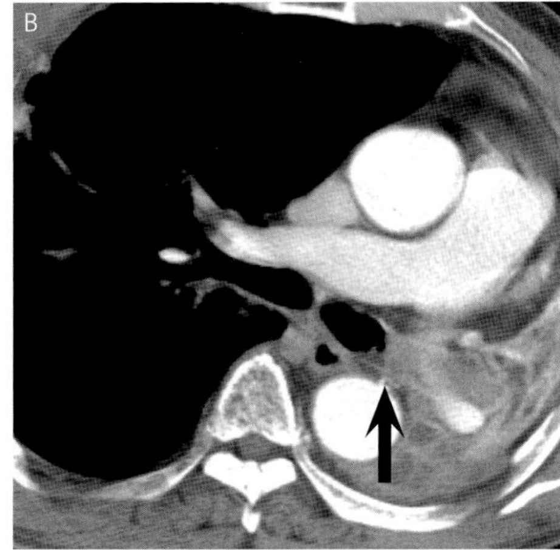

■ 그림 7-12. **편평세포암**
77세 남자의 흉부X선(A)에서 좌측 주기관지가 막혀 있으며(화살표) 좌측 전폐야의 음영이 증가되어 있고 종격이 좌측으로 이동되어 있다. CT(B)에서 좌측 주기관지를 막는 종괴가 있고(화살표) 무기폐가 동반되어 있고 부피감소로 종격이 좌측으로 이동되어 있다.

2) 편평세포암(squamous cell carcinoma)

폐암의 약 20-30%를 차지하며, 대개 고령의 남자에서 발생하며 흡연과 밀접한 관련이 있다. 조직학적으로 기관지상피에서 기원한 각화(keratinization) 혹은 세포간교(intercellular bridges)를 보인다. 면역조직화학염색에서 p40, p63, CK5, 또는 CK5/6, desmoglein 발현을 보인다. 편평세포암의 경우 bevacizumab의 치료에 심각한 출혈을 일으킬 수 있으므로 조직학적 감별이 반드시 필요하다. 약 65% 정도는 폐중심부에 위치하며 처음에는 기관지벽에만 국한(그림 7-11)되어 발견이 어렵다. 이러한 경우, 영상에서 잘 보이지 않더라도 객담세포검사에서 악성세포가 발견된다. 편평세포암은 분절이나 엽기관지에 주로 위치하며, 종종 종양이 점막하나 기관주위 결체조직을 침범하는 동시에 기도강내로 확산된다. 병이 진행함에 따라 기관지폐쇄에 의해 무기폐(그림 7-12)가 보인다. 무기폐의 정도는 원발종양의 기관지내 위치에 따라 달라지며 허탈 된 폐에 둘러싸여 원발종괴가 잘 보이지 않는 경우가 많다. 폐쇄된 기관지원위부가 감염된 경우 폐쇄성폐렴

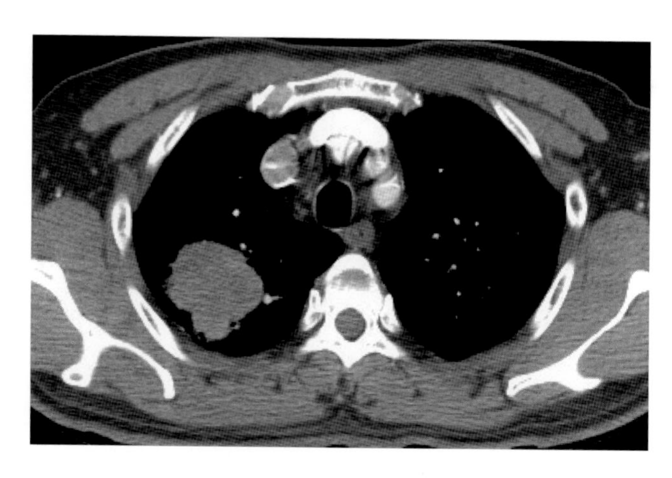

■ 그림 7-13. **대세포암**
54세 남자환자에서 우상엽에 분엽상 경계를 보이는 약 4.3 cm 크기의 종괴가 있으며 대세포암으로 진단되었다.

이라 한다. 폐암발생위험이 있는 성인에서 폐렴은 완전히 없어질 때까지 추적검사 하여야 하며, 재발성 폐렴은 기관지내 병변을 배제하기 위해 기관지내시경을 시행해야 한다. 편평세포암의 약 30% 정도는 말초성 폐에 위치하며 진단초기에 커다란 종괴로 발견되기도 하고 약 5%에서 공동을 형성한다.

3) 선편평세포암(adenosquamous cell carcinoma)

선편평세포암은 폐암의 약 0.4-4% 정도를 차지하고, 10% 이상의 악성 샘과 편평세포 성분으로 구성되어 있을 때 진단한다. 선암이나 편평세포암보다 예후가 나쁘다.

4) 대세포암(large cell carcinoma)

전체 폐암의 약 5-10%를 차지하며 육안적으로 커다란 괴사성 종괴이고 조직학적으로 소포성(vesicular) 핵과 현저한 핵소체가 있는 커다란 다각형세포의 판과 둥지로 보인다. 편평세포나 샘세포가 보여서는 안되고 다른 특정한 세포형을 배제한 후 진단해야 한다. 주로 말초형 큰 고형 종괴(그림 7-13)로 불규칙한 경계를 보이며 빨리 자라고 조기에 전이한다.

5) 신경내분비암(neuroendocrine tumor)

신경내분비암에는 소세포암, 대세포신경내분비암(large cell neuroendocrine carcinoma), 전형카르시노이드종양, 비전형카르시노이드종양이 포함되고, 침습전병변인 미만성특발폐신경내분비세포증식(diffuse idiopathic pulmonary neuroendocrine cell hyperplasia, DIPNEC)이 포함된다. 카르시노이드 종양은 다른 장기에서 발생하는 병변과 유사한 형태이고, 소세포암 및 대세포신경내분비암은 임상적으로 좀더 공격적인 경과를 보이며, 병리학적으로 높은 유사분열율(10배 고배율에서 11개 이상)을 보인다.

(1) 소세포폐암(small cell lung carcinoma)

소세포폐암은 폐암의 약 15% 정도를 차지하며 최근 감소하는 추세이다. 남자에서 약 4배 정도 호발하며, 진단 시 평균연령은 60세로 거의 모든 환자에서 흡연과 관련 있다. 예후가 가장 나쁘고 진단 당시 약 60-70%에서 혈행성전이를 보인다. 쿨치스키형세포(Kulchitsky type cell)에서 기원하며 주기관지나 엽기관지 같은 근위부 기도에서 주로 생긴다. 신경내

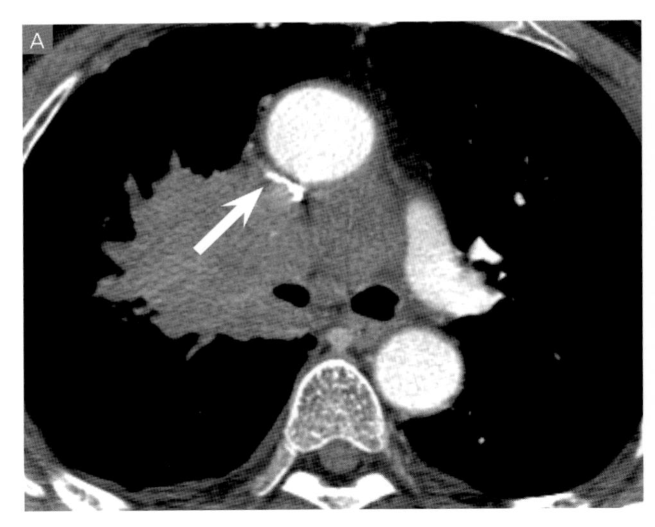

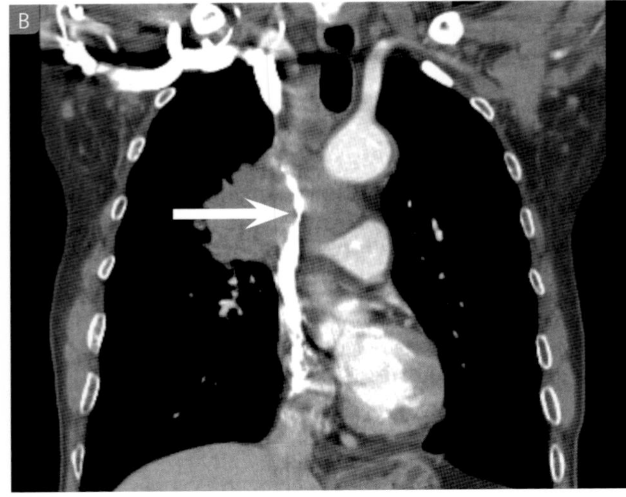

■ 그림 7-14. **소세포폐암**
70세 남자환자에서 진단된 소세포폐암으로 CT(A)에서 우상엽에 종괴가 있고 종격림프절과 서로 뭉쳐 상대정맥을 침범하고 있다(화살표). 관상면 영상(B)에서 종괴가 상대정맥을 압박하고 있다(화살표).

분비성 분화를 하며 신생물딸림증후군(paraneoplastic syndrome)을 유발하여 쿠싱증후군 혹은 항이뇨호르몬과다분비증후군으로 악성 저나트륨혈증을 유발한다. 신경분비과립이 있어 가스트린유리펩티드(bombesin), 혈관활성장성폴리펩티드, 세로토닌과 ACTH를 포함하는 신경내분비표지자에 면역반응한다. 조기에 종양은 주로 점막하층과 기관지혈관주위간질에 위치하고, 급격히 자라 큰 종괴를 형성하며, 기관내 폐쇄보다는 침윤에 의한 압박으로 기관지를 막는다. 기관내 종괴는 약 20% 정도에서 보이며 흔한 소견은 아니다. 대부분이 폐문부 또는 종격림프절을 동반한 중심성종괴(그림 7-14)로 보인다. 병이 진행함에 따라 종격이 미만성으로 침범되어 거대한 종괴가 형성되고, 림프절이 종격혈관을 둘러싼다. 약 20% 정도에서 소세포폐암이 말초성 결절 혹은 종괴로 나타날 수도 있다[8].

(2) 대세포신경내분비암(large cell neuroendocrine carcinoma)

대세포신경내분비암은 전에는 대세포암으로 분류되었으나, 현재는 신경내분비종양으로 분류하며 예후는 소세포암과

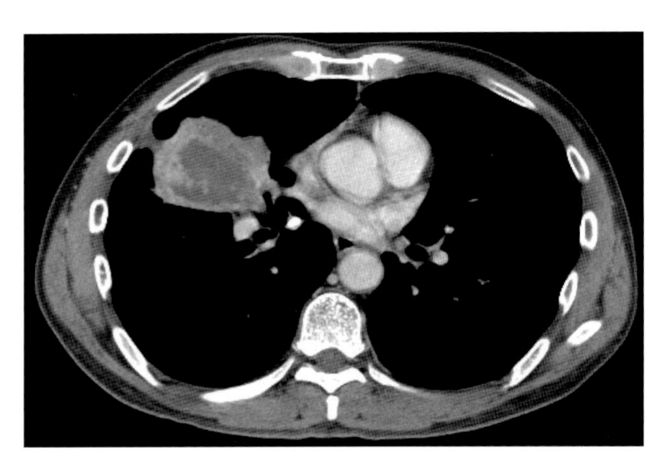

■ 그림 7-15. **대세포신경내분비암**
56세 남자환자에서 우중엽에 내부에 괴사부위가 있는 약 7.5 cm 크기의 종괴가 있으며 대세포신경내분비암으로 진단되었다(B).

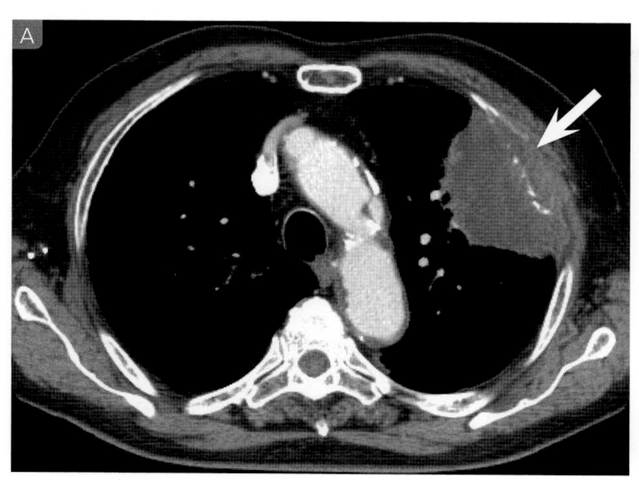

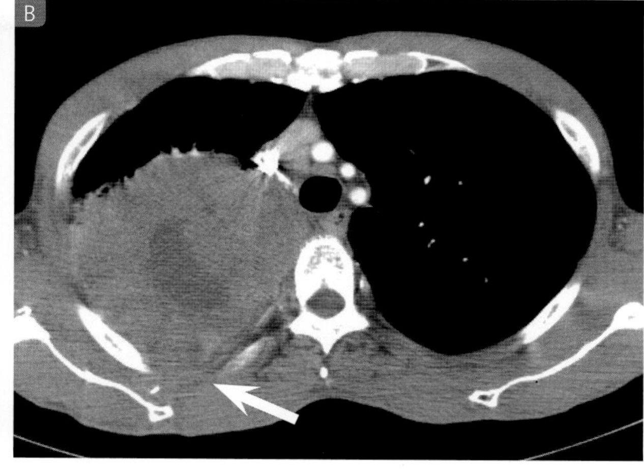

■ 그림 7-16. **육종양암종**
82세 남자에서 좌상엽에 흉벽을 침범하여 늑골을 파괴하는(화살표) 종괴가 있으며 다형성암으로 진단되었다(A). 58세 남자에서 우상엽에 뼈파괴는 뚜렷하지 않으나 늑골간공간을 침범하는(화살표) 종괴가 있으며 내부에 저음영괴사부분이 있다. 방추체세포암으로 진단되었다(B).

비슷하다. 대부분 말초에 생기며 가끔 중심성 종양으로 보이기도 한다. 크기와 빨리 자라는 양상을 제외하면 영상소견은 침습선암과 유사하다. 경계는 좋지 않으며 분엽상이고 내부에 괴사(그림 7-15)는 흔하지만 공동형성은 드물다. PET에서 비특이적인 높은 섭취를 보인다.

6) 육종양암종(sarcomatoid carcinoma)

육종양암종은 비소세포폐암의 드문 형태로 폐암의 약 0.1-0.4%를 차지하며 다형성암, 방추체세포암, 거대세포암, 암육종, 폐모세포종을 포함하는 분화가 나쁜 폐암을 말한다. 다른 비소세포폐암에 비하여 공격적인 임상경과를 보인다. 다형성암을 진단하기 위해서는 10% 이상의 방추체세포나 거대세포가 있어야 한다. 순수한 거대세포 및 방추체세포를 보이는 경우 거대세포암과 방추체세포암으로 진단한다. 암육종은 악성 연골, 뼈, 골격성 근육 등 이종유래요소를 보이는 암종과 육아종의 혼합물이다. 폐모세포종은 분화가 좋은 태아선암과 유사한 샘요소와 원시육아종 요소로 구성되어 있다. 다형성암은 CT상 대부분 결절이나 종괴로 나타나며 간유리음영이나 폐경결은 보이지 않는다. 대부분 말초성병변으로 상엽에 호발하며 종괴가 크고 괴사(그림 7-16)를 보인다. 크기는 다양하지만 빨리 자란다. 진단 당시 흉막 및 흉벽이나 횡격막, 심장막 등 다른 조직을 침범하고 있는 경우가 흔하다. 조영증강이 잘 되는 부분은 세포성과 아교질성(collagenous) 조직에 해당하고 5 cm 이상 크기의 종괴에서 보이는 중심부 저감쇄 부분은 점액모양변성과 출혈부위를 포함하는 괴사부위에 해당한다. 괴사가 심하면 예후가 나쁘다[9].

2. 폐암의 일반적인 CT소견

1) 기관지벽 비후(bronchial wall thickening)

종양이 기관지벽에만 국한된 경우 기관지벽이 일부분 혹은 동심원형으로 두꺼워져(그림 7-11A, 7-17) 있다.

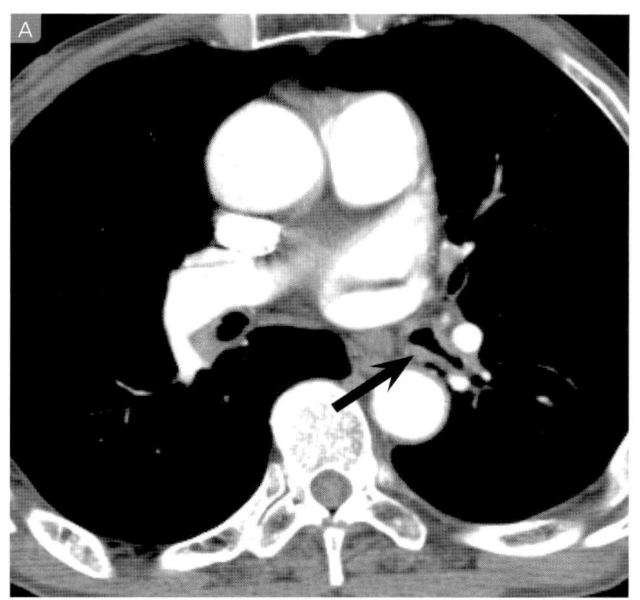

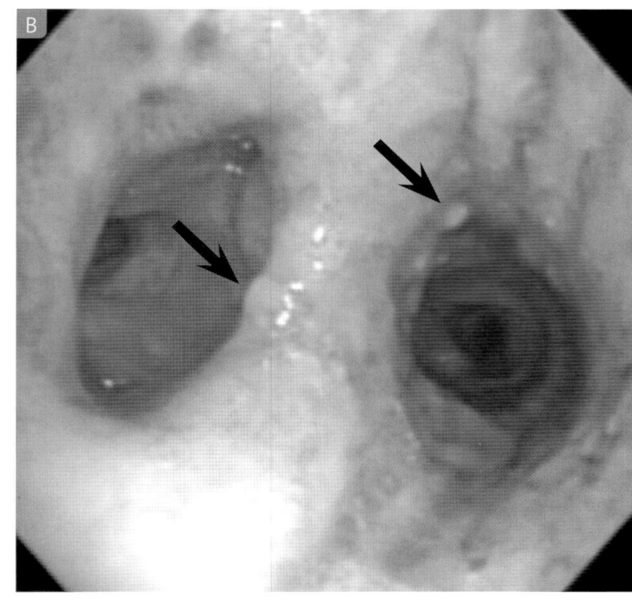

■ 그림 7-17. **기관지벽 비후로 보인 중심부폐암**
CT(A)에서 좌하엽 상분절기관지가 광범위하게 두꺼워져 있다(화살표). 기관지내시경검사(B)에서 좌하엽 기관지점막과 분절기관지에 종양 침범이 보이고(화살표) 편평세포암으로 진단되었다.

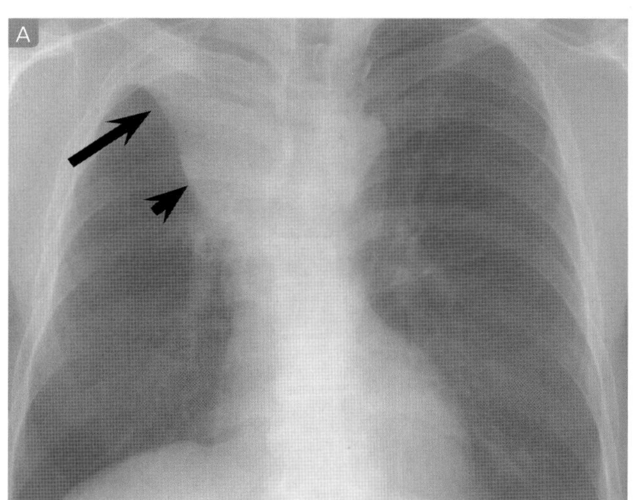

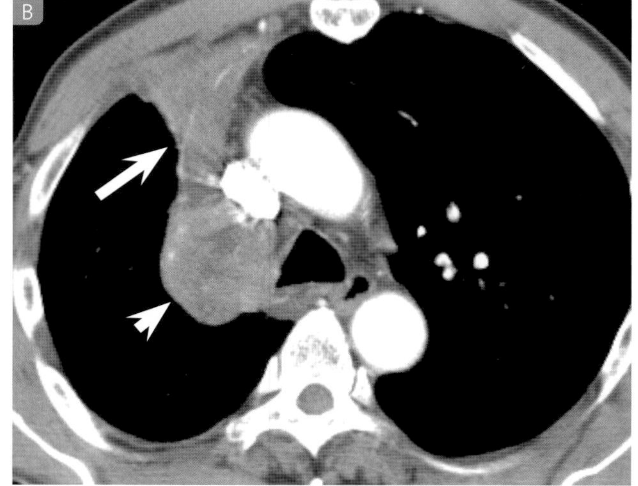

■ 그림 7-18. **역S자형 우상엽 무기폐**
흉부X선(A)에서 우상엽에 음영증가를 보이며 역S자 형태를 보인다(Golden's S sign). 상부는 무기폐에 의한 엽간열에 의한 소견이고(화살표) 하부는 종양 자체에 의한 소견이다(화살촉). CT(B)에서 우상엽의 종괴(화살촉)와 우상엽 무기폐(화살표)가 역S자 형태를 보인다.

2) 폐쇄성폐렴 또는 무기폐(obstructive pneumonitis or atelectasis)

폐암으로 인한 기관지폐쇄로 생긴 무기폐는 분절, 엽, 혹은 전체 폐에 생길 수 있다. 중심부 종양에 의해 폐문부가 볼록하게 보이고 엽간열(interlobar fissure)이 무기폐로 인해 원위부가 오목하게 보이는 것을 흉부X선에서는 'S형 징후(Gold-

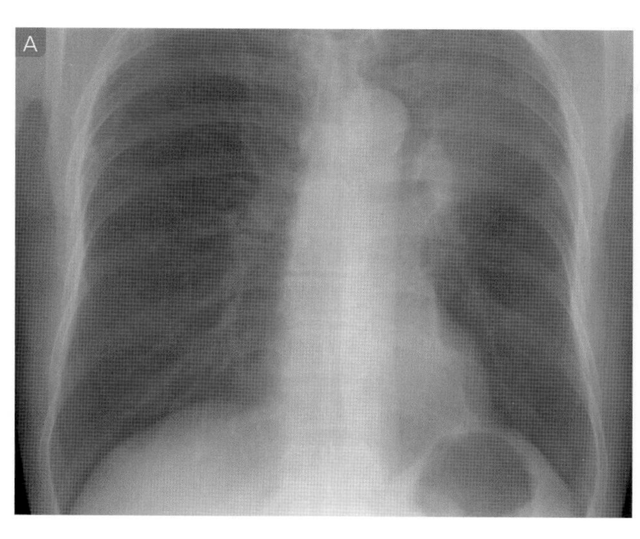

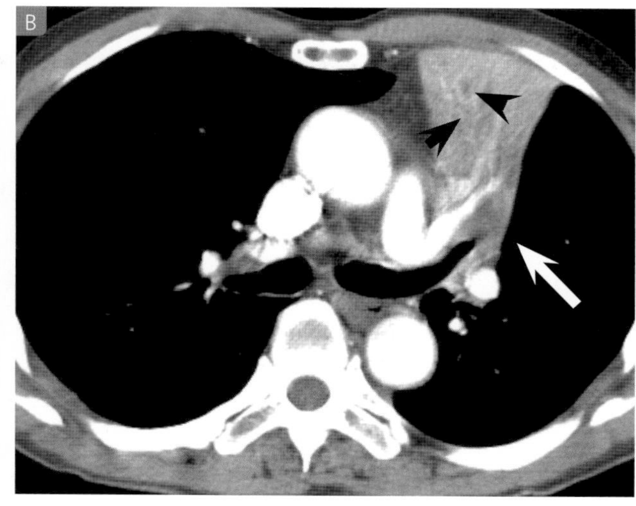

■ 그림 7-19. **무기폐 내에 액체기관지조영 또는 점액기관지조영**
흉부X선(A)에서 좌상엽 무기폐 소견에 의한 음영증가가 있다. CT(B)에서 좌상엽 기관지가 종양에 의해 폐쇄되어 있고(화살표) 무기폐 내에 점액으로 가득찬 기관지가 관상의 저음영으로 보인다(화살촉).

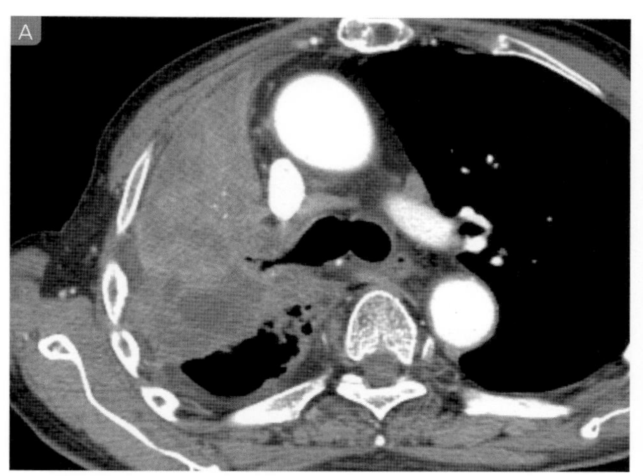

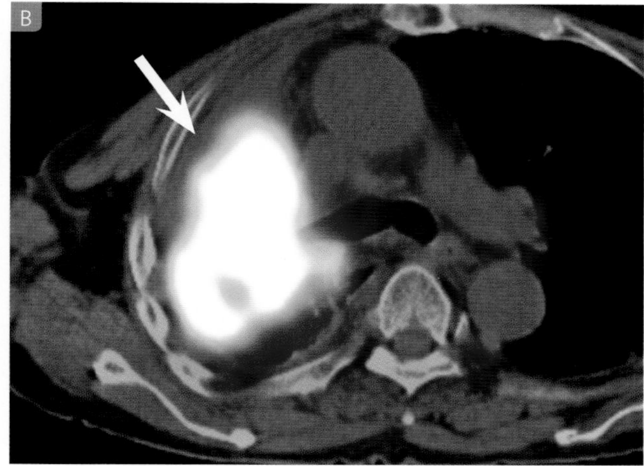

■ 그림 7-20. **대치성무기폐**
CT(A)에서 우상엽 기관지를 막는 뚜렷한 종괴는 보이지 않고 우상엽에 폐경화형의 종괴가 있으며 모양은 무기폐이나 부피감소가 없다. PET-CT(B)에서 무기폐로 보인 병변의 대부분은 FDG 섭취가 있는 종괴이다(화살표).

en's S sign)'라 부르며 CT에서는 'CT S징후(그림 7-18)'라고 한다. 점액이 가득찬 기관지가 CT에서 무기폐 내에서 가지치는 관상저음영으로 보이며 이를 액체기관지조영(fluid bronchogram) 또는 점액기관지조영(mucous bronchogram)(그림 7-19)이라 한다. 무기폐 전체가 종양침범 때문이면 대치성무기폐(replacement atelectasis) (그림 7-20)라 한다.

3) 폐문 및 종격 종괴(hilar or mediastinal mass)

편측성 폐문부 종괴(그림 7-21) 또는 중종격 종괴(그림 7-14)의 가장 흔한 원인은 폐암으로 이는 중심성종양이나 지역림프절비대 때문이다. 소세포폐암이나 편평세포암에서 흔하게 보이는 소견이고 선암의 25% 정도에서도 이러한 소견을 보인다. 종괴가 중심성기도를 막아 무기폐와 동반되기도 하고 혈관을 침범하여 상대정맥증후군이나 폐경색을 유발하기도 한다. 드물게 중심성폐암은 횡격막신경을 침범하여 횡격막마비를 일으키고 회귀후두신경을 침범하여 쉰소리가 생긴다. 악성림프절은 각각 림프절의 피막을 넘어 확장되어 서로 뭉쳐 종격지방을 미만성으로 침윤하며 상대정맥, 중심성기도, 식도, 폐동맥과 폐정맥, 좌심실 등 종격구조물을 침범한다[6, 8].

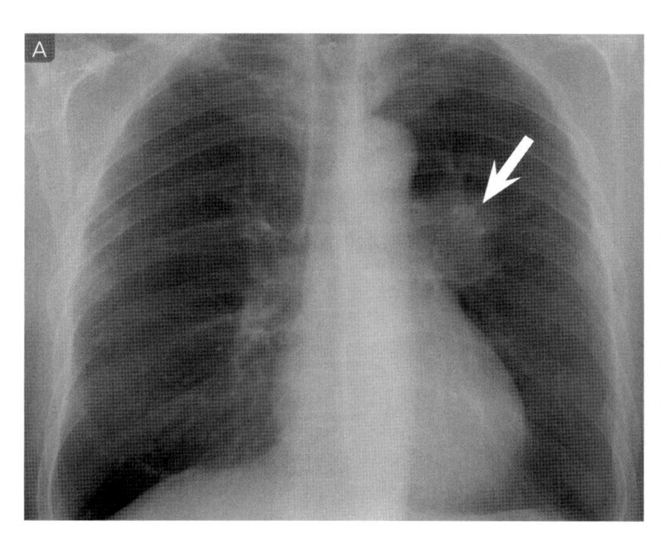
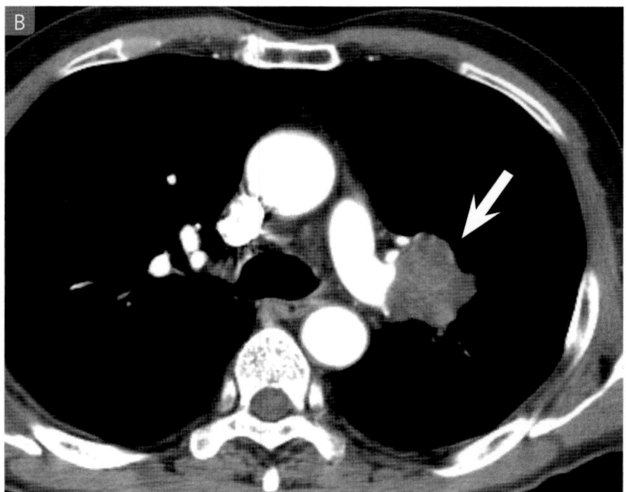

■ 그림 7-21. **폐문부종괴** 75세 남자환자에서 진단된 소세포폐암으로 흉부X선(A)에서 좌폐문의 음영이 증가되고 커져 있다(화살표). 좌상엽에 좌폐동맥의 옆으로 종괴가 보인다(화살표)(B).

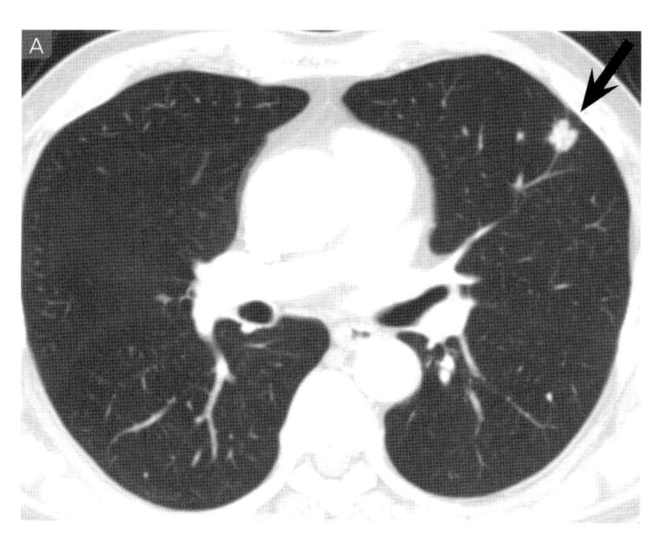
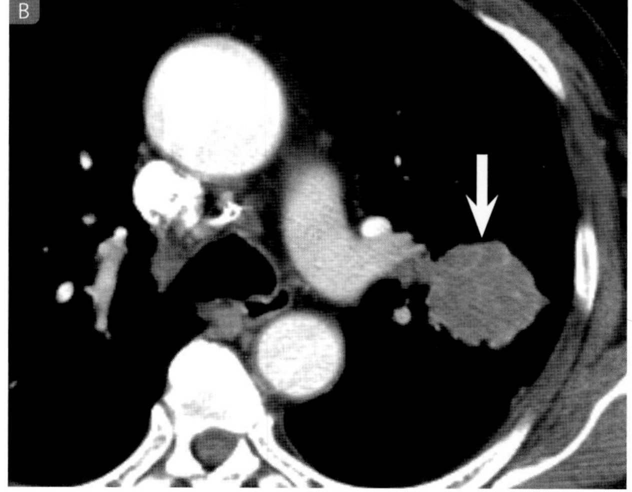

■ 그림 7-22. **결절과 종괴**
3 cm 이하 크기는 결절, 3 cm 초과는 종괴라 부른다. 폐선암으로 확진된 폐결절로 좌상엽에 1.5 cm 크기의 패임(notch)이 있는(화살표) 소엽상 변연의 결절이 있다(A). 편평세포암으로 확진된 폐종괴로 좌상엽에 소엽상 변연을 보이는 약 4 cm 크기의 종괴가 있다(화살표)(B).

표 7-3. 악성결절 혹은 종괴의 특징

	특징
크기	2 cm 이상 크기인 경우 64-82%가 악성 가능성
모양 및 경계	불규칙, 소엽상, 침상
	흉막꼬리징후
	약 21%는 매끈한 변연
내부 특징	간유리, 부분고형, 고형
	공기기관지조영, 거품음영, 열린기관지징후
	석회화: 편심형, 반점형, 무정형
	공동화: 벽의 두께가 불규칙하고 15 mm 이상
배가시간	30-400일
CT조영증강	조영전후 차이 20HU 이상
FDG섭취	배경섭취보다 높거나 SUV 2.5 이상

4) 단일폐결절 혹은 폐종괴(solitary pulmonary nodule or pulmonary mass)

단일폐결절은 림프절병증, 무기폐 또는 폐렴이 동반되지 않은 폐실질 내 3 cm 이하의 경계가 좋은 병변을 말하며, 3 cm보다 큰 경우는 종괴(그림 7-22)라고 한다. 종괴는 불규칙한 경계를 보이며 단일폐결절 형태의 폐암보다 석회화나 공동형성이 흔하다. 결절의 크기, 모양 및 경계, 공기기관지조영, 석회화, 배가시간(doubling time), 조영증강 정도 및 PET에서 FDG 섭취 정도 등은 악성과 양성을 감별하는데 도움이 된다(표 7-3) [10, 11].

결절의 크기가 증가할수록 악성가능성은 증가하며 크기에 따른 악성가능성은 5 mm 이하는 약 0-1%, 5-10 mm는 약 6-28%, 20 mm 이상 크기의 결절은 약 64-82%이다. 폐종양의 변연은 대부분 불규칙하고, 소엽상(lobulation), 침상(spiculation)을 보인다. 악성결절의 약 21% 정도는 경계가 좋고 매끈하다. 소엽상 변연은 결절 내 종양의 성장속도가 달라서 생긴다. 침상 혹은 방사관(corona radiata)으로 불리는 불규칙한 변연은 주위혈관으로 종양이 국소적으로 침윤하거나 종양의 결합조직형성(desmoplastic) 반응에 의해서 주위 간질소엽간중격이 왜곡되거나 방향이 전환되어 보이는 모양이다. 흉막꼬리(pleural tail) (그림 7-8)는 폐결절에서 주변 흉막표면으로 뻗는 선음영으로 악성에서는 주로 선암과 동반되어 보이지만 양성 결절에서도 보일 수 있는 소견이다. 이는 종양의 침윤 또는 섬유가닥이나 두꺼워진 장측흉막이 안쪽으로 수축되고 부가(apposition)되어 생기기도 한다.

결절은 감쇄에 따라 아고형결절과 고형결절로 분류(그림 7-6)하고, 아고형결절은 순수간유리결절과 부분고형결절로 분류한다. 간유리음영과 고형을 구분하고 크기 측정을 정확하게 하기 위해서 CT 절편두께는 최소한 1.5 mm 미만이어야 한다. 순수간유리결절(비고형결절)은 혈관 등 정상구조물의 경계가 보이는 폐실질 음영증가, 고형결절은 정상구조물이 완전히 가려지는 음영증가, 부분고형결절은 간유리음영과 고형부분이 함께 있다. 추적검사에서 없어지지 않는 부분고형결절은 63%가 악성이고, 순수간유리결절은 18% 정도가 악성이다. 조직학적으로 간유리음영은 레피딕(비늘모양으로 폐포벽을 따라 자라는 양상) 모양과 상응한다. 고형부분은 폐암의 침습 부분이며, 침습 외에도 폐포허탈, 염증성세포, 섬유모세포, 섬유화, 비침습레피딕세포증식 또는 점액성성분도 고형으로 보인다. 따라서 CT에서 고형성분은 실제 침습부분보다 클 수 있다.

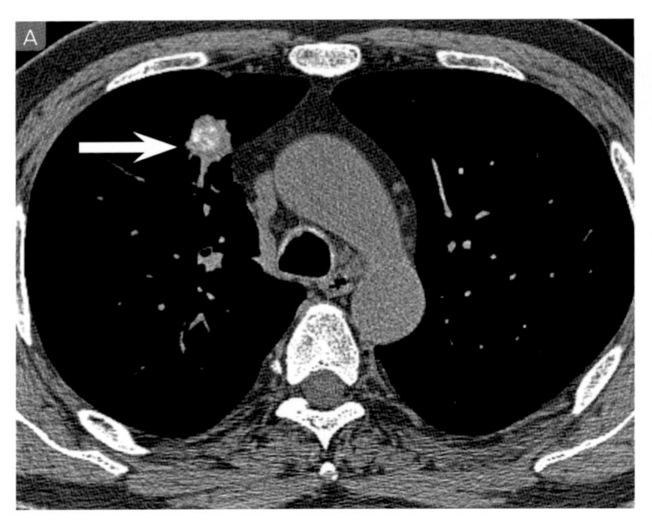

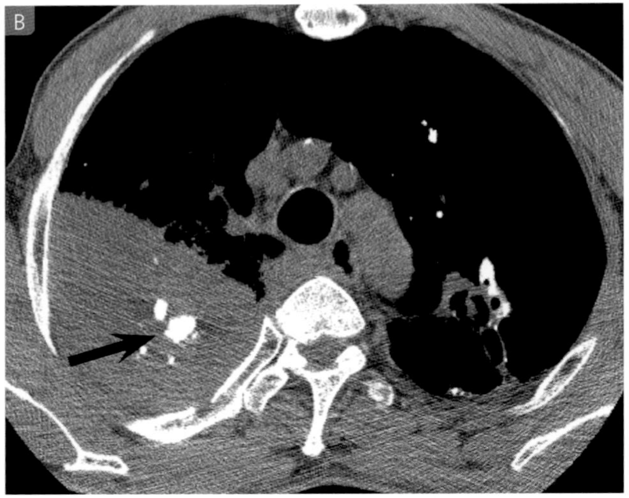

■ 그림 7-23. **악성 석회화**
결절 내에 반점형 석회화(화살표)가 보이며 이는 종양내 이영양성석회화 때문이다(A). 종괴 내에 석회화가 편심형으로 위치하고(화살표) 이는 전에 있던 석회화 육아종을 에워쌌기 때문이다(B).

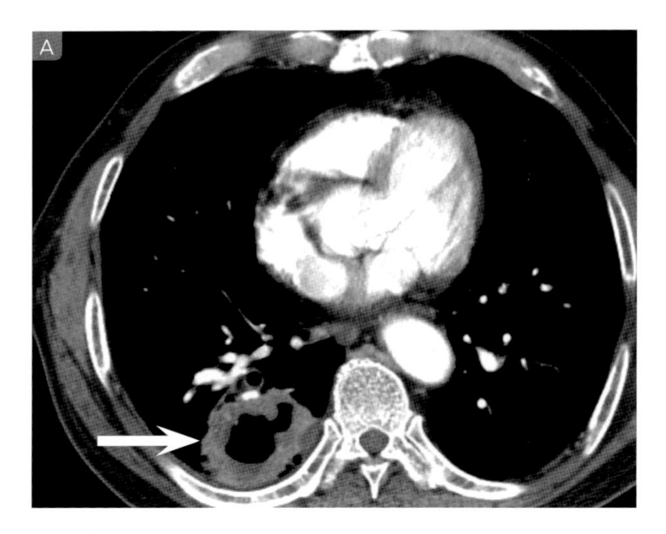

■ 그림 7-24. **폐암의 공동화**
73세 남자에서 편평세포암으로 진단되었고 CT에서 우하엽에 불규칙한 공동벽을 갖는 종괴가 보인다(화살표).

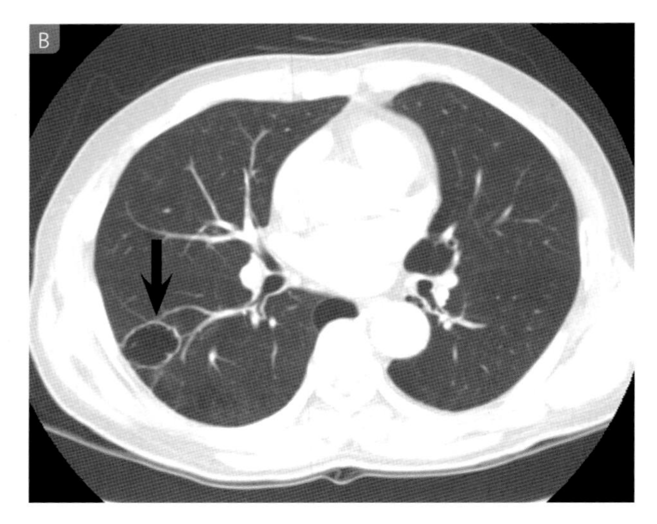

■ 그림 7-25. **얇은벽공동화폐암**
폐선암으로 진단되었고 공동 벽이 얇고 공동 안에 중격이 있으며 혈관집합징후가 있다(화살표).

열린 기관지징후(open bronchus sign)는 폐결절로 기관지가 직접 들어가는 모양으로 악성의 특이적소견은 아니지만 이러한 모양이 보이면 기관지내시경 조직검사으로 조직을 얻을 가능성이 높다. 공기폐포조영(air alveologram), 공기기관지조영(air bronchogram), 거품음영(bubble-lucency), 혹은 거짓공동(pseudocavitation) (그림 7-7)은 주로 선암에서 보이는 소견으로 종양 내에 열린 작은 기관지나 낭성공간에 의해 보이는 소견이다. 결절이나 종괴로 나타나는 폐암의 약 13% 정도에서 석회화를 보인다. 악성을 의심할 수 있는 석회화(그림 7-23)는 편심성(eccentric), 망상(reticular), 점상(punctate), 무정형(amorphous)이다. 편심성 석회화는 종양에 의해 전에 있던 석회화된 육아종이 에워싸여(engulfing) 보이는 것이다. 다른 형태의 석회화는 종양의 괴사부위에 생기는 이영양성석회화(dystrophic calcification)와 점액생성과 연관된 석회화에 의해 보인다.

폐종양의 약 5-15%에서 공동이 보인다. 공동은 괴사된 물질이 배출되면서 형성되며 편평세포암에서 잘 생긴다. 공동의 벽두께는 0.5-3 cm 정도로 벽이 두껍고 불규칙(그림 7-24)하며 가장 두꺼운 부위의 벽두께가 15 mm 이상이면 대부분 악성이다. 그러나 벽두께가 매우 얇아 기포(bulla)나 기관지낭종과 유사하게 생긴 경우도 악성종양의 가능성(그림 7-25)이 있으므로 주의를 요한다. 얇은벽 공동화폐암의 발병기전은 완전히 알려진 것은 없으나, 종양괴사조직의 배출, 전에 있던 낭종이나 기포로 종양이 침범하거나, 종양에 의해 좁아진 기도에 의한 역행방지판(check-valve) 기전으로 생기는 것으로 생각하고 있다[12]. CT소견은 얇지만 비대칭으로 공동의 벽이 두꺼워지고, 공동 안에 중격, 불규칙한 변연, 짧은 교미침(spicules), 혈관집합(convergence)징후, 흉막함입, 분엽상 경계나 간유리음영 등이다.

배가시간은 성장률을 측정하는 것으로 직경이 아니라 부피를 의미하며 부피가 2배가 되려면 직경은 약 1.25배가 증가하여야 한다. 악성결절의 배가시간은 대개 30-400일이다. 소세포폐암은 매우 빨라 약 30일 정도이며 선암은 약 180일, 편평세포암은 그 중간 정도이다. 상피내선암이나 최소침습선암 등은 매우 길어 2년 이상이다. 따라서 순수간유리결절이나 고형성분이 5 mm 이하인 부분고형결절의 경우 과진단의 가능성이 있으므로, 결절이 자라지 않는다면 즉시 수술을 시행하는 것보다는 추적 관찰을 하는 추세이다. 크기가 급격히 증가하거나, 감쇄가 증가하거나, 고형성분이 증가하는 징후가 있는 경우에 수술을 시행한다.

CT조영증강은 종양의 혈관신생 정도를 반영하며, 조영 전후 20HU 이상 차이(그림 7-26)가 나면 악성 가능성이 높다. PET에서 FDG표준평균화섭취율(standardized uptake value, SUV)은 종양의 세포증식 및 공격성과 관계 있다. 시각평가로 폐와 간 등의 배경섭취보다 더 높거나 SUV가 2.5 이상이면 악성결절일 가능성이 높다. 그러나, 염증성 결절도 FDG 섭취가 높을 수 있고 상피내선암이나 최소침습선암 같은 간유리결절을 보이는 폐암이나 고형 성분이 8 mm 미만인 경우 FDG섭취가 거의 없어 PET이 도움이 되지 않는다.

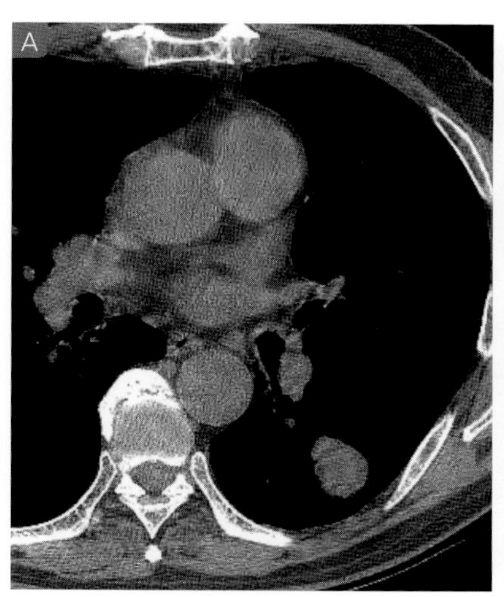

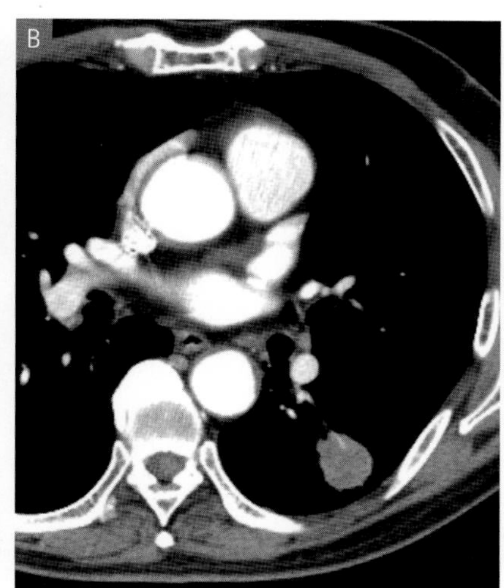

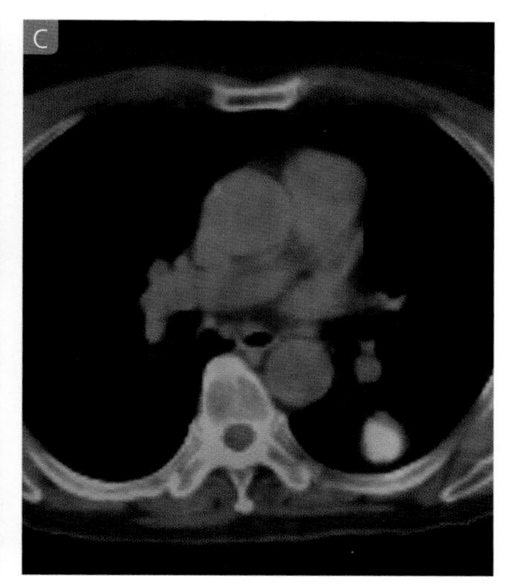

■ 그림 7-26. **악성결절의 조영증강**
조영증강 전 CT(A)에서 좌하엽 결절은 CT 농도가 20 HU이다. 조영증강 후 CT(B)에서 65 HU으로 45 HU의 조영증강이 있고 악성가능성이 높다. PET-CT(C)에서 결절의 SUV가 7.9로 증가되어 있고 폐선암으로 진단되었다.

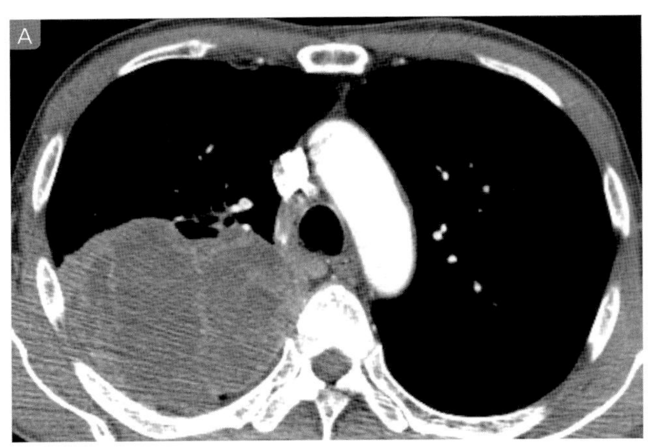

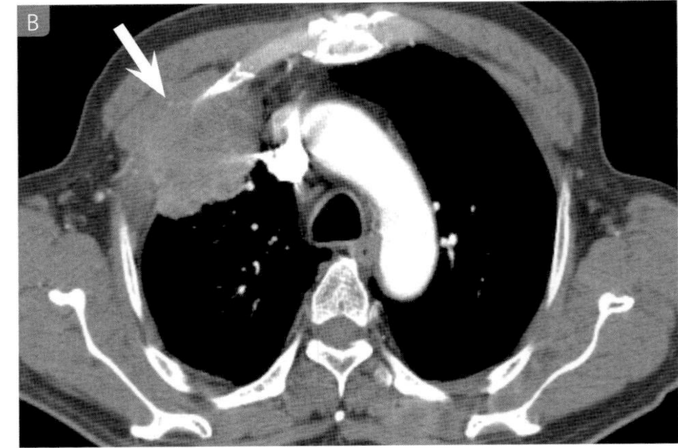

■ 그림 7-27. **흉벽침범.**
우상엽 종괴에 의한 늑골의 침범은 보이지 않으나 흉벽과 3 cm 이상 닿아 있는 종괴로 수술에서 벽측흉막의 침범이 있었다(A). 우상엽 종괴에 의해 늑골이 파괴되었고 흉벽 바깥쪽까지 종괴가 침범하였다(화살표)(B).

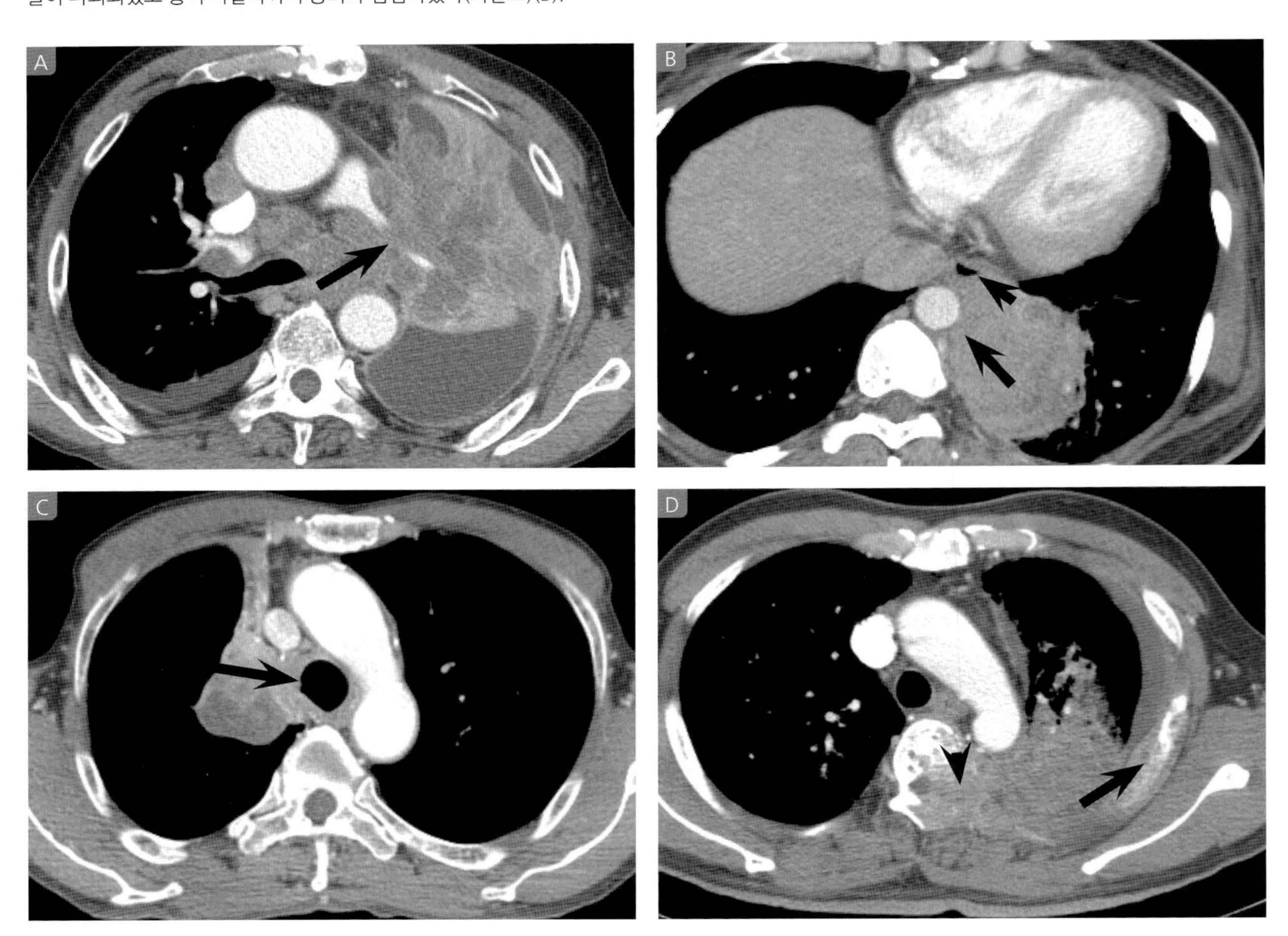

■ 그림 7-28. **주요 구조물 침범**
좌측폐에 종괴가 있고 원위부는 무기폐를 보이며 흉막삼출이 동반되어 있다. 좌측주폐동맥이 종괴에 의해 둘러싸여 있다(화살표)(A). 좌하엽의 종괴에 의해 하행대동맥이 90도 이상 둘러싸여 있고(화살표) 식도와 종괴와의 경계도 불분명하다(화살촉)(B). 우상엽 폐암으로 기관의 원위부가 두꺼워져 있으며(화살표) 기관지내시경에서 기관의 침범이 증명되었다(C). 좌상엽의 종괴에 의해 늑골(화살표)과 척추가 파괴되고 종괴가 형성되었으며 종괴는 척추관까지 침범하였다(화살촉)(D).

5) 폐경화형폐암(consolidation type lung cancer)

폐경화형폐암 혹은 폐렴형폐암은 폐렴과 감별해야 하며 폐 자체가 암세포에 의해 침습된 것으로 기관지 폐쇄 소견이 없어야 한다. 침습점액선암에서 폐경화는 점액 성분에 의해서 주변 근육보다 낮은 감쇄를 보이는 균일한 폐경화로 조영증강 후에 혈관이 잘 보이는 CT혈관조영징후(CT-angiogram sign) (그림 7-9)를 보인다. 폐경화가 미세결절과 동반되어 있고, 폐경화 내부에 공기가 찬 기관지가 늘어나 있고, 압축되거나(squeezing), 쓸리거나(sweeping), 가지치는 각도가 증가되고, 근위부 기관지 벽의 두께가 2 mm 이상이라면 폐렴보다는 폐암을 의심할 수 있는 소견이다[13].

6) 주변 조직으로 침범

폐암은 진행하면 벽측흉막, 흉벽, 심장막, 상구, 근위부 주기관지 등 주변조직을 침범하고, 좀 더 진행하면 횡격막, 기관, 식도, 심장, 대동맥, 대동맥가지혈관, 대정맥, 상완신경총, 척추체 등의 주요 장기를 침범(그림 7-27, 7-28)한다.

흉막면과 흉벽과의 관계는 CT에서 잘 보이며 흉벽침범은 수술의 금기증은 아니지만 절제 방법이 달라지기 때문에 이를 평가하는 것은 중요하다. 특이소견은 아니지만 흉막이나 흉벽의 침범은 접촉면이 3 cm가 넘고, 종괴와 닿아 있는 흉막면 사이가 둔각이고, 정상인에서 보이는 흉막외지방(extrapleural fat)이 소실되었을 때 의심할 수 있다. 흉벽침범을 시사하는 소견은 종괴가 늑간공간을 지나 늑간 혹은 피하조직을 침범하여 뼈의 파괴가 보이는 것이다(그림 7-27). 흉막은 정상적 상태에서는 CT에서 보이지 않으므로 흉벽침범이 확실할 때 흉막을 침범했다고 할 수 있다. 종양이 종격과 붙어 있을 때 그 면이 3 cm 미만, 대동맥과 붙어 있는 면의 각도가 90도 이하, 종양과 주변 종격구조물 사이에 지방이 보이면 절제가 가능하다고 판단한다. 폐첨부에 생긴 종양을 상구종양(superior sulcus tumor), 폐첨부종양(pulmonary apical tumor, Pancoast tumor) 또는 흉곽입구종양(thoracic inlet tumor)이라 부르며 벽측흉막뿐 아니라 인접한 흉벽과 신경혈관구조물을 침범(그림 7-29)할 수 있다. 대부분은 편평세포암 또는 선암이다[8].

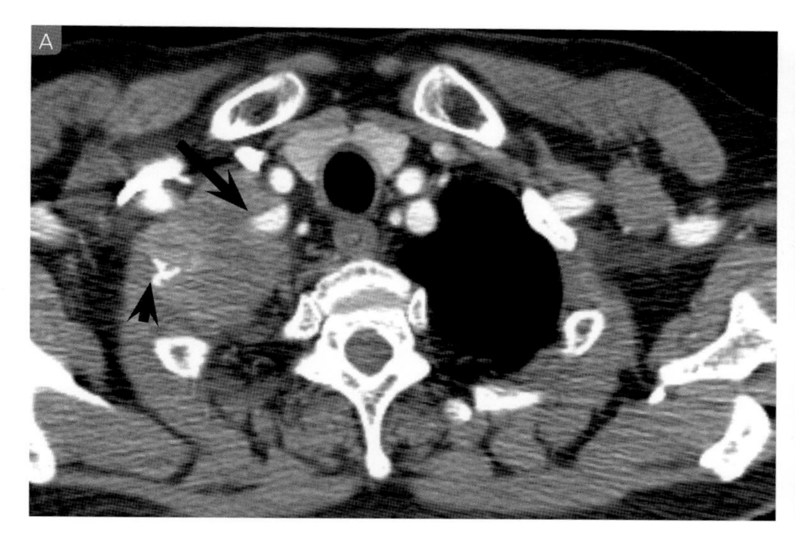

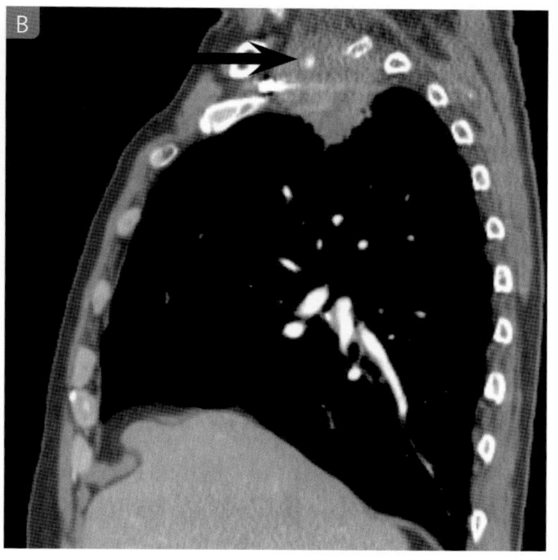

■ 그림 7-29. **상구종양 혹은 폐첨부종양**
우폐첨에 종괴가 있고 종괴에 의해 우측쇄골하동맥이 싸여 있으며(화살표) 첫번째 늑골이 종괴에 의해 파괴되어 있다(화살촉)(A). 시상면 CT(B)에서 우상엽 폐첨의 종괴가 흉벽 밖으로 침범하였고 쇄골하동맥을 둘러싸고 있다(화살표).

표 7-4. 다발성 폐암의 형태 및 TNM 병기

	동시성 종양: 두번째(second) 원발성 폐암	별개의 종양결절(폐내 전이)	다병소성 간유리/레피딕 결절	폐렴형 선암
영상 특징	폐암의 영상특징을 갖는 두 개 이상의 별개의 종양	따로 떨어진 고형 결절을 갖는 특징적인 폐암	다발성 간유리 또는 부분고형 결절	간유리와 폐경결의 반점형 양상
병리 특징	종합적 병리평가에 따른 다른 조직형 또는 다른 형태	종합적 병리평가에 의한 같은 형태 특징을 갖는 별개의 종양	레피딕선암(상피내선암, 최소 침습선암, 레피딕선암의 다양한 정도)	같은 병리형태(대부분 침습점액선암)
TNM 병기	각 종양에 각각 TNM	결절의 위치에 따라 T3, T4, M1a; 하나의 N과 M	가장 높은 T 병변으로 T (#/m)으로 표시(개수 또는 다발성); 하나의 N과 M	하나의 엽에 있을 때 크기에 따라 T 또는 T3, 다른 엽 또는 반대쪽 일 때 T4, M1a; 하나의 N과 M
개념	서로 관계 없는 종양	하나의 종양, 폐내 전이	별개의 종양, 유사성 있음	단독 종양, 미만성 폐침범

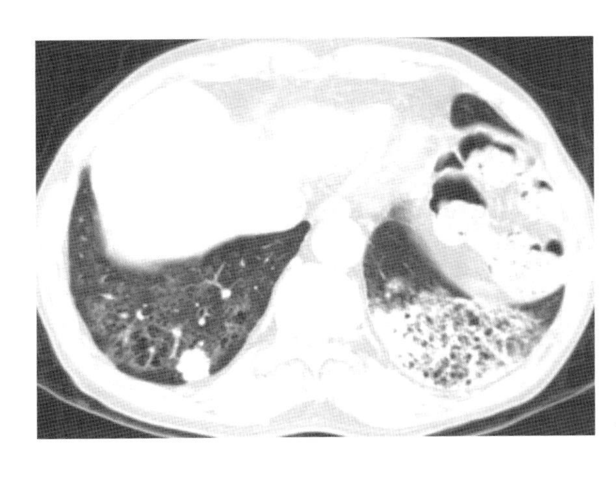

■ 그림 7-30. **동시성폐암**
66세 남자 환자에서 우하엽에 분엽상 결절은 편평세포암으로 좌하엽에 폐경화형폐종양은 세엽형우세 침습선암으로 진단되었다.

7) 다발성 폐암

폐암이 다발성일 때 조직형 및 폐암 위치와 발생 시기에 따라 동시성 종양(synchronous tumor)과 속발성 종양(metachronous tumor)으로만 분류하여 왔다. 최근에 다발성으로 생기는 폐암을 형태에 따라 4가지로 분류(표 7-4)하고, 각각의 병기 판정도 다르다[14]. 첫 번째, 동시성 및 속발성 종양, 즉 두 번째 원발성 종양(second primary lung cancer) (그림 7-30)은 다른 병변에서 전이된 폐암이 아니라 하나 이상의 폐암이 각각 발생했을 때를 말한다. 조직형이 서로 달라야 하며, 유사한 조직형일 때는 형태학적, 면역병리와 분자학 특성에 따라 발생이 다른 것으로 진단하거나 같은 세포 병리형이라 하더라도 예를 들어 편평세포암이 상피내세포암과 함께 있는 경우 아형이 다른 것으로 생각하여 두 번째 원발성 종양으로 간주한다. 일반적인 림프절 배출 경로를 따른 림프절전이가 없어야 하고 전신전이도 없어야 한다. 병기는 종양의 위치와 관계없이, 각 종양에 대해 각각 TNM을 분류한다. 두 번째, 유사한 조직병리 특성을 갖는 별개(separate)의 종양결절 (그림 7-31)은 폐내전이(intrapulmonary metastasis)이다. 원발종양과 조직형이 같아야 하고 경계가 분명한 별개의 종양결절이 원발종양과 따로 떨어져 있어야 한다. 다른 전이가 없을 때, 병변이 같은 엽에 위치한 경우 T3, 같은쪽 폐이며 다른 엽에 위치한 경우 T4, 반대쪽 폐에 위치한 경우 M1a로 병기를 결정한다. 세 번째는, 간유리/레피딕 특징을 갖는 다병소

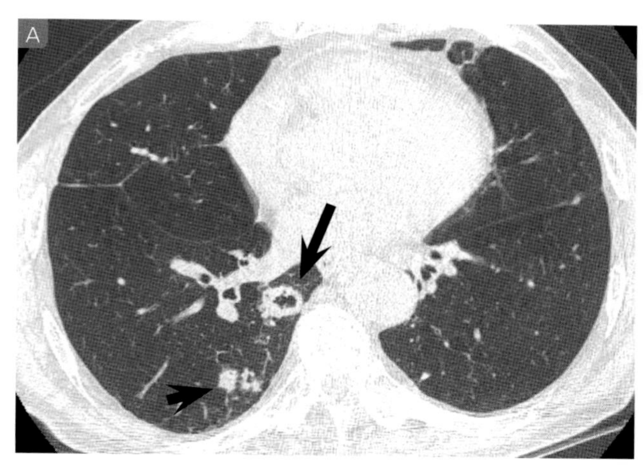
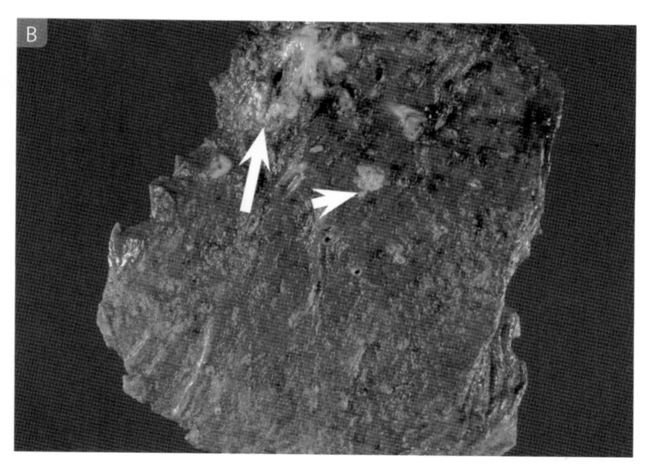

■ 그림 7-31. **위성종양이 있는 선암.**
CT(A)에서 우하엽에 공동이 있는 결절이 있고(화살표) 주결절 외에 뒤쪽으로 위성결절이 보인다(화살촉). 수술 표본(B)에서 공동이 있는 폐암의 주결절과(화살표) 이와 따로 떨어진 위성결절이 보인다(화살촉).

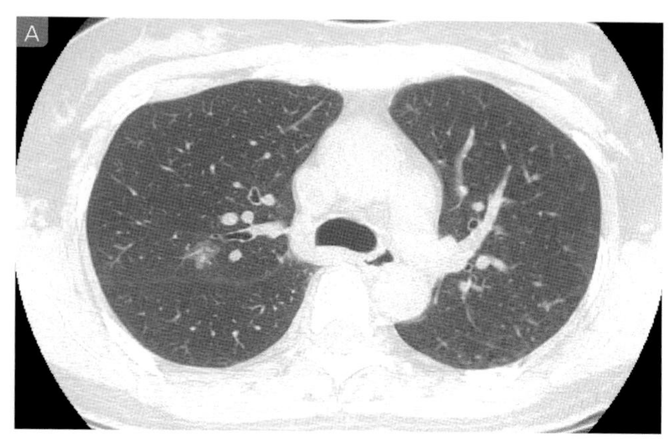
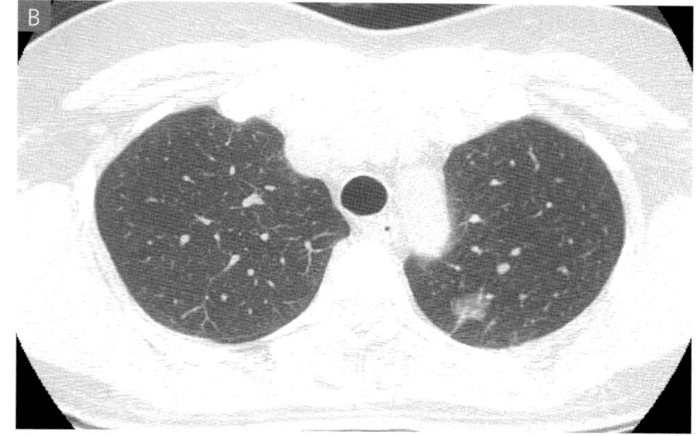

■ 그림 7-32. **다병소성 간유리/레피딕 선암**
50세 여자 환자에서 우상엽의 순수간유리결절은 상피내선암으로 진단되었다(A). 좌상엽의 불규칙한 경계의 순수간유리결절은 레피딕선암으로 진단되었다(B).

성(multifocal) 간유리/레피딕선암(그림 7-32)으로 상피내선암과 최소침습선암, 레피딕선암, 또는 간유리결절에서 발생했을 것으로 생각되는 50% 이상의 고형 성분을 갖는 결절이 있는 경우가 이에 해당되며, 이때 비전형선증식은 포함시키지 않는다. 병변 중에 가장 높은 T 병기를 선택한다. 네 번째는, 미만성폐렴형선암으로 병기는 기본적으로 다른 침습선암과 똑같이 크기와 위치에 따라 결정하지만, 크기를 측정하기 어려운 경우는 T3, 같은쪽 폐의 다른 엽을 침범한 경우는 T4로 간주한다.

8) 만성폐질환과 폐암

특발폐섬유증 환자에서 폐암발생은 증가하며 약 10%의 환자에서 폐암이 발생한다. 선암과 편평세포암이 흔한 조직형

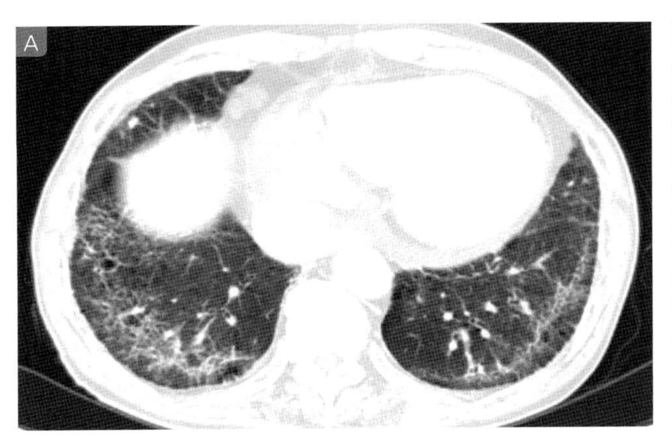

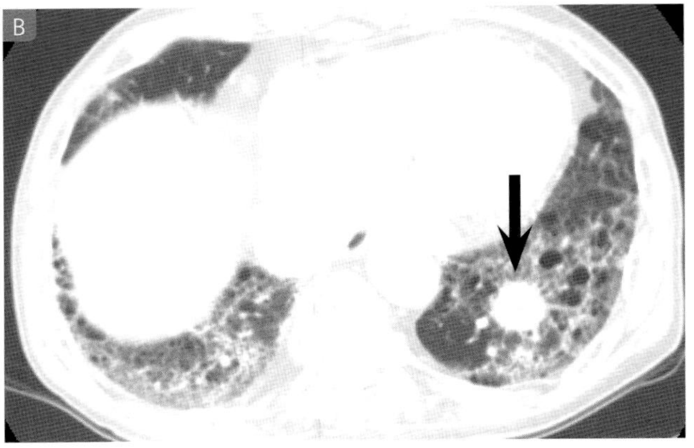

■ 그림 7-33. **특발폐섬유증 환자에서 폐암**
76세 남자환자에서 양측 폐하엽에 그물음영과 간유리음영이 폐의 변연부에 있다(A). 2년 후 CT(B)에서 특발폐섬유증이 좀 더 진행되어 그물음영과 간유리음영의 범위가 넓어졌으며, 이 부위의 좌하엽에 소분엽상 경계의 결절이 생겼고(화살표) 편평세포암으로 진단되었다.

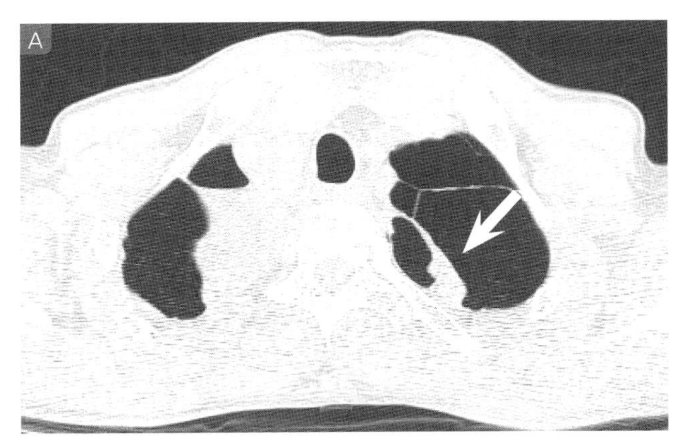

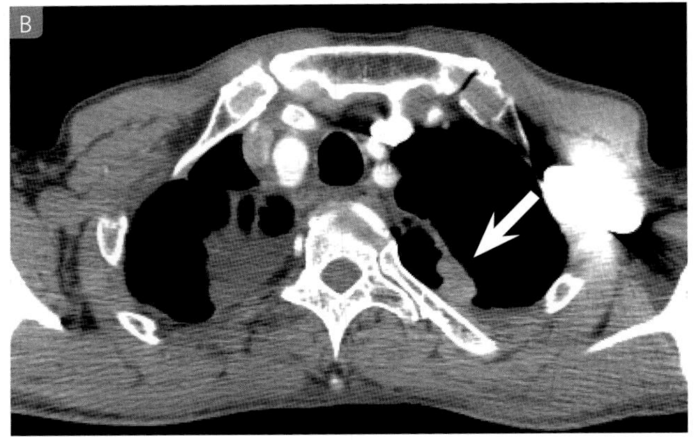

■ 그림 7-34. **기포에 생긴 폐암**
58세 남자 환자의 CT(A)에서 좌상엽에 기포가 있고 기포벽이 결절형으로 두꺼워져 있다(화살표). 조영증강 하였을 때(B), 기포벽을 따라 위치한 결절이 조영증강을 보인다(화살표). 기포와 함께 절제하였고 선암이 진단되었다. 우상엽에는 기포 내에 액체가 있다.

으로 발생률은 비슷하고 고령의 남성 흡연자에 흔히 생긴다. 흡연과 특발폐섬유증이 복합요소로 작용하여 섬유화와 섬유화 부위에 비정형적 또는 이영양성 상피과형성이 폐암발생에 기여하는 것으로 생각한다. 폐암은 주로 섬유화가 있는 말초부위 하엽에 생긴다. CT에서 폐암은 섬유화 부위나 근처 폐 변연부에 결절(그림 7-33)이나 경계가 불분명한 폐경결로 나타난다. 섬유화 부위에서 발생하므로 발견이 어렵고, 우연히 발견되는 경우가 대부분으로 전에 촬영한 CT와 비교 판독하는 것이 중요하다.

폐기종과 폐암의 관계는 논란이 있지만 폐기종 및 기포는 폐암의 위험인자로 알려져 있다. 폐암발생기전은 흡연과 관련 있고 반응성산화체(reactive oxidant)를 생성하여 만성염증성변화를 일으켜 폐기종과 폐암의 원인이 된다. 폐기종은 점액섬모청소(mucociliary clearance)에 손상을 주어 발암물질이 폐기종 부위에 침착되어 폐암을 형성한다고 생각하며, 흡연과 상관없이 폐암과 만성폐쇄성질환을 일으키는 유전적소인이 있을 것으로 생각하고 있다[15]. 기포 내 혹은 근처에 결절형 음영, 기포벽의 일부 또는 미만성 비후(그림 7-34), 기포의 직경변화, 액체축적, 기흉 등 이차적 변화가 생기면 기포와 관련된 폐암을 의심해야 한다.

Ⅴ 폐암의 병기

1. 폐암의 병기분류

폐암의 병기판정은 수술 가능 여부 결정, 치료종류 선택 및 환자 예후 예측을 위해 중요한 과정이다. 원발성암의 병기는 TNM체계를 사용하며 T는 원발종양, N은 지역림프절, M은 원격전이를 의미한다. 2017년부터 AJCC (American Joint Committee on Cancer) 8판을 사용하고 있다(표 7-5~7-7). TNM병기는 모든 종류의 비소세포폐암 및 소세포폐암과 카르시노이드종양을 포함한 모든 암종에 적용하지만 육종이나 다른 드문 종양에는 적용하지 않는다[16].

TNM병기를 결정할 때 모든 암에 적용하는 일반적인 규칙은 첫째, 모든 증례는 현미경학적으로 확진해야 하고 증명되지 않는 증례는 별도로 기술한다. 둘째, 각 부위에 대해 임상 병기 및 병리 병기를 기술한다. 임상병기는 치료하기 전의 병기로 TNM 또는 cTNM으로 표시하며 치료방법을 선택하기 위해 필수적이다. 이학적검사, 영상(CT나 PET), 내시경(기관지내시경, 식도내시경, 기관지내시경초음파, 식도내시경초음파), 조직검사(종격경검사, 종격절개술, 흉부천자, 비디오도움흉강경검사)와 탐색적 수술과 흉막강 및 심장막강 흡인술에서 얻은 세포검사를 기본으로 하여 분류한다. 병리병기는 pTNM으로 표시하고 수술과 병리검사로 결정되며 정확한 예후와 최종결과를 산출하는 자료이다. pT와 pN은 절제된 조직에서 결과를 얻었을 때만 사용하고 pM은 현미경검사를 한 경우 사용한다. 셋째, 병기군(stage grouping)이 일단 정해지면 의무기록을 변경해서는 안 된다. 넷째, T, N, M을 확실히 정하기 어려울 때는 낮은 항목을 선택하며(덜 진행된 쪽으로), 병기군도 마찬가지이다. 다섯째, 하나의 기관에 종양이 여러 개 있을 때는 가장 높은 T로 분류하며 다발성 또는 종양의 개수를 T2(m) 또는 T2(5)와 같이 괄호 안에 표시한다. 여섯째, TNM항목과 병기군은 임상적 혹은 연구목적으로 확장하여 좀더 하위군으로 나눌 수 있다.

접두어나 다른 약자를 사용하여 단일부위에 여러 개의 원발종양이 있는 경우 'm'을 사용하고 복합성치료 후 병기를 다시 결정할 때는 앞에 'y'를 붙이며 이는 치료후 검사를 시행한 시기의 병기로 ycTNM 또는 ypTNM으로 표시한다. 무병기간 후에 재발된 종양은 앞에 'r'을, 부검에서 결정된 병기는 앞에 'a'를 표시한다[16]. 소세포폐암을 간단히 제한적(limited)과 광범위(extensive) 병기로 구분하기도 한다. 제한적병기는 방사선치료영역에 포함시킬 수 있는 범위로 폐암이 한쪽 흉부에 국한되고, 같은쪽 혹은 반대쪽 종격 또는 쇄골상림프절에만 전이가 국한되어 있는 경우로, 같은쪽 흉막삼출과 상대정맥증후군도 제한적병기에 포함된다. TNM 병기로는 I-III (Tany Nany M0)에 해당하는 병변이 제한적 병기로, 다발성 폐결절이거나 종양과 림프절부위가 방사선치료를 하기에 너무 큰 T3/T4는 제외된다. 광범위병기는 장막강, 반대쪽 흉막이나 흉곽외 전이된 경우로, 이는 IV병기에 해당하며 제한적병기가 아닌 T3/T4가 이에 포함된다.

1) 원발종양 분류

원발종양의 분류를 특징에 따라 정리하였다(표 7-8). 원발종양의 분류는 표 7-5에 기술된 사항 외에도 알아 두어야 할 것들이 있다[17]. 상피내선암은 Tis로 분류한다. Tis(편평세포암) 혹은 Tis(선암)으로 명기해야 한다. 최소침습선암은 T1mi

표 7-5. 국제병기체계 TNM분류(AJCC 8판)

TX	원발종양을 확인할 수 없거나 종양이 가래나 기관지세척에서 악성세포가 증명되었으나 영상이나 기관지내시경에서는 보이지 않음
T0	원발종양의 증거 없음
Tis	상피내암종(carcinoma in situ)
T1	최대직경이 3 cm 이하, 폐와 장측흉막에 의해 둘러싸여 있고 기관지내시경에서 엽기관지보다 근위부 침범이 없어야 함(주기관지 내에 없을 것) -T1mi 최소침습선암 -T1a 최대직경이 1 cm 이하인 종양 -T1b 최대직경이 1 cm 초과 2 cm 이하인 종양 -T1c 최대직경이 2 cm 초과 3 cm 이하인 종양
T2	최대직경이 3 cm 초과 5 cm 이하인 종양 다음 기술하는 특징을 갖는 종양 기관지분기부(carina)에서의 거리와 관계없이 주기관지를 침범하는 경우; 단 기관분기부 침범은 없어야 함 장측흉막 침범 폐문부까지 뻗어 있는 폐의 일부 또는 전체폐의 무기폐나 폐쇄성 폐렴이 동반된 경우 -T2a: 최대직경이 3 cm 초과 4 cm 이하인 종양 -T2b: 최대직경이 4 cm 초과 5 cm 이하인 종양
T3	최대직경이 5 cm 초과 7 cm 이하인 종양 다음을 직접 침범하는 종양: 벽측 흉막, 흉벽(상구종양 포함), 횡격막신경, 벽측심낭 원발성 폐암과 같은 엽에 위치한 별개의 종양 결절(들)
T4	최대직경이 7 cm 초과하는 종양 어떤 크기라도 다음을 침범하는 종양: 횡격막, 종격, 심장, 대혈관, 기관, 되돌이후두신경, 식도, 척추체, 기관분기부 원발성 폐암과 같은쪽의 다른 엽에 위치한 별개의 결절
NX	지역림프절을 확인할 수 없음
N0	지역림프절 전이 없음
N1	동측의 기관지주위림프절 또는 동측 폐문림프절과 원발종양의 직접확산에 의한 폐내림프절로의 전이
N2	동측 종격과 기관분기부하 림프절로 전이
N3	반대측 종격 및 폐문으로 전이 동측이나 반대측 사각림프절, 또는 쇄골상림프절로 전이
M0	원격전이 없음
M1	원격전이 있음 - M1a: 반대측 폐에 별개의 종양결절 종양이 있는 흉막결절 또는 악성흉막(또는 심장막)삼출 - M1b 단일 기관에 단일 흉곽외 전이 - M1c 단일 기관 또는 여러 기관에 다발성 흉곽외 전이

표 7-6. T 병기 및 M 병기의 변화 (AJCC 7판과 8판 비교)

<table>
<tr><th></th><th>AJCC 7판</th><th>AJCC 8판</th></tr>
<tr><td>종양 크기</td><td></td><td></td></tr>
<tr><td>1 cm 이하</td><td rowspan="2">T1a</td><td>T1a</td></tr>
<tr><td>1 cm 초과 2 cm 이하</td><td>T1b</td></tr>
<tr><td>2 cm 초과 3 cm 이하</td><td>T1b</td><td>T1c</td></tr>
<tr><td>3 cm 초과 4 cm 이하</td><td rowspan="2">T2a</td><td>T2a</td></tr>
<tr><td>4 cm 초과 5 cm 이하</td><td>T2b</td></tr>
<tr><td>5 cm 초과 7 cm 이하</td><td>T2b</td><td>T3</td></tr>
<tr><td>7 cm 초과</td><td>T3</td><td>T4</td></tr>
<tr><td>기관지내 침범</td><td></td><td></td></tr>
<tr><td>기관분기부에서 2 cm 이상 떨어진 주기관지 침범</td><td>T2</td><td rowspan="2">T2</td></tr>
<tr><td>기관분기부에서 2 cm 이내의 주기관지 침범</td><td>T3</td></tr>
<tr><td>기관분기부 침범</td><td>T4</td><td>T4</td></tr>
<tr><td>흉막 침범</td><td></td><td></td></tr>
<tr><td>종격 흉막 침범</td><td>T3</td><td>없어짐</td></tr>
<tr><td>횡격막 침범</td><td>T3</td><td>T4</td></tr>
<tr><td>폐허탈 혹은 폐쇄성 폐렴</td><td></td><td></td></tr>
<tr><td>부분</td><td>T2</td><td rowspan="2">T2</td></tr>
<tr><td>전체폐</td><td>T3</td></tr>
<tr><td>M 병기의 변화</td><td></td><td></td></tr>
<tr><td>흉곽내 전이 (폐전이, 흉막, 심낭 전이)</td><td>M1a</td><td>M1a</td></tr>
<tr><td>흉곽외 단일 전이</td><td rowspan="2">M1b</td><td>M1b</td></tr>
<tr><td>흉곽외 다발성 전이</td><td>M1c</td></tr>
</table>

표 7-7. 폐암 병기 분류 (AJCC 8판)

TisN0M0	Stage 0

<table>
<tr><td>M0일 때</td><td>N0</td><td>N1</td><td>N2</td><td>N3</td></tr>
<tr><td>T1mi, T1a /T1b/T1c</td><td>IA1/IA2/IA3</td><td rowspan="3">IIB</td><td rowspan="3">IIIA</td><td rowspan="3">IIIB</td></tr>
<tr><td>T2a</td><td>IB</td></tr>
<tr><td>T2b</td><td>IIA</td></tr>
<tr><td>T3</td><td>IIB</td><td rowspan="2">IIIA</td><td rowspan="2">IIIB</td><td rowspan="2">IIIC</td></tr>
<tr><td>T4</td><td>IIIA</td></tr>
</table>

<table>
<tr><td rowspan="2">Any T Any N</td><td>M1a or M1b</td><td>IVA</td></tr>
<tr><td>M1c</td><td>IVB</td></tr>
</table>

표 7-8. 원발종양의 분류

	T1	T2	T3	T4
크기	1a: ≤1 cm 1b: 〉1~≤2 cm 1c: 〉2~≤3 cm	2a: 〉3~≤4 cm 2b: 〉4~≤5 cm	〉5~≤7 cm	〉7 cm
기관지침범	엽기관지 하부 1a: 크기, 위치에 상관 없이 표재성 (그림 7-11A)	주기관지; 기관분기부 침범 없는 주기관지 (그림 7-18)		기관분기부 기관 (그림 7-28C)
폐쇄성폐허탈		폐문부로 뻗는 부분 또는 전체폐허탈 (그림 7-19, 7-12)		
흉막 및 흉벽		장측흉막 엽간열 건너간 경우 (불완전 엽간열인 경우도 포함)	벽측흉막, 흉벽, 상구종양, 늑골 (그림 7-16, 7-27)	횡격막
지방조직		폐문 지방	(종격동 지방)	종격동 지방*
심장막 및 심장			벽측심장막	장측심장막, 심장
별개의 결절			같은 엽의 별개의 결절 (그림 7-31)	같은쪽 다른 엽의 결절
신경			횡격막신경 상완신경총 하분지(C8,T1)	되돌이후두신경 상완신경총상분지 (C8 또는 그 상부) (그림 7-29)
혈관				대동맥 상대, 하대정맥 주폐동맥 심장막내 폐동맥, 폐정맥 쇄골하혈관 (그림 7-28 A, B)
그 외 구조물				척추체 식도 (그림 7-28 D)

* 광범위한 침범을 보이는 경우

로 분류하고 침습의 크기가 5 mm 이하여야 한다. 아고형결절의 경우 CT상 고형성분으로 보이는 침습의 크기가 T병기(표 7-9)를 결정한다[18]. 기관지벽에 국한되어 있는 표재성발육형종양(superficial spreading tumor)은 주기관지까지 침범하더라도 어떤 크기이건 상관없이 T1a로 분류한다.

장측흉막 침범은 장측흉막 표면의 탄성층(elastic layer)을 넘어 침범한 것으로 정의하며 기본조직검사에서 명확하지 않다면 탄성염색을 권장한다. 종양이 엽간열을 건너가거나 또는 엽간열결함이 있는 부위로 건너가서 인접한 엽으로 직접 침범하면 이보다 높은 T가 없는 한 T2a로 분류한다. 종격측 흉막의 침범은 정의가 애매하여 8판에서는 제외하였다.

표 7-9. 아고형 결절의 병기 및 병리

CT 소견	cT (임상)				pT (병리)			
	크기		감별진단	병기	크기		병리	병기
	전체	고형부분			전체	침습부분		
간유리	≤0.5 cm	0	비전형선증식, 상피내선암, 최소침습선암		대부분≤0.5 cm	0	비전형선증식	
	0.6–3.0 cm	0 cm	상피내선암, 최소침습선암, 레피딕선암	cTis	≤3.0 cm	0 cm	상피내선암	pTis
부분고형	≤3.0 cm	≤0.5 cm	최소침습선암, 레피딕선암, 상피내선암	cT1mi	≤3.0 cm	≤0.5 cm	최소침습선암	pT1mi
	0.6–3.0 cm	0.6–1.0 cm	레피딕선암 침습선암, 상피내선암	cT1a	0.6–3.0 cm	0.6–1.0 cm	레피딕선암, 레피딕 성분이 있는 침습선암	pT1a
	1.1–3.0 cm	1.1–2.0 cm	레피딕선암, 침습선암	cT1b	1.1–3.0 cm	1.1–2.0 cm	레피딕 성분이 있는 침습선암 레피딕선암	pT1b
	2.1–3.0 cm	2.1–3.0 cm	침습선암	cT1c	2.1–3.0 cm	2.1–3.0 cm	레피딕 성분이 있는 침습선암	pT1c

또한, 주기관지 침범시 기관지분기부와의 거리(2 cm 기준)에 따라 분류하던 것을 거리와 상관없이 T2로 통일하였고, 기관지분기부를 침범한 경우는 T4이다. 또한, 무기폐는 일부 또는 전체 상관없이 모두 T2이다.

늑골이 종양에 의해 직접 침범된 경우는 T3이다. 횡격막신경침범은 T3이다. 원발종양에 의한 성대마비(되돌이후두신경침범), 상대정맥 폐쇄, 기관과 식도를 침범한 경우 T4로 분류하고, 종격종양과 떨어진 원발종양이 폐에 따로 있다면, 이러한 소견은 림프절침범에 의한 것이므로 N2로 분류한다. 대혈관은 대동맥, 상대정맥, 하대정맥, 주폐동맥, 우측 및 좌측 폐동맥의 심장막내 부위, 상하 및 좌우 폐정맥의 심장막내 부위를 말하며, 대혈관을 침범한 경우는 T4이지만 이보다 원위부를 침범한 경우를 T4로 분류하여서는 안된다. 횡격막 침범은 8판에서 T4로 분류되었다.

상구종양은 상완신경총의 하분지(C8 그리고/또는 T1)와 때로는 위성신경절을 침범하여 생기는 증후군을 일으키는 폐의 상구에 생긴 종양을 말한다. 상구종양이 조금 앞쪽에 생겨 쇄골하혈관을 둘러싸고 신경증상이 적은 상구종양도 있다. 척추체나 척추관을 침범하거나 쇄골하혈관을 둘러싸거나 의심할 여지없이 상완신경총의 상분지(C8 또는 그 상부)를 침범한 증거가 있으면 T4로 분류하며 그렇지 않으면 T3로 분류한다[17].

종격지방을 침범한 경우는 T4로 분류한다. 벽측심장막을 직접 침범하면 T3이고 장측심장막까지 침범하면 T4이다. 폐문내의 지방에 국한하여 침범한 경우는 다른 높은 T항목에 해당하는 것이 없다면 종양의 크기에 따라 T2a 혹은 T2b로 분류한다. CT에서 종격지방이 종양에 의해 광범위하게 침범된 경우만 T4로 분류하고 그렇지 않으면 T3로 분류한다.

원발폐암과 조직학적소견이 같은 떨어진(별개의) 종양결절은 전이성결절이다. 원발종양과 같은 엽에 있으면 T3, 같은쪽 다른 엽에 있으면 T4이고, 반대쪽 폐에 있으면 M1a로 분류한다. 8판에서는 다발성 종양을 형태에 따라 4가지로 새로 분류하였고 앞에 기술하였다(표 7-4).

표 7-10. 세계폐암연구회 림프절역의 해부학적 정의

림프절	기술	정의 및 경계
쇄골상구역		
#1(좌/우)	하부경부, 쇄골상과 흉골패임림프절	위-윤상연골의 하연, 아래-양방향으로 쇄골, 정중선에서 흉골병의 상연, 좌우는 기관의 정중선을 경계로 함
상부구역(상종격림프절)		
#2(좌/우)	상부기관주위림프절	위-폐첨과 흉막 공간, 정중선에서 흉골병의 상연 아래-2R: 기관과 무명정맥 끝의 교차지점, 2L; 대동맥궁 상연 림프절정중선: 기관의 좌측 외측연
#3	혈관앞 및 기관뒤 림프절	3a: 혈관앞 위-흉부의 첨부, 아래-기관분기부, 앞-흉골의 후방면, 뒤-우측은 상대정맥의 전연; 좌측은 경동맥 3p: 기관뒤, 위-흉부의 첨부, 아래-기관분기부
#4(좌/우)	하부기관주위림프절	4R: 우측 기관옆 및 기관 좌측 외측연까지 위치한 기관앞 림프절 포함, 위-기관과 무명정맥의 꼬리 끝의 교차지점 아래-기정맥의 하연 4L: 기관의 좌측 외연 왼쪽에 위치한 림프절, 동맥인대의 안쪽, 위-대동맥궁의 상연, 아래-좌측 주폐동맥의 상지
대동맥폐동맥구역(대동맥림프절)		
#5	대동맥하림프절(대동맥폐동맥창)	동맥인대의 바깥쪽 림프절 위-대동맥궁의 하연, 아래-좌측 주폐동맥의 상지
#6	대동맥주위림프절(상행대동맥 또는 횡격막)	상행 대동맥과 대동맥궁 앞쪽와 옆에 위치한 림프절 위-대동맥궁 상연에 접면, 아래-대동맥궁 하연
기관분기부하구역(하종격림프절)		
#7	기관분기부하림프절	위-기관분기부, 아래-좌측은 하엽기관지의 상연; 우측은 중간기관지의 하연
하부구역(하종격림프절)		
#8(좌/우)	식도주위림프절(기관분기부 아래쪽)	식도벽 근처에 위치한 림프절로 기관분기부하림프절을 제외한 정중선의 좌 우측, 위-좌측은 하엽기관지의 상연; 우측은 중간기관지의 하연, 아래-횡격막
#9(좌/우)	폐인대림프절	폐인대 내에 위치한 림프절, 위-하폐정맥, 아래-횡격막
폐문/엽간구역(N1림프절)		
#10(좌/우)	폐문림프절	주기관지와 폐문혈관(폐정맥의 근위부와 주폐동맥 포함)에 바로 인접한 림프절, 위-우측은 기정맥의 아래 가장자리; 좌측은 폐동맥의 위 가장자리, 아래-양방향으로 엽간 지역
#11	엽간림프절	엽기관지 기원의 사이 *#11s: 우측에서 상엽기관지와 중간기관지 사이 *#11i: 우측에서 중엽과 하엽의 기관지 사이
말초구역(N1림프절)		
#12	엽림프절	엽기관지에 인접한 림프절
#13	분절림프절	분절기관지에 인접한 림프절
#14	아분절림프절	아분절기관지에 인접한 림프절

*선택적 하위항목

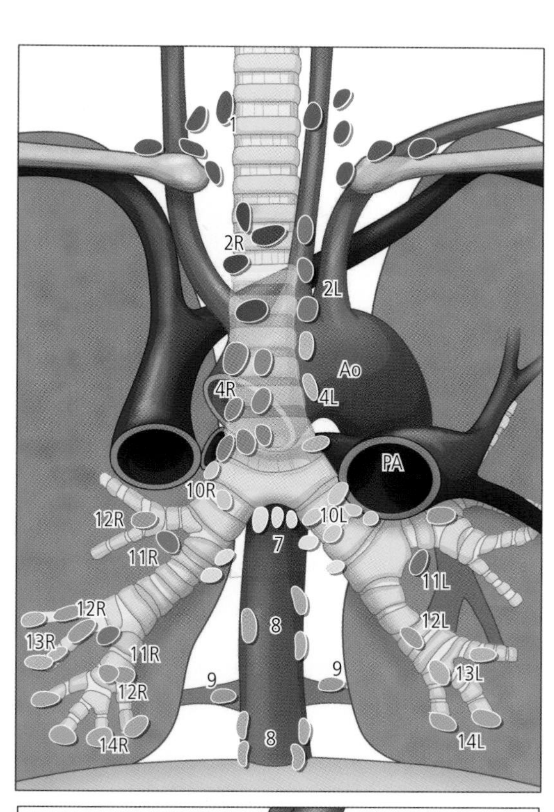

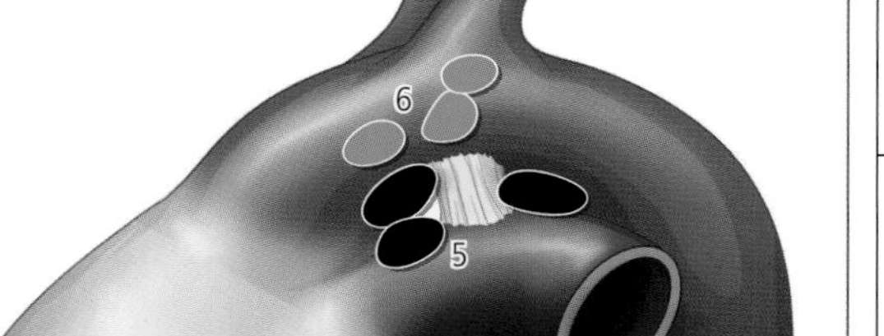

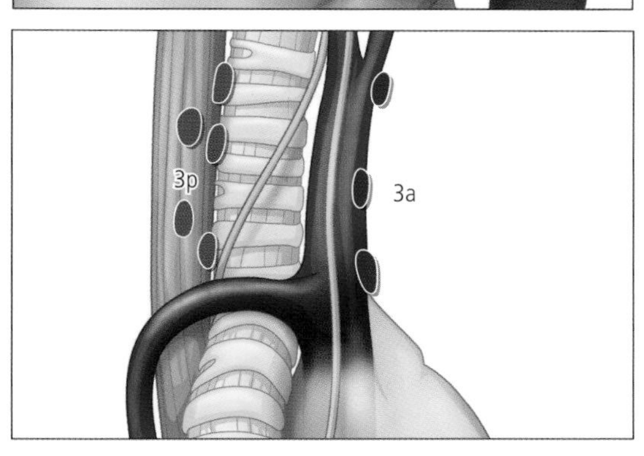

Supraclavicular zone
- 1 Low cervical, supraclavicular, and sternal notch nodes

SUPERIOR MEDIASTINAL NODES

Upper zone
- 2R Upper paratracheal (right)
- 2R Upper paratracheal (left)
- 3a Prevascular
- 3p Retrotracheal
- 4R Lower paratracheal (right)
- 4R Upper paratracheal (left)

AORTIC NODES

AP zone
- 5 Subaortic
- 6 Para–aortic(ascending aorta or phrenic)

INFERIOR MEDIASTINAL NODES

Subcarinal zone
- 7 Subcarinal

Lower zone
- 8 Paraesophageal(below carina)
- 9 Pulmonary ligament

N1 NODES

Hilar/Interlobar zone
- 10 Hilar
- 11 Interlobar

Peripheral zone
- 12 Lobar
- 13 Segmental
- 14 Subsegmental

■ 그림 7-35. 세계폐암연구회 림프절구역 및 명칭

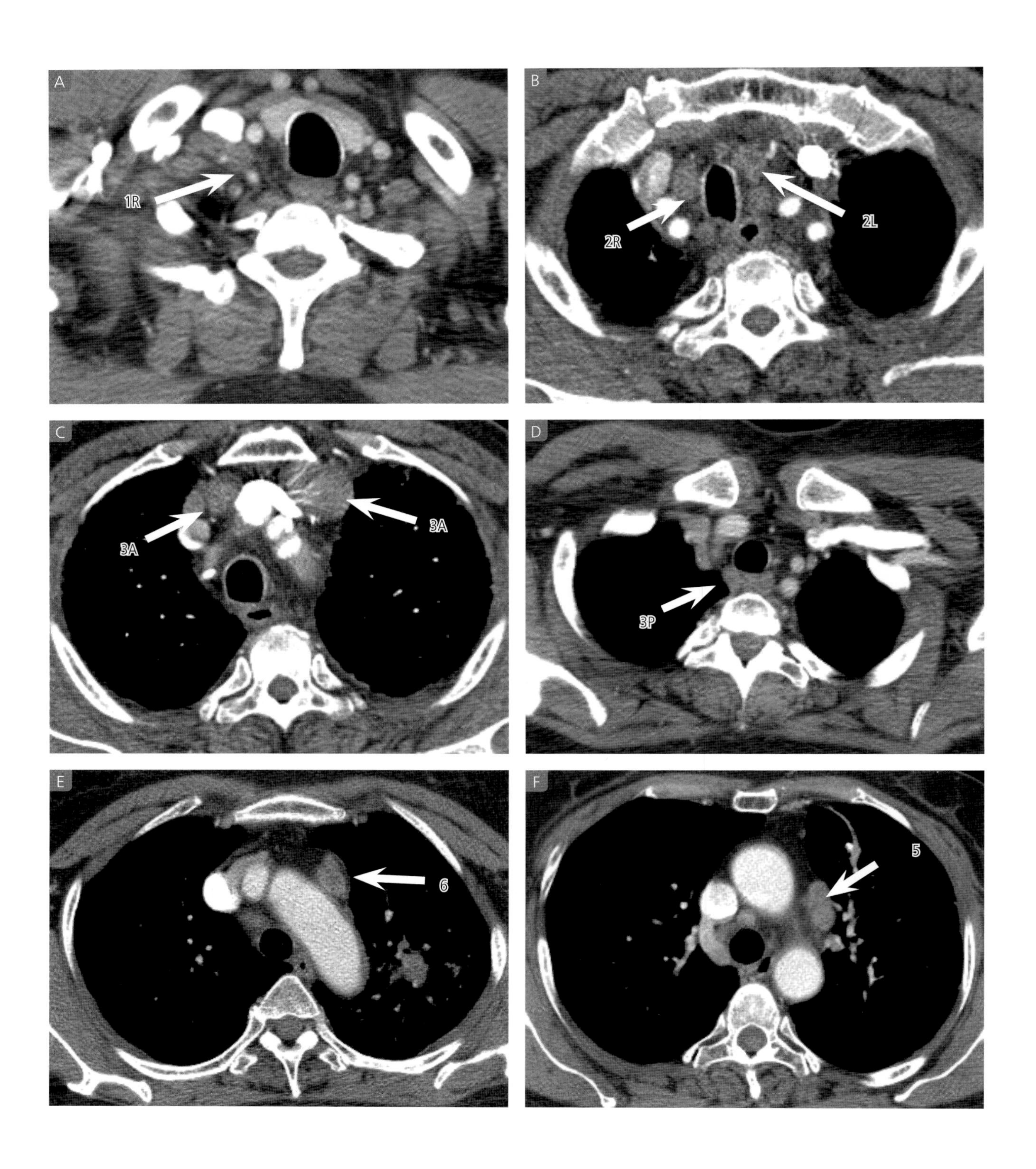
A
1R
B
2R
2L
C
3A
3A
D
3P
E
6
F
5

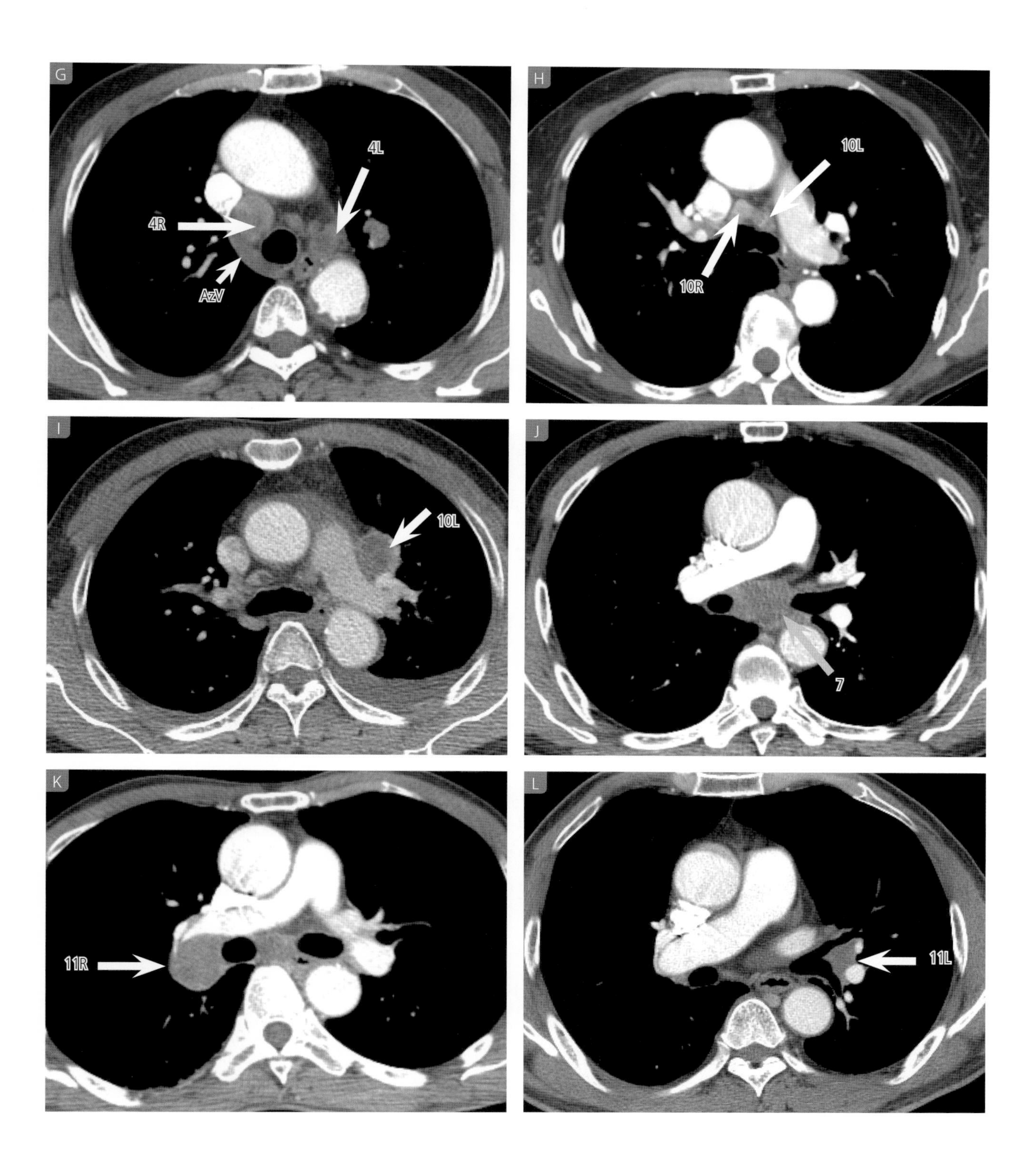

CHAPTER 07

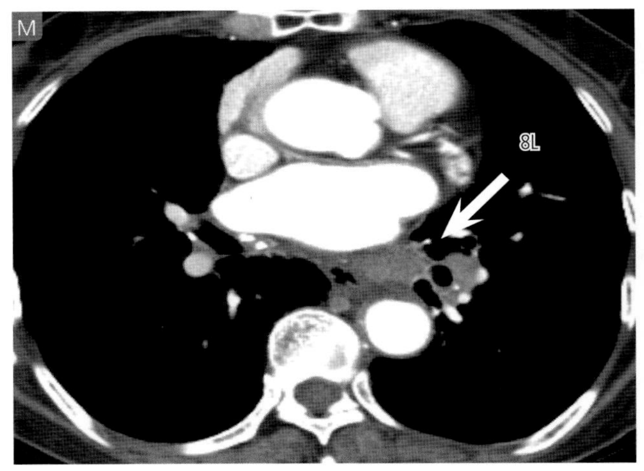

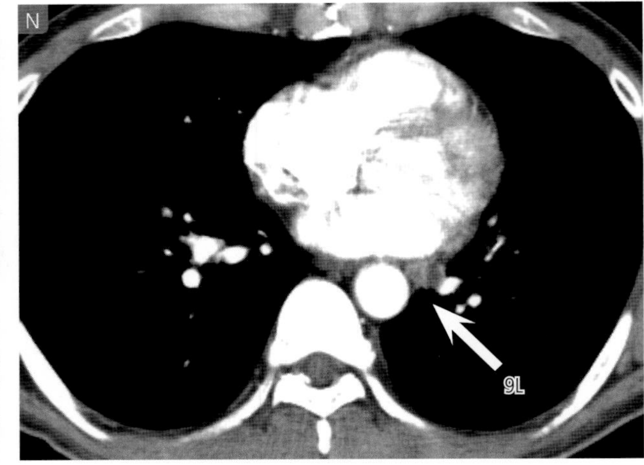

■ 그림 7-36. **림프절의 CT에서 위치**
1R 쇄골상림프절(우측) 2R 상부기관주위림프절(우측) 2L 상부기관주위림프절(좌측) 3A 혈관앞림프절 3P 기관뒤림프절 6 대동맥주위림프절 5 대동맥하림프절 4R 하부기관주위림프절(우측) 4L 하부기관주위림프절(좌측) AzV 기정맥 10R 폐문림프절(우측) 10L 폐문림프절(좌측) 7 기관분기부하림프절 11R 엽간림프절(우측) 11L 엽간림프절(좌측) 8L 식도주위림프절(좌측) 9L 폐인대림프절(좌측)

2) 림프절 분류

일본에서 사용하는 Naruke 림프절지도와 ATS 림프절지도인 Mountain-Dresler (MD-ATS) 수정본 간에 약간의 차이가 있는데 이들을 서로 조화시키고 각 림프절역을 좀더 해부학적으로 명시하기 위해 세계폐암연구회 병기위원회에서 림프절지도를 개정하였다[19]. 모든 림프절역을 간결하고 해부학적으로 분명하게 설명하였고 림프절역 간의 중첩을 피하기 위해서 특히 1번 림프절에서 10번까지 림프절역의 위아래 경계를 서술하였다. 4번과 10번 림프절의 경계로 이전에는 종격흉막(mediastinal pleura)을 사용하였으나 현재는 그 경계를 영상과 내시경, 수술에서 확인할 수 있는 해부학적 주요지형지물로 정의하였다. 쇄골상과 흉골패임 림프절은 1번 림프절로 정의하였다. 2번과 4번 림프절 사이의 우측과 좌측 경계는 림프배출을 반영하여 정중선이 아니라 기관의 좌측 외측벽으로 하였다. 그리고 3번, 7번과 10번, 우측에서 4번과 10번, 좌측에서 5번과 10번, 10번과 11번의 경계를 명확히 정의하였다(표 7-10). 구역(zone)이라는 개념(그림 7-35, 7-36)을 추가하였는데 이는 미래에 생존분석을 하기 위해 제안된 것으로 현재 표준명명법은 아니다. 8판에서 림프절 전이에 대한 변경사항은 거의 없다[20].

같은쪽과 반대쪽의 1번 림프절은 N3이고, 같은쪽에 있는 종격림프절은 N2이다(2-9 림프절 역). 10-14번 림프절은 같은쪽에 있는 경우 N1이다. 반대쪽 종격림프절과 반대쪽 10-14 림프절은 N3이다(그림 7-37). 지역림프절은 흉곽내 림프절(종격, 폐문, 엽, 엽간, 분절, 아분절)과 윤상연골 아래쪽에 위치한 하부경부림프절, 사각림프절, 쇄골상림프절을 말한다. 흉벽을 침범한 폐암의 경우라도 종격림프절전이 없이 종괴 근처에 위치한 흉벽림프절은 지역림프절로 분류하지 않으며 한 개 전이되면 M1b로, 여러 개가 전이되면 M1c로 분류한다. 원발종양에 의해서 림프절이 직접 침범된 경우 림프절전이로 간주한다.

3) 전이병변 분류

폐암 환자에서 보이는 대부분의 흉막삼출과 심장막삼출은 종양 때문이다. 그러나 일부 환자에서 여러 번의 현미경검

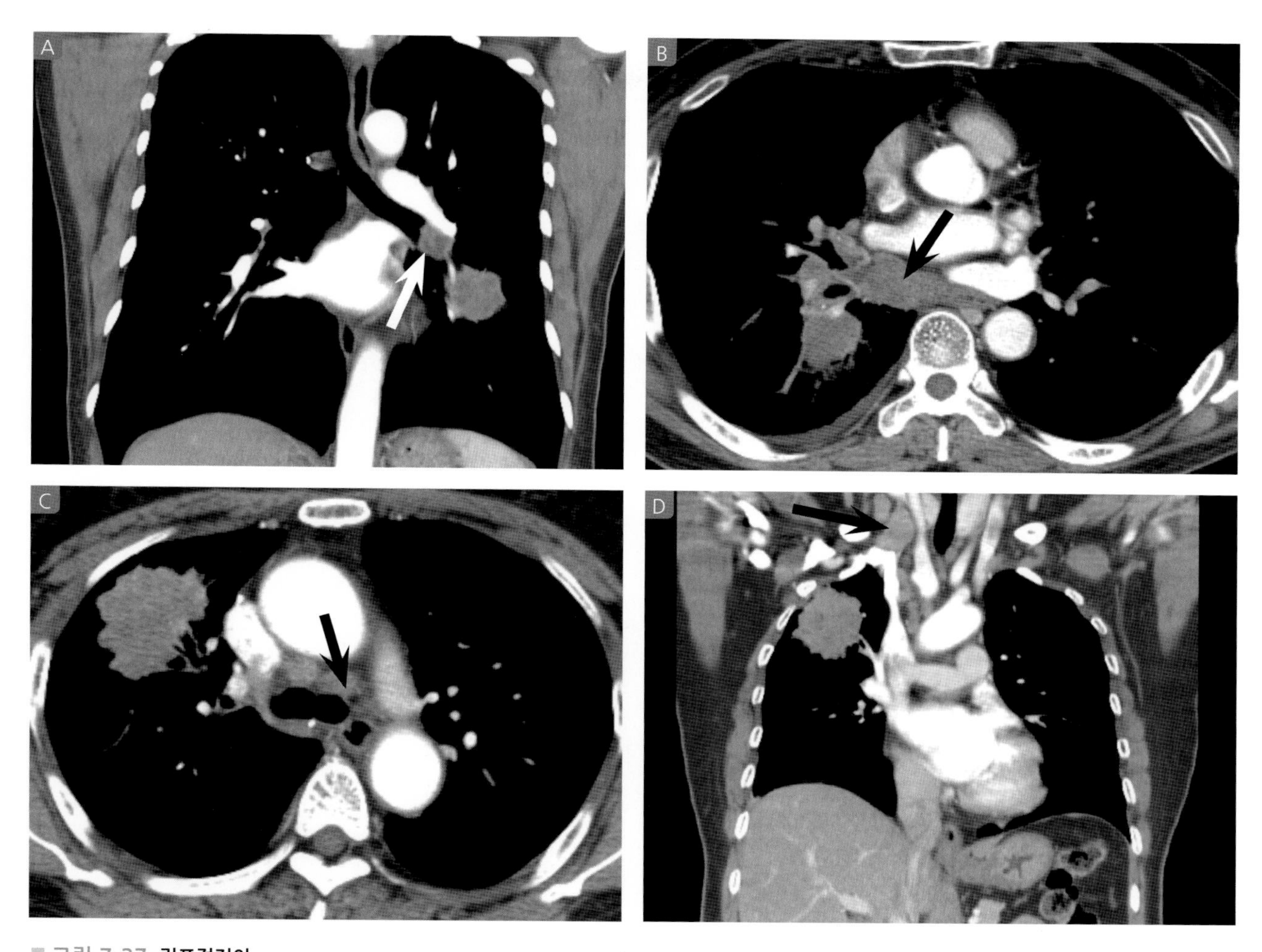

■ 그림 7-37. **림프절전이**

N1 림프절전이로 좌하엽에 종괴가 있고 같은쪽 엽간림프절(화살표)의 크기가 증가하였다(A). N2 림프절전이로 우하엽에 종괴가 있고 기관분기부하림프절과 우측식도주위림프절의 크기가 증가하였고 서로 뭉쳐 있다(화살표)(B). N3 림프절전이로 우상엽에 종괴가 있고 반대쪽 하부기관지주위림프절(화살표) 크기가 증가하였고(C), 쇄골상림프절(화살표)의 크기도 증가하였다(D).

사(연속적인 2회 이상)에서 종양세포가 음성이고 액체가 비혈성이고 삼출액이 아니며 임상적으로 종양과 관련이 없다고 판단되면 병기요소에서 제외시키고 M0로 분류한다. 심장막삼출 및 결절 또는 흉막삼출 및 결절(그림 7-38)이 있으면 M1a이다. 원발종양에 의한 직접침범이 아니고 종양과 떨어져 있는 같은쪽의 벽측흉막과 장측흉막의 종양병변은 M1a로 분류한다. 유사한 조직형의 별개의 종양결절이 반대쪽 폐에 있으면 M1a이다(표 7-11). 흉곽외 원격전이는 M1b로만 분류하던 것을 단일성인지 다발성인지에 따라 M1b와 M1c로 분류한다. 흉곽외 하나의 기관에 한 개의 전이가 있는 경우 M1b이다. 한 개의 병소가 여러 기관에 전이되어 있거나 여러 개의 병소가 하나의 기관에 전이된 경우 M1c로 분류한다. 지역림프절로 분류되지 않은 림프절전이는 개수에 따라 M1b 또는 M1c로 분류한다. 벽측흉막 바깥에 흉벽이나 횡격막에 떨어져 있는 종양은 개수에 따라 M1b 또는 M1c로 분류한다[21].

표 7-11. **전이성 병변의 분류**

특징	
M0	전이성 병변 없음 흉막삼출(pleural effusion)이 여러 번 검사해도(연속적인 2회 이상) 음성이고 비혈성(not bloody)이고 삼출액(exudate)이 아니며 임상적 판단으로 종양과 관련 없을 때
M1a	흉곽내 전이(폐전이, 흉막삼출 및 심장막삼출) 같은 조직형의 종양이 반대쪽 폐에 있을 때 같은쪽 벽측 및 장측흉막에 원발종양과 떨어져 있는 종양
M1b	단일 병소가 단일 기관에 있는 흉곽외전이 지역림프절로 분류되지 않는 하나의 림프절전이 벽측흉막 밖에 흉벽이나 횡격막에 떨어져 있는 하나의 전이성 종양
M1c	단일 병소가 여러 기관에 있거나 다발 병소가 하나의 기관에 있는 흉곽외 전이 지역림프절로 분류되지 않는 여러 개의 림프절전이 벽측흉막 밖에 흉벽이나 횡격막에 떨어져 있는 여러 개의 전이성 종양

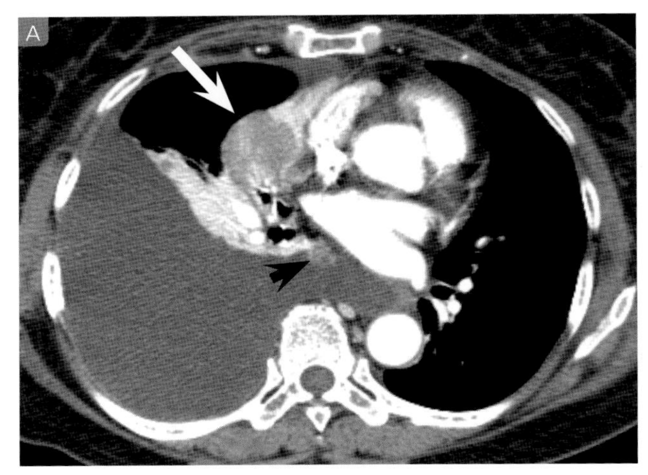

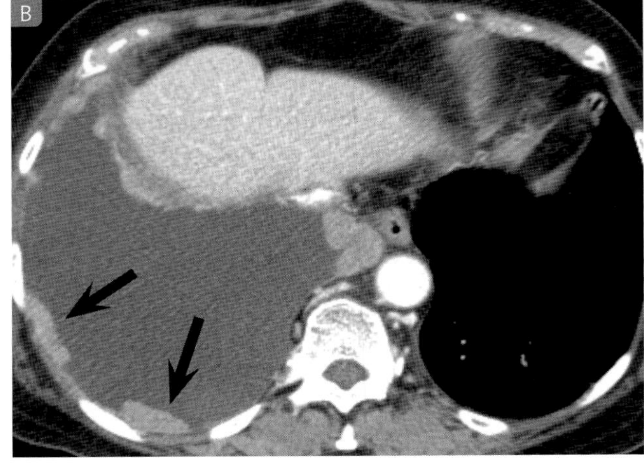

■ 그림 7-38. **악성흉막삼출**
우중엽에 무기폐가 있고 내부에 저음영종괴가 보인다(화살표). 흉막삼출이 다량 있고 조영증강되는 흉막결절이 보인다(화살촉)(A). 흉막을 따라 조영증강되는 흉막결절 및 판들이 보인다(화살표)(B).

2. 폐암의 병기결정을 위한 진단

CT는 병기를 최종 결정하기에는 불완전한 방법이지만 전반적인 해부학적 검사를 하기에는 가장 좋은 방법이다. 폐암 병기를 결정하기 위해 흉부CT를 촬영할 때는 조영제를 주입하고 쇄골상와는 물론 간, 비장, 부신이 포함되도록 해야 한다. MRI는 연부조직침범을 보는데 유용하며 최근 전신MRI로 전이를 진단하기도 하지만 폐암 병기결정에 있어 MRI는 기본검사법은 아니다. PET/PET-CT는 CT보다 종격림프절을 평가하고 흉곽외 전이를 진단하는데 더 중요한 정보를 제공하며, 민감도와 특이도가 더 높다. PET/PET-CT는 전신평가가 가능하여 뇌를 제외한 흉곽외 전이를 진단하여 불필요

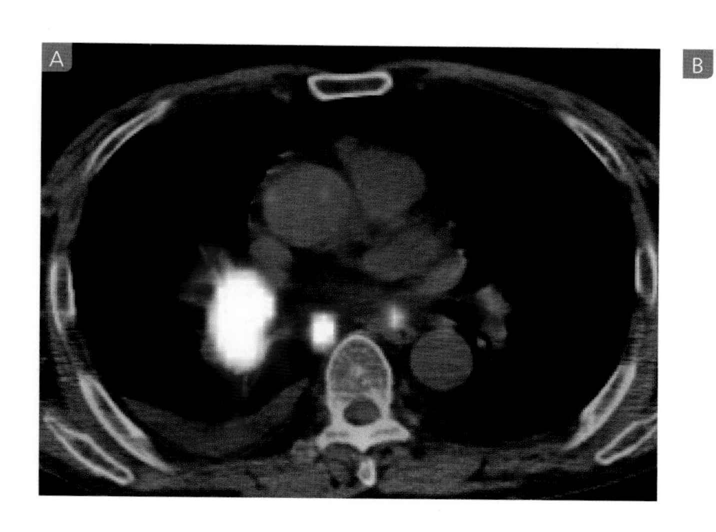

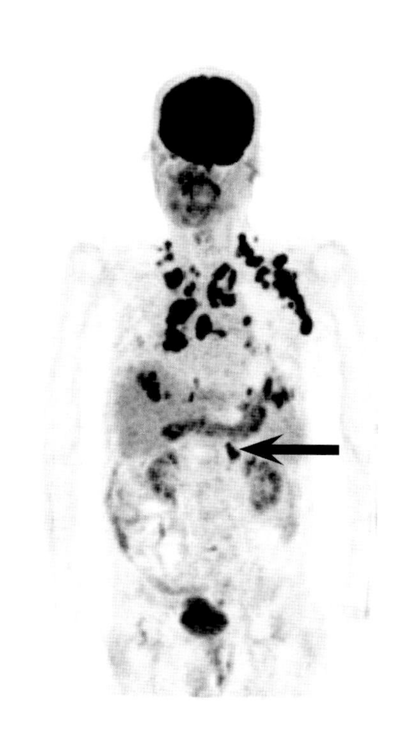

■ 그림 7-39. **폐암환자에서 PET-CT**
우하엽에 FDG의 섭취를 보이는 종괴가 있고 종격에도 림프절이 있다(A). 같은 환자에서 우하엽 종괴, 종격림프절, 양측쇄골상림프절, 좌측액와부, 간 및 좌측부신(화살표)에 FDG섭취를 보여 전이를 한 눈에 진단할 수 있다(B).

한 절제를 감소시킬 수 있다. PET/PET-CT(그림 7-39)는 현재 폐암 병기결정에 중요한 역할을 하고 있다.

1) 원발종양 진단

종양이 흉벽이나 주변장기를 침범했는지 판정하는 것은 수술 가능 여부나 수술 방법을 결정하는데 중요하다. 조영증강 CT는 림프절과 혈관구조물을 구별하고 중심에 위치한 종양이 종격을 침범했는지를 판단하는데 도움이 된다. MRI는 CT와 비교하여 우월한 대조도와 해상능으로 뼈, 연부조직, 지방, 혈관구조물 등의 정상조직을 종양과 구분하여 종격, 흉벽, 횡격막, 척추체로 직접 침범하는 종양을 판단할 때 좀더 유용하다. 따라서, 상구종양이나 종격, 흉벽의 구조물과 횡격막에 붙어 있는 종양을 평가할 때 촬영한다. 병기를 결정할 때 MRI 기본으로 시행하지는 않지만 상완신경총의 침범을 의심하는 경우 유용한 검사법이다[3, 6].

2) 종격림프절 진단

병기를 결정할 때 종격림프절의 침범을 진단하는 것은 특히 중요하다. 종격병기를 결정하기 위해서 폐암의 흉곽내 소견을 방사선학적으로 4가지 형태(그림 7-40)로 분류하여 이에 따라 적당한 검사방법을 선택한다(표 7-12). 첫 번째는 림프절이 혈관과 기도를 둘러싸며 종격을 침범하는 양상으로 림프절을 구분하거나 측정할 수 없는 형태로 원격 전이가 없는 환자에서 종격림프절 병기는 침습적인 확진 없이 CT소견만으로도 충분하다. 이러한 경우는 소세포폐암과 비소세포폐암을 감별하기 위해 조직을 안전하게 얻을 수 있는 방법을 선택하는 것이 더 중요하며 원발종양 검사보다 종격검사가 병기결정과 확진을 동시에 할 수 있어 추가 위험을 최소화 할 수 있다. 두 번째는 종격림프절이 측정할 수 있는 크기로 커진 형태로 PET섭취와 상관없이, 영상만으로 병기를 결정하는 것 보다는 기관지내시경초음파나 식도내시경초음파로 세침검사를 시행하는 침습적 방법으로 병기를 결정한다. CT에서 림프절 크기는 단경이 1 cm 이상인 경우를 비정상으

표 7-12. 폐암의 흉곽내 방사선 소견에 따른 항목의 정의

군	서술	흉부 CT에 의한 정의
A	종격침윤	종격 내에 종양종괴가 있으며 뚜렷이 림프절을 구분하거나 측정할 수 없는 경우 (종양종괴가 폐내에 위치하여 종격과 닿아 있거나 종격흉막이나 지방을 접면으로 침범한 경우는 해당되지 않으며 이는 T병기에 해당하는 병변이다)
B	뚜렷한 종격림프절 비대	종격림프절의 크기가 횡단면 CT에서 단경이 1 cm 이상인 경우
C	임상 II 병기 혹은 중심성 I 병기 종양	종격림프절의 크기가 1 cm 미만이며 N1림프절이 1 cm 이상으로 커지거나 중심성종양 (흉곽의 근위부 1/3 내에 위치)인 경우
D	말초성 임상 I 병기 종양	종격림프절의 크기가 정상이고 N1림프절이 1 cm 미만의 크기인 말초성 종양(흉곽의 원위부 2/3 내에 위치)

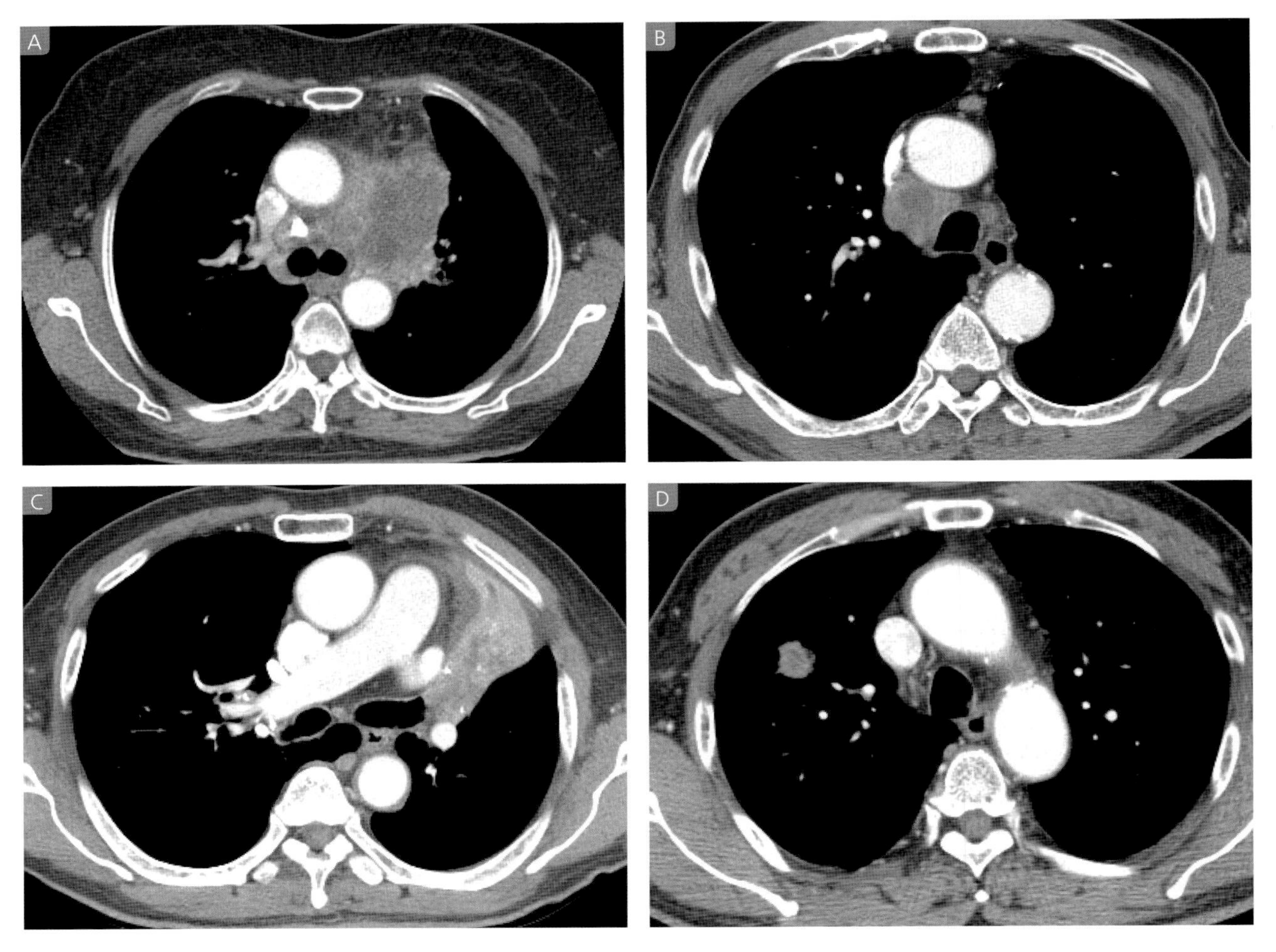

■ 그림 7-40. **폐암의 흉곽내 CT 소견**

종격침윤(A). 뚜렷한 종격림프절 비대(B). 중심성폐암으로 N1림프절 비대가 있으나 종격림프절은 정상(C). 말초성 종양과 정상 크기의 림프절(D).

로 간주한다. CT에서 종격림프절이 정상 크기라 하더라도 PET섭취가 있으면 침습적 검사를 하는 것을 권장한다. 세 번째는 중심성종양이 있고 N1이 의심되는 형태로 N2 혹은 N3 림프절 크기가 정상이더라도 림프절이 침범했을 가능성이 약 20-25%로 높은 편이므로 이에 대한 확진이 필요하다. 중심성종양이 있는 환자에서 N1 림프절을 평가하는 것은 어려우므로, N1 림프절이 함께 커져 있는 것으로 간주한다. 네 번째는 임상 1병기의 말초성종양인 경우로 원격전이나 종격침범 가능성이 낮은 경우이다. 말초성종양인 경우 CT에서 N1-N3 림프절이 커져 있지 않을 때 위음성율은 10% 정도로 T1 종양은 약 9%, T2 종양은 약 13%이다. 이것이 침습적 방법을 시행해야 할 만큼 높은 수치인지는 판단의 문제이지만 PET에서 종격림프절이 음성인 경우 위음성은 약 4%로 침습적검사를 시행할 필요는 없다[3]. 우상엽 종양의 림프배출은 주로 우측기관주위영역으로 일어나며 좌상엽 종양은 주로 대동맥주위 또는 대동맥하 림프절로 전이된다. 중엽과 하엽 종양은 기관분기부하림프절로 전이된 후 기관주위림프절로 전이된다. 폐문과 엽간 림프절에 전이하지 않고 우회하

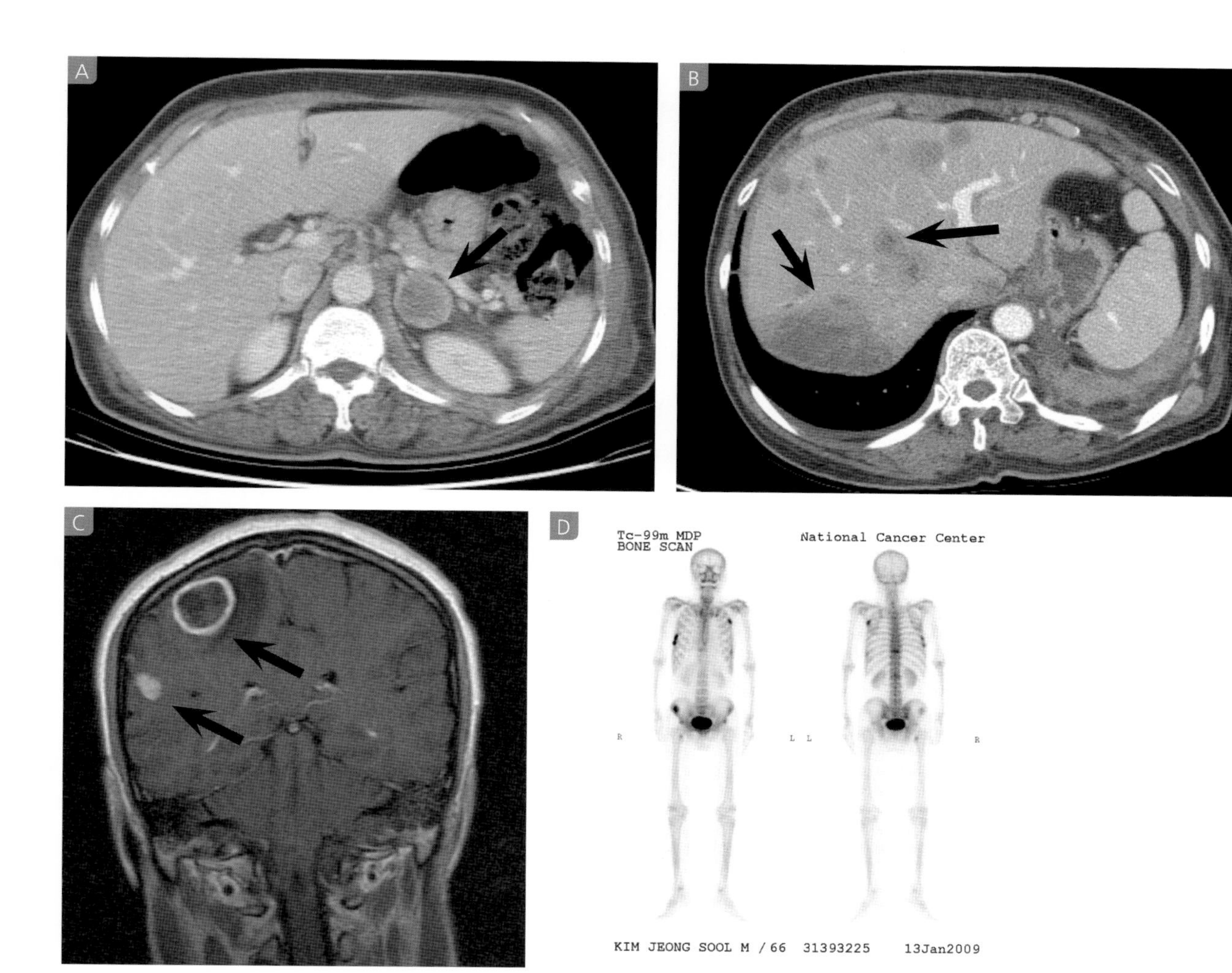

■ 그림 7-41. **폐암의 여러 장기로의 전이**
좌측부신에 저음영을 보이는 결절이 있다(화살표)(A). 간에 저음영의 종괴 및 결절이 흩어져 있다(화살표)(B). 관상면 뇌MRI(C)에서 환상의 조영증강을 보이는 종괴와 조영증강되는 결절이 보인다(화살표). 뼈스캔(D)에서 늑골, 흉추 및 우측 골반뼈에 섭취를 보이는 전이성병변이 있다.

여 바로 종격림프절로 배출되는 소위 건너뜀(skip)전이는 절제된 폐암표본에서 7-26% 정도로 보고되며 상엽 종양과 선암에서 가장 흔하다. 아직 논란은 있지만, 좌상엽 폐암인 경우에 다른 종격림프절이 음성인 경우에 대동맥폐동맥창림프절에 대해 종격검사를 시행하기도 한다.

조직검사를 시행할 때 CT는 어떤 림프절을 선택할지에 대한 지침이 되지만 병기와 수술가능성을 결정할 때 명확하게 정해진 림프절의 크기는 없다. PET은 폐암환자에서 종격을 평가하는데 가장 정확한 비침습적 영상방법이지만 PET에서 양성인 것만을 바탕으로 조직검사 없이 수술치료의 가능성을 배제해서는 안된다. 림프절전이를 진단하는 CT의 민감도와 특이도는 각각 55%와 81%로 CT로 림프절전이를 진단하는 것은 제한적이다. PET의 민감도와 특이도는 각각 77%와 86%로 CT보다는 좀 더 정확하지만 여전히 조직검사는 필요하다[3].

3) 전이병변의 검사

폐암의 흉곽외 전이는 림프계나 혈관의 침범을 통해서 나타난다. 일반적으로 선암이 편평세포암보다 흉곽외 전이의 빈도가 높다. 제I 병기 편평세포암은 종격림프절 전이 없이 흉곽외 전이가 되는 경우는 없지만, 선암의 경우는 림프절전이가 없이도 흉곽외 전이가 있다. 폐암은 어느 장기에나 전이가 가능하며, 부신, 간, 중추신경계, 골전이 등이 흔히 발견되며(그림 7-41) 콩팥, 췌장 및 소화기계 장기에도 전이된다. 병기를 결정할 때 임상소견이 정상이고 흉부CT에서 흉곽외 이상이 없어 보이는 경우 수술적 치료가 가능하다고 판단되면 PET을 시행하여 흉곽외 부위의 전이 여부를 본다. PET 촬영이 가능하지 않다면 뼈스캔과 복부CT로 대체하기도 한다. 영상에서 전이가 의심되면 치료방법을 선택하기 전에 반드시 전이부위를 조직검사하여 확진해야 한다. 영상에서 원격전이가 다발성으로 퍼져 있을 때는 전이부위나 종격림프절의 조직검사는 필요 없다. 흉막을 침범하는 경우는 대부분 흉막삼출로 나타나며 대부분 악성이다. 그러나, 중심부 종괴에 의한 림프관 폐쇄나 심부전, 폐렴, 폐색전에 의한 반응성흉막삼출일 가능성도 있다. 악성 흉막삼출이나 심장막삼출은 CT에서 조영증강되는 흉막이나 심장막의 결절이나 판(plague) (그림 7-38)이 보이면 진단할 수 있다.

원발종양에 간유리음영만 있는 경우는 전이의 가능성도 적으므로 PET을 권장하지 않으며 고형성분이 8 mm 미만인 경우도 PET의 역할은 미미하다. 말초성 폐암이면서 임상병기가 IA인 경우 PET은 시행하지 않는다. FDG-PET의 장점은 비교적 정확한 비침습적 방법으로 폐외종양을 찾는데 전신 영상을 볼 수 있어 폐암의 병기를 결정하는데 유용하게 사용할 수 있다. 단점은 8 mm 미만 크기의 병변에는 민감도가 낮고 대사가 낮은 암은 위음성을 보이고, 결핵에 의한 육아종 등 염증성 병변에 의한 위양성이 있다. MRI는 뇌전이를 진단하는데 유용하며 임상 3병기나 4병기의 비소세포폐암의 환자는 뇌전이를 보기 위해 임상증상이 없더라도 MRI를 시행한다[3].

참고문헌

1. Aberle DR, Adams AM, Berg CD, Black WC, Clapp JD, Fagerstrom RM, et al. Reduced lung-cancer mortality with low-dose computed tomographic screening. N Engl J Med 2011;365:395-409.
2. Detterbeck FC, Mazzone PJ, Naidich DP, Bach PB. Screening for lung Cancer. Diagnosis and management of lung cancer, 3rd ed: American College of Chest Physicians evidence-based clinical practice guidelines. Chest 2013;143(Suppl):e78S-e92S.
3. Silvestri GA, Gonzalex AV, Jantz MA, Margolis ML, Gould MK, Tanoue LT, et al. Methods for staging non-small cell lung cancer. Diagnosis and management of lung cancer, 3rd ed: American College of Chest Physicians evidence-based clinical practice guidelines. Chest 2013;143(Suppl):e211S-e250S.
4. Travis WD, Brambilla EW, Nicholson AG, Yatabe Y, Austin JH, Beasley MB, et al. The 2015 World Health Organization Classification of Lung Tumors Impact of Genetic, Clinical and Radiologic Advances Since the 2004 Classification. J Thorac Oncol. 2015;10:1243-1260.
5. Travis WD, Brambilla E. Noguchi M, Nicholson AG, Geisinger K, Yatabe Y, et al. International Association for the Study of Lung Cancer/American Tho-

racic Society/European Respiratory Society international multidisciplinary classification of lung adenocarcinoma. J Thoracic oncol 2011;6:244-285.

6. Lee KS. Pulmonary carcinoma: staging. In: Muller NL, Silva IS, ed. Imaging of the chest. Volume 1. Philadelphia:Saunders 2008:517-541.
7. Austin JH, Garg K, Aberle D. Yankelevitz D, Kuriyama K, Lee HJ, et al. Radiologic implications of the 2011 classification of adenocarcinoma of the lung. Radiology 2013;266:62-71.
8. Klein JS, Febles A. Lung cancer: radiologic manifestations and diagnosis. In: Muller NL, Silva IS, ed. Imaging of the chest. Volume 1. Philadelphia:Saunders 2008:494-516.
9. Kim TH, Kim SJ, Ryu YH, Lee HJ, Goo JM, Im JG, et al. Pleomorphic carcinoma of lung: comparison of CT features and pathologic findings. Radiology 2005;232:554-559.
10. Brandman S. Ko JP. Pulmonary nodule detection, characterization, and management with multidetector computed tomography. J Thorac Imaging 2011;26:90-105.
11. Patel VK, Naik SK, Naidich DP, Travis WD, Weingarten JA, Lazzaro R, et al. A practical algorithmic approach to the diagnosis and management of solitary pulmonary nodules. Part 1: radiologic characteristics and imaging modalities. Chest 2013;143:825-839.
12. Xeu AY, Wang PL, Xue AL,Wang N, Zhang L, Sun J, et al. Comparative study of solitary thin-walled cavity lung cancer with computed tomography and pathological findings. Lung Cancer 2012;78:45-50.
13. Kim TH, Kim SJ, Ryu YH, Chung SY, Seo JS, Kim YJ, et al. Differential CT features of infectious pneumonia versus bronchioloalveolar carcinoma(BAC) mimicking pneumonia. Eur Radiol 2006;16:1763-1768.
14. Detterbeck FC, Nicholson AG, Franklin WA, Marom EM, Travis WD, Girard N, et al. The IASLC Lung Cancer Staging Project: summary of proposals for revisions of the classification of lung cancers with multiple pulmonary sites of involvement in the forthcoming eighth edition of the TNM classification. J Thorac Oncol 2016;11:539-650.
15. Archontogeorgis K, Steiropoulos P, Tzouveleks A, Nena E, Bouros D. Lung cancer and interstitial lung disease: A systematic review. Pulmonary Medicine 2012;2012:1-11.
16. International Association for the Study of Lung cancer. Staging Manual in Thoracic Oncology. 2nd ed. North Fort Myers, FL.
17. Rami-Porta R, Bolejack V, Crowley J, Ball D, Kim J, Lyons G, et al. The IASLC lung cancer staging project: proposals for the revisions of the T descriptors in the forthcoming eighth edition of the TNM classification for lung cancer. J Thorac Oncol 2015;10:990-1003.
18. Travis WD, Asamura H, Bankier AA, Beasley MB, Detterbeck F, Flieder DB, et al. The IASLC lung cancer staging project: proposals for coding T categories for subsolid nodules and assessment of tumor size in part-solid tumors in the forthcoming eighth edition of the TNM classification for lung cancer. J Thorac Oncol 2016;11:1204-1223.
19. Rusch VW, Asamura H, Watanabe H, Girous DJ, Rami-Parta R, Goldstraw P; Members of IASLC Staging Committe. A proposal for a new international lymph node map in the forthcoming seventh edition of the TNM classification for lung cancer. J Thoac Oncol 2009;4:568-577.
20. Asamura H, Chansky K, Crowley J, Goldstraw P, Rusch VW, Vansteenkiste JF, et al. The IASLC lung cancer staging project: proposals for the revisions of the N descriptors in the forthcoming eighth edition of the TNM classification for lung cancer. J Thorac Oncol 2015;10:1675-1684.
21. Eberhardt WE, Mitchell A, Crowley J, Kondo H, Kim YT, Turrisi A erd, et al. The IASLC lung cancer staging project: proposals for the revisions of the M descriptors in the forthcoming eighth edition of the TNM classification for lung cancer. J Thorac Oncol 2015;10:1515-1522.

Contents

I 카르시노이드종양(carcinoid tumor)

카르시노이드는 신경내분비세포(neuroendocrine cell; Kulchitsky cell)에서 기원하는 드문 종양이다. 신경내분비세포는 정상적으로 기관 혹은 기관지의 상피세포에 존재하며 주로 저산소증에 반응하여 국소적으로 호흡기 상피세포를 성장시키거나 재생시키는데 관여한다. 이러한 세포는 단일 혹은 군집화하여 존재하는데, 이 세포가 과도하게 증식하는 것이 신경내분비종양이다[1]. 신경내분비종양은 조직의 악성도에 따라 전형적 카르시노이드(typical carcinoid), 비전형적 카르시노이드(atypical carcinoid), 그리고 대세포신경내분비암(large cell neuroendocrine carcinoma)과 소세포폐암(small cell carcinoma)으로 분류될 수 있다(표 8-1). 폐의 카르시노이드종양은 신체 다른 부위에서 발생하는 종양과는 달리 이소성 호르몬 분비에 의한 카르시노이드 증후군(carcinoid syndrome)이 잘 생기지 않지만, 소세포폐암에서는 카르시노이드 증후군이 자주 발생할 수 있다.

카르시노이드종양은 위장관계(90%)에서 가장 흔히 발생하며, 폐는 두 번째 호발 부위로, 원발성 폐종양의 약 3-4%를 차지한다. 모든 카르시노이드종양은 재발 및 전이의 가능성을 가지는 저등급 악성 종양으로 분류되며 악성도에 따라 전형적 카르시노이드(typical carcinoid)와 비전형적 카르시노이드(atypical carcinoid)로 나눌 수 있다(표 8-2)[1-3].

표 8-1. 신경내분비종양의 분류

	전형적 카르시노이드	비전형적 카르시노이드	대세포신경내분비암	소세포폐암
악성도	낮음	중등도	높음	높음
분화도	좋음	좋음	나쁨	나쁨
유사분열(/10 HPF)	2개 미만	2-10개	10개 이상	50개 이상
괴사	없음	국소적	광범위	광범위

*HPF: high power field

표 8-2. 전형적 카르시노이드와 비전형적 카르시노이드의 비교

	전형적 카르시노이드	비전형적 카르시노이드
유사분열(/10 HPF)	2개 미만	2-10개
괴사	없음	국소적
위치	중심부 기관지	폐 변연부
흡연과의 연관성	관련 없음	관련
호발 연령	45-50세	50-60세
남녀 발생빈도	M=F	M>F
발현시 국소 임파절 전이	5-15%	50%
발현시 원격전이	드물다	20%
5년 생존율	90%	60%

*HPF: high power field

1. 전형적 카르시노이드

전체 카르시노이드종양의 약 90%를 차지한다. 40-50대에 발생이 빈번하며 남녀 발생빈도는 비슷하다. 흡연과의 연관관계는 뚜렷하지 않다. 병리학적으로는 10곳의 고배율 현미경 시야에서 2개 미만의 유사 세포분열이 보이고, 괴사가 없어야 한다. 전형적 카르시노이드는 대부분 중심부 기관지(75%)에서 발생하는 것으로 알려져 있으며, 기도 폐색에 의한 증상이나 객혈을 보일 수 있다. CT에서 중심부 기관지 주변에 위치하여 기관지를 막거나 좁히거나 변형시키는 경계가 좋은 종괴(endobronchial tumor)로 보이며 조영 증강이 잘 된다. 병변의 원위부 기관지에 점액충만(mucus plugging)에 의한 장갑낀 손가락모양이 보이거나, 해당되는 폐실질에 허탈이나 폐렴이 동반될 수 있다. 대부분의 카르시노이드는 기관지 내에서 시작하지만 주변 폐실질로 자라나 상대적으로 기관지내 부분에 비하여 기관지외 부분이 크게 보일 수 있다(iceberg tumor). 괴사나 공동화는 드물다. 병리학적 검사에서는 석회화가 30% 정도에서 관찰되지만, 흉부X선에서는 드물며, CT에서는 미만성(diffuse) 혹은 반점형(punctate) 석회화가 보일 수 있다. 5년 생존율이 90%에 달하는 예후가 좋은 종양이다(그림 8-1, 8-2)[1-3].

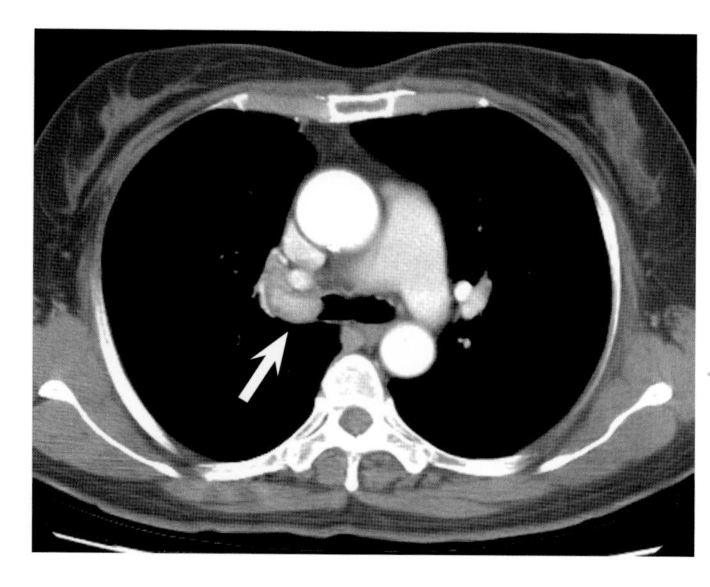

■ 그림 8-1. **전형적 카르시노이드**
오른쪽 주기관지에 경계가 좋은 기관지내 결절(화살표)이 보인다. 조영증강이 매우 잘 되는 결절로 내부에 석회화는 보이지 않는다.

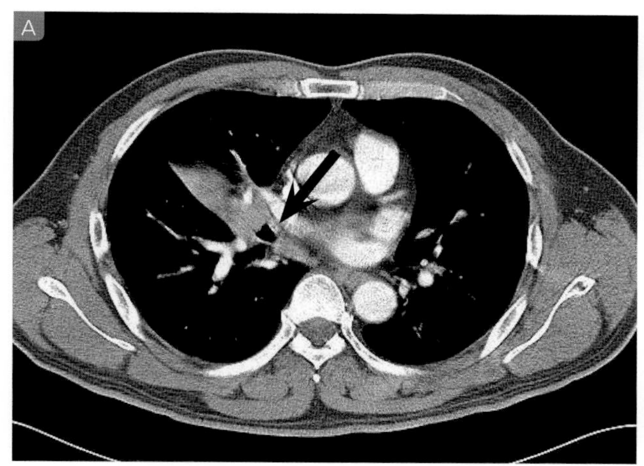

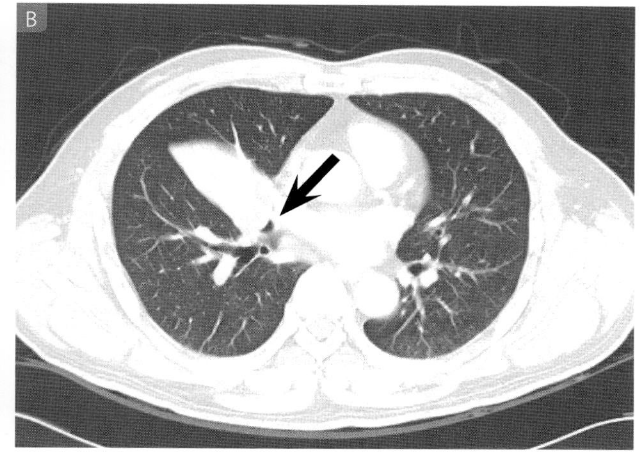

■ 그림 8-2. **전형적 카르시노이드**
우중엽 기관지를 막는 경계가 좋은 중심부 종괴(화살표)가 있고, 원위부로 우중엽 허탈이 동반되어 있다.

2. 비전형적 카르시노이드

전체 카르시노이드종양의 약 10%를 차지한다. 전형적 카르시노이드보다는 고령(50-60대)에서 발생한다. 남성에서 흔하며, 흡연과 연관이 있다. 전형적 카르시노이드에 비해 공격적이고 예후가 좋지 않아 5년 생존율이 60% 정도이다. 병리학적으로는 10곳의 고배율 현미경 시야에서 2-10개의 유사 세포분열이 보이고 괴사가 있다. 전형적 카르시노이드와 비교해 크기가 크며 폐의 말초 부위에 발생하는 경향을 보인다. 또한 림프절 전이(50%)와 원격 전이(20%)가 상대적으로 흔하다(그림 8-3, 8-4)[1-3].

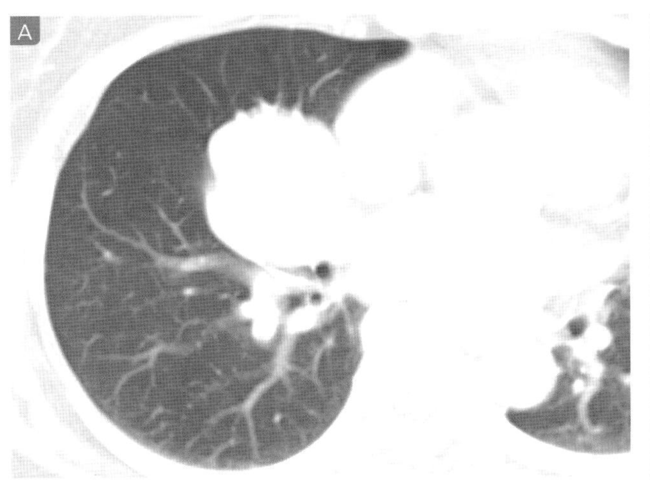
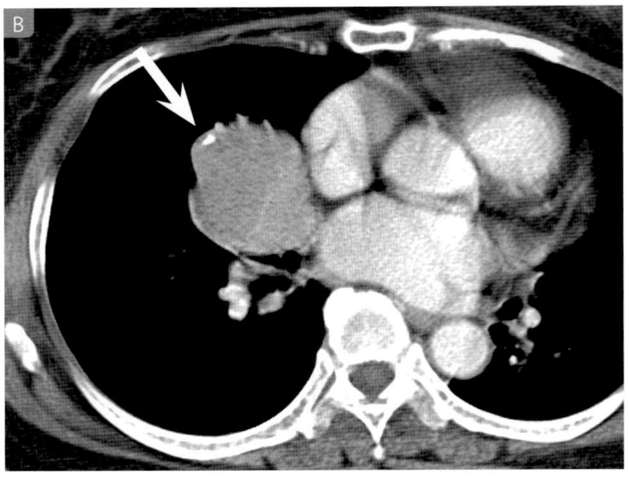

■ 그림 8-3. **비전형적 카르시노이드**
우중엽에 경계가 좋은 분엽상의 큰 종괴가 있다. 조영 후 CT에서 조영증강이 잘 되며, 결절형 석회화(화살표)가 보인다.

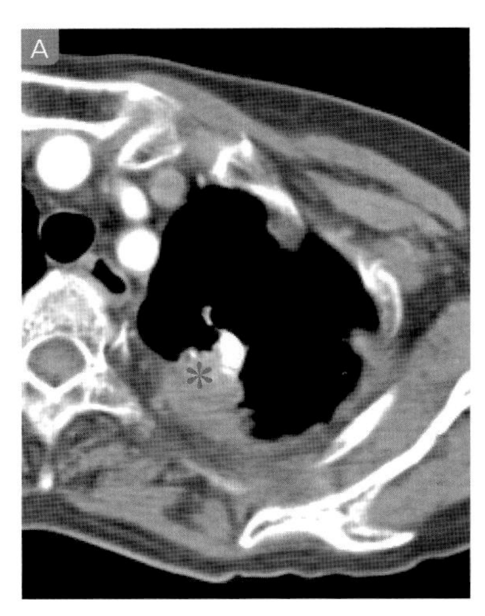
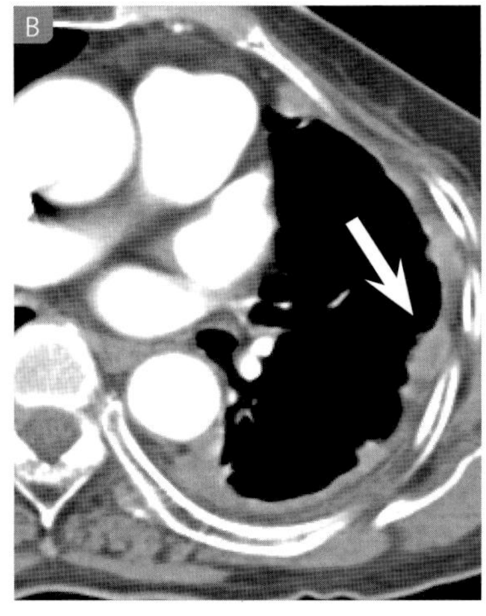

■ 그림 8-4. **비전형적 카르시노이드**
좌상엽 후첨분절에 분엽상의 종괴(별표)가 보인다. 좌측 흉곽에 흉막 결절과 결절성 흉막 비후가 있어 흉막 전이(화살표)가 있음을 알 수 있다.

II 폐전이(pulmonary metastasis)

폐는 전이가 가장 잘 생기는 장기로 한 문헌에 따르면 폐 외부 장기에 원발암이 있는 환자의 부검시 약 20-54%에서 폐전이가 발견되었다고 한다. 폐전이의 경로는 크게 동맥, 림프계, 흉막강, 기도 등으로 나눌 수 있다. 동맥을 통한 전이는 대부분 폐동맥을 통해서 발생하지만 기관지내 전이는 기관지 동맥이 주된 역할을 하는 것으로 생각된다. 림프계를 통한 전이는 혈행성으로 작은 동맥 및 모세혈관으로 전이된 종양세포가 인접한 간질과 림프관을 침범한 후 폐문이나 폐의 가장자리로 퍼지는 형태가 가장 흔하다. 혹은 종격동의 림프절로 종양이 먼저 침범한 후 기관지-폐 또는 폐문의 림프절로 역행성 전파를 하기도 한다. 흉막강을 통한 전이는 종양세포가 흉막삼출을 따라 다른 부위로 전달되면서 일어난다. 기도를 통한 전이는 기도로 종양세포의 초기 전이가 일어난 후 인접한 실질로 파급되는 형태로 나타난다[4].

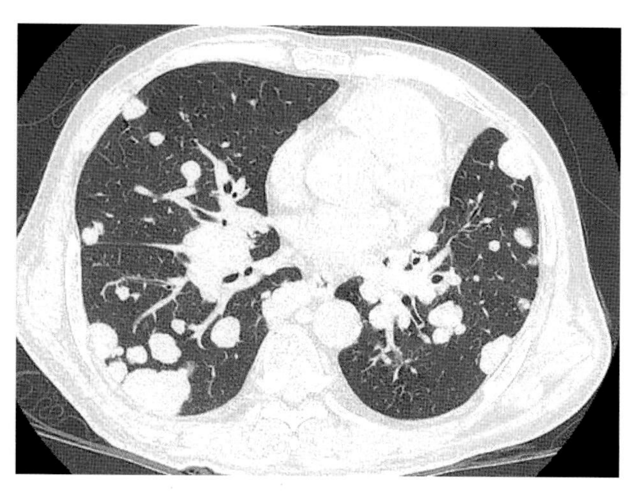

■ 그림 8-5. **신장암의 폐전이**
양측 폐하부의 변연부에 주로 위치한 다수의 경계가 좋은 결절이 보인다.

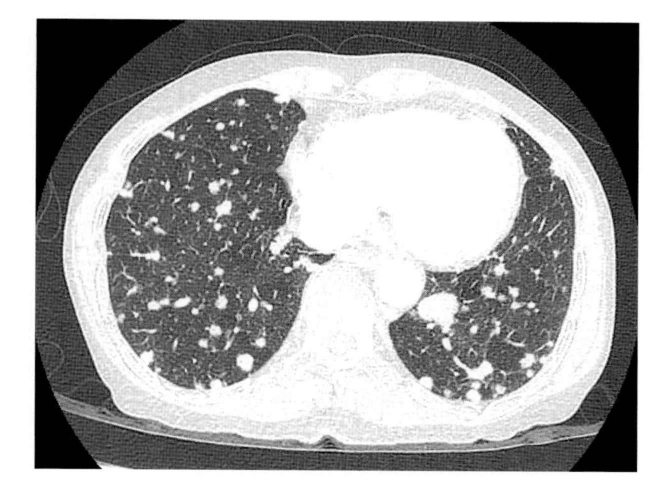

■ 그림 8-6. **위암의 폐전이**
양측 폐 변연부에 다수의 소결절이 있다. 결절은 경계가 좋고 무작위 분포를 보인다.

폐전이는 그 경로나 원발성 종양의 성상에 따라 다양한 영상의학적 소견을 보일 수 있다. 가장 전형적인 소견은 혈행성 전이에 의한 다수의 결절이나 림프관성 전이에 의한 간질 비후 소견이다. 그 외 공동형성, 석회화, 간유리음영을 동반한 결절, 기관지내 전이, 기흉, 폐경화, 종양색전 등의 소견들이 보일 수 있다[5].

1. 다수의 결절형 전이

가장 흔한 폐전이의 형태로 73% 정도가 이러한 소견을 보인다. CT에서 무작위분포(random distribution)를 보이는 다양한 크기의 다수의 결절이 주로 폐하부 및 변연부에 보인다. 원발 종양으로는 대장암, 신장암, 흑색종, 그리고 육종이 흔하다(그림 8-5, 8-6). 일부 종양에서는 셀 수 없이 무수히 많은 소결절 형태의 전이를 보일 수 있다[4].

2. 공동을 동반한 결절형 전이

결절 내부에 공동을 동반할 수 있는데, 전체 폐전이의 4% 정도가 이러한 소견을 보인다. 공동을 동반하는 전이암의 70% 이상이 편평세포암(squamous cell carcinoma)이며, 선암(adenocarcinoma)에서도 드물지 않다. 자궁경부암, 두경부암, 대장암, 직장암, 유방암이 원발암인 경우가 약 70%이다. 전이성 결절의 항암치료 후 공동이 생기기도 한다. 공동을 동반한 전이성 결절의 경우, 일반적으로 공동의 벽은 두껍고 불규칙한 것으로 알려져 있다(그림 8-7). 그러나 육종이나 선암이 원발 종양인 경우에는 공동의 벽이 매우 얇아 낭종처럼 보이기도 하는데, 이러한 경우를 낭종성 전이(cystic metastasis)라고 하며, 특히 육종의 낭종성 전이의 경우 기흉을 동반할 수 있다. 공동 혹은 낭종 형태의 전이가 생기는 기전은 ① 고형결절 내부에 괴사가 생기고 이 괴사된 조직이 밖으로 배출되는 경우, ② 기존에 존재하던 기낭(air cyst)의 벽에 종양이 침습적으로 자라나면서 발생하는 경우, ③ 종양이 세기관지 주변에서 자라나 세기관지를 막아 그 이하 부분

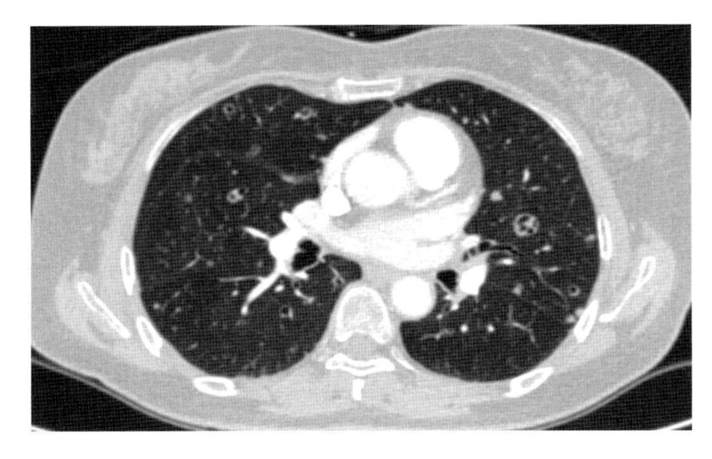

■ 그림 8-7. **편평세포암의 공동을 동반한 결절형 폐전이**
양측 폐에 다수의 결절이 보이며 일부 결절에서는 내부에 공동을 동반하고 있다. 공동의 벽은 두껍고 불규칙하다.

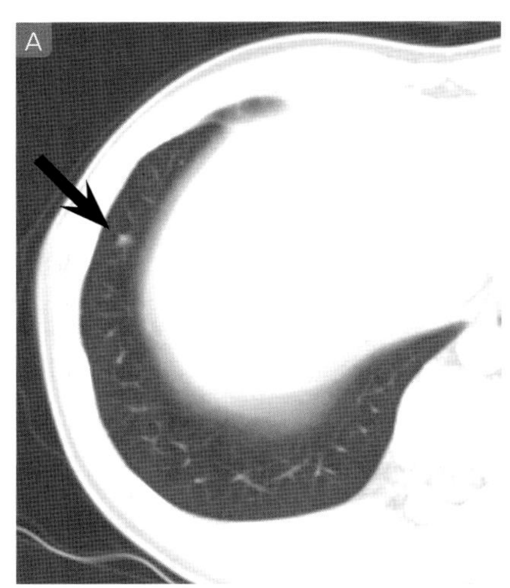

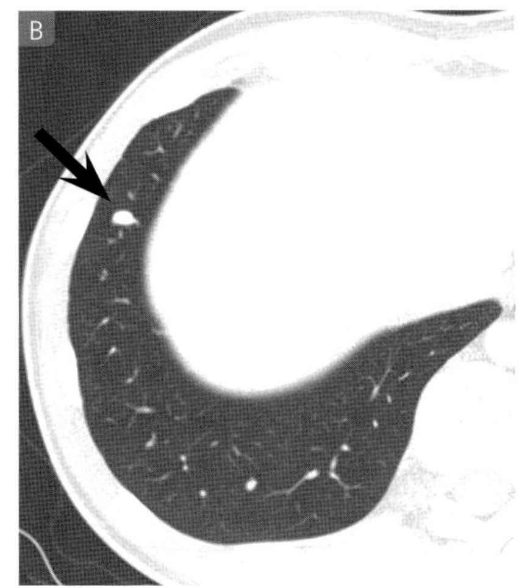

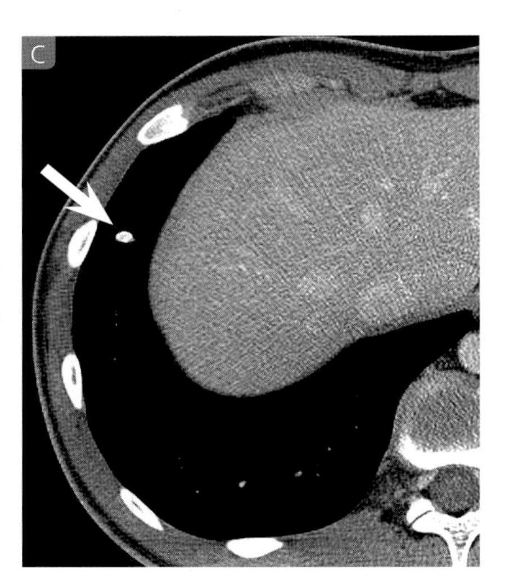

■ 그림 8-8. **석회화를 동반한 결절형 전이**
두 달 전(A) 우하엽에 작은 결절(화살표)이 발견되어 추적 검사를 시행하였다. 우하엽(B)에 보인 결절의 크기가 증가되었다. 내부에 석회화를 동반하였으나(C) 원발 종양이 골육종임을 고려할 때 폐전이의 가능성이 크다.

에 체크밸브(check-valve) 현상을 일으키는 경우, ④ 종양세포가 동양혈관(sinusoid)과 연결되는 낭종성 공간(cystic space)을 만들면서 자라나는 경우 등으로 생각된다[6].

3. 석회화를 동반한 결절형 전이

원발성 종양이 골형성을 하는 종양인 경우 전이성 폐결절에서도 석회화가 보일 수 있으며, 골육종(osteosarcoma)과 연골육종(chondrosarcoma)이 대표적인 예이다(그림 8-8). 위장관계나 유방암의 점액성 선암(mucinous adenocarcinoma)의 경우 유점액 석회화(mucoid calcification)가 동반될 수 있다(그림 8-9). 그 외 갑상선의 유두상암(papillary carcinoma), 거대세포종양(giant cell tumor), 활액막육종(synovial sarcoma), 치료 후의 전이성 폐암에서 이영양성 석회화(dystrophic calcification)가 보일 수 있다[5].

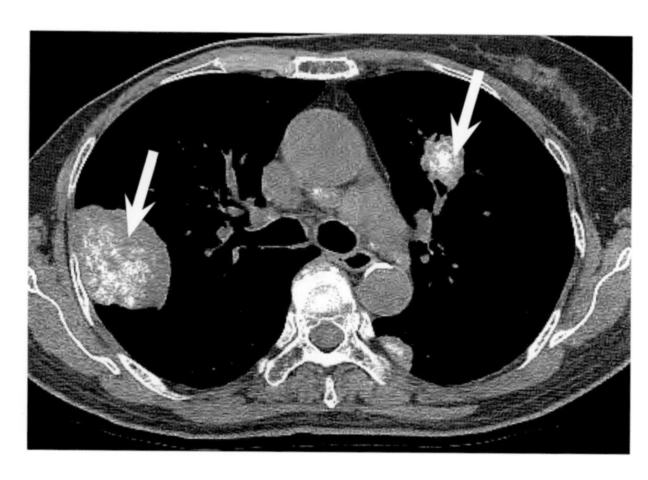

■ 그림 8-9. **석회화를 동반한 유방암의 폐전이**
양측 폐에 분엽상의 전이성 폐종괴가 있고 내부에는 유점액 석회화(화살표)가 있다.

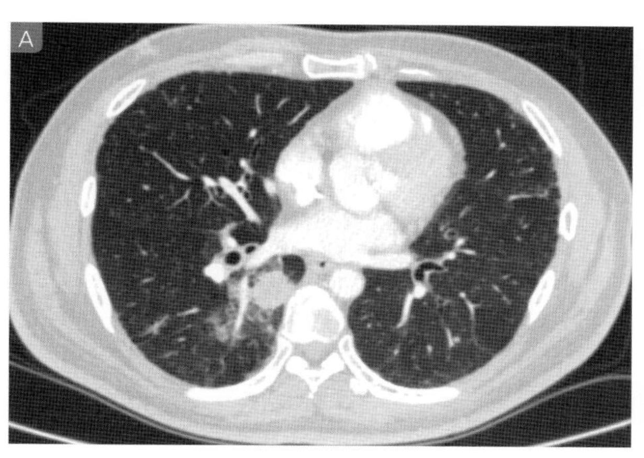

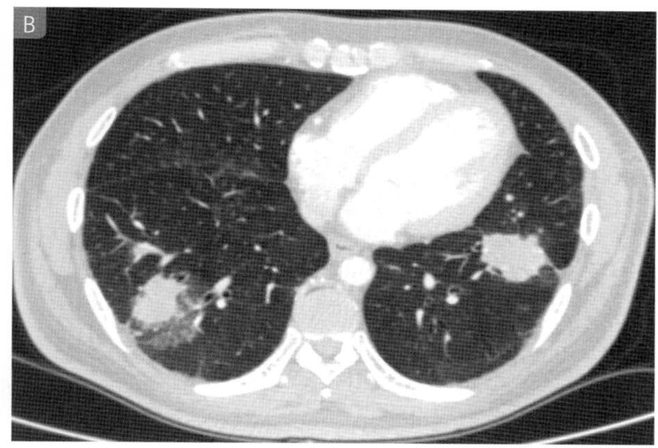

■ 그림 8-10. **혈관육종의 출혈성 폐전이**
양측 폐에 전이에 의한 결절 및 종괴가 보이며, 그 주변으로 출혈을 시사하는 반점형(patchy) 간유리음영이 보인다.

4. 간유리음영을 동반한 결절형 전이

전이성 결절이 주변 출혈을 동반하여 CT 달무리징후(CT halo sign)을 보이기도 한다. 이는 전이성 결절 주위에 있는 신생혈관의 조직이 약해 혈관이 터지면서 결절 주변에 출혈이 동반되는 것이다. 이러한 소견을 보이는 종양으로는 융모막암종, 흑색종, 신장암, 혈관육종, 카포시육종 등이 있다(그림 8-10)[5].

5. 기흉

기흉으로 인해 전이가 발견되기도 한다. 폐 변연부에 위치한 종양이 괴사가 되면서 기관지흉막루(bronchopleural fistula)가 생기고, 이로 인해 기흉이 발생하는 것으로 생각된다. 대부분의 육종성 종양(sarcomatous tumor)들이 공격적이고 괴사가 잘 일어나 기흉을 일으킬 수 있는데, 특히 골육종(osteosarcoma)에서 기흉이 잘 생긴다. 실제로 골육종 환자의 5-7%에서 기흉이 발생하는데, 이는 일반 인구에서 발생하는 빈도(1%)에 비해 훨씬 높은 것이다. 따라서 육종이 있는 환

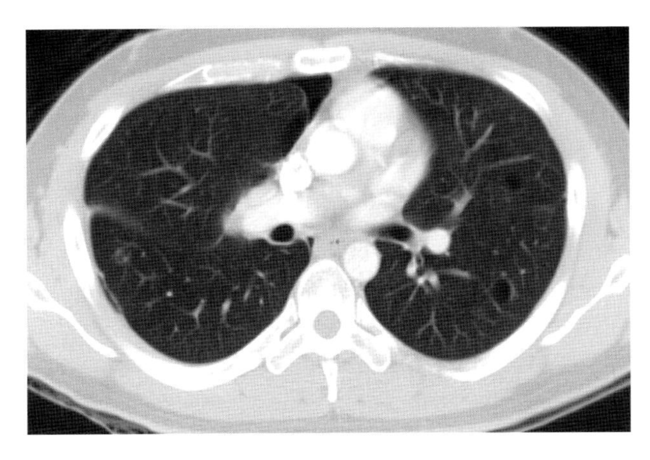

■ 그림 8-11. **상피양육종의 폐전이에 의한 기흉**
양측 폐에 낭종성 전이 및 공동을 동반한 전이가 보이며, 우측 흉곽에는 이러한 결절의 파열에 따른 기흉이 보인다.

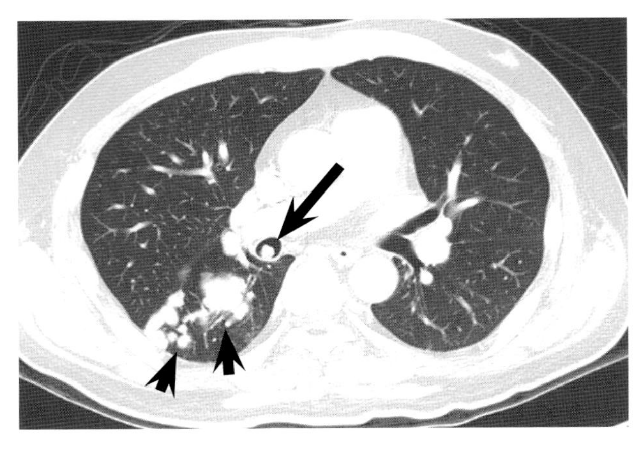

■ 그림 8-12. **신장암의 기관지내 전이**
오른쪽 중간기관지의 내강에 원형 결절(화살표)이 보이며 기관지내 전이로 확인되었다. 우하엽의 폐에도 다수의 결절(화살촉)을 동반한 폐실질내 혈행성 전이가 있다.

자에서 자발적으로 기흉이 생겼을 경우에는 폐전이가 있을 가능성을 고려해야 한다(그림 8-11)[5].

6. 기관지내 전이(endobronchial metastasis)

기관지내 전이는 매우 드물어 약 2% 정도로 보고된다. 종양세포의 기도내 직접 흡인, 림프관 침범, 기관지 벽으로의 혈행성 전이 등에 의해 발생한다. 혈행성일 경우에는 기관지 동맥(bronchial artery)이 전파 경로로 추정된다. 그 외 주변 폐실질이나 림프절의 종양이 기관지 내로 침범하여 기관지내 종괴를 형성할 수도 있는데, 이런 형태까지 기관지내 전이로 고려한다면 그 빈도는 더욱 증가한다(20-50%). 원발성 종양이 신장암인 경우가 가장 흔하고, 그 외에도 대장암, 유방암, 흑색종, 갑상선암에서 생길 수 있다. CT에서 기도나 기관지 내의 결절 혹은 종괴로 보이고 원발 종양과의 감별이 어렵다. 근위부 기관지 폐쇄로 원위부 기관지는 점액으로 채워지고 세기관지염을 동반하기도 한다(그림 8-12)[5].

7. 종양색전(tumor embolism)

종양이 폐혈관 내에 위치하고 주변 폐실질로의 침습은 없는 경우를 말한다. 사후 부검에 의하면 종양색전이 2.4-26%에 이른다고 알려져 있으나 생전에 진단되기는 매우 어렵다. 주로 유방암, 위암, 신세포암, 간세포암, 전립선암 등이 원인이 된다고 알려져 있다. 대개의 종양색전은 말초 폐혈관 내에 위치하여 진단이 어려운데, 간혹 CT에서 말초 폐혈관의 확장이나, 결절형 혹은 염주알 모양의 비후(nodular or beaded thickening), 나뭇가지에 싹이 나는 모양(tree-in-bud appearance; centrilobular artery의 확장을 의미) 등이 보이면 의심할 수 있다(그림 8-13, 8-14). 드물게 중심부 폐혈관 내에 종양색전이 발생하여 일반적인 혈전에 의한 폐색전증과 구분이 필요할 때도 있고, 중심부 폐혈관 확장으로만 나타나기도 한다[5].

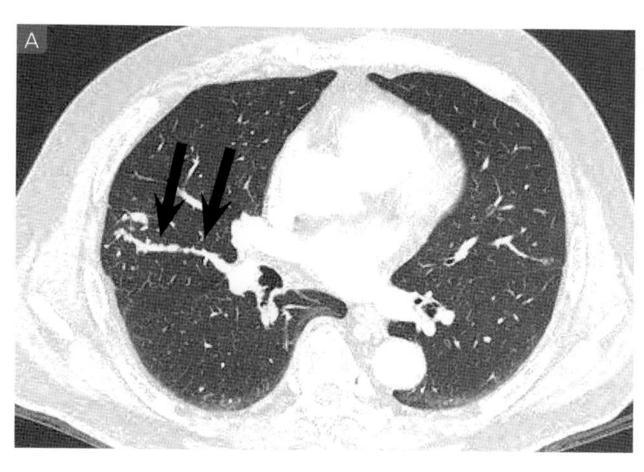

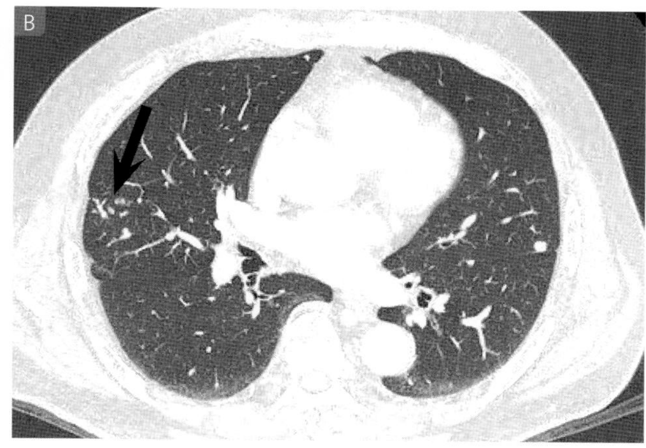

■ 그림 8-13. **신장암의 종양색전**
우중엽 폐혈관이 변연부에서 염주알 모양의 비후(A, 화살표)와 나뭇가지에 싹이 나는 모양(B, 화살표)을 보인다.

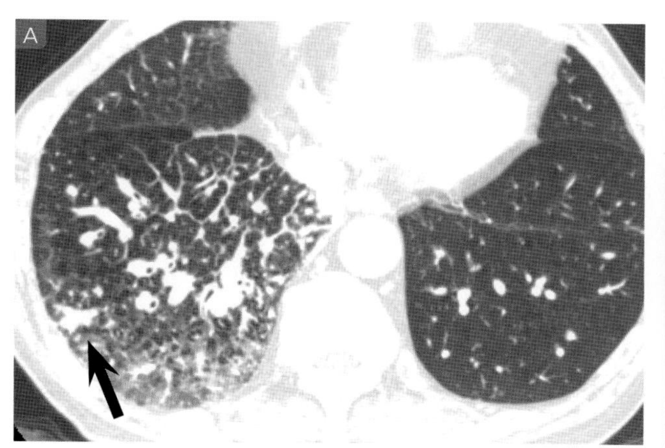

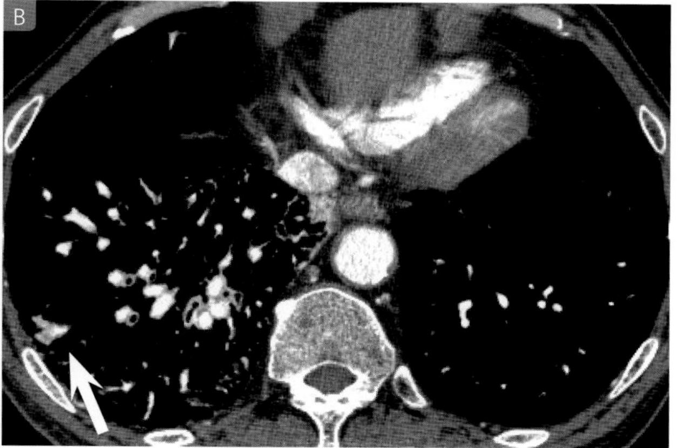

■ 그림 8-14. **신장암의 종양색전.** 우하엽 변연부의 말초혈관이 확장되어 있고(A), 종격동 창에서 늘어난 혈관 내에 종양색전(B)이 보인다.

8. 림프관성 폐전이암(lymphangitic carcinomatosis)

폐의 림프계 내부에서 종양이 증식하는 것으로 초기부터 호흡곤란을 일으킬 수 있다. 과거에는 종격동의 림프절로 종양이 먼저 침범한 후 기관지-폐 또는 폐문의 림프절로 역행성 전파를 하는 것으로 생각하였다. 그러나 림프관성 폐전이를 보이는 환자의 다수에서 폐문의 림프절이나 흉관 내에서 종양세포가 발견되지 않았다. 따라서 최근에는 림프관성 폐전이에 대해 혈행성으로 폐의 작은 동맥으로 전이된 종양세포가 인접한 간질과 림프관을 침범한 후 폐문이나 폐의 가장자리로 퍼지는 것으로 생각한다. 원발암이 폐암인 경우가 가장 흔하며, 두번째가 유방암, 그리고 세번째가 위장관계암이다. CT에서 기관지혈관다발(bronchovascular bundle), 소엽간중격(interlobular septum)과 엽간열(fissure)이 두꺼워지고 작은 결절을 동반할 수 있으며, 중심소엽 구조물(centrilobular structure)이 뚜렷해질 수 있다(그림 8-15, 8-16)[5].

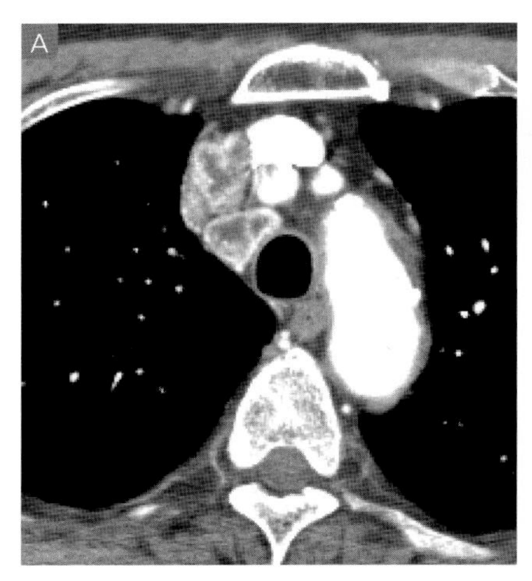

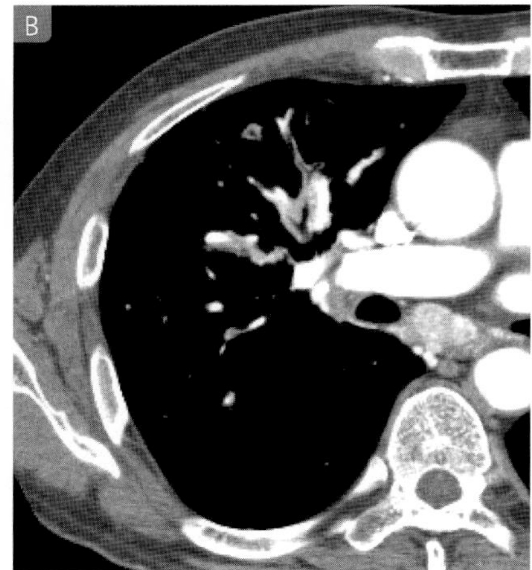

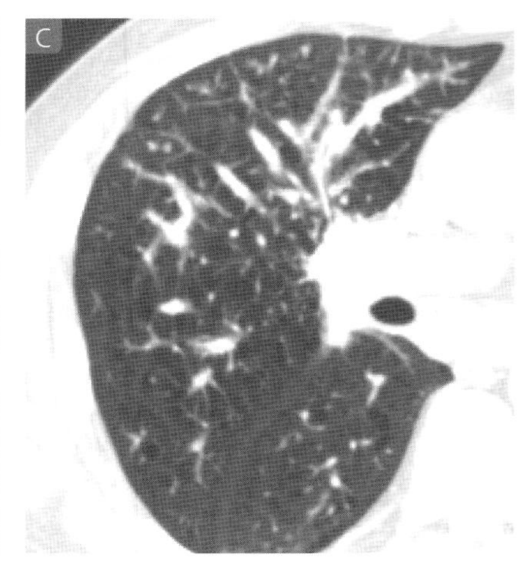

■ 그림 8-15. **신장암의 림프관성 폐전이**
종격동의 림프절이 커져 있고(A), 우상엽의 기관지혈관다발이 두꺼워져 있으며(B), 소엽간중격 및 중심소엽 구조물이 뚜렷해졌다(C).

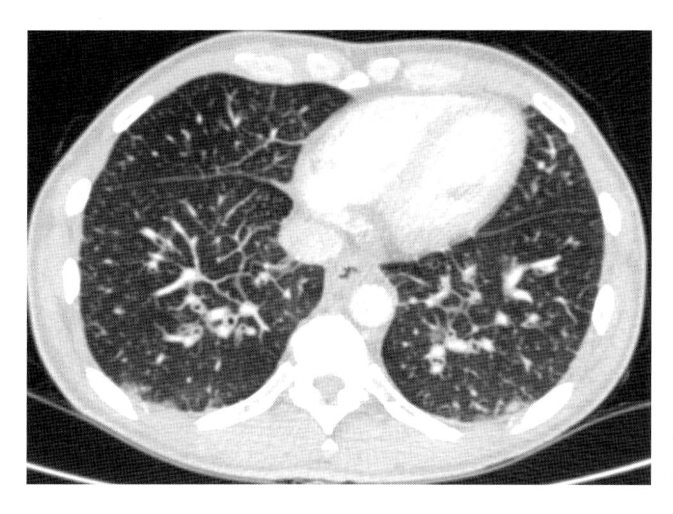

■ 그림 8-16. **위암의 림프관성 폐전이**
양측 폐에 기관지혈관다발과 소엽간중격 및 엽간열이 두꺼워져 있으며, 중심소엽 구조물이 뚜렷해졌다.

9. 흉막전이(pleural metastasis)

장측(visceral) 및 벽측(parietal) 흉막에 종양세포가 침범하여 염증이 생기고 혈관내피 세포가 손상되어 모세혈관의 투과도가 증가하고 림프액의 배액 장애가 일어나는 것이다. 흉막전이는 혈행성, 림프관성 경로로 일어날 수 있고, 또는 인접한 원발 종양에서 직접 침범될 수도 있다. 흉막삼출(pleural effusion)로만 발생하는 경우가 가장 많고, 더 진행하면 흉막의 비후가 동반된다(그림 8-17). 원발 종양이 선암인 경우가 가장 많은데, 폐암이 가장 흔한 원인이고(40%) 다음으로 유방암(20%)이 흔하다. 흉막 전이의 60%만이 흉막삼출을 동반하며, 흉막삼출을 동반하지 않은 흉막전이의 경우에는 엽간열의 결절만이 전이를 시사하는 소견이 된다(그림 8-18). 악성 흉막삼출의 가장 민감하고 특이적인 소견은 흉막 결절과 흉막의 결절형 비후이다. 종격동쪽 흉막(mediastinal pleura)의 비후나 환상의(circumferential) 흉막 비후도 악성흉막

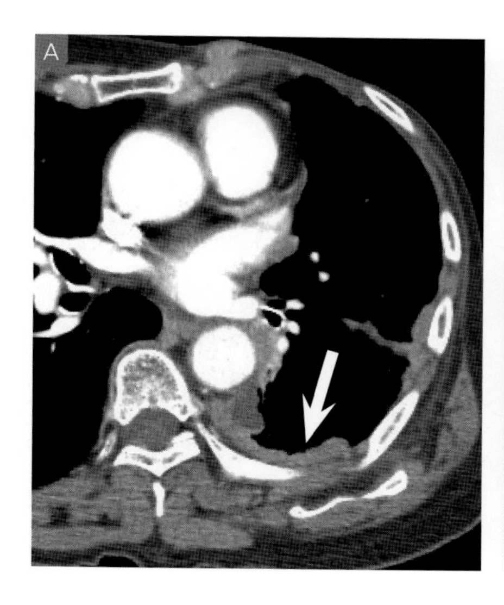

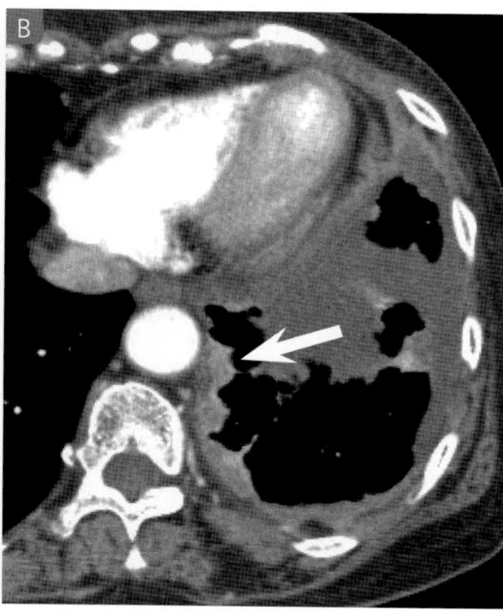

■ 그림 8-17. **유방암의 흉막전이**
좌측 흉곽에 흉막삼출과 결절성 흉막비후(화살표)가 있다.

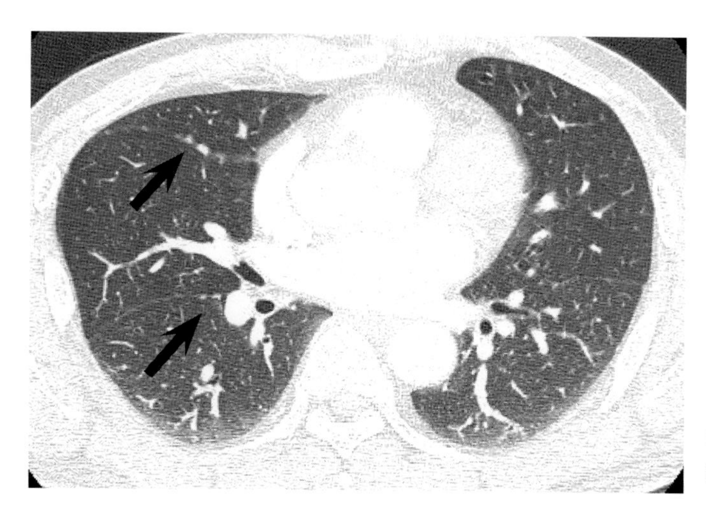

■ 그림 8-18. **전립선암의 흉막전이**
흉막 삼출없이 우측 엽간열에 결절(화살표)이 있다.

삼출에서 많이 보이지만 농흉(empyema)에서도 보일 수 있어서 감별에 도움이 되지 않는다[5].

10. 폐경화 형태의 전이(air space metastasis)

전이된 종양세포가 폐의 원발성 상피내암(adenocarcinoma in situ)처럼 폐포(alveoli)를 파괴하지 않고, 폐포를 따라 혹은 채우면서 자라는(lepidic growth), 매우 드문 형태의 전이이다. 원발 종양이 위장관계의 선암인 경우가 가장 많다. 소장의 선암이 가장 흔하고(60-70%), 췌장암(20%), 대장암(15%)에서도 발생할 수 있다. 그 외 유방암이나 난소암도 유사한 소견을 보일 수 있다. 영상 소견으로는 폐의 원발성 선암과 감별하기 어렵다. CT에서 중심소엽결절(centrilobular nodule), 공기기관지조영(air-bronchogram)이나 혈관조영(angiogram) 징후를 동반한 폐경화(parenchymal consolidation), 국소적(focal) 혹은 광범위한 간유리음영, 간유리음영을 동반한 결절 등으로 보일 수 있다(그림 8-19)[5].

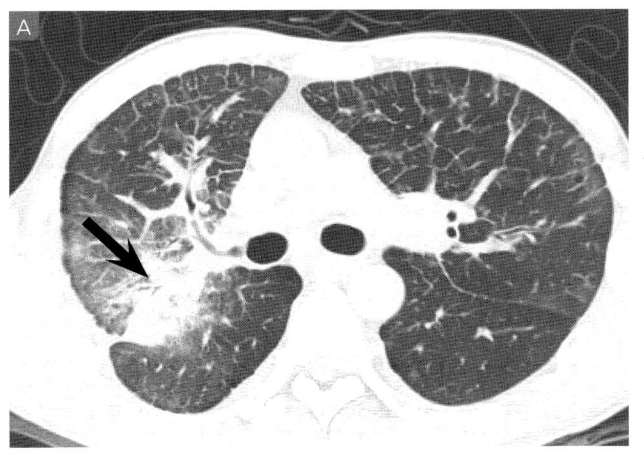

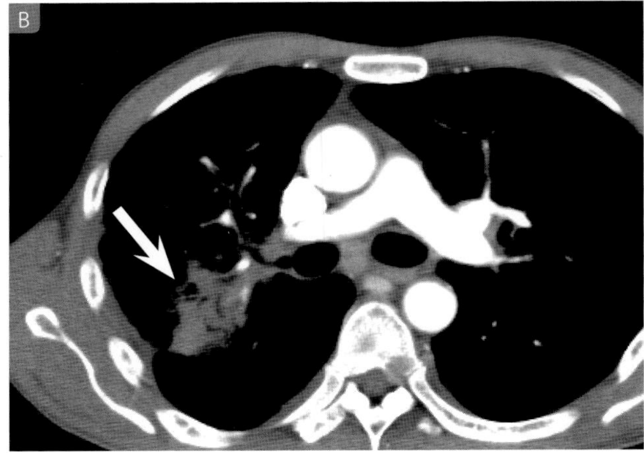

■ 그림 8-19. **위암의 폐경화 형태의 전이**
우상엽에 공기기관조영을 보이는 폐경화 형태의 전이가 있다(화살표).

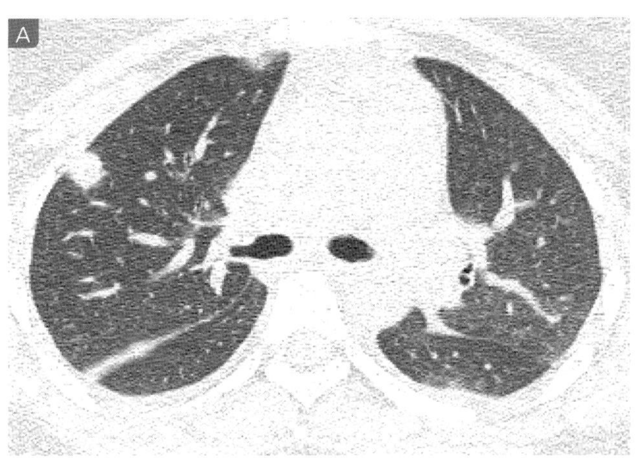

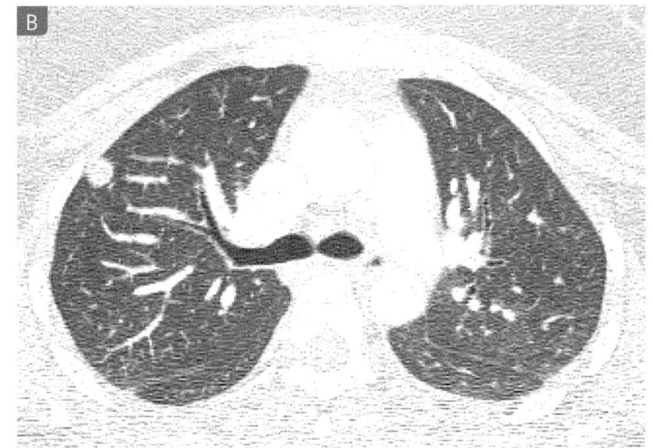

■ 그림 8-20. **침입성포상기태(invasive mole)의 소멸된 전이**
침입성 포상기태에 의한 폐전이가 있던 환자로 당시 사람융모성 생식샘자극호르몬(HCG)이 1,149 mIU/mL로 상승되어 있었다. 한달 후 추적검사(B)에서 호르몬 수치가 1.5 mIU/mL 이하로 감소하였으나 폐의 전이성 결절은 약간의 크기 감소만 보인다.

11. 소멸된 전이(sterilized metastasis)

적절한 항암치료를 시행한 후에도 전이성 종양의 크기에 거의 변화가 없고 수술적 절제를 시행하여 종괴 내에 종양세포 없이 섬유조직이나 괴사만 관찰되는 경우를 소멸된 전이라 한다. 융모암(choriocarcinoma)이나 고환암(testicular cancer)에서 흔히 관찰될 수 있다. 영상 소견만으로는 잔여 생존 종양과 감별이 어려우나, 증가했던 종양 표지자가 정상화되고, 다른 부분의 종양은 완전한 관해가 이루어졌으며, 남아있는 전이성 종양이 더 이상 성장하지 않을 때 진단할 수 있다(그림 8-20). 생식세포종양의 경우 드물게 양성종양인 성숙기형종으로 변하기도 한다[7].

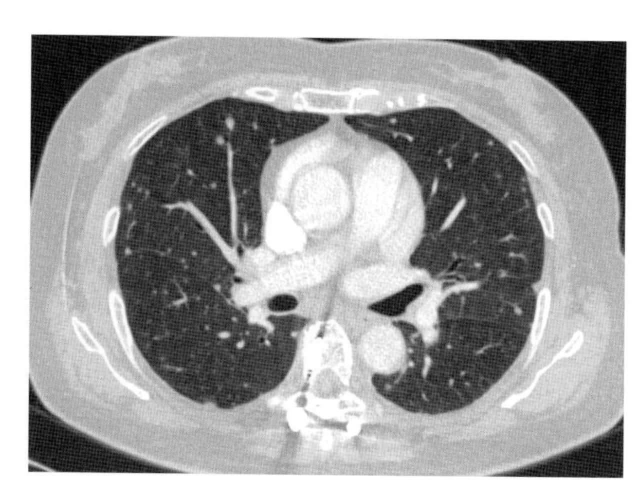

■ 그림 8-21. **양성 전이성 종양**
10년 전 자궁근종으로 자궁절제술을 시행 받은 환자로 양측 폐에 경계가 좋은 다양한 크기의 결절이 있다.

12. 양성 전이성 종양(benign metastasizing tumor)

병리학적으로 양성인 종양이 전이가 되는 매우 드문 경우이다. 자궁근종(uterine leiomyoma), 포상기태(hydatidiform mole), 거대세포종양(giant cell tumor of bone), 연골모세포종(chondroblastoma), 침샘의 다형선종(pleomorphic adenoma of the salivary gland), 뇌수막종(meningioma) 등에서 발생할 수 있다(그림 8-21). 원발 종양 수술 후 3개월에서 20년 사이에 주로 발생하지만, 매우 드물게 수술 전에 발견되는 경우도 있다[8].

III 중간엽조직종양과 기타 양성종양

1. 염증성 근섬유아세포종(inflammatory myofibroblastic tumor)

병리학적으로 근섬유아세포의 증식과 함께 형질세포를 포함한 다양한 정도의 염증성 침윤을 보이는 종양을 아우른다. 종괴 변연부에서 기질화 폐렴과 같은 소견을 보이기도 하고 소혈관 침윤이 보고된 적도 있다. 최근 면역조직염색을 이용한 연구에서 종양의 50% 정도가 ALK 유전자 재배열과 연관이 있는 ALK 발현이 있음을 보고하였다. 과거 염증성거짓종양(inflammatory pseudotumor), 형질세포육아종(plasma cell granuloma), 섬유성조직구종(fibrous histiocytoma), 섬유황색종(fibroxanthoma), 황색육아종(xanthogranuloma) 등의 다양한 명칭이 있었으나 1994년 WHO 분류에 의하여 염증성 근섬유아세포종으로 명칭이 통일되었다. 드문 종양으로 소아나 젊은 성인에서 주로 보인다. CT에서 폐 변연부의 단일성 종괴로 보이며, 하엽에서 주로 발생한다. 조영증강 정도는 다양하며(그림 8-22), 석회화(calcification)는 드물지만 소아에서 발생한 경우 좀 더 흔하게 볼 수 있다. 드물게 다발성 종괴의 형태로 발생할 수 있다. 경계성 종양으로 악성 변성, 재발, 전이가 보고되기도 한다. 다양한 세포의 구성으로 경기관지폐생검이나 경흉부바늘생검만으로는 조직학적 진단이 힘들어 진단 및 치료 목적으로 수술적 절제가 추천된다[9, 10].

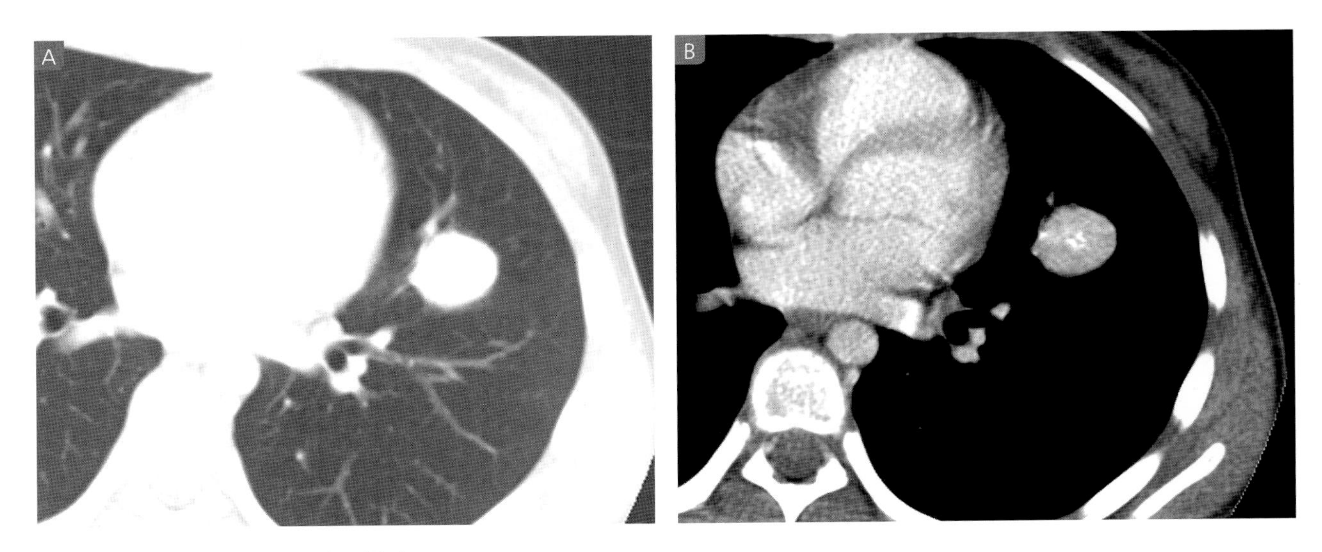

■ 그림 8-22. **염증성 근섬유아세포성종양**
젊은 성인환자의 좌상엽 설상분절에 경계가 매우 좋은 결절이 보인다(A). 내부에 석회화가 있으며, 비교적 조영증강이 잘 된다(B). 환자의 나이를 고려하면 염증성 근섬유아세포성종양을 감별할 수 있다.

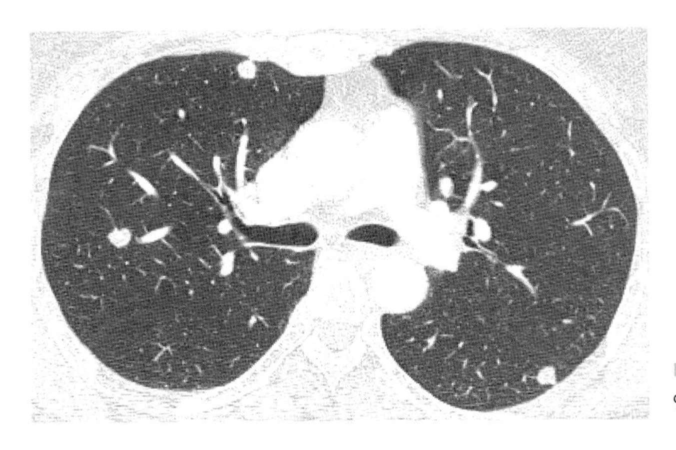

■ 그림 8-23. **상피양혈관내피세포종**
양측폐에 경계가 좋은 다발성의 소결절이 있다.

2. 상피양혈관내피세포종(epithelioid hemangioendothelioma)

혈관에서 기원하는 상피모양(epithelioid)의 종양으로 과거에는 혈관내기관지폐포종양(intravascular bronchioloalveolar tumor)으로 불렸다. 양성 또는 저등급육종(very low-grade sarcoma)으로 간주되며, 남성에 비해 여성에서 4배 정도 호발한다. 10-60세의 다양한 연령에서 발생할 수 있으나 절반 정도(40%)의 환자는 30세 미만이다. 여러 장기를 침범할 수 있으나 주로 폐, 간, 뼈를 침범하는 것으로 알려져 있다. 임상 증상도 다양하여 무증상에서 호흡곤란, 흉통, 체중감소 등이 동반될 수 있다. 증상이 있거나 기도, 혈관 혹은 흉막의 침범이 있을 때 예후가 좋지 않다. CT에서 세 가지의 특징적인 형태로 보일 수 있다. 첫 번째, 가장 흔하게 다발성 폐 결절의 형태로 보일 수 있다(그림 8-23). 이 경우 양측 폐야에 소결절(<3 cm)이 산재되어 있으며, 혈행성 전이와 감별이 쉽지 않으나 혈행성 전이에 비해 진행속도가 느린 것이 특징이다. 두 번째, 다발성 폐결절과 망상소결절형태로 보일 수 있다. 이 경우 망상소결절이 간유리음영과 동반되어 보이며, 림프

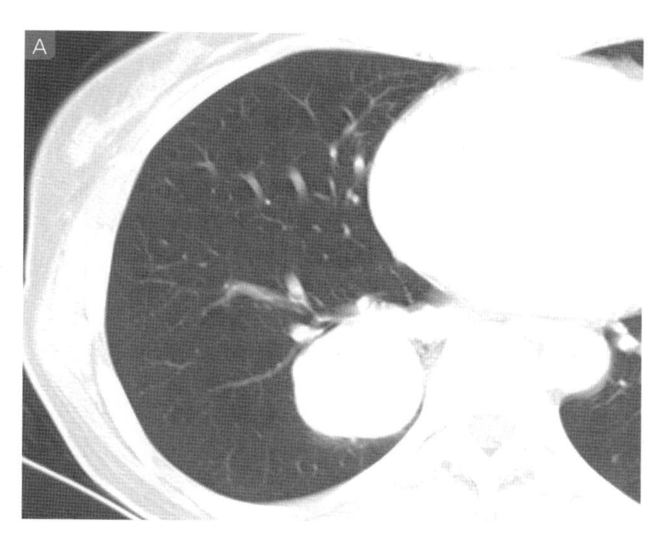

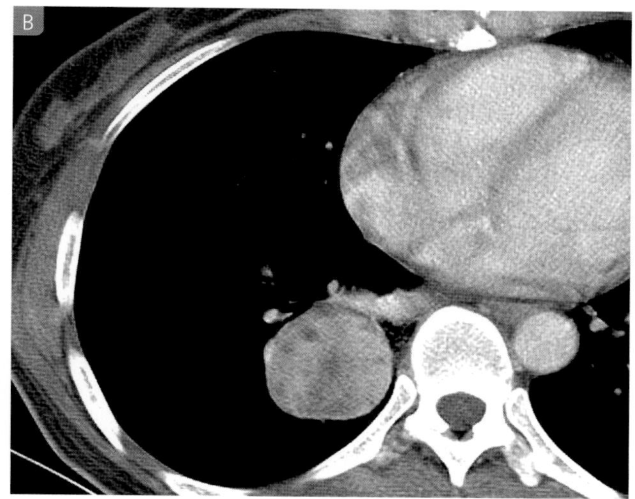

■ 그림 8-24. **경화성폐세포종**
우하엽에 흉막에 연하여 경계가 좋은 종괴(A)가 보인다. 조영 후 CT(B)에서 크기가 비교적 커서 내부에 비균질한 조영증강을 보인다.

혈행전이와 유사한 형태를 보인다. 종양세포가 소혈관과 림프관에서 증식하여 나타나는 소견으로 생각되며 나쁜 예후와 연관이 있다. 세 번째, 드물게 미만성 침습성 흉막비후의 형태로 나타날 수 있으며 이런 경우 악성흉막중피종(malignant pleural mesothelioma)이나 흉막암종증(pleural carcinomatosis)과 감별이 어렵고 가장 나쁜 예후를 보인다[11].

3. 경화성폐세포종(sclerosing pneumocytoma)

과거 혈관에서 기원한 종양으로 간주되어 경화성혈관종(sclerosing hemangioma)으로 불렸으나, 현재는 원시호흡기상피세포(primitive respiratory epithelium) 기원의 종양으로 밝혀져 경화성폐세포종으로 불린다. 중년 여성에서 호발하며, 대개 5 cm 미만의 경계가 좋은 원형 혹은 난형의 종괴 형태로 주로 폐의 주변부 흉막하(subpleural) 혹은 엽간열(juxtafissural)에 연해 발견된다. 비교적 조영증강이 잘 되고 석회화를 보일 수 있으며, 5 cm 이상으로 커질 경우 내부에 낭성변화를 보일 수 있다. 종괴 변연부를 따라 주위 폐허탈에 의한 가성막을 보일 수 있고(marginal pseudocapsule sign), 드물게 종괴 주변으로 출혈에 의한 CT 달무리 징후(CT halo sign)와 출혈이 흡수되었을 때는 공기초승달징후(air meniscus sign)가 보일 수 있다. 병리학적으로 출혈 영역(hemorrhagic area), 유두상 영역(papillary area), 고형 영역(solid area), 경화성 영역(sclerotic area)이 섞여 있을 수 있고, 대부분의 종양에서 최소 3가지 이상의 영역이 섞여 있다. 유두상 영역은 초기에 강하게 조영증강되고, 고형 혹은 경화성 영역은 후기에 조영증강이 되어 5분 지연 CT 영상에서 균질한 조영증강을 보일 수 있다(그림 8-24)[12].

4. 과오종(hamartoma)

폐에서 가장 흔히 발생하는 양성 폐종양으로 전체 양성 폐종양의 75%를 차지한다. 폐에 정상적으로 존재하는 지방, 상피세포, 섬유아세포, 연골 등이 섞여 있는 종괴로 천천히 자란다. 40-50대에 발생하며, 남성에서 2배 정도 더 흔하다. 대부분 폐실질(90%)에 위치하나 드물게 기도내 종양(3%)의 형태로 발견되기도 한다. 결절 내 지방조직이나 팝콘 모양의

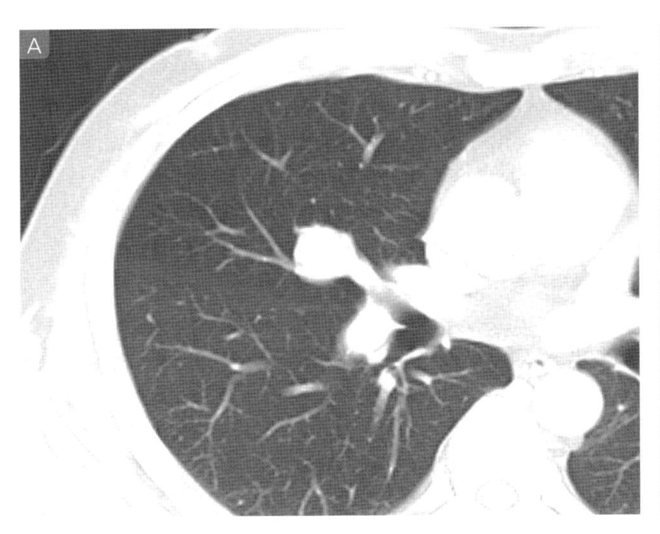

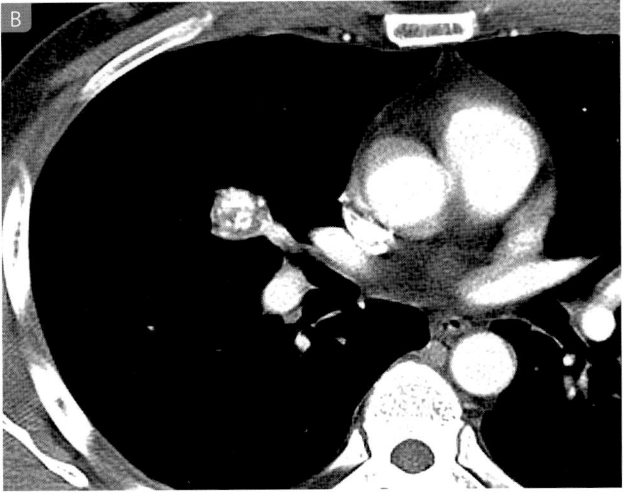

■ 그림 8-25. **과오종**
우중엽에 경계가 좋은 원형 결절(A)로 양성 종양의 형태학적 특성을 보인다. 내부에 팝콘 모양의 석회화(B)가 보이며, 병리소견에서 과오종에 발생한 골 조직으로 확인되었다.

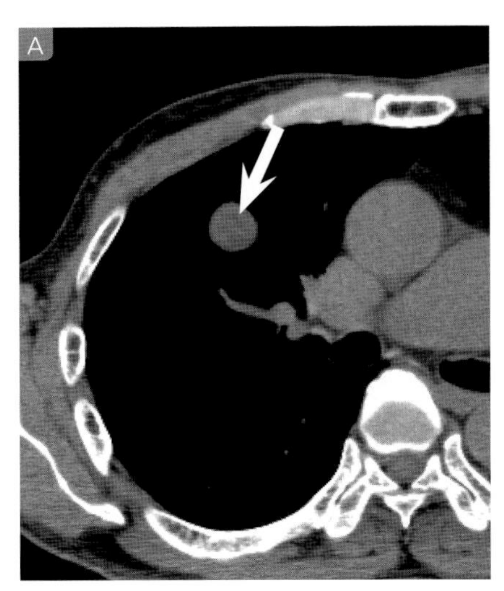

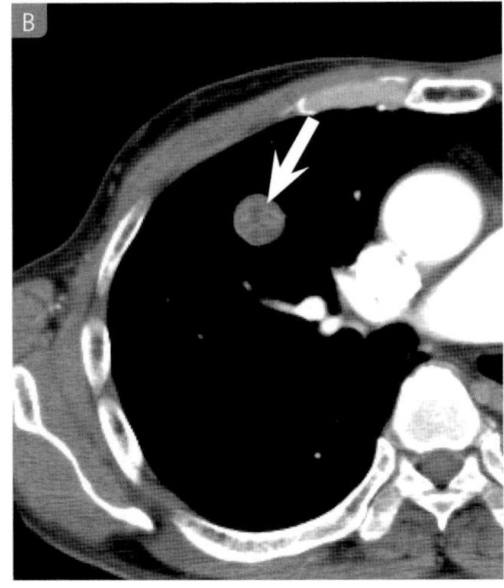

■ 그림 8-26. **과오종**
우중엽에 경계가 좋은 원형 결절이 보이며(A), 결절의 피낭 및 종격이 조영증강을 보인다(B).

석회화를 보면 진단할 수 있다. CT에서 결절 내 석회화는 약 5-50%에서, 지방은 약 60%에서 관찰된다. 조영증강 CT에서 전형적으로 피낭(capsule)이나 중격(septa)이 조영증강을 보이나 결절 전체가 조영증강되기도 한다. 공동화는 드물다(그림 8-25, 8-26)[13].

Ⅳ 림프종

림프종은 여러 분류법이 있으나 최근에는 면역표현형과 세포계열에 따른 WHO 분류법을 사용하여 성숙B세포종양

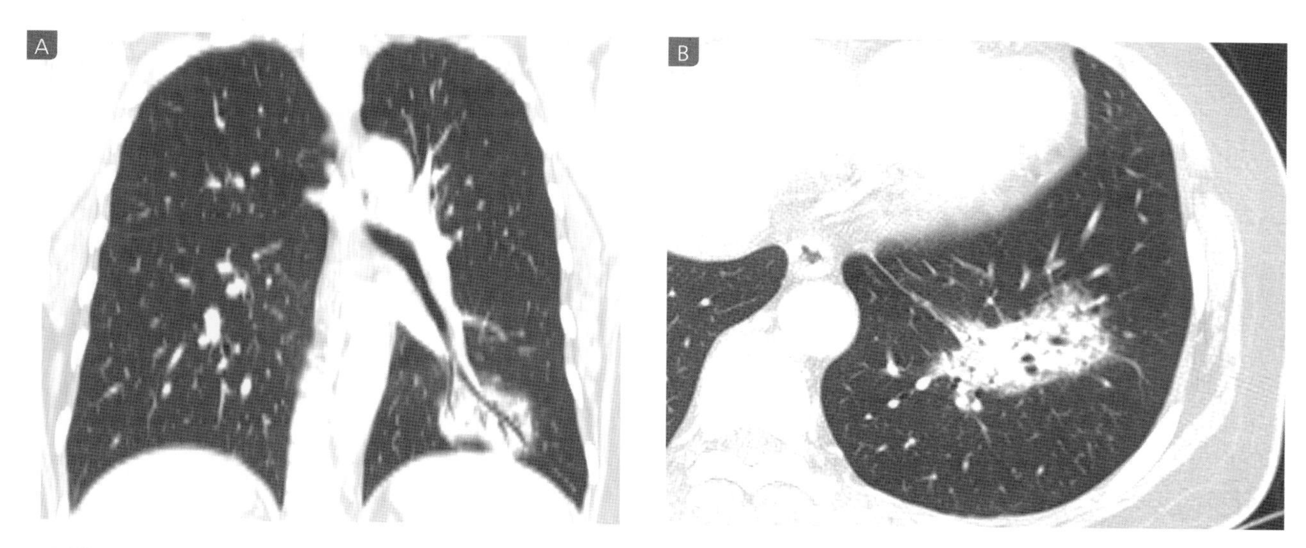

■ 그림 8-27. **원발성림프종**
좌하엽의 기저부에 공기기관지조영을 동반한 국소적인 경화가 보인다(A). 국소 경화 주변으로 간유리음영이 보인다(B). 매우 천천히 진행하며 낮은 악성도를 보이는 MALT(mucosa-associated lymphoid tissue)에서 기원한 원발성림프종이다.

(mature B-cell neoplasm), 성숙 T세포 및 NK세포 림프종(mature T-cell and NK-cell), 호지킨림프종, 이식 후 림프구증식 질환, 조직구 및 수지상세포 종양(histiocytic and dentritic cell neoplasm)으로 분류한다[14]. 호지킨림프종 외의 림프종을 비호지킨림프종으로 칭하며, 폐에서는 림프종을 크게 원발성림프종, 이차성림프종, 면역이 약화된 환자에서의 림프종으로 나눌 수 있다[15].

1. 원발성림프종

폐의 원발성림프종(primary pulmonary lymphoma)은 전체 림프종의 1% 미만을 차지하고, 림프절외 림프종(extranodal lymphoma)의 4%를 차지하는 매우 드문 병이다. 폐의 원발성림프종을 진단하기 위해서는 폐에서 림프종이 발견되고, 최초 진단부터 3개월간 흉부 외에서는 림프종이 발견되지 않아야 한다[15, 16]. 영상의학적으로는 림프종이 폐에 국한되어 있으면서 림프절은 침범이 없거나 미미하여야 한다. 원발성림프종의 대부분(80-90%)은 B세포형의 악성도가 낮은 MALT림프종(extranodal marginal zone B-cell lymphoma of mucosa associated lymphoid tissue; MALT lymphoma)으로 30% 정도는 자가면역질환과 관련이 있다. 다음으로 악성도가 높은 광범위큰B세포림프종이 흔하며 이는 면역저하와 연관이 있는 것으로 알려져 있다. 그 외 드문 형태로 림프종양육아종증(lymphomatoid granulomatosis), 형질세포종(plasmacytoma), 역형성큰세포림프종(anaplastic large cell lymphoma) 등이 있다[17]. MALT림프종은 대부분의 환자에서 증상 없이 우연히 발견되며 예후가 좋다. 50대에 호발하며 남녀에서 비슷하게 발생한다. CT에서 주로 기강경화나 결절로 보이며, 양측 폐에 다수의 병변으로 보이는 경우가 많다. 거의 모든 예에서 내부에 공기기관지조영(air-bronchogram)을 동반하거나 주변부에 간유리음영을 동반한다. 병변은 대부분 기관지혈관다발 주변에 위치한다. 드문 소견으로 소엽간중격비후(interlobular septal thickening), 중심소엽결절(centrilobular nodules), 기관지벽 비후(bronchial wall thickening) 및 기관지 확장이 보일 수 있다. 폐문 혹은 종격동 림프절 비후는 흔하지 않고 흉수도 거의 동반하지 않는다(그림 8-27)[18].

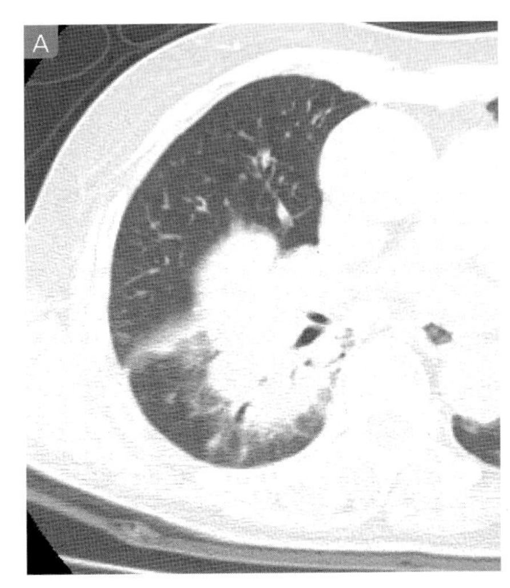

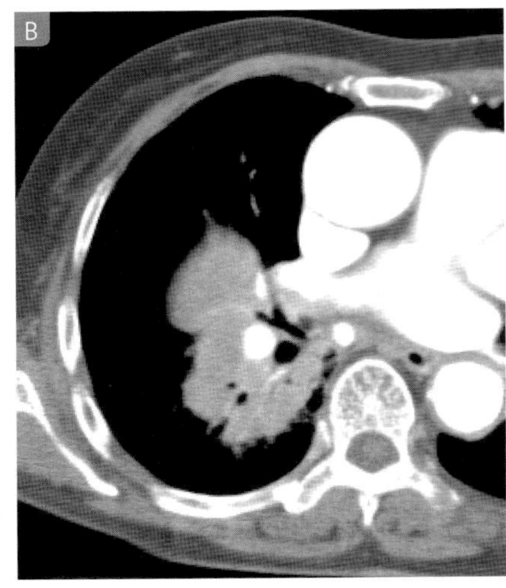

■ 그림 8-28. **광범위큰B세포림프종**
우중엽과 우하엽에 걸쳐 기관지혈관다발을 따라 자라는 종괴양 경화가 있다.

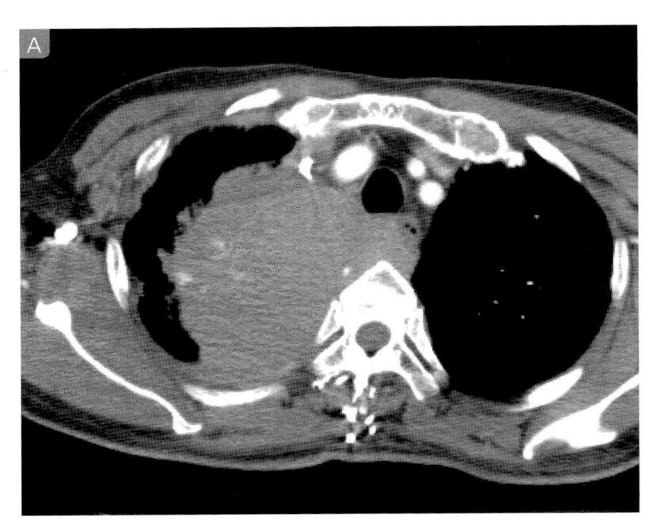

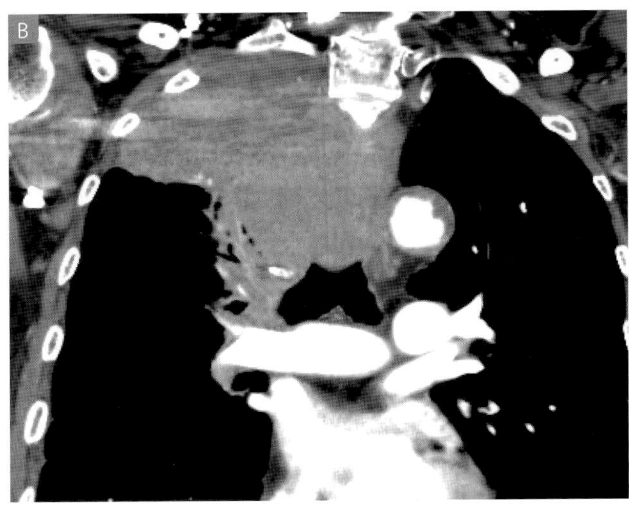

■ 그림 8-29. **광범위큰B세포림프종**
우상엽에 분엽상의 단일 종괴가 있고, 종격동 침범이 있다.

광범위큰B세포림프종은 폐의 원발성림프종의 10-20%를 차지한다. 악성도가 높은 림프종으로, 호흡곤란, 발열, 체중 감소 등의 증상을 동반하며 예후가 좋지 않다. CT에서는 단일 혹은 다수의 결절이나 종괴로 보이며 특히 크기가 큰 경우 내부에 공동화(cavitation)를 흔히 보일 수 있다(그림 8-28, 8-29). 폐문이나 종격동 림프절 비대(50%)와 흉수를 동반할 수 있다[18]. 림프종양육아종증은 EB바이러스(Ebstein-Barr virus)와 연관된 T세포과다형 B세포림프종(T-cell-rich B cell lymphoma)이다. 드문 질환이나 폐를 가장 흔히 침범하고(>90%), 그 외 피부나 중추신경계를 침범할 수 있다. 30-50세의 남자에서 발생하며 예후가 좋지 않아, 평균 생존율이 2년 미만이다. 혈관을 파괴하는 경향이 있는 종양으로 혈관주위(perivascular area)에 주로 분포한다. CT에서는 양측 폐기저부(basal lung)에 위치하는 다양한 크기의 경계가 좋은 다발성의 결절 혹은 종괴로 보이는 경우가 흔하다(그림 8-30). 병변은 합쳐지거나 공동화될 수 있으며 낭종이 동반되기도 한다[18]. 호지킨림프종이 폐의 원발성림프종으로 나타나는 경우는 매우 드물어 전 세계적으로 100개 이하의 증례만이

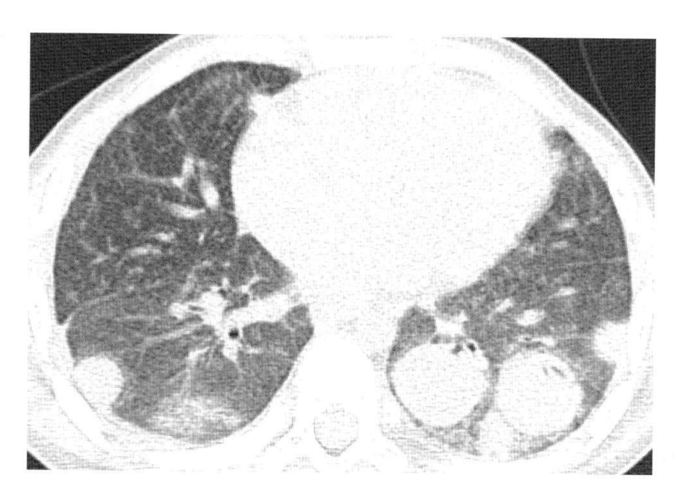

■ 그림 8-30. **림프종양육아종증**
양측 폐 기저부에 다양한 크기의 경계가 좋은 다발성의 종괴가 있다.

표 8-3. 이차성림프종의 임상 양상

	비호지킨림프종	호지킨림프종
빈도	80-90%	10-20%
흉곽 침범	50%	80%
폐 침범	최초 진단시 4% 재발시 10%	최초 진단시 20% 재발시 40%
폐 침범시 림프절 비대	다양한 빈도로 동반	대부분 동반

보고되어 있다. 20-30대 및 60-70대에 주로 발생하며, 여자에서 약간 흔하다(M:F=1:1.4). 폐의 종괴 혹은 결절로 보이는 경우가 가장 흔하고, 기강경화의 형태로 나타날 수도 있다. 하엽에 비해 상엽에 2배 정도 잘 생긴다. 이차성림프종에 비해 공동화(caviation)가 잘 되는 것이 특징으로 원발성 호지킨림프종의 1/3에서 공동이 관찰된다[17].

2. 이차성림프종

림프절이나 흉곽 외에서 발생한 림프종이 폐를 이차적으로 침범하는 것으로 폐의 림프종은 대부분 이차성이다. 이차성림프종의 경우 상대적으로 흉곽의 침범은 호지킨림프종에서 흔하다. 그러나 비호지킨림프종의 빈도가 훨씬 많아 이차성림프종의 대부분도 비호지킨림프종이다. 비호지킨림프종의 경우 최초 진단시 4%, 그리고 재발시 10%에서 폐 침범이 발견된다(표 8-3)[15, 16]. 비호지킨림프종은 전체 림프종의 대부분(80-90%)을 차지한다. 성숙B세포(matrue B-cell), 성숙T세포 및 NK세포(mature T-cell and NK-cell)에서 모두 기원이 가능하며 대부분은 성숙B세포 기원이다. 비호지킨림프종의 흉곽 침범은 다양한 형태로 나타날 수 있으며, 종격동과 폐를 함께 침범하기도 하고, 폐에만 국한되기도 한다[18]. 호지킨림프종은 전체 림프종의 10-20%를 차지하며 성숙B세포 기원의 종양이다. 흉곽의 침범이 80% 정도에서 관찰되며, 폐 침범은 이보다 드물어 최초 진단시 20%, 재발시 40% 정도로 보고된다. 호지킨림프종의 폐 침범은 항상 종격

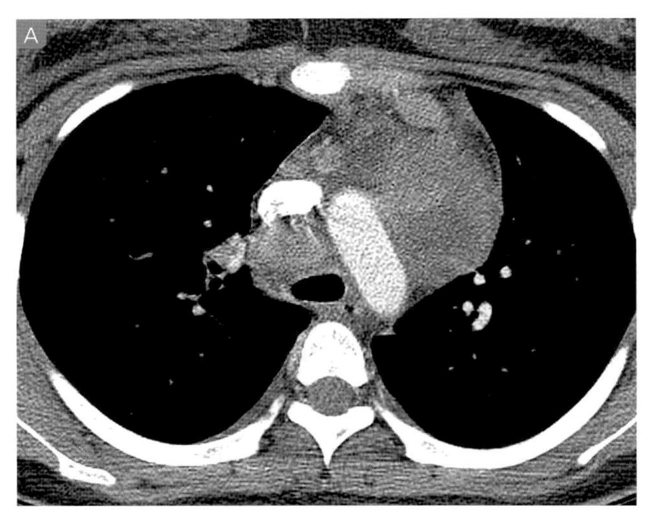

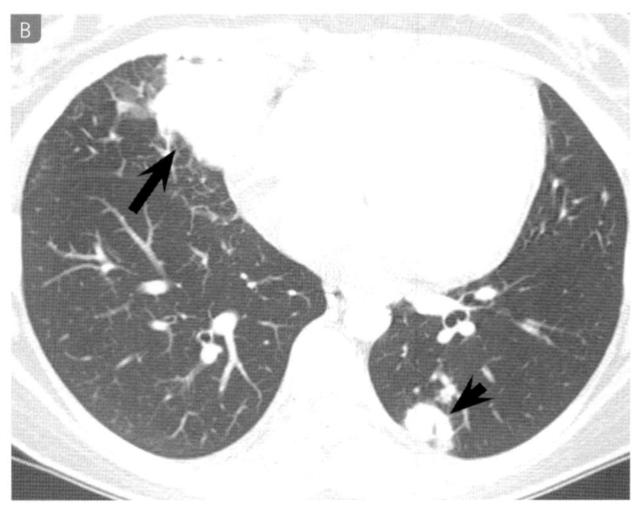

■ 그림 8-31. **이차성림프종(호지킨림프종)**
전종격동에 림프절 비대 소견이 보인다(A). 우중엽과 좌하엽(B)에 각각 종괴(화살표)와 결절(화살촉)이 있는데, 좌하엽 결절은 공기기관지조영을, 우중엽 종괴 주변으로는 소엽간중격비후를 동반한 특징을 보인다.

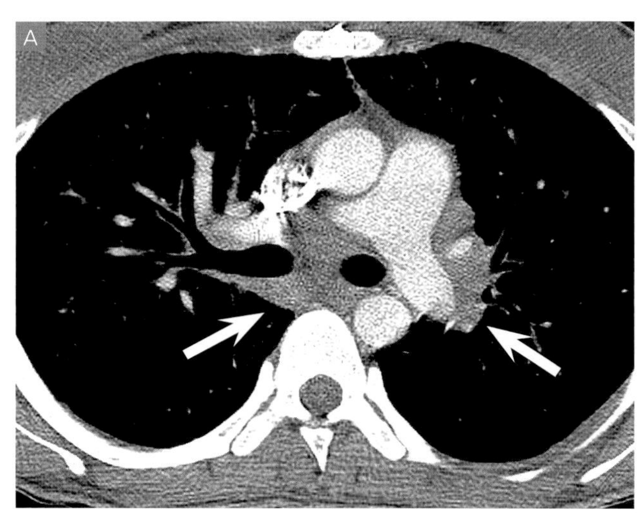

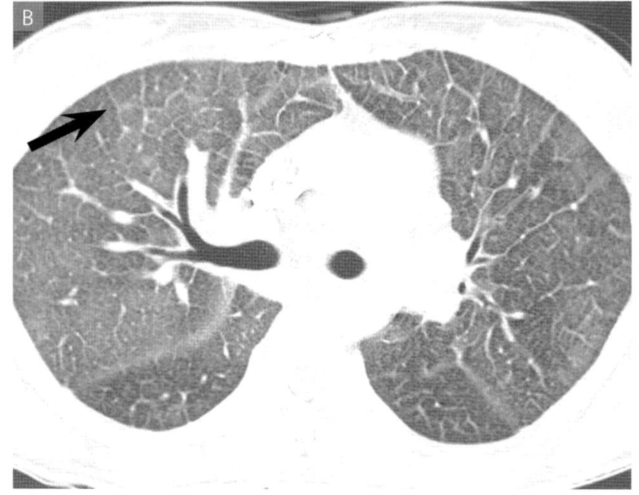

■ 그림 8-32. **이차성림프종(비호지킨림프종)**
폐문과 종격동(A)에 다수의 림프절 비대(화살표) 소견이 보인다. 고해상CT(B)에서 양측 폐에 광범위한 소엽간중격비후(화살표)와 간유리음영이 보이며, 경기관지 생검을 통하여 비호지킨림프종의 폐 침범이 확진되었다.

동이나 폐문의 림프절 비대를 동반하며, 폐실질 단독 침범은 매우 드물다. 림프종이 폐를 침범하였을 때의 소견은 호지킨림프종과 비호지킨림프종이 유사하다. CT에서 가장 흔한 소견은 종격동과 폐문의 림프절 비대이다. 폐에서는 결절, 종괴 혹은 종괴양 경화로 보이며, 내부에 공기기관지조영이 동반될 수 있다. 이는 림프종이 폐실질을 파괴하기 보다는 폐실질을 침윤하며 자라기 때문이다. 그 외 기관지혈관다발의 비후, 소엽간중격비후, 흉막삼출도 관찰된다. Lewis 등의 보고에 의하면 호지킨림프종의 폐 침범은 종괴 혹은 종괴양 경화(mass-like consolidation)가 흔한 소견이며(80%), 비호지킨림프종의 폐 침범은 기관지혈관다발의 비후(69%)가 흔한 소견이다(그림 8-31, 8-32)[19].

3. 면역이 저하된 환자에서의 림프종

면역이 저하된 환자에서의 림프종은 AIDS 환자에서의 림프종(Acquired immune deficiency syndrome-related lymphoma)과 이식 후 림프구증식질환(post-transplantation lymphoproliferative disorder, PTLD)에서의 림프종으로 나눌 수 있다. AIDS 환자에서 림프종은 일반인에 비해 40-100배 호발하며, 비호지킨림프종이 거의 대부분이다. 림프종은 AIDS 환자 사망원인의 20%를 차지하며, 일차성 폐 침범도 10%에 달한다. 일반 환자에 비해 젊은 연령에서 발생하며, 더 공격적이고 예후도 좋지 않으며, 일반인에서도 생기는 버킷림프종(Burkitt lymphoma), 광범위큰B세포림프종, 호지킨림프종이 발생할 수 있다. CT에서 흉막삼출이 가장 흔한 소견이며, 그 외 다른 림프종과 마찬가지로 0.5-5 cm의 폐결절 혹은 종괴가 보이며, 공동을 동반할 수 있다. 큰 단일 종괴나 기강경화, 간유리음영으로도 보일 수 있다. AIDS 환자에서 폐결절과 흉막삼출, 림프절 비대가 보이면 림프종을 강력히 시사한다. AIDS 환자에서만 발생하는 독특한 형태로 원발성 삼출액 림프종(primary effusion lymphoma)이 있다. 이는 고형 종괴의 소견은 보이지 않고 종양 삼출액만 발생하는 것으로 예후가 매우 좋지 않아 6개월 이내에 사망한다[20].

이식 후 림프구증식질환은 골수나 고형 장기를 이식한 환자에서 발생하는 림프구증식성 질환이다. 다클론성 양성 증식에서부터 단일 클론성 악성 증식까지 다양하게 발생할 수 있으며, EB 바이러스와 연관이 있는 것으로 생각된다. 다클론성 양성 증식은 증상이 없고 대개 치료에도 반응이 좋다. 하지만 좀 더 공격적인 경우 사망률이 높아 조기 진단이 중요하다. 대개 이식 후 2년 이내에 발생하나 2개월 이내 혹은 20년 이후 발생하기도 한다. 총 이식 환자의 2% 미만에서 발생하지만, 이식 장기에 따라 발생률이 다르다. 폐 이식 후 가장 흔하고(6-9%), 심장(2-5%), 간(2-5%), 췌장(2%), 신장(1%) 이식 후에도 발생할 수 있다. 소아에서 2-3배 흔하다. 특징적으로 발현 당시 여러 장기를 침범하고, 림프절 이외 조직의 침범이 보통의 림프종에 비해 흔하다. 가장 흔한 것은 B세포 기원의 비호지킨림프종으로, 광범위큰B세포림프종, 버킷림프종, 형질세포종 등이 해당된다. CT에서 다양한 크기의 경계가 좋은 결절들이 기관지혈관다발 주변과 흉막하에 주로 위치한다. 그 외 소엽간중격비후(35%), 림프절 비대(29%), 간유리음영(29%) 등이 보일 수 있으며, 공동은 드물다. 양성 증식과 악성 증식의 CT소견에 차이는 없다[21].

V 백혈병

백혈병 환자에서의 폐 침윤은 주로 폐렴과 폐출혈에 의한 소견이다. 드물게 종양 자체의 폐 침범, 백혈구 울혈(leukostasis)에 의해서도 나타날 수 있다. 백혈병 환자의 부검에서 20-60%에서 폐 침범이 있다는 보고가 있다. 그러나 상대적으로 흉부X선이나 CT에서 소견을 보이는 빈도는 낮다[22]. 백혈병이 폐를 침범했을 때 CT에서 가장 특징적인 소견은 간질의 비후이다. 이때 간질의 비후는 중심부간질(axial interstitium)과 변연부간질(peripheral interstitium)을 모두 포함한다. 이는 종양세포가 림프구성 경로로 이동하기 때문으로 생각된다. Heynema 등은 급성백혈병은 부드러운 간질 비후(smooth interstitial thickening), 만성백혈병은 결절성 간질 비후(nodular interstitial thickening)를 보이는 경향이 있다고 보고하였다[23]. 단일 혹은 다수의 결절들도 동반될 수 있는데, 특징적으로 기관 혹은 기관지 주변의 결합조직을 따라 퍼지므로 소엽의 중심에 위치하게 된다. 그 외 간유리음영이나 기강경화가 보일 수 있고, 림프절 비대가 보이기도 한다. 그러나 대개의 경우 백혈병의 침범만으로는 증상이 없고, 감염이나, 부종, 출혈이 동반된 경우에만 호흡기 증상이 발현된다. 드물게 백혈병 세포들이 흉막 비후나 종격동 종괴의 형태로 보일 수 있는데 이를 과립세포성육종(granulocytic sarcoma) 혹은 녹색종(chloroma)이라고 한다(그림 8-33). 백혈구 울혈은 주로 급성골수성백혈병에서 백혈구가 100,000/mm^{3}일 때 나타나는 현상으로 폐, 심장, 뇌 등의 소혈관에 종양세포가 축적되는 것이다. 폐의 백혈구 울혈은 폐부종과 유사하게 보인다[23].

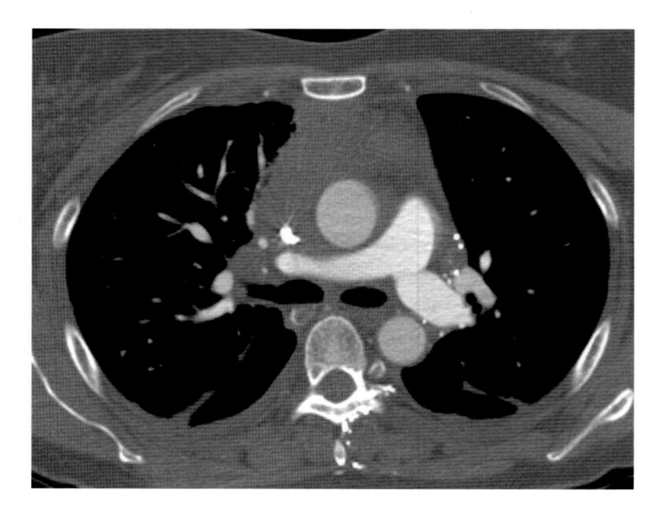

■ 그림 8-33. **과립세포성육종**
백혈병 환자에서 발견된 전종격동의 침윤성 음영의 종괴로 조직검사로 과립세포성육종이 확진되었다.

Ⅵ 캐슬만병

캐슬만병(Castleman's disease, giant or angiofollicular lymph node hyperplasia)은 B세포의 과도한 성장이 일어나는 드문 비종양성 림프증식질환(lymphoproliferative disease)이다. 20-50대에 호발하고 남녀 성비는 비슷하다. 임상적으로는 단발성(unicentric or localized) 및 다발성(multicentric) 질환으로 나누며, 조직학적으로는 크게 유리질혈관형(hyaline vascular type) 및 형질세포형(plasma cell type)으로 나눈다. 그 외 드문 형태로 혼합형(mixed type)이나 HIV 감염과 연관된 형질모세포변종(plasmablastic variant)도 있다[24]. 유리질혈관형은 주로 단발성(90%)이며, 단발성 캐슬만병의 70%는 유리질혈관형이다. 유리질혈관형은 CT에서 주로 종격동이나 폐문에 경계가 좋고, 조영증강이 잘되는 단일 종괴로 보인다. 대개 균질한 조영증강을 보이나, 종괴가 5 cm 이상으로 커질 경우 비균질 조영증강을 보일 수 있다. 종괴 주변에 영양혈관(feeding vessel)이나 유출정맥(draining vein)이 보이기도 한다. 드물게 종괴 내에 석회화가 보일 수 있다(10%) (그림 8-34)[25]. 형질세포형은 흔히 다발성(80%)으로 나타난다. CT에서는 양측 폐문부와 종격동의 림프절 비대가 가장 흔

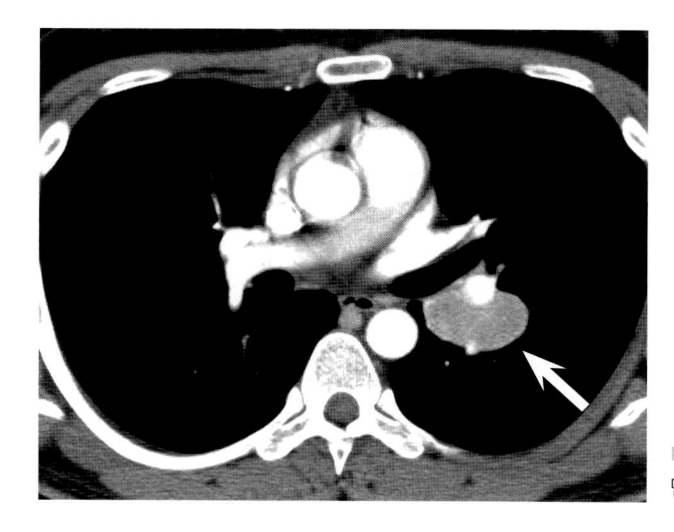

■ 그림 8-34. **유리질혈관형의 국소성 캐슬만병**
단일의 경계가 좋고 조영증강이 잘 되는 폐문부 종괴(화살표)로 보인다.

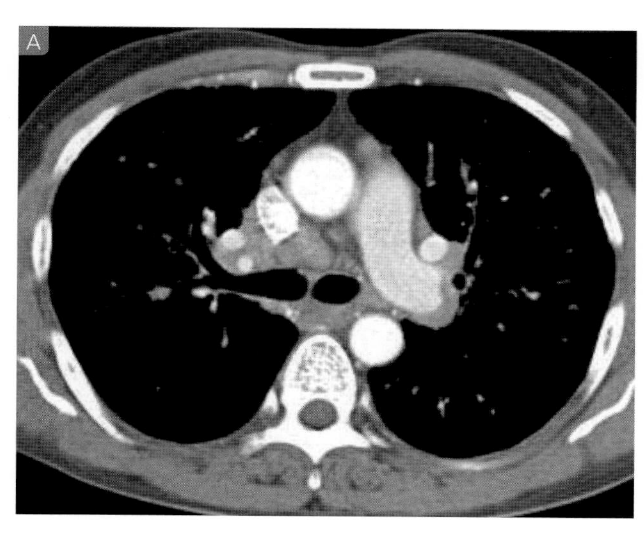
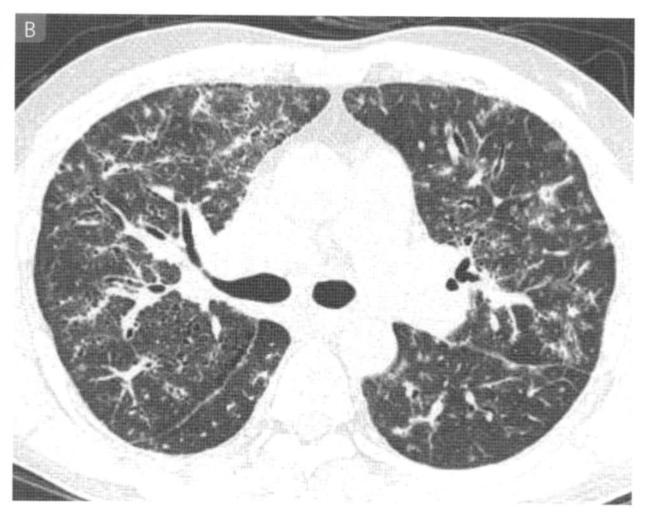

■ 그림 8-35. **형질세포형 캐슬만병**
양측 폐문부와 종격동에 림프절 비대가 있다. 폐에서는 소엽간중격 및 기관지혈관다발의 비후와 간유리음영이 보인다(흉영 퀴즈 745-courtesy of Eun-Young Kang MD. / Korea University Guro Hospital).

한 소견이며, 그 외 중심소엽결절, 간유리음영, 기강경화, 소엽간중격비후, 기관지확장증 등의 소견이 나타날 수 있다(그림 8-35). 다발성 질환의 경우 헤르페스바이러스 감염이나 인터류킨-6의 조절 장애 혹은 다른 전신 질환과 관련이 있는 것으로 알려져 있다[25].

참고문헌

1. Rekhtman N. Neuroendocrine tumors of the lung: an update. Arch Pathol Lab Med 2010;134:1628-1638.
2. Benson RE, Rosado-de-Christenson ML, Martinez-Jimenez S, Kunin JR, Pettavel PP. Spectrum of pulmonary neuroendocrine proliferations and neoplasms. Radiographics 2013;33:1631-1649.
3. Semin Chong, Kyung Soo Lee, Myung Jin Chung, Joungho Han, O Jung Kwon, Tae Sung Kim. Neuroendocrine tumors of the lung: clinical, pathologic, and imaging findings. RadioGraphics 2006; 26: 41-57.
4. 이경수 제7장 폐종양. In 임정기, 이경수. 흉부방사선과학. 서울: 일조각, 2000;267-283.
5. Joon Beom Seo, Jung-Gi Im, Jin Mo Goo, Myung Jin Chung, Mi-Young Kim. Atypical pulmonary metastases: spectrum of radiologic findings. RadioGraphics 2001; 21: 403-417.
6. Tateishi U, Hasegawa T, Kusumoto M, Yamazaki N, Iinuma G, Muramatsu Y et al. Metastatic angiosarcoma of the lung:spectrum of CT findings. AJR Am J Roentgenol 2003;180:1671-1674.
7. Libshitz HI, Jing BS, Wallace S, Logothetis CJ. Sterilized metastases: a diagnostic and therapeutic dilemma. AJR Am J Roentgenol 1983;140:15-19.
8. Abramson S, Gilkeson RC, Goldstein JD, Woodard PK, Eisenberg R, Abramson N. Benign metastasizing leiomyoma:clinical, imaging, and pathologic correlation. AJR Am J Roentgenol 2001;176:1409-1413.
9. Gimenez A, Franquet T, Prats R, Estrada P, Villalba J, Bague S. Unusual primary lung tumors: a radiologic-pathologic overview. Radiographics 2002;22:601-619.
10. Narla LD, Newman B, Spottswood SS, Narla S, Kolli R. Inflammatory pseudotumor. Radiographics 2003;23:719-729.
11. Kim EY, Kim TS, Han J, Choi JY, Kwon OJ, Kim J. Thoracic epithelioid hemangioendothelioma: imaging and pathologic features. Acta Radiol 2011;52:161-166.
12. Chung MJ, Lee KS, Han J, Sung YM, Chong S, Kwon OJ. Pulmonary sclerosing hemangioma presenting as solitary pulmonary nodule: dynamic CT find-

ings and histopathologic comparisons. AJR Am J Roentgenol 2006;187:430-437.
13. Siegelman SS, Khouri NF, Scott WW Jr, Leo FP, Hamper UM, Fishman EK et al. Pulmonary hamartoma: CT findings. Radiology 1986;160:313-317.
14. Swerdlow SH, Campo E, Pileri SA, Harris NL, Stein H, Siebert R et al. The 2016 revision of the World Health Organization classification of lymphoid neoplasms. Blood 2016;127(20):2375-2390.
15. Hare SS, Souza CA, Bain G, Seely JM, Frcpc, Gomes MM et al. The radiological spectrum of pulmonary lymphoproliferative disease. Br J Radiol 2012;85:848-864.
16. Restrepo CS, Carrillo J, Rosado de Christenson M, Ojeda Leon P, Lucia Rivera A, Koss MN. Lymphoproliferative Lung Disorders: a radiologic-pathologic overview. part II: neoplastic disorders. Semin Ultrasound CT MR 2013;34:535-549.
17. Cartier Y, Johkoh T, Honda O, Muller NL. Primary pulmonary Hodgkin's disease: CT findings in three patients. Clin Radiol 1999;54:182-184.
18. Belig MP, Borgaonkar JN, Burrell SC, MacDonald DA, Manos D. Spectrum of CT Findings in Thoracic Extranodal Non-Hodgkin Lymphoma. RadioGraphics 2017;37:439-461.
19. Lewis ER, Caskey CI, Fishman EK. Lymphoma of the lung: CT findings in 31 patients. AJR Am J Roentgenol 1991;156:711-714.
20. Hansell DM, Lynch DA, McAdams HP, Bankier A. Imaging of diseases of the chest. 5th ed. Mosby Elsevier 2010 Part thirteen PP. 847-849.
21. Chou SS, Prabhu SJ, Crothers K, Stern EJ, Godwin JD, Pipavath SN. Thoracic diseases associated with HIV infection in the era of antiretroviral therapy: Clinical and imaging findings. RadioGraphics 2014; 34:895-911.
22. Yoon GY, Kim MY, Huh J, Jo KW, Shim TS. Posttransplant lymphoproliferative disorder of the thorax: CT and FDG-PET features in a single tertiary referral center. Medicine 2015;94(31):e1274
23. Heyneman LE, Johkoh T, Ward S, Honda O, Yoshida S, Muller NL. Pulmonary leukemic infiltrates: high-resolution CT findings in 10 patients. AJR Am J Roentgenol 2000;174:517-521.
24. Saeed-Abdul-Rahman I, Al-Amri AM. Castleman disease. Korean J Hematol 2012;47:163-177.
25. Kwon S, Lee KS, Ahn S, Song I, Kim TS. Thoracic Castleman disease: computed tomography and clinical findings. J Comput Assist Tomogr 2013;37:1-8.

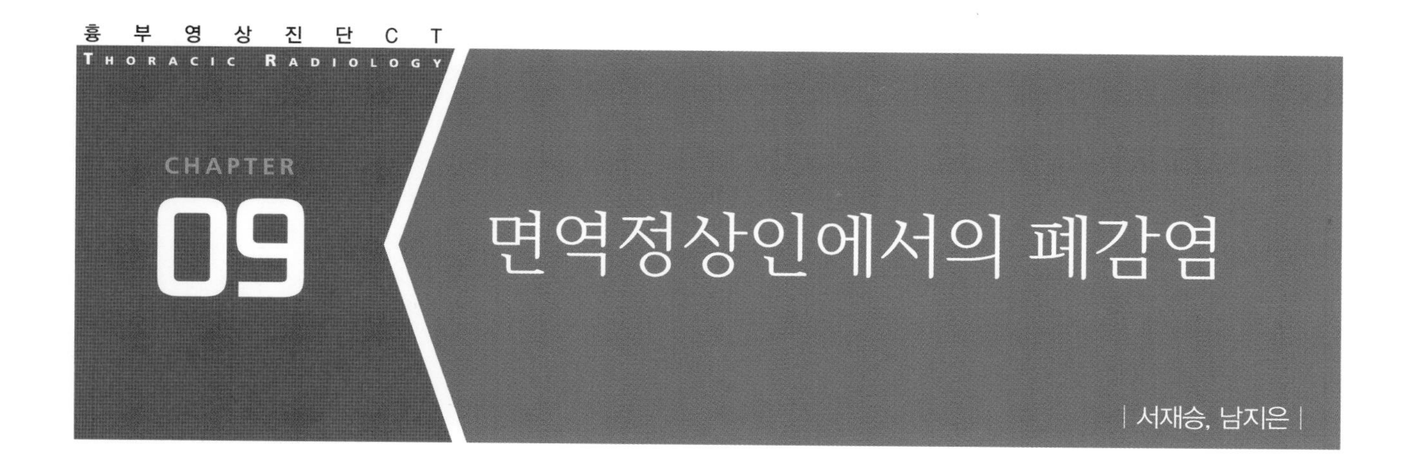

Contents

폐감염은 매우 흔한 질환으로 감염병 중에서는 사망률이 가장 높은 질환이다. 호흡기는 외기와 직접 교통하고 있을 뿐 아니라 전신의 정맥혈이 모이는 장기이므로 통기성 및 혈행성으로 감염이 발생하며 인접장기에서 직접 감염이 파급되어 일어날 수 있다. 흡입(inhalation)이나 흡인(aspiration)에 의한 미생물이나 오염된 분비물이 기도와 폐의 가장 흔한 감염 경로이다. 폐렴이란 폐실질과 하기도의 감염을 말한다. 흔히 감기라 하는 급성 비인두염과 급성감염성 기관지염은 상기도의 감염으로 폐의 합병증이 발생하지 않는 이상 흉부영상의 이상은 없으므로 제외하고 이 장에서는 면역정상인에서의 폐렴을 중심으로 폐감염을 다루기로 한다.

지금까지 폐감염의 진단방법은 다양하게 개발되고 사용되어 왔지만 아직도 50% 미만에서만 원인균을 알 수 있다. 따라서 폐감염 초기에 임상소견과 함께 영상소견은 폐감염의 원인균을 추정하여 경험적 항생제 치료를 위해서 필수적이다. 폐감염의 초기에 발열, 객담, 기침이나 호흡곤란 등의 호흡기 증상, 감염을 시사하는 일반혈액검사 및 영상소견 등을 종합하여 진단은 할 수 있지만, 위 소견만으로 폐감염의 원인균을 정확히 알기는 어렵다. 그 이유는 같은 원인균이라도 여러 형태의 감염유형을 일으키며 한 환자에서도 여러 유형이 공존할 수 있다는 점, 감염이 진행함에 따라 다른 유형으로 보일 수 있다는 점, 또한 같은 균이라도 환자의 면역상태와 기존의 또는 같이 존재하는 폐질환의 유무에 따라 영상학적 유형이 달라지기 때문이다. 그래서 폐감염 초기에 임상에서는 호흡기 증상, 일반혈액검사 및 영상소견 등을 종합하여 가능한 원인균의 범위를 좁혀야 이에 따른 적절한 경험적 항생제 투여를 할 수 있고 또 객담도말과 배양검사, 혈액배양검사, 특이항체 측정, 침습적 흡입검사 등의 확진을 위한 추가적인 검사를 시행할 수 있다.

흉부X선사진은 폐감염이 의심되는 모든 환자에서 매우 중요한 초기 검사이며 병변의 발견, 병변의 위치와 범위파악,

치료 효과 및 경과를 관찰하기 위해서 필요하다. 그 외에도 제한적이지만 폐암 등의 동반된 질환이나 흉막삼출, 농흉, 농양 등을 의심하여 CT검사를 추가로 시행하도록 권고할 수 있다.

CT는 뛰어난 해상도로 미세한 해부학적 구조와 이상소견을 영상화 하여 보여준다. 흉부X선사진과는 달리 구조물들의 중첩 없이 폐의 모든 부위를 단면영상으로 볼 수 있으며 흉부X선사진에서 보기 어려운 종격동 및 폐문 임파선비대, 흉막삼출, 농흉, 기흉, 농양, 폐렴의 정확한 위치와 범위, 만성폐쇄질환 등의 기저질환, 폐암 등의 동반질환을 잘 볼 수 있다. 대부분의 경우 CT는 폐렴환자의 첫 검사로 추천되지는 않지만 임상적으로 폐렴이 의심되나 흉부X선사진에서 이상소견을 발견하지 못한 경우, 흉부X선사진에서 병변이 희미하여 진단이 어려운 경우나, 동반 합병증이 의심되는 경우, 흉부X선사진만으로 이해하기 어려운 복잡한 폐감염, 폐나 종격동내 기병변의 발견, 면역억제환자에서 초기 폐렴의 발견 등의 경우에 유용하다.

I 폐렴의 분류

1. 폐렴의 분류방법

폐렴의 분류는 임상환경(clinical setting), 원인균주, 영상소견, 병리소견, 임상경과, 숙주의 특성, 발생장소 등에 따라 다양한 분류가 가능하다. 임상환경에 따라서 지역사회감염폐렴(community-acquired pneumonia), 병원내감염폐렴(hospital-acquired pneumonia)으로 나누기도 하고(표 9-1), 면역상태에 따라서는 면역 정상인과 면역 저하자 폐렴으로, 임상양상에 따라 전형적 폐렴과 비전형적 폐렴으로 나누기도 한다. 원인 균주에 따라 박테리아, 마이코플라즈마, 바이러스, 리켓치아, 진균(fungi) 및 기생충 등 다양한 균주에 의해 발생하여 혼합 감염 양상을 보이는 경우도 흔하다. 박테리아성은 그람 양성 및 음성, 혐기성 박테리아성 폐렴으로 분류한다. 하지만 영상의학적 소견을 중심으로 크게 대엽성 폐렴(lobar pneumonia), 기관지폐렴(bronchopneumonia), 간질폐렴(interstitial pneumonia)으로 분류한다(표 9-2). 이렇게 구분함으로써 각 유형별로 흔한 원인균의 범위를 좁힐 수 있어 경험적 항생제 치료에 도움을 줄 수 있기 때문이다. 혼합형태의 폐렴으로 폐농양과 흡인성 폐렴(aspiration pneumonia), 혈행성 폐렴(septic embolism) 등은 별도로 기술한다[1, 2].

표 9-1. 임상환경에 따른 폐렴의 분류 및 흔한 원인균

	지역사회감염 폐렴	병원 내 감염 폐렴
흔한원인균주	폐렴구균 마이코플라즈마 바이러스(인플루엔자, 파라인플루엔자...) 헤모필루스인플루엔자 그람음성세균(대장균, 크레브시엘라) 레지오넬라	녹농균 크레브시엘라 대장균 아시네토박터 포도상구균 폐렴구균 헤모필루스인플루엔자

표 9-2. 영상학적 소견에 따른 분류; 대엽성 폐렴, 기관지 폐렴, 간질성 폐렴의 비교

	전형적 대엽성 폐렴	전형적인 기관지성 폐렴	전형적 간질성 폐렴
흉부X선사진소견	균질한 공간경화	불균질 반점상 경화	간유리음영 또는 간질성 음영증가
CT 소견	균질한 경화 나뭇가지 모양의 공기기관지 음영	소엽중심성 결절음영, 망상소결절형, 미세결절형 음영증가	미만성 간유리음영 또는 망상형
분포	아분절, 분절, 엽분포 엽간열에 의해 저지 주로 한엽을 중심으로 또는 한엽에 국한	폐소엽(lobular), 아분절, 분절성 분포 대부분 여러 엽을 침범	양측성, 미만성 분포, 여러 엽을 침범
공기-기관지음영 빈도와 흔한 원인균	흔함 폐렴구균, 크레브시엘라, 레지오넬라균	드뭄 포도상구균, 연쇄상구균, 녹농균, 혐기성세균, 헤모필루스인플루엔자	드뭄 바이러스, 마이코플라즈마, 리켓치아, 렙토스피라 면역저하자에서는 폐포자충, CMV

2. 영상소견에 따른 폐렴의 분류

1) 대엽성 폐렴

대엽성 폐렴(lobar pneumonia)은 공간 폐포성 폐렴으로 부르기도 한다. 병변이 주로 말초 폐포에 생기며 감염에 의한 다량의 염증성 삼출액이 Kohn 공과 Lambert 관을 통하여 주위의 폐로 파급되다가 엽간열(fissure)에 다다랐을 때 저지된다. 실제로는 대엽성(lobar)보다는 아분절성(subsegmental) 또는 분절성(segmental) 분포가 흔하다. 원인은 대부분의 경우 세균성으로 폐렴구균이 가장 흔하고 대표적 균주이다. 드물게 폐렴간균, 포도상구균, 폐결핵, 레지오넬라, 혐기성과 그람음성 박테리아도 원인균주가 될 수 있다. 용적증가가 있는 대엽성 폐렴의 경우는 폐렴간균의 가능성이 높다.

폐포를 채운 염증성 삼출물에 의해서 대엽 전체 또는 분절성(segmental), 아분절성(subsegmental) 분포의 균질한 공기공간경화(air space consolidation)가 관찰된다. 일반적으로 폐 말초부위에서 시작하여 흉막에 의해서 저지되기 전까지 파

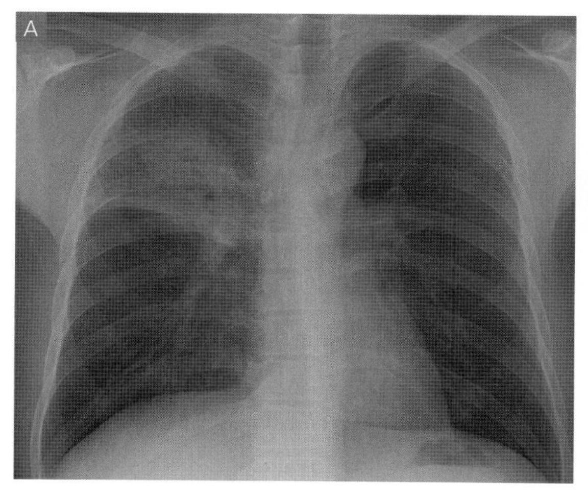

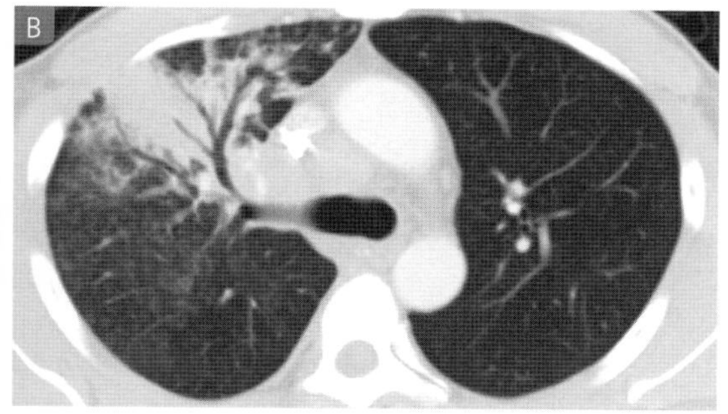

■ 그림 9-1. **폐렴구균에 의한 대엽성 폐렴**
A. 흉부X선사진에서 우상엽에 공간경화가 관찰되며 내부에 공기기관지 음영이 보인다. **B.** CT에서 동일하게 우상엽 전분절에 균질한 공간경화가 보이며 내부에 선명한 나뭇가지모양의 공기기관지음영이 관찰된다.

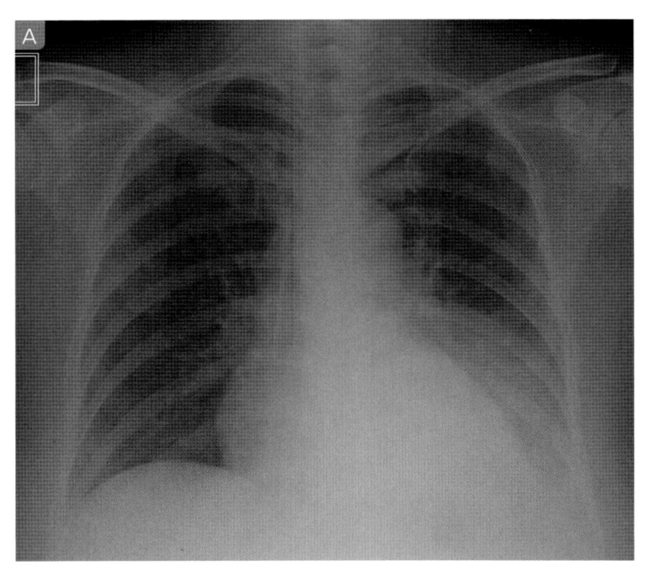

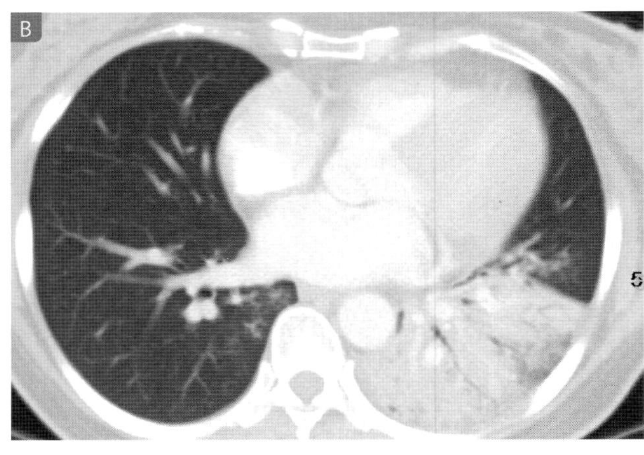

■ 그림 9-2. **대엽성 폐렴**
A. 흉부X선사진에서 좌하폐야에 음영증가가 관찰되며 좌측 횡격막 음영이 소실되어 있다. **B.** CT에서 좌하엽 전체에 미만성의 균질한 공간경화가 관찰되며 내부에 공기기관지 음영이 있다.

급되며 융합(confluent)하는 양상의 경화를 보인다. 기도는 정상이므로 공기기관지조영(air bronchogram)을 보인다(그림 9-1, 9-2)[2]. 흔히 용적감소가 없다. 공기기관지조영상이 보이지 않고 용적감소가 있으면 근위 기관지내 병변에 의한 폐쇄성 폐렴(postobstructive pneumonia)을 생각해야 한다. 여러 엽의 침범보다는 한 엽만을 침범하는 경우가 흔하다. 초기의 대엽성 폐렴은 때때로 경계가 불분명한 종괴 모양으로 보이기도 하며 폐엽의 부피가 증가하는 경우 폐렴간균에 의한 폐렴을 고려해야 한다.

2) 기관지폐렴

기관지폐렴(bronchopneumonia)의 원인균은 대부분 연쇄상구균 또는 녹농균(Pseudomonas aeruginosa) 및 헤모필루스 인프루엔자, 일부 진균 등이다. 기도를 통하여 침입한 균에 의한 염증이 기도점막에서 시작되어 침범된 종말 세기관지나 호흡세기관지 주변으로 염증이 퍼져나간다. 기관지 주위의 폐소엽에 다방성으로 화농성 삼출액이 차며 Kohn 구멍을 통한 파급은 잘 발생하지 않아 정상적인 소엽과 뒤섞여 있는 것이 특징이다.

하나의 폐엽에서 한 개나 여러 개의 분절, 혹은 여러 엽에 양측성 경화 등 다양한 정도로 발병한다. 경화가 종말 세기관지, 호흡성 세기관지 및 주변 폐포를 침범하여 CT에서 경계가 불분명하고 4-10 mm 크기의 소엽중심성 결절음영이나 나뭇가지에 싹이 나는 모양(tree-in-bud pattern)으로 나타나거나 확산되어 2차 소엽 전체를 침범해 소엽형 경화나 결절(lobular consolidation/nodule)을 볼 수 있다. 기도를 침범하므로 침범된 구역이나 폐엽의 용적이 흔히 줄어든다. 공기-기관지 조영은 보이지 않는다. 염증이 빨리 진행되거나 치료가 늦어지면 폐소엽 전체로 퍼져서 융합성 기관지성 폐렴이 나타날 수 있으며 대엽성 폐렴과 구별이 어려운 경우도 있다. 병독성이 강한 세균 때문에 조직 파괴로 폐농양, 기류(pneumotocele), 괴저(gangrene) 등이 형성될 수 있다. 섬유화를 남기고 치유되는 것이 보통이다(그림 9-3).

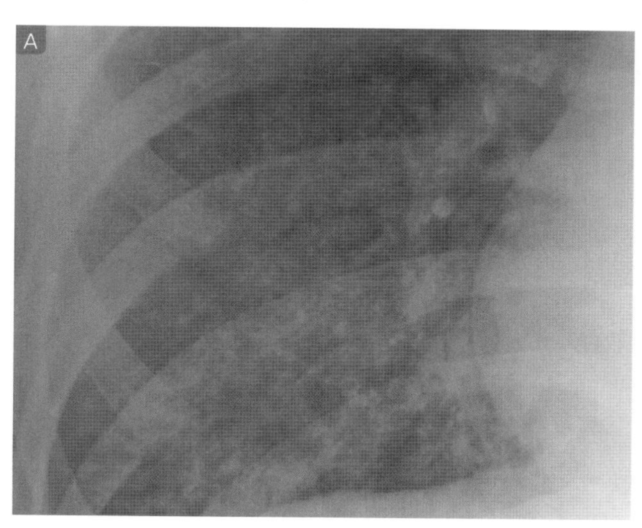

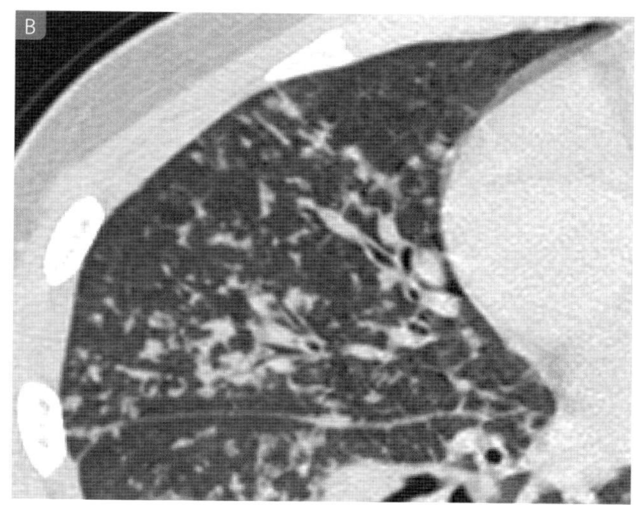

■ 그림 9-3. **기관지성 폐렴**
A. 흉부X선사진에서 기관지를 따라 다수의 경계가 불명확한 반점형 공간경화가 있다. 공기기관지조영상은 보이지 않는다. **B.** CT에서 소엽중심성 결절들과 기관지벽비후가 관찰된다.

3) 간질폐렴

간질폐렴(interstitial pneumonia)은 기도를 통하여 침입한 균에 의한 염증이 기관지 주위 폐간질에서 시작하여 말초부 폐간질까지 퍼지는 경우로서 병이 더 진행하면 폐포 내로도 파급된다. 면역정상인에서는 바이러스나 마이코플라즈마가 주 원인균이며 리켓치아, 렙토스피라에 의해서도 일어난다. 면역 저하자에서는 바이러스, 폐포자충(Pneumocystis jirovecii), 거대세포바이러스(Cytomegalovirus, CMV)가 주 원인균이다.

흉부X선사진에서 양측성(bilateral) 및 미만성(diffuse)으로 간유리음영(ground glass opacity), 망상형(reticular opacity) 또는 망상결절형 음영(reticulonodular opacity)으로 보이며 CT에서도 양측성(bilateral) 및 미만성(diffuse)으로 간유리음영(ground glass opacity), 망상형(reticular opacity)이나 망상결절형음영(reticulonodular opacity), 소엽간 중격비후(interlobular septal thickening), 다발성 소결절(multiple small nodules), 불규칙 선상음영(irregular linear opacity) 등을 흉부X선사진보다 더 잘 볼 수 있다. 특히 초기의 간질폐렴은 흉부X선사진에서는 정상으로 보일 수 있는데 이 경우 CT가 도움을 줄 수 있다(그림 9-4).

4) 기타 형태 및 혼합형 폐렴

(1) 패혈성 폐렴(septic pneumonia)

폐가 아닌 곳에서 생긴, 즉 감염된 심장판막, 혈전성 정맥염, 중심정맥관에 있는 감염된 색전물이나 혈중의 병원균이 폐모세혈관에 걸려 발생하며 간혹 패혈성 색전으로 발생하기도 한다(septic embolism). 병원균이 혈행성으로 파급되므로 병변이 혈류를 따라 임의(random)로 분포하고 다발성이며 혈류가 많이 가는 하엽에 우세하게 나타난다. 흉부X선사진이나 CT에서 1-3 cm 크기의 다수의 결절이나 경화로 보일 수 있으며 공동을 흔히 동반한다. 패혈성 색전이 동반시 쐐기모양의 폐경화가 폐주변부에 보이고 2/3에서 결절이나 경화와 연결된 혈관음영(feeding vessel sign)이 보인다(그림 9-5).

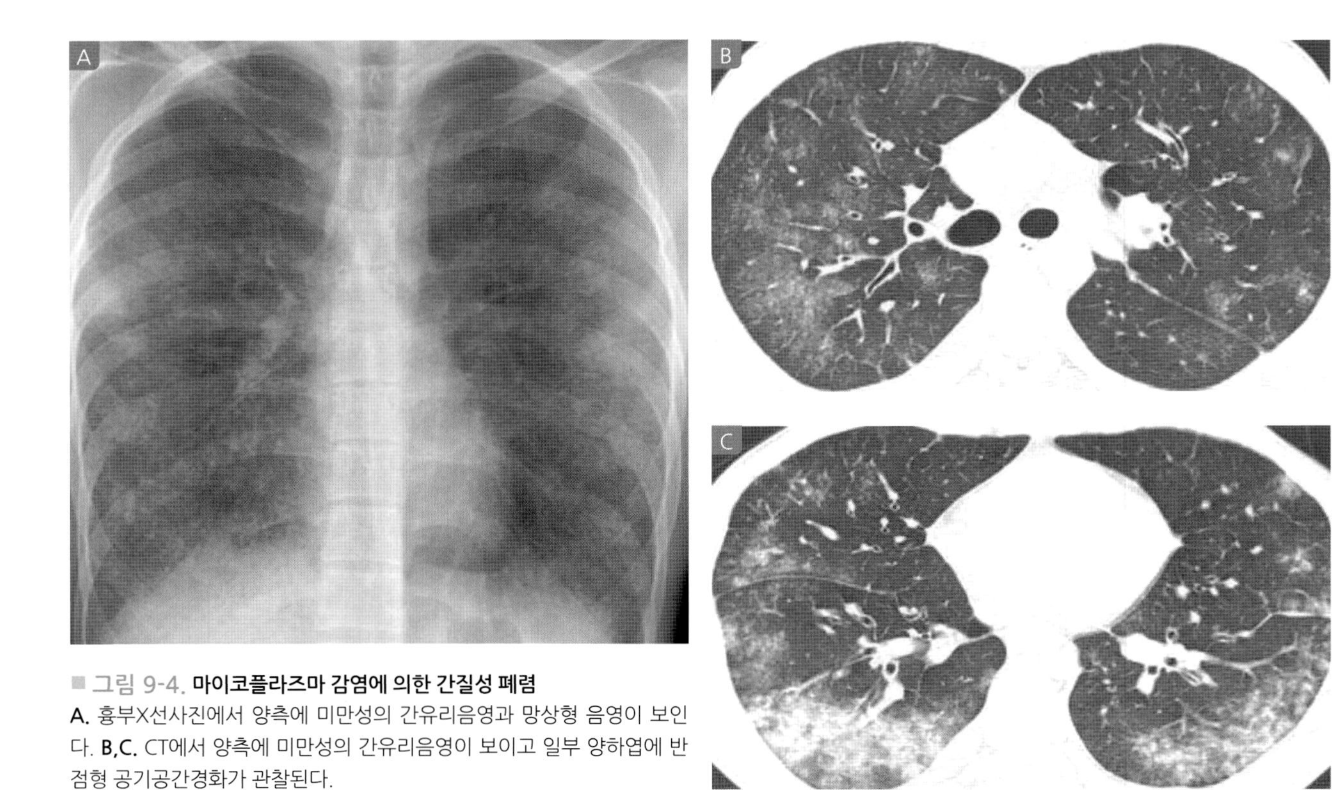

■ 그림 9-4. **마이코플라즈마 감염에 의한 간질성 폐렴**
A. 흉부X선사진에서 양측에 미만성의 간유리음영과 망상형 음영이 보인다. **B,C.** CT에서 양측에 미만성의 간유리음영이 보이고 일부 양하엽에 반점형 공기공간경화가 관찰된다.

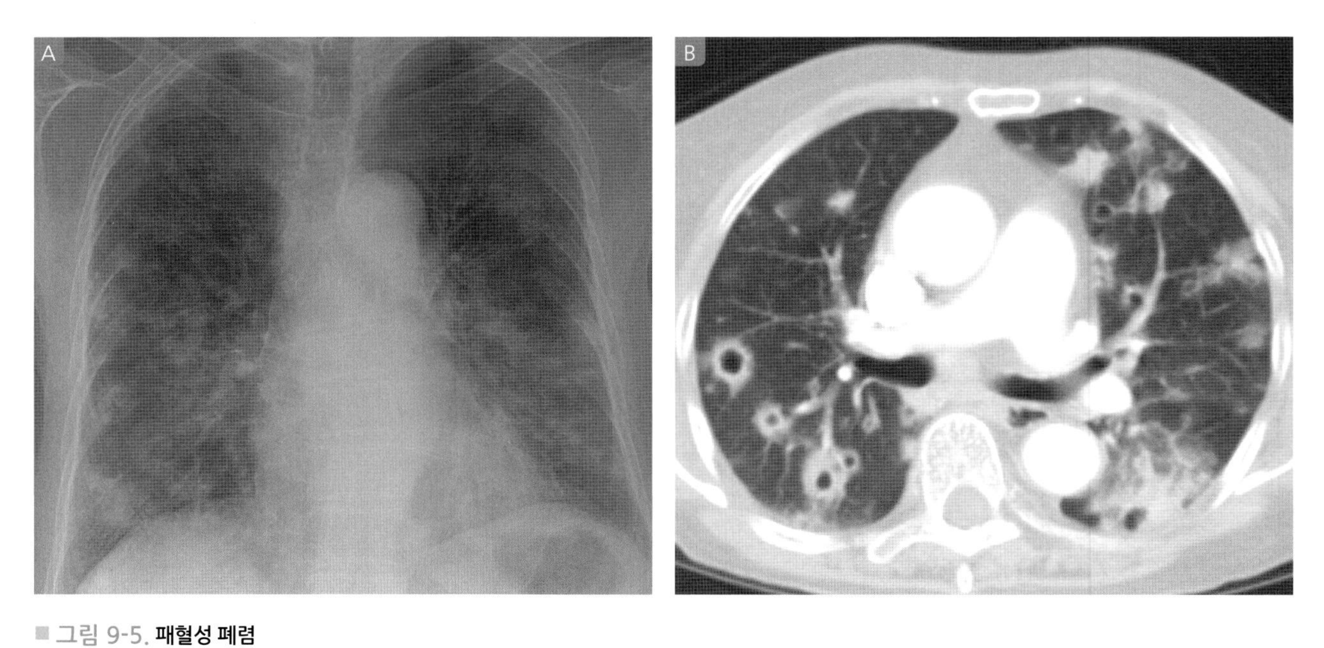

■ 그림 9-5. **패혈성 폐렴**
A. 흉부X선사진에서 양 폐에 다수의 결절성 음영이 보이고 일부는 내부에 공동이 보인다. **B.** CT에서 양측에 다수의 다양한 크기의 결절이 주로 폐 주변부에 관찰되고 많은 결절에서 공동형성이 관찰된다.

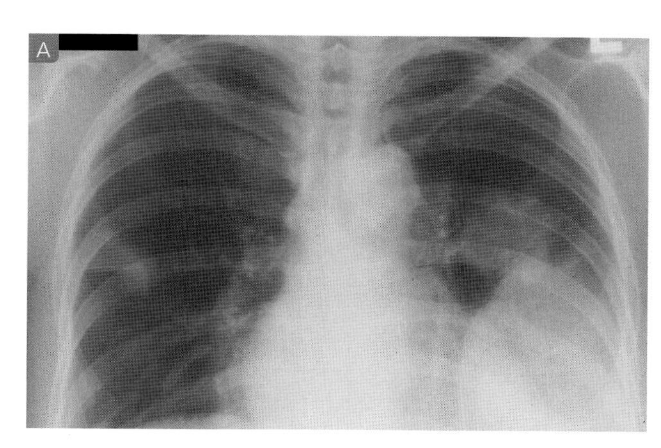

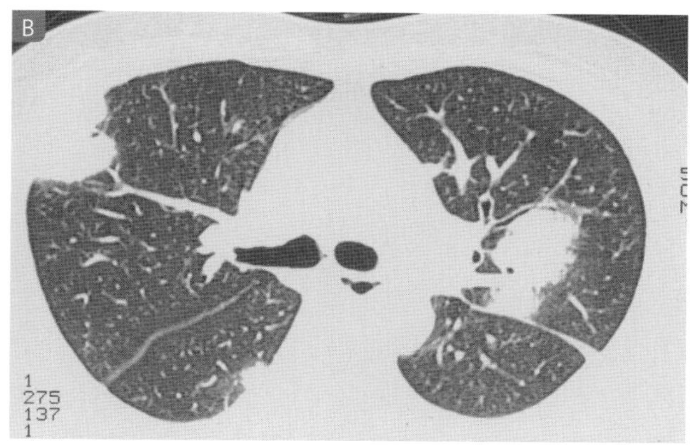

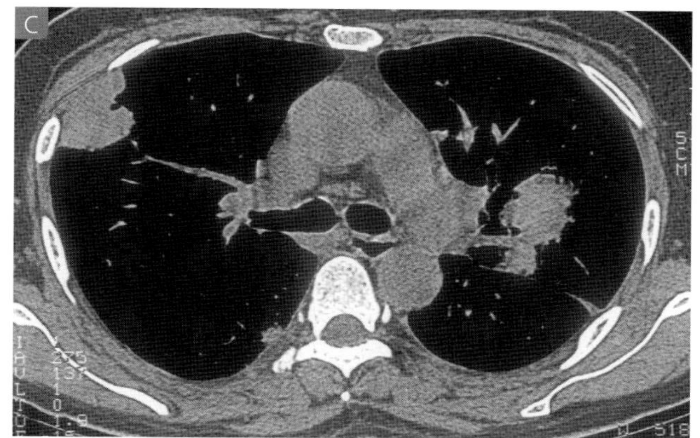

■ 그림 9-6. **레지오넬라 감염에 의한 원형폐렴**
A. 흉부X선사진에서 여러 개의 둥근 다양한 크기의 종괴모양 경화가 양측 폐에 관찰된다. **B, C.** CT에서도 종괴모양의 둥근 경화가 양측 폐에 관찰된다.

(2) 결절성 혹은 원형폐렴(round pneumonia)

일반적인 형태학적 분류에는 포함되지 않으나 흉부X선사진에서 마치 종괴처럼 보이는 폐렴이다. 소아에서 많이 볼 수 있다. 폐렴구균에 의한 초기의 대엽성 폐렴이 종괴처럼 보이는 경우가 많고 진균(fungi)이나 레지오넬라균에 의한 것이다. 다발성의 경우 포도상구균에 의한 패혈성 폐렴인 경우도 있다. 결절성 폐렴의 경우 폐암과의 감별이 필요한데 추적검사상 수 시간 혹은 수일간의 변화, 폐렴을 시사하는 임상적 증상, 결절성 음영의 불분명한 주변부가 보이면 감별에 도움이 된다(그림 9-6).

(3) 흡인성 폐렴(aspiration pneumonia)

최근 전신마취한 경우, 식도질환, 알코올중독자, 의식불명 및 연하장애자에서 호발한다. 혐기성균, 그람음성 박테리아균, 포도상구균이 주 원인균이다. 병소의 분포가 중력의 영향으로 흡인시의 자세에 따라 달라지는 것이 특징이다. 누운 상태에서는 상엽의 후분절과 하엽의 상분절에, 서 있는 상태에서는 하엽에 호발한다. 양측성이고 다엽성 경화를 보인다(그림 9-7).

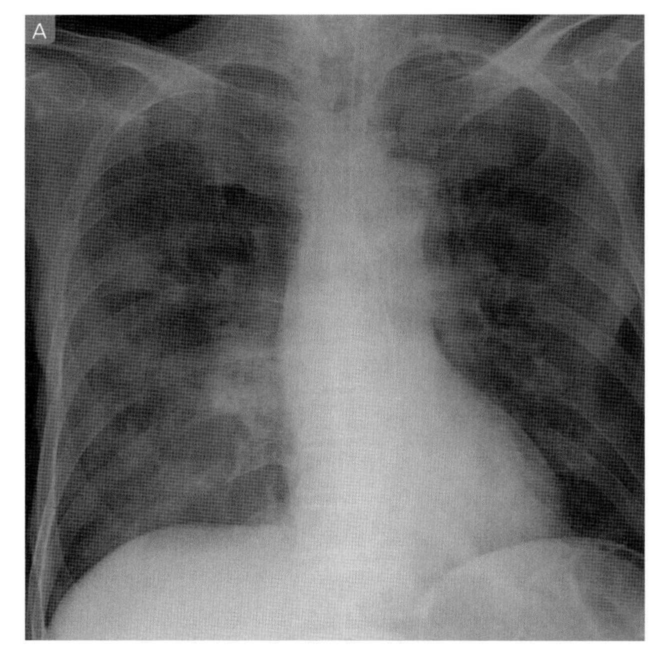

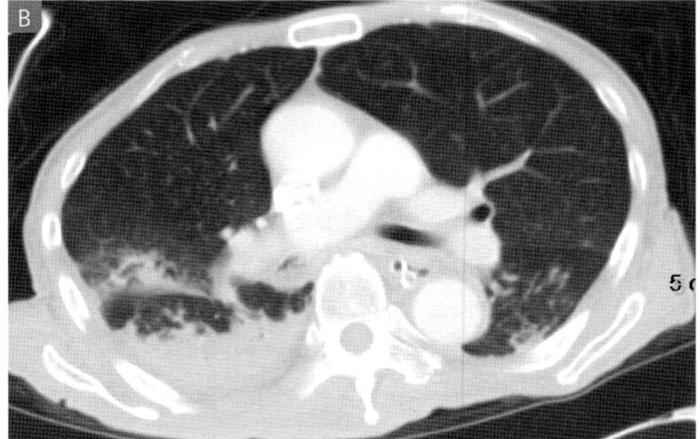

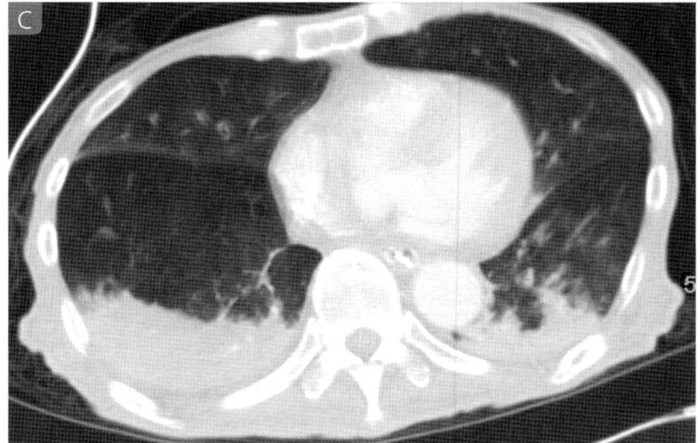

■ 그림 9-7. **흡인성 폐렴**
A. 54세 당뇨병 환자의 저혈당성 혼수 후 흉부X선사진에서 우하폐야에 공간경화가 있고, 그 외 양 폐야에 다수의 경계가 불명확한 반점형 공간경화가 있다. **B, C.** CT에서 우상엽 후분절과 양하엽 상분절에 공간경화가 관찰되어 누운상태에서 흡인되었음을 추측할 수 있다.

표 9-3. **지질폐렴의 영상소견**

균질한 경계가 분명한 분절경화(Homogenous segmental consolidation)
하엽에 호발
다양한 정도의 지방음영(Fat density focal consolidation), 괴사, 공동을 형성
간유리음영, 소엽간중격비후, 소엽내 선상음영-돌조각보도모양(Crazy-paving appearance)
분명하거나 불분명한 종괴모양의 경화(Mass-like consolidation)

(4) 지질폐렴(lipoid pneumonia)

내인성(endogenous)과 외인성(exogenous) 지질폐렴으로 나누며, 내인성은 기도폐쇄나 점액섬모청소(mucociliary clearance)의 장애로 폐포내에 대식세포가 축적되는 것을 말하며, 외인성은 동식물 기름, 기름성분의 코점약제, 액체파라핀들의 지질 성분 물질 혹은 휘발유, 지방 성분의 물질을 흡인하여 생긴다. 우리나라에서 보고되는 외인성 지질폐렴은 대개 스쿠알렌(squalene)의 복용 때문이다(그림 9-8).

폐병변은 정도는 흡인된 양과 기간에 의해 좌우되며, 동물성 지방이 더 병변이 심하다. CT에서 폐경화가 있는 부위의 CT 감약계수가 -30 ~ -150을 보이면 진단에 도움이 된다(표 9-3). 기관지폐포세척은 진단과 치료에 도움이 되기도 한다.

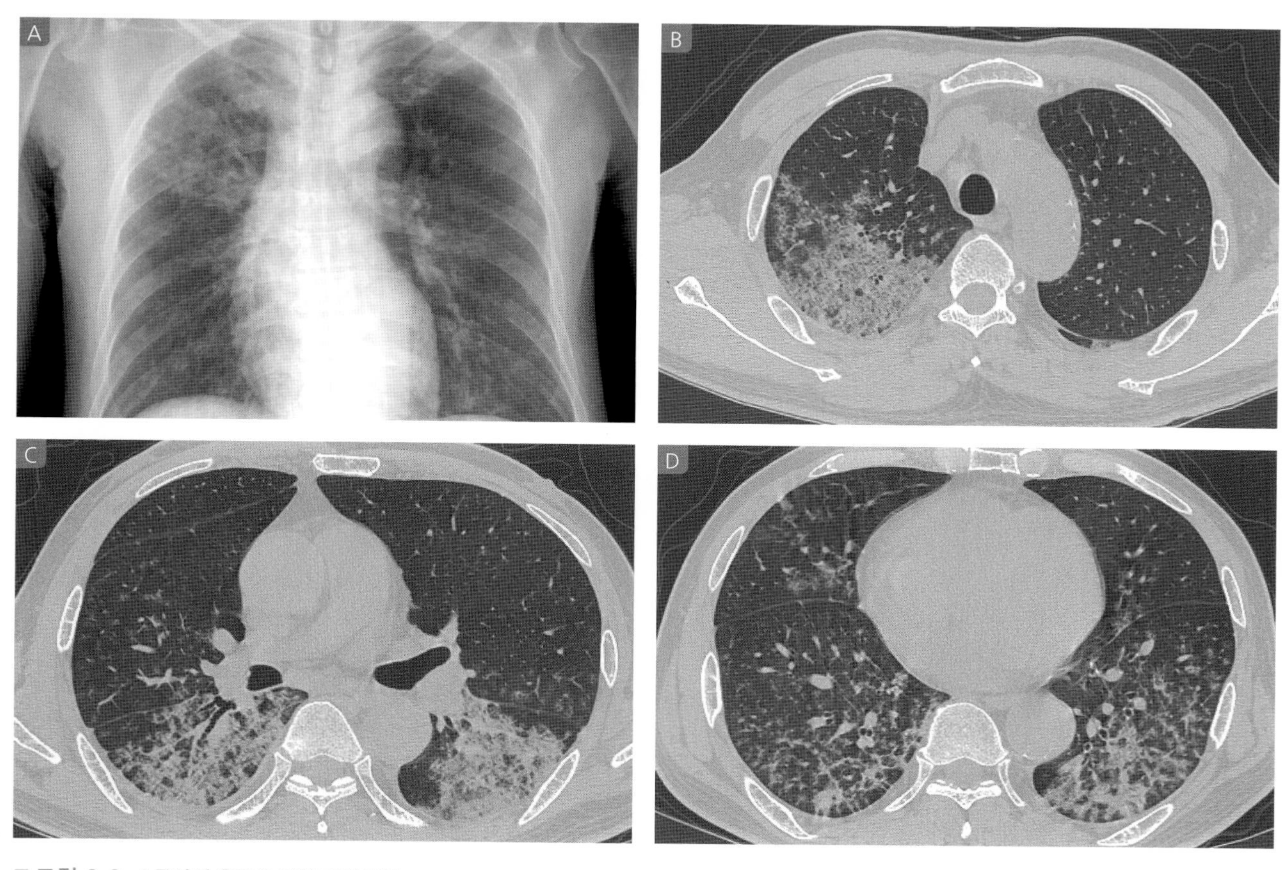

■ 그림 9-8. **스쿠알렌 흡인에 의한 지질폐렴**

■ **A.** 흉부X선사진에서 우상엽과 양측 폐문부 주변으로 간유리음영이 관찰된다. **B, C, D.** CT에서 폐아래와 하부에 간유리음영과 공간경화가 혼합되어 있어 누운 상태에서의 흡인이 의심된다. 병변 내부에 소엽간중격비후 및 소엽내 선상음영에 의한 돌조각보도모양(crazy-paving)을 보인다. 폐포단백증과의 감별은 병변이 폐하부, 기저부에서 호발한다는 점이다.

5) 폐외 흉막합병증

박테리아성 폐렴과 연관된 합병증으로 괴사성 폐렴, 폐농양, 기류(pneumatocele), 흉막삼출, 농흉 등이 올 수 있다.

(1) 괴사성 폐렴(necrotizing pneumonia)

대엽성 폐렴이 괴사성 폐렴 이나 폐농양 같은 폐실질 파괴로 이행하는 경우는 원인균의 특성, 종양이나 이물질에 의한 기관지 폐쇄 등의 요인이 관여한다. 흔히 폐실질 파괴를 야기하는 세균은 구강 혐기성균, 황색 포도상구균, 호기성 그람 음성 간균, 결핵, 진균 등이다. 흡인성의 여러 균 감염 폐렴은 괴사를 흔히 초래하고 이런 혐기성 세균 감염이 흉막으로 파급되면 농흉이 합병되기도 한다. 폐렴간균 폐렴은 알코올중독자에서 폐상엽에 호발하고 괴사를 잘 일으키며(그림 9-9) 용적의 증가를 일으켜 엽간열이 불룩하게 팽창을 보이는 것으로 잘 알려져 있다(그림 9-14). 폐렴의 경과 중 폐혈관의 혈전에 의하여 광범위한 조직괴사에 의한 대형 공동형성을 폐괴저(pulmonary gangrene)라 하며 폐렴구균이나 폐렴간균이 가장 흔한 균이다.

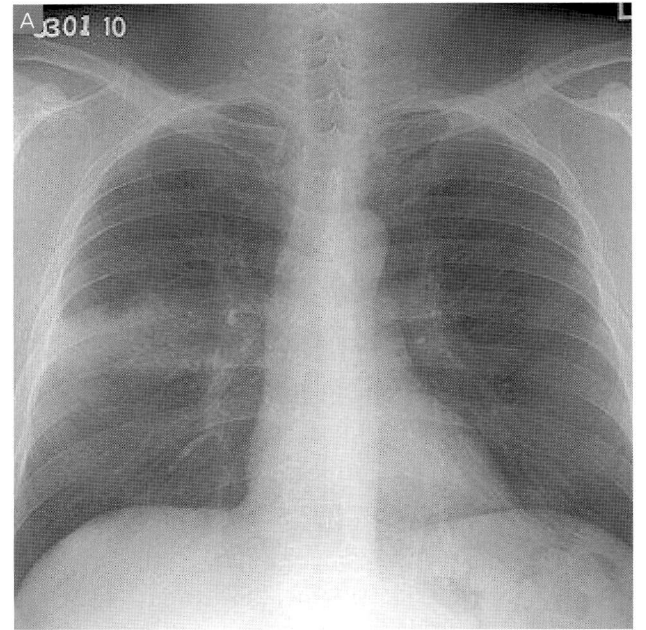

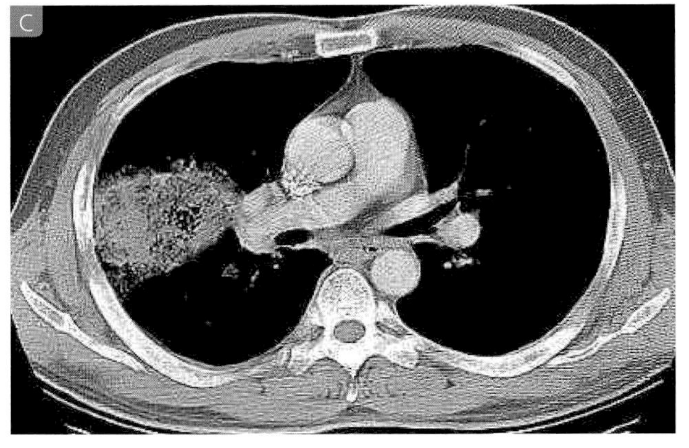

■ 그림 9-9. **크레브시엘라 폐렴에 의한 괴사성 폐렴**
A. 흉부X선사진에서 우측 중폐야에 공간경화가 관찰된다. **B, C.** CT에서 우상엽에 공간경화가 관찰되며 내부에 괴사를 시사하는 공기음영과 뒤섞인 저음영부위가 관찰된다.

(2) 폐농양(lung abscess)

폐농양은 치주 및 치아 감염병소의 흡인, 혼수상태에서의 흡인성 폐렴 및 괴사성 폐렴 등에 의해서 발생한다. 화농성 폐렴에 의해서 형성된 액화성 괴사물질이 기관지를 통하여 배출되기 시작하면 직립 흉부X선상에서 중앙부에 수평의 공기-액체층(air-fluid level)을 갖는 공동을 보이고 주변부로 폐렴과 같은 공기공간경화를 보인다(그림 9-10)(표 9-4). 폐암이나 다른 육아종증(ANCA-associated granulomatous vasculitis)과는 달리 추적검사에서 적절한 항생제의 투여로 공동의 벽은 점차 얇아지다가 사라지게 된다.

폐경화와 공동 형성이 있으면 바이러스나 마이코플라스마보다는 박테리아나 진균 감염을 시사한다. 박테리아 감염 중 흔히 공동을 형성하는 균은 포도상구균, 그람음성 박테리아(폐렴간균, 프로테우스, 녹농균), 혐기성 박테리아 및 결핵균이다. 기존의 폐질환 없이 큰 단일성의 폐농양 즉 원발성 폐농양의 경우 혐기성 박테리아 감염이 대부분이고 이는 주로 구강 및 인후부의 분비물의 흡인에 의한 경우가 대부분이다.

표 9-4. **폐농양의 영상소견**

내부에 화농성 괴사를 가진 염증성 종괴	공동화가 매우 흔함
내부표면은 매끈하거나 거칠 수 있음	최대 벽두께는 대게는 15 mm 이하
내부의 공기-액체층	CT에서 내부의 저음영부위
조영증강 시 주변 환상조영증강	

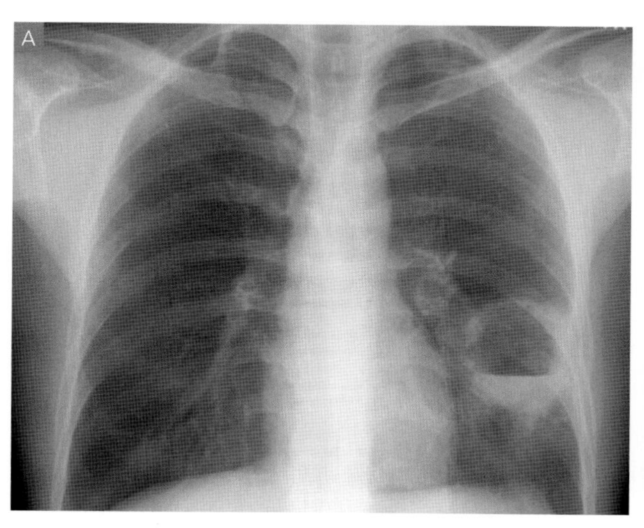

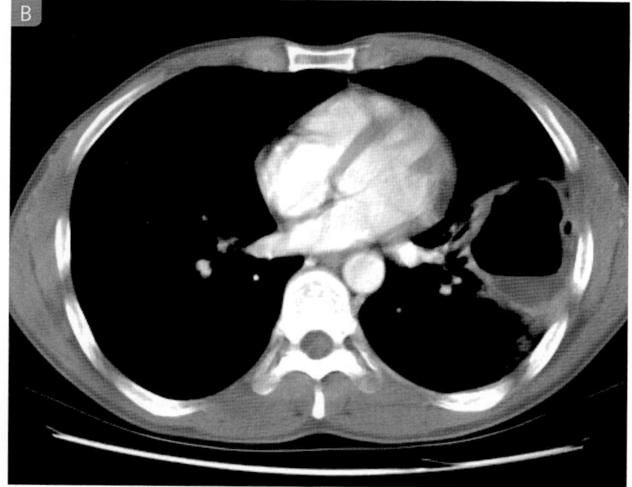

■ 그림 9-10. **폐농양**

A. 흉부X선사진에서 좌하폐야에 내부에 공기-액체층을 가진 공동성 병변이 보인다. **B.** CT에서 좌하엽에 조영증강 되는 비교적 얇은 벽을 가진 공동이 보이며 공기-액체층이 내부에 관찰된다.

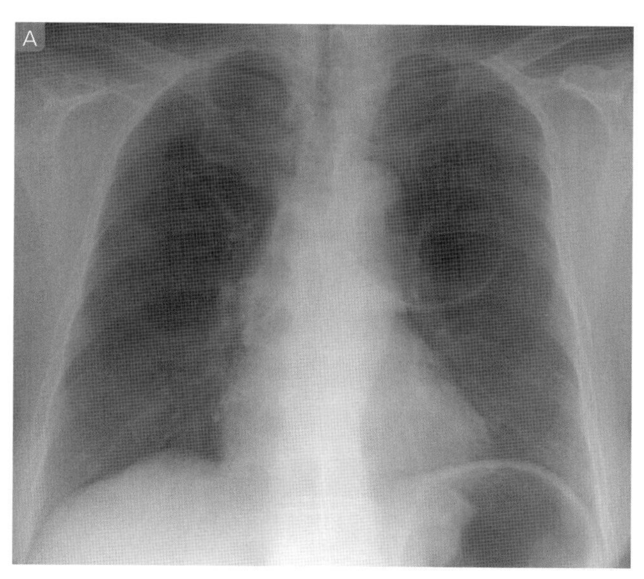

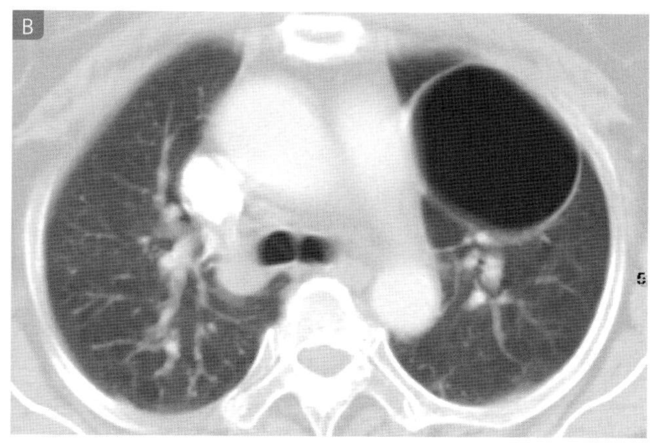

■ 그림 9-11. **폐기류**

흉부X선사진(A)과 CT(B)에서 좌상엽에 얇은 벽을 가진 공동성 병변이 관찰된다.

(3) 기류(pneumatocele)

기류는 공동과의 감별이 어렵지만 포도상구균이 원인균이고 소아에서 호발시 기류로 진단할 수 있다. 기존에 폐기종(emphysema)이 있는 폐에 폐렴이 올 경우 기종성 공간을 공동이나 기류로 오인하지 않아야 하며 특히 폐기종의 경우 전폐에 미만성이라는 점이 다르다. 폐렴 발생 후 수일 내 생겼다가 수 주 혹은 수개월에 걸쳐 저절로 소실되는 경우가 많다(그림 9-11).

(4) 흉막삼출(pleural effusion)과 농흉(empyema)

다량의 흉막삼출은 혐기성 폐렴, 그람음성 박테리아, 포도상구균에 의한 가능성이 많다. 흉막삼출에 비해 농흉은 국소화되어 있고, CT에서 균등한 벽측흉막의 비후 및 조영증강을 보이면 감별에 도움이 된다. 흉막삼출과 농흉은 제18장 흉막질환을 참조한다.

3. 폐렴의 진단

지금까지 폐감염의 진단방법은 다양하게 개발되고 사용되어 왔지만 아직도 50% 미만에서만 원인균을 알 수 있다. 폐렴원인균 진단을 위해 가장 기초적인 검사는 객담의 도말과 배양검사이다[3]. 하지만 객담이 없거나 오염될 경우 그리고 경험적 항생제 투여로 인해 검사의 민감도는 그리 높지 않다. 그람염색 도말검사상 저배율 시야당 10개 이하의 편평상피세포, 25개 이상의 호중구와 고배율 시야에서 충분한 원인균이 보이면 진단이 가능하다. 그 외 혈액배양검사는 객담의 도말과 배양검사에 비해 특이도는 높지만 4-18%만이 양성이라 진단에 제한적이고, 객담, 혈청, 흉수액, 소변에 있는 폐렴구균 항원검출방법을 이용해 진단하려는 시도가 있으며 레지오넬라균도 객담을 이용해 direct fluorescent antibody (DFA) test를 해 볼 수 있고 소변의 항원검출방법을 이용해 진단에 도움을 줄 수 있다. 폐포자충폐렴도 fluorescent antibody kit를 이용 시 80% 민감도와 90% 이상의 특이도를 보인다는 보고도 있다. 또 마이코플라즈마, 레지오넬라, 클라미디아, 콕시엘라 버네티등의 특정 Ig M antibody를 혈청에서 측정해서 진단에 도움을 주었다는 보고도 있으나 내원 초기에 결과가 바로 알 수 없는 경우가 많아 쓰임이 제한적이다. 중합효소연쇄반응(polymerase chain reaction, PCR)은 방사성 요오드사용과 고비용이라는 문제가 있지만 앞으로 결핵을 비롯한 다양한 병균의 진단과 검진에 널리 쓰일 것으로 기대된다. 그 외로 흉막천자, 기관지내시경의 이용한 보호된시료브러시(protected specimen brush, PSB)와 기관지폐포세척(bronchoalveolar larvage, BAL) 그리고 침습적 폐흡입검사도 이용해 볼 수 있다. 특히 사이토메갈로바이러스나 폐포자충폐렴은 기관지폐포세척으로 진단이 가능하다.

Ⅱ 원인균별 분류

1. 박테리아 감염

1) 그람양성 박테리아 폐렴(Gram positive bacterial pneumonia)

(1) 폐렴구균폐렴(Streptococcal pneumonia)

폐렴구균(Streptococcal pneumoniae)은 대엽성 폐렴의 가장 흔한 원인균이고(그림 9-1), 지역사회감염폐렴의 가장 흔한 원인균이며(80-90%) 병원감염폐렴의 10% 정도를 차지한다. 대부분 대엽성 폐렴의 형태로 나타나 단시일 내 흔적 없이 2주 내에 치유된다. 드물게 기관지 폐렴의 양상으로 나타날 수 있으며(그림 9-12) 소아에서는 원형폐렴으로 나타나기도 한다(표 9-5). 흉막삼출을 동반하는 경우는 드물다. 폐렴구균 폐렴은 내인성 감염으로 인후등에 정상 세균총(flora)으로 존재하던 병원균이 방어기전이 깨지면 발생하는 것으로 생각되고 있다. 물론 만성폐질환, 무비장증, 바이러스감염, 면역결핍 등이 선행하는 경우 발생하는 경우가 높다.

표 9-5. **폐렴구균 폐렴의 영상소견**

대엽성 폐경화가 가장 흔한 소견. 편측성, 대개 한 엽만(그림 9-1) 기관지 폐렴형(다엽형)으로도 드물게 나타남(그림 9-12) 공동화, 기류형성 드묾 흉막삼출 20%

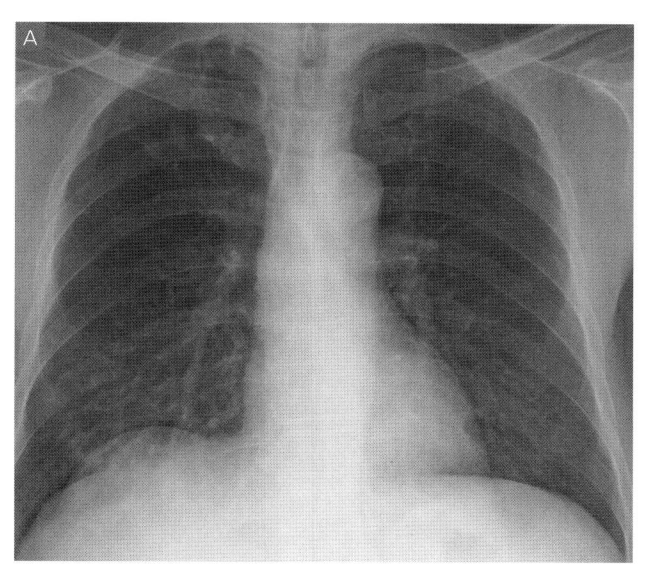

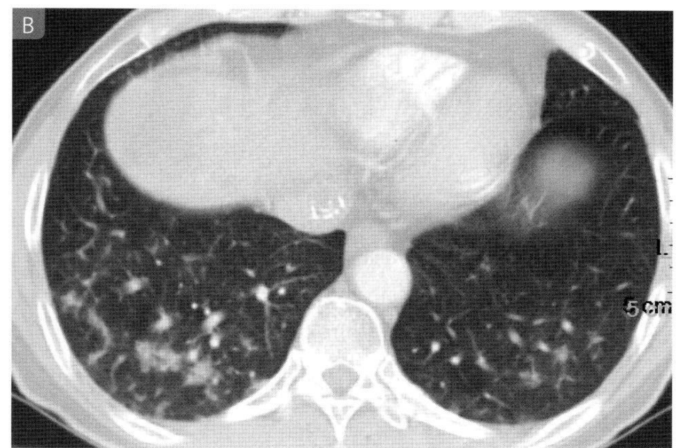

■ 그림 9-12. **폐렴구균에 의한 기관지성 폐렴**
A. 흉부X선사진에서 양하엽으로 기관지벽 비후와 반점형 경화가 관찰된다. **B.** CT에서 양하엽의 기관지 주변에 소엽중심성 경화가 있다. 폐렴구균에 의한 기관지성 폐렴. 흉부X선사진(A)에서 양하엽으로 기관지벽 비후와 반점형 경화가 관찰된다. CT(B)에서 양하엽의 기관지 주변에 소엽중심성 경화가 있다.

(2) 포도상구균폐렴(Straphylococcus aureus pneumonia)

포도상구균은 기관지성 폐렴의 가장 흔한 원인균이다. 지역사회감염 폐렴의 1-10%를 차지하며 소아 및 노약자에서 주로 발생한다. 인플루엔자에 합병되어 발생하거나 병원감염으로 발생하는 경우가 많다. 영상학적으로는 흡인이나 흡기로 발생하는 경우 소아에서는 대엽성 폐렴으로 성인에서는 양측성의 기관지 폐렴형태로 나타난다(그림 9-13). 소아에서는 대엽성 폐렴외 에도 기류가 50%에서 나타나며 90% 이상에서 흉막삼출 및 농흉이 병발한다. 포도상구균 폐렴은 기관지 내에 염증성 삼출액이 차서 공기기관지조영상은 잘 보이지 않으며 강력한 독소를 발생하므로 폐농양, 농흉, 기흉, 기관지-늑막루 등의 합병증이 잘 발생한다(표 9-6). 특히 입원 환자에 있어서는 심내막염, 혈전정맥염(thrombophlebitis), 감염된 혈관 내 카테터 등으로부터 혈행성으로 전파되는 경우에 다발성 결절의 패혈성 폐렴 및 폐색전을 일으킨다.

표 9-6. **포도상구균 폐렴의 영상소견**

기관지 폐렴형이 대부분, 편측성 또는 양측성 기류형성 흔함(특히 소아) 폐농양 형성 흔함 흉막삼출, 농흉, 기흉, 기관지-늑막루 흔함

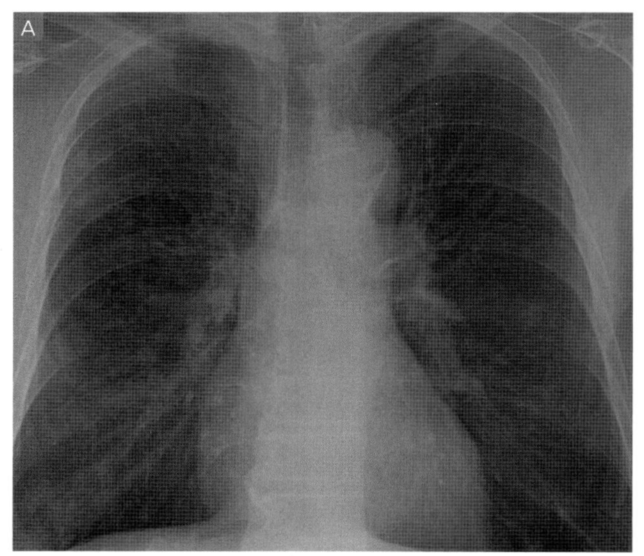

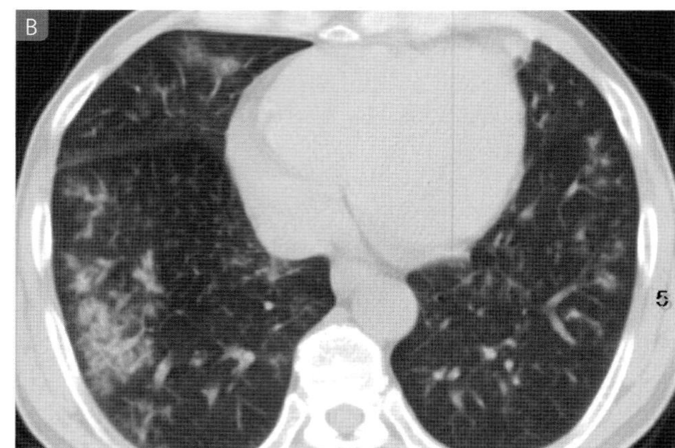

■ 그림 9-13. **포도상 구균에 의한 기관지성 폐렴**
A. 흉부X선사진에서 양하엽에 기관지벽 비후와 반점형 경화가 관찰된다. **B.** CT에서 소엽중심성 경화가 양하엽과 우중엽에 흩어져 있으며 가장 심한 우하엽에서는 서로 융합하는 양상으로 관찰된다.

(3) 노카르디아증(Nocardiosis)

노카르디아증은 Nocardia aisteroides에 의한 것이 대부분이며 필라멘트 모양의 그람 양성 박테리아로서 호기배양서 서서히 자라는 약한 항산성(acid-fast)을 보이는 균이다. 노카르디아는 결핵균과 유사점이 많아 감별을 요한다. 노카르디아증은 교원병에서 스테로이드 장기복용하는 경우, 장기이식 후 면역억제제 투여, 악성종양의 항암요법, AIDS 등의 면역결핍증 및 폐포 단백증(pulmonary alveolar proteinosis)에서 잘 병발한다. 폐포 단백증에서 폐포내 있는 지방단백 성분이 균의 좋은 배지가 되어 호발한다고 알려져 있다. 심한 뇌출혈 환자에서 파종성 질환을 일으켜 중추신경계, 피부, 뼈를 침범하기도 한다. 영상소견은 다발성이나 단일성 결절이나 경화, 괴사성 폐렴, 내부 공동을 보이는 광범위한 경화로 보일 수 있고 흉막삼출이나 임파선병증을 흔히 동반한다[4, 5]. 흉막이나 흉벽을 따라 국소적 농양을 형성하며 단백질분해효소가 있어 흉막이나 근막을 파괴하고 주위로 퍼져서 방사선균증(actinomycosis)이나 결핵과 감별을 요한다.

2) 그람음성 박테리아 폐렴(Gram negative bacteria pneumonia)

항생제의 발달로 그람양성 박테리아 폐렴의 치료가 발전하면서 그람음성 박테리아에 의한 폐렴빈도가 늘고 있으며 특히 병원감염폐렴에서는 반 이상을 호기성 그람음성 박테리아가 차지하고 있다. 그람음성 박테리아 폐렴에 걸리는 환자의 대부분은 만성폐쇄성 폐질환, 주요 내과적 질환, 최근의 수술 병력 등의 소인을 갖는다. 상기도와 구강 내 여러 가지 병원균에 의한 집락을 이루게 되고 흡인(aspiration)이 생겼을 때 병원균이 폐로 유입되는 것이 가장 흔한 경로이다. 그러나 흡입이나 혈행성 전파를 통한 폐렴의 발생도 있다.

그람음성 박테리아의 방사선소견은 경계가 불분명한 작은 결절로부터 융합성 병변을 일으키고 대엽성 폐렴이나 폐부종과 유사한 양상을 보이는 등 다양한 형태로 발생하고 합병증도 흔하다.

표 9-7. 크레브시엘라 폐렴의 영상소견

대엽성 폐렴이 대부분이나 기관지성 폐렴도 가능 상엽의 후분절, 하엽의 상분절에 호발 용적의 증가에 의한 대엽간열의 팽창 폐렴 진행면의 명확한 경계 조기 농양형성 흔함(그림 9-9)

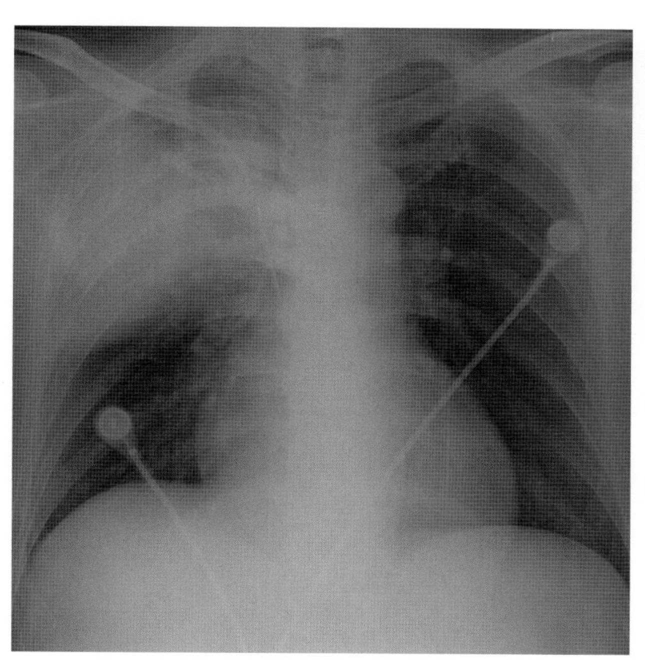

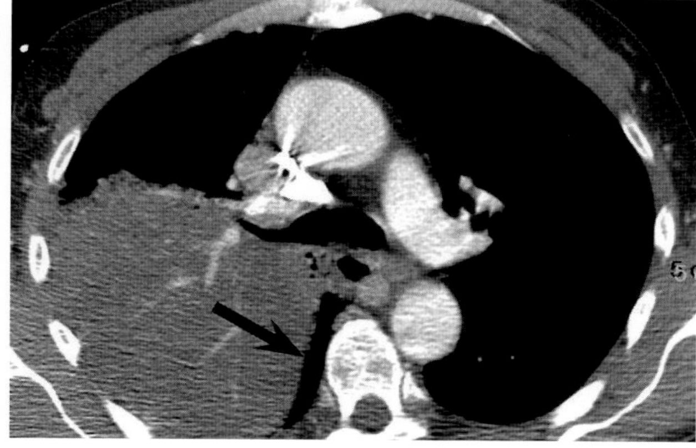

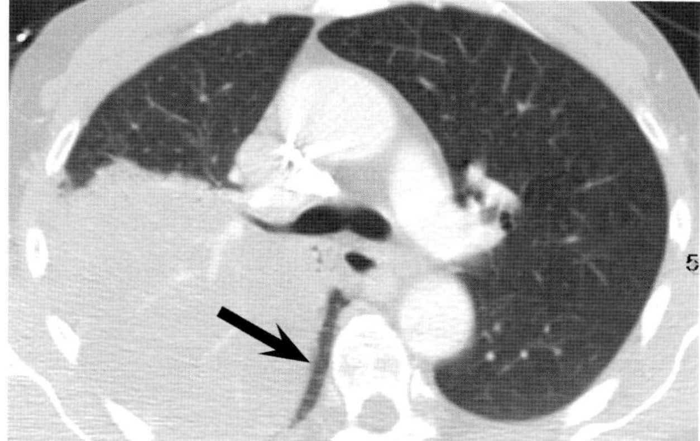

■ 그림 9-14. **폐렴간균폐렴**
40대 알콜중독 남자의 흉부X선사진(A)와 CT(B,C)에서 우상엽에 균질한 경화가 관찰되며 내부 삼출물에 의한 용적 증가로 인한 엽간열의 팽창이 보인다(화살표).

(1) 폐렴간균 폐렴(Klebsiella pneumonia)

폐렴간균(Klebsiella pneumoniae)은 그람음성 박테리아 폐렴의 가장 흔한 원인균이다. 비교적 드물지만 중증의 감염으로 합병증을 동반하는 경우가 많고 높은 치사율을 보이는 중요한 폐렴이다. 노인이나 당뇨병환자 중 구강 또는 치아 감염을 가진 환자에 호발하고 전형적인 임상상은 알코올중독자에서 급성의 고열 및 객혈을 동반하는 폐상엽의 괴사성 폐렴이다. 때때로 염증성 삼출액의 축적으로 인한 용적증가로 인접한 엽간열의 팽창을 일으키는 것이 특징으로 알려져 있지만(그림 9-14) 반 수 이상의 환자에서는 엽간열의 팽창을 보이지 않는다. 항생제에 반응이 더딘 경우가 많고 심한 조직 괴사에 이어 섬유화를 초래해 치유 후 폐결핵과 감별이 어려울 수 있다. CT상 대엽성 폐렴 양상으로 조영증강 되는 부분과 되지 않는 괴사부위가 혼재하며 내부에 다발성 공동을 보이고 농흉이나 흉막삼출을 거의 동반한다[6, 7]. 공동, 농양형성이 흔하고 폐기류를 형성하는 경우도 있다(표 9-7).

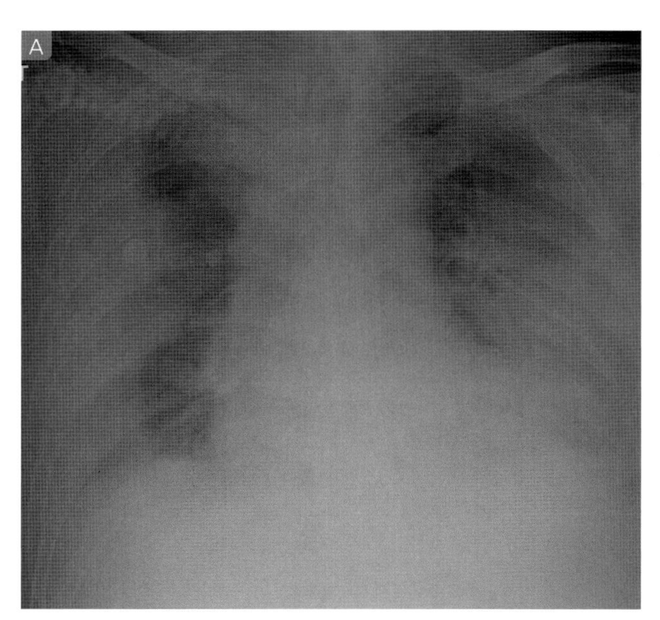

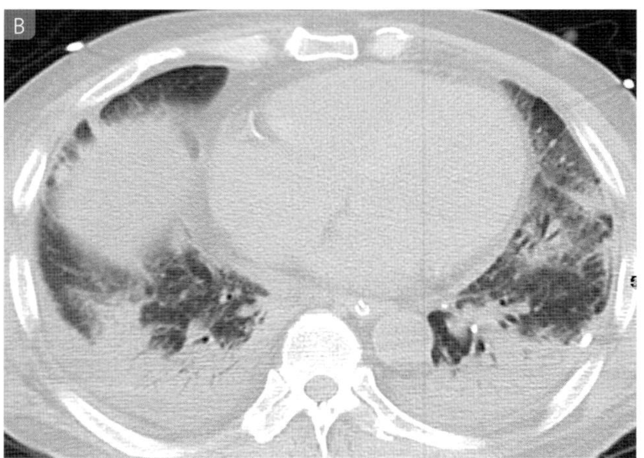

■ 그림 9-15. **녹농균 폐렴**
68세 남자 당뇨환자의 흉부X선사진(A)과 CT(B)에서 양측 폐에 광범위한 공기경화와 간유리음영이 관찰된다. 소량의 흉막삼출이 동반되어 있다.

(2) 녹농균 폐렴(Pseudomonas aeruginosa pneumonia)

녹농균 폐렴은 대부분이 기관지성 폐렴이며 가장 위중하고 흔한 병원감염의 원인균 중 하나이다. 중환자실에 환자가 장기 입원한 경우 인공호흡기, 기관절개, 기타 오염된 의료장비를 통하여 감염이 된다. 선천성 심질환을 가진 소아, 만성 폐쇄성 폐질환, 울혈성 심부전, 당뇨병, 신부전 혹은 수술 후 등이 위험소인이다. 영상소견은 포도상구균 폐렴과 유사하여 기관지성 폐렴으로 나타나며 대부분 양측성이고 하엽에 호발한다. 경기관지 파급의 경우 초기에 경계가 불분명한 반점상 경화를 보이는 기관지 폐렴으로 나타나며 빠르게 진행하여 항생제 치료에도 불구하고 광범위한 경화를 보이게 된다(그림 9-15). 농양과 공동형성을 흔히 보이며 혈행성으로 파급된 경우는 다발성의 반점상 혹은 결절성 음영을 보인다. 소량의 흉막삼출을 흔히 보인다[8, 9].

(3) 레지오넬라 폐렴(Legionella pneumophila pneumonia)

레지오넬라 폐렴은 오염된 물방울을 흡입하여 발생되며 균은 자연수 혹은 냉방시설의 인공수에서 발견된다. 집단적으로 또는 산발적으로 발생하며 노인에서 호발한다. 병원감염은 악성종양, 신부전, 장기이식 환자에 흔하며, 지역획득 감염은 만성 폐질환, 악성종양 환자에 흔하다. 균의 배양은 힘들고 혈청검사상 소변내 항원 검사가 진단에 도움이 된다.

초기 영상소견은 기관지폐렴 소견으로 폐주변부의 반점상 경화이나 50%에서 폐렴의 진행은 빨라서 적절한 항생제 치료에도 불구하고 3-4일 안에 대엽성 폐렴으로 진행한다[10]. 때로 경계가 좋지 않은 둥근모양의 원형폐렴의 형태로 보이기도 하며(그림 9-6), 면역기능 저하시 농양형성이 흔하고 흉막삼출이 흔히 발생된다(그림 9-16).

3) 혐기성 박테리아 폐렴(anaerobic bacteria pneumonia)

거의 모든 혐기성 감염은 내인성이며 감염원은 구강과 인두, 부비동이다. 대부분의 혐기성 폐감염은 구강 내용물의 흡

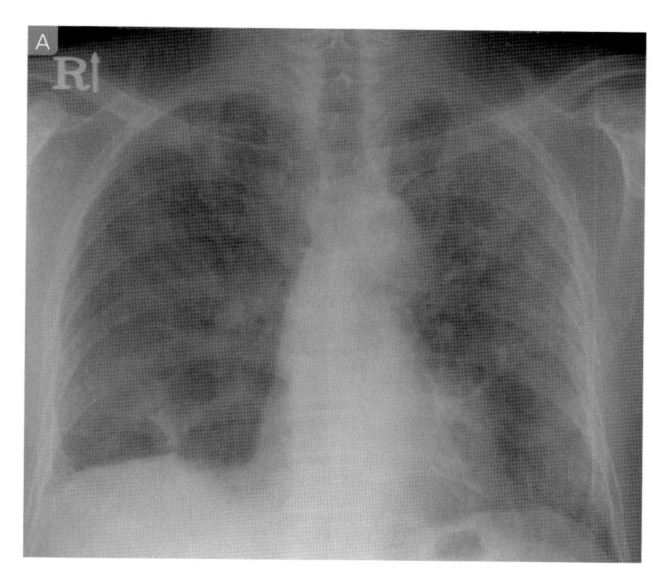

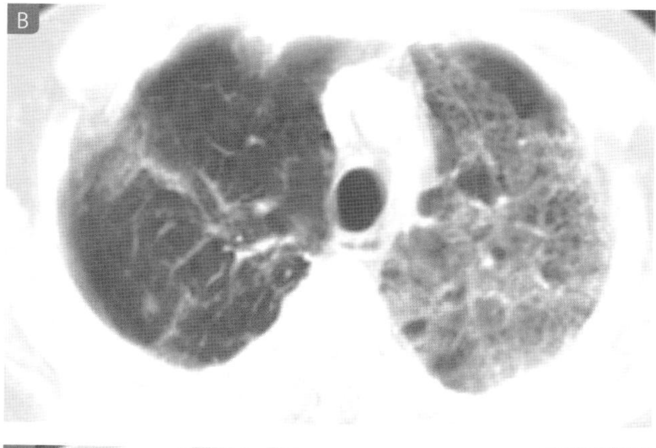

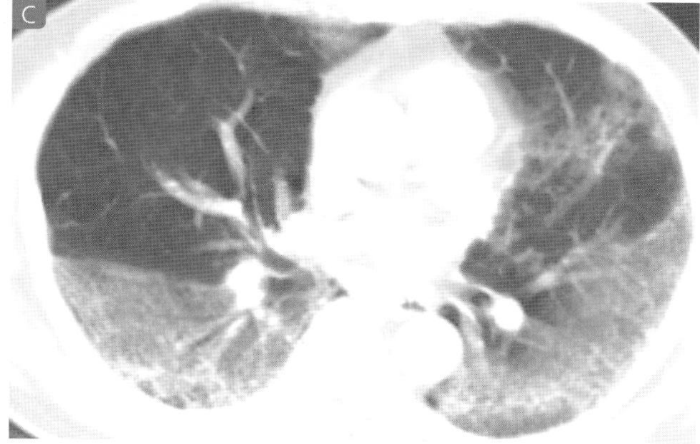

■ 그림 9-16. **레지오넬라 폐렴**
흉부X선사진(A)과 CT(B-C)에서 양측폐에 미만성의 간유리음영과 망상음영이 관찰된다. 이 환자는 소변에서 레지오넬라 항원검사를 시행하여 레지오넬라 감염으로 진단되었다.

인에 의하여 일어나며 대부분의 환자가 치근막 질환을 가지고 있다. 최근의 의식변화, 연하곤란, 알코올 중독 등이 흔히 선행하는 소인이다. 호기성 박테리아에 의한 폐렴과 달리 대부분 객담에서 고약한 냄새가 난다.

영상소견은 주로 대엽성 및 기관지폐렴형태 모두에서 나타나며 특히 흡인성 폐렴, 공동을 동반한 괴사성 폐렴, 경계가 명확한 폐농양의 형태 모두 가능하며 환자의 반수 가까이에서 농흉이 동반된다. 흡인성 폐렴의 특징인 흡인시 자세에 따른 분포를 보인다. 누워있는 상태에서 발생하면 상엽의 후분절 및 하엽의 상분절에 호발하며(그림 9-17), 서 있는 상태에서 발생하면 하엽의 기저분절에 생긴다. 우측이 좌측보다 흔하다. 공동형성이 흔하며 항생제 치료 중에도 생길 수 있다.

(1) 방사선균증(Actinomycosis)

방사선균증를 일으키는 흔한 원인균인 Actinomyces israelii은 혐기성 그람양성 박테리아로 분류되나 진균과 같이 분지하는 필라멘트 및 균사를 형성한다. 이 균은 구강 내 정상적으로 존재하며 구강의 위생이 불량한 경우 구강 및 인두로부터 흡인되어 폐렴을 형성하며 남자에서 3-4배 더 잘 발생한다. 알코올중독자 등 흡인의 기회가 많은 사람에 잘 발생하며 양 폐 하엽에 호발한다. 임상적으로 기침, 미열, 체중 감소 등으로 시작하여 괴사성 폐렴으로 진행한다. 만성의 화농성 및 육아종성 박테리아 감염증으로서 다른 박테리아성 폐렴과 달리 경과가 긴 것이 특징이다. 영상소견은 급성기에는 다른 폐렴과 구별할 수 없는 비분절성 공간경화로 양 폐 하엽의 주변부에 잘 발생한다. 만성으로 진행하면서 수개월에서

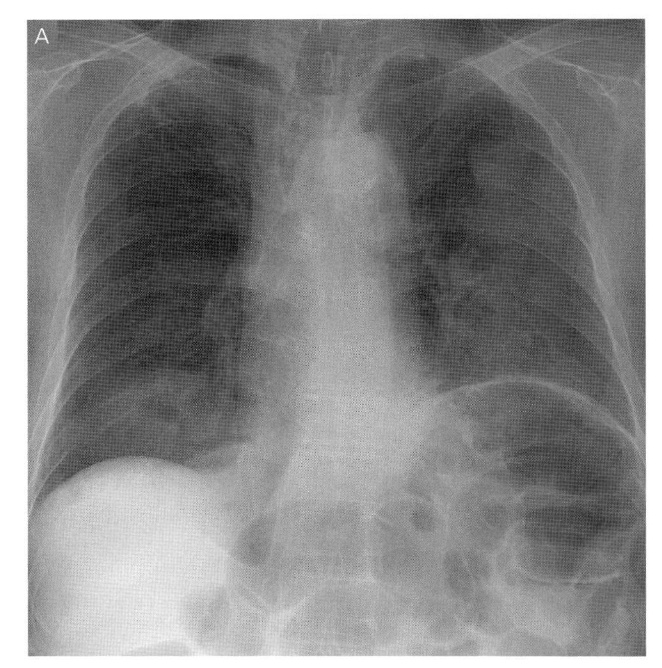

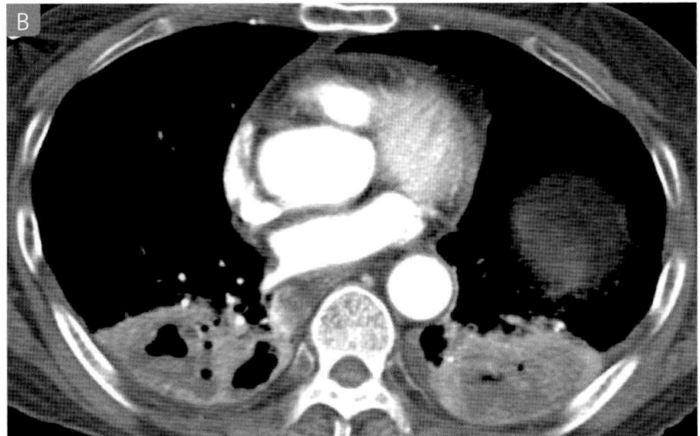

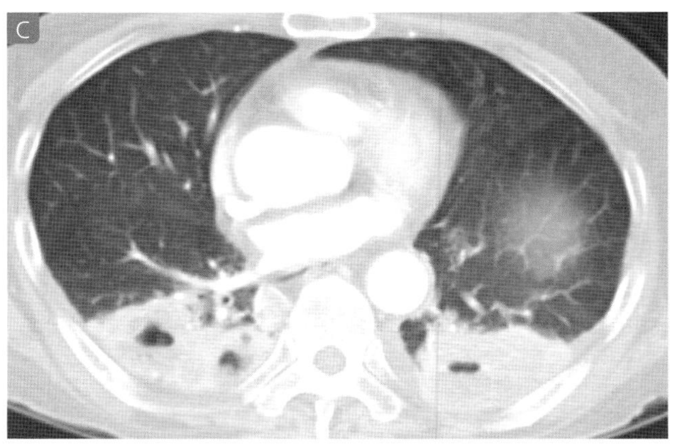

■ 그림 9-17. **혐기성 박테리아 폐렴**
구강암 수술후 촬영된 60세 남자의 흉부X선사진(A)과 CT(B-C)에서 양하엽 뒤쪽으로 경화가 있고 내부에 공동성 괴사가 관찰된다. 누운 상태에서의 흡인에 의한 것으로 추정된다.

수년까지 지속되는 만성의 공기공간경화나 경계가 비교적 분명한 경화나 결절, 종괴를 보이는데 이런 예에서 흔히 폐암을 의심하여 조직검사를 하거나 수술하는 경우가 많다(그림 9-18)[11]. 이 균은 단백분해효소를 형성하여 흉막 및 근막을 뚫고 파급할 수 있는 것이 특징적이다. 흉막삼출 및 흉벽 침습으로 인한 흉벽의 종창 및 늑골의 파괴 등을 보일 수 있다. 또 다른 형태로 기관지 확장과 결석과 동반된 기관지내 방사선균증 감염이 드물지 않게 보고된다(그림 9-19).

2. 진균 감염(fungal infection)

폐의 진균 감염은 폐에 국한되거나 혈행성이나 림프관을 통해 파급하여 때로 매우 심하고 치명적인 폐질환을 일으킬 수 있다. 건강한 면역기능을 갖는 사람에서도 질환을 일으키기도 하지만 주로 면역저하 상태에서 진균감염을 흔하게 볼 수 있다. 진균은 토양 등의 주변환경이나 상기도에 정상균총으로 흔히 발견되므로 객담배양검사의 진단적 가치가 떨어지며 감염된 조직의 침습적 흡입검사에 의한 배양 및 도말검사가 진단에 도움이 된다. 면역정상인에서의 진균감염은 빈공동내에 생기는 아스페르길루스증(aspergilloma),히스토플라즈마증(histoplasmosis), 콕시디오이데스진균증(coccidioidomycosis), 분아진균증(blastomycosis)이나 효모균증(cryptococcosis) 등이 올 수 있는데 히스토플라즈마증, 콕시디오이데스진균증, 분아진균증은 특수한 지역에서 발견되며 여행력 없이 한국 내에서 감염은 드물다. 또 아스페르길루스증

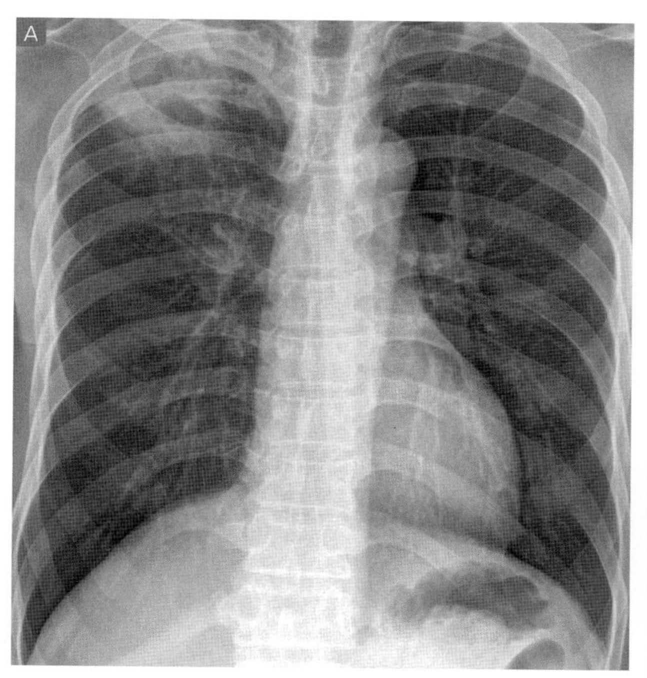

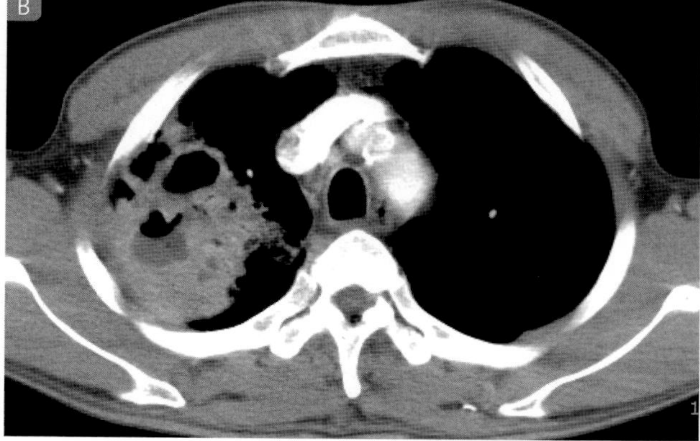

■ 그림 9-18. **방사선균증**
A. 흉부X선사진에서 우상엽에 내부에 공동을 보이는 경계가 나쁜 경화가 관찰된다. **B, C.** CT에서 우상엽에 경화가 관찰되고 내부에 여러 개의 공동과 저음영의 괴사부위가 관찰된다.

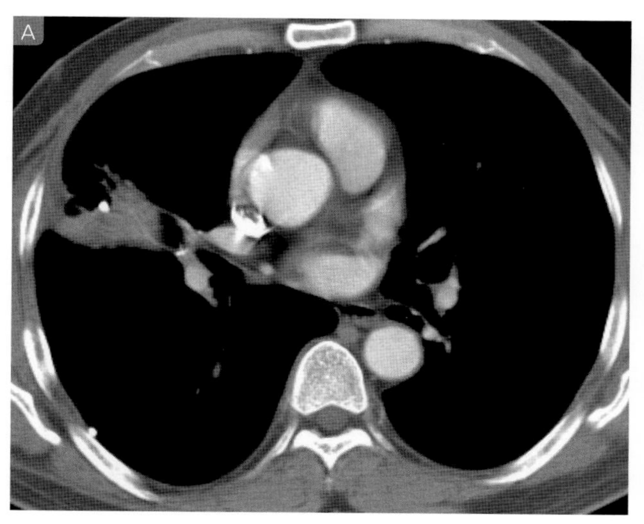

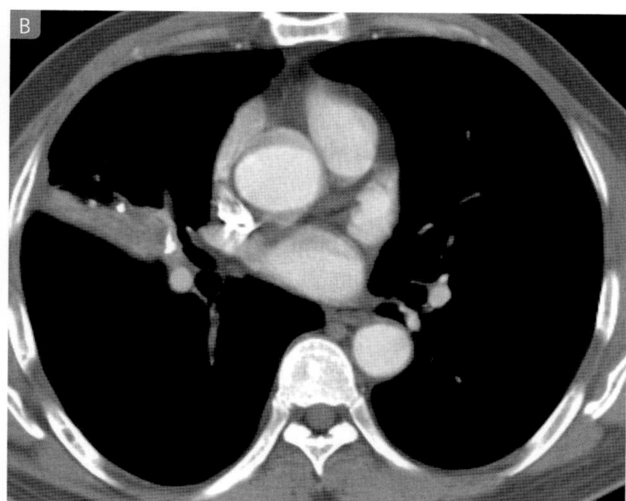

■ 그림 9-19. **기관지내 방사선균증**
A, B. CT에서 우중엽 엽기관지 내에 석회화된 물질이 있어 기관지 결석으로 추측된다. 동반된 폐실질 병변은 무기폐 또는 기질화 폐렴으로 생각된다. CT 유도하 세침흡입검사에서 특징적인 유황화 과립(sulfur granule)을 포함한 방사선균증으로 확인되었다.

(Aspergillosis), 칸디다증(candidiasis), 효모균증(cryptococcosis), 접합균류 중 털곰팡이증(zycomycosis, mucormycosis)가 면역정상인에게는 주로 비병원성균으로 작용하지만 면역저하 상태에서는 기회감염을 일으켜 중대한 폐질환을 일으키기도 한다[12, 13].

1) 아스페르길루스증(Aspergillosis)

폐 진균 감염 중 Aspergillus fumigatus에 의한 아스페르길루스증이 가장 흔하다. 이 진균은 호흡기를 통해 감염되며 숙주의 면역상태와 기존의 폐 병변 유무에 따라 다양한 형태를 보이는데 과민성폐질환(hypersensitivity lung disease), 비침습성 감염(noninvasive infection), 침습성 감염(invasive infection)으로 크게 나누어 볼 수 있다. 알러지성 기관지폐 아스페르길루스증(allergic bronchopulmonary Aspergillosis, ABPA)으로 대표되는 과민성폐질환은 호산구성 폐질환에서 기술하고 있으며 침습성과 반침습성 아스페르길루스증은 면역 저하인의 폐감염에서 기술하고 있다. 면역 정상인에서 흔히 오는 감염형태는 비침습성 감염인 진균종(fungal ball)으로 기존의 있던 폐결핵 공동이나 기관지 확장증의 확장된 기관지등에 생겨서 과혈관성 육아조직을 형성하여 심한 각혈의 원인이 되기도 한다(그림 9-20). 영상소견으로는 상엽에 있는 공동 내에 이동하는 종괴로 보이며 약 반수에서 다발성으로 나타난다(표 9-8)[14].

2) 효모균증(Cryptococcosis)

효모균증(cryptococcosis)을 일으키는 흔한 원인균인 Cryptococcus neoformans는 효모와 비슷하게 생긴 곰팡이로 토양

표 9-8. **진균종의 영상소견**

양폐상엽의 결핵 공동 내 호발 체위에 따라 위치가 변하는 공동 내 종괴 공기초생달징후(air-crescent 또는 air-meniscus sign); 공동 내부에 진균종사이의 공기가 초생달모양으로 관찰 조영증강 되지 않음

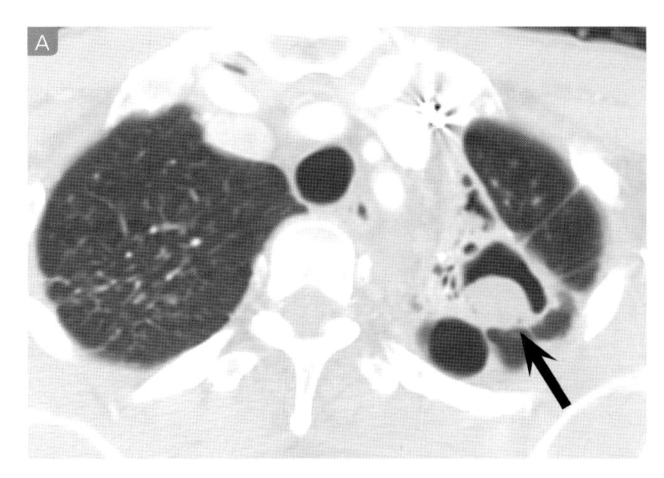

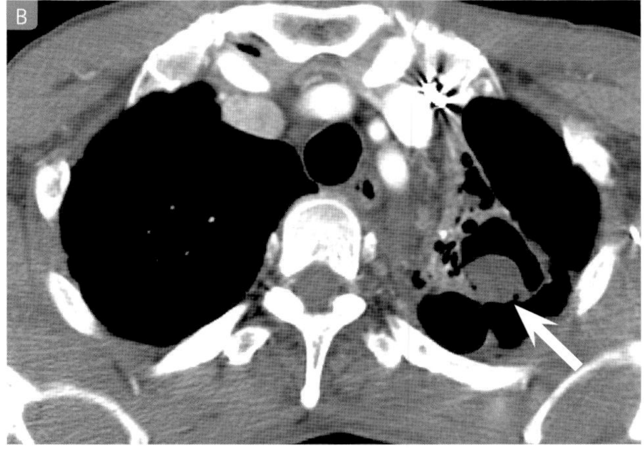

그림 9-20. **진균종 형태의 국균증(아스페르길루스증)**
A, B. CT에서 좌상엽에 여러개의 공동이 보이며 가장 큰 공동 내에 조영증강이 되지 않은 저음영의 종괴가 보인다. 공기 초승달징후가 관찰된다(화살표).

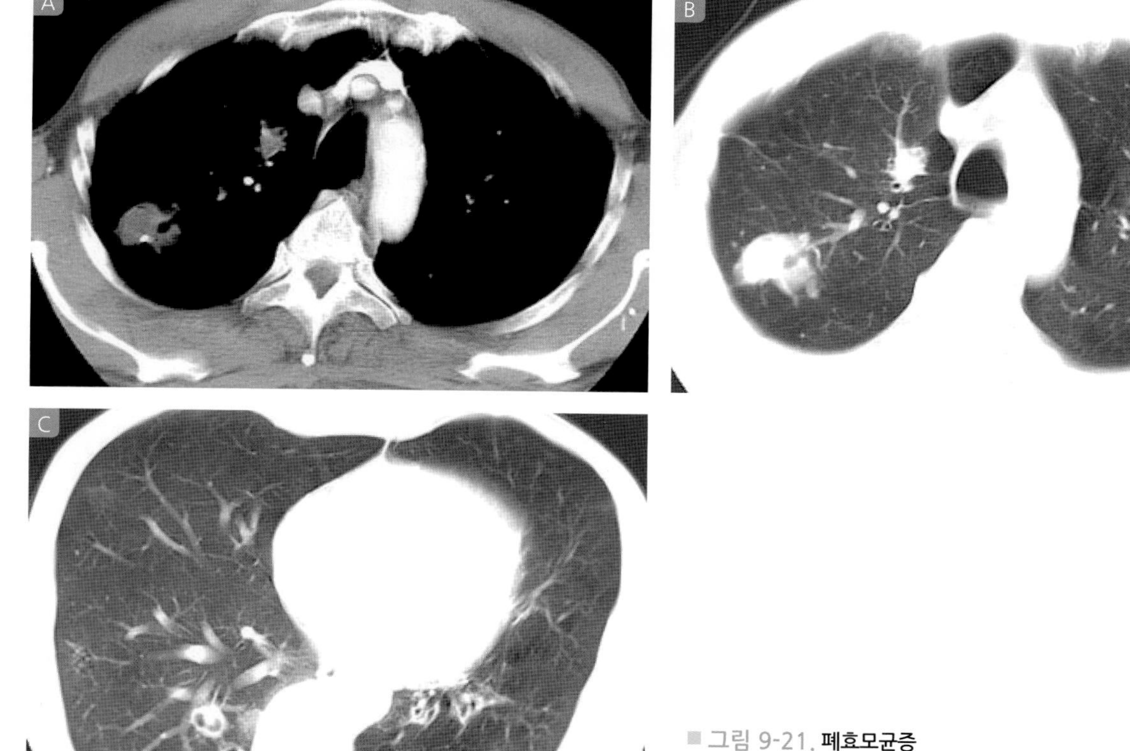

■ 그림 9-21. **폐효모균증**
흉부X선사진 이상으로 내원한 50세 남자의 CT 소견. 양측 폐에 여러개의 다양한 크기의 결절들이 있으며 일부 공동화를 보이고 있다.

및 비둘기의 배설물에 많다. 기도를 통해 흡입되어 폐감염을 일으키는데 면역 정상인에서는 폐에 국한되어 국소적인 폐렴을 일으키나 면역이 저하된 상태에서는 전신적인 감염으로 발생한다. 심한 뇌출혈 환자에서 중추신경계, 피부, 뼈 등에 심각한 파종성 질환을 일으키고 특히 뇌수막염을 잘 일으킨다. 면역정상인에서는 증상이 뚜렷하지 않다. 폐암과의 감별이 필요한 단일 폐결절이나 종괴로 또 분절성 또는 대엽성 폐경화 그리고 여러 개의 작은 결절이나 종괴 등 환자의 면역상태에 따라 여러 형태로 나타날 수 있다. 공동 형성을 보일 수 있으며 림프절 종대를 보일 수 있다(그림 9-21).

3. 바이러스(Viral pneumonia)

바이러스성 호흡기 감염은 모든 연령에서 가장 흔한 질환으로서 특히 소아나 노약자 및 면역 결핍자에서는 사망의 주원인이다. 바이러스성 호흡기 감염은 대부분 상기도 감염을 일으키지만 독성이 강한 균이 침범한 경우와 3 ㎛ 이하의 작은 입자를 흡입한 경우에는 폐렴이나 세기관지염을 일으킬 수 있다. 폐렴을 일으키는 바이러스로는 인플루엔자바이러스(influenza), 파라인플루엔자바이러스(parainfluenza), 아데노바이러스(adenovirus), 호흡기합포체바이러스(Respiratory syncytial virus), 에코바이러스(echovirus), 콕사키바이러스(coxsackie virus) 등이 있으며, 면역감소환자에서만 폐렴을 일으키는 사이토메갈로바이러스(Cytomegalovirus)나 단순포진바이러스(Herpes simplex virus)가 있다. 피부질환과 동반된

표 9-9. 흔히 호흡기 감염을 일으키는 바이러스

바이러스과	바이러스	흔한 감염대상군 및 비고
Myxoviridae	Influenza Measles Parainfluenza Respiratory syncytial	청장년, 성인, 소아 유소아 유소아 유소아
Picornaviridae	Rhinovirus Enterovirus Coxackie B Echovirus	소아나 젊은 성인, 흔히 감기, 상기도감염, 드물게 폐렴 유발
Coronavirus	Coronavirus	가벼운 상기도 감염 Severe acute respiratory syndrome (SARS)의 원인균은 coronavirus의 변종
Adenovirus	Adenovirus	유소아
Herpetoviridae	Herpes simplex	면역저하자 Varicella-zoster 유소아 Cytomegalovirus 면역저하자

표 9-10. 박테리아성 폐렴과 바이러스성 폐렴의 비교

역학		바이러스성 폐렴 유행성	박테리아성 폐렴 유행과 무관
임상소견	가래 늑막통 고열, 오한 백혈구수 혈액세균배양 면역검사 항생제반응	없거나 적은양 드묾 덜함 정상 범위 음성 유용 없음	화농성 흔함 흔함 증가 양성가능 무용 있음
영상소견	폐렴의 형태 흉막삼출	간질성 폐렴 적고 드묾	대엽성 또는 기관지성 폐렴 흔함

홍역바이러스(measles)나 수두대상포진바이러스(Varicella-zoster virus)는 면역정상이거나 면역감소 환자 모두에서 폐렴을 일으킬 수 있다.

바이러스성 하기도 감염은 주로 기관지와 세기관지 주위조직의 염증으로 나타난다. 흔히 호흡기 감염을 일으키는 바이러스는 표(표 9-9, 9-10)와 같으나 대개 확진이 어렵고 혈청 항체 검사가 진단에 도움이 된다. 영상소견은 대부분 비특이적인 간질폐렴이다(그림 9-22). 초기의 간질폐렴은 단순흉부촬영에서는 정상으로 보일 수 있어 이 경우 CT가 진단에 도움이 될 수 있다. 바이러스성 폐렴환자에서 일부는 급성호흡곤란 증후군의 증상을 보이며 영상소견은 양측의 미만성의 경화로 진행하는 경우가 있다. 수두(chicken pox, varicella)에 의한 폐렴은 양 폐야의 광범위한 소결절성 침윤이나 미만성 폐경화, 혹은 좁쌀(miliary)음영을 보이며(그림 9-23) 수개월까지 지속될 수 있다[15].

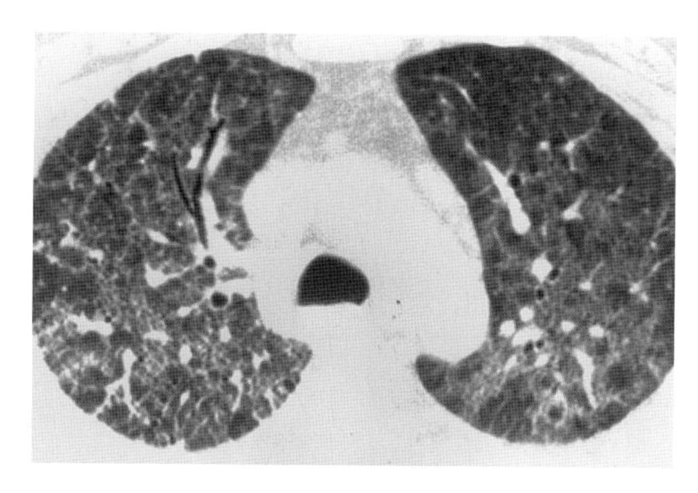

■ 그림 9-22. **인프루엔자 바이러스에 의한 폐렴**
양측 폐에 미만성 간유리음영이 보인다.

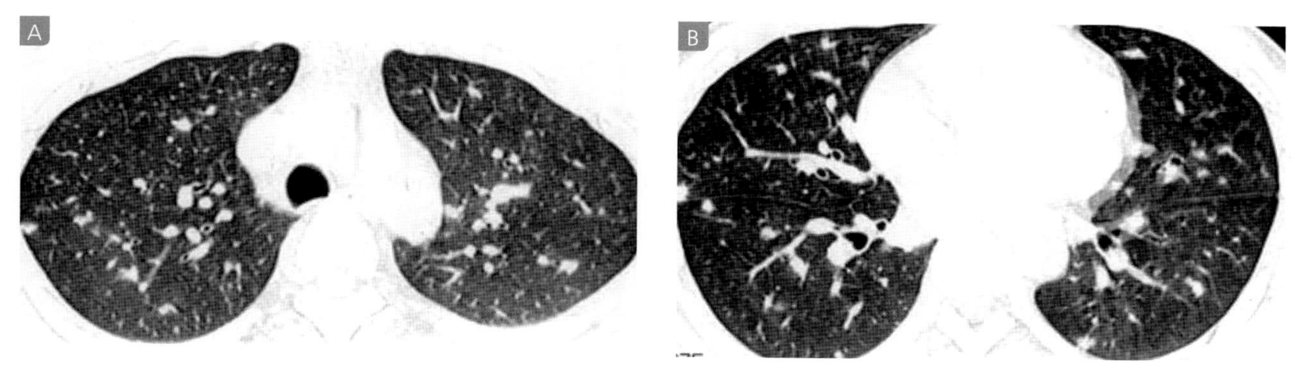

■ 그림 9-23. **수두에 의한 폐렴**
A, B. 양측 폐에 작은 경계가 불분명한 결절들이 미만성으로 흩어져 있다.

신증후군성 출혈열(hemorrhagic fever with renal syndrome) 또는 유행성 출혈열은 한타바이러스 감염에 의한 것으로 발열, 출혈성 경향 및 급성 신부전증을 특징으로 한다. 가을철 추수기 후에 흔히 발병하며 들쥐에 기생하는 진드기가 매개하여 감염되는 급성 열성 질환이다. 임상적으로 발열기, 저혈압기, 핍뇨기, 이뇨기 및 회복기의 과정을 거치며 치유된다. 영상소견은 발열기나 저혈압기보다 핍뇨기와 이뇨기에 폐에서는 폐울혈, 폐부종 및 폐출혈을 보인다(표 9-11).

4. 마이코플라즈마(Mycoplasma pneumonia)

지역사회폐렴의 흔한 원인이며 비정형폐렴의 가장 흔한 원인이다. 5-19세의 젊은 연령층에 호발하며 1-3주의 잠복기를 가지며 시기적으로 가을과 이른 겨울에 호발한다. 가족이나 집단 내에서의 전파가 흔하다. 피로감 및 심한 두통, 발열, 근육통 등의 전신증상과 기침을 보이고 객담은 보통 없거나 소량이다. 오심, 구토, 설사, 관절통 등의 폐외 증상도 흔하다. 경부 임파선 종대, 고막염, 피부발진 등이 동반될 수 있다. 말초혈액내의 백혈구 수는 초기에는 대개 정상범위이지만 2-3주 후에는 대부분 경도 내지 중등도의 백혈구증가증이 보통이다. 진단은 일반적 혈청검사(cold agglutinin)에 의해 이루어진다. 마이코플라즈마 폐렴은 박테리아 폐렴보다는 증상이 가볍지만 바이러스로 인한 폐렴보다는 더 지속적이며

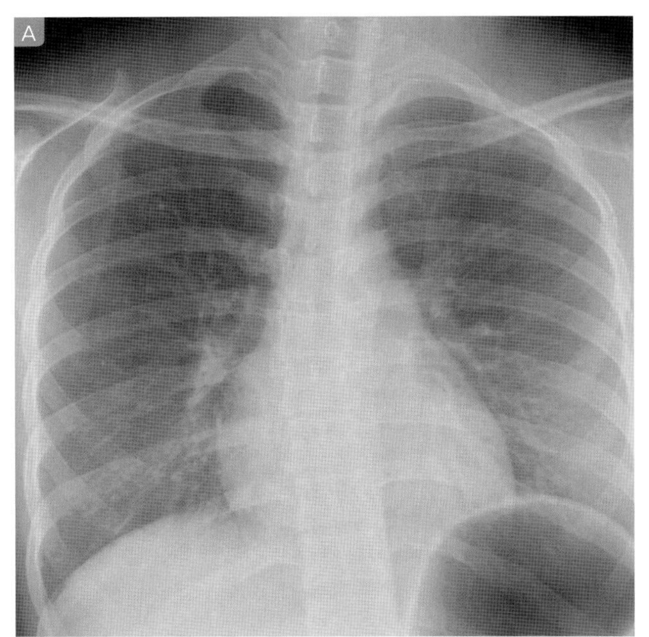

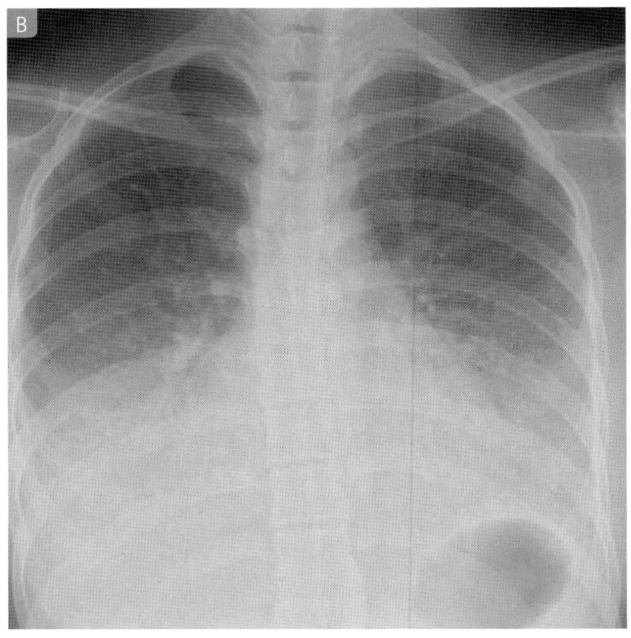

■ 그림 9-24. **마이코플라즈마 폐렴**
19세 남자 환자의 처음 흉부X선사진(A)에서 양측 하폐야에 희미한 간유리음영이 관찰된다. 3일 후 추적 흉부X선사진(B)에서 간유리음영이 진행하고 양측 흉막삼출이 생겼고 같은 날 시행한 CT에서 양측 폐에 간유리음영과 소엽간중격비후 및 양측 흉막삼출이 보인다.

증상이 심하다. 영상소견은 다양한데 간질폐렴으로 양측성의 결절성 또는 망상음영을 보이거나 반점모양이나 분절성/대엽성 경화로 보일 수 있다[16]. 비교적 흉막삼출이나 임파선 종대는 드물다(그림 9-24).

5. 리켓치아(Rickettsia)

리켓치아는 사람, 동물, 설치류에 의해 번식되고 좀 진드기(chigger)나 쥐벼룩에 의해 전파되며 피부를 통해 감염된다. 작은 혈관의 내피세포에 침범하여 주로 혈관염을 일으킨다. 리켓치아 감염에는 티푸스(Endemic typhus), 발진열(murine typhus), 츠츠가무시병(scrub typhus), 록키산 홍반열(Rocky mountain spotted fever), 참호열(Trench fever) 및 Q열(Q fever)등이 있는데 국내에서는 츠츠가무시병과 발진열이 보고되었다.

1) 츠츠가무시병(scrub typhus)

병원보유동물인 야생쥐에 있는 좀진드기가 사람을 물 때 리켓치아 츠츠가무시(Rickettis tsutsugamushi)가 인체에 침입해 발생하는 급성 열성 질환이다. 특히 가을철 들에서 일을 하거나 훈련을 받은 병력이 있는 군인, 농부 등에서 잘 발생한다. 고열, 오한, 근육통, 피부발진, 결막충혈, 피부발진과 반수에서 좀진드기가 문 자리에 에스카(eschar)를 보인다. 진단은 혈청검사(Weil-Felix test, Complement fixation test)와 임상소견으로 한다. 영상소견은 간질폐렴 양상으로 나타나며 폐문부 림프절 종대, 폐부종에 의한 선상음영, 심비대, 흉막삼출, 반점경화, 미세결절 등을 보인다(그림 9-25)(표 9-11)[17].

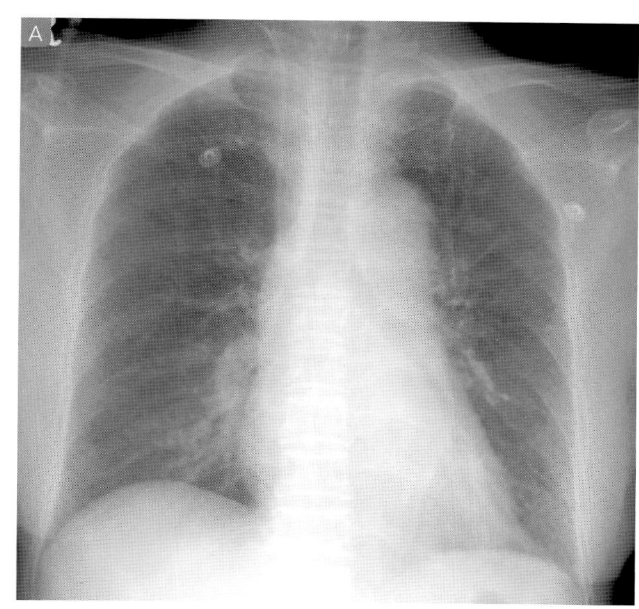

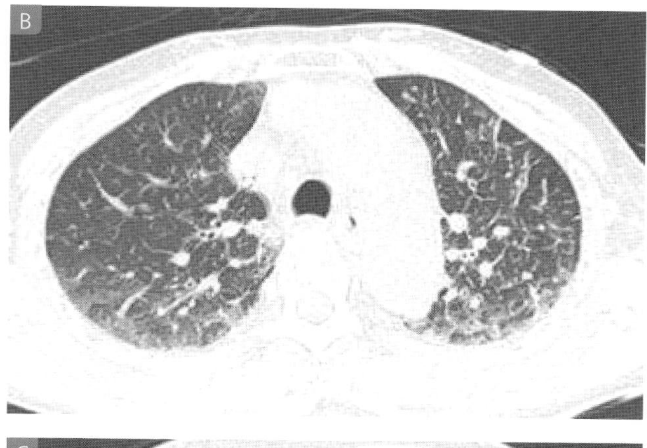

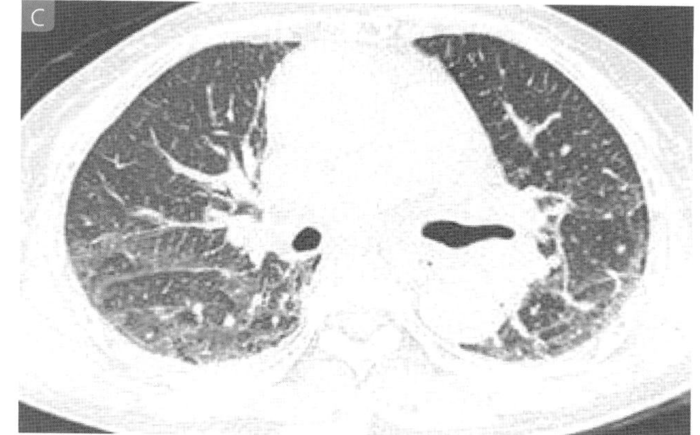

■ 그림 9-25. **츠츠가무시병**
10일간의 고열, 오한, 근육통을 주소로 내원한 66세 여자. **A.** 흉부X선사진에서 양측 폐야에 망상형의 간질성 음영증가가 보인다. **B, C.** CT에서 소엽간중격 비후, 기관지혈관다발 비후 및 다발성의 간유리음영이 보인다. 소량의 양측 흉막삼출이 있고 종격동내 림프절종대가 있다(사진에는 포함되지 음). 환자는 좌측 종아리에 에스카가 있었다.

표 9-11. **유행성 출혈열, 츠츠가무시병, 렙토스피라증의 영상학적 감별**

유행성출혈열(한타바이러스)	츠츠가무시병(리켓치아)	렙토스피라병(스피로헤타)
폐의 유소견율 낮음 이뇨기능 저하에 의한 폐부종이나 폐울혈이 보일 수 있음	간질성 병변 폐문부 림프절 종대 변화가 느림	주로 폐포성질환 소결절, 반점형 혹은 미만성의 폐경화 변화가 빠름

6. 스피로헤타

1) 렙토스피라병(leptospirosis)

급성 발열성 전신성 감염증으로 출혈성 폐렴을 유발한다. 감염된 들쥐의 뇨, 조직 등에 노출에 의해 감염되며 가을철 추수기에 농촌에서 호흡곤란, 발열과 함께 근육통, 혈뇨, 황달, 간비대, 객혈 등의 증상을 보인다. 폐렴을 보이는 경우는 드물지만, 폐출혈과 부종이 주 영상소견이며 초기에는 양측성의 소결절성 음영으로 나타나서 수일 내에 융합성 폐포성 경화로 변화하고 대부분 10일 이내에 흔적 없이 흡수되어 치유되나 일부 급성 호흡곤란증후군을 보이면서 사망할 수 있다[18]. 심비대, 흉막삼출, 림프절 종대는 드물다(그림 9-26).

렙토스피라병과 유행성 출혈열, 츠츠가무시병은 늦가을에 나타나는 열성 질환으로 임상적으로, 영상소견만으로는

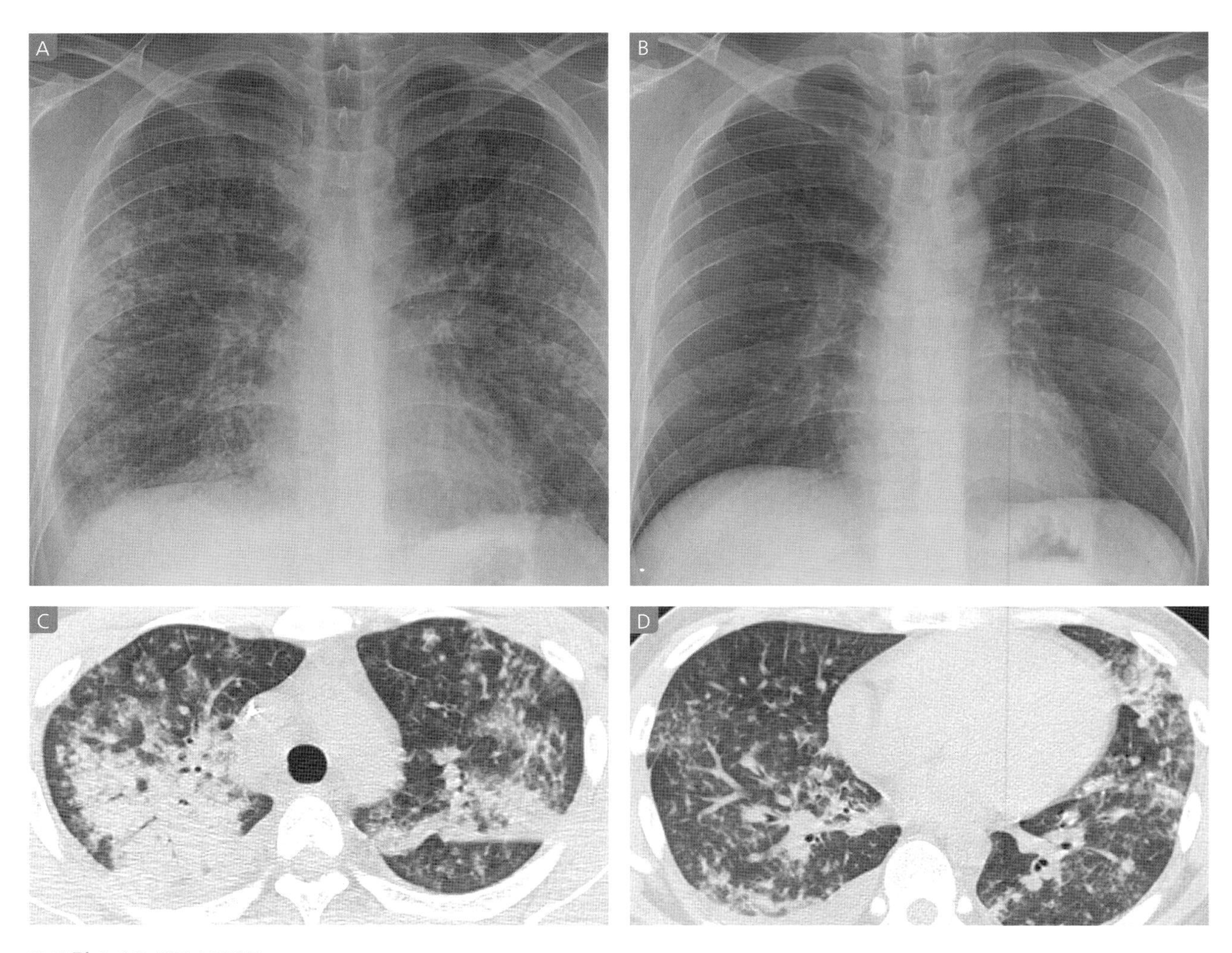

■ 그림 9-26. **렙토스피라증**
열, 오한, 근육통을 호소하는 30세 남자. 최근 자주 산과 들에 나간 병력이 있음. **A.** 내원시 흉부X선사진에서 미만성의 결절성 간질음영과 양측에 흉막 삼출이 관찰된다. **B.** 10일 후 추적 흉부X선사진에서 양측 폐실질 병변은 크게 호전되었다. **C, D.** 내원시 시행한 CT에서 양측에 공간경화, 소엽성 결절 및 간유리음영이 다양하게 혼재되어 있으며 폐출혈에 의한 소견이다.

감별이 쉽지 않고 혈청학적 검사가 진단에 도움이 된다.

7. 기생충 감염

드물지만 다양한 기생충이 폐를 침범할 수 있다. 원생동물(protozoa)인 아메바증(amebiasis), 톡소플라스마증(toxoplasmosis), 폐포자충폐렴(Pneumocystis jirovecii pneumonia)과 우충(worm)인 포충증(hydatid disease, echinococcus), 주혈흡충(schistosomiasis), 폐흡충증(paragonimiasis) 등에 의한 과민성반응이나 기생충의 직접침범으로 인하여 폐렴이나 낭종, 육아종, 농양을 형성하기도 한다. 아메바증는 기관지나 대엽성 폐렴으로 주로 보이며 농양을 초래하기도 하며, 톡소플라스마증나 폐포자충폐렴은 간질폐렴 양상으로 보인다. 확진은 객담, 분변, 소변이나 조직에서 기생충을 확인하지만 엘

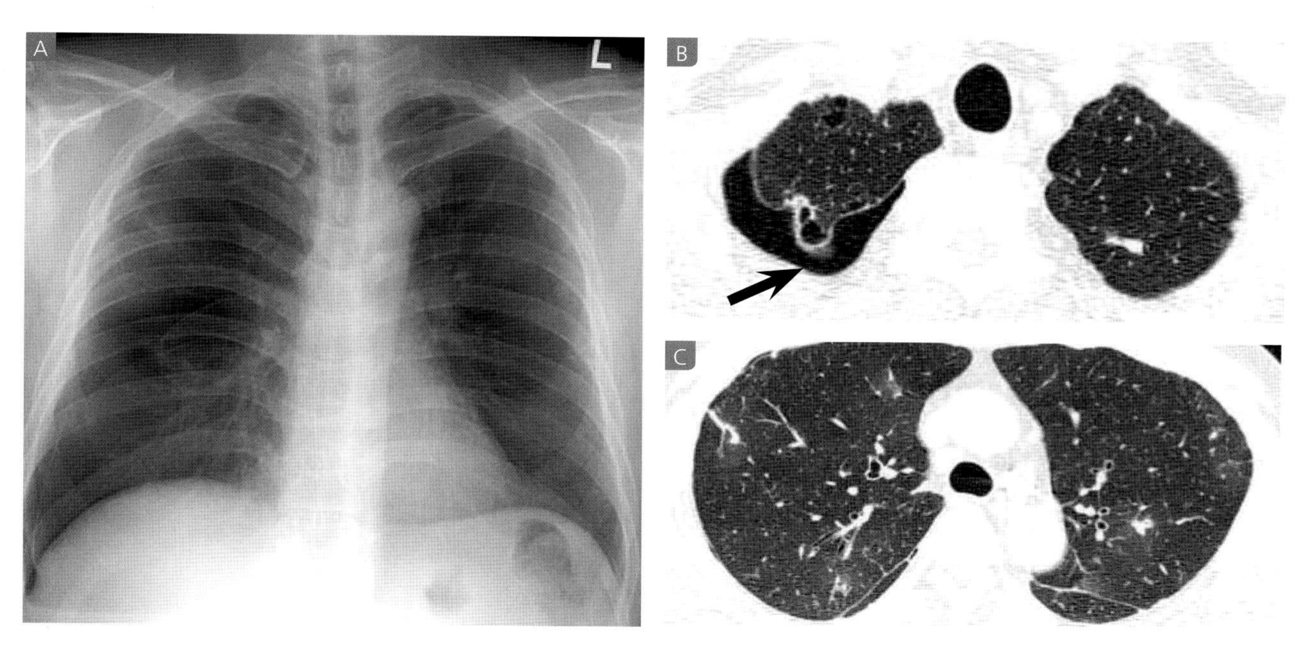

■ 그림 9-27. **재발성 기흉으로 발현한 폐흡충증**
A. 흉부X선사진에서 우측 기흉과 양측 폐야에 반점상 음영증가가 관찰된다. **B, C.** CT에서 우측 기흉과 양측 폐에 다발성의 결절성음영 및 간유리음영이 보인다. 특히 우폐 꼭대기 부분에 낭성병변(화살표)과 우상엽 흉막 하부에 선상음영이 보인다.

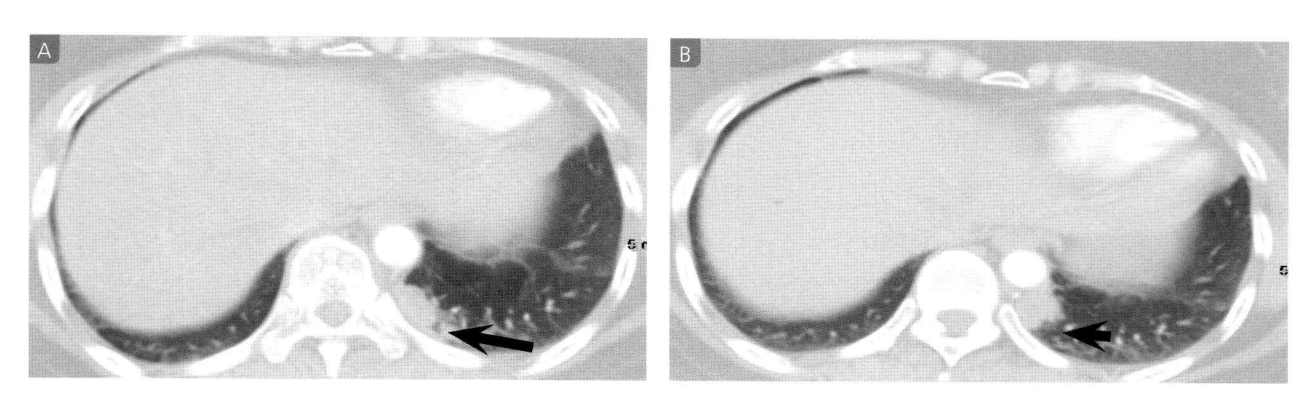

■ 그림 9-28. **폐흡충증**
A. CT에서 좌하엽 흉막하부에 결절성 경화가 관찰된다(화살표). **B.** 5개월 후 추적 CT에서 병변은 이동하여 대동맥에 면하고 있다(화살촉). 혈청검사에서 폐흡충증으로 진단되었다.

리자(enzyme linked immuosorbent assay, ELISA)나 보체고정검사(compliment fixation test) 등을 이용한 혈청검사를 이용해 간접적으로 진단하기도 한다. 한국에서는 폐흡충증(paragonimiasis)을 드물지 않게 접할 수 있으며, 면역감소환자나 AIDS환자에서 폐포자충폐렴이 잘 발병한다.

1) 폐흡충증(paragonimiasis)

민물게등의 섭취에 의해 소장내로 들어온 유충(metacercaria)이 장벽을 뚫고 복강내로 들어가고 복강에서 횡격막을 뚫고 흉막강 내와 폐로 들어간다. 복강으로부터 흉막 관통시 특징적으로 기흉과 흉막삼출을 발생시킨다(그림 9-27). 이후 유충이 폐에 들어와 국소적 폐렴과 폐출혈로 인한 국소적 폐경화를 보이며 이는 추적검사에서 흔히 위치가 변한다(그림 9-28). 이동하면서 생기는 선상음영이 보이고 국소적 폐경화는 추적검사상 위치가 변화하는 이동성 폐병변을 보일 수 있다. 후기에는 유충에 의한 낭종을 형성하고 이차적으로 기관지 확장증 등의 소견을 보이며 만성적으로 남아있을시 육아종성 결절이나 종괴로 남아있을 수 있으며 석회화되기도 한다[19, 20].

참고문헌

1. Muller and Silvar, chapter 12. Bacterial pneumonia. In: Muller and silvar. Imaging of chest. Volume 1. 1st ed Philadelphia. Sunders. 2008.
2. Fraser RS, Colman N, Muller ML, Pare P.D.. Synopsis of diseases of the Chest. Philadelphia, Saunders, 2005.
3. Shawn J. Skerrett. Diagnostic testing of community-acquired pneumonia. Clin Chest Med 1999;20:531-548.
4. Yoon HK, Im JG, Ahn JM, Han MC. Pulmonary norcardiosis: CT findings. J Comput Assist Tomogr 1995;19:52-55.
5. Buckley JA, Padhani AR, Kuhlman JE. CT features of pulmonary norcardiosis. J Comput Assist Tomogr 1995;19:726-732.
6. Moon WK, Im JG, Yeon KM, Han MC. Complications of Klebsiella pneumonia: CT evaluation. J Comput Assist Tomogr 1995;19:176-181.
7. Penner C, Maycher B, Long R. Pulmonary gangrene-a complication of bacterial pneumonia. Chest 1994;105:567-73.
8. Talon D, Mullin B, Rouget C, Bailly P, Thouverez M, Viel JF. Risks and routes for ventilator-associated pneumonia with Pseudomonas aeruginosa. Am J Respir Crit Care Med 1998;157:978-984.
9. Winer-Muram, HT, Jennings, SG, Wunderink, RG, Jones CB, Leeper KV Jr. Ventilator-assoicated Pseudomonas aeruginosa pneumonia: radiologic findings. Radiology 1995;195:247-252.
10. Coletta FS, Fein AM. Radiological manifestations of Legionella/Legionella-like organisms. Semin Respir Infect 1998;13:109-115.
11. Cheon JE, Im JG, Kim MY, Lee, JS, Choi GM, Yeon KM. Thoracic actinomycosis: CT findings. Radiology 1998;209:229-233.
12. McAdams HP, Rosado-de-Chiristenson ML, Lesar M, Templeton PA, Moran CA. Thoracic mycosis from endemic fungi:radiologic-pathologic correlation. Radiographics 1995;15:255-270.
13. McAdams HP, Rosado-de-Chiristenson ML, Templetom PA, Lesar M, Moran CA. Thoracic mycosis from endemic fungi: radiologicpathologic correlation. Radiographics 1995;15:271-286.
14. Franquet T, Muller NL, Gimenez A, Guembe P, de La Torre J, Bague S. Spectrum of pulmonary aspergillosis: histologic, clinical, and radiologic findings. Radiographics 2001;21:825-837.
15. Kim EA, Lee KS, Primack SL, et al. Viral pneumonias in adults: radiologic and pathologic findings. Radiographics 2002;22:S137-S149.
16. Reittner P, Muller NL, Heyneman L, et al, Mycoplasma pneumoniae pneumonia: radiographic and high-resolution CT features in 28 patients. Am J Roentgenol 2000;174:37-41.
17. Choi YH, Kim SJ, Lee JY, Pai HJ, Lee KY, Lee YS. . Scrub typhus: Radiologic and clinical findings. Clin Radiol 2000;55(2): 140-144.
18. Im JG, Yeon KM, Han MC et al. Leptospirosis of the lung: Radiographic findings in 58 patients. Am J Roentgenol 1989;152:955-959.
19. Im JG, Whang HY, Kim WS, Han MC, Shim YS, Cho SY. Pleuropulmonary paragonimiasis: Radiologic findings in 71 patients. Am J Roentgenol 1992;159:39-43.
20. Im JG, Kong Y,Shin YM et al. Pulmonary paragonimiasis: clinical and experimental studies. Radiographics 1993;13:575-586.

Suggested Readings

1. Herold CJ, Sailer JG, Community-acquired and nosocomial pnuemonia Eur Radiology 2004;14(Suppl 3):E2-E20.
2. Macfarlane J. An Overview of community acquired pneumonia with lessons learned from the British Thoracic Society Study. Semin Respir Infect 1994;9:153-165.
3. American Thoracic Society. Hospital-acquired pneumonia in adults: diagnosis, assessment of severity, initial antimicorbial therapy, and preventive strategies. A consensus statement, American Thoracic Society, November 1995. Am J Respir Crit Care Med 1996; 153:1711-1725.
4. Waite S, Jeudy J, White CS. Aucte lung infections in normal and immunocompromised hosts. Radiol Clin North Am. 2006;44:295-315.

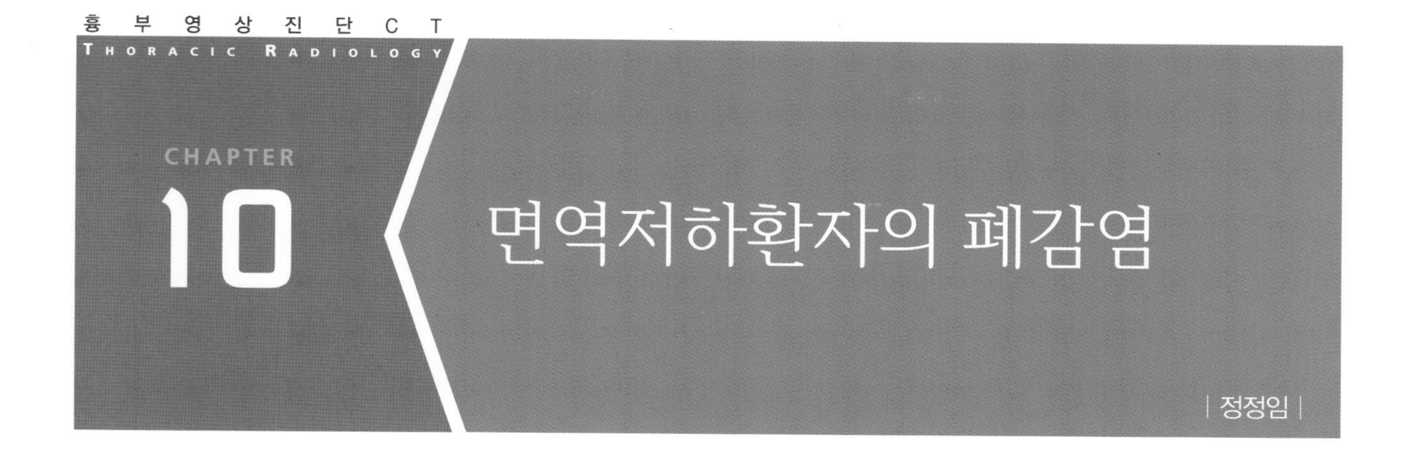

Contents

심한 면역기능의 저하를 일으키는 경우로는 백혈병, 장기이식, 항암치료 직후, 후천성면역결핍증 등이 속하고 기타 상대적으로 경한 면역저하를 일으키는 경우로 노령, 알코올 중독, 당뇨, 만성신부전 등의 소모성 질환자와 여러 이유로 스테로이드를 포함한 면역억제제 복용자 등이 있다. 폐는 면역저하 환자에서 발생하는 여러 가지 합병증이 가장 많이 발생하는 장기에 속한다. 이들 폐 합병증 중에서 감염은 가장 높은 빈도를 보이며(75%), 이에 의한 이환율과 사망률이 매우 높은 것으로 알려져 있다[1-6]. 면역저하 종류에 따라 폐감염을 호발하는 원인균의 차이가 있다(표 10-1)[7-10]. 면역저하환자에서 폐 감염의 진단과 치료에 흉부단순촬영은 매우 중요하다. 새로운 병변을 발견하고, 병의 진행과 치료에 대한 반응을 평가하는 중요한 기준이다. 하지만 초기 감염의 경우 약 10-30% 정도에서는 정상일 수 있어, 임상적으로

표 10-1. **다양한 면역결핍에 따른 호발 감염종류**

면역저하종류	임상양상	호발감염 균
대식세포결핍 (phagocyte defect)	중성구감소증(neutropenia); 항암치료, 백혈병, 조혈모세포이식 직후	포도상구균, 그람음성간균, 칸디다, 아스페르길루스, 털곰팡이증
항체, 체액면역결핍(antibody (B-cell) immunodeficiency)	다발성 골수종, 만성림프구성 백혈병, 왈덴스트룀 마크로글로불린혈증	폐렴 연쇄구균, 인플루엔자균, 폐렴간균
세포매개면역결핍(cell-mediated immunity defect)	후천성면역결핍증, 림프종, 골수이식후 초기생착기, 고형장기 이식 후, 장기 스테로이드 사용	마이코박테리움, 노카르디아, 레기오넬라, 효모균증, 폐포자충, 수두대상포진바이러스(Varicella-zoster), 단순헤르페스바이러스(Herpes simplex virus), 거대세포바이러스(Cytomegalovirus), 엡스타인 -바 바이러스 (Ebstein-Barr virus), 톡소포자충(Toxoplasma gondi)

표 10-2. CT 침윤양상과 호발균

CT 양상	호발균
경화성 폐렴(반점성, 분절성 혹은 폐엽성)	그람음성간균(녹농균, 세라티아 마르센세스균, 대장균, 프로데우스 미라빌리, 폐렴간균, 인플루엔자균) 그람 양성 구균(폐렴 연쇄구균, 황색포도상구균)
결절성 폐렴(공동을 동반할 수도 있음)	노카르디아, 레기오넬라, 아스페르길루스, 콕시디오이데스, 효모균증, 털곰팡이증
미만성 혹은 간질성 폐렴	거대세포바이러스, 수두대상포진, 단순헤르페스바이러스, 폐포자충, 아스페르길루스, 칸디다, 톡소포자충

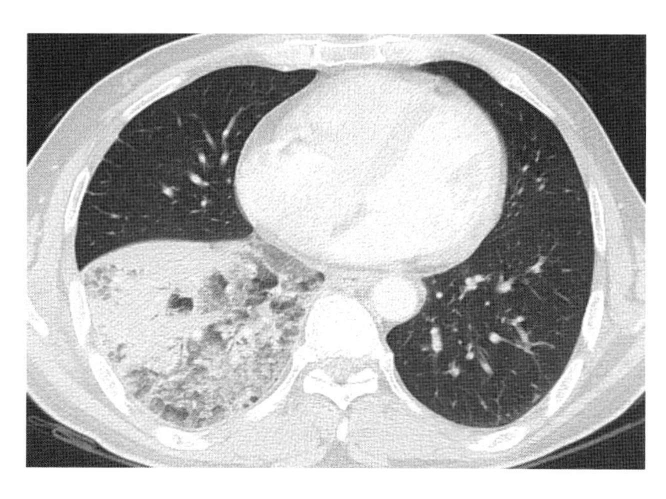

■ 그림 10-1. **경화성 폐렴으로 나타난 폐렴연쇄구균 감염**
다발성 골수종 환자로 우하엽에 대엽성 경화성 폐렴으로 그람음성 간균이나 그람양성 구균에 의한 폐렴을 예상할 수 있다.

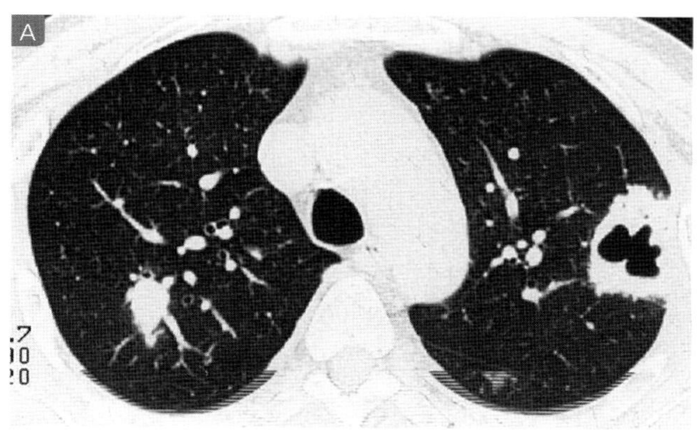

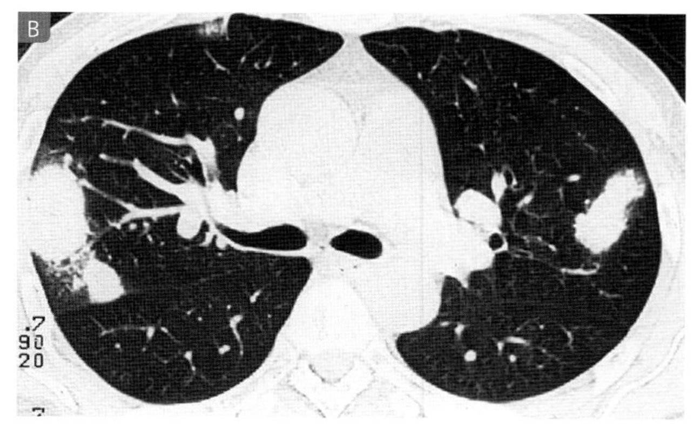

■ 그림 10-2. **결정설 폐렴으로 나타난 노카르디아 폐렴**
골수 이식환자로 양측 폐야에 다양한 크기의 결절 또는 경화음영이 있으며, 좌상엽의 결절내부에는 공동을 동반하였다.

의심이 된다면 연속 촬영을 해서 확인해야 한다[11, 12]. CT는 초기 감염을 발견하는데 좀 더 도움이 되고, 감별진단에도 도움이 된다[13]. 특히 중성구 감소증 환자의 경우 48시간 이상 열이나면 정상 흉부단순촬영소견을 보인다고 해도 CT를 찍어서 폐렴 유무를 확인하는 것을 추천한다[14].

단순 흉부촬영소견으로 면역저하환자의 폐 감염 원인균을 짐작하는 것은 한계가 있다. 하지만 크게 3가지 유형으로 나누어 분석하면 각각의 양상에 따라 호발하는 균이 있어 진단에 도움이 되는데 이는 CT에서도 마찬가지이다(그림 10–

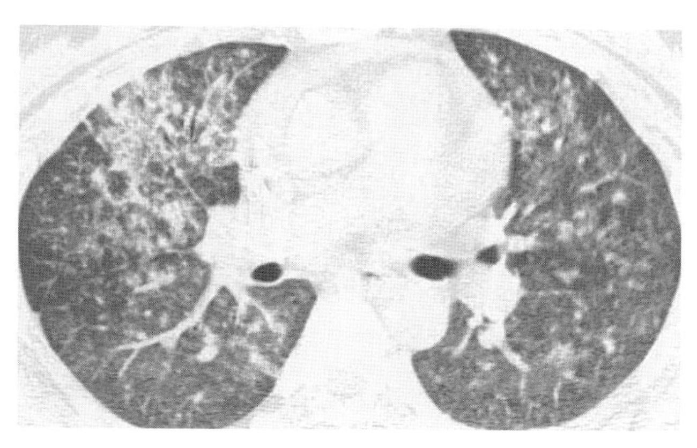

■ 그림 10-3. **미만성 폐렴으로 나타난 거대세포바이러스 폐렴**
골수 이식환자로 양측 폐야에 미만성 소결절과 간유리혼탁이 있다.

1~10-3) (표 10-2)[2, 9].

폐병변과 증상의 진행속도가 폐질환의 원인을 밝히는데 도움이 될 수 있는데 24시간 이내의 급성 진행은 세균성 폐렴, 폐출혈, 폐부종 등이 가능하며 수일에서 수주간의 아급성, 만성 진행은 폐포자충, 바이러스, 마이코박테리움, 혹은 진균 등에 의한 폐감염일 가능성이 많다.면역저하 환자의 폐렴의 진단은 면역저하의 임상적 상황, 침윤양상, 진행속도를 고려해서 이뤄져야 하며, 특히 심한 면역저하환자의 폐렴은 원인균은 맞추는 것보다는 새로운 폐렴의 발견과 치료에 대한 반응평가에 의의를 두어야 한다.

I 심한 면역저하환자의 폐감염

1. 이식환자의 폐감염

1) 조혈모세포이식환자(hematopoietic stem cell transplantation recipient) 폐감염

조혈모세포이식은 이전에 골수이식이라고 하던 것보다 좀 더 광역의 의미로 쓴다. 즉 과거에는 조혈 모세포의 원천이 골수뿐이었지만 지금은 골수, 태아제대혈(fetal cord blood), 성장인자유도말초혈액(growth-factor-stimulated peripheral blood) 등으로 다양하기 때문이다. 조혈모세포 이식 환자에서 폐합병증의 빈도는 매우 높으며(40-60%) 주요 유병과 사망 원인이다[15-18]. 동종골수 이식 환자(allogeneic recipients)가 자가 골수 이식(autologous recipient)보다 폐합병증이 많다. 일단 폐합병증이 생긴 환자의 예후는 좋지 않으며 기계환기요법(mechanical ventilator care)까지 시행하게 되면 사망률이 80%에 이른다는 보고도 있다[19]. 그러므로 폐합병증의 조기 발견과 진단이 매우 중요한데 폐 침윤의 원인을 확인하는데 5일 정도의 지연이 있게 되면 사망을 3배로 올린다는 보고도 있다[20]. 이들 합병증은 조혈모세포 이식 후의 시기에 따라 다르며 대개 3가지 시기로 나눈다(표 10-3). 이식 후 적혈구와 혈소판은 주입되지만 주입된 조혈모세포들이 생착하기 전 2-3주간 지속되는 중성구감소증(neutropenia) 시기가 있고, 처음 3-4개월 동안 과립구 기능의 회복과 생착이 진행되지만 심각한 면역손상이 계속되는 시기(early phase), 그후 1년까지 다음 정상 면역을 회복하는 시기(late phase)가 있다. 각각의 시기에 따라 호발하는 감염균이 다르므로 이런 경과를 알고 있는 것이 영상의학적 소견의 감별에 필수적이다[16, 20]. 생착 전의 중성구 감소시기에 생기는 대표적인 폐렴으로 아스페르길루스 폐렴이 있고 주로 아스페르길루

표 10-3. 조혈모세포 이식 시기별 흔한 감염균

조혈모세포 이식시기	감염균
생착 전, 중성구 감소시기(이식 후 30일 이내)	혈관 침습형 아스페르길루스, 세균성, 칸디다, 털곰팡이
생착 기(이식 후 30-100일)	거대세포바이러스, 폐포자충, 호흡기 바이러스, 파라인플루엔자
생착후기(이식 후 100일이후)	마이코박테리움

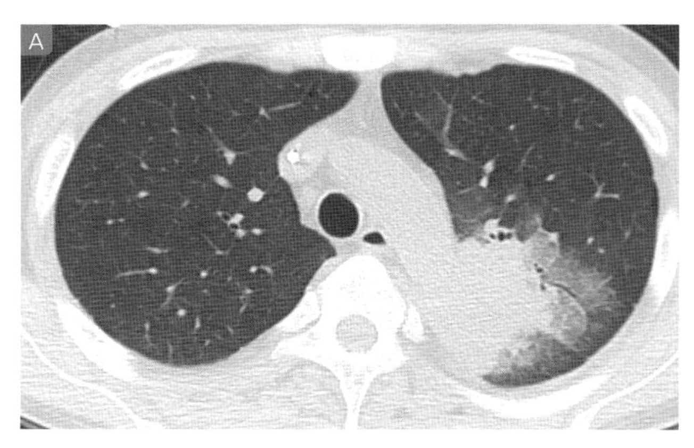

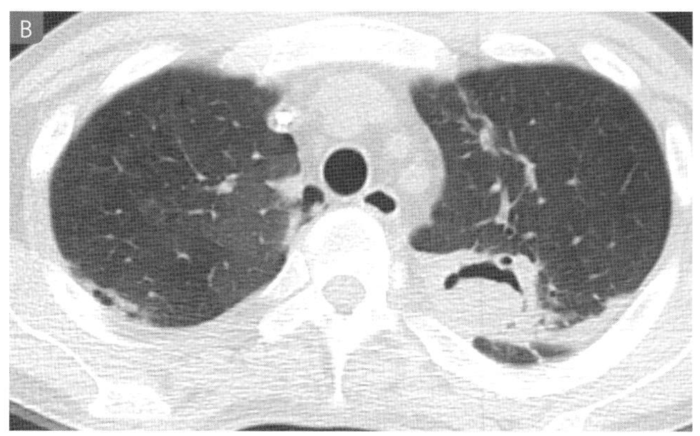

■ 그림 10-4. **골수 이식 1주일 후에 생긴 혈관침습형 아스페길루스증**
A. CT에서 좌상엽의 폐경화와 주변의 간유리 음영의 CT 달무리 징후가 잘 보여 혈관 침습형 아스페르길루스증을 의심할 수 있다. **B.** 1달 후 중성구가 회복된 후 촬영한 CT에서 공동 형성과 내부의 진균덩어리가 보이는 공기-초생달 징후가 잘 보인다.

스 푸미가투스(*Apergillus fumigatus*)에 의해 발생하며 아스페르길루스 폐렴의 3가지 형태 중 혈관 침습형(angioinvasive Aspergillosis)으로 발생한다. 이들은 자가골수이식보다는 동종골수인 경우에 좀 더 흔한 것으로 되어 있고, 급성 백혈병에 흔한 것으로 되어 있다.

혈관침습형 아스페르길루스는 진균이 중소형 폐혈관을 침범하여 혈관을 막고 이로 인해 괴사성 출혈결절이나 출혈성 경색이 생기게 되는데, 이를 영상의학적 소견으로 보게 된다. 가장 특징적인 CT 소견으로 결절이나 종괴, 경화 음영을 둘러싸는 간유리 음영(CT halo sign, CT 달무리 징후)이나 흉막에 연한 쐐기모양의 경화가 있다. 이들 둘 다 출혈성 폐경색을 의미하는 것이다. 비록 CT 달무리 징후가 다른 질환에서도 보일 수 있을 수 있지만 심한 중성구 감소 환자의 경우 CT 달무리 징후를 보이는 경우에는 혈관침습성 아스페르길루스증을 강력히 시사한다(그림 10-4 A). 이는 달무리 징후가 다른 면역저하 환자보다 중성구 감소환자의 혈관 침습성 아스페르길루스 증에서 더 흔히 보이기 때문이다[20]. 환자가 중성구 감소시기에서 회복이 되면 더이상 혈관 침습성 아스페르길루스도 진행하지 않고, 회복되게 되는데 이때 괴사성 폐와 정상 폐와의 분리로 인해 공기-초생달 징후(air-crescent sign)를 만든다(그림 10-4 B). 또한 진균폐렴의 경우 CT 달무리 징후와 반대로 바깥쪽에 경화음영이 있고 내부에 간유리 음영이 보이는 reversed halo sign (그림 10-5)이 보일 수 있는데, 털곰팡이(Mucormycosis) 폐렴의 경우 좀 더 흔히 보여[21] reversed halo sign을 보이는 경우에는 아스페르길루스 폐렴과 털곰팡이 폐렴을 함께 고려해야 한다(그림 10-6).

조혈모세포 생착 후 초기의 대표적인 폐렴으로는 폐포자충(*Pneumocystis jirovecii*) 폐렴과 거대세포바이러스 폐렴이 있다. 이중에서 폐포자충은 이전에 *Pneumocystis carinii*로 불렸었고, 한때 원충(protozoa)로 분류되기도 했으나 현재

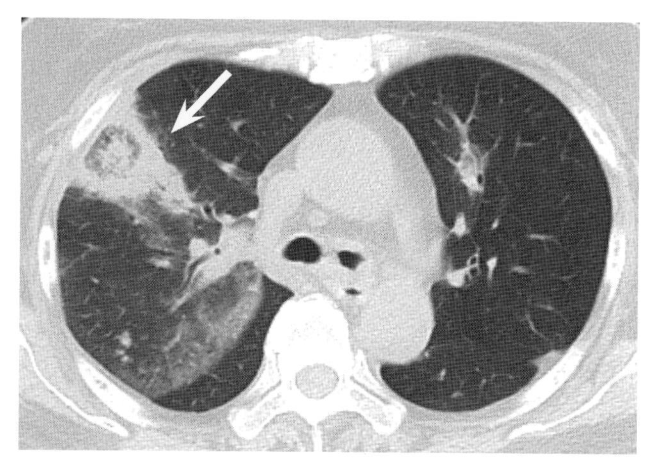

■ 그림 10-5. **Reversed halo sign**
내부에 간유리음영을 둘러싸는 외부가 진한 경화음영을 보이는 Reversed halo sign(화살표)의 진균폐렴이다. 좌측 주기관지벽이 두꺼워져 있어 진균에 의한 기관지염이 의심된다.

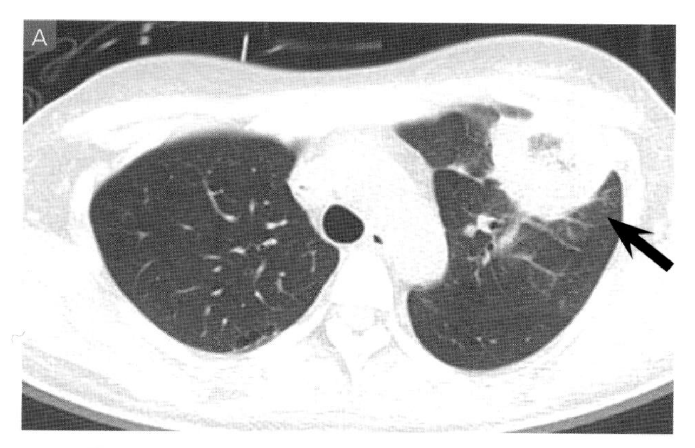

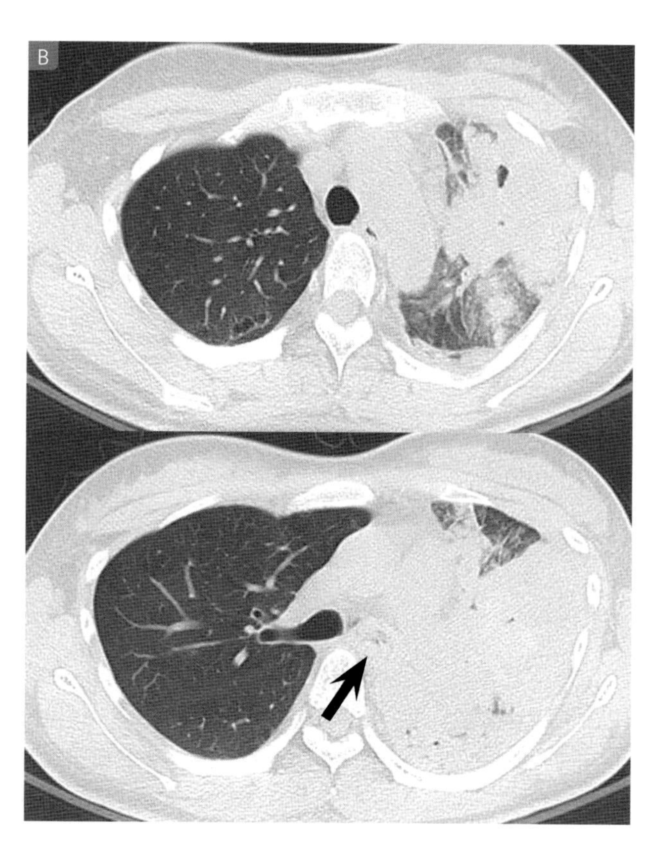

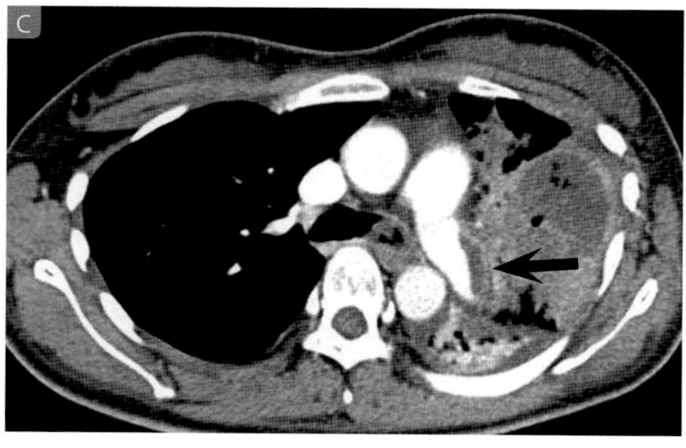

■ 그림 10-6. **Reversed halo sign을 보인 털 곰팡이 폐렴**
A. 재생 불량성 빈혈 항암치료후 심한 중성구 감소증 환자로 CT에서 좌상엽에 reversed halo sign(화살표)의 폐렴이 있다. **B.** 일주일 후 폐렴은 악화되었으며(위사진) 좌측기관지를 침범하여 막고있다(아래사진, 화살표). **C.** 조영증강 CT에서 좌측폐동맥의 혈전이 보이고(화살표), 폐경결내부에는 저음영의 괴사가 보인다. 좌측기관지벽이 매우 두꺼워진 것도 보인다. 수술조직검사에서 털곰팡이 폐렴이 확진되었다.

는 진균으로 분류되고 있으며, 조혈모세포 이식환자뿐만이 아니라 세포매개성 면역결핍환자의 중요 감염 원인이다. 조혈모세포 이식 환자는 대개 trimethoprim/sulfamethoxazole (Bactrim)의 예방요법을 시행하므로 폐포자충의 감염은 과거

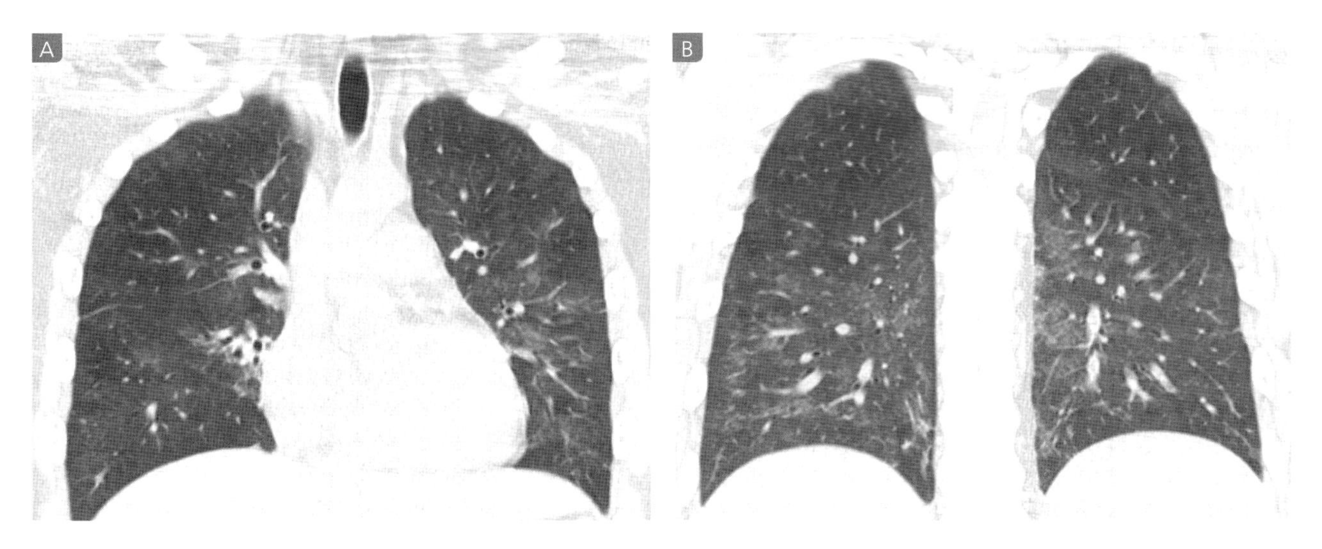

■ 그림 10-7. **폐포자충 폐렴**
조혈모세포 이식 후 8개월 경과된 환자로 Bactrim 예방요법을 종료하였다. 호흡곤란을 주소로 내원하여 시행한 고해상 CT에서 미만성 간유리 음영이 폐 전반에 걸쳐 보인다(A, B).

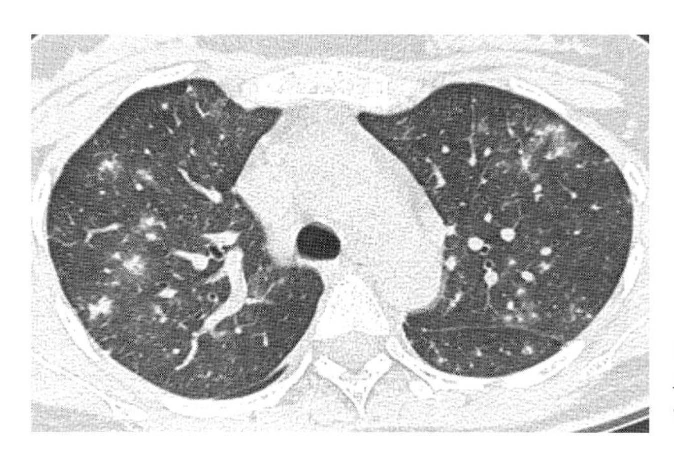

■ 그림 10-8. **거대세포바이러스 폐렴**
조혈모세포 이식 후 60일 경과한 환자로 고해상 CT에서 주변부 간유리음영을 동반한 출혈성 결절을 보인다.

만큼 흔하지 않다. 폐포자충 폐렴은 흉부X선사진에서 병변이 확실치 않거나 정상인 반면 CT는 아주 특징적으로 폐문 주위에 간유리 음영을 보인다. 소엽간중격이 두꺼워지는 경우 돌조각 보도모양을 보이기도 한다(그림 10-7). 거대세포바이러스 폐렴은 조혈모세포이식 환자에서 일어나는 바이러스 감염 중 가장 흔한 원인균으로 폐포자충 폐렴과 같이 조혈모세포 생착 전반기에 잘 생긴다. 거대세포바이러스 폐렴의 CT 소견은 일측성 혹은 양측성 간질음영의 침윤, 폐포성 경화, 간유리음영, 소결절 등 다양하게 보인다. 소결절 음영으로 보일 때는 주변에 간유리음영을 흔히 동반하여 출혈성 결절임을 시사하며 거대세포바이러스 폐렴의 진단에 도움을 준다(그림 10-8). 소결절은 다른 바이러스 즉 아데노바이러스, 단순헤르페스바이러스(Herpes simplex virus), 수두대상포진바이러스(Varicella zoster) 등에 의한 폐렴에서도 보일 수 있고 이외에도 호흡기세포융합바이러스(Respiratory Syncytial virus)나, 인플루엔자 A형과 B형, 파라인플루엔자(Parainflu-enza) 등과 같은 지역사회획득 바이러스폐렴에서도 볼 수 있어 감별을 요한다. 거대세포 바이러스 폐렴이 생기면 이들 바이러스에 의한 숙주의 면역을 떨어뜨려 폐포자충이나 아스페르길루스 푸미가투스 등의 이차감염을 유발시키기도 한

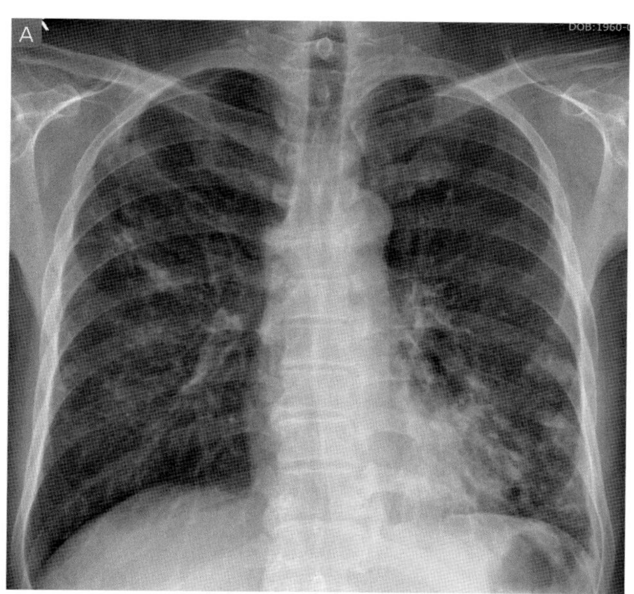

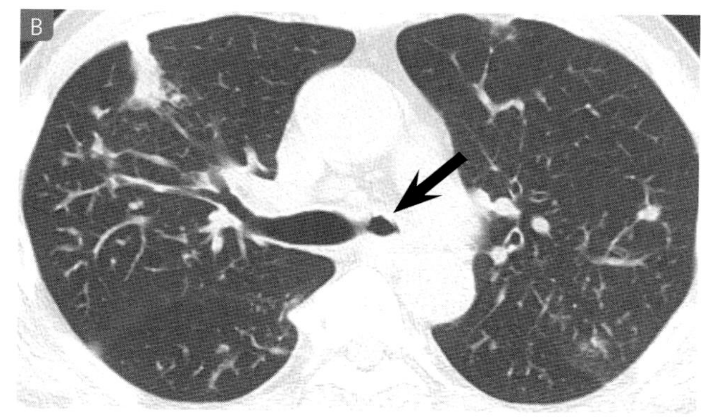

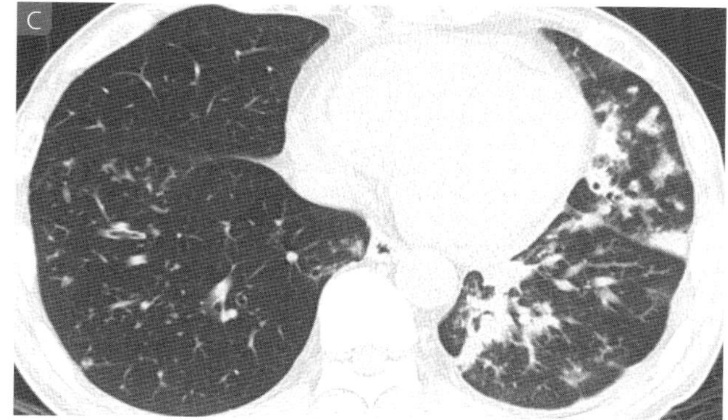

■ 그림 10-9. **조혈모세포 이식 후 후기(21개월)에 발생한 결핵**
A. 흉부X선 사진에서 양 폐야에 기관지 폐렴양상의 증가음영이 있다.
B, C. CT에서 다양한 크기의 경화음영, 소엽성 폐결절, 나뭇가지에 싹이 나는 모양이 보인다. 좌측 주 기관지의 침범으로 기관지 내경감소가 함께 동반되었다(화살표).

다. 조혈모세포이식후 생착 후반기 생기는 폐렴으로 유의해야 할 것은 결핵이다[22]. 조혈모세포이식 환자의 결핵감염은 고형장기환자의 결핵감염에 비해 흔하지 않다. 이유는 면역억제기간이 상대적으로 짧기 때문이다. 영상의학적 소견은 다양하며, 비전형적인 일차결핵의 영상소견을 보이는 경향이 있다(그림 10-9).

2) 고형 장기 이식(solid organ transplantation) 환자의 폐감염

조혈모세포이식 환자와 마찬가지로 특정 감염의 위험도가 증가하는 세 가지 시간표가 있으나 약간 양상이 다르다[2, 15]. 장기 이식 후 첫 한달 내에는 감염의 95% 이상이 면역이 정상인 환자에서 수술 후 생길 수 있는 세균성 폐렴과 같은 균주이거나 칸디다가 원인이다. 즉 이 기간에는 아직 면역 저하가 충분히 이루어지지 않아서 구강내 균, 그람 음성 간균에 의한 흡인폐렴 혹은 중심도관과 관계된 패혈폐렴이 주된 감염 원인이다. 이식 후 한 달부터 6개월까지는 면역저하가 충분히 이루어져 바이러스, 즉 거대세포 바이러스, 엡스타인-바 바이러스, 단순 헤르페스 바이러스 등에 의한 감염이 잘 생긴다. 특히 거대세포 바이러스는 장기이식환자에서 가장 흔한 바이러스 감염으로 이식 후 3개월 이내에 주로 생긴다. 영상소견은 조혈모세포이식 환자와 마찬가지로 소결절, 간유리음영, 경화 등의 비특이적 소견이다. 진균감염 또한 이식 후 첫 6개월에 많이 생기는데 흔한 원인균으로 아스페르길루스, 칸디다, 호모균증(*Cryptococcus neoformans*), 털곰팡이증(Mucormycosis)이 있다. 영상소견은 매우 다양 하여 결절, 간질성 음영, 폐포성 경화, 공동을 동반한 폐경화 등으로 생길 수 있다(그림 10-10). 조혈모세포 이식환자에 흔한 혈관침습형 아스페르길루스 폐렴 및 폐포자충 폐렴은 고형장기이식 환자에게는 상대적으로 드물다. 이식 6개월 후에는 이식이 잘된 경우에는 보통사람에서 발생할 수 있는 일반 균주에 간혹 감염된다. 이식이 성공적이지 못해 강력한 면역억제가 필요한 경우는 기회감염의 위험이 매우 높다. 거꾸로 만성바이러스성

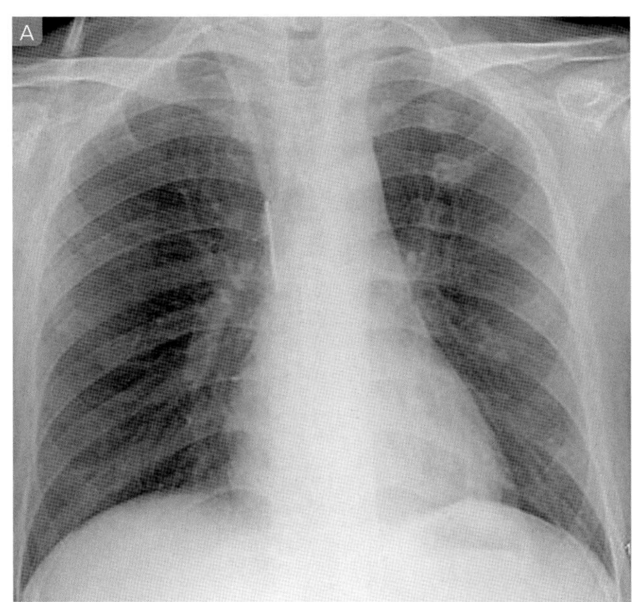

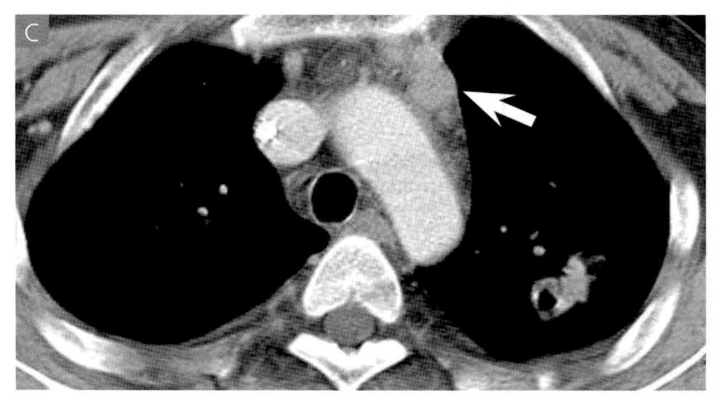

■ 그림 10-10. **신장이식 3개월 후 발생한 효모균 폐렴**
A. 흉부X선사진에서 좌상엽에 폐결절 음영이 있다. **B, C.** CT에서 결절은 공동을 동반하고 있으며 종격동 림프절비대(화살표)가 보인다.

표 10-4. 고형장기이식 환자의 시기별 흔한 감염균

장기 이식 후 시기	감염균
30일 이전	세균성 폐렴, 칸디다
한달-6개월	거대세포바이러스, 엡스타인-바 바이러스, 단순헤르페스바이러스, 아스페르길루스, 칸디다, 효모균증, 털곰팡이증
6개월 이후	보통사람에서 발생하는 일반균주

감염이 있는 환자는 장기이식실패나 암종 발생 가능성이 증가한다(표 10-4).

2. 후천성 면역결핍환자의 폐감염

사람 면역결핍바이러스(human immune-deficiency virus, HIV)는 보조 T 림프구(helper T-lymphocyte)의 CD4 표면 당단백질(surface glycoprotein)에 붙은 뒤에 보조 T 림프구 내로 침범하여 세포 내 복제를 일으킨다. 이로 인해 세포가 파괴되고 CD4 림프구의 고갈을 초래한다. 결국 CD4 림프구의 수가 점점 줄어들고 이에 따라 세포매개 면역(cell-mediated immunity)이 점점 저하된다. 즉 후천성 면역결핍환자의 폐감염은 세포매개 면역의 결핍이므로 세포내 세균(intracellular organism)인 바이러스, 진균, 마이코박테리움 등에 의한 감염이 흔하게 된다. CD4 림프구의 감소정도에 따라 흔한 감염균이 다르다(표 10-5). 최근 몇 년간 HIV 감염의 치료와 분포에 변화가 있었는데, 우선 치료방법인 high active retroviral therapy (HAART)와 예방적 항생제의 사용으로 HIV 환자의 전형적인 폐 감염은 매우 감소하였다[23, 24]. HAART 치료

표 10-5. 후천성면역결핍환자에서 CD4 림프구 수에 따른 호발균주

CD4 림프구 숫자	감염균
450 cells/mm^3 이하	결핵, 세균성 폐렴, 칸디다, 바이러스관련 카포시 육종
200 cells/mm^3 이하	폐포자충
100 cells/mm^3 이하	톡소포자충증, 전신대상포진, 효모균증, 식도칸디다증, 거대세포바이러스감염증, 비전형마이코박테리움, Epstein-Barr virus 관련 비호지킨 림프종

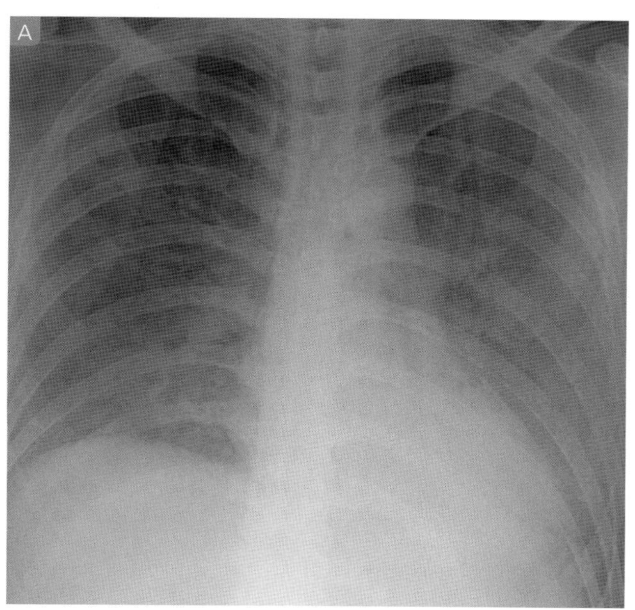

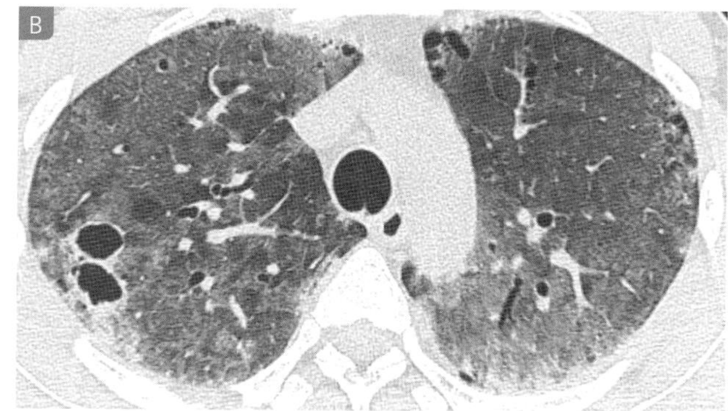

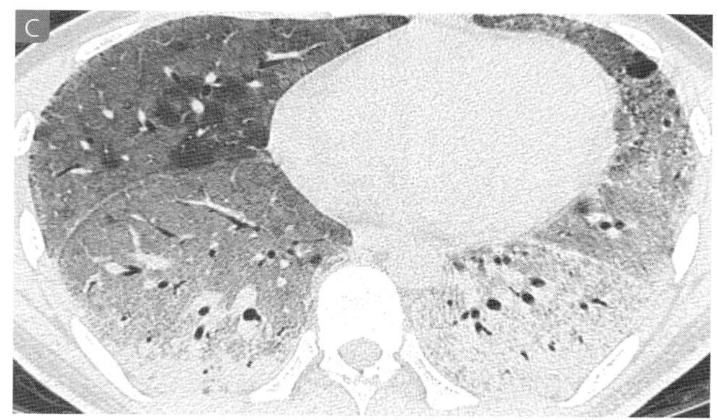

■ 그림 10-11. **후천성 면역결핍환자의 폐포자충 폐렴**
CD4 림프구의 숫자가 40 cells/mm^{3}이었다. **A.** 흉부X선사진에서 전폐야의 미만성 간유리 음영이 있다. **B, C.**고해상 CT에서 여러 개의 모여 있는 공동이 양폐 상엽에 있고, 하엽에는 간유리혼탁이 보인다.

는 바이러스의 수를 감소시키고 결과적으로 CD4 세포 숫자를 증가시켜 기회감염을 줄이게 된다. 하지만 HAART 치료를 시작했을 때 일시적인 폐병변의 악화를 보인다는 보고가 있어 주의를 요한다. 예방적인 항생제 치료로 인해 특히 폐포자충 폐렴은 줄었지만 상대적으로 *Mycobacterium avium - M. intracellulare Complex* (MAC)와 거대세포성 바이러스 감염이 증가하였다[2]. HIV감염환자의 폐렴의 영상의학적 소견은 기존의 알려진 폐렴의 소견과 크게 다르지 않다. 가장 흔한 폐렴 중의 하나인 폐포자충 폐렴은 흉부X선사진에서 양측으로 폐문주위에 좀더 뚜렷한 간유리 음영으로 보이고 이후에 경화성 음영으로 진행하나, 처음에는 정상으로 보이는 경우도 있다. 고해상 CT에서는 간유리음영이나 경화음영이 양측으로 보이면서 소엽간중격이 두꺼워진다. 환자의 1/3에서 얇은 벽을 가지는 공동을 만든다(그림 10-11). 이러한 공동의 형성은 골수이식환자나 백혈병 환자의 폐포자충 폐렴에서는 매우 드문데, 이는 면역반응기전이 다르기 때문이라고 설명한다. 결핵도 후천성 면역결핍환자에서 흔히 발생하며 특히 우리나라와 같이 결핵의 유병률이 높은 곳에서는 감염률이 높다. CD4 림프구의 숫자가 200 cells/mm^3 이상의 경우 이차결핵의 소견을 보이고, CD4 림프구 숫자가 200 cells/mm^3

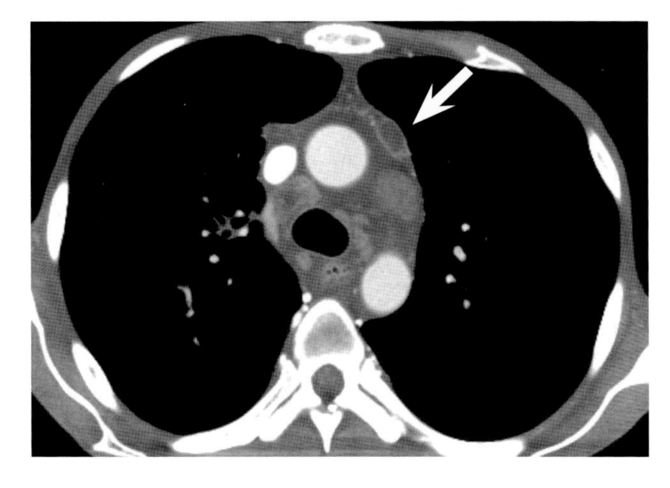

■ 그림 10-12. **후천성면역결핍증 환자의 비전형 마이코박테리움(M. avium-intracellulae) 감염**
종격동에 림프절 종대가 보이며 일부는 내부의 저밀도와 주변부테두리 조영증강이 둘러싸는 괴사성 림프절 종대의 특징을 보인다(화살표).

이하의 경우 일차결핵에 가까운 모습을 보여 폐문이나 종격동의 림프절 종대, 폐중엽이나 하엽의 경화, 그리고 좁쌀결핵이나 흉막삼출액이 흔히 보인다. CT에서 림프절 종대를 좀더 쉽게 확인할 수 있고, 커진 림프절은 내부괴사로 인한 저음영과 주변부의 조영증강을 특징적으로 보인다(그림 10-12).

비전형 마이코박테리움 감염에서는 *Mycobacterium avium-M. intracellulae complex* (MAC)의 감염이 흔하며 영상소견은 폐문과 종격동 림프절 종대가 흔하고, 비특이적 국소 폐침윤을 보일 수 있다.

II 기타 면역저하환자의 폐감염

노령, 알코올 중독, 당뇨, 만성 신부전등의 소모성 질환자는 비특이적으로 저항능력이 감소되어 있어 폐렴에 쉽게 걸린다. 이들 환자의 폐렴은 면역정상환자의 폐렴 소견과 다르지 않은 경우가 많으나, 면역정상환자에 비해 폐렴이 좀 더 광범위하고 침습적인 경우가 있고, 또한 기회감염도 드물지 않게 일어난다[3]. 특히 이러한 환자에서 기회감염으로 아스페르길루스증이 생기는 경우 정상면역환자의 진균종(aspergilloma)과 심한 면역저하환자의 혈관침습형 아스페르길루스의 중간단계인 반침습형 아스페르길루스(semi-invasive Aspergillosis) 폐렴을 일으킨다. 이는 수주에서 수개월의 만성적 임상 진행경과를 보이고, 주변조직으로의 침습은 확실하나 혈관침범은 뚜렷하지 않은 것으로, 영상소견은 기관지성 폐렴모양에서 공동을 형성하는 경화음영까지 다양하다(그림 10-13)[3]. 또한 기타 면역저하 환자에서 잘 발생하는 기회감염으로 노카르디아증(Nocardiosis)이 있다. 노카르디아 감염은 *Nocardia asteroides*에 의한 것이 대부분이며 필라멘트모양의 호기성 그람양성균으로 약한 항산성(acid-fast) 균이다. 스테로이드 치료, 장기이식후의 면역억제제 투여, 악성종양의 항암요법 후에 흔히 발생한다. 흉부X선사진에서 다발성의 결절 혹은 폐포성 경화가 있으며 공동을 형성할 수도 있다. CT에서는 원형의 폐변연부 결절성 경화 혹은 괴사성 폐렴 및 내부 공동을 보이는 광범위한 경화가 특징이며 흉막삼출을 흔히 동반한다. 흉막 혹은 흉벽을 따라 국소적 농양을 형성하며, 근막 및 흉막을 뚫고 침범하는 경우도 있다(그림 10-14)[25].

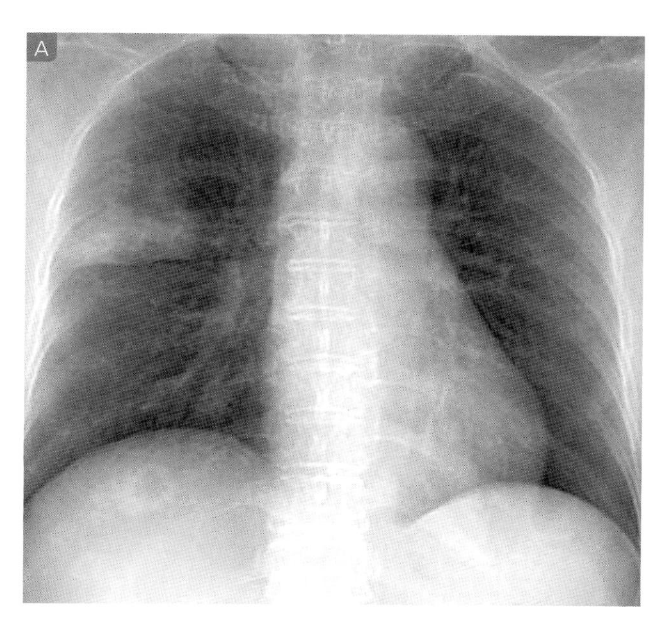

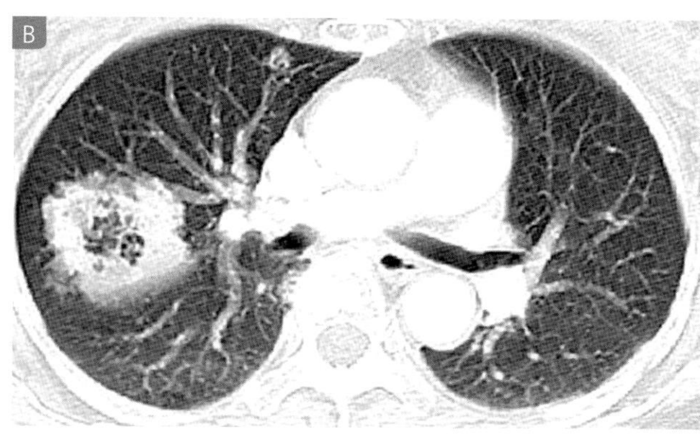

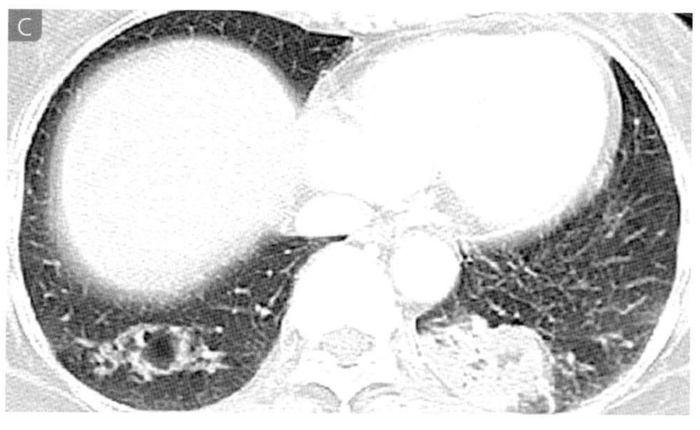

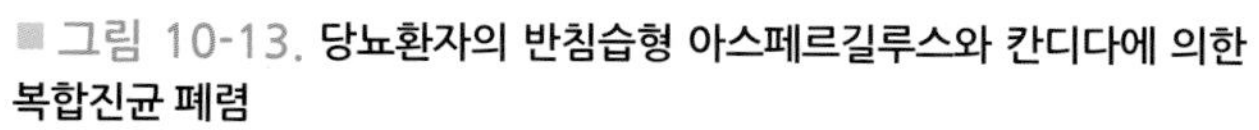

■ 그림 10-13. **당뇨환자의 반침습형 아스페르길루스와 칸디다에 의한 복합진균 폐렴**
A. 흉부X선사진에서 우상엽의 경화와 우하엽의 공동이 보인다. 심장 뒤의 좌하엽의 폐경화가 있다. **B, C.** CT에서 다양한 크기의 경화가 있고, 우측 폐 경화음영에는 내부 공동형성이 잘 보인다.

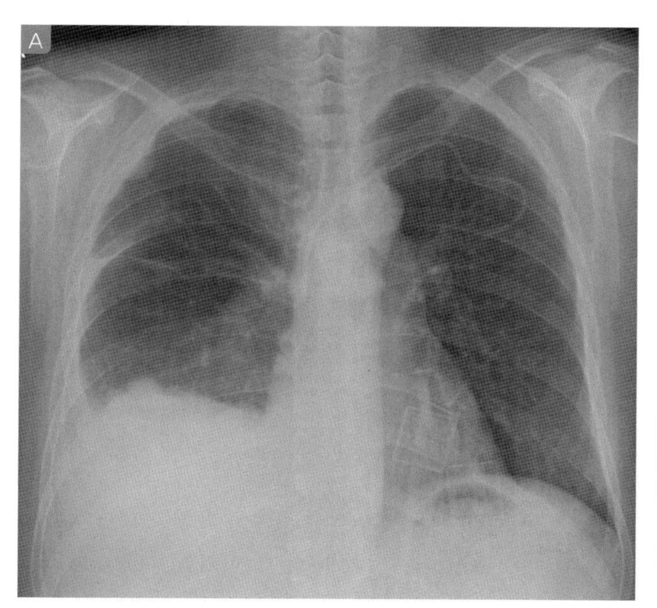

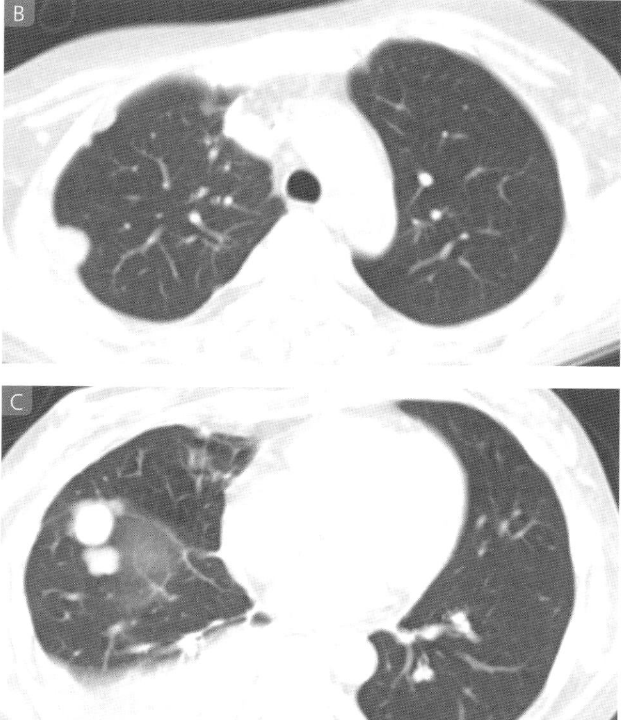

■ 그림 10-14. **노카르디아증**
류마토이드 관절염으로 스테로이드를 장기복용하던 환자로 발열과 흉막 통증을 주소로 내원하였다. **A.** 흉부X선사진에서 늑막을 따라 보이는 작은 결절과 폐하부의 흉막삼출이 있다. **B, C.** CT에서 폐변연부의 늑막을 따라 있는 결절성 경화와 흉막삼출을 잘 볼 수 있다.

참고문헌

1. Corti M, Palmero D, Eiguchi K. Respiratory infections in immunocompromised patients. Curr Opin Pulm Med 2009; 15:209-217.02.
2. Waite S, Jeudy J, White CS. Acute lung infections in normal and immunocompromised hosts. Radiol Clin North Am 2006;44:295-315.03.
3. Franquet T. High-resolution computed tomography(HRCT) of lung infections in non-AIDS immunocompromised patients. Eur Radiol 2006; 16: 707-718.04.
4. Franquet T. Respiratory infection in the AIDS and immunocompromised patient. Eur Radiol 2004; 14: E21-E33.05.
5. Rano A, Agusti C, Sibila O, Toress A. Pulmonary infections in non-HIV immunocompromised patients. Curr Opin Pulm Med 2005; 11: 213-217.06.
6. Vento S, Cainelli F, Temesgen Z. Lung infections after cancer chemotherapy. Lancet Oncol 2008; 9: 982-992.07.
7. Sicles EA, Greene WH, Wiernik PH. Clinical presentation of infection in granulocytopenic patients. Arch Intern Med 1975; 135: 715-719.08.
8. Masur H, Ognibene FP, Yarchoan R, Shelhmer JH, Baird BF, Travis W, et al. CD4 counts as predictors of opportunistic pneumonias in human immunodeficiency virus(HIV) infection. Ann Intern Med 1989; 111: 223-231.
9. Oh YW, Effmann EL, Godwin JD. Pulmonary infections in immunocompromised hosts: the importance of correlating the conventional radiologic appearance with the clinical setting. Radiology 2000; 217: 647-656.
10. Heussel CP, Kauczor H-U, Ullmann AJ. Pneumonia in neutropenic patients. Eur Radiol 2004; 14: 256-271.
11. Primack SL, Muller NL. High-resolution computed tomography in acute diffuse lung disease in the immunocompromised patients. Radiol Clin North Am 1994; 32: 731-744.
12. Worthy S, Kang EY, Muller NL. Acute lung disease in the immunocompromised host: differential diagnosis at highresolution CT. Semin Ultrasound CT MRI 1995; 16: 353-350.
13. Heussel CP, Kauczor HU, Heussel GE, Fischer B, Begrich M, Mildenberger P, et al. Pneumonia in febrile neutropenic patients and in bone marrow and blood stem-cell transplantation recipients: use of high-resolution computed tomography. J Clin Oncol 1999; 17: 796-805.
14. Heussel CP. Importance of pulmonary imaging diagnostics in the management of febrile neutropenic patients. Mycoses 2011; 54 Suppl 1: 17-26.
15. Kotloff RM, Ahya VN, Crawford SW. Pulmonary complications of solid organ and hematopoietic stem cell transplantation. Am J Respir Crit Care Med 2004; 170: 22-48.
16. Leung AN, Gosselin MV, Napper CH, Braun SG, Hu WW, Wong RM, et al. Pulmonary infections after bone marrow transplantation: clinical and radiographic findings. Radiology 1999; 210: 699-710.
17. Gosselin M.V., Adams R.H. Pulmonary complications in bone marrow transplantation. J Thorac Imaging 2002; 17: 132-144.
18. Choi MH, Jung JI, Chung WD, Kim YJ, Lee SE, Han DH, Ahn MI, Park SH. Acute pulmonary complications in patients with hematologic malignancies. Radiographics 2014; 34: 1755-68.
19. Shorr AF, Kollef MH. The quick and the dead: the importance of rapid evaluation of infiltrates in the immunocompromised patient. Chest 2002; 122: 9-12.
20. Rano A, Agusti C, Benito N, Robira M, Angrill J, Pumarola T, Torres A. Prognostic factors of non-HIV immunocompromised patients with pulmonary infiltrates. Chest 2002; 122: 253-261.
21. Worthy SA, Flint JD, Muller NL. Pulmonary complications after bone marrow transplantation: high-resolution CT and pathologic findings. Radiographics 1997; 7: 1359-1371.
22. Geogiadou SP, Sipsas NV, Marom EM, Kontoyiannis DP. The Diagnostic value of halo and reverse halo signs for invasive mold infections in compromised hosts. Clin Infect Dis 2011; 52: 1144-1155.
23. Wahba H, Truong MT, Lei X, Kontoyiannis DP, Marom EM. Reverse halo sign in invasive pulmonary infections. Clin Infect Dis 2008; 46: 1733-1737.
24. Jung JI, Lee DG, Kim YJ, Yoon HK, Kim CC, Park SH. Pulmonary tuberculosis after hematopoietic stem cell transplantation: radiologic findings. J Thorac Imaging 2009; 24: 10-16.
25. Aviram G, Fishman JE, Boiselle PM. Thoracic infections in human immunodeficiency virus/ acquired immune deficiency syndrome. Semin Roentgenol 2007; 42: 23-36.
26. Chou SH, Prabhu SJ, Crothers K, Stern EJ, Godwin JD, Pipavath SN. Thoracic diseases associated with HIV infection in the era of antiretroviral therapy: clinical and imaging findings. Radiographics 2014; 34: 895-911.
27. Ambrosioni J, Lew D, Garnino J. Nocardiosis: updated clinical review and experience at a tertiary center. Infection 2010;38: 89-97.

Contents

I 결핵의 발병

결핵은 흉부를 침범하는 흔한 감염성 질환으로 폐뿐만 아니라 흉막, 흉벽 등 주위 구조까지 침범할 수 있다. 흉부 결핵의 진단에 흉부X선사진이 일차적으로 사용되지만 CT는 진단의 정확성을 높여주는 역할을 할 수 있다(표 11-1). 결핵은 M. tuberculosis를 포함한 비말핵을 흡인함으로써 전파되는데 초기 감염은 대개 숙주의 면역력으로 인해 임상적으로 발병하지 않는다. 그러나 감염 환자의 약 5%에서는 결핵균에 대한 면역이 부적절하여 감염된 후 1년 이내에 임상적으로 활동성 질환이 발생할 수 있는데 이를 진행성 일차 결핵(progressive primary tuberculosis)이라고 한다. 진행성 일차 결핵은

표 11-1. 폐결핵의 흉곽내 영상의학 소견에 따른 CT의 장점

발견	흉부X선사진에 비해 폐결핵 위음성률이 낮음 공동 등에 생긴 아스페르길루스종 발견률이 높음 종격동 림프절 종대, 테모양 조영증강(rim-like enhancement) 적은 양의 흉막삼출, 흉벽 침습 기관지흉막루 심장막염
활동성 판단	객담 도말 검사, 흉부X선사진 등의 높은 위음성률 보강 (나뭇가지에 싹이 나는 모양, 공동)

후천성 면역 결핍증, 고령 등 면역력이 저하되거나 혹은 다량의 결핵균에 노출되었을 경우 발생할 수 있다. 그러나 대부분의 감염자들은 임상적으로나 세균학적으로 수 년 동안 결핵이 발병하지 않는데, 이를 잠복결핵(latent tuberculosis)이라고 한다. 잠복결핵 환자의 약 5%에서 세포성 매개 면역력의 저하, 스테로이드 투여, 이식, 만성 신부전 등의 위험 요인이 있을 때 이전 감염균의 재활성화 혹은 새로운 균주에 의한 재감염 등으로 결핵이 발생할 수 있다. 전통적으로 결핵균에 감작되어 있지 않은 환자가 결핵균을 흡입함으로써 발생하는 최초의 감염일 경우에 일차결핵(primary tuberculosis)이라 하고, 결핵균에 감염되어 지연과민증(delayed hypersensitivity)이 생긴 후에 활성화되어 발생하는 결핵을 이차결핵(postprimary tuberculosis)이라고 하였고 각각의 영상소견은 서로 다르다고 보고하였다[1]. 그러나 최근 연구에서 결핵의 영상 소견은 결핵균의 초감염 또는 재감염 여부보다는 감염 당시 환자의 면역 상태가 결핵의 형태를 결정하는데 중요한 영향을 미치며[2] 면역 상태가 정상(immunocompetent)인 경우 최초 감염이라 하더라도 이차결핵의 형태(전형적인 소견)를 보일 수 있고, 면역 상태에 손상(immunocompromised)이 있으면, 재활성화 결핵이라도 일차결핵의 형태(폐경화, 좁쌀결핵, 림프절 비대, 흉막삼출 등의 비전형적인 소견)를 보일 수 있다[3]. 따라서 본 교재에서도 결핵의 영상 소견을 기존의 일차, 이차결핵 이라는 용어 대신 각각 비전형적인 결핵 및 전형적인 결핵으로 기술하고자 한다.

II 폐결핵의 전형적인 소견

1. 발생기전

전형적인 결핵 소견은 면역 상태가 정상인 성인에서 나타난다. 비전형적인 결핵과 달리 환자가 결핵균에 대해 특이적 면역성을 가지고 있는 상태에서 폐조직이 결핵균에 노출되기 때문에 지연과민성 반응이 일어나 병소 안에서 괴사가 신속히 일어나고 괴사물질이 기도로 빠져나간 자리에 공기가 들어와 공동을 형성한다[4, 5]. 공동과 섬유화, 폐실질 파괴 등은 전형적인 결핵의 특징이다. 호발부위는 상엽의 폐첨부 및 후분절, 하엽의 상분절이다[6].

2. 영상소견

전형적인 결핵의 주요소견은 표 11-2와 같다. 이들 중 나뭇가지발아모양(tree-in-bud appearance)과 공동은 활동결핵을 나타내는 중요한 CT 소견들이다[7, 8]. 나뭇가지발아모양은 결핵이 기관지를 통해 폐의 다른 부분으로 퍼져나갔음을(bronchogenic spread) 나타낸다(그림 11-1). 공동은(빈도 50%) 활동결핵을 시사하며 대개 벽이 얇고 내측이 매끈하며 내부에 공기-액체 층을 보일 수 있다(그림 11-2)[5].

표 11-2. 면역력이 정상인 환자의 폐결핵 소견

활동성	상부 폐야에 호발, 나뭇가지발아모양, 성운 징후, 세엽결절, 소엽성 경화, 기관지벽 비후, 공동
비활동성	석회화된 경화, 불규칙한 선상 음영, 반흔 주위 폐기종(그림 11.9), 석회화 결절(그림 11.10)
활동성과 비활동성 모두 가능한 소견들	1-2 mm 크기의 경계가 좋은 소엽중심성 결절, 4-10 mm 크기의 세엽결절
	기관지확장증

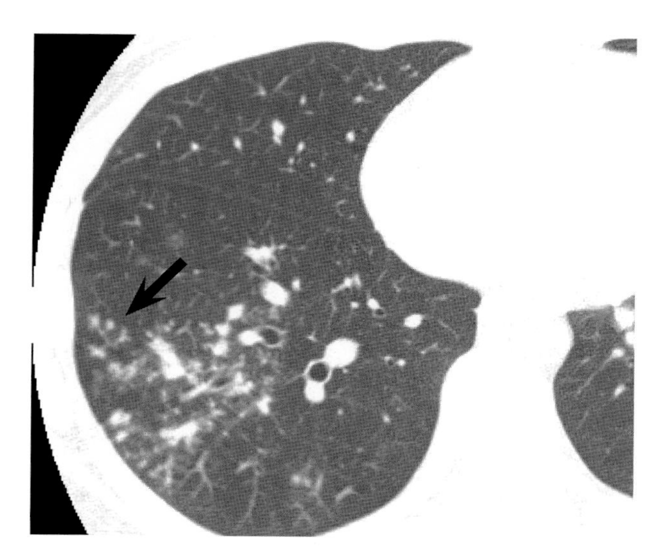

■ 그림 11-1. **나뭇가지에 싹이 나는 모양**
경기관지 파급(bronchogenic spread)을 나타내는 활동성 소견이다(화살표).

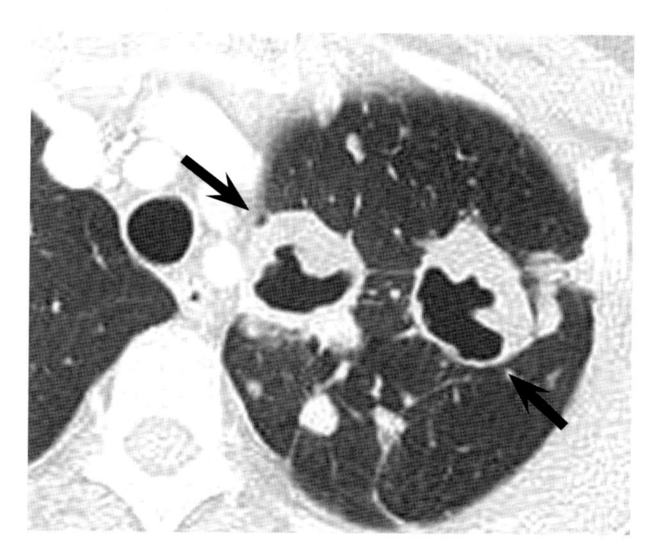

■ 그림 11-2. **결핵성 공동(화살표)**

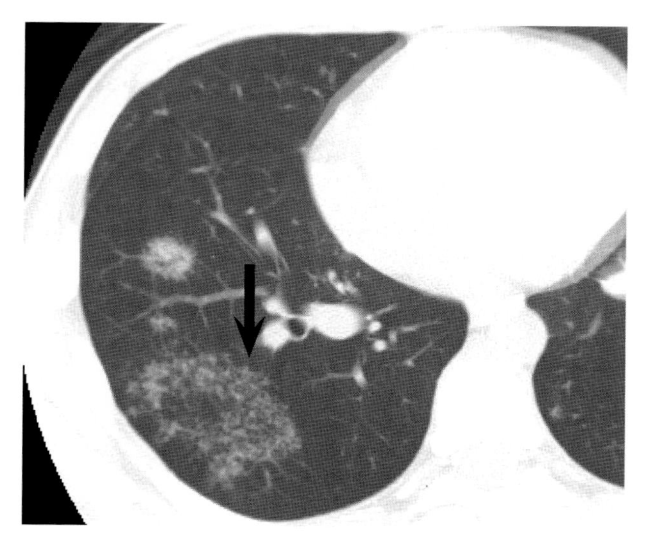

■ 그림 11-3. **결핵의 성운징후(galaxy sign)**
결핵성 소결절들이 뭉치면서 경계가 오돌도돌한(microlobulated) 대결절을 만들어 마치 소은하처럼 보인다(화살표).

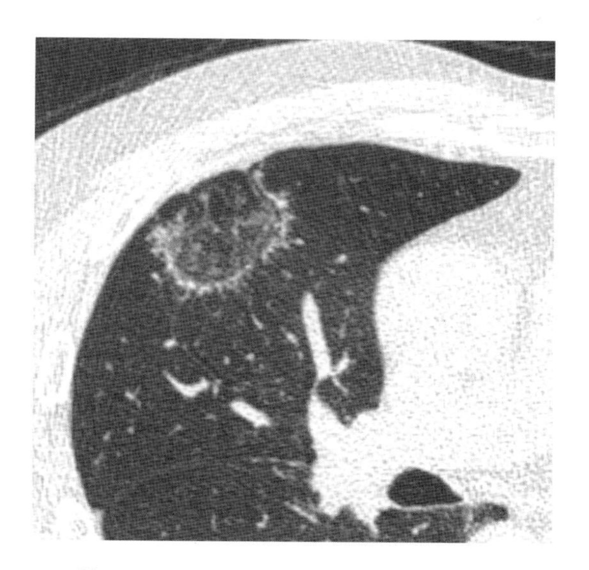

■ 그림 11-4. **결핵에 의한 역달무리징후(reversed halo sign)**
병변의 변연부가 결핵성 소결절들에 의해 구성되어 있으며 내부의 달무리(halo)에도 소결절들이 보인다.

드문 CT소견으로 소결절들이 구형에 가깝게 뭉쳐 성운징후(galaxy sign)를 나타낼 수 있는데 이는 원래 사르코이드증 환자의 CT 소견이지만 결핵에서도 가끔 보일 수 있다(그림 11-3)[9]. 또한 역달무리징후(reversed halo sign)로 보여 특발기질화폐렴(cryptogenic organizing pneumonia) 등과 감별이 필요할 수 있는데(그림 11-4) 병변의 변연부가 결절들로 구성되어 있거나 달무리 내부에 결절들이 보일 경우 결핵에 의한 병변을 의심할 수 있다[10]. 또한 특발폐섬유증(idiopathic pulmonary fibrosis)이나 폐기종(emphysema)과 같은 미만성 폐질환 환자에서는 면역이 정상이더라도 기관지 파급 형태

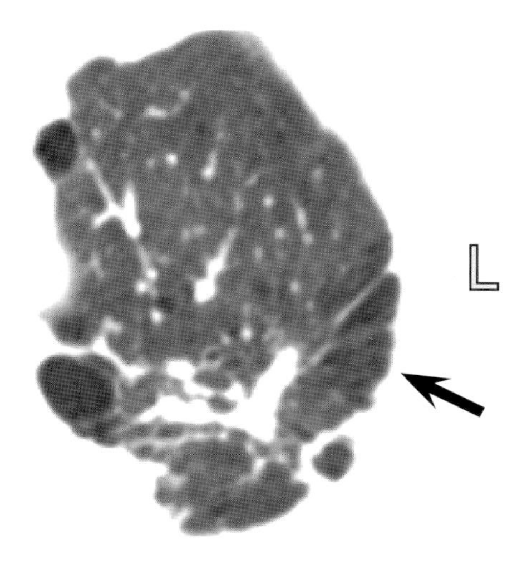

■ 그림 11-5. **반흔 주위 폐기종**
좌측 폐첨부에 결핵이 치유되며 형성된 반흔의 내측과 외측(화살표)에 정상 폐실질보다 밀도가 낮아진 폐기종이 있다.

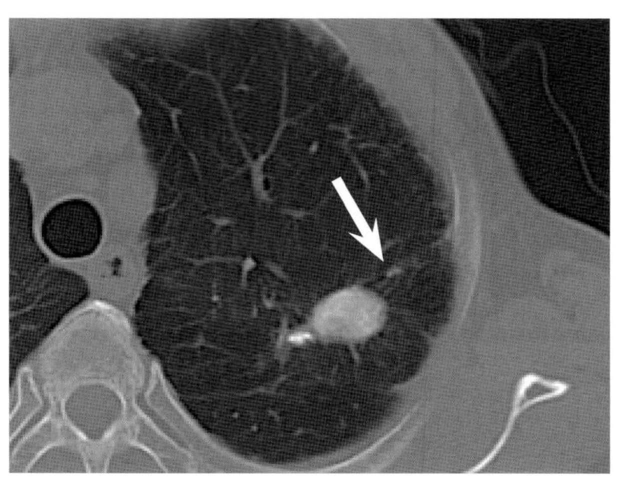

■ 그림 11-6. **석회화 결절(결핵종, tuberculoma)**
석회화된 2 cm 크기의 타원형 결절이 주변과 매끈한 경계를 이룬다. 결절의 내측과 외측(화살표)에 아주 작은 석회화 위성결절(satellite nodule, daughter nodule)이 두 개 있다.

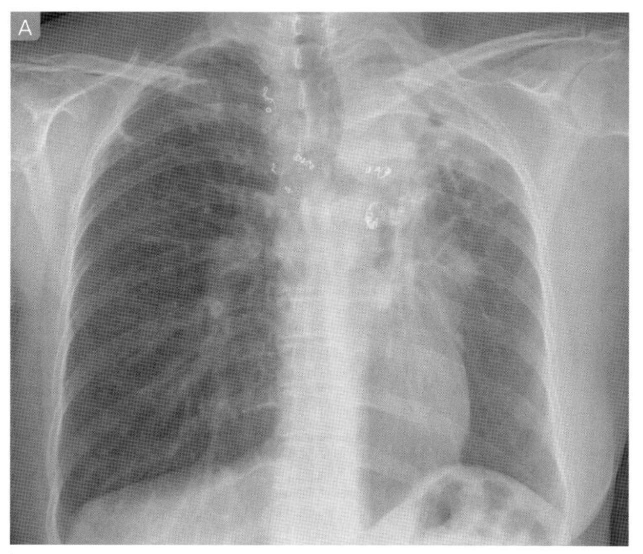

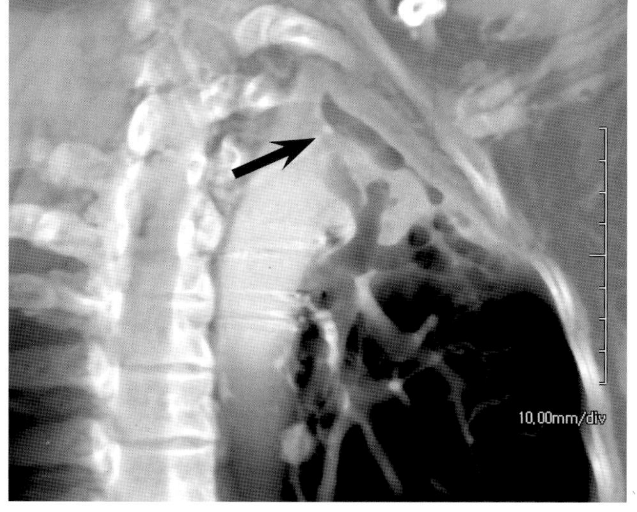

■ 그림 11-7. **결핵에 의한 폐실질 파괴**
흉부X선사진(A) 및 관상면 CT(B)에서 좌상부 폐야가 파괴되어 경화 및 낭성 병변(화살표)으로 바뀌어 있고 폐문 에서 위로 비틀려 올라간 기관지들의 내강이 늘어나 있다.

로 보이는 대신 폐경화와 공동 형태로 보일 수 있어 주의를 요한다[11, 12].

3. 결핵의 치유 및 만성 병변

활동결핵이 치유될 때 CT에서 소엽성 경화, 경계가 불분명한 결절, 소엽중심성 결절 순으로 없어진다. 병변들이 치유될 때는 섬유화, 기관지-혈관의 비틀림, 폐기종(그림 11-5) 등이 남기도 한다. 피막으로 둘러싸인 건락괴사 병변이 있을 때 이를 결핵의 완전한 치유 상태라고 단정할 수는 없고, 안정화된(stabilized) 상태로 여길 수 있다. 즉, 이런 병변에서 결핵균이 사멸되지 않았을 가능성이 여전히 있으며 심지어 완전히 석회화된 경우도 그렇다(그림 11-6)[4].

과거의 결핵에 의해 한쪽 폐의 일부 혹은 전부가 파괴(destroyed lung)되어 있을 수 있다(그림 11-7). 위치는 한쪽 상엽인 경우가 흔하다. 파괴된 상엽의 위쪽에는 흉부X선사진에서 폐첨부 모자(apical cap)로 보이는 곡선 음영이 자주 보이는데, 이는 CT에서 대부분 흉막외지방층의 증식으로 나타난다[13]. 폐실질 파괴 부위에 흔히 아스페르길루스종이 들어있는 것이 발견되는데, CT에서 스펀지 모양의 연부조직 혹은 구형에 가까우며 초승달 모양의 공기 음영(air meniscus)에 싸인 연부조직 음영으로 보인다[14].

III 흉부결핵의 기타 소견

1. 결핵종(tuberculoma)

결핵종(tuberculoma)은 소아, 젊은 성인 또는 면역 저하자나 정상 면역인 성인에서 모두 보일 수 있지만 흔하지는 않다. 대개는 결핵의 완전 치유를 나타내지만 때로 살아있는 결핵균이 포함되어 있기도 하다. 결핵종의 크기는 대개 3 cm 이하이고 위치는 상엽이 흔하다(그림 11-6)[14, 15]. CT에서 결핵종은 대개 외연이 매끈하며, 작은 위성 병소들을 주변에 동반하는 경우가 많고, 내부에 공동이 보일 수 있다. 결핵종 안에 석회화가 있을 수 있고, 위성 병소 석회화도 가능하다. 조영 후 CT에서 결핵종 주변부가 테처럼 조영증강 되는데(ring-like enhancement), 육아종이나 섬유화 때문으로 생각되며, 조영증강이 안되는 결핵종 중심부에는 건락괴사 혹은 액상괴사(liquefaction necrosis)가 있다고 생각된다[4, 8]. 한편 일부

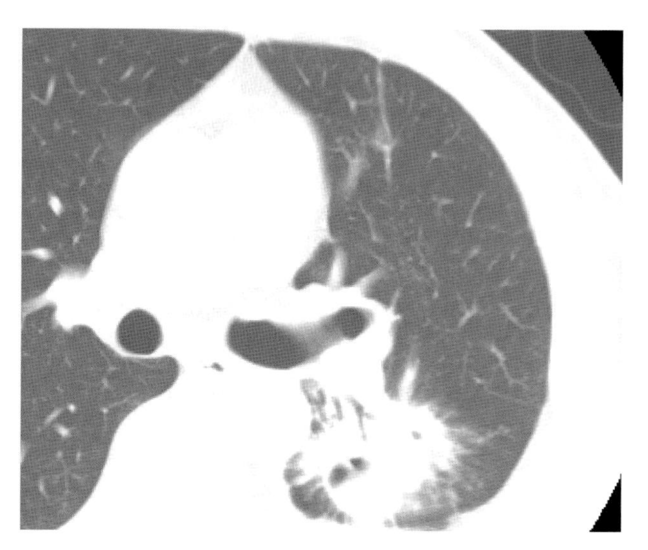

■ 그림 11-8. **폐암처럼 생긴 결핵**
56세 남자 환자에서 발견된 좌하엽 종괴로 활동결핵으로 판명되었다.

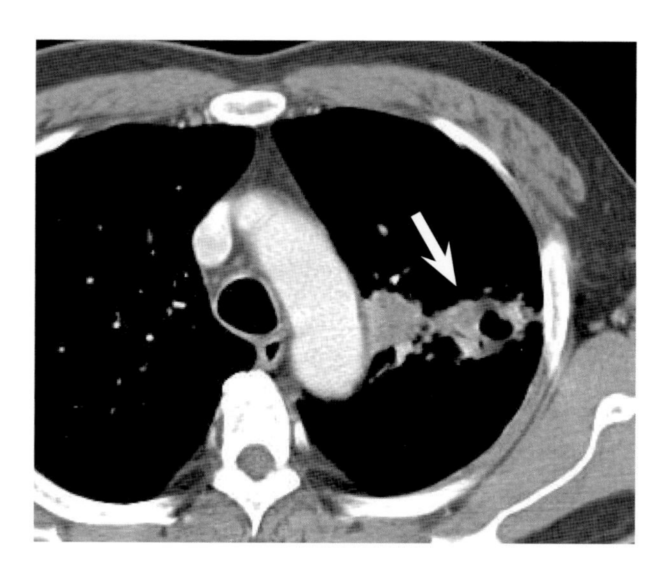

■ 그림 11-9. **폐암과 연접한 결핵**
68세 남자환자에서 폐 내측의 폐암 종괴에 연하여 공동을 포함한 폐결핵 병변(화살표)이 있다.

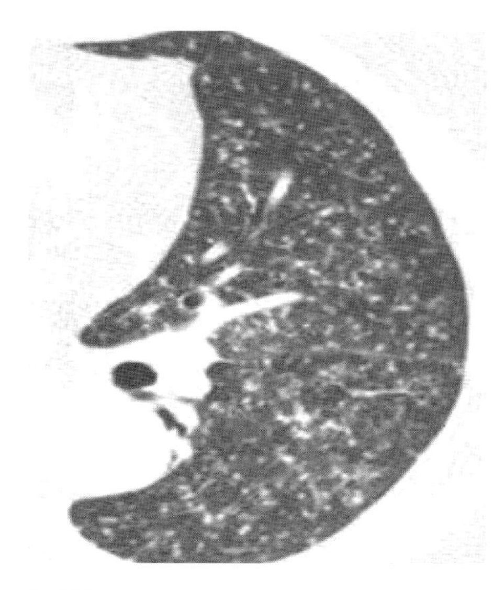

■ 그림 11-10. **좁쌀결핵**
경계 좋은 미세결절들이 폐야 전체에 골고루 분포되어 있으며, 일부는 흉막이나 대혈관에 접하고 있고 일부는 소엽중심에 있는 등 임의로 분포되어 있다(random nodules).

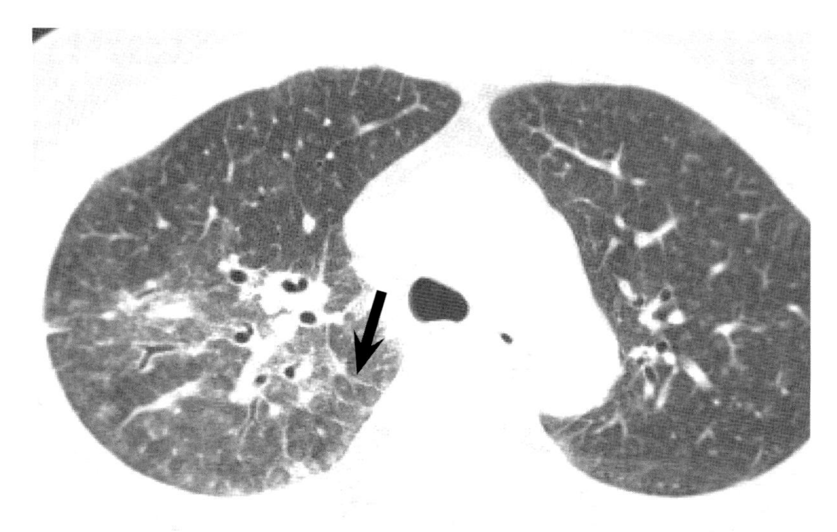

■ 그림 11-11. **결핵성 호흡곤란증후군**
다수의 경계가 불분명한 소엽중심성 소결절들이 간유리 음영 및 소엽간중격 비후(화살표)와 뒤섞여 보이고 기관지 벽이 여러군데 두꺼워져 있다.

결핵 환자에서는 육아종 주위를 섬유화가 둘러싸며 마치 폐암처럼 경계가 불분명한 종괴로 보일 수도 있고(그림 11-8), 심지어 폐암과 결핵이 공존하는 경우도 있으므로, 활동결핵으로 이미 진단된 환자에서도 특별히 큰 결절이 있거나 결절 중 어느 하나가 크기가 증가한다면 폐암과 결핵이 공존하고 있을 가능성을 생각해야 한다(그림 11-9)[16].

2. 좁쌀결핵(miliary tuberculosis)

폐병변 내의 결핵균이 폐문부 림프절을 통해 혈행성으로 폐에 퍼진 후 좁쌀결핵(miliary tuberculosis)으로 발전할 수 있다. 일차결핵의 2-6%가 좁쌀결핵으로 발현하며 이차결핵의 경우에는 소아나 고령자, 면역 저하 환자에서 호발한다[15]. CT에서 경계가 좋은 미세결절과 경계가 좋지 않은 미세결절이 뒤섞여 임의로(random) 분포되어 있는 소견으로 보이는데, 보통 기관지를 통해 파급된 결절보다는 경계가 분명한 편이다. 소엽간중격이 흔히 두꺼워진다(그림 11-10)[3, 6]. 가끔 좁쌀결핵에서 급성호흡곤란증후군(acute respiratory distress syndrome)이 합병되어(그림 11-11) 좁쌀결절들이 간유리 음영이나 선상 음영(reticulation) 등과 동반되어 나타날 수 있다[15]. 특히 간유리음영이 전체 폐의 50% 이상 동반될 경우 미세결절이 잘 보이지 않아 진단이 늦어질 수 있으며 급성호흡곤란증후군이 동반될 가능성이 높아 주의를 요한다[17].

3. 결핵성 기도질환(tracheobronchial tuberculosis)

기도는 흉부결핵에서 매우 흔히 침범되는 부위로, 폐결핵 환자의 약 10-20%에서 기관 및 기관지결핵이 보고되고 있다[8]. 기관지 내강이 결핵균과 접촉하거나 종격동의 결핵성 림프절염을 통해 결핵균이 파급되거나 혹은 혈행성으로 결핵

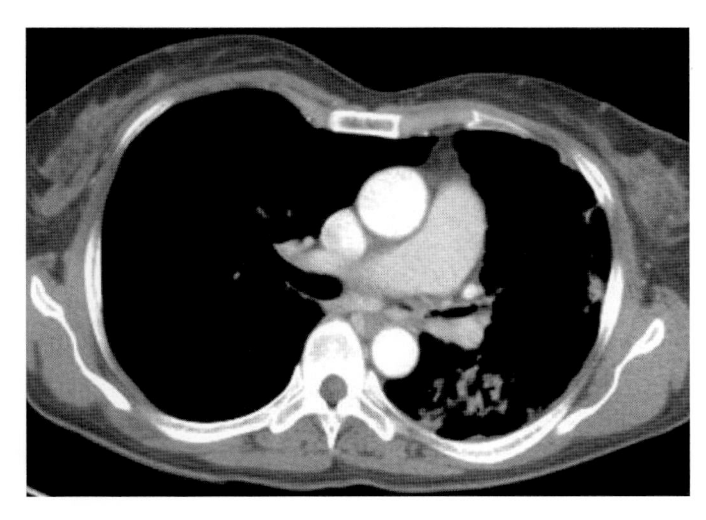

■ 그림 11-12. **급성기의 결핵성 기도질환**
좌측 주기관지 벽이 불규칙적으로 두꺼워지며 내강이 감소되어 있다. 주변 폐실질에도 결핵의 기관지 파급으로 인한 병변들이 관찰된다.

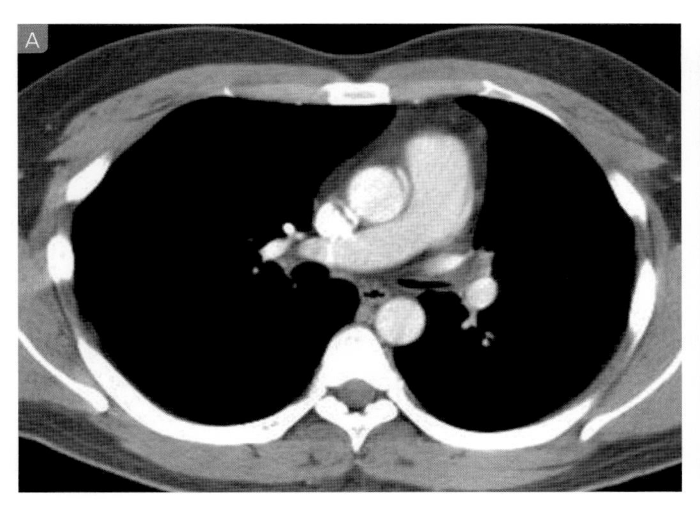

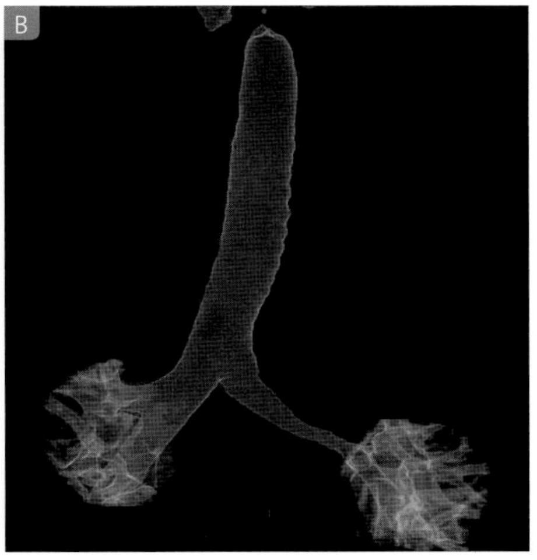

■ 그림 11-13. **섬유화기의 결핵성 기도질환**
기관지벽의 염증이 치유되면서 섬유화를 일으켜 좌측 주기관지 벽은 얇고 내강은 좁아져 있다. 재구성영상에서도 좌측주기관지 협착을 관찰할 수 있다.

균이 파급되어 발생할 수 있다[15]. 급성기에는 CT에서 기관지 벽이 두꺼워지며 내강이 감소하는 것을 볼 수 있고, 원위부 폐실질에 기관지 파급으로 인한 소결절들을 볼 수 있다(그림 11-12). 기관지 벽의 염증은 치유되면서 섬유화를 일으키고 이로 인해 기관지 협착 및 기관지확장증이 발생한다(그림 11-13)[18, 19]. 기관지결핵은 때로 기관지암(bronchogenic carcinoma)과 감별이 어려운 경우가 있는데, 결핵의 경우 좀 더 긴 분절을 침범하며, 기관지 내강이 비교적 원주형으로 좁아지는 소견을 보인다. 하지만 영상 소견으로는 구별이 어려운 경우가 많아 암이 의심되는 경우 기관지경 검사를 해야 한다[19]. 기관지 탄분섬유화증과도 감별이 필요할 수 있으며 기관지 탄분섬유화증은 기관지결핵에 비해 고령이고 주기관지는 보존되어 있으면서 여러 엽에 다발성 기도협착을 일으키는 것이 특징이다[20].

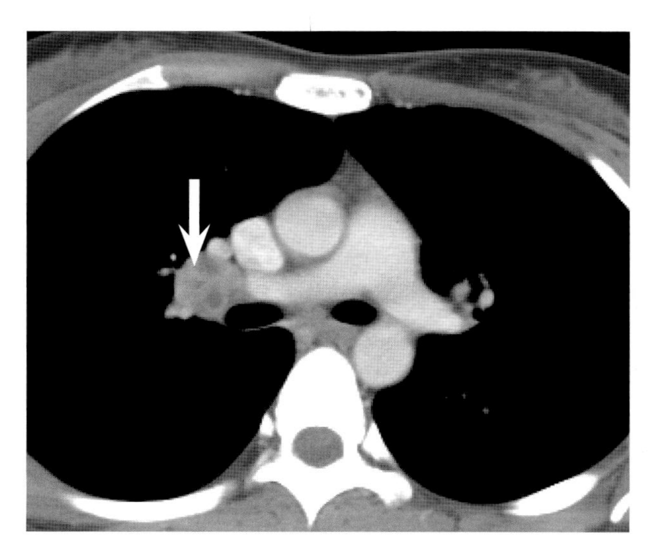

■ 그림 11-14. **림프절 결핵**
우측 폐문 림프절 내부에 저밀도로 괴사된 부분을 테모양의 조영증강이 둘러싸는 특징적인 모습이 보인다(화살표).

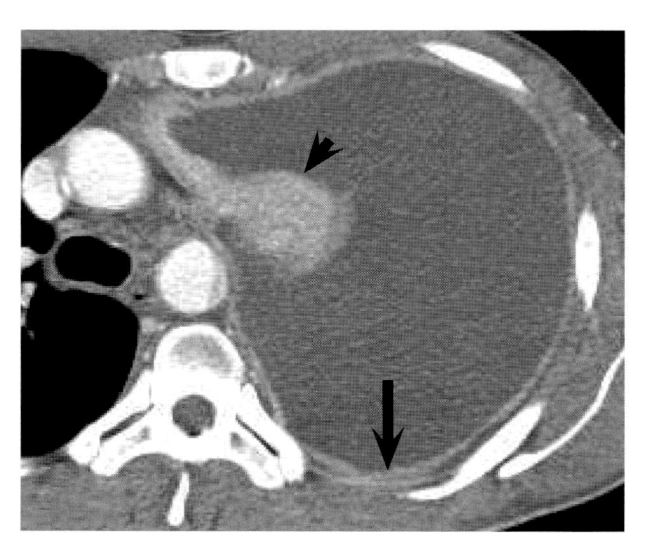

■ 그림 11-15. **결핵성 흉막삼출**
다량의 흉막삼출로 좌폐가 허탈되어 있고(화살촉) 벽측 흉막이 두꺼워져 조영증강되고 있다(화살표).

4. 림프절 결핵(tuberculous lymphadenitis)

활동성 폐결핵 환자에서 폐문부 혹은 종격동 림프절 비후는 흔히 보이는 소견이다. 커진 림프절은 대개 조영증강 CT에서 중심부괴사로 인해 저음영과 변연부 육아종성 염증에 의한 띠모양의 조영증강을 보인다(그림 11-14)[21]. 치료 후 커진 림프절은 크기가 작아져서 소실되거나 석회화를 남길 수 있다.

5. 결핵성 흉막삼출(tuberculous pleurisy)

결핵성 흉막삼출(tuberculous pleurisy)은 일차결핵 및 이차결핵에서 모두 생길 수 있다. 흉막하 작은 결절 내부의 괴사물질이 흉막강으로 터져나와 흉막에 과민성 반응을 일으키며 삼출이 생기는 것이 대부분이고 결핵성 농흉으로 진행하는 경우는 흔치 않다[5, 6]. 대개는 한쪽에만 생기며 폐병변과 반대쪽 흉막강보다 같은쪽 흉막강에 더 많이 생긴다. 양은 중등도 이상이지만 소방성(loculated)이 아닌 경우가 많다(그림 11.15). 결핵의 흉막삼출은 흔히 저절로 없어지지만 일부 환자에서 지속되거나 흉막 비후, 석회화 등 흔적을 남길수 있다[6]. CT는 흉막삼출과 동반된 공동이나 기관지흉막루 등을 발견하는데 있어 흉부X선사진보다 유리하다.

6. 결핵성 농흉 및 흉벽병변(tuberculous empyema and empyema necessitatis)

농흉은 주로 결핵 환자에서 공동이 터지거나 기관지흉막루(bronchopleural fistula)가 형성되어 많은 수의 결핵균이 흉막강으로 나오면서 발생할 수 있다. 처음에는 단순한 결핵성 흉막삼출처럼 보이지만 점차 결핵성 농흉으로 발전하여 CT에서 소방성 흉막삼출(loculated pleural effusion)과 이를 둘러싼 두꺼운 흉막껍질(pleural peel)을 보인다. 이때 흉막껍질

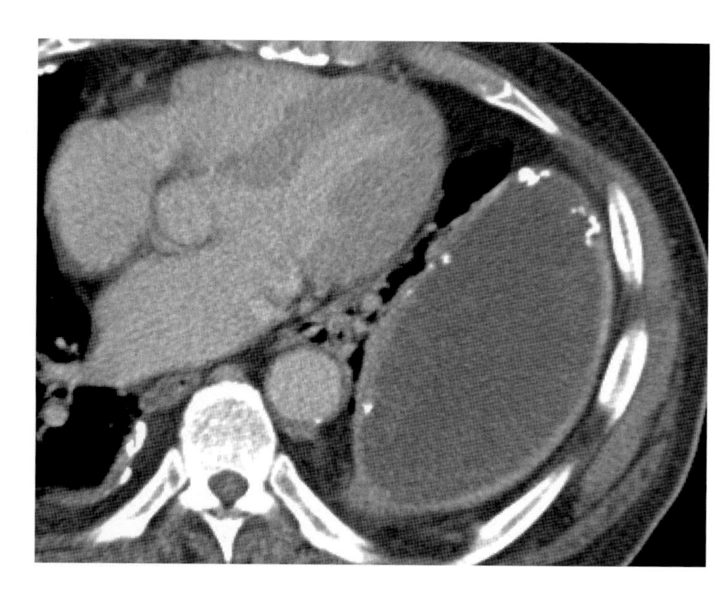

■ 그림 11-16. **결핵성 농흉**

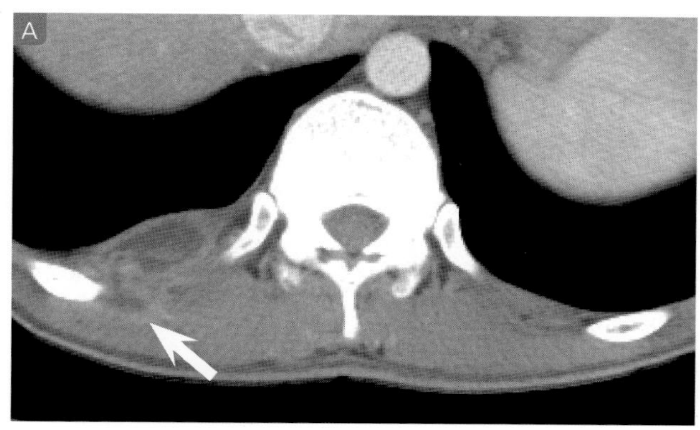

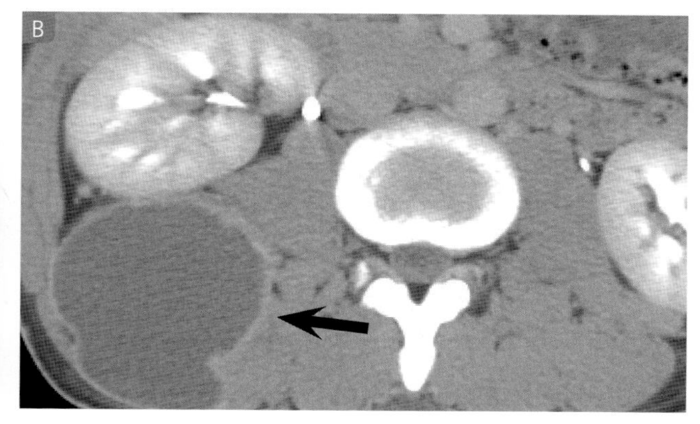

■ 그림 11-17. **흉벽천공 농흉**
농흉이 흉벽(A)을 (흰 화살표) 침범한 후 근육을 뚫고 침투하여(검은 화살표)(B) 후복벽으로 내려갔다.

에는 석회화가 자주 보이고 벽측 흉막(parietal pleura)에 연하여 흉막외지방층(extraplueral fat layer)이 두꺼워져 있기도 한다(그림 11-16)[6, 14]. 결핵 환자에서 폐병변이 아주 심하여 기관지흉막루가 발생하면 기흉이 발생할 수 있으며, 반대로 자발성 기흉(spontaneous pneumothorax) 환자에게 흉관을 삽입하여 폐가 펴진 후폐첨부에 이상 소견이 보인다면 기흉의 원인으로 결핵을 의심할 수 있다[14]. 농흉이 진행하여 흉막피부루(pleurocutaneous fistula)을 통해 밖으로 배출되면 이를 흉벽천공 농흉(empyema necessitatis)이라 한다[6]. 아랫쪽 흉벽에 이러한 결핵성 농흉이 생기면 근막 사이 공간을 통해 옆구리나 복벽으로 퍼질 수 있다(그림 11-17, 11-18). 흉벽 결핵의 특징적 CT 소견은 석회화 혹은 테모양 조영증강(rim like enhancement)을 보이는 연부조직 종괴 혹은 액체 저류이다. 드물게, 유방 내 혹은 유방 뒤쪽의 결핵성 농흉에 의해 흉벽 결핵이 초래되기도 한다. 종종 결핵이 흉골, 쇄골 관절, 늑골 등을 침범하여 골파괴와 함께 국소적 농양을 일으킬 수 있다(그림 11-19). 이는 인근의 폐결핵 혹은 흉막 결핵에서 직접 파급되어 생기기도 하고 혈행성으로 생기기도 한다[6, 14].

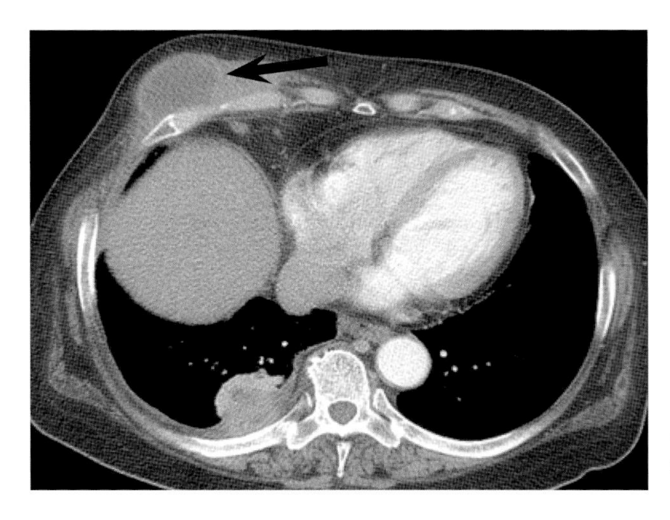

■ 그림 11-18. **흉벽천공 농흉**
결핵성 농흉이 앞쪽 흉벽으로 뚫고 나가 고름집(화살표)을 만들었다.

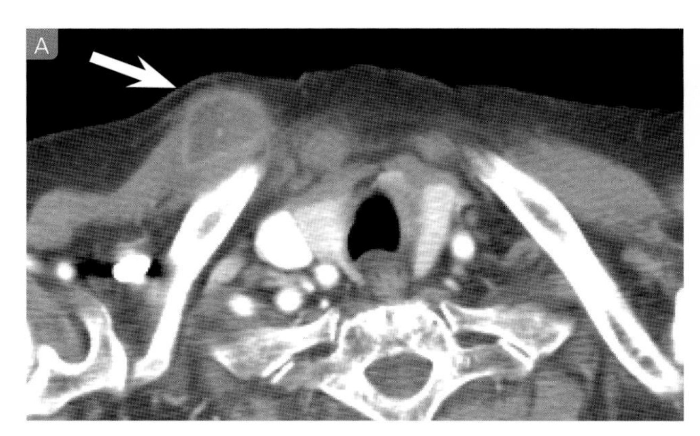

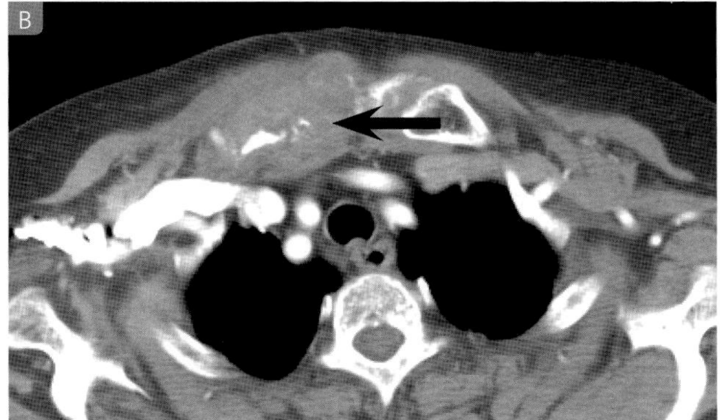

■ 그림 11-19. **골침범 결핵**
쇄골 앞쪽에 테모양 조영증강되는 연부조직(흰 화살표)이 있고(A) 그 아래 쇄골 피질이 연부조직에 의해 파괴되어 있다(검은 화살표)(B).

7. 결핵성 심장막염(tuberculous pericarditis)

결핵균의 심장막 침범(tuberculous pericarditis)은 결핵의 드문 합병증이고(1%), 주로 고령자에서 발생한다. 흔히 심장막에 가까운 종격동 림프절로부터 직접 파급되어 발생하며, CT에서 림프절 종대, 심장막 비후, 심장막 삼출 등으로 나타난다(그림 11-20)[8]. 결핵성 심장막염의 약 10%에서 교착성 심장막염(constrictive pericarditis)으로 진행하여 두꺼워진 심장막이 심근의 이완 운동을 방해할 수 있다(그림 11-21). 이차적 소견으로 하대정맥의 확장, 심실중격(interventricular septum)의 전위가 보일 수 있다. 석회화가 장측 심장막의 방실사이고랑(atrioventricular groove), 심실사이고랑(interventricular groove), 특히 십자(crux) 부위에 생긴다[14].

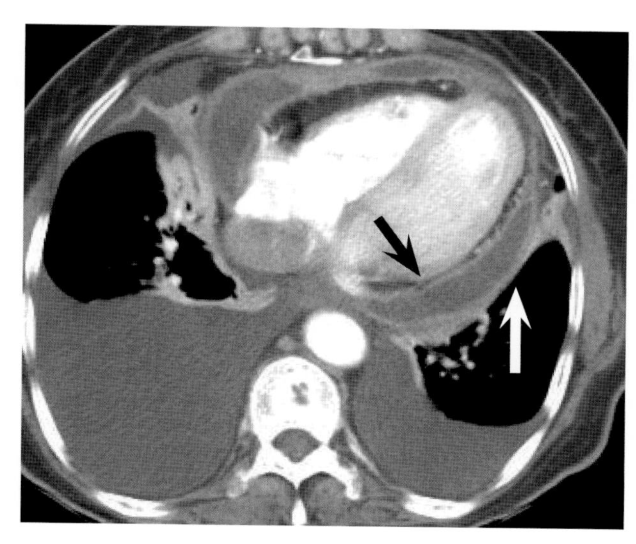

■ 그림 11-20. **결핵성 심장막염**
장측(검은 화살표) 및 벽측(흰 화살표) 심장막이 두꺼워져 조영증강이 되고 있다. 양측성 흉막삼출이 동반되었다.

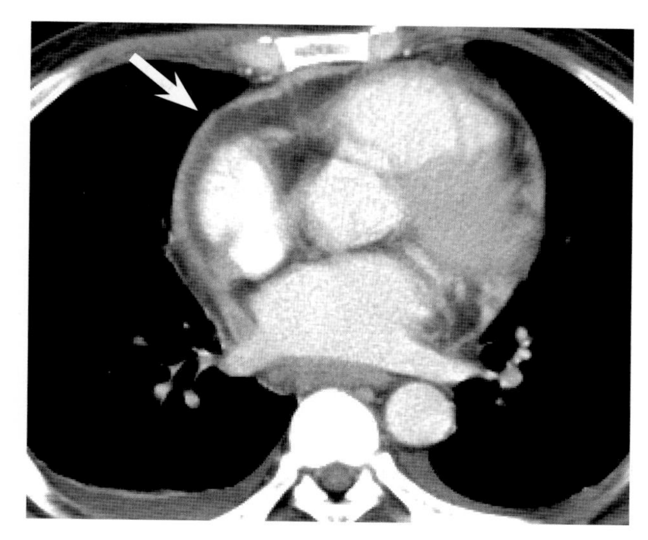

■ 그림 11-21. **결핵성 교착성 심장막염**
심장막 벽이 4 mm 이상으로 두꺼워져 있다(화살표).

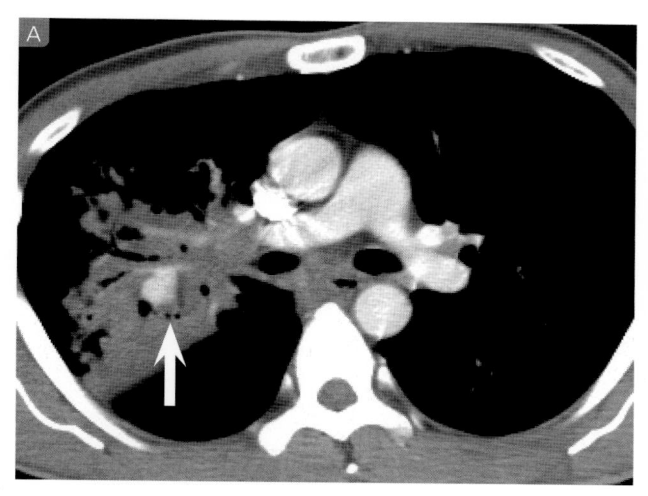

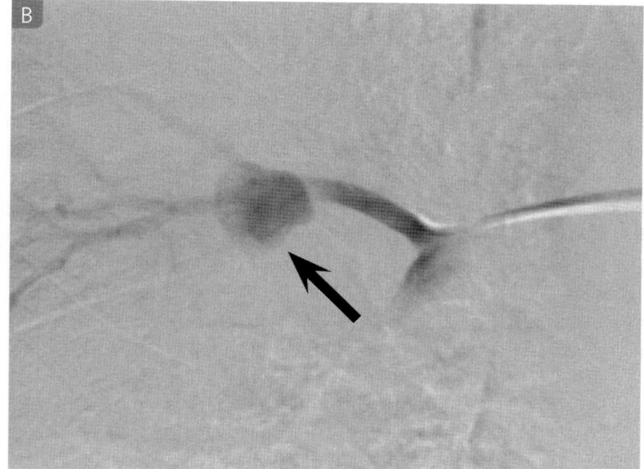

■ 그림 11-22. **결핵과 동반된 라스무센(Rasmussen) 동맥류의 CT(A) 및 혈관조영(B) 소견**
경화 안을 지나는 폐동맥 분지로부터 공동 내로 조영제가 새어 나오고 있다(화살표).

8. 결핵에 의한 대량 폐출혈(massive hemoptysis due to tuberculosis)

결핵에 의한 폐출혈은 주로 폐실질 파괴 부위에서 일어나며, 대개는 폐실질의 공동이나 기관지확장증 혹은 아스페르길루스종 등의 출혈 병변이 기관지동맥 및 늑간동맥 등 체순환으로부터 혈류를 공급받는다. 그러나 소수에서는 폐출혈이 폐동맥에서 혈류를 공급받아 대량 폐출혈을 일으킨다. 이는 활동결핵 환자에서 공동성 병변이 인근 폐동맥 분지의 벽을 직접 침범하여 손상시킬 때 발생하는데 이를 라스무센 동맥류(Rasmussen aneurysm)라고 하며, 폐동맥의 거짓동맥류(pseudoaneurysm)이다(그림 11-22)[14].

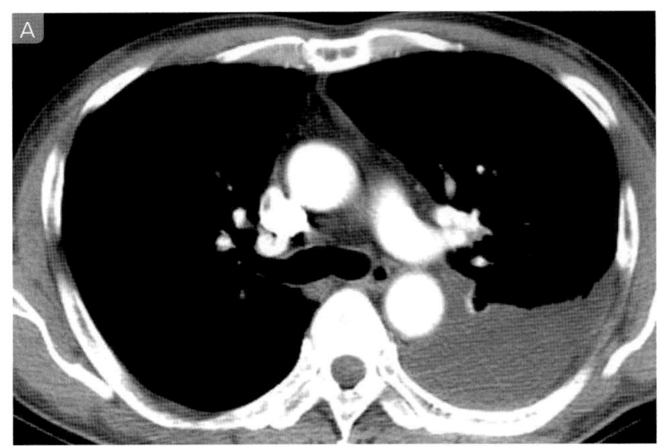
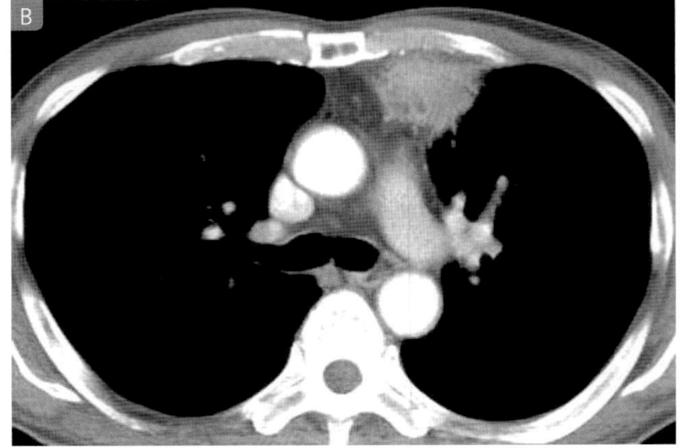

■ 그림 11-23. **결핵의 역설적 반응(paradoxical response)**
결핵성 흉막삼출(A)로 항결핵제 복용 3개월후(B) 흉수는 소실되었으나 좌측 앞쪽 흉벽에 연하여 흉막하 폐경화가 새로 보인다.

9. 역설적 반응(paradoxical reaction)

결핵을 치료하는 도중에 치료실패가 아님에도 일시적으로 임상증상 및 영상소견이 악화되는 경우가 있으며 이를 역설적 반응이라고 말한다(그림 11-23)[22, 23]. 대개 치료 시작 12주 이내에 발생하며 폐병변이나 림프절염의 악화, 새로운 흉수 등이 일시적으로 보이며 치료를 유지하면 대부분 소실된다. 폐 병변의 경우 주로 변연부의 결절성 음영으로 나타나며[23] 치료 실패의 경우 공동, 중심소엽 분포 결절 등이 증가하는 반면 역설적 반응은 경화 및 간유리음영이 주로 증가하는 것이 차이점이다[22]. 역설적 반응은 결핵성 흉막염에서 많게는 26%까지 빈도가 보고되었으며 기존 질환이 없는 젊은, 남성 환자에서 보다 호발한다[24].

10. 후천성면역결핍증후군(acquired immunodeficiency syndrome, AIDS)과 폐결핵

결핵은 HIV(Human immunodeficiency virus) 감염 환자에서 흔히 발생하는 기회 감염 중 하나이다[5]. 후천성면역결핍증후군, 특히 CD4 양성 림프구 수가 낮은 환자에서는 정상인에 비해 결핵이 미만성으로 오는 경우가 많아, 경화나 공동 등 폐결핵의 전형적인 소견이 상대적으로 적고 대신 림프절 종대나 흉막삼출, 좁쌀결핵 등의 비전형적 소견이 흔하다[3]. HIV 양성 환자의 결핵성 림프절염은 조영증강 CT에서 림프절 내 괴사나 림프절 주위 침윤이 보다 심하며, 식도림프절루가 더 흔히 발생한다는 특징이 있다. 누공은 기관분기부 하에 호발하여 CT에서 비정상적인 종격동 공기 음영으로 나타날 수 있다(그림 11-24)[15].

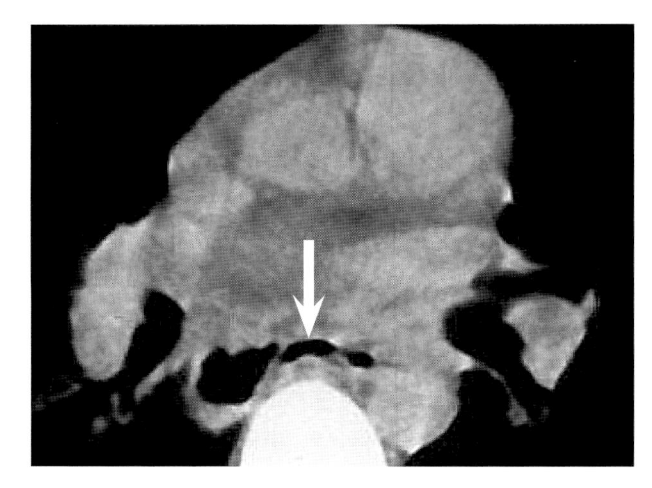

■ 그림 11-24. **HIV 양성 환자의 결핵성 식도림프절루**
누공 내 공기음영이 보인다(화살표).

Ⅳ 비결핵성 항산성균 폐질환

호흡기 검체에서 분리되는 비결핵성 항산성균(nontuberculous mycobacterium, NTM)은 국내에서 지속적으로 증가하고 있으며[25] 최근에는 결핵보다 더 많은 비율은 차지한다[26]. 또한 국내 및 전세계에서 비결핵성 항산성균 폐질환 역시 증가하는 추세이다[27]. 폐감염을 일으키는 비결핵성 항산성균 중 가장 흔한 균주는 M. intracellulare, M. avium, M. abscessus 등이다[28]. 폐질환의 임상 소견 및 흉부X선사진 소견은 결핵과 비슷하고, 균주 간 차이도 별로 없다. 흔한 발현 양상은 다음 두 가지 부류이다.

1. 상엽 공동형(apical fibrocavitary form)

만성폐쇄폐질환, 폐섬유화 등 만성 폐질환 또는 결핵 치유 병변을 갖고 있는 60-70대 남성에서 주로 발생하며 전형적인 결핵과 구분이 어려운 아형이다. 대부분(85-95%) 환자에서 공동이 보이며, 공동 주변에 흉막 비후가 흔히 동반된다(그림 11-25). 심한 섬유화로 인한 상엽 허탈과 기관 전위가 약 1/3의 환자에서 보인다. 흔히 병변 근처의 기관지가 확장되고 CT에서 5-15 mm 크기의 소엽중심성 결절들이 보인다. 림프절 종대, 흉막삼출, 좁쌀 음영은 드물게 관찰된다[29].

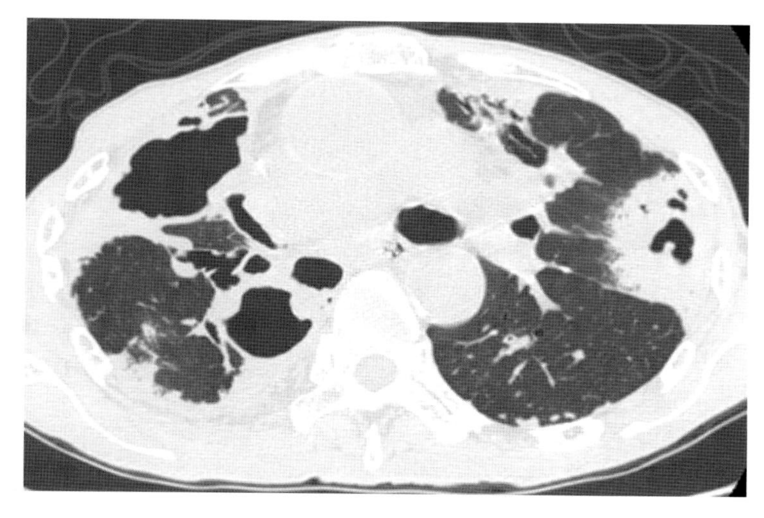

■ 그림 11-25. **상엽공동형의 비결핵성 항산성균 폐감염**
양측 상엽에 공동성 폐경화가 관찰되고 기관지의 뒤틀림이 관찰된다.

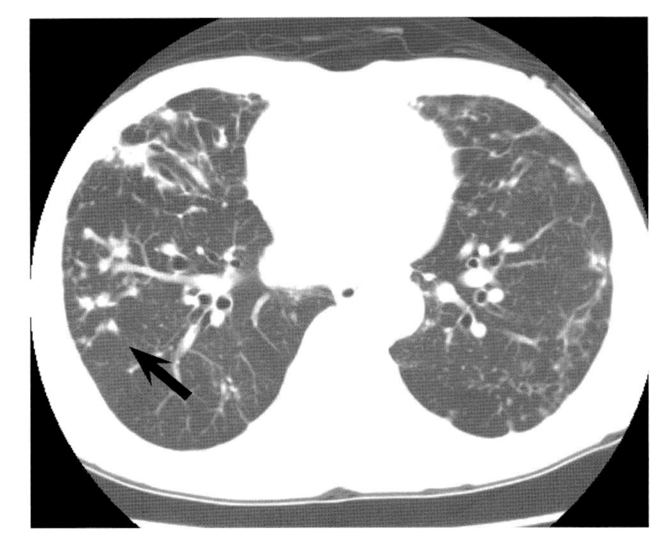

■ 그림 11-26. **결절 기관지확장증형의 비결핵성 항산성균 폐감염**
양폐의 여기저기에 소결절들(화살표)이 흩어져 있으며 우중엽에는 기관지 확장증이 동반되어 있다.

2. 결절 기관지확장증형(nodular bronchiectatic form)

만성 폐질환이 없던 중년 여성에서 1 cm 미만의 작은 결절들과 기관지 확장이 우중엽과 좌상엽 설분절(lingular division)에 집중되어 나타난다. 고해상CT에서는 전형적인 폐결핵처럼 결절이 소엽중심에 있고 나뭇가지에 싹이 나는 모양으로 보이지만 전형적인 결핵과는 달리 병변이 폐첨부에 집중되는 경향은 별로 없다(그림 11-26)[29].

참고문헌

1. American Thoracic Society. Diagnostic standards and classification of tuberculosis. Am Rev Respir Dis. 1990;142(3):725-35.
2. Geng E, Kreiswirth B, Burzynski J, Schluger NW. Clinical and radiographic correlates of primary and reactivation tuberculosis: a molecular epidemiology study. JAMA. 2005;293(22):2740-5.
3. Jeong YJ, Lee KS. Pulmonary tuberculosis: up-to-date imaging and management. AJR Am J Roentgenol. 2008;191(3):834-44.
4. Sochocky S. Tuberculoma of the lung. Am Rev Tuberc. 1958;78(3):403-10.
5. Kuhlman JE, Deutsch JH, Fishman EK, Siegelman SS. CT features of thoracic mycobacterial disease. Radiographics. 1990;10(3):413-31.
6. Andreu J, Caceres J, Pallisa E, Martinez-Rodriguez M. Radiological manifestations of pulmonary tuberculosis. Eur J Radiol. 2004;51(2):139-49.
7. Im JG, Itoh H, Shim YS, Lee JH, Ahn J, Han MC, et al. Pulmonary tuberculosis: CT findings--early active disease and sequential change with antituberculous therapy. Radiology. 1993;186(3):653-60.
8. Lee KS, Song KS, Lim TH, Kim PN, Kim IY, Lee BH. Adult-onset pulmonary tuberculosis: findings on chest radiographs and CT scans. AJR Am J Roentgenol. 1993;160(4):753-8.
9. Heo JN, Choi YW, Jeon SC, Park CK. Pulmonary tuberculosis: another disease showing clusters of small nodules. AJR Am J Roentgenol. 2005;184(2):639-42.
10. Marchiori E, Zanetti G, Irion KL, Nobre LF, Hochhegger B, Mancano AD, et al. Reversed halo sign in active pulmonary tuberculosis: criteria for differentiation from cryptogenic organizing pneumonia. AJR Am J Roentgenol. 2011;197(6):1324-7.
11. Chung MJ, Goo JM, Im JG. Pulmonary tuberculosis in patients with idiopathic pulmonary fibrosis. Eur J Radiol. 2004;52(2):175-9.
12. Jeon KN, Ha JY, Park MJ, Bae K, Baek HJ, Choi BH, et al. Pulmonary Tuberculosis in Patients With Emphysema: Computed Tomography Findings. J Comput Assist Tomogr. 2016;40(6):912-6.

13. Im JG, Webb WR, Han MC, Park JH. Apical opacity associated with pulmonary tuberculosis: high-resolution CT findings. Radiology. 1991;178(3):727-31.
14. Kim HY, Song KS, Goo JM, Lee JS, Lee KS, Lim TH. Thoracic sequelae and complications of tuberculosis. Radiographics. 2001;21(4):839-58; discussion 59-60.
15. Curvo-Semedo L, Teixeira L, Caseiro-Alves F. Tuberculosis of the chest. Eur J Radiol. 2005;55(2):158-72.
16. Kim YI, Goo JM, Kim HY, Song JW, Im JG. Coexisting bronchogenic carcinoma and pulmonary tuberculosis in the same lobe: radiologic findings and clinical significance. Korean J Radiol. 2001;2(3):138-44.
17. Lee J, Lim JK, Seo H, Lee SY, Choi KJ, Yoo SS, et al. Clinical relevance of ground glass opacity in 105 patients with miliary tuberculosis. Respir Med. 2014;108(6):924-30.
18. Choe KO, Jeong HJ, Sohn HY. Tuberculous bronchial stenosis: CT findings in 28 cases. AJR Am J Roentgenol. 1990;155(5):971-6.
19. Moon WK, Im JG, Yeon KM, Han MC. Tuberculosis of the central airways: CT findings of active and fibrotic disease. AJR Am J Roentgenol. 1997;169(3):649-53.
20. Park HJ, Park SH, Im SA, Kim YK, Lee KY. CT differentiation of anthracofibrosis from endobronchial tuberculosis. AJR Am J Roentgenol. 2008;191(1):247-51.
21. Im JG, Song KS, Kang HS, Park JH, Yeon KM, Han MC, et al. Mediastinal tuberculous lymphadenitis: CT manifestations. Radiology. 1987;164(1):115-9.
22. Akira M, Sakatani M, Ishikawa H. Transient radiographic progression during initial treatment of pulmonary tuberculosis: CT findings. J Comput Assist Tomogr. 2000;24(3):426-31.
23. Choi YW, Jeon SC, Seo HS, Park CK, Park SS, Hahm CK, et al. Tuberculous pleural effusion: new pulmonary lesions during treatment. Radiology. 2002;224(2):493-502.
24. Ko JM, Park HJ, Kim CH. Pulmonary changes of pleural TB: up-to-date CT imaging. Chest. 2014;146(6):1604-11.
25. Park YS, Lee CH, Lee SM, Yang SC, Yoo CG, Kim YW, et al. Rapid increase of non-tuberculous mycobacterial lung diseases at a tertiary referral hospital in South Korea. Int J Tuberc Lung Dis. 2010;14(8):1069-71.
26. Koh WJ, Chang B, Jeong BH, Jeon K, Kim SY, Lee NY, et al. Increasing Recovery of Nontuberculous Mycobacteria from Respiratory Specimens over a 10-Year Period in a Tertiary Referral Hospital in South Korea. Tuberc Respir Dis (Seoul). 2013;75(5):199-204.
27. Prevots DR, Marras TK. Epidemiology of human pulmonary infection with nontuberculous mycobacteria: a review. Clin Chest Med. 2015;36(1):13-34.
28. Marras TK, Daley CL. Epidemiology of human pulmonary infection with nontuberculous mycobacteria. Clin Chest Med. 2002;23(3):553-67.
29. Martinez S, McAdams HP, Batchu CS. The many faces of pulmonary nontuberculous mycobacterial infection. AJR Am J Roentgenol. 2007;189(1):177-86.

CHAPTER 12 미만폐질환

| 황정화, 이기남, 이경수 |

Contents

미만폐질환(diffuse lung diseases)은 개념의 변화에 따라 미만간질폐질환(diffuse interstitial lung diseases)뿐 아니라 미만실질폐질환(diffuse parenchymal lung diseases)을 포함한 미만성 침윤 폐질환(diffuse infiltrative lung diseases) 등을 광범위하게 포함하는 기술적(descriptive) 의미의 폐질환을 일컫는다. 미만폐질환의 대부분은 폐간질과 공기공간(airspace)의 폐실질을 동시에 침범하는 것이 보통이다. 미만폐질환은 원인을 알 수 없는 특발간질폐렴(idiopathic interstitial pneumonias)과 원인이 알려진 질환으로 석면폐를 포함한 직업성폐질환(occupational lung diseases), 호산구성폐질환(eosinophilic lung diseases), 약물반응, 방사선에 의한 폐질환, 교원혈관병(collagen vascular diseases), 사르코이드증(sarcoidosis) 등을 범주에 넣을 수 있다. 여기서는 특발간질폐렴에 대하여 기술하고자 한다.

I 특발간질폐렴(idiopathic interstitial pneumonia, IIP)

1. 특발간질폐렴의 분류

간질(interstitium)은 폐포(alveolus)와 폐포 사이 공간으로 폐포벽, 모세혈관, 림프관 등을 포함하여 가스교환이 이루어지는 장소이다. 특발간질폐렴은 원인불명의 미만성 폐 질환군으로 폐포 상피 손상으로 간질에 다양한 형태의 염증과 섬유화 소견을 보이며 가스교환에 장해가 오고 결국 호흡부전으로 사망에 이르게 되는 질환이다[1]. 특발간질폐렴에서 보이는 것과 유사한 형태의 폐 손상 소견은 교원혈관병(collagen vascular diseases)과 같은 전신질환, 약물반응(drug reactions), 석면폐(asbestosis) 및 만성과민폐렴(chronic hypersensitivity pneumonitis)과 같은 원인이 알려진 다른 폐질환들에서도 볼 수 있다. 특발간질폐렴은 환자의 과거력, 신체 검사 소견, 검사실 소견, 영상 소견 및 조직병리학 소견 등을 근거로 하여 폐 손상의 원인 질환이 밝혀지지 않은 경우 다른 미만성 폐질환과 감별하여 진단한다[2]. 특발간질폐렴의 분류는 역사적으로 다양하게 이루어졌다[2]. Liebow와 Carrington은 1969년 만성간질폐렴의 조직병리학적 분류의 기초를 마련하였으며 이는 상용간질폐렴(usual interstitial pneumonia, UIP), 박리간질폐렴(desquamative interstitial pneumonia, DIP), 폐쇄성세기관지염간질폐렴(bronchiolitis obliterans interstitial pneumonia, BIP), 림프구간질폐렴(lymphoid interstitial pneumonia, LIP), 거대세포간질폐렴(giant cell interstitial pneumonia, GIP)으로 5개의 특발성 미만폐질환군을 포함하였다(표 12-1). 이후 림프구간질폐렴(LIP)은 폐의 림프증식성질환(pulmonary lymphoproliferative disorders)으로, 거대세포간질폐렴(GIP)은 진폐증의 일부로 분류되었다. 한편 Katzenstein 등은 만성특발간질폐렴(chronic IIPs)의 예 중에서 UIP나 DIP로 분류할 수 없으나 일정한 병리학적 소견을 보이는 예들을 모아 비특이간질폐렴(nonspecific interstitial pneumonia, NSIP)이라 명명하였으며, 또한 이전에 함만-리치(Hamman-Rich)증후군으로 기술되었으며 빠른 임상 경과와 동반되어 급성 호흡부전을 보이게 되는 간질폐렴을 급성간질폐렴(acute interstitial pneumonia, AIP)이라 명명하였다. 이외에 특발간질폐렴의 분류에 새로 추가된 질환군으로 호흡세기관지염-간질폐질환(respiratory bronchiolitis-associated interstitial lung disease, RB-ILD)이 있다(표 12-1). 특발간질폐렴은 분류 및 각 질환군의 정의와 명칭이 매우 다양하게 제시되어 왔다. 따라서 이들 각 질환군의 특징적인 소견을 정확하게 기술하고 명명을 분명히 하기 위하여 2002년 미국흉부학회 및 유럽호흡기학회[American Thoracic Society and European Respiratory Society(ATS/ERS)]에서 새로운 분류를 제안하였다[2]. 특발간질폐렴의 이전 분류들이 주로 각 질환의 조직병리학적 형태를 중심으로 이루어진 것과 달리 ATS/ERS 분류는 궁극적으로 각 전문 분야 합의를 통한 임상적-영상의학적-병리학적 진단(multidisciplinary discussion, MDD)과 함께 이의 근거가 되는 각각의 조직학적 형태에 대하여 기술하였으며, 이는 특발폐섬유증(IPF/UIP), 비특이간질폐렴(NSIP), 특발기질화폐렴(cryptogenic organizing pneumonia, COP), 급성간질폐렴(AIP), 호흡세기관지염-간질폐질환(RB-ILD), 박리간질폐

표 12-1. 특발간질폐렴 분류의 변화

Study	Classification
Liebow, 1969	UIP, DIP, Bronchiolitis obliterans with interstitial pneumonia, lymphocytic interstitial pneumonia, giant cell interstitial pneumonia
Katzenstein and Myers, 1998	UIP, DIP, respiratory bronchiolitis-interstitial lung disease, acute interstitial pneumonia, NSIP
ATS/ERS consensus classification, 2002	Idiopathic pulmonary fibrosis/cryptogenic fibrosing alveolitis, NSIP (provisional), respiratory bronchiolitis-interstitial lung disease, DIP, cryptogenic organizing pneumonia, acute interstitial pneumonia, lymphoid interstitial pneumonia
ATS/ERS classification update, 2013	Major IIPs: idiopathic pulmonary fibrosis, idiopathic NSIP, respiratory bronchiolitis-interstitial lung disease, DIP, cryptogenic organizing pneumonia, acute interstitial pneumonia; Rare IIPs: idiopathic lymphoid interstitial pneumonia and idiopathic pleuroparenchymal fibroelastosis; Unclassifiable IIP

표 12-2. 특발간질폐렴의 조직학적 형태 및 임상적-영상의학적-병리학적 진단[2]

Histologic pattern	Clinical-Radiologic-Pathologic Diagnosis
Usual interstitial pneumonia	Idiopathic pulmonary fibrosis
Nonspecific interstitial pneumonia	Nonspecific interstitial pneumonia
Organizing pneumonia	Cryptogenic organizing pneumonia
Diffuse alveolar damage	Acute interstitial pneumonia
Respiratory bronchiolitis	Respiratory bronchiolitis interstitial lung disease
Desquamative interstitial pneumonia	Desquamative interstitial pneumonia
Lymphoid interstitial pneumonia	Lymphoid interstitial pneumonia

표 12-3. 2013년 미국흉부학회 및 유럽호흡기학회 특발간질폐렴의 분류[3]

Category	Morphologic pattern	Clinical-Radiologic-Pathologic Diagnosis
Chronic fibrosing IP	Usual IP NSIP pattern	Idiopathic pulmonary fibrosis Idiopathic NSIP
Smoking-related IP	DIP pattern RB	DIP RB-ILD
Acute/subacute IP	OP DAD	COP Acute interstitial pneumonia
Rare entities	LIP pattern Pleuroparenchymal fibroelastosis	Idiopathic LIP Idiopathic pleuroparenchymal fibroelastosis
Unclassifiable IIP		

Note. COP=cryptogenic organizing pneumonia, DAD=diffuse alveolar damage, DIP=desquamative interstitial pneumonia, IP=interstitial pneumonia, IIP=idiopathic interstitial pneumonia, NSIP=nonspecific interstitial pneumonia, LIP=lymphoid interstitial pneumonia, OP=organizing pneumonia, RB=respiratory bronchiolitis, RB-ILD=respiratory bronchiolitis-associated interstitial lung disease.

렴(DIP) 및 림프구간질폐렴(LIP)의 7개 질환군을 포함한다(표 12-2). 이후 특발간질폐렴에 대한 지속적인 연구를 통하여 새로운 사실들이 밝혀졌으며 다음에 기술한 바와 같은 중요 내용들을 기반으로 2013년 특발간질폐렴의 ATS/ERS 분류에 대한 추가적 수정이 이루어졌다[3]: 특발폐섬유증(IPF)의 진단 기준이 수정되었다. 비특이간질폐렴(NSIP)에 대한 임상군으로서의 규정이 보다 명백해졌다(not provisional diagnosis). 특발폐섬유증과 비특이간질폐렴의 급성악화에 대한 이해가 보다 분명해졌다. 특발폐섬유증과 비특이간질폐렴의 임상경과가 다르게 진행함을 알게 되었다. 실제로 특발간질폐렴의 상당수가 복합된 기전의 폐 손상으로(mixed patterns of lung injury) 인해 분류가 어려우며, 같은 질환군으로 진단된 경우조차도 임상 경과가 동일하지 않을 수 있음(heterogeneous natural progression)을 알 수 있었다.

개정된 2013년 분류는 특발간질폐렴을 주된 질환군(major IIPs), 드문 질환군(rare IIPs) 및 미분류 질환군(unclassifiable IIPs)으로 구분하였으며, 이 중 주된 질환군은 만성섬유화성(IPF, NSIP), 흡연관련성(RB-ILD, DIP), 급성/아급성(AIP, COP)으로 세부 분류하였다. 드문 질환군(rare IIPs)으로 흉막폐실질섬유탄성증(pleuroparenchymal fibroelastosis, PPFE)이 새로 분류에 포함되었으며 이외에 급성섬유소기질화폐렴(acute fibrinous and organizing pneumonia, AFOP) 및 세기관기주변분포간질폐렴(bronchiolocentric pattern of interstitial pneumonia, BPIP)의 개념이 도입되었다(표 12-3)[3].

표 12-4. 상용간질폐렴: 고해상CT 소견의 진단 분류(ATS/ERS/JRS/ALAT, 2011)[4]

UIP pattern (All four features)	Possible UIP pattern (All three features)	Inconsistent with UIP pattern (Any of seven features)
Subpleural, basal predominance	Subpleural, basal predominance	Upper or mid-lung predominance
Reticular abnormality	Reticular abnormality	Peribronchovascular predominance
Honeycombing with or without traction bronchiectasis	Absence of features listed as inconsistent with UIP pattern	Extensive ground glass abnormality
Absence of features listed as inconsistent with UIP pattern		Profuse micronodules
		Discrete cysts (away from the honeycombing, multiple, bilateral)
		Diffuse mosaic attenuation/air-trapping
		Consolidation in bronchopulmonary segment(s)/lobe(s)

Note. ATS/ERS/JRS/ALAT=American Thoracic Society/European Respiratory Society/Japanese Respiratory Society/Latin American Thoracic Society, UIP=usual interstitial pneumonia

2. 특발폐섬유증(idiopathic pulmonary fibrosis, IPF)

특발폐섬유증은 다른 형태의 폐 섬유화 질환과 구분되는 원인 불명의 만성섬유화성간질폐렴(chronic fibrosing interstitial pneumonia)이며 조직학적 검사 및 영상 검사에서 상용간질폐렴 소견(UIP pattern)을 보인다[1]. 특발폐섬유증은 환경적 노출과 관련된 간질성 폐질환, 약물 독성과 관련된 폐 섬유화 및 교원혈관병과 관련된 폐 섬유화 등 다른 종류의 간질성 폐 섬유화 질환을 배제한 후 진단 할 수 있다. 특발폐섬유증 환자에서 고해상CT (high-resolution computed tomography, HRCT) 소견은 상용간질폐렴 소견을 진단하는데 있어 매우 특이도가 높은 것으로 잘 알려져 있다. 따라서 적절한 임상 소견과 함께 고해상CT에서 전형적인 상용간질폐렴 소견을 보이는 경우 수술을 통한 폐 생검을 시행하지 않고도 특발폐섬유증을 진단 할 수 있다[3, 4, 5]. 하지만 고해상CT 또는 조직학적 소견에서 보이는 상용간질폐렴의 소견만으로 특발폐섬유증을 진단하는 것이 100% 정확한 것은 아니므로 궁극적으로 환자의 임상 소견, 영상 소견 및 조직병리학적 소견을 각 해당 전문 분야 의사들이 협력하여 비교 검토함(MDD)으로써 IPF 진단의 정확성을 높일 수 있음이 잘 알려져 있다[1-7]. 한편 특발폐섬유증 환자의 다수에 있어 특징적인 고해상CT 소견을 보이지 않을 수 있으며[3] 수술을 통한 폐 생검을 시행한 경우에 있어서도 조직병리학적으로 불확실한 소견을 보이거나 일정한 질환군으로 분류할 수 없는 경우가 상당 수 있음을 고려해 보았을 때 각 전문 분야의 합의에 의한 결론 역시 이들 특발간질폐렴 환자들에서 진단 및 예후에 대한 확실성 및 정확성을 보장해 주지 못함을 잘 알 수 있다[3]. 또한 최근 특발폐섬유증 환자를 대상으로 임상시험을 통해 검증된 새로운 약제들이 개발됨에 따라 특발폐섬유증의 진단적 접근 및 치료에 많은 변화가 이루어졌다[6, 7].

특발폐섬유증의 진단과 치료에 대하여 2011년 ATS/ERS/JRS/ALAT의 가이드라인(표 12-4)[4] 제시 이후 많은 연구들이 지속되었고 전문가들의 검토가 이루어졌으며 중요 내용은 다음과 같다. 특발폐섬유증(IPF)은 적절한 임상 소견 및 CT 소견(typical or probable UIP pattern)을 보일 때 비교적 확실하게 진단할 수 있다. 임상 소견 및 CT 소견이 진단에 적절하지 않은 경우(not typical or probable UIP pattern) 폐 생검을 시행하고 임상적-영상의학적-병리학적 검토에 따라 진단할 수 있다(multidisciplinary diagnosis). 폐 생검을 시행할 수 없는 경우 주의 깊은 다학제적 접근과 검토에 따른 진단

표 12-5. 상용간질폐렴: CT 소견의 진단 분류(Fleischner Society, 2018)[6]

	Typical UIP CT pattern	Probably UIP CT pattern	CT pattern indeterminate for UIP	CT features most consistent with non-IPF diagnosis
Distribution	Basal predominant (occasionally diffuse), and subpleural predominant; distribution is often heterogeneous	Basal and subpleural predominant; distribution is often heterogeneous	Variable or diffuse	Upper-lung or mid-lung predominant fibrosis; peribronchovascular predominance with subpleural sparing
Features	Honeycombing; reticular pattern with peripheral traction bronchiectasis or bronchiolectasis; absence of features to suggest an alternative diagnosis	Reticular pattern with peripheral traction bronchiectasis or bronchiolectasis; honeycombing is absent; absence of features to suggest an alternative diagnosis	Evidence of fibrosis with some inconspicuous features suggestive of non-UIP pattern	Any of the following: predominant consolidation, extensive pure ground glass opacity (without acute exacerbation), extensive mosaic attenuation with extensive sharply defined lobular air trapping on expiration, diffuse nodules or cysts

Note. UIP=usual interstitial pneumonia.

표 12-6. 상용간질폐렴: CT 소견의 진단 분류(ATS/ERS/JRS/ALAT, 2018)[7]

UIP	Probable UIP	Indeterminate UIP	Alternative Diagnosis
Subpleural and basal predominant; distribution is often heterogeneous	Subpleural and basal predominant; distribution is often heterogeneous	Subpleural and basal predominant	Findings suggestive of another diagnosis, including: • CT features: • Cysts, marked mosaic attenuation, predominant GGO, profuse micronodules, centrilobular nodules, nodules, consolidation • Predominant distribution: Peribronchovascular, perilymphatic, upper of mid-lung • Other: Pleural plaques (consider asbestosis), dilated esophagus (consider CTD), distal clavicular erosion (consider RA), extensive lymph node enlargement (consider other etiologies), pleural effusion, pleural thickening (consider CTD/drugs)
Honeycombing with or without peripheral traction bronchiectasis or bronchiolectasis	Reticular pattern with peripheral traction bronchiectasis or bronchiolectasis May have mild GGO	Subtle reticulation; may have mild GGO or distortion ("early UIP pattern")	
		CT features and/or distribution of lung fibrosis that do not suggest any specific etiology ("truly indeterminate for UIP")	

Note. ATS/ERS/JRS/ALAT=American Thoracic Society/European Respiratory Society/Japanese Respiratory Society/Latin American Thoracic Society, CT=computed tomography, CTD=connective tissue disease, GGO=ground glass opacities, RA=rheumatoid arthritis, UIP=usual interstitial pneumonia.

(working diagnosis)이 필요하다. 또한 특발폐섬유증의 초기 진단 이후(특히 working diagnosis의 경우) 이들 진단에 대한 정기적인 다학제적 검토를 통한 업데이트가 필요하다. 따라서 이러한 중요 내용들에 의거하여 최근 Fleishner Society (표 12-5)와 ATS/ERS/JRS/ALAT (표 12-6)는 CT 소견에 따른 특발폐섬유증의 진단 분류를 새롭게 제안하였다[6, 7].

1) 임상 소견

특발폐섬유증은 특발간질폐렴 중에서 가장 흔하며 남자에서 좀 더 호발한다(1.5-1.7 : 1)[1]. 특발폐섬유증 발생의 위험인자로는 흡연, 환경적 노출, 감염 및 위식도 역류 등이 알려져 있으며 극히 소수에서 가족력을 보일 수 있다. 특발폐섬유증은 주로 50세 이후의 고연령층에서 호발한다. 대다수의 특발폐섬유증 환자가 흡연력이 있으며 만성 진행성 호흡곤란, 만성 기침, 수포음 및 곤봉손가락(finger clubbing) 등의 임상 소견을 보인다. 폐기능 검사에서 제한성 폐기능 장애(restrictive abnormality)와 폐확산능의 감소 소견을 보인다. 예후는 좋지 않으며 대부분 분명하게 진행하는 소견을 보여 진단 후 평균 수명(median survival)이 2.5-3.5년이며 5년 생존률은 30-50%이다[1].

2) 병리소견

특발폐섬유증의 발병 기전은 아직 불분명하나 현재 이론은 폐포 상피 세포 손상과 아포프토시스에서 시작하여 치유 과정의 이상으로(aberrant wound healing) 인접한 상피 세포와 줄기 세포의 비정상적인 활성화가 야기되며 결국 섬유아세포(fibroblast)와 근섬유아세포(myofibroblast)의 확장으로 인하여 섬유화가 지속적으로 과도하게 진행되는 것으로 알려져 있다[1]. 특발폐섬유증의 주된 조직학적 소견은 저배율 현미경 시야에서 공간적으로 다양한 폐 섬유화 소견이 혼재되어 보이는 것(spatial heterogeneity)이 특징적으로 이는 매우 진행된 폐 섬유화 소견인 벌집모양의 폐 변화(honeycombing, honeycomb cyst, 벌집모양, 벌집모양 기낭/낭종/낭포)(그림 12-1)와 반흔성 변화를 보이는 부위, 비교적 섬유화가 심하지 않은 부위 및 정상 폐 실질이 혼재되어 보이는 것이다(그림 12-2). 이러한 조직병리학적 변화는 주로 흉막하부

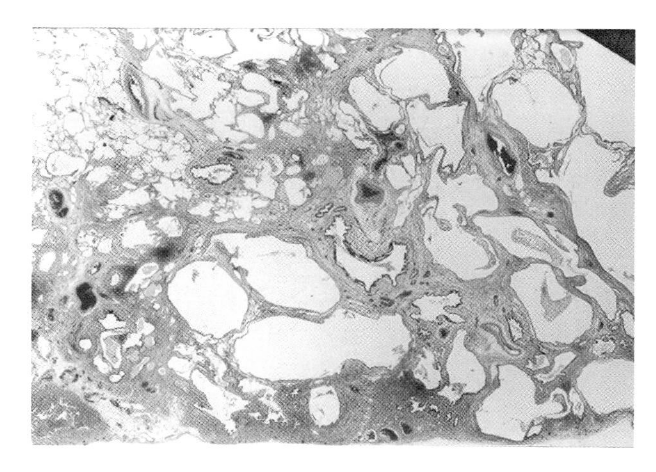

■ 그림 12-1. **벌집모양의 현미경학적 소견**
다수의 확장된 공기공간이 보이며 이는 주로 세기관지상피세포 또는 폐포상피세포로 내층이 이루어져 있고 주변부에 진행된 폐 간질의 섬유화 소견을 보인다. (Hematoxylin-eosin stain; original magnification, x4.)

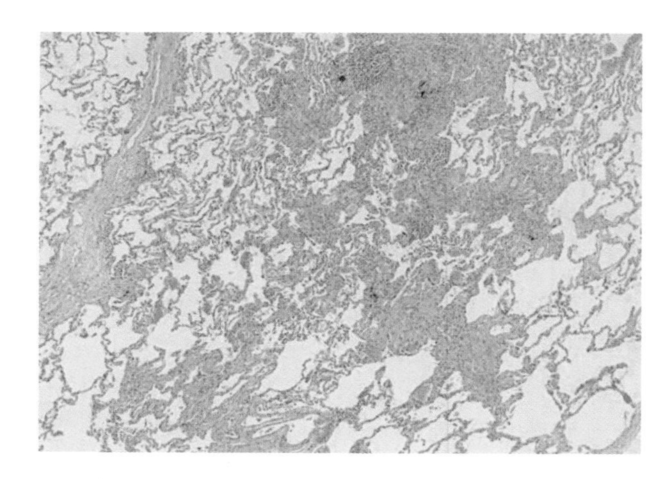

■ 그림 12-2. **상용간질폐렴의 현미경학적 소견**
진행된 폐 간질의 섬유화 소견이 여러 부위에서 관찰되며 이는 폐 실질의 왜곡을 동반하고 있다. 한편 폐 간질에 만성 염증 소견이 주로 보이는 부분 및 거의 정상 폐 실질로 보이는 부분 또한 혼재되어 보인다. (Hematoxylin-eosin stain; original magnification, x4).

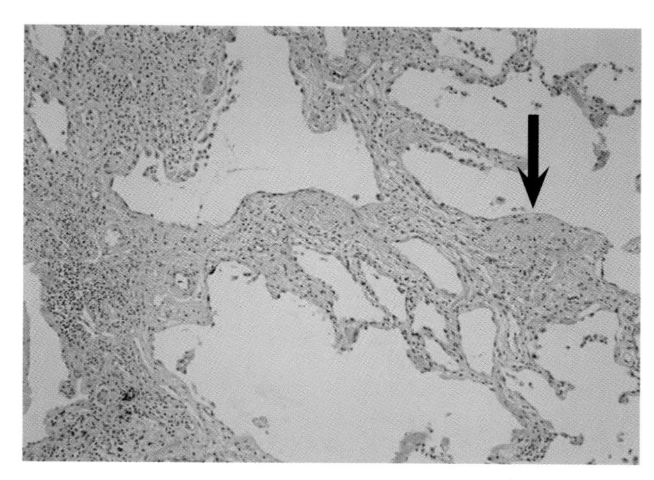

■ 그림 12-3. 'Fibroblastic focus'의 현미경학적 소견
진행된 폐 간질의 섬유화에서 보이는 반흔성 변화와 인접하여 폐포상피 직하부에 기질화된 결체조직(loose organizing connective tissue) 소견이 보인다(화살표). (Hematoxylin-eosin stain; original magnification, x10.)

CHAPTER 12

(subpleural)와 폐소엽간중격 근처(paraseptal areas)에서 가장 심하게 보인다. 이러한 폐 섬유화는 주로 교원성 다발(mature dense collagen bundle)로 이루어져 있으나 한편 활동성 진행성 섬유화 병변을 시사하는 상피세포 하부의 섬유아세포(fibroblastic foci) 및 근섬유아세포 증식(그림 12-3) 또한 자주 보여 각각 다른 시기의 폐 섬유화 소견이 함께 존재하는(temporal heterogeneity) 소견을 보인다[1, 3].

3) 영상 소견

고해상CT에서 전형적인 상용간질폐렴 소견은(그림 12-4) 그물음영(reticular opacities)과 함께 견인성기관지확장(traction bronchiectasis)이 자주 관찰된다. 또한 벌집모양(honeycombing)이 흔히 보인다. 벌집모양은 상용간질폐렴을 진단하는데 매우 중요하며 특이도가 높은 고해상CT 소견이다. 고해상CT에서 벌집모양은 전형적으로 3-10 mm 직경의 경계가 좋은 벽을 보이는 작은 기낭성음영들이 모여 있으면서 주로 흉막하부에 여러 층으로 보인다(그림 12-5). 간유리음영(ground-glass opacities)도 비교적 자주 보이나 그물음영보다 광범위하지는 않고 폐 섬유화를 시사하는 다른 소견들과 자주 동반되어 보인다[2-7]. 고해상CT에서 이들 폐 병변은 전형적으로 폐 기저부 및 흉막하부에 분포한다(그림 12-4, 12-5). 종격동 림프절비대가 흔히 보인다[1, 2, 3]. 고해상CT를 이용한 상용간질폐렴 진단의 양성 예측도는 70-100%로 보고된 반면 고해상CT에서 확실하게 상용간질폐렴이라고 진단한 경우 양성 예측도는 90-100%로 매우 높다고 알려져 있다[5]. 따라서 고해상CT에서 전형적인 벌집모양 소견이 보이지 않으나 그 외 다른 CT 소견들이 상용간질폐렴의 가능성을 시사하는 경우 수술을 통한 조직학적 확진이 필요하다. 상용간질폐렴 환자의 추적 검사에서 간유리음영은 일부에서 호전되는 양상을 보일 수 있으나 많은 경우 폐 섬유화 소견의 진행과 함께 벌집폐를 형성하게 된다[2, 3, 5]. 또한 벌집모양 기낭(honeycomb cysts)도 시간이 지나며 점차 커지는 양상을 보인다. 고해상CT에서 보이는 폐 섬유화의 전체적 범위(overall extent of reticulation and honeycombing)는 환자의 폐기능 장애 정도와 상관성이 있으며 환자의 예후와도 관련됨이 잘 알려져 있다[1-5]. 또한 고해상CT에서 전형적인 상용간질폐렴 소견을 보이는 환자가 비전형적인 소견을 보이는 경우보다 예후가 좋지 않다[5].

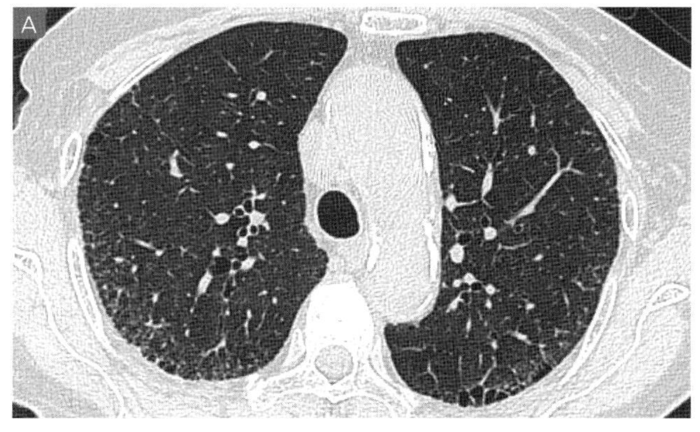

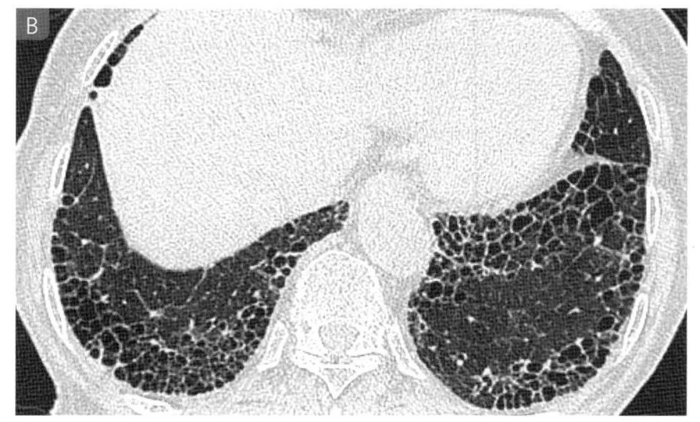

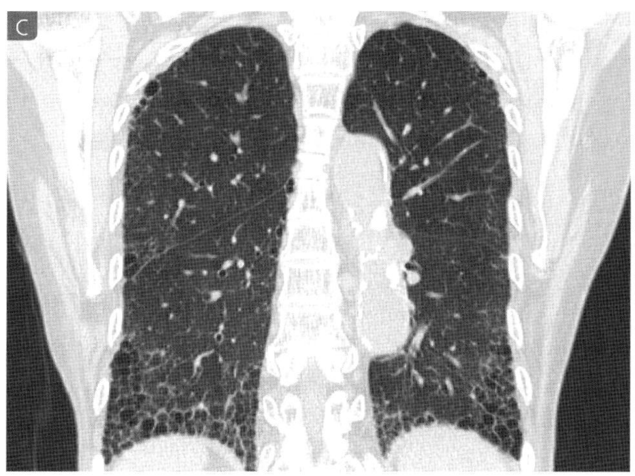

■ 그림 12-4. **75세 여자 환자의 특발폐섬유증**
대동맥궁 부위에서 얻은 고해상CT에서 양측 폐 상부에 미만성 그물음영이 주로 흉막 하부에서 보이며 이는 견인세기관지확장증을 동반하고 있다(A, C). 또한 양측 폐 기저부의 흉막 하부에 특징적인 벌집폐 소견이 있고(B, C) 관상재구성 영상에서 폐 주변부와 기저부를 주로 침범하는 전형적인 분포를 보인다(C).

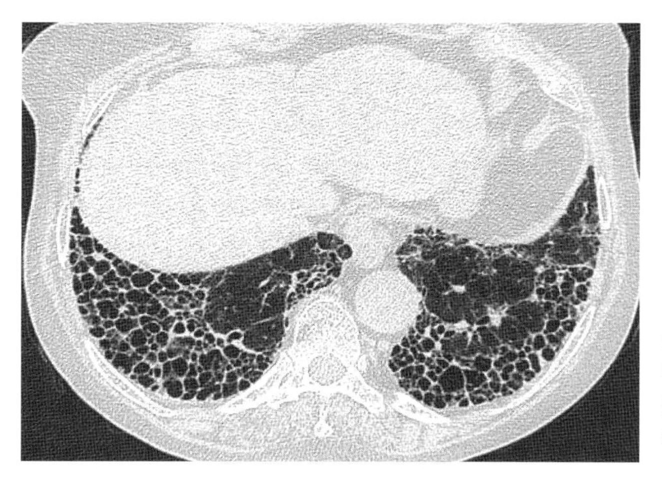

■ 그림 12-5. **전형적인 벌집폐의 고해상CT 소견**
양측 폐 기저부의 흉막 하부에 층(layer)을 이루어 밀집되어(clustered) 있는 낭성 공기공간이 보인다. 기낭의 벽두께는 약 1-3 mm이며 경계가 분명하고 기낭들은 서로 벽을 공유하고 있다.

4) 합병증

특발폐섬유증 환자의 CT에서 고음영 결절이 보이는 경우 합병된 폐암(lung cancer)의 가능성을 생각하여야 하며 이는 아마도 반흔성 종양(scar cancer)으로 생각된다(그림 12-6). 폐감염(infection)도 중요한 합병증으로 결핵을 포함한 세균성

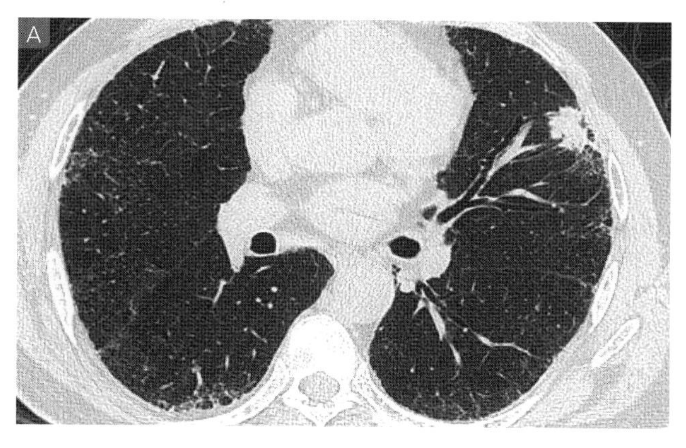

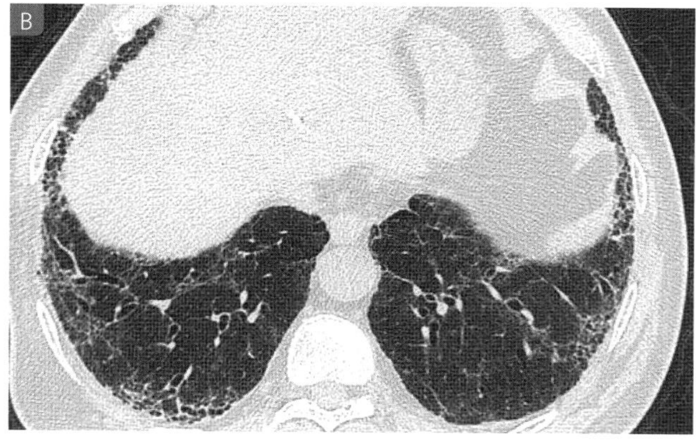

■ 그림 12-6. **66세 특발폐섬유증 환자에서 발생한 편평상피세포암**
A,B. 고해상CT에서 양측 폐 흉막 하부에 미만성 그물음영이 보이며 이는 견인세기관지확장증과 기관지확장증 및 폐실질의 뒤틀림을 동반하고 있다. 특히 폐 기저부의 흉막 하부에 미세낭포 소견이 보여 벌집폐에 의한 것으로 보인다. **A.** 좌상엽 폐 주변부에 침상형 및 분엽형을 보이는 단일 폐 결절이 있고 조직 검사에서 편평상피세포암으로 확진되었다.

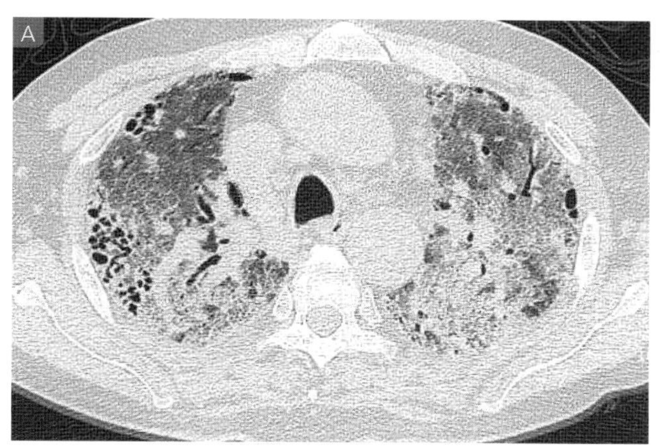

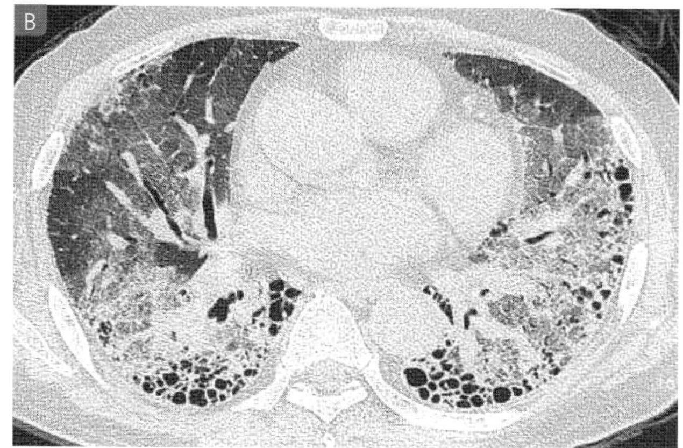

■ 그림 12-7. **2주 동안 급격히 진행하는 호흡곤란을 보인 62세 남자 환자에서 보인 특발폐섬유증의 급성악화**
추적 검사로 시행한 고해상CT에서(이전 검사는 제시되지 않음) 양측성 미만성의 간유리음영 및 폐경화가 보인다. 이러한 폐실질 음영은 전형적인 특발폐섬유증 소견으로 보이는 폐 주변부의 벌집모양 및 견인기관지확장증과 중첩되어 보인다(A, B).

감염이나 진균 감염이 흔하다. 기타 합병증으로 급성 악화(acute exacerbation or accelerated deterioration)가 있으며 대부분의 특발폐섬유증 환자가 느리고 점진적인 폐 섬유화의 진행과 함께 호흡기 증상 및 폐기능의 악화를 보이게 되지만, 일부 환자에서 원인을 잘 모르는 폐기능의 급성 악화가 보일 수 있다[2]. 이러한 급성 악화는 감염, 좌심실부전, 폐색전증 등과 동반되어 발생할 수 있는 것으로 알려져 있으나 원인이 발견되지 않는 경우가 많다[1, 4]. 급성 악화의 고해상CT 소견은 양측성의 간유리음영 및 폐경화가 기저폐의 진행된 섬유화와 중첩되어 보이며(그림 12-7) 이는 조직학적으로 급성기 또는 기질화 단계의 미만성폐포손상(diffuse alveolar damage, DAD) 또는 기질화폐렴(organizing pneumonia, OP)에 의해 주로 보이는 소견이다[6]. 이들 급성 악화 환자의 예후는 매우 나쁘며 사망률이 60% 이상으로 보고되었다[1-5].

3. 비특이간질폐렴(nonspecific interstitial pneumonia, NSIP)

만성 간질성 폐질환 중 특발간질폐렴의 어떠한 형태에도 잘 부합하지 않으나 비교적 일정한 조직병리학적 소견을 보이는 예들을 모아 비특이간질폐렴(nonspecific interstitial pneumonia, NSIP)으로 명명하였다. 비특이간질폐렴은 이전에 다양한 원인과 관련하여 보일 수 있는 병리조직학적 소견의 하나로 간주되었던 바와 달리 최근에는 특발폐섬유증(IPF/UIP)과 감별에 있어서 중요하며 반면 특발폐섬유증과 비교하여 상대적으로 좋은 예후를 보이는 특정한 형태의 특발간질폐렴으로 알려져 있다[1]. 비특이간질폐렴 환자의 예후는 병리조직학적으로 폐의 염증 및 섬유화의 비중과 관련이 있다.

1) 임상 소견

비특이간질폐렴은 특발폐섬유증 다음으로 흔한 특발간질폐렴이며 임상 소견은 특발폐섬유증 환자와 매우 유사하나 비교적 경미하다[1]. 진단 당시 평균 연령은 40-50세이며 남녀 비율은 동일하다. 주로 만성 경과를 보이나 일부 환자에서 아급성 경과를 보이며 발현한다. 점차 악화되는 호흡곤란, 만성 기침, 피로감 및 체중 감소 등이 흔한 증상이다. 발열과 같은 전신 증상이 일부에서 보일 수 있으며 곤봉손가락 소견은 특발폐섬유증 환자들에서보다 흔하지 않다. 폐기능 검사 소견은 특발폐섬유증 환자와 매우 유사하나 좀 더 경미한 양상을 보인다[1]. 비특이간질폐렴의 진단은 조직병리학적으로 유사한 소견을 보일 수 있는 교원혈관병, 과민성폐렴, 약물반응 등의 가능성을 임상적으로 배제한 후 진단할 수 있다.

2) 병리 소견

조직병리학적으로 비특이간질폐렴은 폐 간질의 염증 및 섬유화가 매우 다양한 비율로 존재할 수 있으나 이러한 폐 병변은 현미경하에서 비교적 균질한 침범 양상을 보인다(spatial homogeneity)(그림 12-8). 또한 각 환자에서 질병의 진행 과정이 시간적으로 균일한 양상을 보이는 것(temporal homogeneity)이 특징적이다. 상용간질폐렴에서 자주 보이는 섬유아세포 병소(fibroblastic foci)는 잘 보이지 않는다. 폐포 내 기질화 폐렴(intra-alveolar organizing pneumonia)소견이 일부에서 보일 수 있으나 특발기질화폐렴(COP)에서 보이는 것보다 특징적이지 않다. 비특이간질폐렴과 매우 유사한 조직학적 소견 및 영상 소견이 교원혈관병, 과민성폐렴 및 약물 반응 등에서 보일 수 있다.

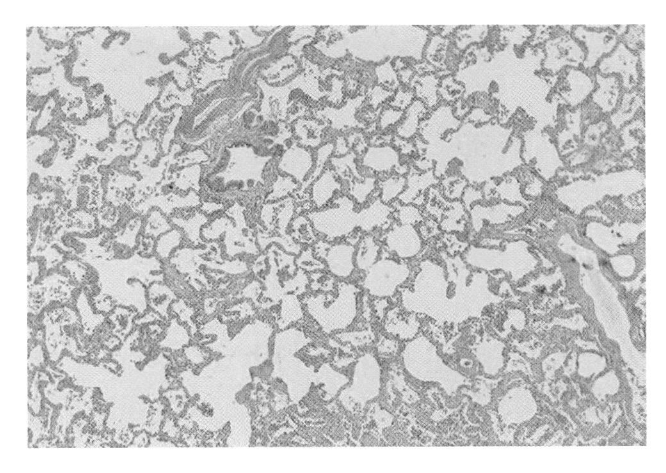

■ 그림 12-8. **비특이간질폐렴의 현미경학적 소견**
중등도의 만성 염증과 경미한 교원질 침착에 의한 폐포벽의 미만성 비후가 보인다. 이러한 폐 간질의 변화는 특징적으로 균질한(uniform) 소견을 보인다. (Hematoxylin-eosin stain; original magnification, x10).

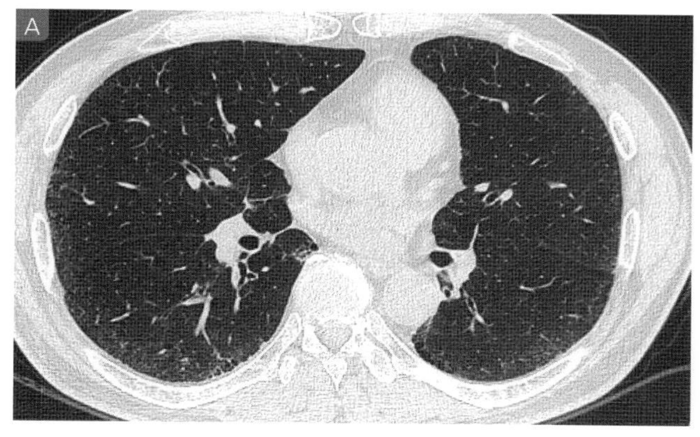

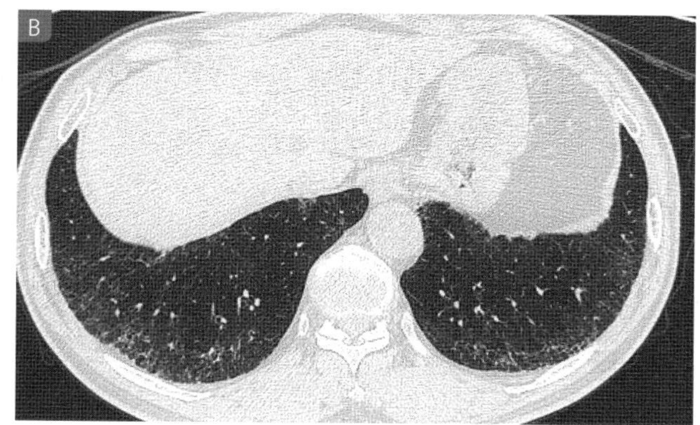

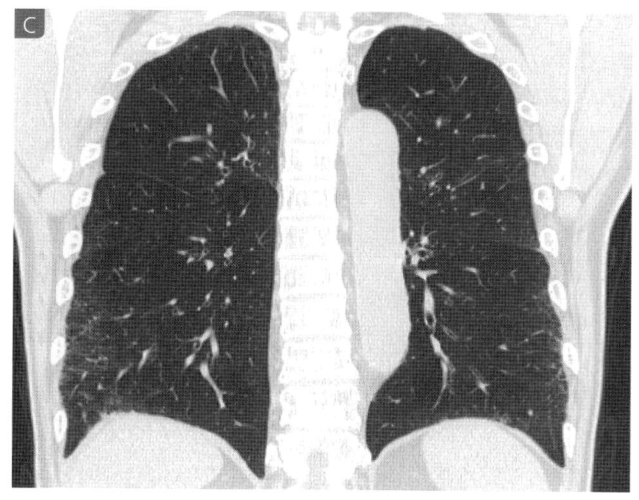

■ 그림 12-9. **54세 남자 환자의 섬유화 비특이간질폐렴.**
A-C. 고해상CT의 축상면 및 관상재구성영상에서 폐 주변부와 기저부를 주로 침범하는 미만성 간유리음영 및 그물음영이 보인다. 경미한 견인세기관지확장증 또한 주변부 폐에서 보인다.

3) 영상 소견

고해상CT에서 가장 흔한 소견은 간유리음영이며 섬유화를 나타내는 그물음영 및 견인기관지확장증 등을 자주 동반한다(그림 12-9). 벌집모양과 폐경화 소견은 비교적 흔하지 않으나 섬유화비특이간질폐렴의 경우 벌집폐가 동반될 수 있다(그림 12-10 C, D). 이러한 병변은 폐 기저부를 잘 침범하며(그림 12-9 C) 흉막하부(subpleural) 및 기관혈관주변부(peribronchovascular)를 따라 분포하는 양상을 보인다[5]. 상당수의 비특이간질폐렴 환자에서 하부 폐의 흉막과 접촉하는 일부 폐실질이 정상으로 유지되거나 상대적으로 경미한 침범을 보일 수 있다(subpleural sparing)[5, 8]. 비특이간질폐렴은 고해상CT에서 비교적 다양한 소견을 보일 수 있으며 기질화폐렴(organizing pneumonia, OP), 박리간질폐렴(DIP), 및 상용간질폐렴(UIP) 등과 감별이 요구된다. 비특이간질폐렴에서 보이는 고해상CT 소견은 추적 검사에서 호전될 수 있는 것으로 알려져 있다[5]. 한편 비특이간질폐렴와 상용간질폐렴을 비교한 연구에서(평균 추적 기간, 60개월 이상) 비특이간질폐렴 환자들의 경우 간유리음영은 많이 호전된 반면 그물음영은 증가하는 소견을 보였다(그림 12-10)[8]. 흥미로운 점은 초기 고해상CT에서 비교적 전형적인 비특이간질폐렴으로 진단하였던 환자들의 약 28%가 장기 추적 검사에서 상용간질폐렴과 아주 유사한 양상으로 폐 섬유화가 진행하는 소견을 보였다(그림 12-10 C, D). 따라서 이들 환자에서 초기 고해상CT 소견이 매우 유사하게 보이더라도 추적 검사에서 상당히 다른 진행 양상을 보일 수 있다[8].

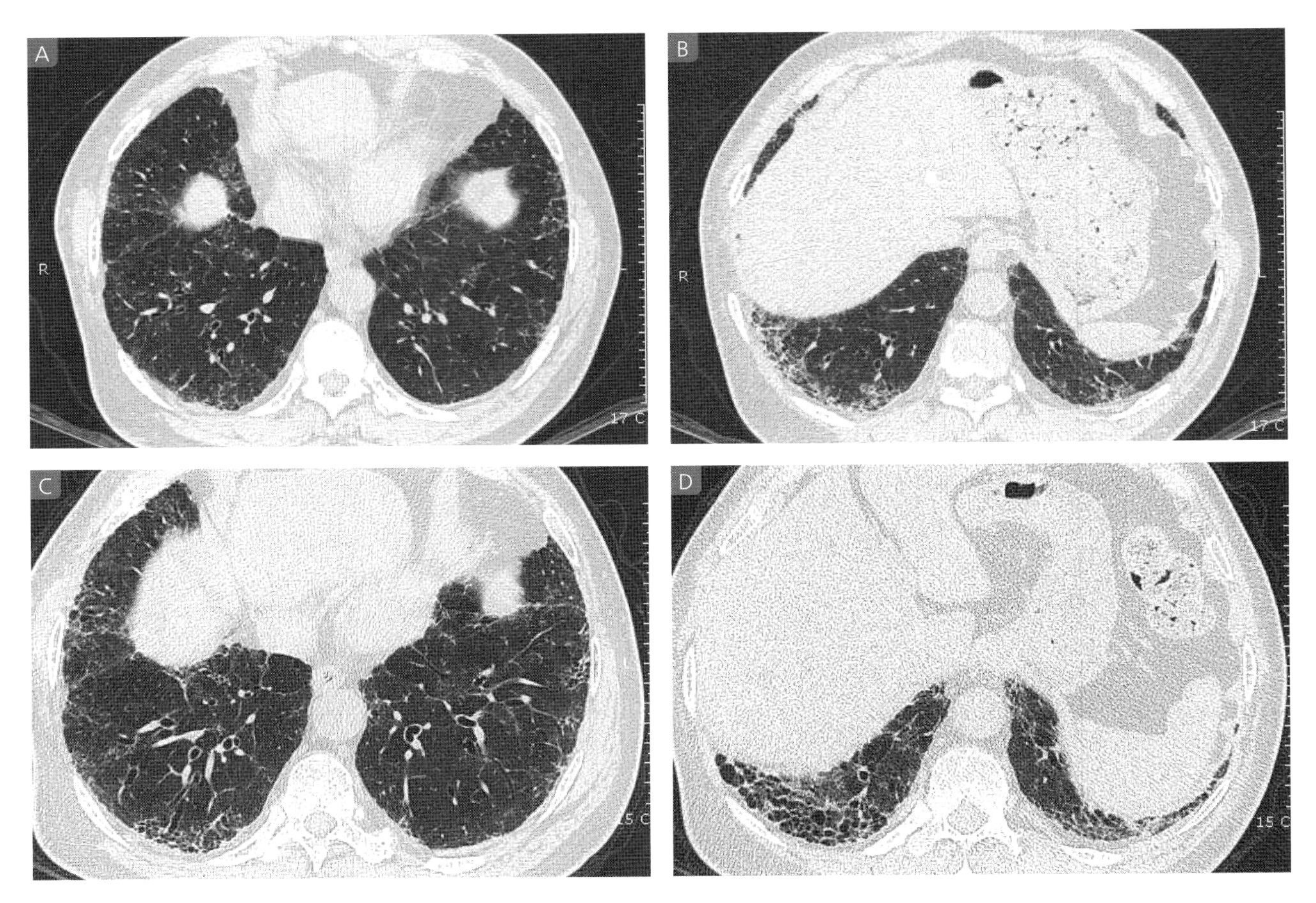

■ 그림 12-10. **비특이간질폐렴의 장기 추적 검사에서 상용간질폐렴 양상으로 진행한 소견**
A,B. 64세 남자 환자의 초기 CT 축상 영상에서 주로 폐 주변부 및 일부 기관혈관주변부에 분포하는 간유리음영이 보이며 이는 주로 약간의 그물음영 및 견인세기관지확장증을 동반하고 있다. **C,D.** 55개월 이후 추적 검사한 CT에서 이전에 보이던 그물음영의 범위와 정도가 증가하였으며 견인세기관지확장증 및 기관지확장증 또한 진행하였다. **D.** 우측 폐 기저부의 흉막하부에 폐 섬유화의 진행과 동반된 벌집모양이 보인다.

4. 특발기질화폐렴(cryptogenic organizing pneumonia, COP)

특발기질화폐렴은 과거 폐쇄성세기관지염기질화폐렴(bronchoilitis obliterans organizing pneumonia, BOOP)으로 지칭되었으며 현재 특발기질화폐렴으로 명명하고 있다. 특발기질화폐렴은 조직학적으로 주로 폐포 내 병변이 주된 소견이나 특발성으로(idiopathic) 발생할 수 있으며 다른 형태의 특발간질폐렴과 상당 부분 중복되는 소견을 보여 자주 감별이 요구되므로 특발간질폐렴의 분류에 포함되었다[1, 2]. 기질화폐렴(organizing pneumonia, OP)은 다양한 원인 질환과 동반되어 보일 수 있는 일종의 형태학적 소견(morphologic pattern)이며 특발기질화폐렴의 경우 특별한 원인 질환이 밝혀지지 않은 특발성(idiopathic) 임상 증후군을 말한다[5].

1) 임상 소견

특발기질화폐렴 환자는 주로 수주에서 수개월간(평균 3개월 미만)의 비교적 짧은 임상 경과를 보이며 발현한다. 다양한

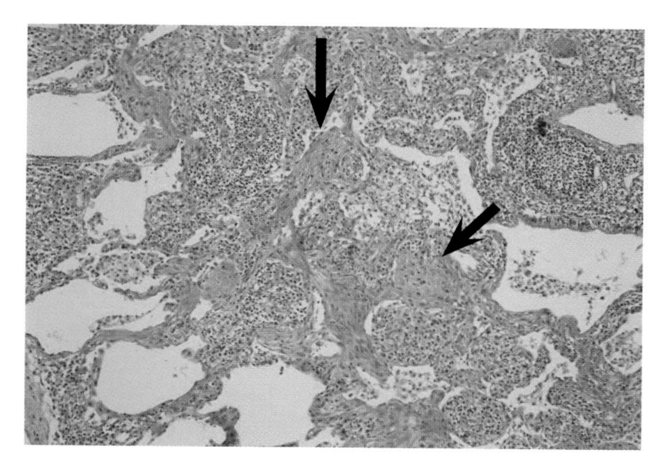

■ 그림 12-11. **특발기질화폐렴의 현미경학적 소견**
폐포관 및 폐포 내에 전형적인 육아조직의 증식이 보이며(화살표) 주변 폐포벽 및 폐 간질에 만성 염증 세포의 침윤이 동반되어 있다. (Hematoxylin-eosin stain; original magnification, x20).

정도의 마른 기침, 호흡 곤란 및 발열이 주된 증상이며 이러한 임상 증상은 확진되지 않은 선행된 하부기도 감염과 관련되어 나타나는 경우가 많다. 남녀 비율은 비슷하며 진단 당시 평균 연령은 55세로 중년층이다. 폐기능 검사에서 경도 및 중등도의 제한성 폐기능 장애와 함께 폐확산능의 감소를 보인다. 대부분의 환자가 스테로이드 치료에 잘 반응하여 예후가 좋으나 스테로이드 용량을 줄이거나 중단할 경우 1개월에서 3개월 이내에 상당수에서 재발하는 양상을 보인다. 일부 소수의 환자에서 치료하지 않아도 저절로 호전되는 경우도 있다[5].

2) 병리 소견

특발기질화폐렴은 조직병리학적으로 기질화 폐렴(organizing pneumonia, OP)을 보이며 이는 폐포관과 폐포강 및 일부 세기관지 내부에 폴립형의 결체조직 소견(polypoid granulation tissue, Masson's body)이 전형적으로 보이며, 주변 폐포벽과 간질에 만성 염증 소견이 동반되어 보인다(그림 12-11)[9, 10]. 폐 구조의 변형은 잘 보이지 않는다. 기질화 폐렴(OP) 형태는 폐감염, 약물과 관련된 폐손상 및 교원혈관병과 관련되어서도 보일 수 있다[2, 3, 9].

3) 영상 소견

특발기질화폐렴의 전형적인 고해상CT 소견은 주로 흉막하부와 기관혈관주변부를 따라 분포하는 폐경화(60-90%) 소견으로(그림 12-12) 대부분 양측성이며 폐 하부를 흔히 침범한다[9, 10]. 이러한 폐경화 내부에 공기기관지조영과 기관지 확장이 자주 보인다. 간유리음영도 자주 보이나, 대부분 폐경화 소견과 동반되어 나타난다(그림 12-13)[9, 10]. 일부 환자에서(약 15%) 다수의 폐 결절 또는 종괴 음영으로 보일 수 있다(그림 12-14). 또한 특발기질화폐렴 환자의 약 1/5은 CT에서 중심부의 간유리음영 주변으로 초승달 모양의 폐경화가 감싸는 모양을 보일 수 있다("reversed CT halo sign" or "atoll sign")(그림 12-14). 고해상CT에서 보이는 대부분의 폐병변이 스테로이드 치료와 함께 호전되는 양상을 보이나(그림 12-15) 일부 병변은 추적 검사에서 다른 위치로 이동하여 보일 수 있고(migration) 치료하지 않아도 저절로 호전될 수 있다(spontaneous regression)[9, 10]. 그물음영(reticular opacity)은 비교적 흔하지 않은 소견이나 이러한 소견이 보이는 경우 치료에 잘 반응하지 않고 폐 섬유화로 진행하는 경향을 보인다[9]. 고해상CT 에서 특발기질화폐렴과 감별해야 할 질환으로 폐경화 소견으로 보이는 폐암(mucinous adenocarcinoma), 림프종, 폐감염, 만성호산구성폐렴, 사르코이드증 및 혈관염 등이 있다.

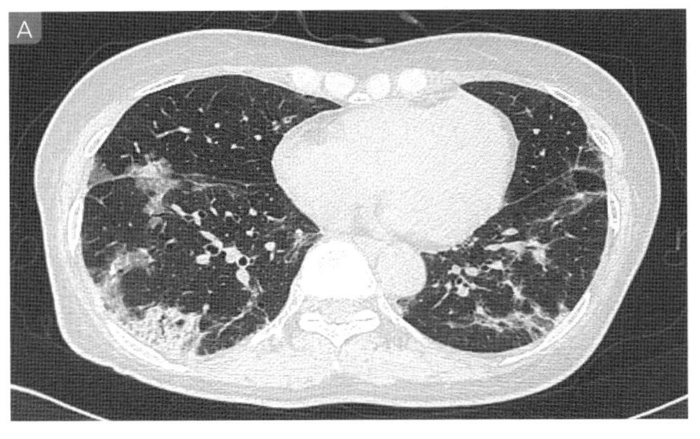

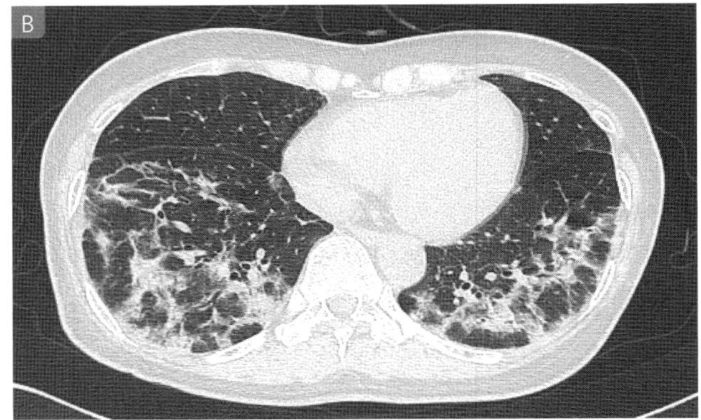

■ 그림 12-12. **56세 남자 환자의 특발기질화폐렴**
고해상CT에서 양측성의 폐경화 및 일부 간유리음영이 보이며 이는 주로 폐 주변부와 기관혈관주변부를 따라 분포하는 전형적인 소견을 보인다. 또한 폐경화 내부에 공기기관지조영 및 경미한 기관지확장이 자주 보인다.

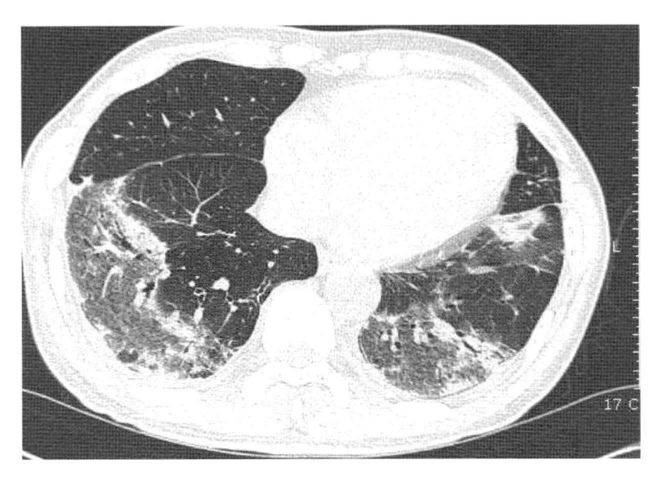

■ 그림 12-13. **54세 남자의 특발기질화폐렴**
고해상CT에서 폐하엽에 양측성 미만성의 간유리음영이 보이며 이는 폐 주변부를 주로 침범하는 소견을 보인다. 이러한 간유리음영의 주변부로 공기기관지조영을 동반하는 폐경화 소견이 보인다.

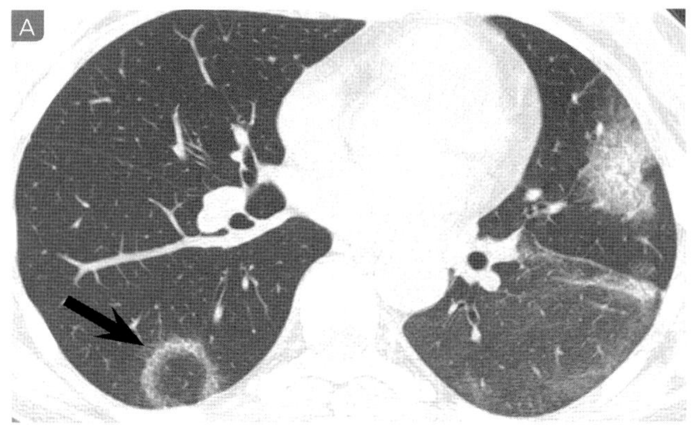

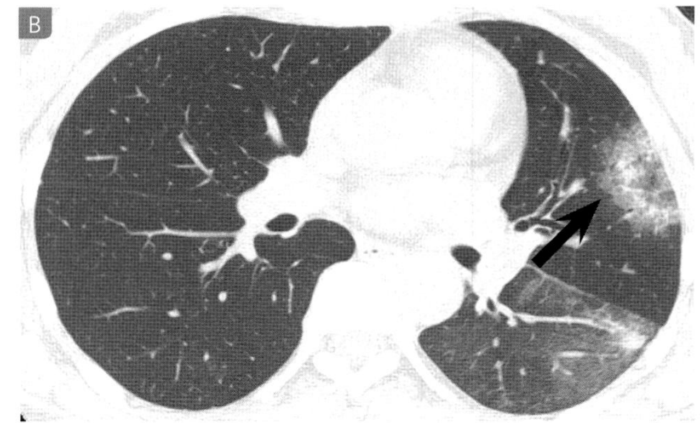

■ 그림 12-14. **62세 특발기질화폐렴 여자 환자에서 보인 'reversed halo sign'**
고해상CT 축상영상에서 주로 양측 폐 주변부에 여러 개의 종괴 및 결절 음영이 보인다. 이 중 우하엽(A) 및 좌상엽(B) 종괴 음영에서 중심부의 간유리음영 주변으로 초승달 모양의 폐경화가 감싸는 모양을 보여 특징적인 'reversed halo'의 소견이다(화살표).

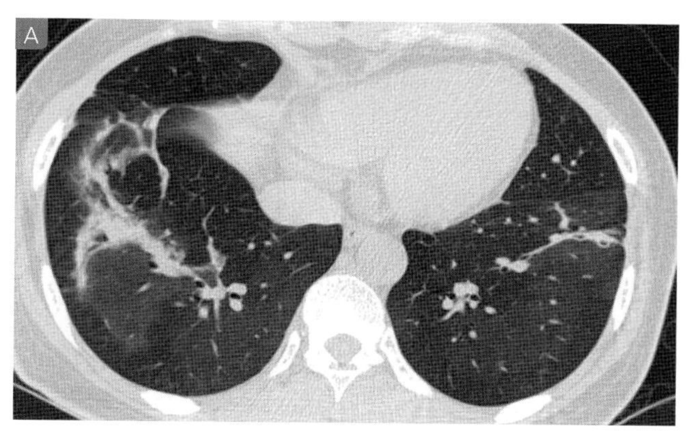

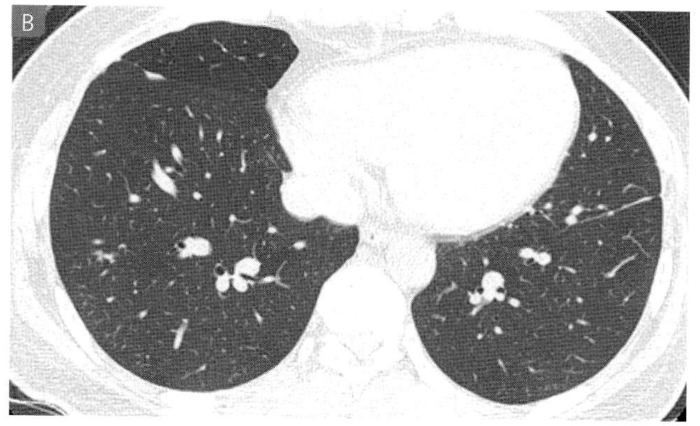

■ 그림 12-15. **44세 여자의 특발기질화폐렴**

A. 초기 고해상CT에서 양폐 하엽에 기관지혈관주변부를 따라 주로 분포하는 폐경화 및 간유리음영이 보인다. **B.** 스테로이드 치료 후 추적 검사한 고해상CT에서 이전에 보이던 폐실질 병변이 거의 소실되었다.

5. 급성간질폐렴(acute interstitial pneumonia, AIP)

급성간질폐렴은 대부분 만성 또는 아급성 경과를 보이는 다른 특발간질폐렴의 형태와는 달리 급성 발현과 진행을 보이는 간질폐렴이다. 이들 환자에서 보이는 조직학적 소견은 다양한 원인과 동반된 성인호흡곤란증후군(adult respiratory distress syndrome, ARDS)에서 보이는 것과 동일하며 기질화 단계(organizing stage)의 미만성폐포손상(DAD) 소견이다[2, 3]. 이전에 Hamman-Rich가 기술한 질환과 일치하는 것으로 생각되며 급성간질폐렴은 원인 불명인 경우를 지칭한다.

1) 임상 소견

급성간질폐렴은 비교적 다양한 연령층에서 발현하며 진단 당시 평균 연령은 50대이다. 이들 환자들에서 종종 전신 증상과 함께 바이러스성 상기도 감염의 증상이 선행되는 경우가 있다. 급성간질폐렴 환자는 발현 후 수일에서 수주 내에 심한 호흡곤란을 보이며 저산소증과 호흡부전으로 급속히 진행하여 결국 기계적 환기를 필요로 하게 된다[1]. 사망률은 50% 이상으로 보고되어 있다[2, 3].

2) 병리 소견

급성간질폐렴의 조직학적 소견은 앞에서 기술 한 바와 같이 성인호흡곤란증후군(ARDS)에서 보이는 것과 동일하며 급성기 또는 기질화 시기(acute and/or organizing phases)의 미만성폐포손상(DAD) 소견이다(그림 12-16)[2, 3]. 급성 삼출기(early exudative phase)에는 폐포의 부종 및 유리질막(hyaline membrane) 형성과 함께 폐 간질의 급성 염증이 보이며(그림 12-16), 기질화 시기(organizing phase)에는 폐포벽의 섬유화 및 제2형 폐포상피세포(type II pneumocyte)의 증식이 보인다. 이들 폐 병변은 치료 후 소실될 수 있으나 비가역적인 말기 폐 섬유화로 진행할 수도 있다.

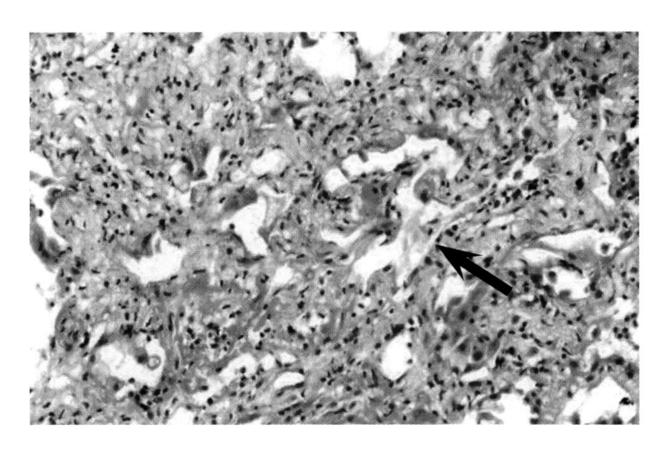

■ 그림 12-16. **미만성폐포손상(diffuse alveolar damage)의 현미경학적 소견**
결체조직 증식에 의한 미만성의 폐포벽 비후가 보이며 폐포 내 유리질막(hyaline membrane)(화살표) 소견이 보인다.

3) 영상 소견

고해상CT에서 양측성 미만성 또는 반점 모양의 간유리음영이 가장 흔히 보이고 폐경화도 자주 보이며 중력의존부위(dependent lung)에 좀 더 심하게 보인다(그림 12-17). 또한 이들 폐 병변은 빨리 진행하고 융합하는 양상을 보인다. 초기 삼출성 시기에는(early exudative phase) 양측성의 반점 모양 간유리음영과 함께 일부 침범되지 않은 폐소엽으로 인하여

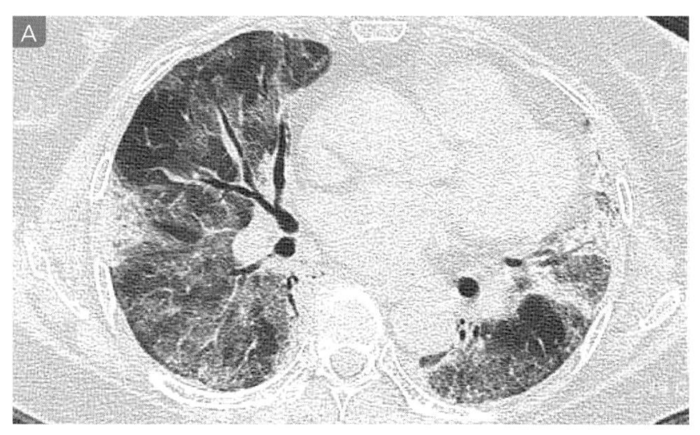

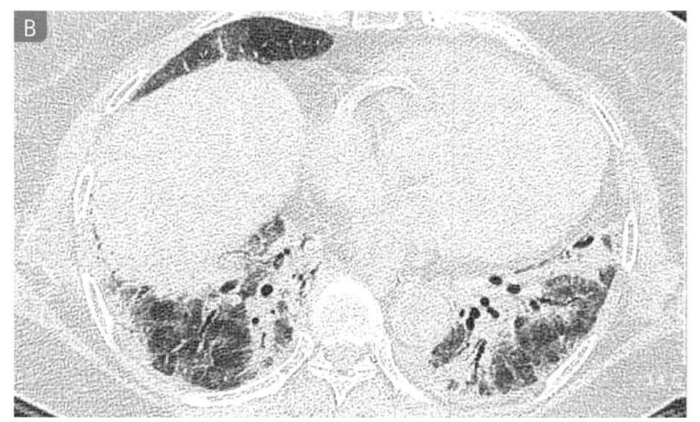

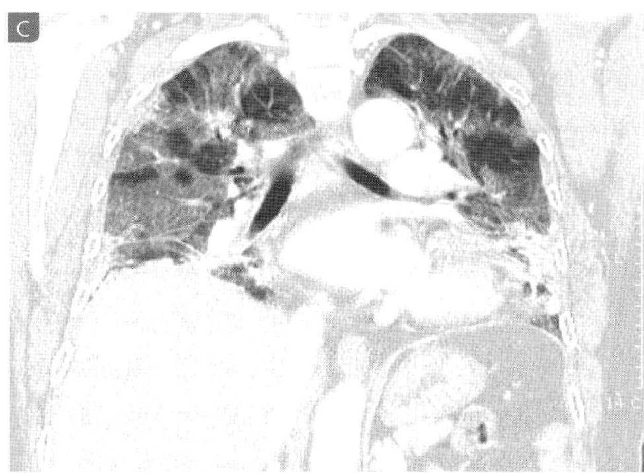

■ 그림 12-17. **2주 동안 급격히 진행하는 호흡곤란을 보인 66세 여자의 급성간질폐렴**
고해상CT 축상면(A, B) 및 관상재구성영상(C)에서 양측성 미만성 또는 일부 반점 형태의 비교적 광범위한 간유리음영이 보이며 이는 일부 침범되지 은 폐소엽에 의한 상대적인 음영 감소 부위와 혼재되어 있다. 폐경화 또한 자주 보이며 이는 폐 주변부 및 기관혈관주변부에서 주로 보이고 하부 폐 침범이 좀 더 심하다(B, C).

불균질한 폐음영 증가를 보일 수 있다(그림 12-17 C)[11]. 반면 기질화 시기(organizing phase)에는 폐 구조의 변형과 견인 기관지확장을 보인다. 또한 이전에 보이던 폐경화가 간유리음영으로 대치되는 양상을 보이며 일부 생존한 환자에서 이들 폐 실질 음영이 소실되는 것을 볼 수 있다[11]. 치료 후 폐의 낭성 변화, 그물음영 및 폐구조뒤틀림이 남을 수 있으며 이는 비중력의존부위(nondependent lung)에서 주로 보인다. 이러한 고해상CT 소견 들은 급성호흡곤란증후군(ARDS) 환자에서 보이는 소견과 매우 유사하며 급성간질폐렴의 경우 보다 양측성 대칭적 폐 침범을 자주 보이는 것으로 알려져 있다. 급성간질폐렴과 감별을 요하는 질환으로 미만성의 폐감염, 폐부종 및 폐출혈 등이 있다.

6. 호흡세기관지염-간질폐질환(respiratory bronchiolitis-associated interstitial lung disease, RB-ILD)

호흡세기관지염-간질폐질환은 조직병리학적으로 호흡세기관지염(respiratory bronchiolitis, RB)의 소견을 보이며 임상적으로 간질 폐렴 양상으로 발현한다. 호흡세기관지염은 흡연과 관련된 조직학적 소견이며 특징적으로 원위부 호흡세기관지 내부 및 주변부에 색소 침착을 동반한 대식세포(pigmented macrophage)의 축적을 보인다[12]. 이들 환자의 대부분은 임상 증상이 없는 반면 호흡세기관지염-간질폐질환의 경우 호흡기 증상, 폐기능 검사 및 고해상CT의 이상 소견 등을 동반한 간질폐질환의 소견을 보이게 된다[1]. 또한 흡연과 관련된 변화로 보이는 중심소엽성폐기종 소견도 자주 동반한다. 호흡세기관지염, 호흡세기관지염-간질폐질환 및 박리간질폐렴은 흡연과 상관된 일련의 폐질환으로 생각하며 임상적, 영상의학적 및 조직병리학적 소견이 상당 부분 중복된다[2, 3, 5].

1) 임상 소견

호흡세기관지염-간질폐질환 환자는 대부분 경미한 임상 증상을 호소하나 일부에서 심한 호흡 곤란과 저산소증을 보이는 경우도 있다. 대부분의 환자는 30갑년 이상의 흡연력이 있으며 30-40세의 연령 분포를 보인다. 금연 후 임상 증상은 대부분 호전되며 스테로이드 치료에도 좋은 반응을 보인다[2, 3, 12].

2) 병리 소견

호흡세기관지염의 경우 조직학적 변화가 주로 부분적이며 세기관지중심성(bronchiolocentric)으로 관찰된다. 즉 호흡세기관지, 폐포관 및 호흡세기관지와 인접한 폐포 내부에 전형적인 대식세포(dusty brown pigmented macrophage)가 보이며 또한 세기관지 점막 하부와 주변부에 다수의 림프구와 조직구들을 볼 수 있다[12]. 세기관지 주변부로 경미한 섬유화 소견 또한 보일 수 있으며 폐기종이 흔히 동반되어 보인다.

3) 영상 소견

고해상CT 소견으로 중심소엽성결절(centrilobular nodule), 반점 모양의 간유리음영 및 기관지 벽 비후가 보인다(그림 12-18)[12]. 상부 폐에 중심소엽성 폐기종이 자주 동반된다. 호흡세기관지염의 고해상CT 소견도 이와 매우 유사하게 보이나 호흡세기관지염-간질폐질환의 경우 좀 더 광범위한 양상을 보인다. 이들 고해상CT 병변들은 금연 후 호전되는 경우가 많다[12]. 고해상CT에서 호흡세기관지염-간질폐질환과 감별을 요하는 질환으로 과민성폐렴, 박리간질폐렴 및 비특이간질폐렴이 있다.

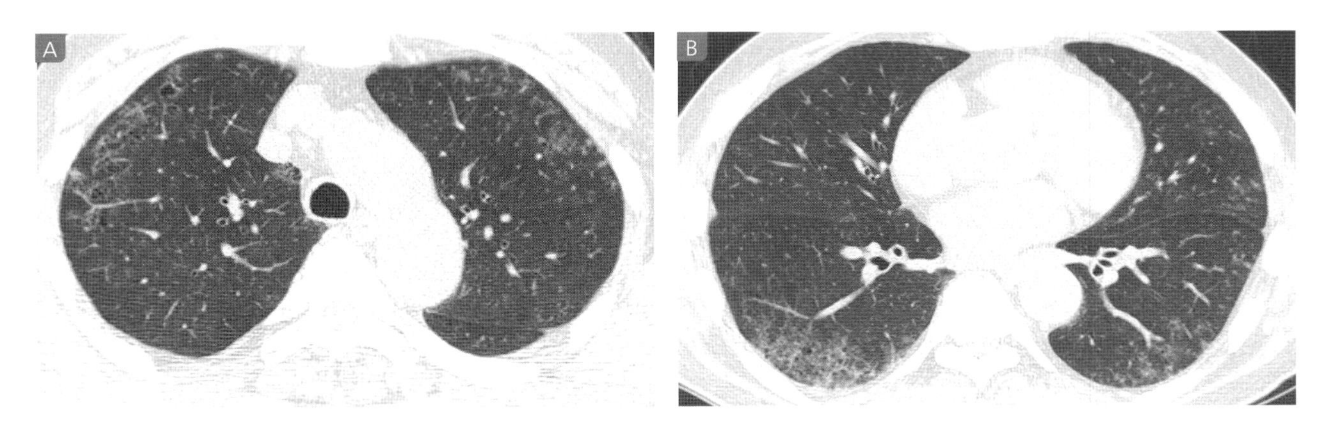

■ 그림 12-18. **30갑년의 흡연력이 있는 57세 남자 환자의 호흡세기관지염-간질폐질환**
A,B. 고해상CT에서 주로 폐 주변부에 경계가 좋지 않은 중심소엽성 결절 및 반점 형태의 간유리음영이 보인다. **A.** 양측 폐 상엽 주변부에 간유리음영과 중첩되어 약간의 중심소엽성폐기종이 보인다.

7. 박리간질폐렴(desquamative interstitial pneumonia, DIP)

박리간질폐렴의 용어는 초창기 이 질환의 특징적인 조직학적 소견이 폐포 내 박리된 폐포상피세포의 침윤인 것으로 오인하여 사용된 것이나, 이는 이후 폐포 내 미만성 대식세포 축적(intra-alveolar diffuse macrophage accumulation)에 의한 것으로 밝혀졌다. 박리간질폐렴은 호흡세기관지염 및 호흡세기관지염-간질폐질환과 함께 흡연과 상관된 일련의 폐질환 중 한 형태로 생각한다[2, 3, 5, 12].

1) 임상 소견

박리간질폐렴은 30-50세의 흡연자에서 호발하며 남자에서 여자보다 2배 이상 많다[2, 3]. 주로 수주에서 수개월에 걸쳐 서서히 진행하는 호흡곤란과 마른 기침이 주된 증상이다. 폐기능 검사에서 정상이거나 경미한 제한성 장애 및 폐확산능의 감소를 보일 수 있다. 박리간질폐렴의 예후는 비교적 좋으며 대부분의 환자가 금연 및 스테로이드 치료로 호전을 보인다[2, 3].

2) 병리 소견

박리간질폐렴은 조직학적으로 원위부 폐포 내에 미만성의 대식세포 침윤(diffuse intra-alveolar macrophage accumulation)을 보이는 것이 특징적이다[12]. 또한 염증 및 일부 섬유화에 의한 폐포벽의 비후도 자주 보인다. 호흡세기관지염 및 호흡세기관지염-간질폐질환에서 대식세포의 침윤이 반점형의 세기관지중심성(patchy bronchiolocentric)으로 보이는 것과 달리 박리간질폐렴의 경우 미만성이며 균질한(diffuse and uniform) 침윤을 보이는 것이 특징적이다[12].

3) 영상 소견

가장 흔한 고해상CT 소견은 간유리음영이며 대부분의 환자에서 동반된다(그림 12-19)[13]. 병변은 폐 하부와 주변부를 주로 침범하며 미만성 또는 반점 모양으로 보일 수 있다. 불규칙한 선상 음영과 그물음영 또한 자주 보이나 비교적 국한되어 보인다. 벌집모양은 잘 보이지 않는다[13]. 때로 간유리음영 내부에 비교적 경계가 좋은 기낭들이 보일 수 있으며

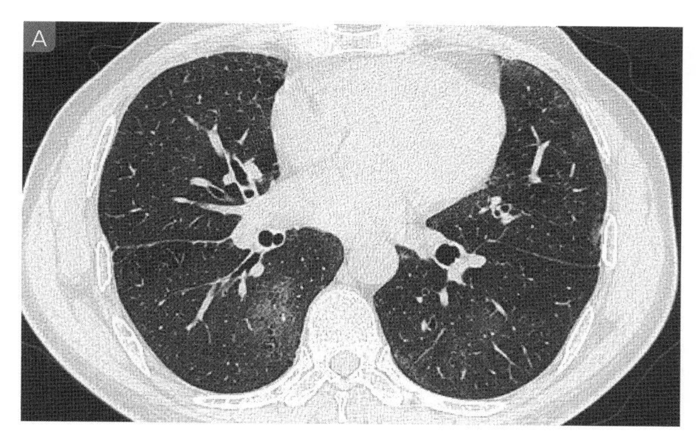

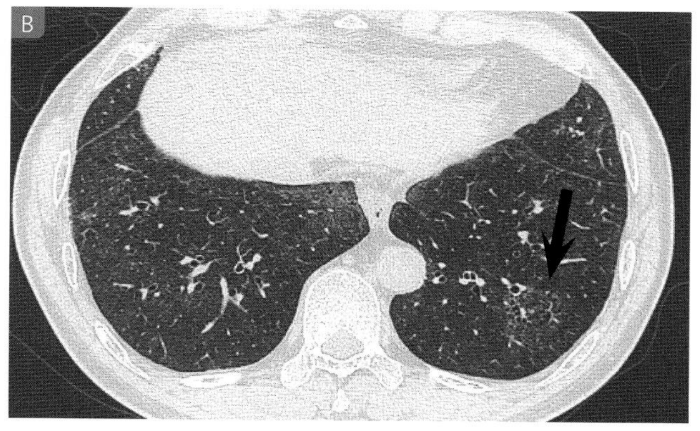

■ 그림 12-19. **20갑년 흡연력이 있는 60세 남자의 박리간질폐렴**
A,B. 양측 폐에 미만성 또는 반점 모양의 간유리음영이 보이며 하부 폐에서 더욱 잘 보인다. **B.** 좌측 폐 하엽의 간유리음영 내부에 경미한 그물음영 및 작은 기낭들이 보인다(화살표).

이는 추적 검사에서 소실될 수 있다[13]. 박리간질폐렴 환자에서 보이는 간유리음영은 스테로이드 치료로 호전되는 경우가 많으나 일부 환자에서(20% 이하) 그물음영을 동반하는 폐 섬유화의 진행을 보일 수 있다[13]. 고해상CT에서 감별을 요하는 질환으로 호흡세기관지염-간질폐질환, 급성 또는 아급성의 과민성폐렴, 바이러스나 뉴모시스티스 폐렴 등이 있다.

8. 림프구간질폐렴(lymphoid interstitial pneumonia, LIP)

림프구간질폐렴은 현재 폐의 림프증식성 질환(pulmonary lymphoproliferative disorders)의 한 형태로 생각되고 있다. 특발림프구간질폐렴(idiopathic LIP)은 매우 드문 질환이나 이들 환자에서의 보이는 임상 소견 및 고해상CT 소견이 다른 미만성 폐질환들과 매우 유사하여 감별을 요한다. 또한 이는 조직학적 소견에서 명백한 간질폐렴의 형태를 보이므로 특발간질폐렴의 분류에 포함하고 있다[2, 3].

1) 임상 소견

림프구간질폐렴은 여자에서 호발하며 비교적 다양한 연령층에서 발현하는 것으로 보고되었으나 50대에 잘 생긴다[2, 3]. 수년 동안 서서히 진행하는 호흡곤란 및 마른 기침이 흔한 증상이다[2, 3]. 림프구간질폐렴은 대부분의 경우 쇼그렌증후군(Sjögren's syndrome) 및 후천성면역결핍증(acquired immunodeficiency syndrome, AIDS)과 같이 전신 질환이나 자가면역 질환과 동반되어 발생하는 경우가 많다[2, 3]. 따라서 특발림프구간질폐렴을 진단하기 위해서는 이러한 기저 질환에 대한 철저한 검토가 선행되어야 한다.

2) 병리 소견

림프구간질폐렴은 폐의 미만성 림프증식증(diffuse pulmonary lymphoid hyperplasia, DPLH)의 한 형태로 생각되며 특징적으로 주로 폐포벽을 중심으로 하는 폐 간질(alveolar septal interstitium)에 림프구와 형질세포 및 조직구의 심한 침윤

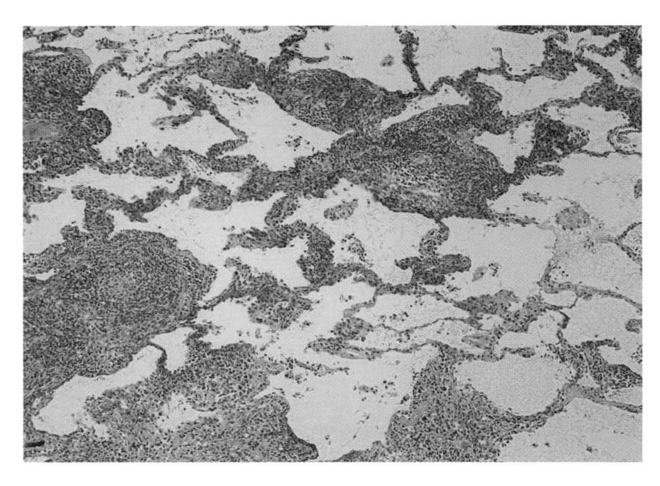

■ 그림 12-20. **림프구간질폐렴의 현미경학적 소견**
고배율현미경에서 폐포벽에 미만성으로 심한 단핵세포의 침윤이 보이며 이는 대부분 림프구로 구성되어 있고 일부 형질세포의 침윤 또한 동반되어 있다. (Hematoxylin-eosin stain; original magnification, x10.)

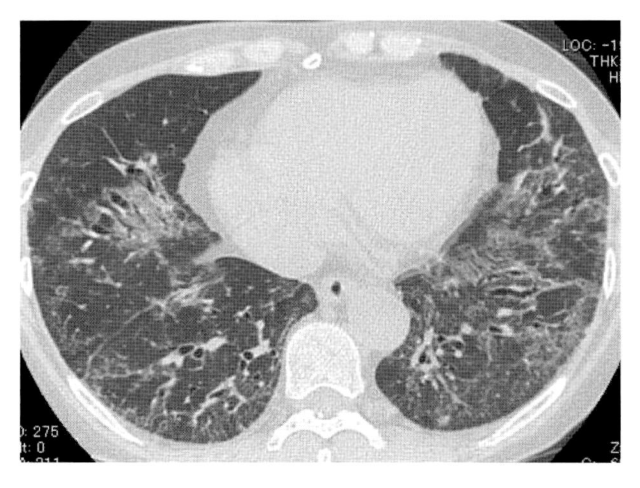

■ 그림 12-21. **54세 남자 환자의 림프구간질폐렴**
고해상CT에서 양측성 미만성의 간유리음영이 보이며 이는 폐 주변부 및 기관혈관주변부를 주로 침범하는 양상을 보인다. 비교적 미만성의 그물음영 또한 보이며 약간의 기관지확장증을 동반하고 있다.

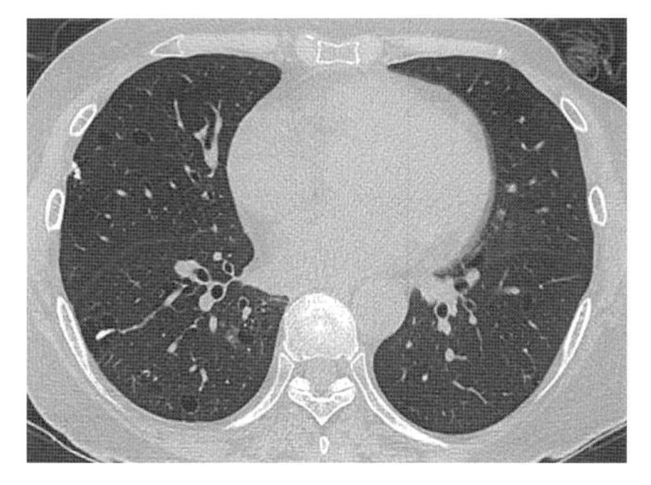

■ 그림 12-22. **56세 여자 환자의 림프구간질폐렴과 동반된 아밀로이드증**
하폐정맥 부위의 고해상CT 축상 영상에서 양측 폐에 다양한 크기의 기관지혈 관속 주위에 분포하는 기낭과 흉막 하부 및 폐 주변부에 분포하는 석회화 결절이 보인다.

을 보인다(그림 12-20)[14]. 반면 또 다른 형태인 미만성 림프증식증(diffuse lymphoid hyperplasia, DLH)의 경우 주로 기관혈관속 및 소엽간중격을 따라 미만성의 림프구 침윤을 보이며 소포성기관지염(follicular bronchiolitis)에서는 주로 세기관지중심성(bronchiolocentric)의 림프구 침윤이 특징적으로 보인다[14]. 림프구간질폐렴이 악성 림프종으로 진행하는 것은 매우 드문 것으로 알려져 있다[14].

3) 영상 소견

림프구간질폐렴의 가장 흔한 고해상CT 소견은 양측성 간유리음영이다(그림 12-21). 약 50% 이상의 환자에서 그물음영이 자주 보이며 혈관주위 낭종(perivascular cyst)이 보이기도 한다(그림 12-22)[15]. 이외에 중심소엽성결절(centrilobular nodule), 광범위한 폐경화 소견, 기관지혈관다발비후(bronchovascular bundle thickening) 및 소엽간중격비후(interlobular septal thickening)를 볼 수 있다[15].

9. 흉막폐실질섬유탄성증(pleuroparenchymal fibroelastosis, PPFE)

흉막폐실질섬유탄성증은 비교적 최근에 기술되었으며 임상 소견이 만성간질폐렴과 중첩되는 양상을 보이는 드문 질환이다. 영상 및 병리 소견에서 상부 및 중부 폐의 장측 흉막에 심한 섬유화와 바로 인접한 흉막 하부 폐실질에 섬유탄성증(fibroelastosis)을 보이며 흉막에서 떨어진 폐 실질은 잘 침범하지 않는 것이 특징적이다[3, 16]. 다른 특발간질폐렴, 석면증, 교원혈관병, 약물과 관련한 폐 섬유화의 증거는 잘 보이지 않는다. 흉부 영상에서 폐 첨부 흉막의 심한 비후와 동반된 견인성 폐문 상승, 바로 인접한 흉막 하부 폐 실질에 치밀한 섬유화에 의한 음영증가와 동반된 견인성기관지확장증, 폐구조뒤틀림 및 상부 폐 용적 감소 소견을 보인다[3, 16]. 약 반수 정도의 환자에서 반복된 하부 기도 감염의 증거를 찾을 수 있다고 하며, 이외에 폐이식, 골수이식, 조혈모세포이식, 다양한 항암치료제 등이 관련될 수 있다고 보고되었다. 기흉이 합병 될 수 있고 추적 검사에서 진행성 경과를 보이는 경우가 많으며 예후는 좋지 않은 것으로 알려져 있다[3].

10. 기타

급성섬유소기질화폐렴(acute fibrinous and organizing pneumonia, AFOP)은 조직병리학적으로 특징적인 폐포 내 섬유소 침착(intra-alveolar fibrin ball)과 함께 기질화 폐렴(OP)의 소견을 보여 급성 폐 손상 소견을 보일 수 있는 미만폐포손상(DAD), 다른 기질화 폐렴(OP), 호산구폐렴(eosinophilic pneumonia) 등의 질환들과 감별을 필요로 하는 드문 질환이다[3, 17]. 급성 또는 아급성의 임상 발현을 보이며 흉부 영상에서 양쪽 폐 기저부를 침범하는 폐경화가 주된 소견이다. 급성섬유소기질화폐렴은 특발성(idiopathic) 및 기타 교원혈관병, 과민성폐렴, 약물반응과 관련되어 보일 수 있는 것으로 알려져 있다[3].

한편 간질폐렴의 일부에서 병리조직학적 소견 및 영상 소견이 중첩되는 형태(overlapping forms)를 보일 수 있는 것으로 보고되었다[18]. 병리조직학적으로 기질화폐렴(OP)의 소견을 보인 경우 폐경화가 주된 흉부CT 소견이었으며 치료 후 대부분 임상 및 영상 소견이 호전되는 양상을 보였다. 반면 기질화폐렴/비특이간질폐렴 중첩을 보인 경우(OP/NSIP overlap) 간유리음영, 그물음영 및 견인기관지확장이 주된 소견이었으며 다수의 환자가 질환의 진행을 보였다. 이러한 섬유화 기질화폐렴(fibrosing OP, overlapping forms of OP/NSIP)은 교원혈관병과 항합성효소증후군(anti-synthetase syndrome)에서 보일 수 있다[19].

2002년 ATS/ERS 특발간질폐렴 분류 이후 미분류 간질폐렴(unclassifiable IIP)의 개념이 도입되었으며 이는 임상-영상-병리 전문가들의 주의 깊은 다학제적 검토(MDD) 이후에도 적절한 진단이 어려운 경우에 해당한다. 미분류 간질폐렴의 주된 원인은 임상, 영상 또는 병리 데이터가 진단에 부적절한 경우와 임상-영상-병리 소견들 사이에 중대한 불일치(discordance)를 보이는 경우가 해당한다[3].

참고문헌

1. King TE, Jr., Pardo A, Selman M. Idiopathic pulmonary fibrosis. Lancet 2011;378:1949-1961.
2. American Thoracic Society/European Respiratory Society International Multidisciplinary Consensus Classification of the Idiopathic Interstitial Pneumonias. This joint statement of the American Thoracic Society (ATS), and the European Respiratory Society (ERS) was adopted by the ATS board of directors, June 2001 and by the ERS Executive Committee, June 2001. Am J Respir Crit Care Med 2002;165:277-304.
3. Travis WD, Costabel U, Hansell DM, King TE Jr, Lynch DA, Nicholson AG, et al. An official American Thoracic Society/European Respiratory Society

statement: Update of the international multidisciplinary classification of the idiopathic interstitial pneumonias. Am J Respir Crit Care Med 2013;188:733-748.

4. Raghu G, Collard HR, Egan JJ, Martinez FJ, Behr J, Brown KK, et al. An official ATS/ERS/JRS/ALAT statement: idiopathic pulmonary fibrosis: evidence-based guidelines for diagnosis and management. Am J Respir Crit Care Med 2011;183:788-824.
5. Lynch DA, Travis WD, Müller NL, Galvin JR, Hansell DM, Grenler PA, et al. Idiopathic interstitial pneumonias: CT features. Radiology 2005;236:10-21.
6. Lynch DA, Sverzellati N, Travis WD, Brown KK, Colby TV, Galvin JR, et al. Diagnostic criteria for idiopathic pulmonary fibrosis: a Fleischner Society White Paper. Lancet Respir Med 2018;6:138-53.
7. Raghu G, Remy-Jardin M, Myers JL, Richeldi L, Ryerson CJ, Lederer DJ, et al. Diagnosis of idiopathic pulmonary fibrosis: an official ARS/ERS/JRS/ALAT clinical practice guideline. Am J Respir Crit Care Med 2018;198(5):e44-e68.
8. Silva CI, Müller NL, Hansell DM, Lee KS, Nicholson AG, Wells AU. Nonspecific interstitial pneumonia and idiopathic pulmonary fibrosis: changes in pattern and distribution of disease over time. Radiology 2008;247:251-259.
9. Lee KS, Kullnig P, Hartman TE, Müller NL. Cryptogenic organizing pneumonia: CT findings in 43 patients. AJR Am J Roentgenol 1994;162:543-546.
10. Lee JW, Lee KS, Lee HY, Chung MP, Yi CA, Kim TS, et al. Cryptogenic organizing pneumonia: serial high-resolution CT findings in 22 patients. AJR Am J Roentgenol 2010;195:916-922.
11. Johkoh T, Müller NL, Taniguchi H, Kondoh Y, Akira M, Ichikado K, et al. Acute interstitial pneumonia: thin-section CT findings in 36 patients. Radiology 1999;211:859-863.
12. Heyneman LE, Ward S, Lynch DA, Remy-Jardin M, Johkoh T, Müller NL. Respiratory bronchiolitis, respiratory bronchiolitis-associated interstitial lung disease, and desquamative interstitial pneumonia: different entities or part of the spectrum of the same disease process? AJR Am J Roentgenol 1999;173:1617-1622.
13. Hartman TE, Primack SL, Swensen SJ, Hansell DM, McGuinness G, Müller NL. Desquamative interstitial pneumonia: thin-section CT findings in 22 patients. Radiology 1993;187:787-790.
14. Swigris JJ, Berry GJ, Raffin TA, Kuschner WG. Lymphoid interstitial pneumonia: a narrative review. Chest 2002;122:2150-2164.
15. Johkoh T, Müller NL, Pickford HA, Hartman TE, Ichikado K, Akira M, et al. Lymphocytic interstitial pneumonia: thinsection CT findings in 22 patients. Radiology 1999;212:567-572.
16. Frankel SK, Cool CD, Lynch DA, Brown KK. Idiopathic pleuroparenchymal fibroelastosis. Chest 2004;126:2007-2013.
17. Beasley MB, Franks TJ, Galvin JR, Gochuico B, Travis WD. Acute fibrinous and organizing pneumonia: a histological pattern of lung injury and possible variant of diffuse alveolar damage. Arch Pathol Lab Med 2002;126:1064-1070.
18. Todd NW, Marciniak ET, Sachdeva A, Kligerman SJ, Galvin JR, Luzina IG, et al. Organizing pneumonia/non-specific interstitial pneumonia overlap is associated with unfavorable lung disease progression. Respiratory Medicine 2015;109:1460-1468.
19. Fischer A, Swigris JJ, de Bois RM, Lynch DA, Downey GP, Cosgrove GP, et al. Anti-synthetase syndrome in ANA and anti-Jo-1 negative patients presenting with idiopathic interstitial pneumonia. Respiratory Medicine 2009;103:1719-1724.

CHAPTER

13 기타 미만간질폐렴

| 이기남 |

Contents

여기서는 다른 장에서 다루지 않은 폐포단백증(pulmonary alveolar proteinosis), 아밀로이드증(amyloidosis), 폐포미석증(pulmonary alveolar microlithiasis), 폐전이석회화(metastatic pulmonary calcification), 랑게르한스조직구증(Langerhans cell histiocytosis), 림프관평활근종증(lymphangioleiomyomatosis), 버트호그듀베증후군(Birt-Hogg-Dubé syndrome)을 다루고자 한다.

1. 폐포단백증(pulmonary alveolar proteinosis)

폐포단백증은 호파표면활성제의 항상성 변화로 인해, 지질 및 단백질이 풍부한 비정상적인 표면활성제가 폐포 내에 축적되는 질환이다. 과립구대식구-집락자극인자(granulocyte macrophage-colony stimulating factor, GM-CSF)는 폐포 단백질의 병태생리에 가장 중요한 사이토카인으로 알려져 있다. GM-CSF는 표면활성제를 제거하는 대식세포의 발현에 관여하는데, 자가 면역성, 유전성 폐포단백증의 경우 GM-CSF의 결핍이나 손상으로 비정상적인 대식세포가 발현되고 이로 인해 표면활성제의 제거가 이루어지지 않을 경우 표면활성제가 폐포내 축적된다. 이차성 폐포단백증은 GM-CSF와 상관없이 대식세포가 양적으로나 기능적으로 표면활성제를 제거하지 못하여 나타나는 경우이다. 폐포단백증은 원인에 따라 자가면역성(특발성 혹은 원발성), 이차성과 유전성으로 나눌 수 있다(표 13-1)[1]. 자가면역성(특발성) 폐포단백증이 90% 정도를 차지한다.

표 13-1. **폐포단백증의 유형**

자가면역성(특발성 또는 원발성)
이차성 먼지/화학 노출 규소, 알루미늄 분진, 티타늄 입자, 시멘트 입자 등의 흡입 감염 인간면역결핍바이러스감염 폐포자충감염 결핵 노카르디아 거대세포바이러스 마이코박테리움(Mycobacterium avium-intracellulare) 효모균증(Cryptococcus neoformans) 혈액질환 및 면역저하 림프종 골수성백혈병, 림프구성백혈병 골수형성이상증후군 다발성골수종 중증복합면역결핍병 장기이식 약물 면역억제제 및 항암제(leflunomide, imatinib, sirolimus)
유전성(선천성) SFTPB, SFTPC, ABCA3, NKX2-1 유전자 변이 GM-CSF 수용체의 유전적 결핍

1) 임상 소견

폐포단백증은 소아부터 노인까지 어느 나이나 발생할 수 있으나 주로 30-60세의 성인에서 흔하다. 약 60-80%는 남성이며 약 50-70%가 흡연자이다. 소아는 면역결핍이나 표면활성제 결핍과 관련되어 나타난다. 무증상이거나 서서히 진행하는 호흡곤란, 기침이 흔하고, 증상 지속은 발현 전까지 평균 7개월이다. 임상 증상은 영상 소견에 비하여 미미하며, 30%에서는 무증상환자에서 흉부영상 소견 이상으로 발견되기도 한다.

2) 검사 소견

진단은 기관지폐포세척액에서 호산구성, 과립성, PAS (Periodic Acid-Schiff stain) 양성 지방단백 물질을 확인함으로써 가능하다. 그 외 검사로는 항GM-CSF항체, 혈청 락트산탈수소효소(lactate dehydrogenase, LDH)의 증가, 폐기능 검사에서 이산화탄소 확산능 감소(carbon monoxide-diffusing capacity) 등이 있으며 경기관지 조직검사를 하는 경우는 드물다. 대식세포와 중성구 기능 손상으로 다양한 기회감염이 합병될 수 있다. 노카르디아,

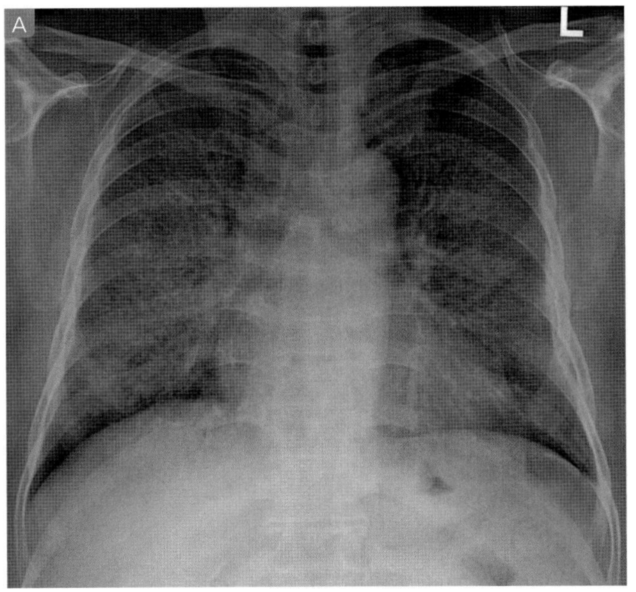

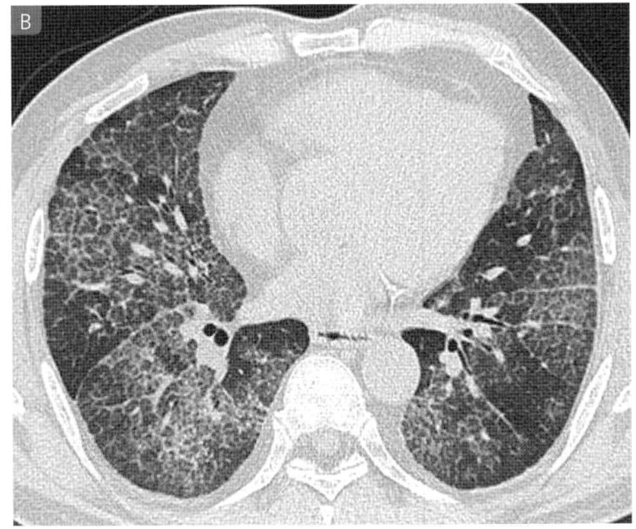

그림 13-1. **54세 남자환자의 폐포단백증**

A. 흉부X선사진에서 양측성 중심부 분포를 보이는 간유리음영과 동반된 세엽형 결절과 망상음영이 보인다. **B.** 하부폐정맥 부위에서 얻은 고해상CT에서 양측폐에 돌조각보도모양이 보인다.

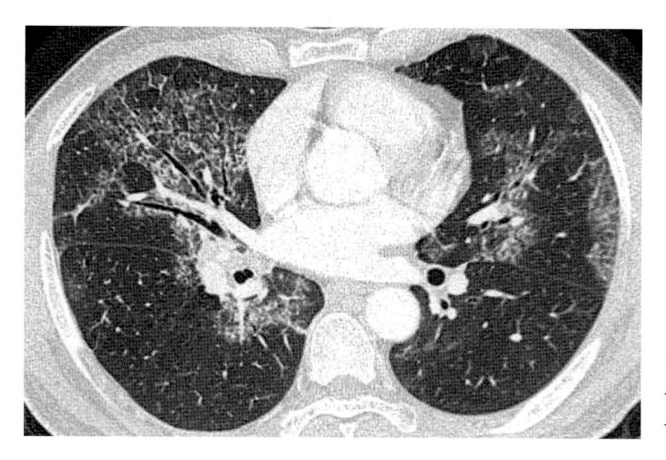

■ 그림 13-2. **56세 환자의 폐포단백증**
상폐정맥 부위에서 얻은 고해상CT에서 경계가 구분되는 지도모양분포의 돌조각보도모양이 보인다.

결핵, 비결핵성 마이코박테리아, 효모균증, 아스페르길루스 등이 알려져 있다[1].

3) 영상소견

흉부X선사진의 전형적인 소견은 양측성, 대칭적으로 폐문주변(박쥐 날개 모양)의 폐경화이나 일부는 기저부에 분포한다. 심하지 않은 경우 간유리음영으로 나타나기도 하는데, 미세과립형태이거나, 거칠며 불분명한 경계의 결절(5 mm)이나 소엽간중격의 비후나 망상음영이 동반되어 있다(그림 13-1). 간혹 폐경화는 비대칭, 편측성, 엽성 분포를 보일 수 있다. 폐첨이나 늑골횡격막각은 침범되지 않으며, 횡격막과 바로 붙은 얇은 폐실질은 횡격막 움직임으로 인한 단백물질의 제거로 인해 깨끗한 층을 보이는 것이 특징이다.

고해상CT에서 간유리음영의 배경에 소엽간중격의 비후가 망상 형태로 겹쳐져 보이는 돌조각보도모양(crazy-paving appearance)이 특징적이다(그림 13-1 B, 13-2). 간유리음영은 폐포내 단백물질의 축적으로 인한 것이고 소엽간중격 비후

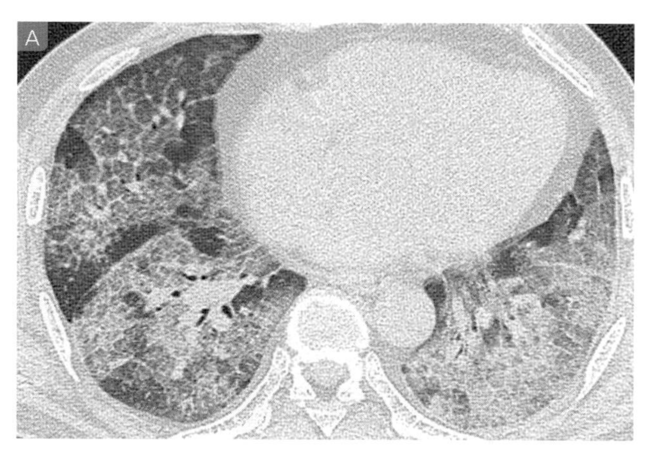

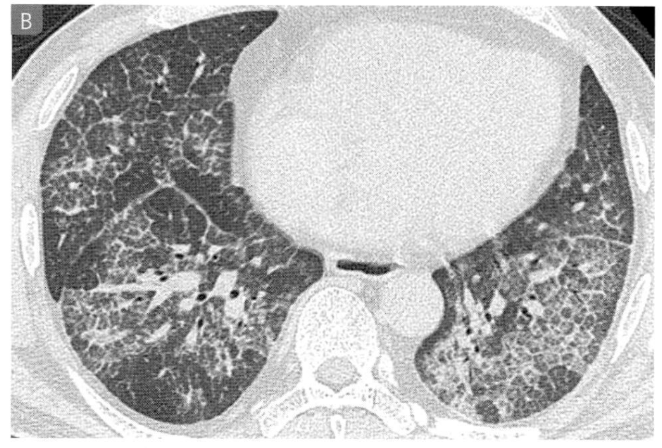

■ 그림 13-3. **56세 남자 환자 폐포단백질증**
A. 양폐에 대칭적으로 지도모양의 경계를 보이는 돌조각보도모양이 보인다. **B.** 기관지폐세척후 A와 같은 부위에 간유리음영의 병변은 현저히 감소되었지만 망상음영은 남아있다.

는 간질내 단백물질의 축적뿐 아니라 염증소견인 림프구와 대식세포, 이에 동반된 부종에 의한 것이다. 분포는 미만성이나 다발성으로도 나타난다. 병변 부위는 정상 폐와 경계가 예리한 지도모양(geographic appearance)을 보인다[1]. 종격동림프절의 종대나 흉막삼출 소견은 없다. 이차성 폐포단백증에서는 전형적인 지도모양 분포나 돌조각보도모양이 없는 비전형적인 형태가 더 많다. 폐경화나 공동, 흉수가 동반된 경우 기회감염의 가능성을 생각해야 한다. 견인기관지확장증(traction bronchietasis), 엽간열이나 구조적 왜곡을 보이는 섬유화 소견은 거의 없다. 치료적 폐세척 후에 간유리음영은 감소하지만 소엽간중격은 남아있어 망상형태가 두드러져 보인다(그림 13-3).

돌조각보도모양을 보일 수 있는 다양한 폐질환, 즉 급성간질폐렴, 폐부종, 폐출혈, 폐포자충폐렴, 과민성폐렴, 호산구육아종증다발혈관염(eosinophilic granulomatosis with polyangiitis, EGPA), 기질화폐렴, 유지질폐렴, 점액성 선암(mucinous adenocarcinoma) 등과 감별하여야 한다. 폐포단백증의 다른 질환과 감별점은 임상적으로 서서히 진행하거나, 임상소견에 비하여 영상소견이 심한 경우, 일반적인 구조적 왜곡이나 견인기관지확장증이 없으며, 지도모양 분포, 소엽간중격의 비후가 두드러지는 경우이다[2].

4) 치료 및 경과

영상소견에서 폐포단백증이 의심되는 경우, 확진과 치료를 위하여 경기관지 세척을 권한다. 폐포단백증은 10-28%의 환자에서 자발성 회복을 보이지만 재발하거나 진행도 가능하다. 고전적 치료법은 전폐 세척술이고 최근에는 GM-CSF 보충치료가 대체치료로 여겨지고 있다. 그 외에 rituximab이나 혈장분리교환술을 통한 항 GM-CSF 항체 제거도 연구중에 있다[1].

2. 아밀로이드증(amyloidosis)

아밀로이드증은 자가단백원섬유물질(autologous fibrillar protein)인 아밀로이드가 다양한 장기와 조직의 세포외 공간에 축적되어 주변 세포와 조직을 압박하는 질환이다. 아밀로이드는 독특한 구조로 되어있어 질병 특유의 염색반응을 보이는데, 콩고레드 염색과 결합하고 편광에서 녹색이중굴절(apple-green birefringence)을 보인다. 아밀로이드 축적물의 원섬유단백 유형에 따라 분류하기도 하며, 전신성 질환과 한 장기에만 침착하는 국소질환으로도 분류한다[3].

1) 아밀로이드증의 생화학적 분류

- AL (Amyloid Light chain; AL)형: 원발성 아밀로이드증으로 분류하였던 가장 흔한 유형으로 형질세포에 의해 생성된 면역글로불린으로 구성되어 있다. 형질세포질환으로 저등급의 클론질환, 다발성골수종, 비호지킨성림프종, 발덴스트롬마크로글로불린혈증의 형태로 나타난다.
- AA (Amyloid A chain)형: 이차성 아밀로이드증으로 두 번째로 흔하다. 혈청 아밀로이드 A (serum amyloid A, SAA)로 염증반응에서 생산된 급성기반응물질로 장기간의 염증상태, 류마티스 관절염, 염증성장질환, 결핵, 골수염, 나병, 기관지확장증 등의 만성감염에서 발생한다.
- ATTR (Amyloid Transthyretin)형: 혈장 티록신운반체의 유전변이에 의한 유전성 아밀로이드증이다.
- Aß2M (Amyloid ß-2 microglobulin)형: 말기신장질환 환자에서 혈청 내 ß2마이크로글로글로불린이 투석에 의해 제거되지 않아 축적되는 질환이다.

2) 해부학적 분류

(1) 전신성 아밀로이드증

AL 단백(92%)이 다양한 장기에 축적되는 질환이다. 호흡기 침범은 흔하지만(70-92%) 증상이 없거나 경미하여 호흡기적 임상적 중요성은 작다. 아밀로이드가 신장, 간, 비장 등에 축적되고 흉부로는 직접 폐간질, 림프절, 흉막에 침착된다. 예후는 5년 생존율이 20% 이하이고 다발성골수종에서는 더 낮다. 염증에 의해 유발되는 AA 아밀로이드증도 전신성 형태로 올 수 있다. 주로 신장, 간, 비장, 부신에 침착하고 다양한 염증 상태에서 올 수 있으나 가장 흔하게 류마티스관절염(48%)에 이차적으로 발생한다. 흉부영상소견은 AL, AA 아밀로이드증이 비슷하나 AA 아밀로이드증에 대한 보고는 드물다. 전신성 아밀로이드증은 일반적으로 미만성의 미세소결절, 망상결절, 선형의 간질 침윤이 특징인 폐포소엽격막형(diffuse alveolar septal disease)으로 온다. 심장 아밀로이드증에 의한 간질 폐부종과 감별하여야 한다. 흉막삼출은 심장이나 신장 침윤으로 인한 폐부종, 콩팥증후군에 의해 잘 유발되지만 직접적인 흉막 침착 시에도 발생한다. AL 아밀로이드증의 경우에 종격동 림프절 침착이 흔하다. 종격동 림프절은 국소성 아밀로이드증에서는 드문 소견이다. 드물게 전신성 아밀로이드증도 폐결절형(parenchymal nodular disease)형태로 오기도 한다. 단일 또는 다발성의 결절(폐결절형)이나 기도비후(기관기관지 아밀로이드증)의 소견을 보인다.

(2) 국소성 아밀로이드증

특정 장기에 국한되어 나타는 형태로 피부, 눈꺼풀, 결막, 유방, 후두, 폐, 기도, 비뇨생식기 등의 장기에 국한되며 혈장이나 골수, 소변에서 혈장세포이상은 보이지 않는다[4]. 흉부에는 기도와 폐실질에 각각 비슷한 빈도로 침착된다. 종격동 림프절에만 국한된 형태도 있다. 국소성 호흡기 아밀로이드증은 전신성 질환보다 드물다(10-20%). 국소적으로 폐내에 모여있는 B림프구와 혈장세포에 의해 형성된 AL 단백질에 의한다. 폐결절형(nodular parenchymal disease)으로 오는 경우 무증상일 수 있고 기도에 침착하면 협착음, 호흡곤란, 객혈, 무기폐 등을 유발할 수 있다. 드물게 미만성 폐포소엽격막형태(alveolar septal disease)로 와서 증상을 유발하기도 한다. 쇼그렌증후군 환자에서 림프세포증식증후군과 결절형 아밀로이드증과의 관련성이 알려져 있다. 이 환자들에서 보이는 낭종은 아밀로이드에 의한 것인지 림프세포증식증후군에 의한 것인지 확실치 않다. 쇼그렌증후군 환자에서 낭종과 함께 불규칙적인 결절이 폐하부에 발생할 때 의심할 수 있다.

3) 영상소견

(1) 기관기관지 질환(tracheobronchial disease)

국소성 아밀로이드증에서 흔한 형태이고 전신성 아밀로이드증에서는 일어나지 않는다. 자세한 영상소견은 기도질환에서 다루기로 한다.

(2) 폐결절형(nodular parenchymal disease)

장기에 국한된 아밀로이드증으로 하나 이상의 폐결절로 나타난다. 병리학적으로 아밀로이드 결절은 산발적으로 흉막하에서 인접 흉막에 주름을 만들며 유착되어 있다. 폐조직은 혈장세포와 림프구를 포함하는 호산구성 아밀로이드로 대체되어있다. 결절 내 석회화, 골화가 흔히 관찰된다. 결절은 단일성 또는 다발성이고 다발성 결절이 비슷하거나 조금 더 흔하다. 다발성일 경우 2/3의 환자에서 양측성이고 특정한 엽성 분포는 없으나 주변부 또는 흉막하 분포인 경향이 있다

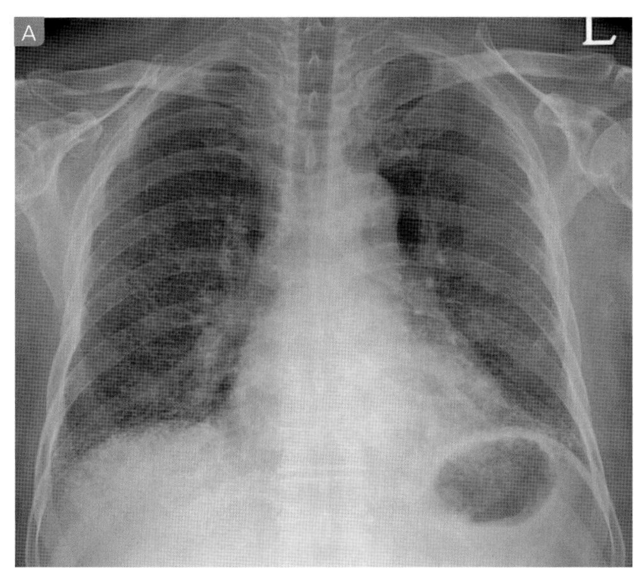

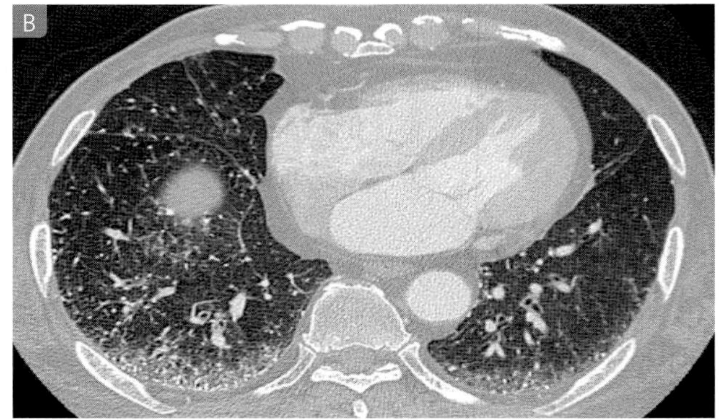

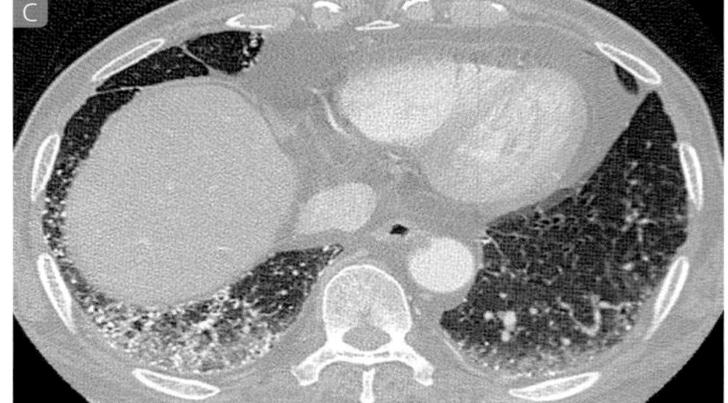

■ 그림 13-4. **쐐기절제술로 확진된 85세 남자의 폐포소엽격막형 아밀로이드증**
A. 흉부X선사진에서 양측 폐하부에 망상결절형음영이 보인다.
B, C. 좌심방(B) 및 심첨부(C)에서 촬영한 고해상CT에 폐기저부에 주로 위치한 흉막하, 림프관주위 분포를 보이는 석회화된 미세결절들이 보인다. 간질유리음영과 세밀한 망상음영이 동반되어 있다.

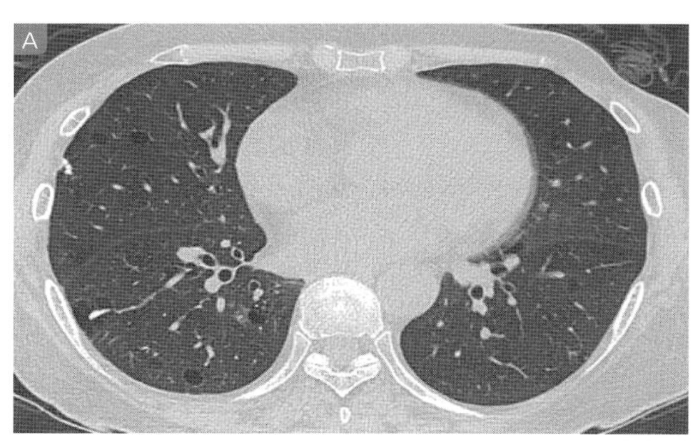

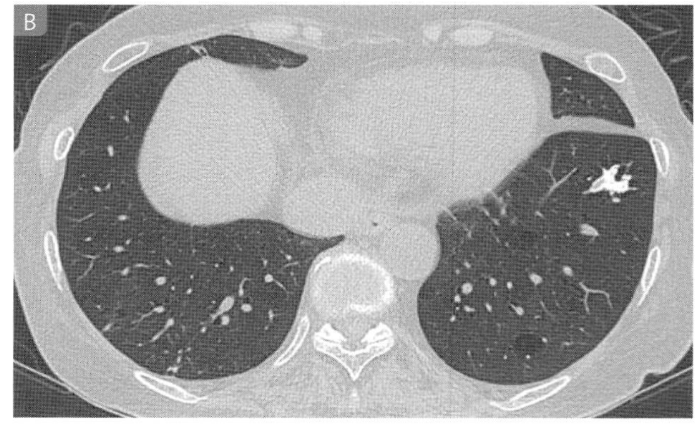

■ 그림 13-5. **56세 여자환자의 림프구간질폐렴과 동반된 아밀로이드증**
A. 하폐정맥 부위에서 얻은 고해상CT에서 양측에 다양한 크기의 혈관기관지속 주위에 분포하는 낭종과 흉막하, 주변부 분포를 보이는 석회화된 결절이 보인다. **B.** 우측 횡격막돔 부위에서 얻은 고해상CT에서 좌하엽에 17 mm 크기의 불규칙적 모양의 석회화된 결절이 있고 인접하여 작은 낭종들이 보인다.

(그림 13-4). 결절의 직경은 흔하게 0.5-5 cm 정도이나 미세소결절부터 15 cm 종괴까지 다양하다. 결절의 모양은 다양하며 경계가 불규칙한 것은 아밀로이드의 중격 침윤에 의한 것이다. 석회화(30-50%)는 흔하며 불규칙, 혼탁형(cloudy), 솜털형(flocculent), 점상형(stippled) 모양으로 중앙이나 결절전체에 위치한다. 때때로 결절이 국소적으로 많을 경우 폐경화처럼 보이기도 한다[5]. MRI에서 결절은 T1 강조영상에서 근육과 비슷한 중등신호를 보이고 T2 강조영상에서 저신

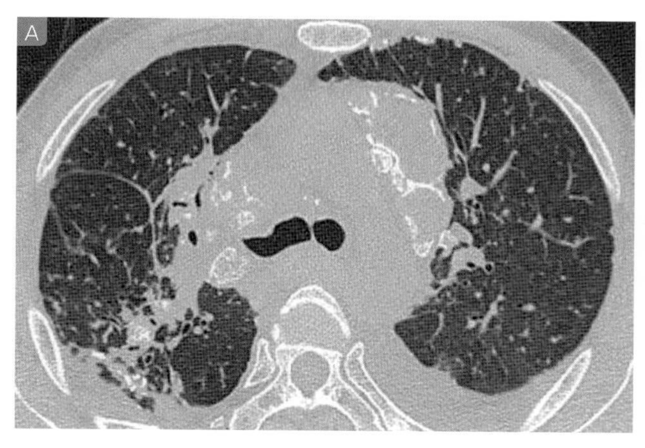
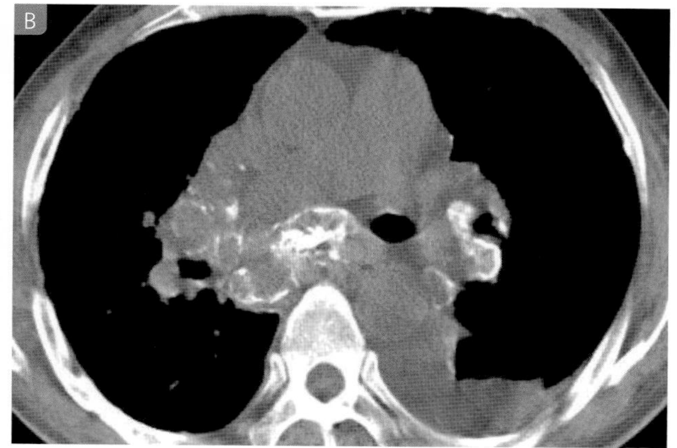

■ 그림 13-6. **전신성 아밀로이드증으로 진단된 76세 남자환자의 폐포소엽격막형과 동반된 림프절병증 형태의 흉부아밀로이드증**
A. 고해상CT에 우측폐의 소엽간열비후와 석회화된 미세결절들이 보인다. 양측 흉수가 동반되어 있다. **B.** 양측 폐문과 기관분지하부에 계란껍질양 석회화를 보이는 림프절비대가 있다.

호를 보인다. 림프구간질폐렴과 쇼그렌 증후군에서 동반된 경우는 주로 낭종벽과 인접한 다발성 결절로 나타나며 석회화는 보이거나 보이지 않을 수 있다(그림 13-5). 아밀로이드 결절은 FDG-PET에서 종종 대사증가를 보이므로 림프종이나 악성과의 감별하기 어렵다. 진단은 경피적침생검이나 개흉술을 통해 이루어진다[3].

(3) 폐포소엽격막형(alveolar septal disease)

폐포소엽격막형 질환은 작은 혈관과 간질에 따라 아밀로이드가 광범위하게 침착되는 경우이다. 전신성 아밀로이드증에서 흔한 형태이다. 흉부X선사진에서 대부분 정상이고 비정상일 경우 기관혈관구조 주변의 미세결절, 망상결절, 선상형태의 간질침윤의 소견을 보인다. 대부분 미만성이며 대칭적이고 결절이 융합하거나 석회화를 보이기도 한다[4]. 고해상CT에서 흉막하 분포를 보이는 2-4 mm가량의 많은 결절들이 동반되고 일부는 석회화를 보인다(그림 13-6 A). 소엽간중격 비후로 인해 기저부, 주변부로 선상 음영이 보이고 이런 선상음영들도 석회화될 수 있다. 그 외의 덜 흔한 소견으로는 간질유리음영, 벌집폐, 견인기관지확장증 등이 있다. 간질분포의 결절에 석회화를 보일 수 있는 질환으로는 결핵, 사르코이드증, 규소증, 탄광부진폐증, 탈석증, 지방색전, 폐포미세결석증, 상용간질폐렴 등이 있다.

(4) 림프절병증(lymphadenopathy)

종격동 림프절 침윤은 AL 아밀로이드증(75%)에서 흔하고 국소성 아밀로이드증에서는 드물다. 종격동 림프절 단독으로 오거나 폐포소엽격막형 질환과 함께 나타난다. 간질성 질환과 함께 종격동과 폐문에 광범위하게 침착될 경우 사르코이드증과 감별해야 한다. 림프절 석회화가 흔하고 때때로 계란껍질양 석회화를 보인다(그림 13-6 B).

3. 폐포미석증(pulmonary alveolar microlithiasis)

1) 임상 소견

폐포미석증은 매우 드문 질환으로 전세계 문헌에는 225예가 보고되었다. 최근 인산전달 유전인자(phosphate transporter

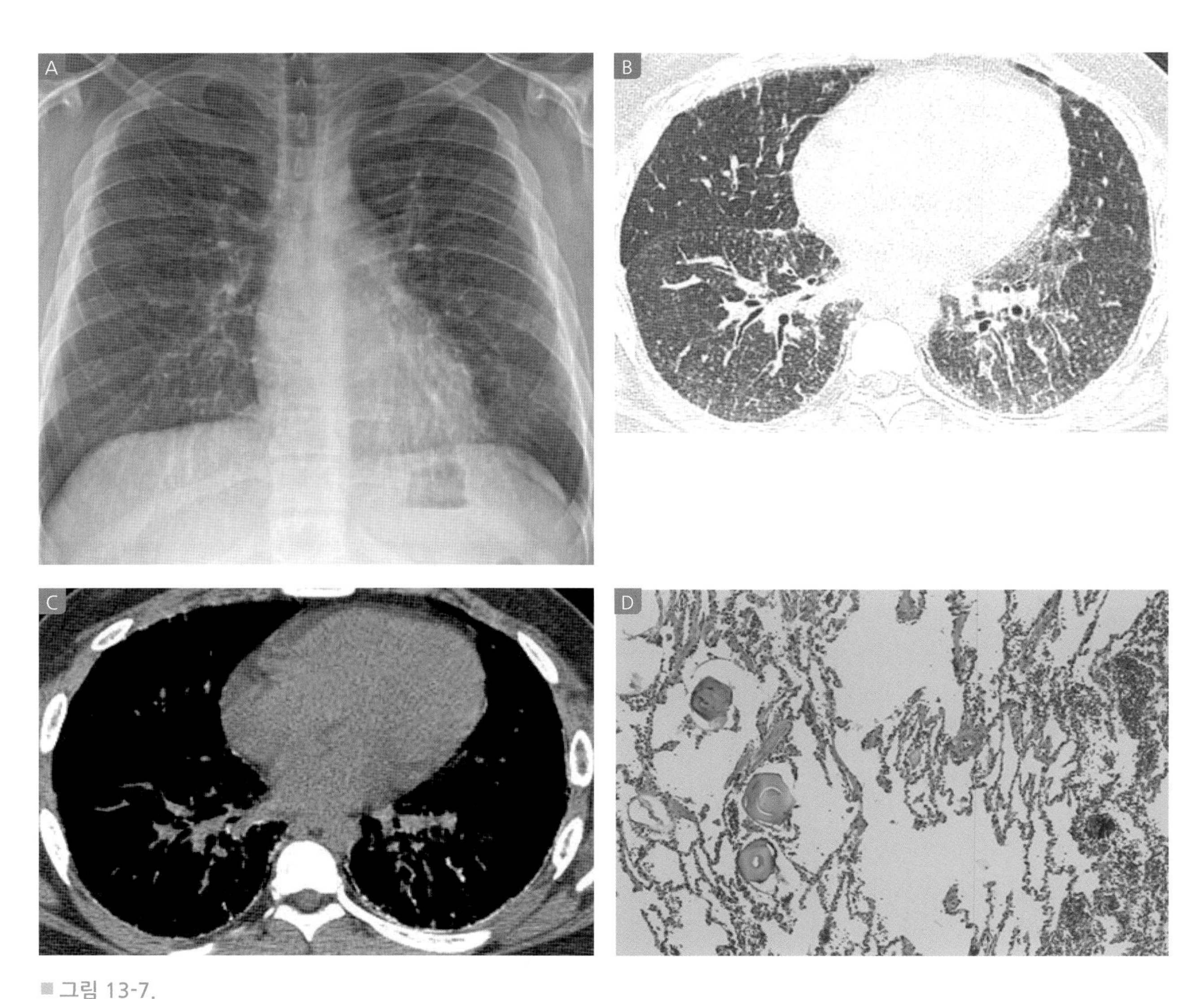

■ 그림 13-7.
A. 흉부X선사진에서 양폐야에 대칭성의 미만성 망상-미세결절 음영(reticulonodular opacity)가 보인다. **B,C.** 흉부CT에서 흉막하, 소엽간중격, 기관지 주위에 석회화 미세결절들이 보인다. **D.** 조직사진에서 판층형 석회화 미석을 확인할 수 있다.

gene)의 변이(mutation)에 기인한다고 알려졌다[6]. 병리학적으로 폐포강내 직경 0.2 mm 정도의 인산칼슘을 함유한 동심원형의 판층형 석회화 물체인 미석으로 채워져 있다. 미석주변으로 간혹 이형 골형성(dystrophic ossification)을 보이기도 한다. 폐포벽은 보통 정상이지만 나중에 간질 섬유화가 진행되어 폐기포와 흉낭(bulla and bleb)을 동반하기도 한다. 폐포단백증과 유사하게 영상 소견에 비해 임상 증상은 미약하다. 남녀 발생 빈도는 거의 같다. 객담으로 배출되는 미석이나 기관지폐세척검사로 진단이 가능하기도 하다. 예후는 다양한데 일부는 증상없이 변화없는 흉부 소견을 보이기도 하지만 일부 환자는 폐섬유화가 진행되어 사망한다[5].

표 13-2. 미만성 또는 다발성 폐 석회화(diffuse or multifocal pulmonary calcification)를 보일 수 있는 질환들

감염성 질환: 결핵, 히스토플라즈마증, 수두, 기생충 사르코이드증 진폐증 석회화된 폐 전이: 골육종, 연골육종, 갑상선암, 점액성 선암 Pulmonary ossification with mitral stenosis 이영양성 석회화를 동반한 폐섬유증(lung fibrosis with dystrophic calcification) 아밀로이드증 폐포미석증 전이성 폐 석회화

표 13-3. 전이성 석회화 발생기전

칼슘이 과잉되는 경우	알칼리성 환경이 형성되는 경우
혈액 내 칼슘과 인산염이 증가 부갑상선 호르몬과 비타민 D가 증가	알칼리성 인산가수분해효소(alkaline phosphatase)의 활동성 증가 국소적인 페하(pH)의 증가

2) 영상 소견

흉부X선 소견은 특징적으로 양측 폐의 하부에 수많은 석회화된 미세 모래 소견이 1-5 mm 크기로 산재해 간유리음영 및 망상음영과 결절이 보인다. 점차 질병이 진행되면 폐혈관이나 심장의 경계부위가 소실된다. 간혹 흉막하 부위가 검은 선(black pleural line)으로 보이는 경우가 있으며 이는 흉막하 낭포나 변연부폐기종에 기인한다. CT소견은 후하방폐야에 미세결절 및 간유리음영, 석회화를 동반한 결절을 볼 수 있고, 석회화는 균질하거나 진한 폐경화로 보이기도 한다. 선형 석회화는 흉막하 또는 폐간엽열, 소엽간 중격, 기관지혈관속 주위에 결절과 동반되어 나타난다(그림 13-7). 특징적으로 폐첨부를 포함한 전 폐야의 흉막하에 작은 폐낭종(bleb 혹은 bulla)을 볼 수 있다. 소아나 병의 초기에는 간유리음영이나 망상음영이 주로 나타나고 석회화는 보이지 않을 수 있다[5]. 폐의 미만성 또는 다발성의 석회화가 보이는 경우 아밀로이드증, 감염성 육아종질환(결핵), 사르코이드증, 진폐증, 전이성 폐 석회화 등을 감별하여야 한다(표 13-2).

4. 전이성 폐석회화(metastatic pulmonary calcification)

1) 임상소견

이형성석회화(dystrophic calcification)가 이전에 손상된 조직에 기인하는 것에 반해 전이성 폐석회화는 이전에 정상인 조직에 칼슘 인산염이 침착한 것이다. 전이성 폐석회화는 혈액투석환자에서 볼 수 있는 경우인데 흔한 원인으로 만성신부전증과 동반된 속발성 부갑상선 기능 항진증이며 산성증(acidosis), 원발성 부갑상선기능항진증, 간헐적 알칼리증(alkalosis), hypervitaminosis D, 간이식 수여자(5%)에서도 나타날 수 있다(표 13-3). 전이성 폐석회화는 경한 임상 경과를 보인다. 매우 많은 양의 석회화가 초래된 경우에만 폐기능 이상이 생긴다. 집중치료와 무관하게 진행되며 가끔 치료없이 호전되기도 한다.

2) 영상소견

흉부X선사진에서 전이성폐석회화는 폐미석증과는 달리 석회화가 상부폐야에 분포하며 혈관석회화가 동반된다. 망상

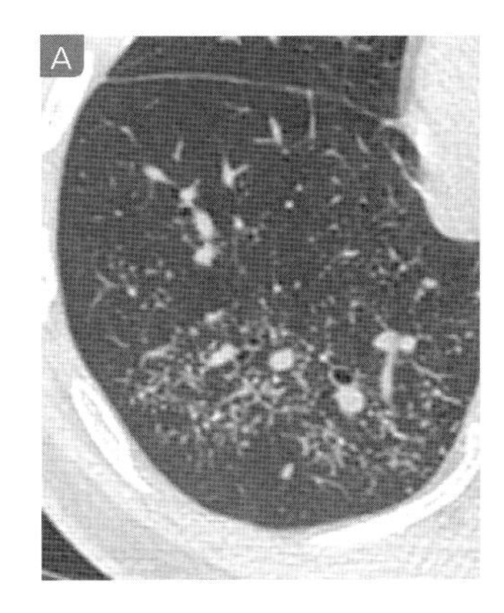

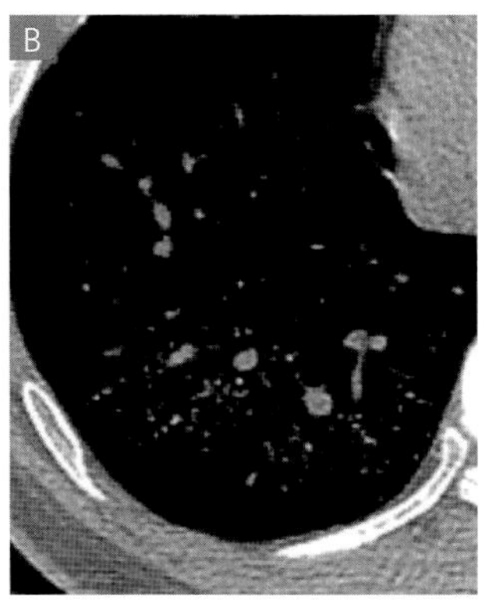

■ 그림 13-8. **전이성 폐석회화(metastatic pulmonary calcification)**
A. 흉부CT에서 우하엽에 다발성의 중심소엽 소결절들이 보인다. **B.** 종격동창CT영상에서 소결절들은 석회화 CT계수를 보이는 것을 확인할 수 있다.

음영을 보일 수도 있고 심한 경우 반상의 경화로 나타나기도 한다. CT 소견은 미세결절이며(3-10 mm) 결절 내 석회화를 볼 수 있다(그림 13-8). 그러나 일반적으로 석회화가 너무 미세하여 석회화의 CT계수가 아닌 간유리 음영의 중심성 폐소엽 소견을 보여 과민성폐렴의 소견과 유사하게 보인다. 간혹 미만성 간유리음영이나 폐경화 소견을 보일 수도 있다. 결절은 상대적으로 염기성이 강한 상엽에 좀 더 흔한 분포를 보이는 경향이 있다. 결절은 반지형 석회화를 보이기도 하며 연조직이나 종격동의 혈관에 석회화를 보인다. 진단이 모호한 경우 석회화 감지에 보다 민감한 99mTc-diphosphonate를 이용한 골스캔이 도움이 될 수 있다[6].

5. 랑게르한스세포조직구증(pulmonary Langerhans cell histiocytosis, eosinophilic granuloma, pulmonary histiocytosis X)

랑게르한스세포조직구증은 원인불명의 육아종성 질환으로, 미성숙한 랑게르한스세포의 비정상적인 증식이 피부, 림프절, 간, 신장, 뼈, 신경 등의 장기를 침범하는 드문 만성 진행성 질환이다. 폐를 침범하는 경우는 약 40%이며, 폐에 단독으로 나타날 때가 많으나, 다발성 전신질환의 일부로 발현되기도 한다. 정확한 원인은 규명되지 않았으나 체세포 돌연변이, 바이러스 감염(Epstein-Barr virus, Papilloma virus, Herpes virus 등)과 면역학적 요인이 랑게르한스세포의 과증식에 기인한 것으로 알려져 있다. 흡연과 매우 강한 연관성을 보이나, 소아에서는 흡연과 무관하게 전신질환의 한 형태로 발현된다. 0.4-1%에서 가족성과 연관이 있다고 하며, 이는 말초림프구의 염색체 불안전성(chromosomal instability)에 기인한다.

1) 임상소견

20세에서 40세 사이의 중년 초반에서 호발하며 평균연령은 32세이나 1세에서 69세까지 다양한 연령에서 발생한다. 환자의 80-100%에서 흡연력이 있으며, 흡연 기간 및 정도와 질병의 심각도와는 관계가 없다. 예전에는 남자에서 좀 더 호발하는 것으로 알려졌으나, 최근 연구에 의하면 남녀 발생 비율은 유사하며 여성 흡연자의 증가에 의한 것으로 생각된다. 증상은 기침(50-70%)과 호흡곤란(35-87%), 피로(16-30%), 체중감소(9-30%), 흉통(9-18%), 발열(15%) 등으로 비특이적이며, 20-25%에서 기흉이 발생되고 약 25%의 환자는 무증상이다.

폐 외에 뇌하수체, 피구, 눈, 대장, 심장, 림프절, 뇌등 다양한 장기를 침범하는 경우는 약 28%이며, 이 경우 가장 흔히 침범하는 장기는 폐이다(58%).

2) 병리 소견

랑게르한스 세포는 막대 혹은 라켓 모양의 소기관(Birbeck granules)을 포함하는 단핵구-대식세포계열의 세포이다. 초기에는 랑게르한스세포와 호산구를 포함하는 육아종을 특징으로 하며, 주로 기관지혈관초(bronchovascular bundle)를 중심으로 폐 간질에 병변이 위치한다(bronchiolocentric pattern). 후기에는 세포성 육아종이 섬유화와 폐 낭종으로 대치되는데 이는 육아종성 반응이 세기관지 벽을 파괴시키고 기관지 내강을 확장시키기 때문이다.

3) 영상소견

(1) 흉부X선소견

대부분 환자에서 흉부X선사진에서 이상 소견을 보이며, 초기에 가장 흔한 소견은 1-10 mm 직경의 불규칙한 경계의 소결절이다. 질병이 진행되면서 망상음영, 결절음영, 낭과 소결절이 혼합된 형태로 보이며, 1-15%에서 낭과 벌집모양으로 관찰된다. 대부분 양측성으로 오며 폐상엽과 중엽에 호발하고 늑골횡격막각(costophrenic angle)은 보존하는 경향을 보인다. 전체 폐 용적은 정상이거나 증가된다.

(2) 고해상 CT 소견

고해상 CT 소견은 크게 낭성(cystic airspace)과 소결절(small nodules)로 나타나며, 대부분 두 병변이 함께 보인다. 즉 결절, 공동화 결절, 두꺼운 벽이 있는 낭, 합쳐진 낭의 형태로 다양하게 보일 수 있다[7].

결절(nodules): 대다수에서 5 mm 미만의 소결절이 관찰되지만 약 25%에서 10 mm 이상의 큰 결절도 보일 수 있으며, 이러한 결절은 조직학적으로 활성형의 세기관지 주변 육아종을 시사한다. 결절의 경계는 특징적으로 불규칙하고 이러한 특징은 주변 폐에 낭성 혹은 섬유화성 변화가 있을 때 더 뚜렷하다. 중심소엽성(centrilobular), 세기관지주위(peribronchiolar)의 분포를 보인다. 결절은 대부분 낭과 함께 보이는 경우가 많지만 드물게 단독 소견일 수도 있다. 결절은 균질한 연조직음영으로 보이거나 중심부 저음영으로 나타난다. 결절은 시간이 지나면서 소실될 수도 있다. 질병의 활성화 정도에 따라 결절과 낭의 수는 다양하게 나타난다. 질병의 초기에는 결절 형태가 우세하며, 후반부로 갈수록 낭성 형태

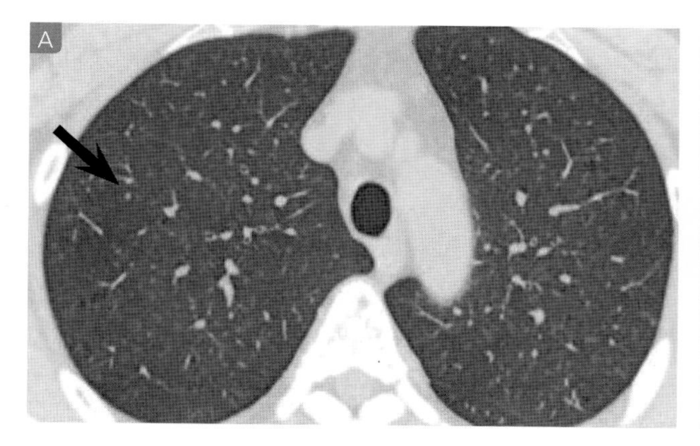

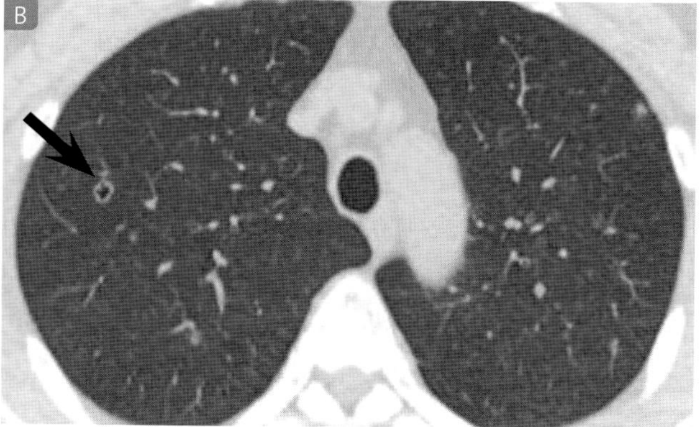

■ 그림 13-9. **49세 남자 환자의 랑게르한스조직구증**
A. 고해상 CT에서 우상엽에 소결절이 있으며(화살표) 양 폐에 미세결절 및 낭성 병변이 보인다. **B.** 4개월 뒤 소결절은 공동성 결절(화살표)로 변화하였고 새롭게 발생된 미세 결절들이 보인다.

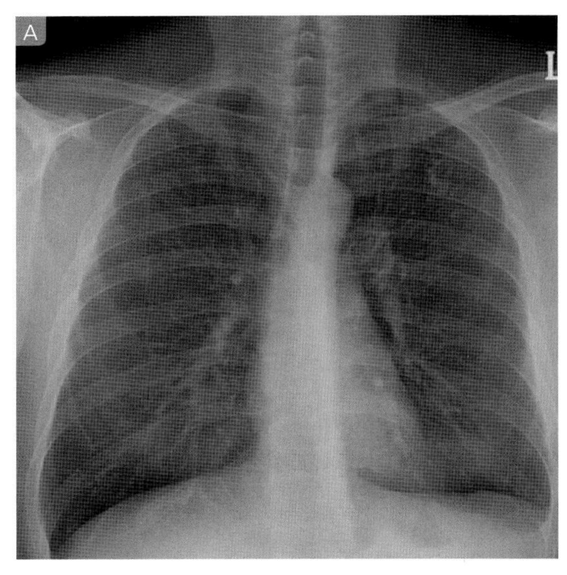

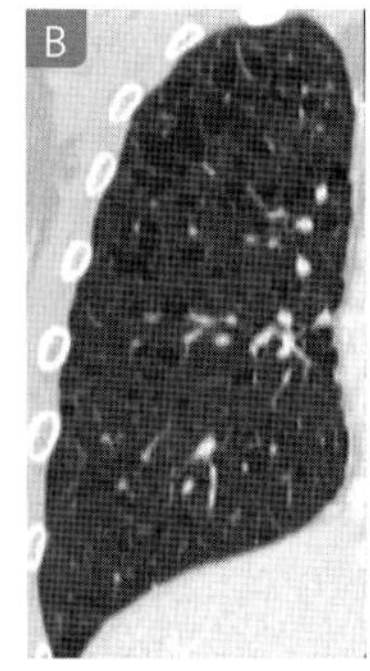

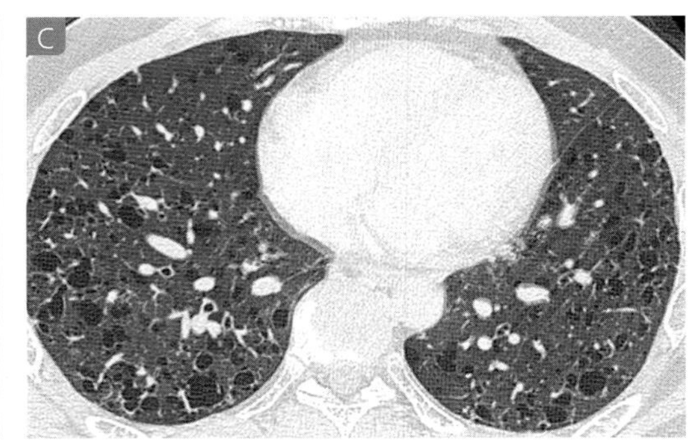

■ 그림 13-10. **조직학적으로 확진된 35세 남자 환자의 랑게르한스세포조직구증**
A. 흉부X선사진에서 양폐에 미세한 선상음영이 보인다. 양폐첨부에 비활동성 결핵을 시사하는 다발성 석회화와 섬유화가 관찰된다. **B, C.** CT영상에서 양 폐에 둥글거나 이상한 모양의 낭성 병변이 관찰되고 관상면 영상에서 폐하부와 늑골횡격막각은 비교적 보존된다.

가 주를 이루게 된다. 특히 1 cm 이상의 결절일 경우 간혹 투과성 중심부(lucent center)를 보여 공동형성을 시사한다(그림 13-9).

낭(cysts): 낭성 병변이 가장 흔한 CT 소견이며, 대부분 직경이 10 mm 이하이나 낭이 합쳐지면서 2 cm 이상의 직경을 가질 수 있다. 결절과 동반되어 나타날 수 있으나 단독 소견일 수도 있다. 낭벽의 두께는 인지하기 어려울 정도의 얇은 벽을 가지는 낭에서부터 수 mm 까지 다양하게 보고된다(그림 13-10). 뚜렷한 벽을 보이지 않는 경우 폐기종과 감별이 어려울 수 있다. 낭의 모양은 대부분 둥근 모양이나, 이상한(bizarre) 모양으로 관찰될 수 있으며 이엽성(bilobed) 혹은 클로버잎 모양으로 나타난다. 환자의 절반이상에서 큰 낭종이나 폐기포가 보인다. 흉부X선사진에서 보이는 벌집모양은 보이지 않는다. 일부 경우에서 폐 낭종만이 유일한 고해상CT 소견일 수 있다. 결절의 공동화뿐만 아니라 세기관지의 폐색에 의해 폐색된 부위 하방의 확장된 기관지가 육아종으로 둘러싸이거나 간질이 두꺼워진 경우에도 낭형성을 보일 수 있다. 그리고 이런 폐병변 사이에 있는 폐실질은 섬유화나 격막비후의 소견이 없는 정상 폐실질로 둘러싸여 있는 것이 특징이다.

거의 모든 경우에 폐하부와 늑골횡격막각에는 잘 생기지 않는다. 폐병변은 특징적 순서를 따라 중심소엽성 결절이 공동화를 거쳐 두꺼운 벽을 가지는 낭으로 변화하고 결국 얇은 벽을 보이는 낭으로 남게 된다. 결절성 병변은 저절로 없어지거나 낭으로 대치되나, 낭성 병변은 한번 형성되면 지속하여 미만성 폐기종과 감별이 어렵게 된다. 대부분의 환자가 흡연자이기 때문에 폐기종이 동반되는 경우가 많으며, 간유리음영이 약 20%에서 보이는데 조직학적으로 호흡세기관지염이나 박리성간질성폐렴변화와 일치한다. 호기촬영에서 낭의 크기가 감소할 수 있는데 이는 낭이 기도와 교통함을 시사하며, 공기포획소견을 보일 수 있다. 흡기 촬영에서 모자이크 관류(mosaic perfusion)를 보이기도 한다[7]. 폐문과 종격동 림프절 확대와 흉막삼출은 드물다.

4) 치료와 예후

흡연을 중단하면 많은 환자에서 증상이 사라질 수 있다. 그러나 금연이 질병의 장기간 진행에 영향을 미치는지와 사망률과의 관계에 대한 연구는 아직 부족하다. 스테로이드제제가 질병의 안정화에 도움이 된다는 보고들이 있다. 급속히 진행하는 랑게르한스조직구증에서 화학요법(methotrexate, vinblastine, chyclophosphamide)이 사용된다. 이외에도 폐기능이 급속히 악화되는 경우에 폐이식을 하기도 한다.

다발성 전신질환 환자에 비해 폐 단독으로 침범된 경우 좋은 예후를 보인다. 20%의 환자에서 자연관해를 보이고 25%에서 점차 진행되어 미만성 낭성 폐파괴를 보인다. 소수에서 호흡부전과 폐고혈압으로 사망하기도 한다. 매우 나이가 많은 경우, 다발성 기흉, 다기관을 침범한 경우, 흉부X선사진에서 광범위한 낭이나 벌집모양이 보이는 경우, 폐기능검사에서 확산 기능(diffusing capacity)이 매우 저하된 경우 나쁜 예후를 시사한다. 질병의 재발 및 퇴행과 금연의 상관관계는 뚜렷하게 밝혀진 바가 없으며, 흡연을 중단한 경우 혹은 지속할 때 모두 질병이 호전될 수 있다. 또한 영상소견의 호전을 보인 경우에서도 폐병변이 재발하기도 한다. 랑게르한스조직구증 성인 환자에서 골수증식질환(myeloproliferative disorders), 폐암 등의 악성 종양의 발생 위험도가 증가할 수 있다.

6. 림프관평활근종증(lymphangioleiomyomatosis)

1) 임상 소견

림프관평활근종증은 폐 평활근의 과오종성 증식으로 기관지 주위, 폐포벽, 림프관과 혈관 주위 등에 발생하는 드문 질환으로 가임기 여성에서만 발생한다. 기관지 주변 침윤으로 세기관지 폐색과 폐실질의 파괴가 일어나게 되고 이로 인해 낭종이 형성된다.

주 증상은 호흡곤란, 기흉, 기침 등이다. 약 30%에서 유미흉이 발생하며, 기흉은 80%, 객혈은 30% 정도의 환자에서 발생하는 것으로 보고하고 있다. 증상 발현후 진단까지는 평균 3-5년 정도 걸린다.

프로제스테론 투여나 항여성호르몬 치료(tamoxifen) 후 임상적 증상이 호전되었다는 보고가 있으나 반응의 정도는 다양하다. 대부분의 경우 진행성 경과를 보여, 환자의 대부분이 증상 발현 후 5-10년 내에 사망한다. 현재는 폐이식이 유일한 치료법으로 생각되고 있다.

2) 영상 소견

고해상CT에서 무수히 많은 낭(cyst)이 주된 소견으로 낭은 얇은 벽과 둥근 형태를 보인다(그림 13-11). 랑게르한스세포조

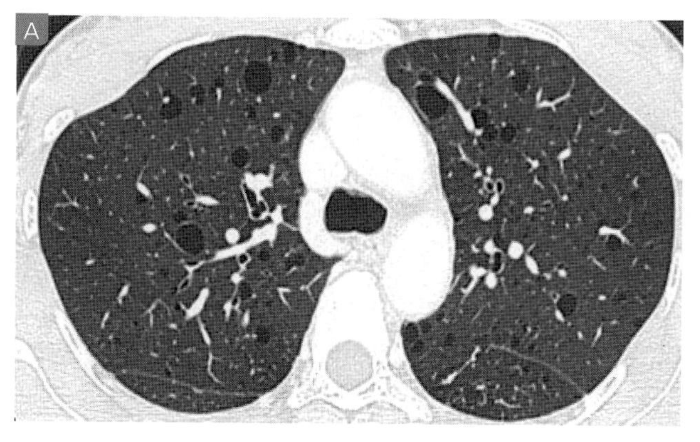

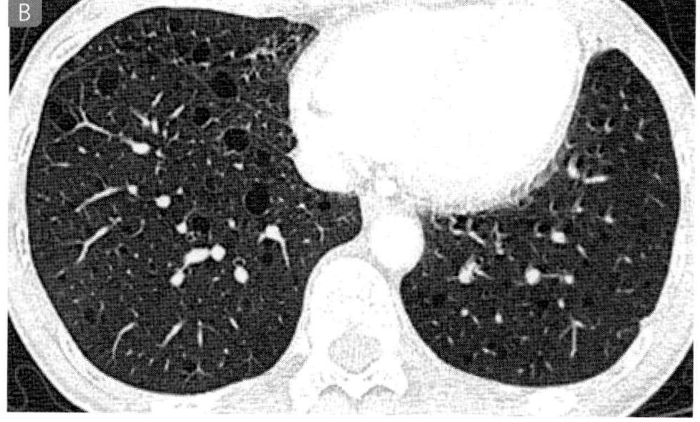

■ 그림 13-11. **45세 여자 환자의 림프관평활근종증**
고해상CT에서 폐 상부(A)부터 하부(B)까지 골고루 분포하는 낭들이 보인다. 낭 사이 폐실질은 정상으로 보인다.

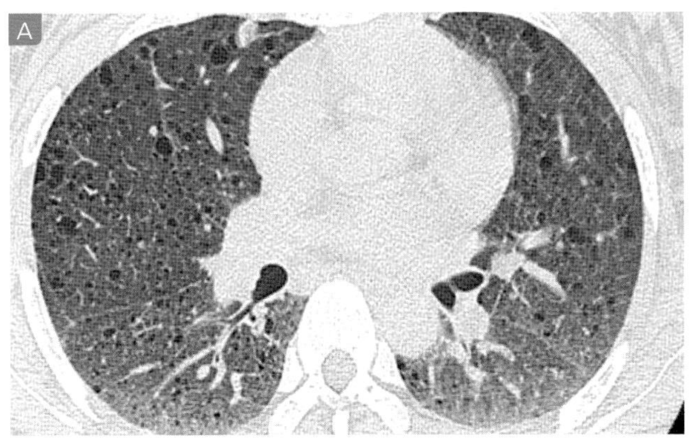

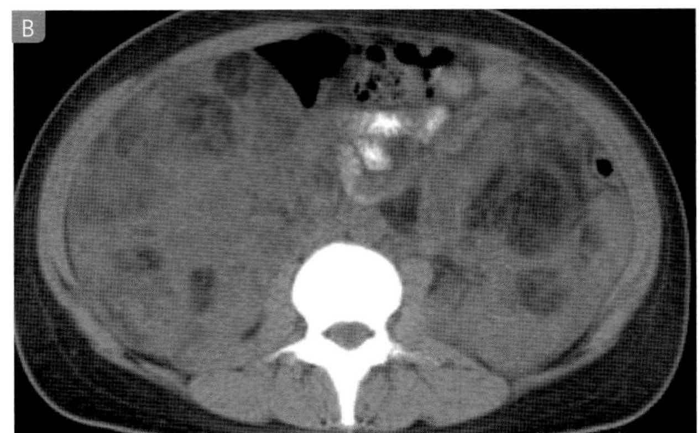

■ 그림 13-12. **22세 여자 환자의 결절성 경화증**
A. 고해상CT에서 양폐에 얇은 벽의 둥근 낭들이 보인다. **B.** 복부CT에서 양측 신장에 혈관근지방종이 보인다.

직구증식증(Langerhans cell histiocytosis)에서 보이는 불규칙한 모양의 낭은 드물다. 낭의 크기는 대부분 2-5 mm 정도이지만, 더 큰 낭이 보일 수 있으며, 병이 진행됨에 따라 크기가 증가하는 경향을 보인다.

림프관평활근종증에서 보이는 낭은 폐첨부부터 폐기저부까지 전폐야에 고르게 분포한다. 낭 사이의 폐실질은 CT에서 대부분 정상으로 보이지만 선상의 간질음영 증가, 소엽간중격 비후(interlobular septal thickening), 간유리음영 등이 보일 수 있다. 선상의 간질음영 증가와 소엽간중격 비후는 폐포와 소엽간중격의 림프관 부종을 나타내며, 간유리음영은 폐출혈을 의미한다. 이러한 폐부종과 출혈은 혈관의 침범이나 폐쇄, 폐정맥 고혈압, 객혈 등에 의해서 발생하게 된다. 드물게 중심소엽 소결절이 보이는 경우가 있는데 이는 평활근 세포가 기관지 주위에 축적되어 나타나게 된다[8].

흔한 폐외(extrapulmonary) 소견은 기흉, 유미흉, 림프절 비후, 신장의 혈관근지방종(angiomyolipoma) 등이다. 그 외에도 가슴관(thoracic duct) 확장, 복부의 림프관근종(lymphangioleiomyoma), 유미성 복수(chylous ascites)가 보일 수 있다.

3) 결절성 경화증(tuberous sclerosis)

결절성 경화증은 지능저하(mental retardation), 간질(seizure), 피하선종(adenoma sebaceum)을 특징으로 하는 드문 상염색체 우성 유전질환이다. 이외에도 신장의 혈관근지방종, 심장의 횡문근종(rhabdomyoma), 망막 모반(retinal phacoma) 등의 이상 소견을 동반한다.

결절성경화증(tuberous sclerosis)은 림프관평활근종증과 임상적, 영상의학적 그리고 병리학적으로 동일한 폐변화를 보이는데, 결절성경화증 환자의 약 1%에서 폐병변이 나타난다. 결절성경화증은 남녀 동일하게 생기지만, 폐병변은 거의 예외없이 여자에게 생긴다. 영상의학적으로 두 질환을 구분하는 것을 힘들지만 신장의 혈관근지방종이 동반될 경우 결절성경화증을 좀 더 의심할 수 있다(그림 13-12). 그러나 림프관평활근종증 단독으로도 혈관근지방종이 동반될 수 있다.

7. Birt-Hogg-Dubé 증후군

Birt-Hogg-Dubé (BHD)증후군은 얼굴, 목, 상체의 섬유털집종(fibrofolliculoma) 혹은 털원반종(trichodiscoma) 등의 피

부 과오종과 폐낭종, 자발성 기흉으로 나타나는 호흡기 질환, 신장암, 호산성과립세포종(oncocytoma) 등의 신장 종양과 대장 용종증, 맥락망막질환(chorioretinal disease) 등이 동반되어 나타나는 드문 상염색체 우성 유전질환이다. 이 질환은 1977년에 Birt-Hogg-Dubé에 의해서 처음 유전성 피부 질환으로 보고되었으며, folliculin을 합성하는 17p11.2에 위치한 종양 억제 유전자(tumor suppressor gene)인 BHD 유전자(FLCN gene)의 결함과 관련 있는 것으로 밝혀졌다[9].

1) 병리 소견

폐낭종의 형성 기전은 정확히 알려진 바가 없으나 주변부 폐포 증식에 주요 역할을 하는 folliculin과 관련이 있을 것이라는 가설이 있다. 대식세포와 섬유아세포에 의한 염증반응으로 설명되기도 하는데 folliculin mRNA가 결체조직의 기질세포와 폐포내의 대식세포 및 제2형 폐포세포에서 발현된다는 점이 이 가설을 뒷받침한다. 7세와 16세 사이의 FLCN

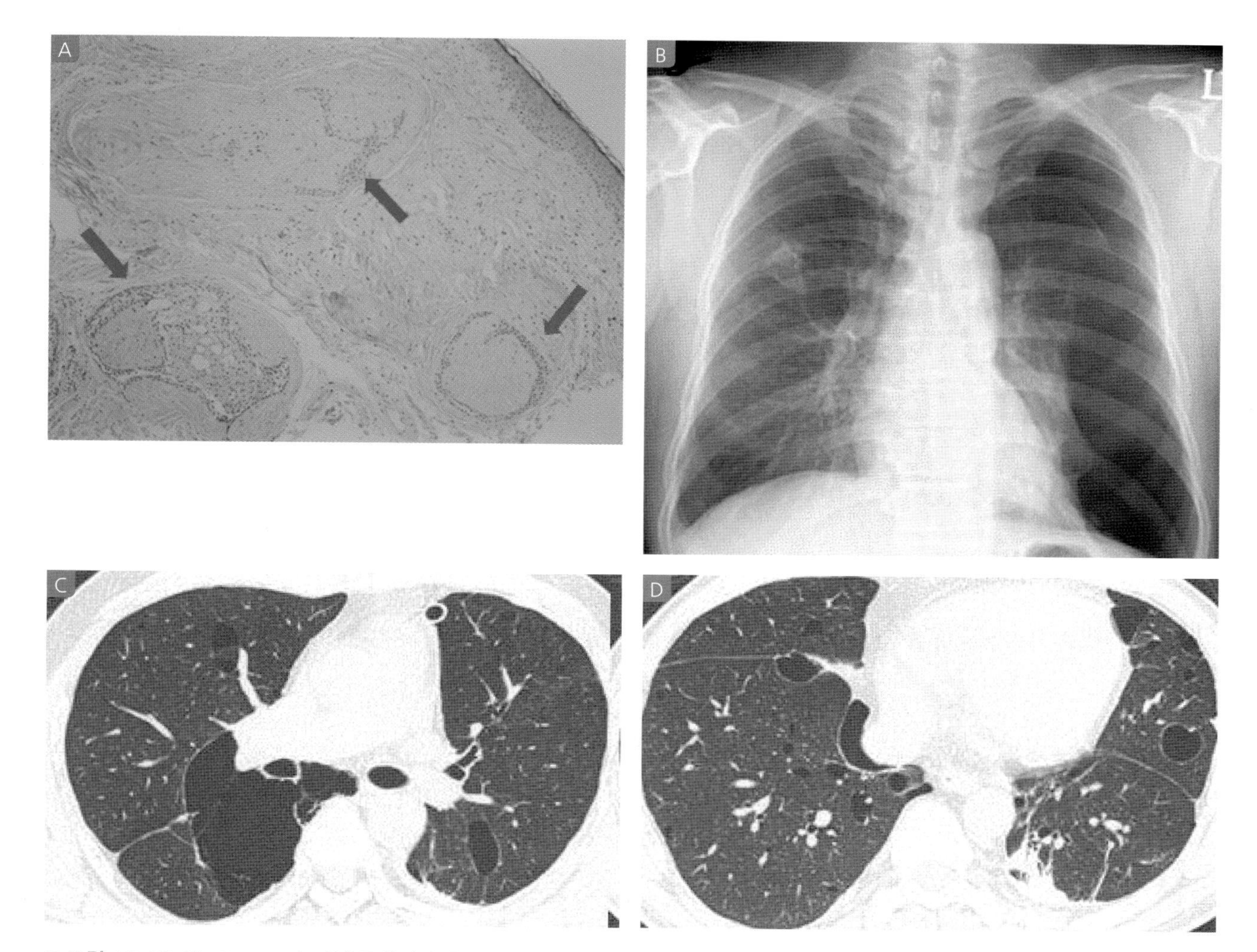

■ 그림 13-13. **Birt-Hogg-Dubé 증후군 환자의 피부 조직소견과 고해상도 CT소견**
A. 병리 사진에서 외투막형태(mantle-like pattern)와 모낭주위섬유화(perifollicular fibrosis)를 보이는 섬유털집종 소견이 보인다(화살표). **B.** 흉부X선사진에서 좌측에 자발성 기흉이 보인다. **C, D.** 고해상CT에서 양측 폐에 다양한 크기의 다발성 낭종이 있으며, 흉막하에 주로 분포하고 우하엽 내측에 융합하는 양상의 큰 낭종이 보인다(고려대 강은영 교수 제공).

표 13-4. Birt-Hogg-Dubé 증후군의 진단기준(주요기준(major criteria) 하나 이상 혹은 2개 이상의 2차 기준을 충족시 진단됨)

주요 기준	2차 기준
5개 이상의 섬유털집종(fibrofolliculoma) 혹은 털원반종(trichodiscoma); 최소 1개 이상 조직학적으로 확진 , 성인에서 발현	다발성 폐낭종; 다른 원인이 없는 양측성 폐기저부 낭종, 자발성 일차성 기흉 동반유무
FLCN 생식세포 돌연변이(germline mutation)	신세포암; 조기 발병(<50세) 혹은 다발성 양측성 신세포암 혹은 혐색소신세포암과 호산성과립세포종의 혼합형

돌연변이 보인자(FLCN-mutationarriers)에서도 기흉이 보고된 바가 있다[9].

2) 영상소견

Birt-Hogg-Dubé 증후군의 고해상CT 소견은 얇은 벽을 가지는 폐낭종, 자발성 기흉과 수포성폐기종(bullous emphysema)이다. 80% 이상의 환자에서 다발성 폐낭종을 보이고 만성폐쇄성폐질환에서 폐낭종이 폐첨부에 호발하는 것과는 달리 폐하엽 기저분절과 폐하부의 내측면 및 흉막하 영역에 더 흔하게 나타난다. 얇은 벽을 가진 다양한 크기의 낭종을 특징으로 하며 낭종의 수도 매우 다양하다. 낭종은 간혹 길쭉한 모양을 보이고 전 폐야의 30% 미만을 침범한다(그림 13-13)[9]. 낭종 외 폐실질은 정상으로 보이고 다발성 낭종이 있어도 폐기능은 대개 보존된다. 폐낭종이 피부 질환이나 신장 병변보다 좀 더 빨리 나타나는 경향을 보인다. 기흉은 일반 인구에 비해 약 50배의 빈도로 11-32%에서 나타난다. 기흉의 빈도는 20세에서 40세 사이에 증가하며, 40세 이후에는 감소하는 것으로 알려져 있다. 재발성 기흉이 좀 더 흔하다.

폐병변 외에 15-30%의 환자에서 신장 종양이 발견되고 평균 진단 나이는 50.7세이다. 신종양의 조직학적 유형도 매우 다양하여 호산성과립세포종(oncocytoma)과 혐색소신세포암(chromophobe renal cell carcinoma, RCC), 투명세포신세포암(clear cell RCC), 유두신세포암(papillary RCC), 혈관근육지방종(angiomyolipoma) 등이 동반된다.

3) 진단 기준

진단 기준은 하나 이상의 주요기준(최소 5개 이상의 섬유모낭종, FLCN 유전자의 생식세포돌연변이) 혹은 2개 이상의 2차 기준(뚜렷한 원인이 없는 양측성 다발성 폐낭종, 신장암, 부모형제 중 BHD syndrome이 있는 경우)을 충족하는 경우이다. 피부, 폐, 신장 병변이 항상 함께 나타나는 것은 아니며, 피부와 신장 병변 없이도 다발성 폐낭종만 발견되는 BHD 증후군도 있다(표 13-4).

참고 문헌

1. Borie R, Danel C, Debray M-P, Taille C, Dombret M-C, Aubier M, et al. Pulmonary alveolar proteinosis. Eur Respir Rev 2011;20:98-107.
2. Rossi SE, Erasmus JJ, Volpacchio M, Franquet T, Castiglioni T, McAdams HP. "Crazy-paving" pattern at thin-section CT of the lungs: radiologic-pathologic overview. RadioGraphics. 2003;23:1509-1519.
3. Hazenberg BP. Amyloidosis: A clinical overview. Rheum Dis Clin N Am 2013;39:323-345.
4. Aylwin AC, Gishen P, Copley SJ. Imaging appearance of thoracic amyloidosis. J Thorac Imaging. 2005;20:41-46.
5. Deniz O, Ors F, Tozkoparan E, Ozcan A, Gumus S, Bozlar U, et al. High resolution computed tomographic features of pulmonary alveolar microlithiasis. Eur J Radiol 2005;55:452-460.
6. Hartman TE, Muller NL, Primack SL, Johkoh T, Takeuchi N, Ikezoe J, et al. Metastatic pulmonary calcification in patients with hypercalcemia: findings

on chest radiographs and CT scans. AJR Am J Roentgenol 1994;162:799-802.

7. Abbott GF, Rosado-de-Christenson ML, Franks TJ, Frazier AA, Galvin JR. From the archives of the AFIP: pulmonary Langerhans cell histiocytosis. RadioGraphics 2004;24:821-841.
8. Pallisa E, Sanz P, Roman A, Majo J, Andreu J, Caceres J. Lymphangioleiomyomatosis: pulmonary and abdominal findings with pathologic correlation. RadioGraphics 2002;22:S185-S198.
9. Agarwal PP, Gross BH, Holloway BJ, Seely J, Stark P, Kazerooni EA. Thoracic CT findings in Birt-Hogg-Dubé syndrome. AJR Am J Roentgenol 2011;196:349-352.

CHAPTER 13

CHAPTER

14 교원혈관병

| 김미영 |

Contents

교원혈관병(connective tissue disease or collagen vascular disease, CTD or CVD)은 원인 불명의 자가면역질환으로 폐에 특발폐섬유증(idiopathic interstitial pneumonia, IIP)과 유사한 미만간질폐질환(diffuse interstitial lung disease, DILD)을 유발한다(표 14-1). 이 범주에 속하는 상기 질환의 미만간질폐질환의 영상의학적 소견은 대부분 비특이적이며 질환에 따라 나타나는 소견과 빈도가 매우 다양하다. 이는 전신질환의 한 부분으로 나타나는 것으로 신체의 다른 부위 병변에 선행하여 나타나거나 병의 진행에 따라 나중에 발현하기도 한다[1].

흉부영상검사의 목적은 교원혈관병에 의한 폐의 병변을 조기 발견하고 특발폐질환과의 감별하는 데 도움이 되기 위함인데, 이는 특발폐질환과 예후의 차이가 나기 때문이다(표 14-2). 그 외에 다양한 교원혈관병에서 흔하게 나타날 수 있는 흉부에서의 동반 질환을 찾는데 그 의의가 있다.

교원혈관병으로 인한 미만간질폐질환을 진단하는데 있어 특발간질폐질환과 마찬가지로 American thoracic society and European respiratory society가 권장하는 다학제적 접근이 필요하며(multidisciplinary approach) 임상의사, 영상의학과의사, 병리과의사 간 합의를 통한 진단(consensus diagnosis)을 하는 것이 바람직하다[2].

Ⅰ 류마티스관절염

류마티스관절염(rheumatoid arthritis)은 전 세계 인구의 약 1%에서 발생하는 가장 흔한 교원혈관병이며 모든 연령에서

표 14-1. Range of pathologic processes found in the lungs of patients with connective tissue disease[3, 8]

Pathology	RA 류마티스 관절염	SLE 전신홍반 루푸스	PM/DM 다발성근육염/피부근염	PSS 전신경화증	SjS 쇼그렌 증후군	MCTD 혼합교원 혈관병
상용간질폐렴(UIP pattern)	**	*	*	*	*	*
비특이간질폐렴(NSIP pattern) **	**	***	***	*	**	
기질화폐렴(Organizing pneumonia)	**	*	***	*		
미만성폐포손상(Diffuse alveolar damage)	*	**	**	*	*	
림프구간질폐렴(Lymphocytic interstitial pneumonia)	*	*			***	
폐고혈압(Pulmonary hypertension)	**	*	*	***		**
폐포출혈(Alveolar hemorrhage)	*	**	*	*		*
폐쇄성기관지염(Obliterative bronchiolitis)	**	*		*		
기관지 확장증(Bronchiectasis)	**	*			*	
여포성기관지염(Follicular bronchiolitis)	***	*			**	
흡인성 폐렴(Aspiration pneumonia)		*	***			*
근력약화(Muscle weakness)			**	*		*
아밀로이드증(Amyloidosis)	*	*			**	
림프증식성질환(Lymphoproliferative disease)	**	*				
흉막삼출액(Pleural effusion)	**	**		*		

표 14-2. 교원혈관병(CTD-IP)와 특발간질폐렴(Idiopathic IP)의 차이

	CTD-IP	Idiopathic IP
나이	젊음	좀 더 많은 나이
성별	여자에게 더 많음	남자에게 더 많음
고해상CT	좀더 작고 적은 범위의 벌집폐와 폐기종	좀더 크고 많은 범위의 벌집폐와 폐기종
가장 흔한 간질폐질환	비특이간질폐렴(NSIP)	상용간질폐렴(UIP)
다음으로 흔한 간질폐질환	상용간질폐렴(UIP)	비특이간질폐렴(NSIP)
예후	더 좋음	더 나쁨

발병하지만 40대에 가장 흔하고 여성에서 남성에 비해 약 2-3배 많이 발생한다.

흉부X선사진에서 간질폐질환은 주로 양하엽에서 약 5% 정도에서 나타나며 고해상CT에서는 30-40%에서 나타난다. 병리학적으로는 이보다 훨씬 많은 경우(80%)에서 간질폐질환이 보이며 상용간질폐렴(usual interstitial pneumonia, UIP) 패턴이 비특이간질폐렴(nonspecific interstitial pneumonia, NSIP) 패턴보다 많다(그림 14-1). 다발성 반점성 폐경화가 보인다면 기질화폐렴(organizing pneumonia, OP or BOOP)이나 염증성 폐렴의 가능성이 크다. 그 외 기관지확장증

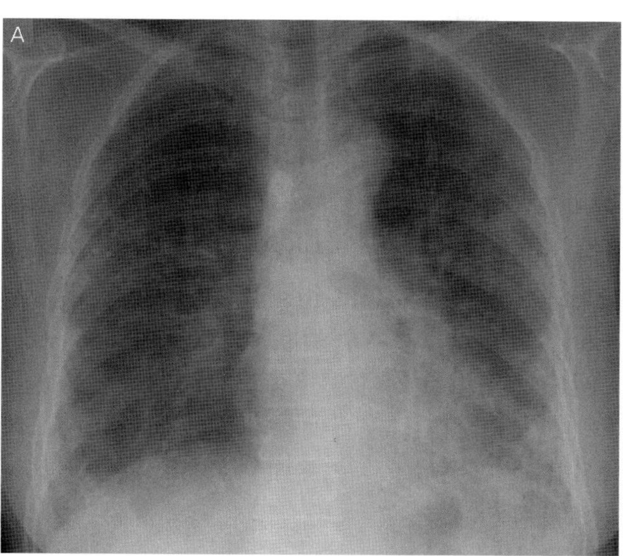

■ 그림 14-1. **59세 여자 류마티스관절염(RA)의 상용간질폐렴(UIP)**
흉부X선사진(A)에서 폐하엽에 경계가 불분명한 간유리음영과 약간의 경화소견이 보이고 고해상CT(B-C)에서 흉막 하, 폐주변부 하엽에 망상형, 불규칙한 선상 음영과 간유리음영이 보인다. 병리에서(D-E) 벌집폐와 더불어 현미경적으로 만성 염증과 섬유화가 보이며 특징적으로 서로 다른 시기의 소견들이 같이 혼재되어 나타난다. 교원혈관병은 폐병변 만으로는 감별이 되지 않으므로 다른 임상 소견(류마티스관절염, 피부질환 등)을 참고하여 진단한다.

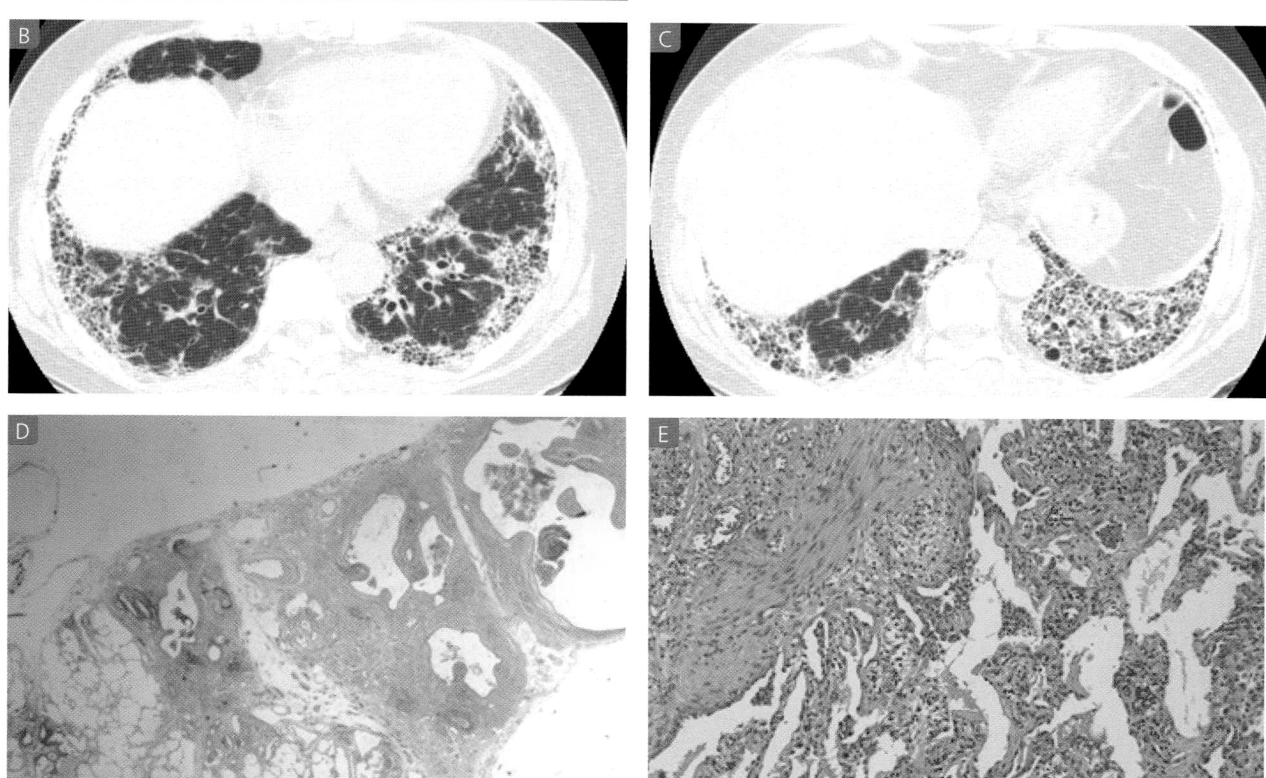

(15-30%), 폐쇄성기관지염(obliterative bronchiolitis)에 의한 소견이 보이기도 한다.

환자에서 가장 흔한 흉부질환은 흉막질환이다(그림 14-2). 증상을 유발하는 흉막질환은 흉부X선사진에서 흉막 비후가 20%가량 되며 흉막 삼출은 1-5%에서 발견된다. 류마티스관절염은 일반적으로 여성에 호발하는데 비하여 흉막 삼출은 남성에 호발하며 대개는 장기간의 심한 관절염 및 피하결절이 있는 환자에서 보게 된다. 흉막삼출액은 대개 편측

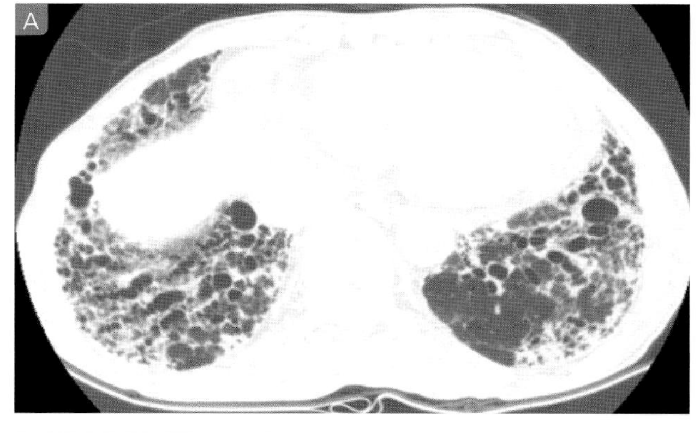

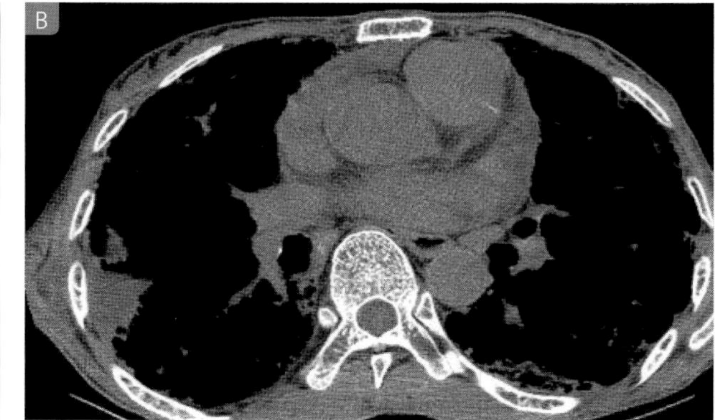

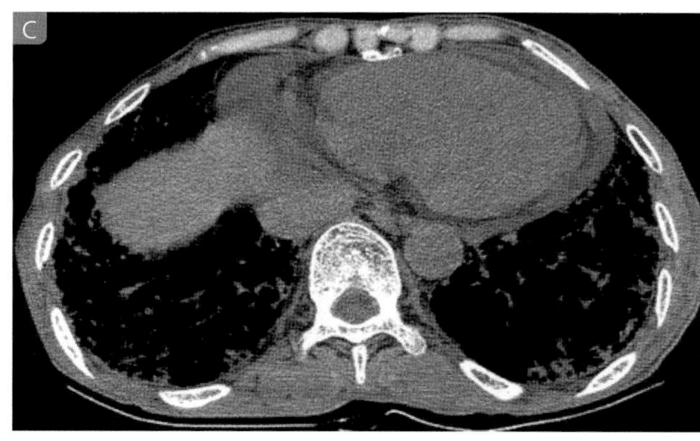

■ 그림 14-2. **59세 여자 류마티스관절염(RA)의 상용간질폐렴(UIP)과 흉막과 심막침범**
고해상CT(A)에서 폐섬유화 변화로 인해 하엽에 견인기관지확장증, 폐실질 왜곡과 불규칙한 망상 음영이 보인다. 양측에 약간의 늑막비후가 있고 우측에는 방을 형성한 흉막 삼출액이 있다(B). 심막을 따라 소량의 심막 삼출액이 보인다(C).

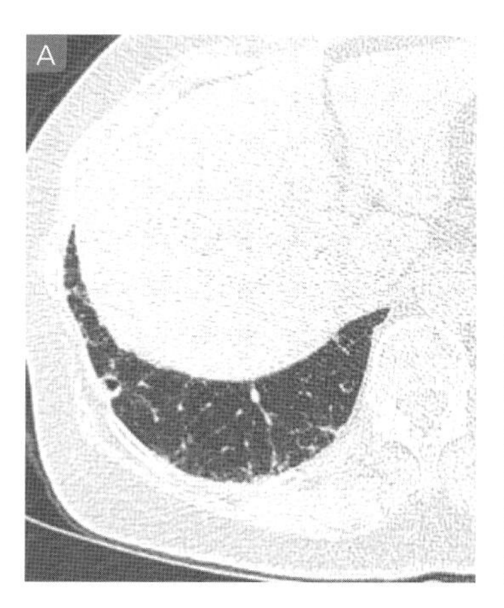

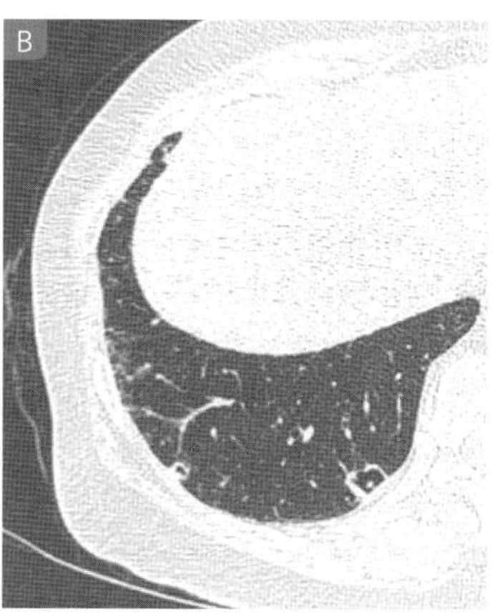

■ 그림 14-3. **69세 여자 류마티스관절염(RA)의 비특이간질폐렴(NSIP)와 사생증성결절(necrobiotic nodule, rheumatoid nodule)**
고해상CT(A, B)에서 흉막하, 폐주변부 하엽에 망상형, 불규칙한 선상 음영이 보인다. 또한 여러 개의 공동성결절이 보인다.

성이고 소량이며 증상이 없는 경우가 많고, 수 주 내지 수개월 후에 소실된다. 기흉 및 농흉이 드물게 발생할 수 있는데 기흉의 원인은 흉막하 사생증성결절(necrobiotic nodule, rheumatoid nodule)의 파열에 의한 것이다.

사생증성결절은 환자의 20%에서 주로 피부에 발생하며 드물게 폐에도 발생하여 흉부X선사진에서 류마티스관절염 환자의 0.2% 정도에서 보인다(그림 14-3). 폐에 발생한 사생증성결절의 흉부X선사진의 소견은 폐암과 유사하여 감별이 어렵다. 대개 증상을 유발하지 않으며, 0.5-7 cm의 크기이고, 한 개 혹은 여러 개의 결절로 나타나고, 폐의 변연부에 호발하며, 50% 정도에서 공동화하고 석회화는 보이지 않으며, 대개 피하결절을 동반하는 경우가 많고, 흔히 혈중 류마티스관절염 인자(rheumatoid arthritis factor)가 양성이다.

탄광진폐(coal miner's pneumoconiosis) 환자에서 진행성섬유화(progressive massive fibrosis, PMF)와는 다른 형태의 0.5-5 cm의 경계가 분명한 다발성 원형 결절이 전 폐야에, 그 중 특히 변연부에 산재하고 급속히 나타났다가 그 이후로는 성장 혹은 소실 등의 다양한 변화를 보일 경우 카플란(Caplan) 증후군을 의심할 수 있다. 그 유병률은 2-6%로 알려져 있으며 이 결절의 병리학적 소견은 사생증성결절과 동일하다. 류마티스관절염 환자 중 진폐증이 있는 경우에는 그렇지 않은 환자에 비하여 사생증성결절의 발생 빈도가 높은데 이는 실리카(silica)가 결절형성을 촉진하기 때문이다[1-4].

CHAPTER 14

II 전신경화증

전신경화증(progressive systemic sclerosis, scleroderma, PSS)은 연간 1만 명 중 1명 정도로 발생하며, 전신홍반루프스의 1/4의 빈도로 나타난다. 남성에 비하여 여성에서 3배의 빈도를 보이며 주로 가임기 여성에서 생긴다. 전신경화증에서 폐는 피부 다음으로 흔한 침범 장기이다. 예후는 진단 후 7.2년에 50%의 사망률을 보이고 주된 사망의 원인은 폐 병변 때문이다. 전신경화증은 국한형(localized form)과 미만형(diffuse form)으로 나눈다. 60%가 국한형으로 CREST 증후군(Calcinosis, Raynaud's phenomenon, Esophageal involvement, Sclerodactyly, Telangiectasia)이 이에 해당하고 주로 중장년층의 여성에서 만성의 경과로 발생하는 반면, 미만성의 경우 노년 여성에 호발하며 비교적 급성으로 발병하여 식도, 폐, 신장 등을 침범한다.

간질성폐질환은 다른 종류의 교원혈관병에 비해서 경화증환자에서 더 자주, 심하게 보이며 국한형과 미만형에서 모

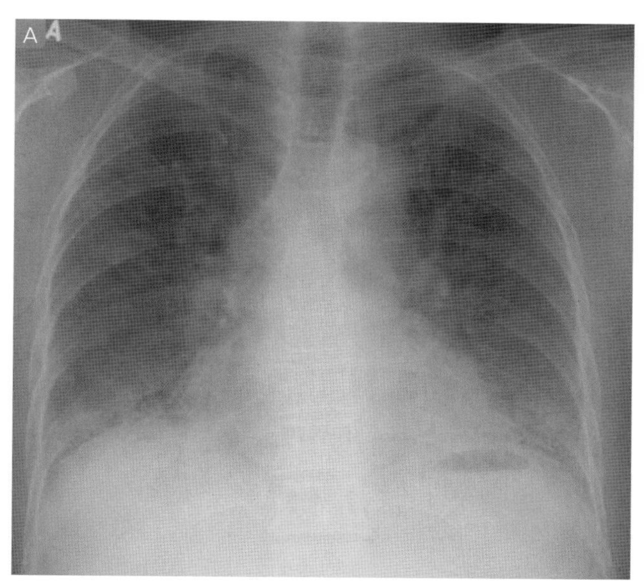

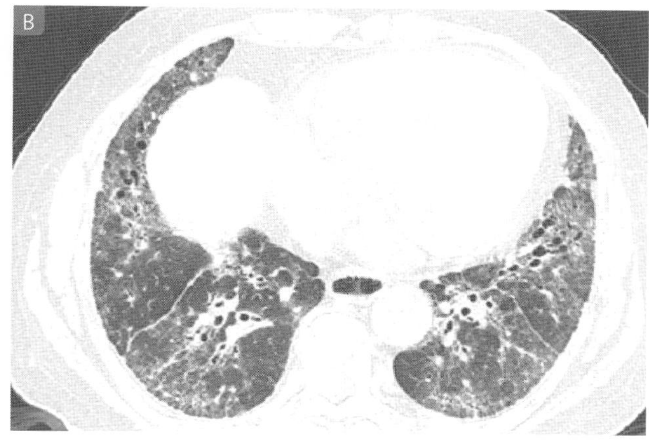

■ 그림 14-4. **58세 여자 전신경화증(PSS)의 비특이간질폐렴(NSIP)**
흉부X선사진(A)에서 경계가 불분명한 간유리음영과 경한 망상음영이 주로 하엽에 보이고 고해상CT(B)에서 흉막하, 폐주변부 하엽에 망상형, 불규칙한 선상 음영과 간유리음영이 보인다. 식도가 확장되어 있다(A, B).

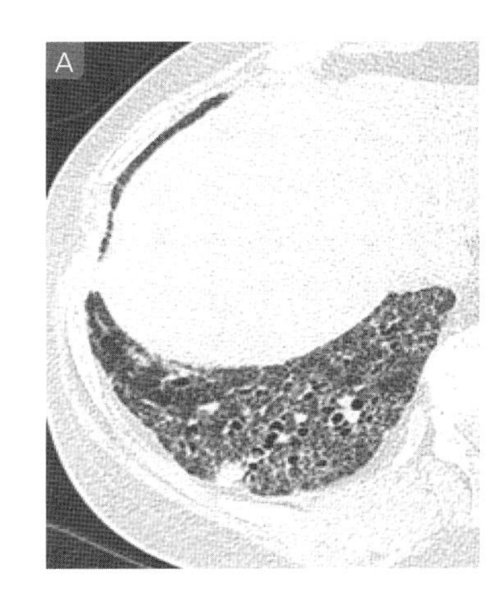

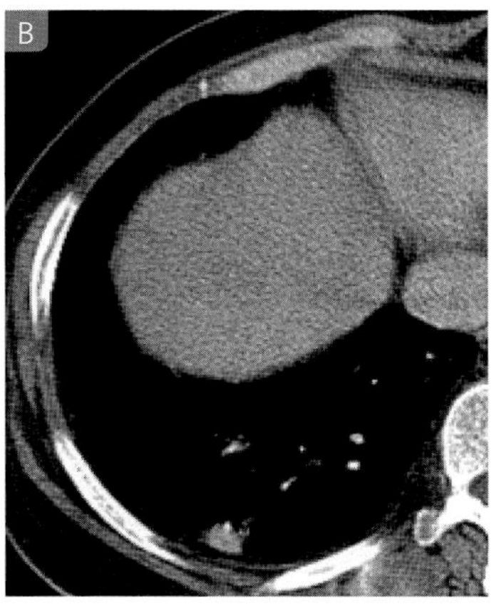

■ 그림 14-5. **69세 여자 전신경화증(PSS)의 비특이간질폐렴(NSIP)과 소세포암(small cell lung cancer)**
고해상CT(A)에서 우하엽에 망상형, 불규칙한 선상 음영, 간유리음영, 그리고 견인기관지확장증이 보인다. 우하엽에 결절이 있으며 폐암으로 진단되었다.

두 나타나나 미만형인 경우에 좀 더 심하게 나타난다.

흉부X선사진에서는 25-65%에서 폐간질의 이상 소견을 나타내며 고해상CT에서는 61-91%에서 간질성 폐병변이 발견된다. 최근의 연구들에서는 비특이간질폐렴이 가장 흔한 패턴으로 발생하는 것으로 보고되고 있다(그림 14-4)[1, 2, 5]. 전신경화증에서의 섬유화성 병변은 전형적인 특발성폐섬유증에 비해서 전체적인 침범 범위가 적을 뿐만 아니라 진행속도도 훨씬 느려서 양호한 예후를 보인다. 폐경화가 보인다면 감별진단은 감염, 흡인성 폐렴, 기질화 폐렴, 미만성폐포손상(diffuse alveolar damage)이며 드물게 폐출혈도 생길 수 있는데 이때에는 간유리음영으로 나타나는 경우가 대부분이다.

전신경화증 환자의 87%에서 연하곤란, 속쓰림 등의 식도 침범 증상이 있으며, CT나 식도조영술에서 62%에서 식도의 확장 및 연하운동 장애 등의 이상 소견이 있다. 식도의 장애로 인하여 위 식도역류 및 흡인성 폐렴이 반복적으로 발생하며 폐간질의 섬유화가 유발되기도 한다.

전신경화증환자, 특히 미만형의 경우에서 폐암 발생의 상대적 위험도는 일반인에 비하여 16.5배로서, 14배로 보고된 바 있는 특발폐섬유화에서의 경우와 유사하다(그림 14-5).

심혈관의 침범 소견은 17% 정도에서 볼 수 있는데, 특히 폐동맥고혈압이 자주 동반되며 이 경우 흉부X선사진에서 중심부 폐동맥음영의 확대, 우심실의 확대에 의한 심음영의 증가 등이 보인다.

III 전신홍반루푸스

전신홍반루푸스(systemic lupus erythematosus, SLE)는 15-45세 사이의 젊은 여성에게 주로 나타난다(여성에서 8배). 간질폐질환의 빈도는 다른 교원혈관병에 비해 낮고(4%), 상용간질폐렴 혹은 비특이간질폐렴 패턴으로 주로 보이고, 그 외 기질화폐렴(OP), 림프구간질폐렴 그리고 기관지확장증의 형태로 나타나기도 한다(그림 14-6) (표 14-3).

그러나 전신홍반루프스 환자에서 가장 흔한 폐 실질 병변의 원인은 급성질환이 많으며 감염성 질환, 급성루프스폐렴(acute lupus pneumonitis), 그리고 폐출혈이다.

전신홍반루프스 환자에서 실제로 폐 침윤의 70%는 감염에 의한 것이다. 전신홍반루프스 환자에서는 질병 자체의 면역학적 결함이나, 스테로이드, cyclophosphamide와 같은 면역 억제 용법에 의한 기회 감염이 증가하며, 폐부종, 호흡

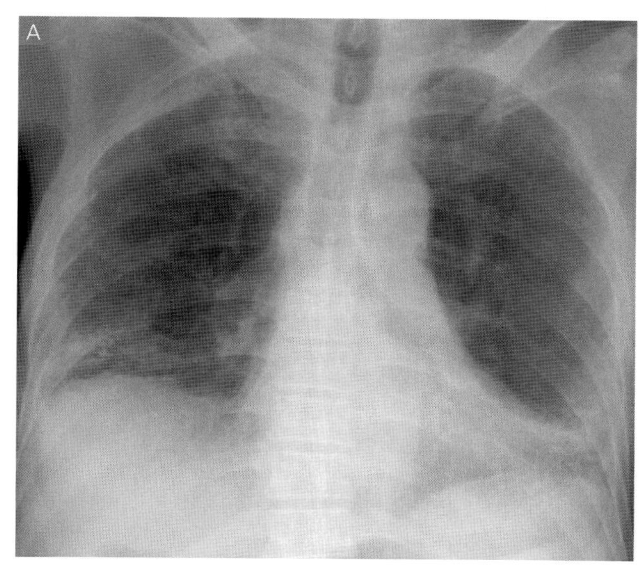

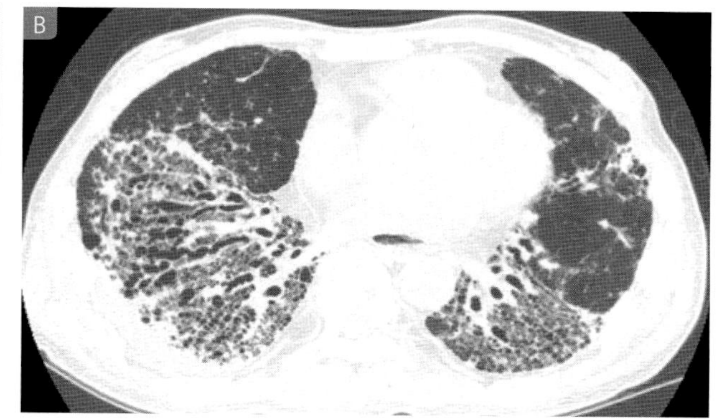

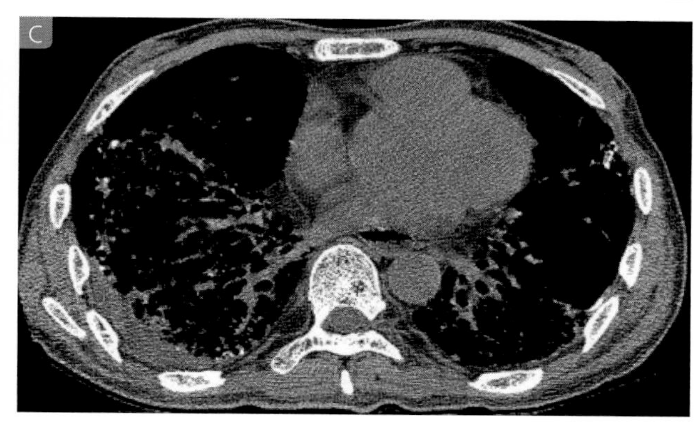

■ 그림 14-6. **67세 여자 전신홍반루프스(SLE)의 상용간질폐렴(UIP)과 흉막침범**
흉부X선사진(A)에서 경계가 불분명한 간유리음영과 경한 망상음영이 주로 하엽에 보인다. 고해상CT(B,C)에서 폐섬유화로 인해 하엽에 견인기관지확장증, 폐실질 왜곡과 불규칙한 망상음영이 보인다. 양측에 약간의 늑막비후가 있고 우측에는 흉막삼출이 있다(C).

근육의 약화 등의 요인 등에 의해 감염이 자주 발생한다. 폐렴은 패혈증, 신부전과 함께 중요한 사망 원인이다. 폐 감염의 원인 균은 박테리아가 많지만 건강인에게는 드문 기회감염도 생길 수 있다. 기회 감염의 경우 아스페르길루스, 효모균증, 폐포자충, 거대세포바이러스, 노카르디아증 등이 발생하는데 특히 노카르디아에 의한 감염이 빈번하게 발생하는 것으로 보고되고 있고 이 경우 스테로이드를 줄여 나가는 시기에 특히 호발한다. 노카르디아증은 치료가 늦을 경우 급속히 진행하여 치명적인 결과를 유발하므로 조기 진단 및 치료가 중요하다. 흉부X선사진에서 다발성 반점성 폐경화 및 흉막삼출로 나타나고, 폐 병변의 내부에 공동화를 보일 수도 있으며 폐의 변연부에 주로 나타난다.

전신홍반루푸스의 약 5% 내외에서 결핵이 발생하는데 스테로이드나 cyclophosphamide를 사용 중에 잘 생기며 흔히 속립성이나 폐외결핵(miliary & extrapulmonary tuberculosis)의 형태로 발현한다. 증상이 전신홍반루프스 자체의 증상과 중복되는 경우가 많아 진단이 늦어져서 발견 당시 상당히 진행된 경우가 많고 이로 인해 완치율도 상대적으로 저조하다.

급성루푸스폐렴은 급성의 호흡부전, 기침, 늑막성 흉통, 저산소증, 발열, 때로 객혈 등의 증상이 동시에 나타나는 것이 특징으로 약 1-4%의 환자에서 나타난다. 대부분에서 흉통과 함께 흉막삼출을 동반한다. 동맥 내 산소 분압이 현저하게 감소하며 심한 저탄산증(hypocapnea)이 나타난다. 따라서 급성루푸스폐렴의 진단은 다른 질환의 가능성이 배제된 후에 내리게 된다(그림 14-7).

전신홍반루프스에서의 폐포성출혈은 무증상에서부터 사망에 이르는 대출혈까지 정도의 차이가 있으나 드물지 않게 발생하는데 대출혈이 있을 경우 치사율은 50%에 달한다. 전신홍반루프스의 폐출혈이 있을 경우 급성루푸스폐렴과 감별이 어려운데 그 이유는 출혈의 경우에도 호흡곤란, 기침 및 동맥혈 저산소증이 동반되기 때문이다. 혈중 헤모글로빈

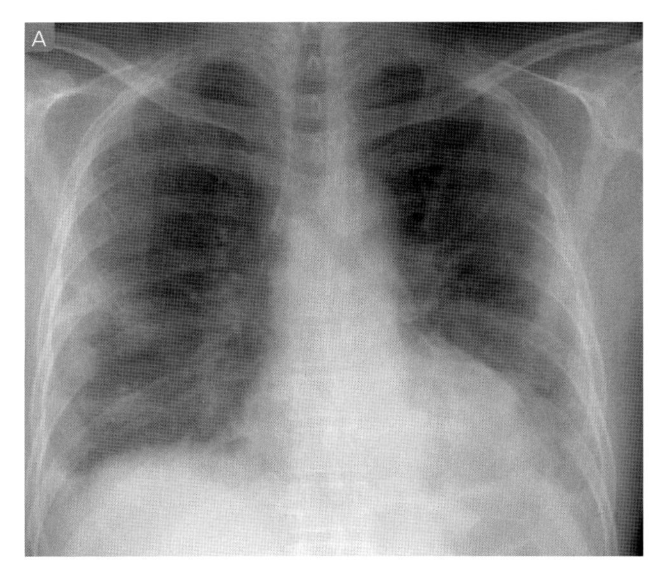

■ 그림 14-7. **45세 남자 전신홍반루프스(SLE)의 루프스폐렴(lupus pneumonitis), 급성에서 만성으로의 경과 변화**
흉부X선사진(A)에서 경계가 불분명한 간유리음영과 폐경화 소견이 주로 중엽과 하엽에 보인다. 이 시기의 고해상CT(B,C)에서 역시 경계가 불분명한 간유리음영과 폐경화 소견이 주로 폐의 주변부에 분포한다. 두달 후 추적검사에서 병변이 융합되어 단단한 경화소견이 증가하였으며 병변의 범위도 전폐로 확장되었고 우상엽에는 견인기관지확장증이 있다(D,E)

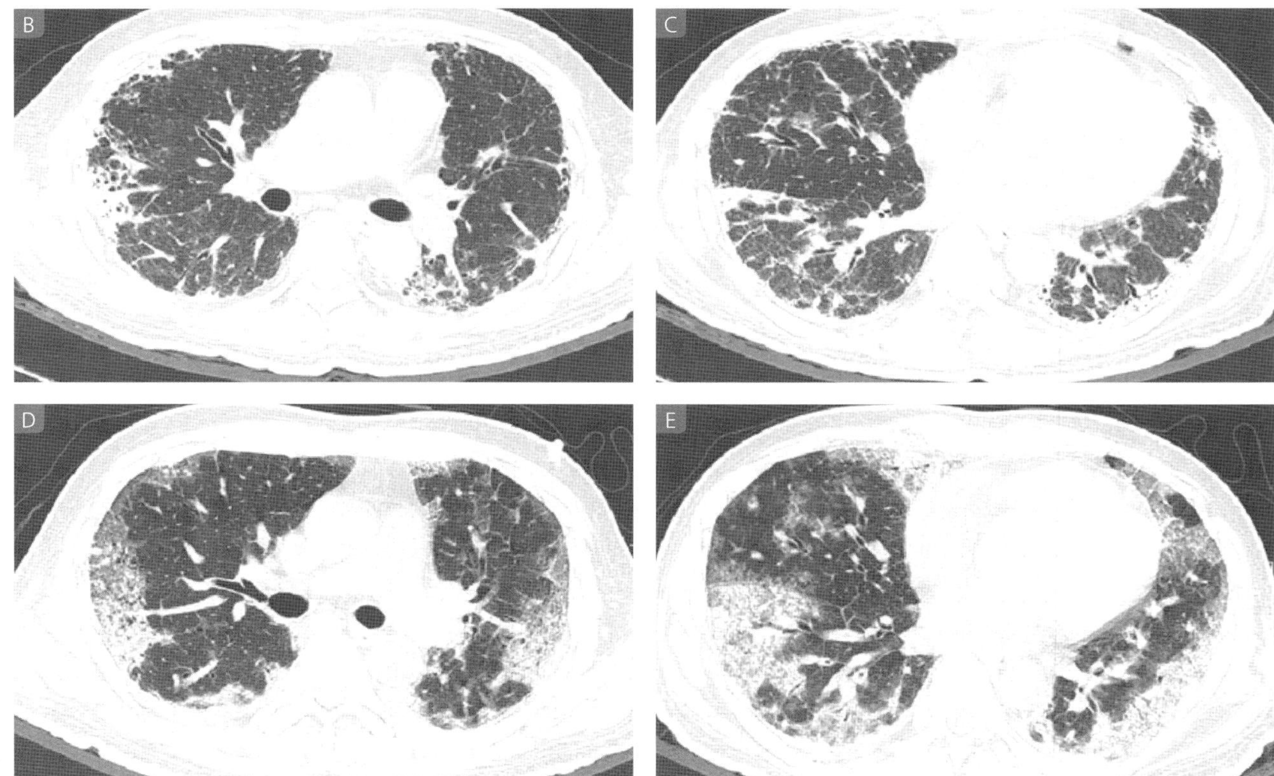

수치가 12-36시간 내에 현저한 저하를 보이거나 객혈이 있을 경우에는 폐출혈을 의심할 수 있다. 흉부X선사진에서는 양측성의 정도가 심한 경계가 불분명한 다발성 반점성 폐경화가 주로 하엽에 나타나며, 대다수에서 대칭적으로 보이지만 비대칭적으로 보이는 경우도 있다. 출혈이 멈추면 급속히 호전되어 2-4일 이내에 정상화된다. 고해상CT에서는 초기에 무작위 분포를 보이는 1-3 mm 크기의 결절성음영이 나타나고, 심해지면 경계가 불분명한 결절음영과 더불어 간유

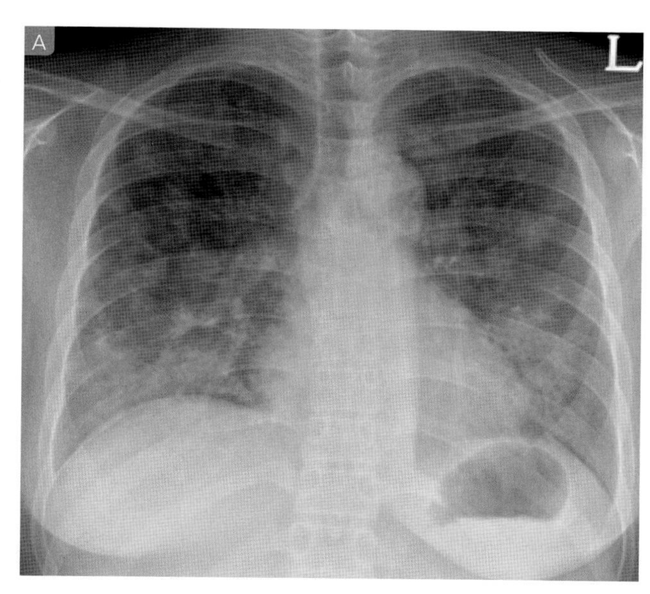

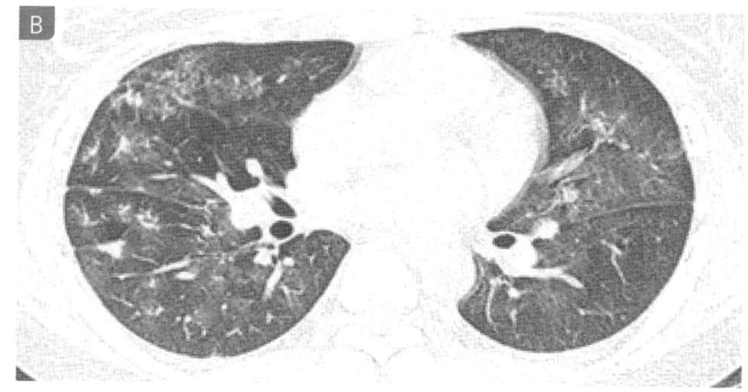

■ 그림 14-8. **23세 여자 객혈을 주소로 내원한 전신홍반루프스(SLE)의 폐출혈(diffuse alveolar hemorrhage)**
흉부X선사진(A)에서 경계가 불분명한 간유리음영과 폐경화 소견이 주로 중 하엽에 보인다. 이 시기의 고해상CT(B)에서 전체적으로 경계가 불분명한 간유리음영과 폐경화 소견이 주로 양폐에 무작위로 분포한다. 하루 후 추적검사에서 상기 병변은 모두 소실되었다.

리음영, 심한 다발성 폐경화 등의 소견을 보인다(그림 14-8).

전신홍반루프스는 전신질환으로 신장을 자주 침범하고 감염 또한 빈번히 발생하기 때문에 이에 의한 폐부종 등 이차적인 소견이 나타나기도 한다.

전신홍반루프스에 의한 호흡기 질환 중 흉막질환은 가장 빈번하다. 임상적으로 전신홍반루프스에 의한 흉막염은 45-60% 로 발생하며 일반적으로 흉통, 기침, 발열을 동반하는 소량의 흉막삼출을 보인다. 흉막삼출이 대량으로 보일 경우는 다른 원인에 의한 가능성을 고려하여야 한다. 흉막삼출은 교원혈관병중에서 전신홍반루프스에서 가장 흔하며 약 50%에서 양측성으로 나타난다[1, 2, 6-8].

표 14-3. **흉부에서의 전신홍반루프스의 소견**

Parenchymal Lesions	Pleural Lesions
Nonspecific interstitial pneumonia Usual interstitial pneumonia Organizing pneumonia Acute lupus pneumonitis(1–4%)* Intraalveolar hemorrhage* Pulmonary edema* Pulmonary thromboembolism(esp. antiphospholipid syndrome) Pulmonary hypertension Large vessel vasculitis Increased hematologic malignancy, lymphoma, lung cancer	Pleural effusion(pleuritis) Pleural thickening(pleural fibrosis)

*acute processes

Ⅳ 다발성근육염/피부근염

다발성근육염/피부근염(polymyositis-dermatomyositis, PM/DM)은 골격근(skeletal muscle)을 침범하는 교원혈관병으로서 여성에서 남성보다 두 배 많이 발생한다. 다발성근염과 피부근염은 근본적으로 같은 질환이나 후자의 경우 피부에 얼굴 등에 발진(rash)이 있다. 임상적으로는 점진적인 근육의 약화가 있고 전신적 증상으로 발열(18%), 체중감소(32%), 레이노드현상(Raynaud's phenomenon)(26%), 쇼그렌증후군(39%), 다발성관절염(45%) 등이 있다. 미만성폐질환은 다발성근육염/피부근염 환자의 5-30%에서 발생하고 흉부X선사진에서 5%정도에서 나타나며 특히 여성에서 발병할 경우 그 빈도가 높다.

다발성근육염/피부근염 환자에서 비특이간질폐렴이 가장 많고(그림 14-9), 그 외 기질화폐렴(그림 14-10), 미만성폐포손상, 상용간질폐렴(그림 14-11), 그리고 미만성폐포출혈등의 빈도로 생긴다. 이러한 폐 병변은 염증성근질환(inflammatory myopathy)에 선행하여 나타나기도 한다. 연하를 관장하는 횡문근의 약화(pharyngeal muscle weakness)로 인해 40-45%의 환자에서 연하곤란을 호소하기도 한다.

흡인성 폐렴이 가장 흔한 폐 합병증으로서 15-20%에서 발생하며, 5% 정도에서는 호흡근육의 약화로 인하여 호흡부전에 이를 수 있다. 다발성근육염/피부근염 환자의 50%에서 심장 병변이 보고되어 있으며, 심장 합병증은 울혈성 폐부종을 동반하는 확장성심근증, 부정맥, 간질성폐질환 혹은 폐고혈압에 의해서 야기되는 심성폐(염증성 근질환 cor pulmonale)등이 있다. 폐고혈압은 폐의 세동맥 및 소동맥벽의 섬유증식에 의한 폐쇄에 의하여 유발되는 원발성 폐동맥고혈압, 혹은 폐의 섬유화에 의한 이차적 변화로 발생하는데 이러한 경우 흉부X선사진에서 중심부 폐동맥 및 우심실의 확대 소견을 보인다[1, 2, 9-11].

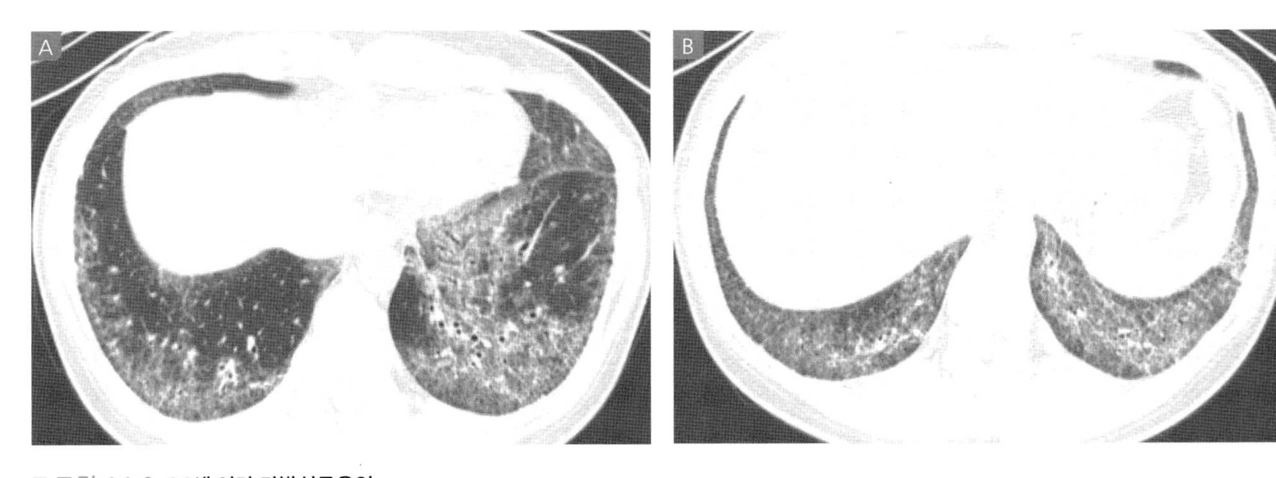

■ 그림 14-9. **36세 여자 다발성근육염**
간유리음영이 주로 폐하부 주변부에서 보이며 늑막과 인접한 부근은 병변이 상대적으로 적게 침범되어 밴드처럼 보존되어 있다(subpleural sparing). 이는 다른 간질폐렴과 비특이간질폐렴을 구분하는 주요 소견이다.

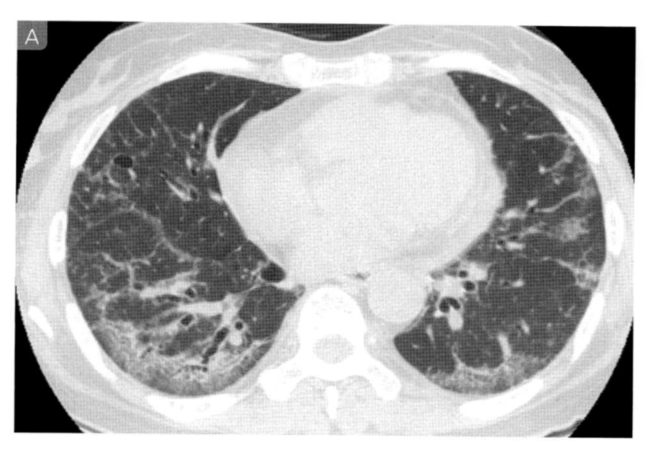
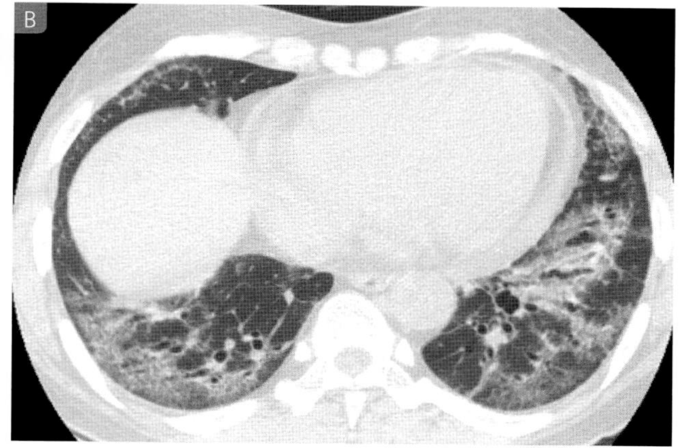

■ 그림 14-10. **61세 여자 다발성근육염과 기질화폐렴(OP)**
흉막하 및 기관지혈관 다발을 따라 경화와 간유리음영이 있고 약간의 견인기관지확장증이 있다. 그 외에도 선상 망상음영이 주로 폐의 주변부에 동반되어 있다.

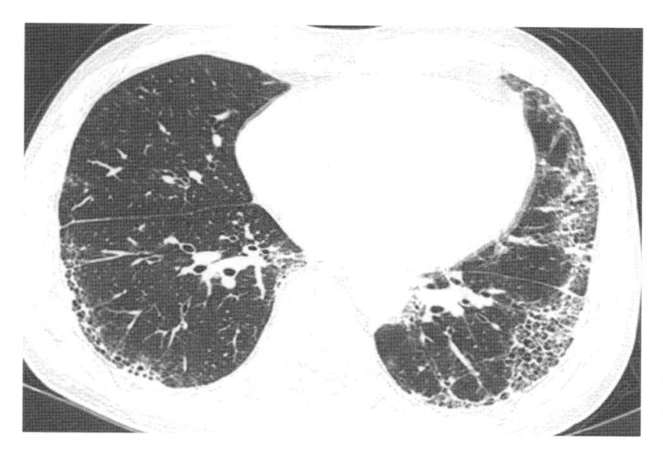

■ 그림 14-11. **70세 남자 피부근염과 상용간질폐렴(UIP)**
망상형, 불규칙 선상음영, 간유리음영이 주로 폐하부의 주변부에서 보인다.

Ⅴ 쇼그렌증후군

쇼그렌증후군(Sjögren's syndrome)은 인구의 1% 정도에서 생기는 상대적으로 흔한 질환이다. 여성에서 남성보다 9배 자주 생기며 호발 연령은 초경 후 첫 번째 피크를 보이고 폐경 무렵 두 번째 피크를 보인다. 쇼그렌증후군의 임상적 세 가지 축(triad)은 건조성각막염(dry eyes, keratoconjuntivitis sicca), 구강건조증(dry mouth, xerostomia), 그리고 관절염(arthritis)이다.

다른 교원혈관병과 상관없이 나타나는 경우를 특발성 쇼그렌증후군(sicca syndrome)이라 하고 동반하여 나타나는 이차성 쇼그렌증후군이라 한고 이 경우 류마티스관절염이 50%로 가장 흔하게 동반된다.

흉부X선사진에서 간질성 폐 병변의 빈도는 10-30%정도이다. 고해상CT에서 림프구간질폐렴이 특징적으로 나타날 수 있는데 소견은 폐의 간질 즉 소엽간중격과 중심소엽과 기관지폐동맥 묶음을 따라 림프구 침윤에 의해 망상형태를 보

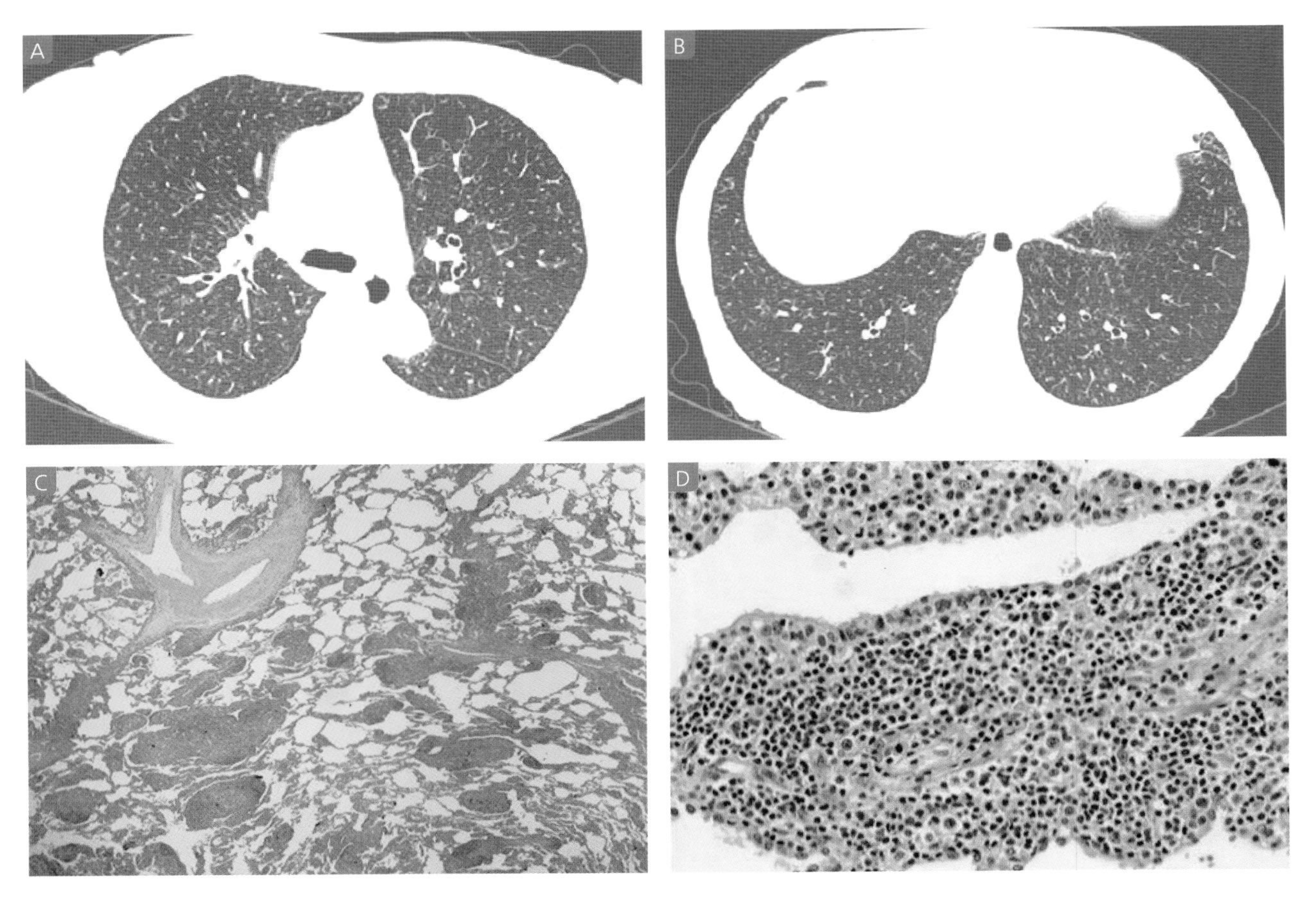

■ 그림 14-12. **64세 여자 쇼그렌증후군과 림프구간질폐렴(LIP)**
고해상CT(A, B)에서 미만성 소엽중심성 결절이 넓은 범위에 분포하여 일부 간유리음영을 보인다. 병리에서(C, D) 광범위한 림프구의 침착과 림프여포(lymphoid follicle)가 간질을 따라 채우고 있다.

이거나 경계가 불분명한 중심소엽성 결절을 형성한다(그림 14-12). 고해상CT의 약 50%에서 얇은 벽의 다발성의 낭성 병변을 보이는데 이는 세기관지 주위의 림프구증식에 의한 폐쇄로 인한 원위부의 낭성 확장에 의한 것으로 알려져 있다. 림프구간질폐렴는 전암성(premalignant) 병변으로 이해되고 있어서 이의 경과 중 폐문 및 종격동의 림프절 확대의 소견이 있거나 폐 실질에 다발성 결정이 보이면 악성 림프종으로의 변환을 생각한다. 쇼그렌증후군에서 악성 림프종은 5% 정도에서 발생한다.

그 외 미만성 간유리음영의 형태로 보이면 비특이간질폐렴(그림 14-13)을, 거친 망상음영으로 보이면 비특이간질폐렴나 상용간질폐렴을 의심한다.

표 14-4. **흉부에서의 쇼그렌증후군의 소견**

CVD-ILD; 흔함 상용간질폐렴, 비특이간질폐렴, 림프구간질폐렴, 기질화폐렴
Focal lung lesion 아밀로이드 침착 림프종
Airway disease; 흔함 여포성기관지염 기관지 확장증
Vascular disease; 드묾 폐고혈압
Pleural disease; 드묾 흉막삼출 흉막비후

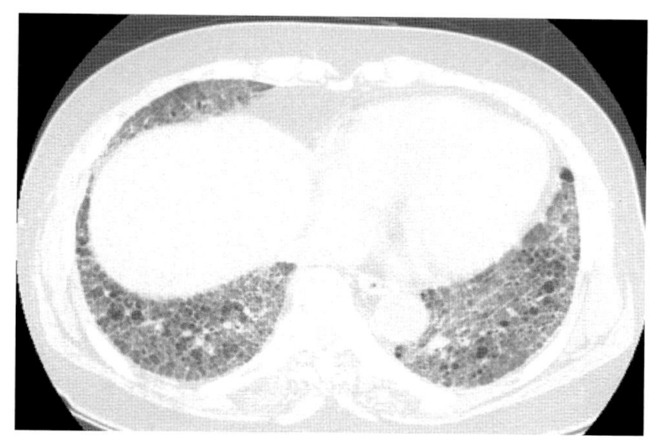

■ 그림 14-13. **67세 여자 쇼그렌증후군과 비특이간질폐렴**
고해상CT에서 전반적으로 미만성의 망상음영과 간유리음영이 보인다.

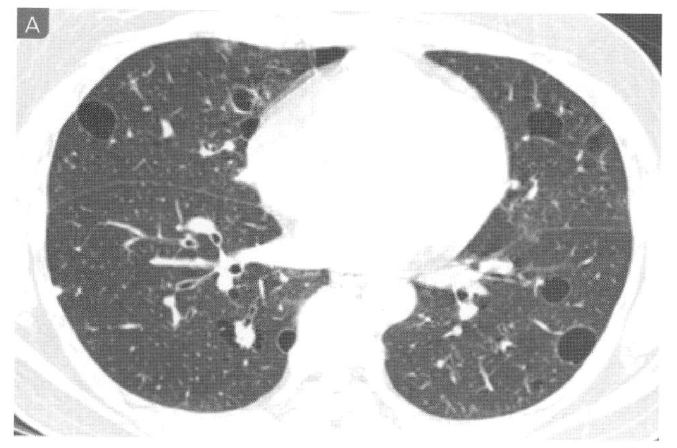

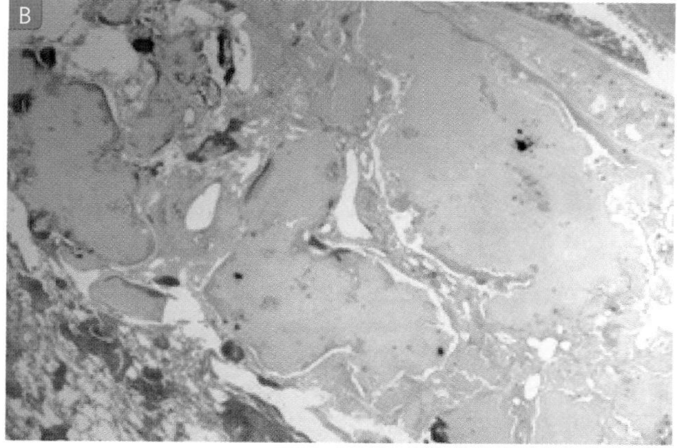

■ 그림 14-14. **59세 여자 쇼그렌증후군과 아밀로이드증**
고해상CT(A)에서 얇은 벽을 가진 낭포성 병변들과 폐결절이 흩어져 있고 폐결절은 병리검사에서(B) 아밀로이드증으로 진단되었다.

다발성 반점성 대칭적 폐경화, 경계가 불분명한 폐결절이 보인다면 기질화폐렴, 종괴양 폐경화가 있다면 아밀로이드증(amylodosis)(그림 14-14)이나 림프종을 감별한다. 종격동 림프절종대가 보인다면 림프종의 가능성이 커진다.

쇼그렌증후군에서 림프조직의 증식은 스펙트럼성 질환으로 기관지 벽의 림프구 침윤에서부터(follicular bronchiolitis), 림프구간질폐렴, 가성림프종(pseudolymphoma), lymphomatoid granulomatosis, 악성림프종 등 다양한 양상을 보인다.

쇼그렌증후군에 의해서는 또한 정상적인 점액 생성의 저하와 섬모운동의 장애가 생기고 이로 인해 폐 감염, 점액에 의한 축적이나 팽윤(mucous impaction)에 의한 무기폐 및 기관지확장증이 호발한다(표 14-4)[1, 2, 10].

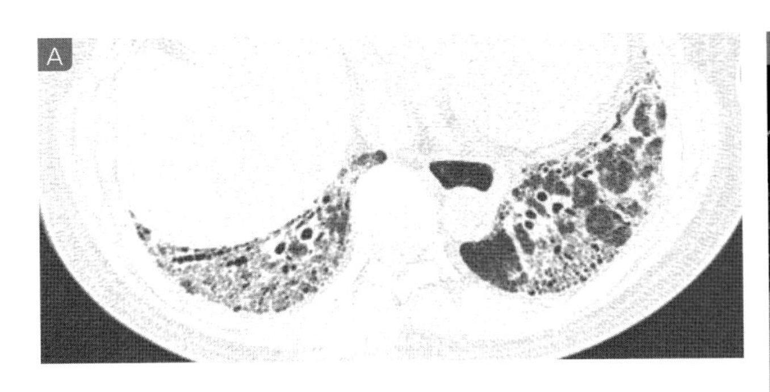

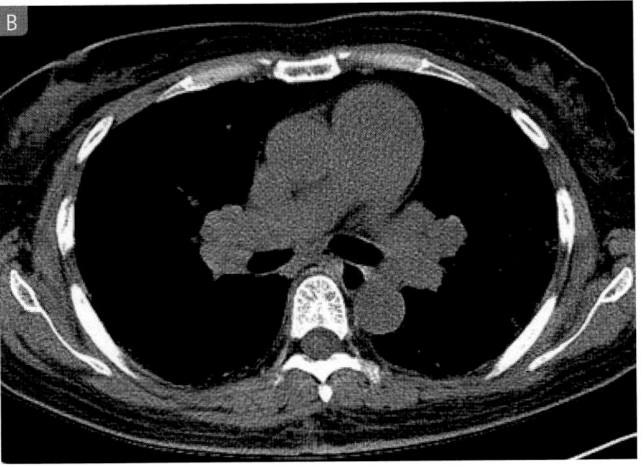

■ 그림 14-15. **혼합형교원혈관병 환자에서의 비특이간질폐렴(NSIP)과 폐동맥고혈압**
고해상CT(A)에서 폐하부에 망상형, 불규칙 선상음영, 간유리음영과 견인 기관지확장증이 있다. 폐동맥과 식도가 확장되어 있다(B).

VI 혼합형교원혈관병

혼합형교원혈관병(mixed connective tissue disease, MCTD)는 전신홍반루프스, 전신경화증, 다발성근육염/피부근염의 임상적 증상이 복합되어 나타나는 것이다. 빈도는 전신경화증과 비슷하며 역시 여성에서 흔하다. 흉막-폐질환은 20-85%에서 나타나는데 간질폐질환, 흉막삼출, 폐혈관염, 폐동맥고혈압, 폐동맥 혈전 색전증, 그리고 흡인성 폐렴 등이다. 이중 가장 치명적인 합병증은 폐동맥 병변으로 폐동맥고혈압증 및 폐성심에 의한 심부전이다(그림 14-15)[1, 11].

참고문헌

1. Kim EA1, Lee KS, Johkoh T, Kim TS, Suh GY, Kwon OJ, et al. Interstitial lung diseases associated with collagen vascular diseases: radiologic and histopathologic findings. Radiographics 2002;22:151-165.
2. Travis WD, Costabel U, Hansell DM, King TE Jr, Lynch DA, Nicholson Ag, et al. An official American Thoracic Society/European Respiratory Society statement: Update of the international multidisciplinary classification of the idiopathic interstitial pneumonias. Am J Respir Crit Care Med 2013;188:733-748.
3. Tanaka N, Kim JS, Newell JD, Brown KK, Cool CD, et al. Meehan R,Rheumatoid arthritis-related lung diseases: CT findings Radiology 2004;232:81-91.
4. Shannon TM, Gale ME. Noncardiac manifestations of rheumatoid arthritis in the thorax. J Thorac Imaging 1992;7:19-29.
5. Kim EA, Johkoh T, Lee KS, Ichikado K, Koh EM, Kim TS, et al. Interstitial pneumonia in progressive systemic sclerosis: serial high-resolution CT findings with functional correlation. J Comput Assist Tomogr 2001;25:757-763.
6. Manson JJ, Rahman A. Systemic lupus erythematosus. Orphanet J Rare Dis. 2006;27:1-6.
7. Wiedemann HP, Matthay RA. Pulmonary manifestations of systemic lupus erythematosus. J Thorac Imaging. 1992;7:1-18.
8. Kim JS, Lee KS, Koh EM, Kim SY, Chung MP, Han J. Thoracic involvement of systemic lupus erythematosus: clinical, pathologic,and radiologicfindings. J Comput Assist Tomogr 2000;24:9-18.
9. Akira M, Hara H, Sakanmi M. Interstitial lung disease in association with polymyositis-dermatomyositis: long-term follow-up CT evaluation in seven patients. Radiology 1999;210:333-338.
10. Ito I, Nagai S, Kitaichi M, Nicholson AG, Johkoh T, Noma S., et al. Pulmonary manifestations of primary Sjogren's syndrome. A clinical, radiologic, and pathologic study. Am J Respi. Cri. Care Med. 2005;171:632-638.
11. Kozuka T1, Johkoh T, Honda O, Mihara N, Koyama M, Tomiyama N., et al. Pulmonary involvement in mixed collagen vascular disease: high-resolution CT findings in 41 patients. J Thorac Imaging 2001;16:94-98.

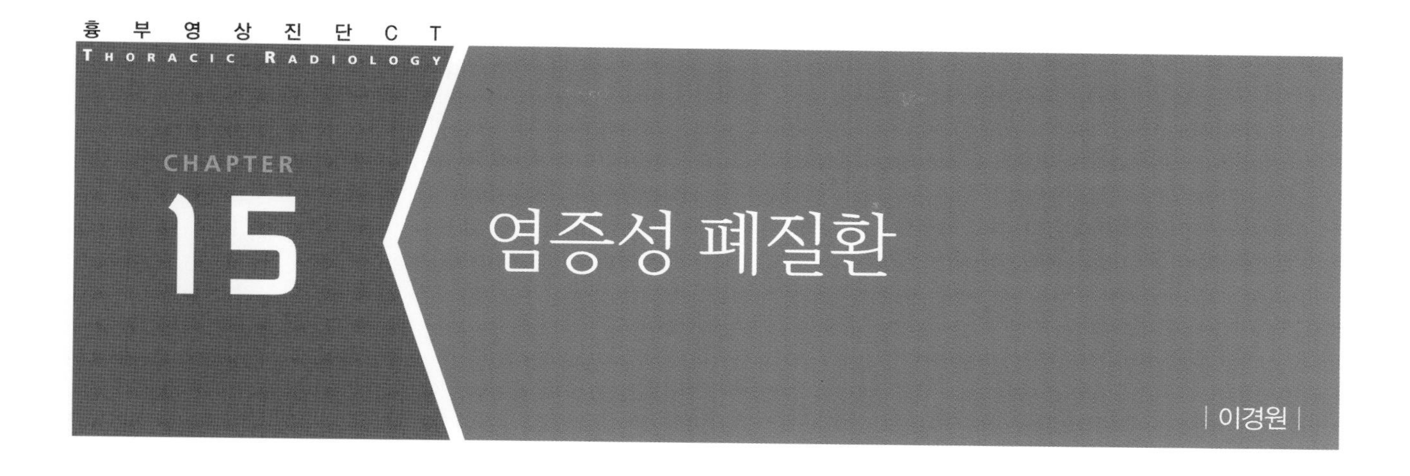

Contents

Ⅰ 호산구성 폐질환

호산구성 폐질환은 폐간질과 폐포에 호산구가 축적되는 질환 군을 말한다. 흔히 말초혈액 내에 호산구의 증가를 동반한다. 다음 세 가지 중 한 가지 이상을 만족할 때 진단할 수 있다.

(1) 말초 호산구 증가와 동반된 흉부X선 또는 CT에서 폐침윤
(2) 조직학적으로 확인된 폐 조직의 호산구증
(3) 기관지폐포 세척술에서 호산구의 증가

호산구성 폐질환의 분류는 표 15-1과 같다.

표 15-1. 호산구성 폐질환의 분류

원인불명의 호산구성 폐질환	단순폐호산구증 급성호산구폐렴 만성호산구폐렴 과호산구성증후군
원인을 아는 호산구성 폐질환	알레르기기관지폐아스페르길루스증 기생충 감염 약물 반응
호산구성 혈관염	알레르기혈관염과 육아종증

1. 단순폐호산구증(simple pulmonary eosinophilia)

단순폐호산구증은 Löffler 증후군으로 알려져 있으며 흉부X선에서의 이동성 폐침윤, 말초 호산구 증가, 경미한 호흡기 증상 또는 무증상, 1개월 내에 호전되는 일시적

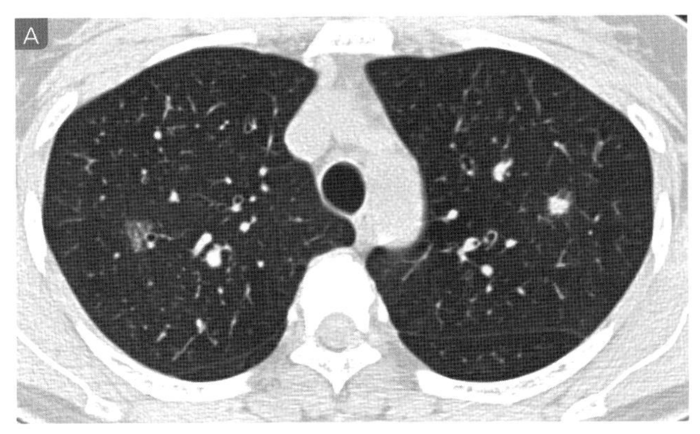

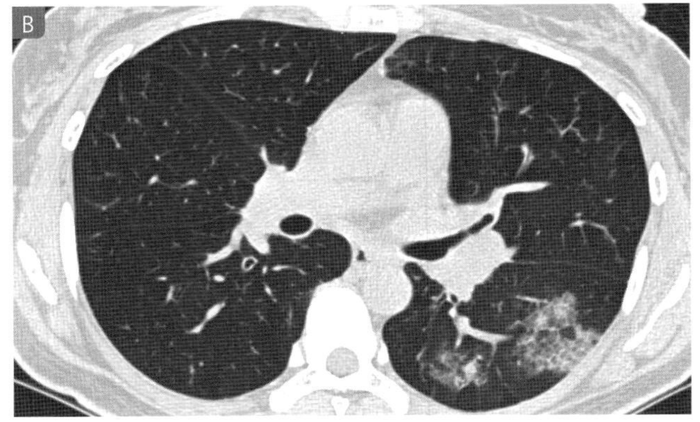

■ 그림 15-1. **단순폐호산구증**
48세 여자 환자로 고해상 CT(A, B)에서 양측 폐에 경계가 불분명한 간유리음영 또는 결절이 있다. 말초혈액의 호산구가 12%로 증가하였다. 이후 시행한 추적 고해상 CT에서 이전의 결절은 없어지고 다른 부위에 경계가 불명확한 간유리음영이 생겼다.

폐침윤을 특징으로 한다. 일부 환자에서는 기생충 감염, 알레르기기관지폐아스페르길루스증, 약물 등에 의해 2차적으로 발생할 수도 있다.

영상의학적 소견은 대개 한 달 이내에 소실되는 이동성, 일과성 폐경화로 주로 폐 주변부에 폐분절과 관계없이 분포하며 경계가 불분명하고 단일성 혹은 다발성으로 생길 수 있다. CT에서도 폐의 주변부를 주로 침범하는 간유리음영, 폐경화로 나타난다(그림 15-1) (표 15-2).

2. 급성호산구폐렴(acute eosinophilic pneumonia)

급성호산구성폐렴의 진단기준은 1) 5일 이내의 급성 열성질환, 2) 저산소혈증(hypoxemia), 3) 흉부촬영술에서의 폐포 또는 폐포-간질성 폐침윤, 4) 기관지폐포 세척술에서 25% 이상의 호산구의 증가, 5) 기생충, 진균 또는 다른 감염의 병력 없음, 6) 스테로이드 치료에 즉각적이고 완전한 호전, 스테로이드 치료 후 재발하지 않는 것이다. 남녀비는 비슷하며 젊은 성인에서 호발한다. 흡연이 급성 호산구 폐렴을 촉발시키는 요인이 되며 특히 최근에 흡연을 시작한 사람에서 잘 생긴다. 말초혈액 호산구는 질병 진행기간 동안 증가될 수도 있으나 대개는 정상이다.

영상의학적 소견은 반점상 폐경화나 양측성 망상형음영 등이다. CT에서는 소엽간중격비후(interlobular septal thickening)을 동반한 양측성 간유리음영이 특징적이고 폐경화나 경계가 불분명한 결절이 동반될 수 있다(그림 15-2) (표 15-2).

3. 만성호산구폐렴(chronic eosinophilic pneumonia)

수개월 동안 지속되는 기침, 호흡곤란, 열, 체중감소가 주 증상이다. 대부분 중년에 호발하고 여자에서 남자보다 2배 정도 많이 발생한다. 반수에서 천식 또는 아토피를 동반한다. 대부분 말초 호산구증을 동반하며 대체로 중등도로 상승한다. 기관지폐포세척에서 대개 40% 이상의 호산구의 증가를 나타낸다.

영상의학 소견은 주로 상부 폐를 침범하는 비분절성 주변부 폐포 경화가 주 소견이다(그림 15-3). 간유리음영, 결절, 망상음영을 동반하기도 한다(그림 15-4). 병이 진행하면 폐실질띠(parenchymal band)나 소엽간중격비후 등도 보일 수 있

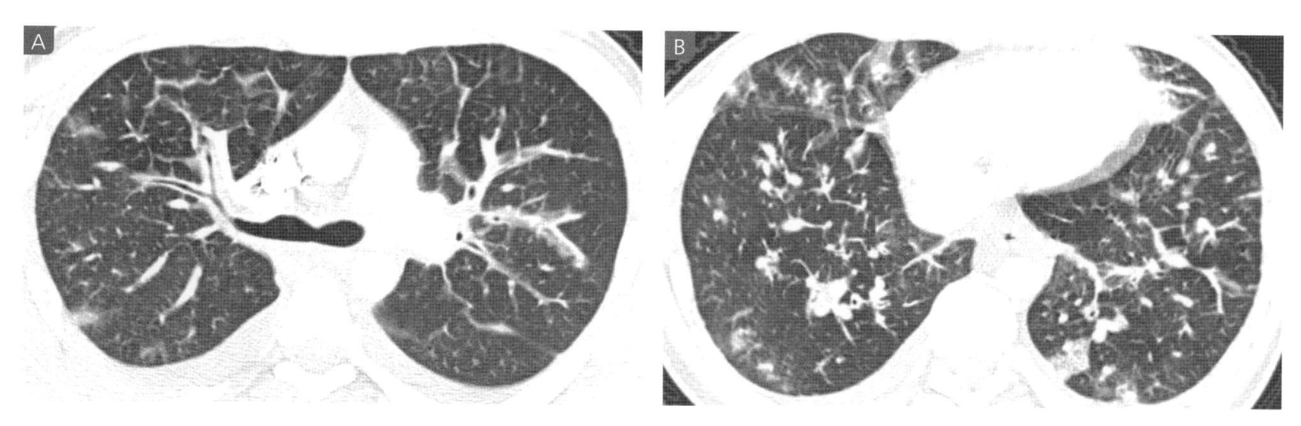

■ 그림 15-2. **급성호산구폐렴**
급격한 호흡곤란을 호소하는 18세 남자 환자의 CT(A, B)이다. 양측 폐에 전반적인 소엽간중격비후, 기관지혈관다발 비후, 경계가 불명확한 다발성 결절성 음영 또는 간유리음영이 보인다.

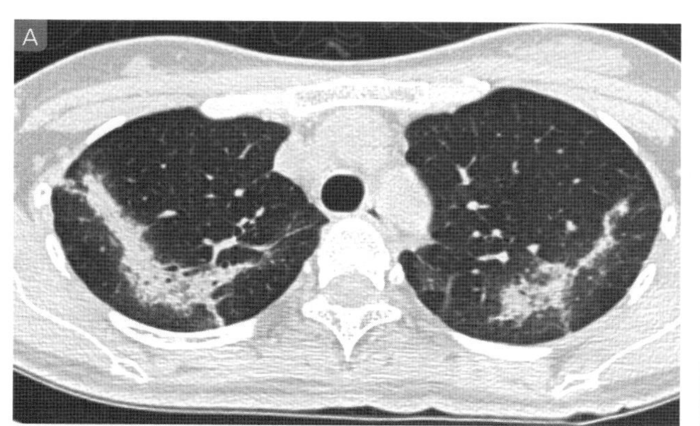

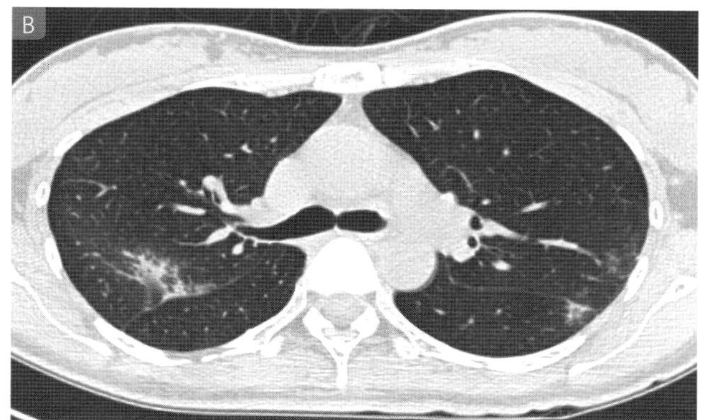

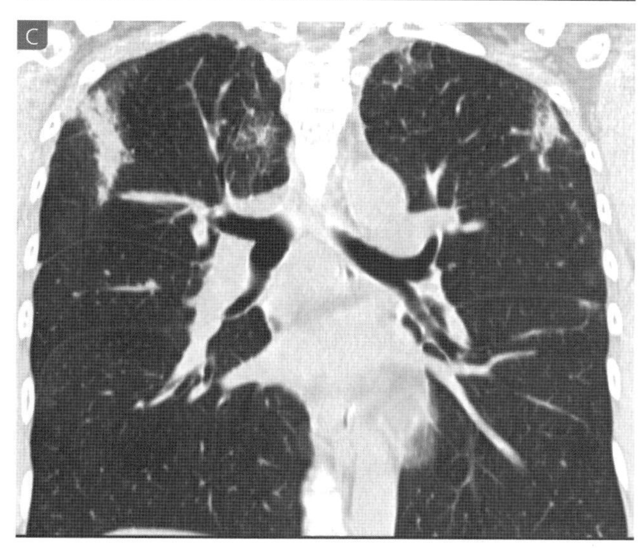

■ 그림 15-3. **만성호산구폐렴**
미열과 기침을 주소로 하는 37세 여자 환자의 CT이다(A, B). 주로 양측 상엽의 주변부 폐에 다발성의 폐포 경화와 간유리음영이 있다. 관상면 영상(C)에서 상부폐를 더 많이 침범한 것을 확인할 수 있다.

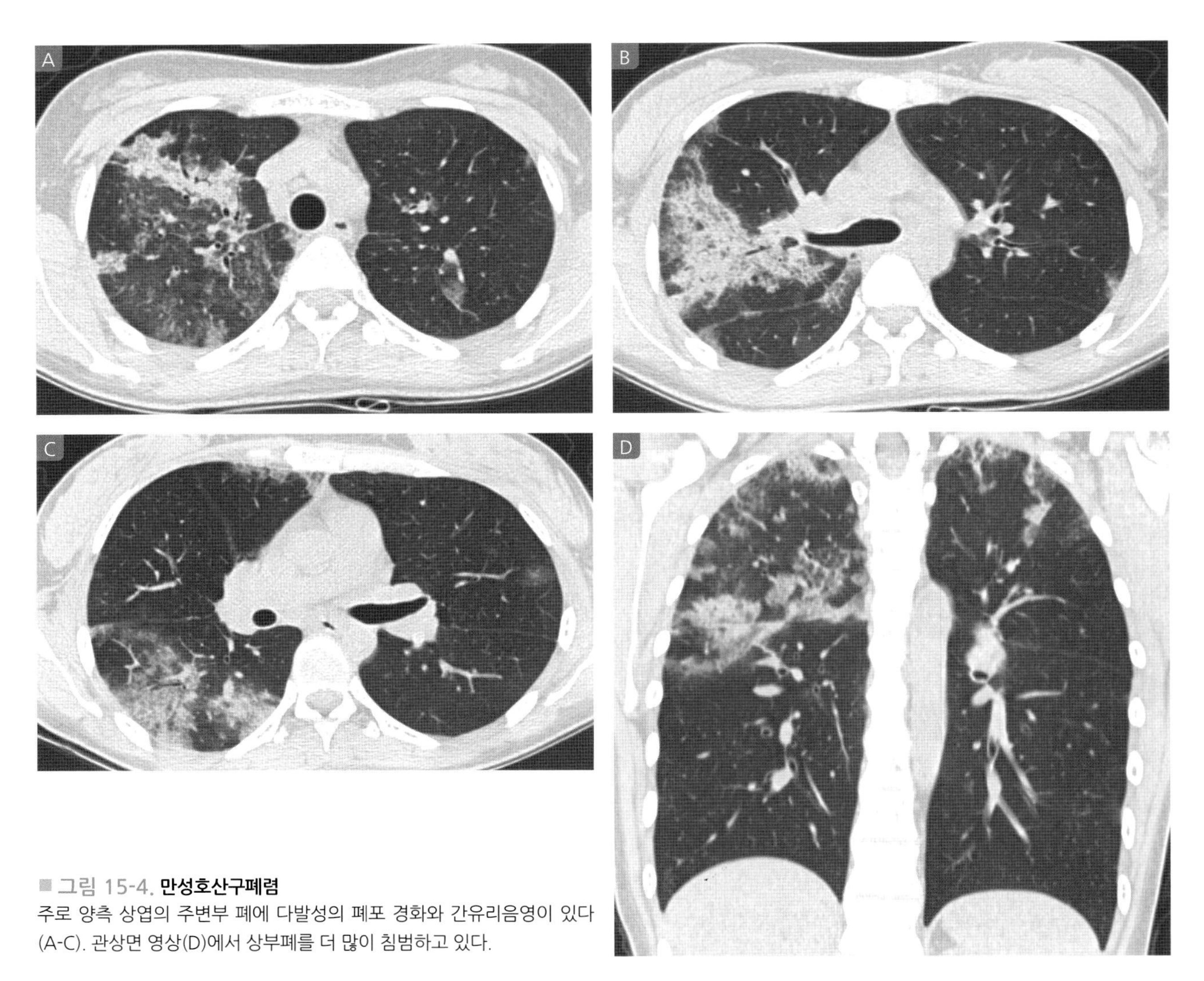

■ 그림 15-4. **만성호산구폐렴**
주로 양측 상엽의 주변부 폐에 다발성의 폐포 경화와 간유리음영이 있다(A-C). 관상면 영상(D)에서 상부폐를 더 많이 침범하고 있다.

다. 흉막삼출은 드물게 나타난다나타난다(표 15-2).

4. 과호산구성증후군(hypereosinophilic syndrome)

신체 여러 기관이 호산구 침윤으로 손상되는 드문 질환이다. 진단 기준은 6개월 이상 지속되는 1,500 cells/ml 이상의 호산구증가증(eosinophilia), 말단 기관의 손상, 그리고 호산구 증가증을 일으킬만한 다른 원인이 없을 때 진단할 수 있다. 폐 증상으로는 만성기침, 천명, 호흡곤란 등이다. 심장을 침범하는 경우가 사망의 주요 원인이다.

영상의학 소견은 주로 폐 주변부를 침범하는 수 mm 에서 1 cm 크기의 다발성 소결절과 반점형 간유리음영이다(그림 15-5). 대부분의 결절은 간유리음영의 달무리형상을 동반한다. 일부 환자에서 소량의 흉수와 폐소엽간열 비후가 있을 수 있다(표 15-2).

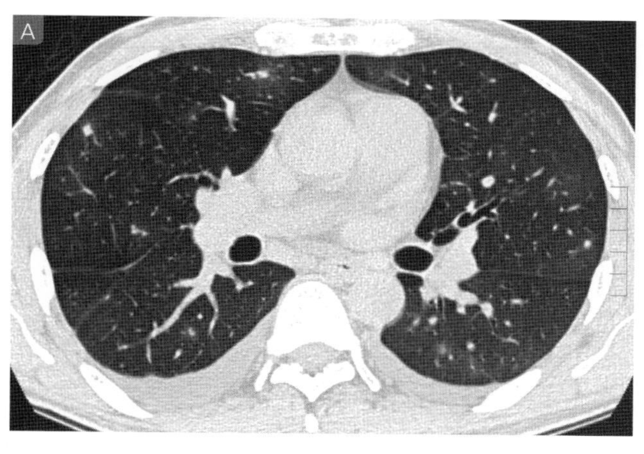

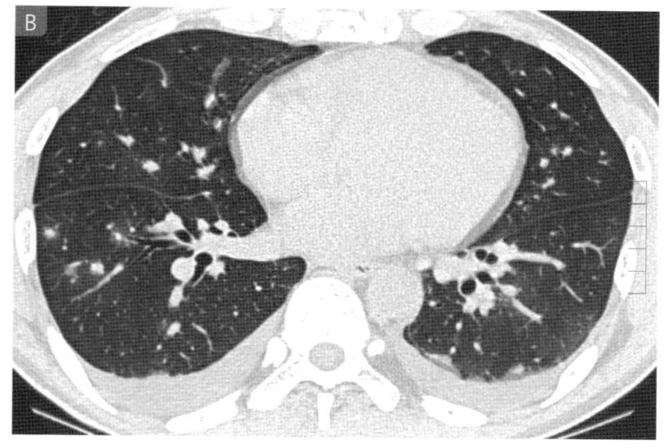

■ 그림 15-5. **과호산구성 증후군**
6개월 이상 지속되는 말 혈액 호산구증이 있던 환자로 양측 폐에 간유리음영의 달무리형상을 동반한 다발성 소결절을 보인다. 양측에 흉수를 동반하고 있다.

표 15-2. **호산구성 폐질환의 임상, 영상소견 요약**

병명	말초호산구증가	IgE 증가	흉부외 소견	영상 소견
단순 폐 호산구증	○	○	×	일시적 이동성 간유리음영 또는 경화
급성 호산구성 폐렴	×	±	×	양측성 반점형 간유리음영, 엽간열, 소엽간열 비후
만성 호산구성 폐렴	○	○	×	양측성 주변부 경화
과호산구성 증후군	○	○	○	결절, 간유리음영 달무리 형상

II 폐혈관염(pulmonary vasculitis)

(1) Granulomatosis with polyangiitis (GPA, Wegener's granulomatosis)
(2) Eosinophilic granulomatosis with polyangiitis (EGPA, Churg-Strauss syndrome)
(3) Microscopic polyangiitis (MPA)

폐혈관염은 혈관벽을 침범하는 염증성 병변으로 혈관을 파괴하고 조직의 허혈성 손상을 일으키는 질환을 말한다. 전신혈관염에는 다양한 질환이 있으며 침범된 혈관의 크기에 따라 분류할 수 있다. 큰 혈관을 침범하는 질환에는 거대세포동맥염(gaint cell arteritis), 타카야수동맥염(Takayasu arteritis), 중간 크기의 혈관을 침범하는 질환에는 결절다발동맥염(polyarteritis nodosa), 가와사키병(Kayasaki disease) 등이 있고, 작은 크기의 혈관을 침범하는 질환에는 antineurotrophil cytoplasmic antibody (ANCA)-associated vasculitis로 분류되는 granulomatosis with polyangiitis (GPA, Wegener's granulomatosis), eosinophilic granulomatosis with polyangiitis (EGPA, Churg-Strauss syndrome), microscopic polyangiitis (MPA) 등이 포함된다. 이 장에서는 폐의 소혈관을 침범하는 질환인 GPA, EGPA, MPA에 대해 다루고자 한다. protenase 3 (PR3)에 대한 ANCA (c-ANCA)는 GPA와 관련이 깊고, anti-myeloperoxidase (MPO) ANCA (p-ANCA)는 EGPA, MPA와 관련이 크다. 혈관염의 증상은 열, 피로감, 체중감소, 근육 관절통, 식용부진 등의 전신 증상과 침범된 혈관과 장기에

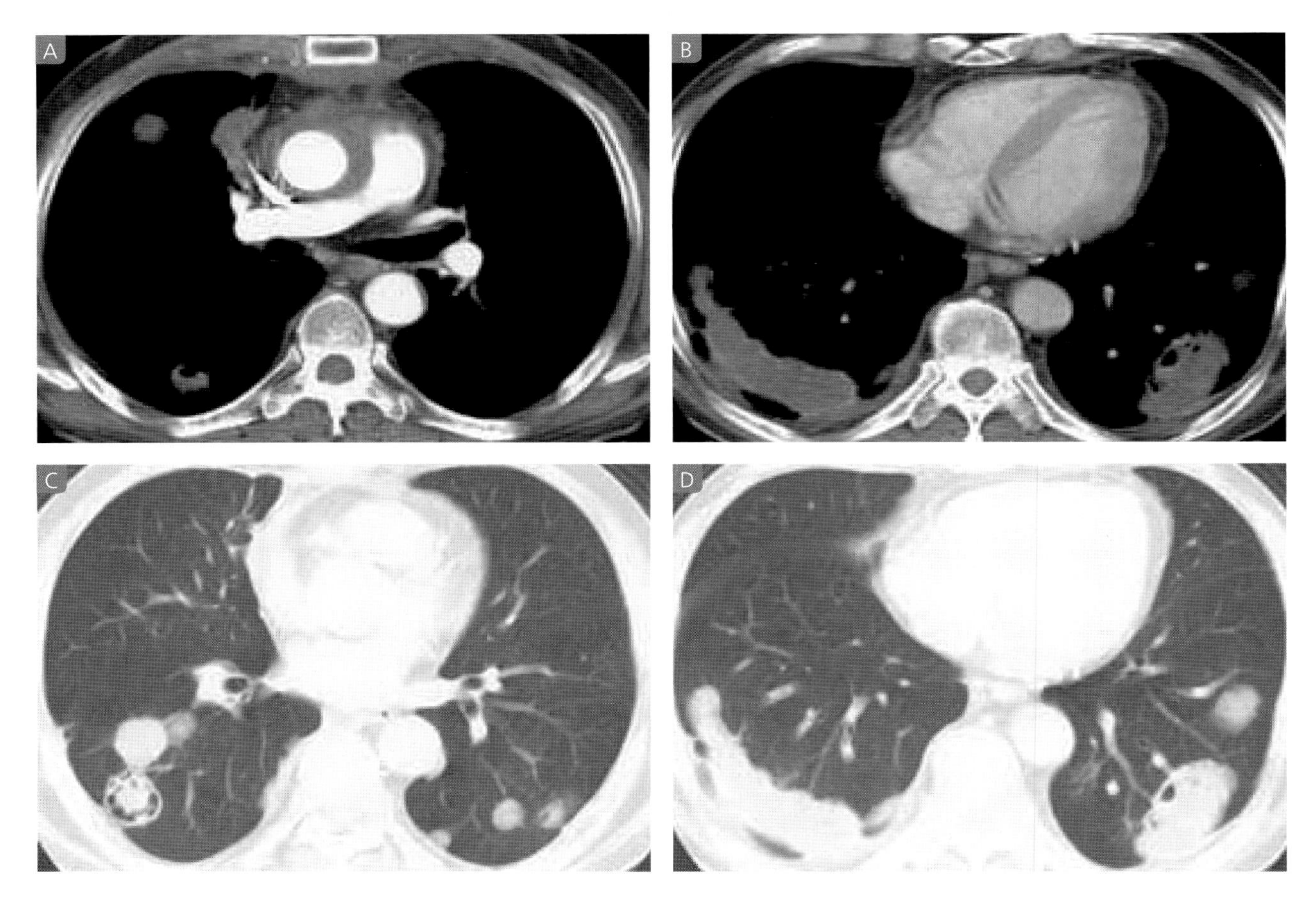

■ 그림 15-6. **Granulomatosis with polyangiitis**
양측 폐의 다발성 결절을 보이며 일부는 경화를 보인다. 결절 중 일부는 공동을 가지고 있고 공동벽은 불규칙하다. 양측 흉강에 소량의 흉수가 있다.

따라 다양한 증상이 나타나게 된다.

1. Granulomatosis with polyangiitis(GPA, Wegener's granulomatosis)

Granulomatosis with polyangiitis는 여러 기관을 침범하는 질환으로 혈관의 괴사성 육아종성 염증을 특징으로 한다. 상부와 하부 기도, 폐실질, 신장, 그리고 그 이외의 다양한 조직과 기관을 이환할 수 있다. 남녀 발생 비율은 같고 30-50대의 성인에서 호발한다.

대부분의 환자는 상, 하기도 증상을 보이며 코피, 부비동염, 기침, 객혈, 호흡곤란, 흉막성 통증을 동반한다. 그 이외에 열, 피로감 등의 전신증상이 있으며 관절염과 관절통이 흔하다. 50-80%에서 사구체신염(glomerulonephritis)을 동반한다. 혈액검사 소견은 증가된 serum antineutrophil cytoplasmic antibody (c-ANCA)가 특징적이다. 폐질환과 신장염이 같이 있는 환자에서는 90%에서 양성율을 보인다.

전형적인 폐소견은 수 mm에서 10 cm 크기의 결절이나 폐침윤으로 대개 다수이고 양측성이다. 30-50%에서 결절 내에 공동을 동반하며 대부분 두꺼운 벽을 가지고 내부는 불규칙한 경우가 많다(그림 15-6) (표 15-3). 흉막과 인접한 쐐기모양의 음영을 보일 수 있고 결절 내에 공기-기관지음영이 보이기도 한다. 기관이나 기관지를 침범한 경우 벽의 비후나 기관, 기관지내의 종괴로 보일 수 있으며 폐허탈에 의한 소견을 동반할 수 있다. 흉수는 20-50%에서 보고된다.

치료는 스테로이드 단독 혹은 면역억제제와 병합 치료를 할 수 있다. 예후는 좋아서 90%에서 호전을 보이며 75%는 완전 치유된다. 이러한 호전에도 불구하고 반수 이상에서 재발을 하지만 재치료에 잘 반응한다.

표 15-3. Granulomatosis with polyangiitis의 영상의학적 소견

다발성 폐결절(90%)
공동성 결절(50%)
반점성 경화(25-50%)
간유리음영(20-30%)
기관지벽 비후(50-60%)

2. Eosinophilic granulomatosis with polyangiitis(EGPA, Allergic angiitis and granulomatosis, Churg-Strauss syndrome)

이 질환은 천식, 말초혈관 호산구증, 폐, 피부, 신경 등을 침범하는 전신성 혈관염을 특징으로 하며 신장의 침범도 흔하다. 주로 중년에 발생하며 남녀비는 같다. 병리학적으로 주로 작거나 중간 크기의 동, 정맥을 침범하는 혈관염과 호산구 침윤, 혈관 주변 육아종성 염증이 특징이다. 80%의 환자에서 1,000cells/ml 이상의 호산구 증가를 나타내며 p-ANCA의

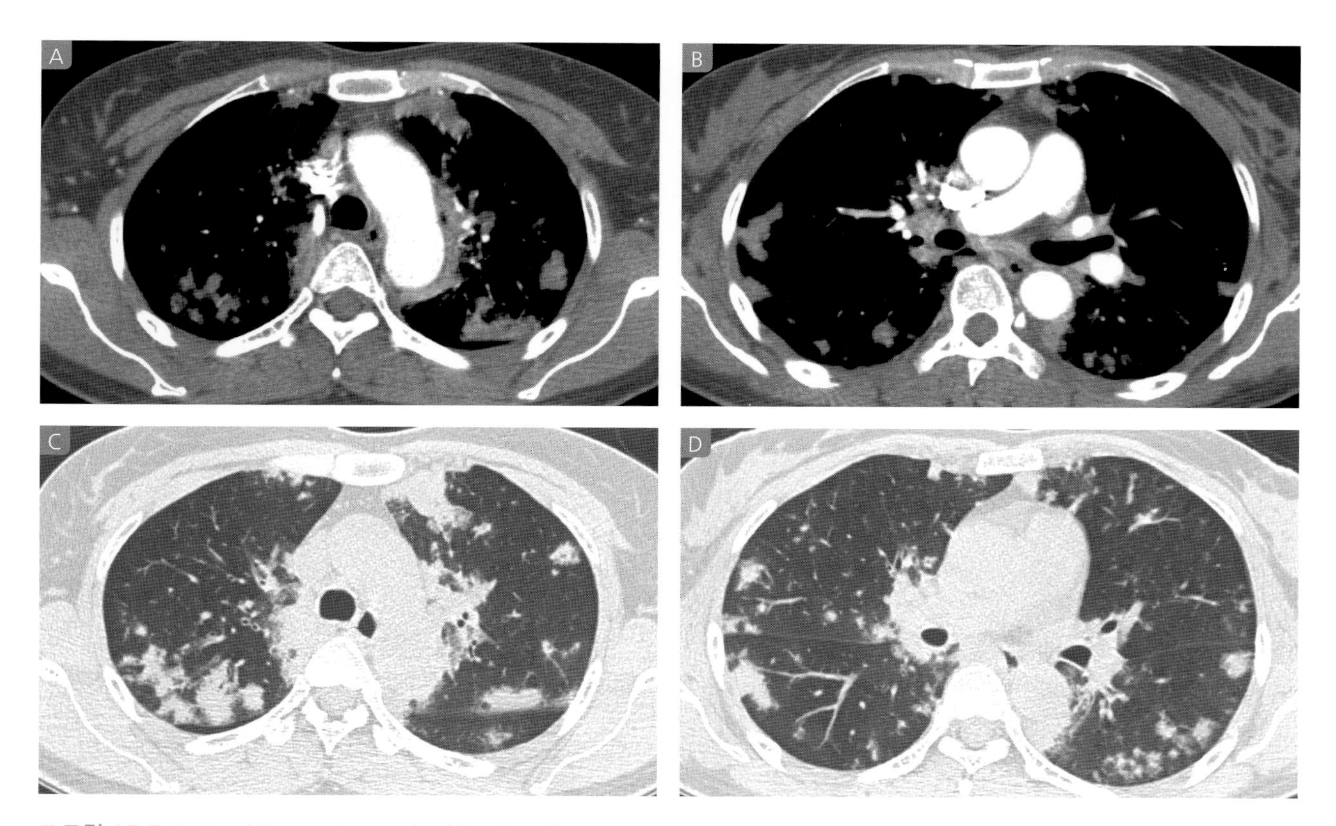

■ 그림 15-7. **Eosinophilic granulomatosis with polyangiitis**
호흡곤란을 주소로 하는 50세 여자 환자이다. 양측 폐의 주로 흉막하에 분포하는 다발성의 결절 또는 경화 소견을 보인다. 말초혈액의 호산구가 15.1%로 1,902 dells/ml 이었다. 폐의 조직검사에서 호산구 혈관염을 동반한 호산구 폐렴과 림프관을 따른 호산구 침윤, 혈관외 육아종을 보여 Eosinophilic granulomatosis with polyangiitis로 진단되었다.

증가를 볼 수 있다.

영상의학적 소견은 간유리음영이나 경화로 반점상 혹은 흉막하 분포를 보인다(흉막하 분포를 보이는 경우가 흔하며 반점상의 비특이적 분포를 하기도 한다) (표 15-4). 대칭적이고 비분절형의 경화로 나타나는 경우가 많아 만성 호산구성 폐렴과 유사해 보인다(그림 15-7). 때로는 크고 작은 결절이나 망상결절음영으로 보인다. 흉막삼출은 약 30%에서 보인다. 심장을 침범하는 경우 심장비대, 심낭삼출을 동반한다. 스테로이드나 면역억제제로 치료할 경우 5년 생존율은 50% 이상이다.

표 15-4. Eosinophilic granulomatosis with polyangiitis의 영상의학적 소견

일과성 반점성 간유리음영 또는 경화
폐 주변부 우세
소엽간중격비후(50%)
다발성 결절 또는 종괴
흉막삼출(10-50%)

3. Microscopic polyangiitis

Microscopic polyangiitis는 작은 혈관(세동맥, 세정맥, 모세혈관)을 침범하는 전신괴사성혈관염으로 폐출혈과 사구체신염(gromerulonephiritis)을 특징으로 하는 폐-신증후군(pulmonary-renal syndrom)의 가장 흔한 원인이다. 남자에서 조금 더 흔하고 50-60대에 호발한다. 급속히 진행하는 사구체신염이 환자의 90%에서 동반되며 미만성폐포출혈(diffuse alveolar hemorrhage)는 10-30%에서 발생한다. 발열, 오한, 체중감소, 관절통, 근육통 등의 전신증상은 70-80%에서 나타난다. 그 이외에 객혈, 피부병변, 말초신경염, 위장관출혈 등이 동반되기도 한다. p-ANCA가 환자의 50-75%에서 증가하며 c-ANCA는 10-15%에서 증가를 보인다. 영상소견은 미만성폐포출혈(diffuse alveolar hemorrhage)에 의한 양측성의 간유리음영이나 경화로 폐문주변과 중폐야와 하폐야에 주로 분포한다(그림 15-8). 흉수는 약 15%에서, 폐부종이 약 5%에서 동반된다. CT에서 bronchovascular bundle과 폐포격막의 비후가 반 정도에서 확인되며 폐간질의 염증, 림프구 침윤과 경한 섬유화에 의한 소견이다.

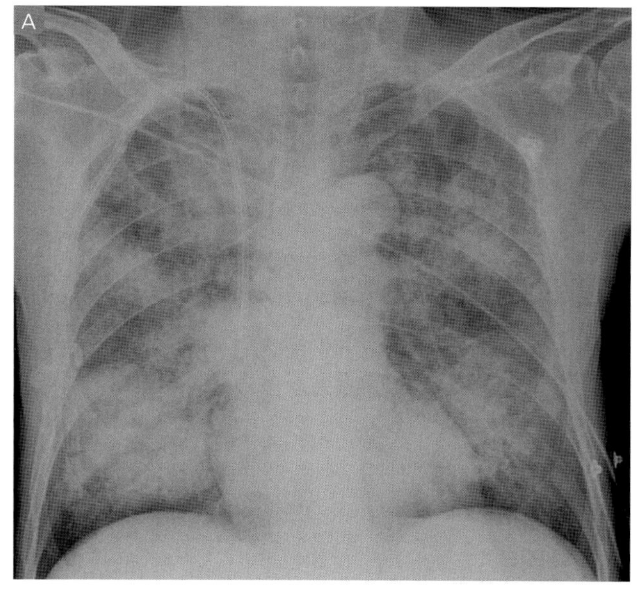

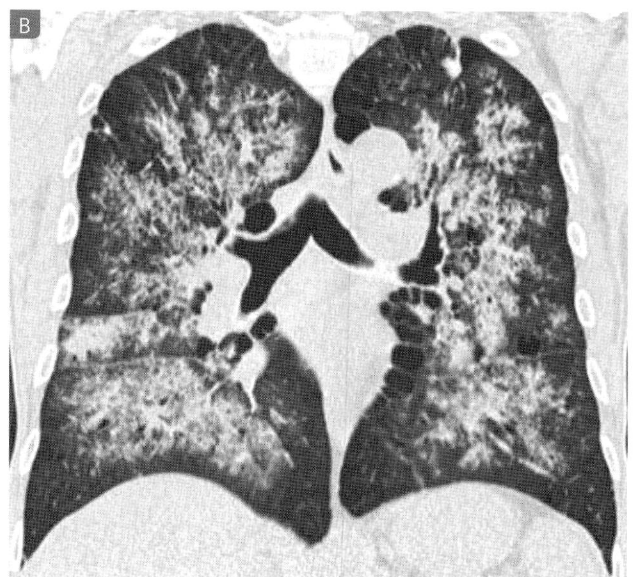

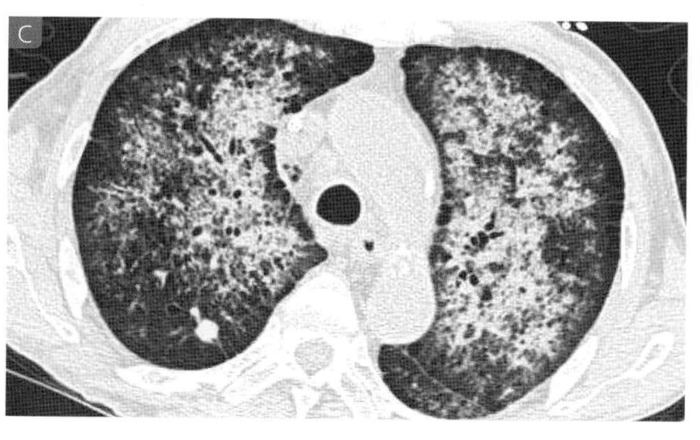

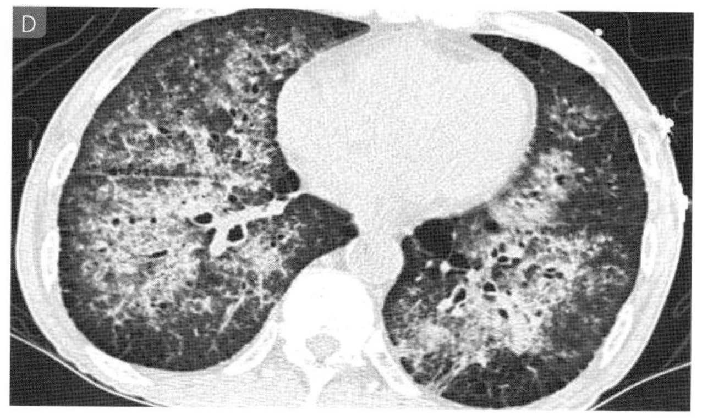

■ 그림 15-8. Microscopic polyangiitis
객혈을 주소로 하는 69세 남자 환자이다. 흉부X선사진(A)과 CT(B-D)에서 양측 폐에 미만성폐포출혈에 의한 간유리음영과 경화가 있으며 bronchovascular bundle과 폐포격막의 비후도 동반하고 있다. 중심부 폐에 더 뚜렷하고 흉막하 부위는 비교적 덜 침범한 소견을 보인다. 급성신부전이 있어 시행한 신장 조직검사에서 RPGN이 진단되었다. 혈액검사에서 p-ANCA가 증가하였으며 흉강경을 이용한 조직검사에서 MPA로 진단되었다.

III 사르코이드증(sarcoidosis)

사르코이드증은 비건락성 육아종이 전신의 여러 기관을 침범하는 원인을 모르는 염증성 질환이다. 90% 이상에서 흉곽 내의 림프절 확대와 폐실질의 침윤을 보인다. 육아종은 특징적으로 흉막, 소엽 중격, 기관지혈관다발 등의 림프관을 따라 분포한다.

30-50%의 환자는 별 증상이 없다. 가장 흔하게 침범하는 기관은 폐, 심장, 피부, 눈이다. 약 25%에서 호흡기 증상을 나타낸다. 동반되는 증상으로는 호흡곤란, 기침, 흉통, 체중감소, 피로감 등이다. 심장 침범은 약 25%에서 발생하며 완전심차단(complete heart block), 울혈, 부정맥 등을 보인다. 피부의 결절홍반(erythema nodosum), 다발성 관절통, 시력저하 등이 동반되기도 한다.

사르코이드증은 흉부X선 소견에 따라 다음과 같이 5단계로 나눌 수 있다.

- 0 단계(stage 0): 정상 흉부X선
- 1 단계(stage 1): 폐실질에는 이상이 없으며, 폐문, 종격동 림프절 증대
- 2 단계(stage 2): 폐실질의 이상을 동반한 폐문, 종격동 림프절 증대
- 3 단계(stage 3): 폐실질의 단독 이상
- 4 단계(stage 4): 망상음영, 구조적인 비틀림, 벌집음영을 보이는 진행된 폐섬유화
- 커진 림프절은 비교적 균질한 조영증강을 보이며 괴사를 시사하는 림프절 내의 저음영은 보이지 않는다.

치료는 부신 피질 호르몬으로 할 수 있다. 예후는 병의 발현양상과 병기에 따라 다르다. 림프절 확대만 보인 경우(1기) 예후가 가장 좋고 폐실질 병변만 보인 경우(3기) 예후가 나쁘다. 대부분 호전되거나 안정된 병변으로 있지만 약 20%에서는 섬유화로 진행한다.

영상의학적 소견은 종격동과 폐문 림프절 확대가 약 90%에서 나타나며 흉부X선보다 CT에서 더 잘 확인된다(표 15-5). 림프절 확대는 기관주변과 폐문 림프절이 가장 흔하다. 대동맥폐동맥창(aortopulmonary window), 기관용골하(subcarinal), 전종격동 림프절 확대가 빈번하다(그림 15-9). 림프절의 석회화는 40-50%에서 확인된다. 폐실질의 소견은

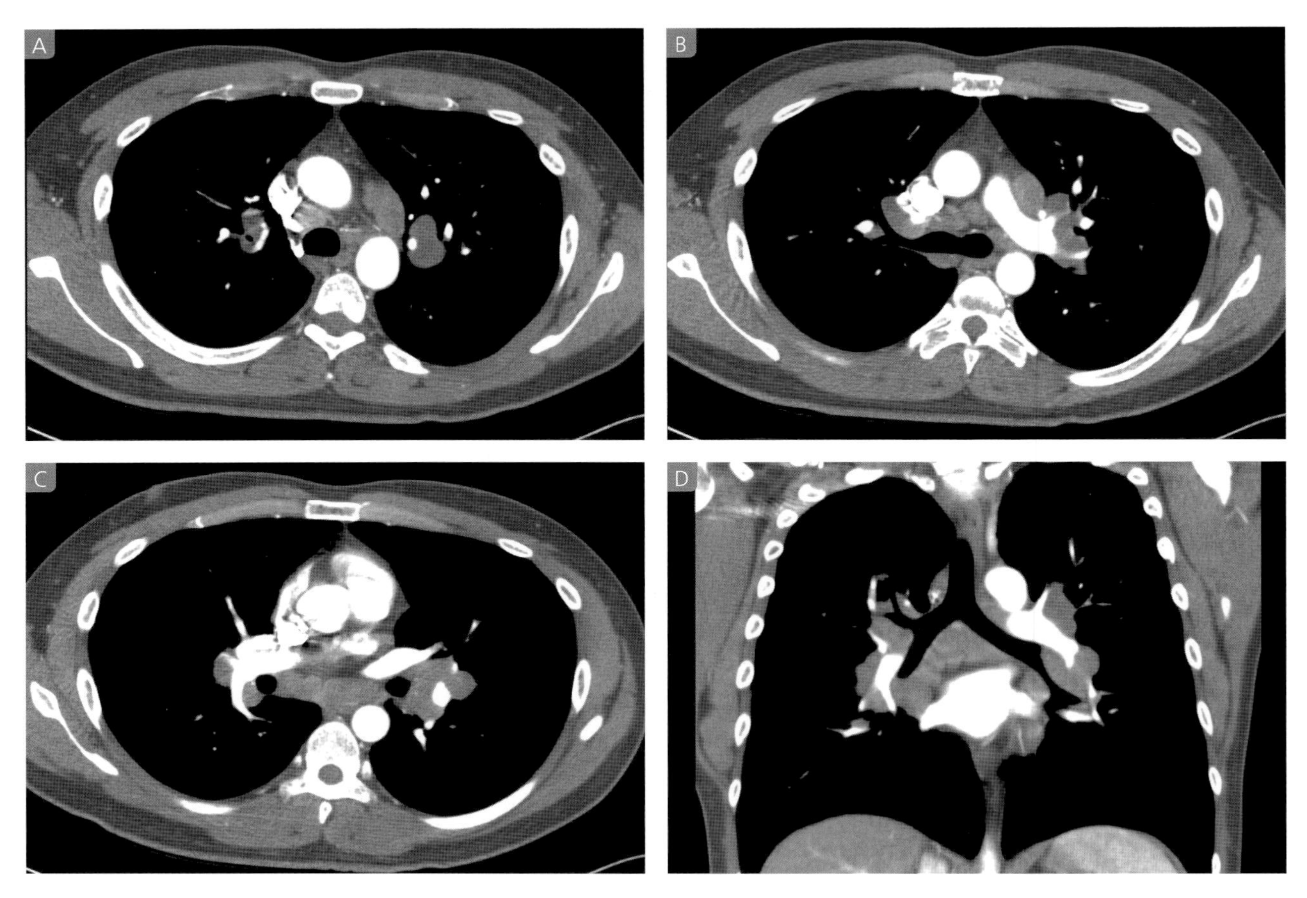

■ 그림 15-9. **사르코이드증**
다발성 종격동 림프절 확대가 주 소견이다. 대동맥폐동맥창(aortopulmonary window), 기관주변부, 용골하, 폐문 림프절, 엽간 림프절의 확대가 있다.

작은 결절, 간유리음영, 망상음영, 폐실질 섬유화 등이다. 작은 결절은 가장 흔한 소견으로 폐실질 이상을 동반한 환자의 90-100%에서 관찰된다. 2-5 mm 크기의 경계가 좋은 결절이며 기관혈관다발(peribronchovascular bundle), 주엽간열(fissure), 흉막하부, 소엽간중격(interlobular septa), 소엽중심부 등 림프선 주변분포(perilymphatic distribution)를 보이는 것이 가장 특징적인 소견이다(그림 15-10, 15-11). 작은 결절은 융합하여 1-4 cm 크기의 결절 또는 종괴를 만들 수 있다(그림 15-12). 아주 작은 육아종이 모여서 경계가 불분명한 간유리음영이나 경화로 나타날 수 있으며 소위 사르코이드 성운 징후(sarcoid galaxy sign)를 보이기도 한다(그림 15-13). 이와 같은 작은 결절, 간유리음영, 경화 등은 활동성 병변을 시사하며 가역적인 변화로 치료에 좋은 반응을 보인다. 폐실질의 병변은 특징적으로 상부폐에 호발한다. 병이 진행함에 따라 결절, 간유리혼탁, 경화는 감소하고 망상음영과 폐실질의 왜곡, 견인기관지확장증 등이 증가한다. 이는 폐섬유화의 진행을 의미하며 비가역적인 변화로 치료에 호전되지 않는다. 섬유화가 진행되면 불규칙한 선상음영, 불규칙한 소엽간열 비후, 견인 기관지, 소기관지 확장증, 폐문 거상과 하폐의 과팽창, 진행성 섬유화(progressive fibrosis), 벌집모양 변화 등으로 나타난다(그림 15-14). 감별진단으로 림프관성 폐전이, 규폐증 그리고 탄광부진폐증 등이 있다.

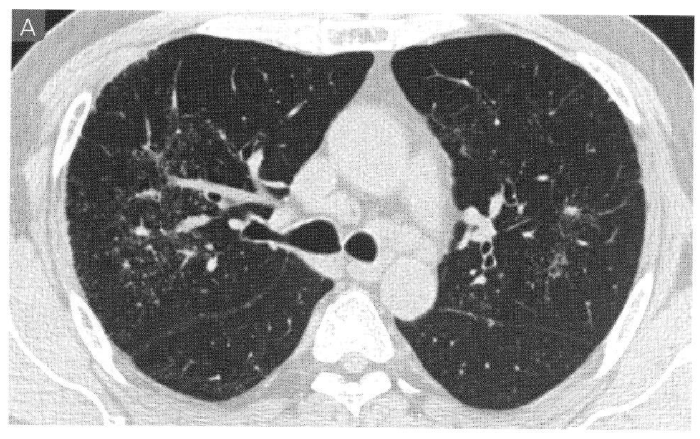

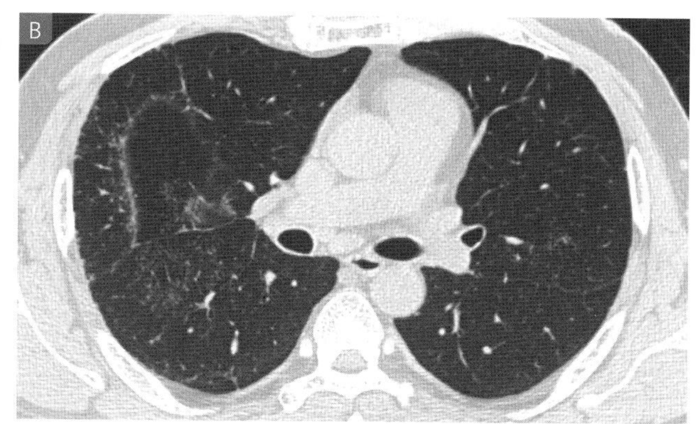

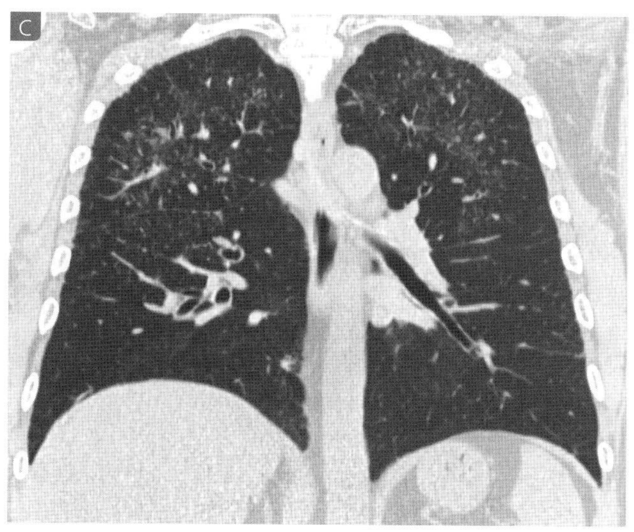

■ 그림 15-10. **다발성 폐결절을 보이는 사르코이드증**
폐엽간열 비후와 결절, 중격의 결절성 비후 등 림프관주변분포를 하는 소결절과 간유리음영이 있다(A, B). 관상면 영상(C)은 주로 상부폐에 우세한 병변을 보여준다.

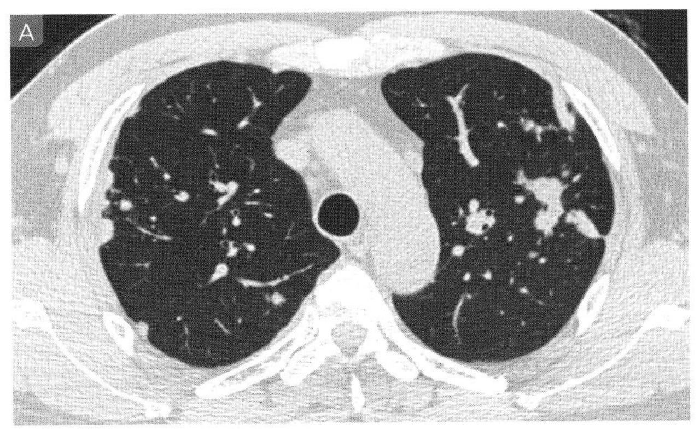

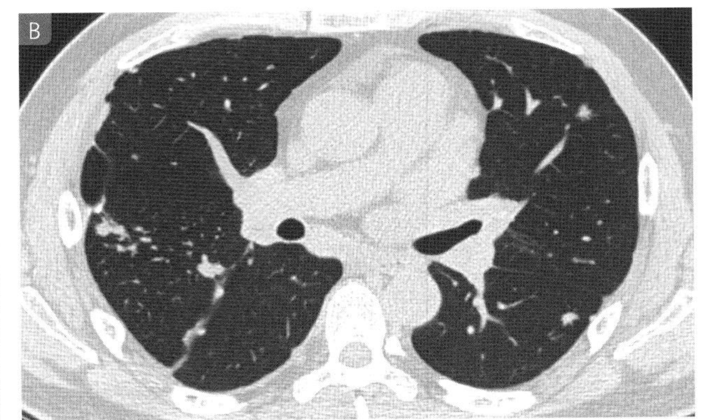

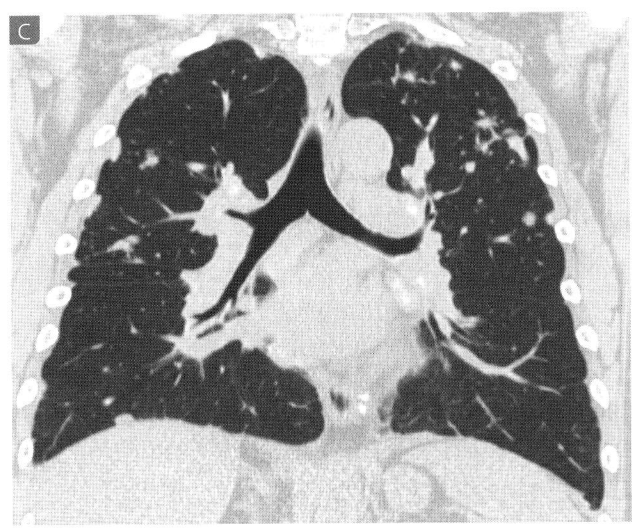

■ 그림 15-11. **다발성 폐결절의 사르코이드증**
흉막, 엽사이틈새(interlobar fissure), 소엽중심성 결절이 주소견이다.

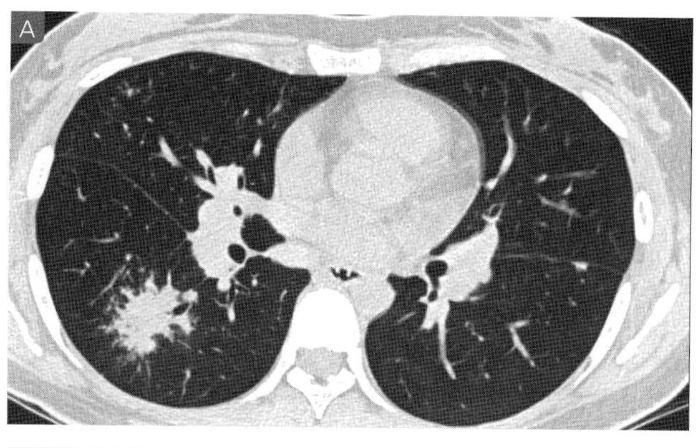

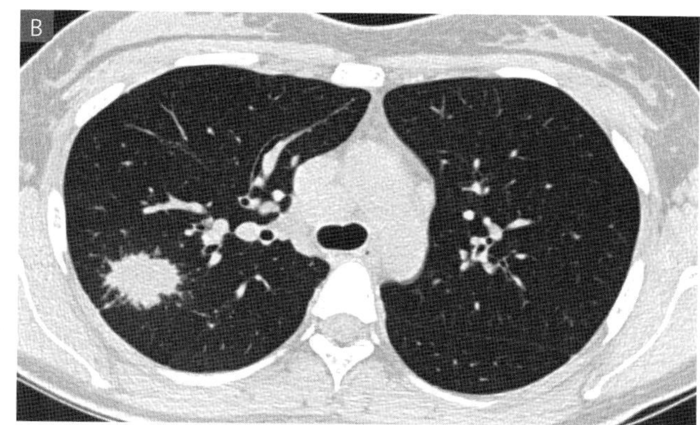

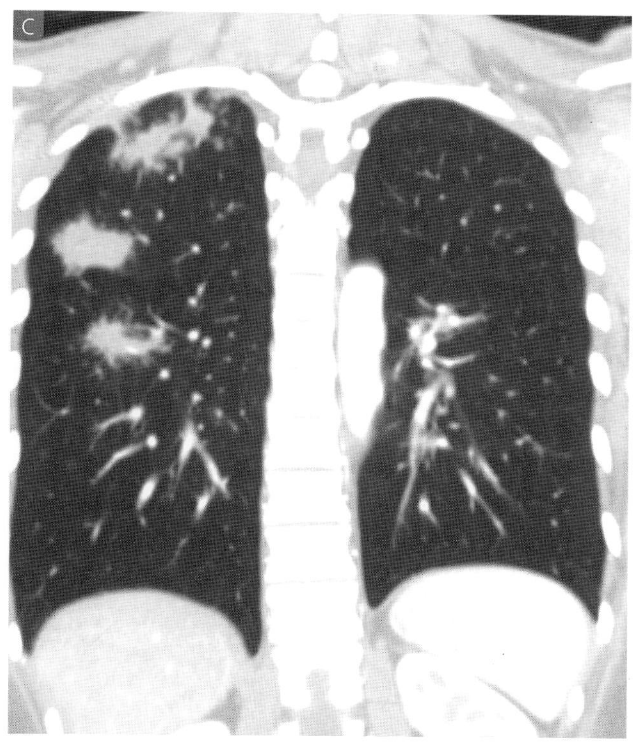

■ 그림 15-12. **융합성 종괴를 보이는 사르코이드증**

표 15-5. **사르코이드증의 영상의학적 소견**

양측성 대칭성 종격동, 폐문 림프절 확대
석회화 림프절(40-50%)
다발성 소결절: 좋은 경계, 2-5mm, 림프선 주변 분포
융합성 결절 또는 종괴
엽간열, 소엽간열, 흉막의 결절성 비후
상부폐 우세
사르코이드 성운 증후
폐섬유화(20%)

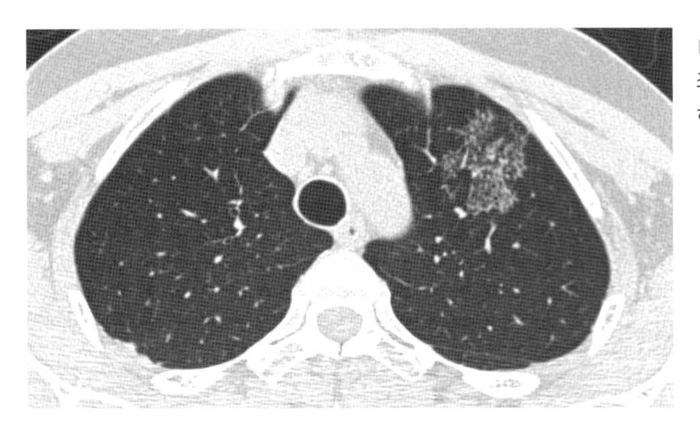

■ 그림 15-13. **사르코이드 성운징후(sarcoid galaxy sign)**
좌상엽에 작은 결절들이 응집하여 경계가 불규칙한 성운 같은 모양을 형성하고 있다.

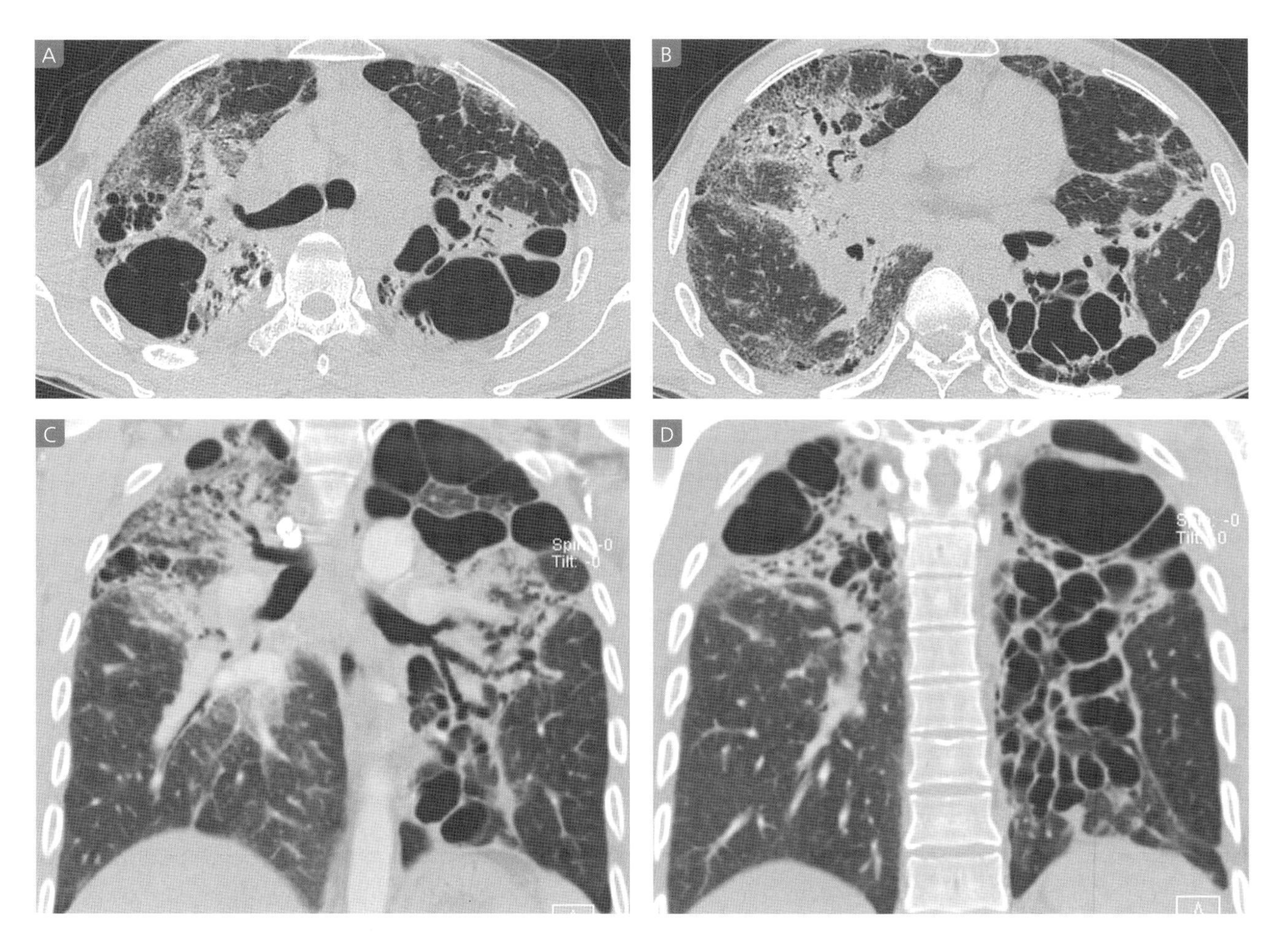

■ 그림 15-14. **폐섬유화로 진행된 사르코이드증**
병이 진행함에 따라 결절, 간유리음영, 경화는 감소하고 망상음영과 폐실질의 왜곡, 견인기관지확장증 등이 증가한다. 이는 폐섬유화의 진행을 의미하며 비가역적인 변화로 치료에 호전되지 않는다. 폐문 거상과 하폐의 과팽창, 진행성 섬유화 종괴, 벌집모양 폐 등의 소견을 확인할 수 있다.

참고문헌

1. Cottin V, Cordier J-F. Eosinophilic lung disease. Immunol Allergy Clin N Am 2012;32:557-586.
2. Bhatt NY, Allen JN. Update on eosinophilic lung disease. Semin Respir Crit Care Med 2012;33:555-571.
3. Kim Y, Lee KS, Choi DC, Primack SL, Im JG, et al. The spectrum of eosinophilic lung disease: radiologic findings. J Comput Assist Tomogr 1997;21:920-930.
4. Johkoh T, Muller NL, Akira M, Ichikado K, Suga M, Ando M, et al. Eosinophilic lung disease: diagnostic accuracy of thin-section CT in 111 patients. Radiology 2000;216:773-780.
5. Ebara H, Ikezoe J, Johkoh T, Kohno N, Takeuchi N, Kozuka T, et al. Chronic eosinophilic pneumonia: evolution of chest radiograms and CT features. J Comput Assist Tomogr 1994;18:737-744.
6. Allen J. Acute eosinophilic pneumonia. Semin Respir Crit Care Med 2006;27:142-147.
7. Sheehan RE, English J, Wittmann R, Muller NL. Levitating consolidation in eosinophilic lung disease. J Thorac Imag 2003;18:45-47.
8. Kang EY, Shim JJ, Kim JS, Kim KI. Pulmonary involvement of idiopathic hypereosinophilic syndrome: CT findings in five patients. J Comput Assist Tomogr 1997;21:612-615.
9. Castaner E, Alguersuri A, Andreu M, Gallado X, Spinu C, Mata JM. Imaging findings in pulmonary vasculitis. Semin Ultrasound CT MRI 2012;33:567-579.
10. Yunt ZX, Frankel SK, Brown KK. Diagnosis and management of pulmonary vasculitis. Ther Adv Respir Dis 2012;6:375-390.
11. Millet A, Pederzoli-Ribeil M, Guilevin L, Witco-Sarsat V, Mouthon L. Antineutrophil cytoplasmic antibody-associated vasculitides: is it time to split up the group? Ann Rheum Dis 2013;72:1273-1279.
12. Lee KS, Kim TS, Fujimata K, Moriya H, Watanabe H, Tateishi U, et al. Thoracic manifestation of Wegener's granulomatosis: CT findings in 30 parients. Eur Radiol 2003;13:43-51.
13. Silva CI, Muller NL, Fujimota K, Kato S, Ichikado K, Taniguchi H, et al. Churg-Strauss syndrome: high resolution CT and patholigic findings. J Thorac Imag 2005;20:74-80.
14. Müller NL, Kullnig P, Mller RR. The CT findings of pulmonary sarcoidosis: analysis of 25 patients. AJR Am J Roentgeuol 1989;152:1179-1182.
15. Nishino M, Lee KS, Itoh H, Hatabu H. The spectrum of pulmonary sarcoidosis: variation of high-resolution CT findings and clues for specific diagnosis. Eur J Radiol 2010;73(1):66-73.

Contents

I 기관 및 기관지 질환

1. 기관 질환

기관 관련 질환은 폐에 비해서 빈도가 떨어지나 다양한 질환들이 기관 및 주기관지에서 발생한다. 기관 질환은 크게 기관 내경을 감소시키는 질환과 증가시키는 질환으로 구분하고, 각각은 국소적 병변과 미만성 병변으로 다시 분류할 수 있다. 기관 내경을 미만성으로 감소시키는 질환으로는 결핵, Saber-sheath 기관, 재발성다발성연골염(relapsing polychondritis), 기관기관지골연골증식증(tracheobronchopathia osteochondroplastica), 아밀로이드증(amyloidosis), 육아종다발혈관염(granulomatosis with polyangiitis, 과거에 Wegener's granulomatosis로 불림) 등이 있고, 국소적으로 감소시키는 질환으로는 기관협착, 기관의 양성과 악성종양 등이 있다.

1) 기관 내경이 국소적으로 감소하는 질환

(1) 기관협착

상부 기도 폐쇄의 흔한 원인으로 기관 내 삽관이나 기관 절개 등에 의해 기관협착(tracheal stenosis)이 발생한다. 기관 내의 관과 기관 벽을 밀착시키기 위해 사용하는 풍선을 과도하게 확장시키면 기관 점막에 허혈성 괴사를 유발하여 점막에

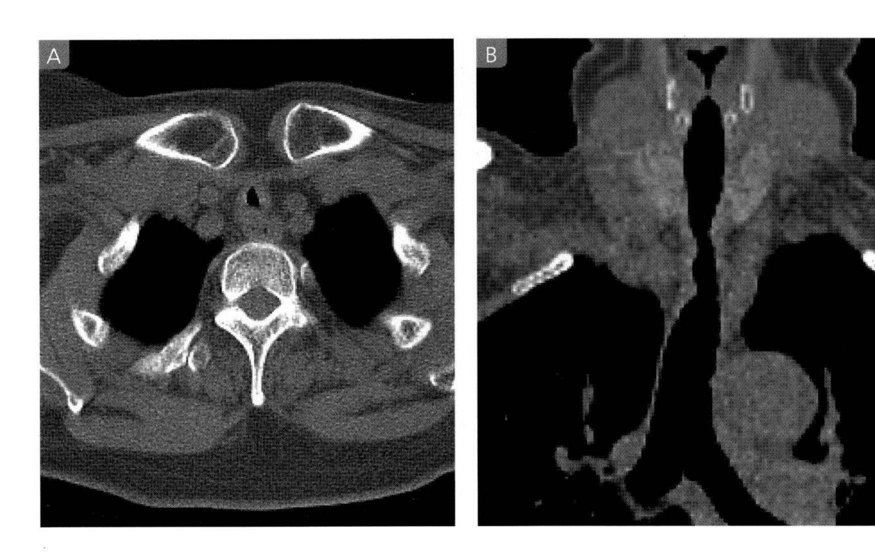

■ 그림 16-1. **기관협착**
과거 기관내 삽관의 기왕력이 있는 환자에서 흉곽 입구 부위(A)의 기관에 섬유화에 의한 반흔성 협착이 보이며, 관상면 영상(B)에서 길고 불규칙한 기관협착이 보인다.

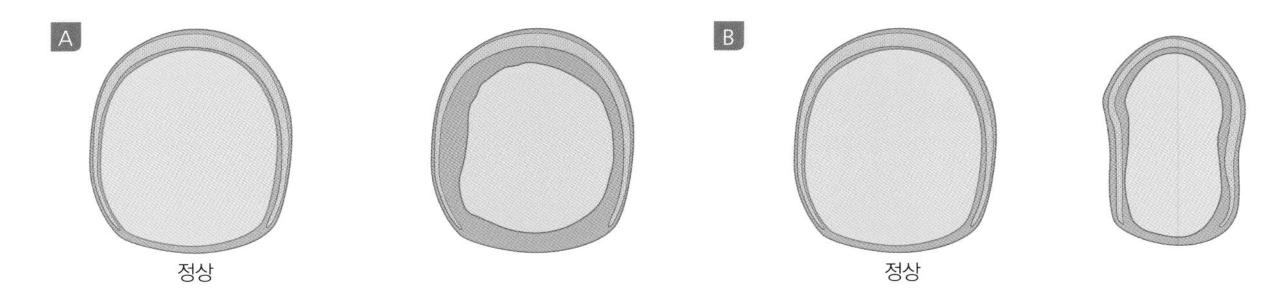

■ 그림 16-2. **기관협착의 모식도**
기관협착은 급성기에는 점막부종 및 육아조직형성에 의해서 발생하며(A), 만성화되면 기관연골의 모양변형을 보인다(B). 좌측은 정상 기관지의 모습이다.

궤양이 생기고 기관 연골이 파괴되어 섬유화가 생기면서 결과적으로 반흔성 협착이 발생한다. 협착의 양상은 평활한 모래시계 모양이 흔하다(그림 16-1). 반흔 형상의 정도나 모양에 따라 길고 불규칙한 모양이나 막성 협착이 생길 수도 있다. 급성기의 기관협착은 점막부종 혹은 육아조직 형성에 의해 발생하며, CT에서 정상적인 기관 연골 내부의 점막 및 점막하층이 두꺼워진 모습으로 보인다. 만성화되면 급성기에서 보이는 연조직 종창은 없거나 경미할 수 있으며, 기관 연골의 모양 변형을 보인다(그림 16-2)[1]. 횡단면 CT에서 협착부의 파악이 대부분 가능하지만, 협착 부위가 짧은 경우나 막성 협착의 경우 부분 용적 평균화(partial volume averaging)로 인하여 보이지 않을 수 있다. CT는 협착의 정도를 과대평가하는 경향이 있는 반면, 협착의 길이는 과소평가하는 경향이 있다[2].

(2) 종양

기관 종양은 폐 종양에 비하여 매우 드물고, 대부분이 악성종양이다. 그 중 편평상피세포암(squamous cell carcinoma), 선낭암종(adenoid cystic carcinoma), 점액표피양암종(mucoepidermoid carcinoma), 카시노이드(carcinoid) 등이 대부분을 차지한다(표 16-1). 기관 종양 중 원발성 기관 악성종양은 전체 흉부 악성종양의 1% 정도로 드물다. 이 중 편평상피암이

표 16-1. **기관종양**

원발성 악성종양	편평세포암(가장흔함, 50%) 선낭암종 카시노이드 점액표피양암종
전이암	직접 파급(direct invasion): 갑상선암, 폐암, 후두암, 식도암 혈행성 전이: 흑색종, 유방암, 대장암, 신장암
양성종양	편평유두종, 과오종, 연골종, 섬유종, 혈관종, 평활근종, 신경섬유종

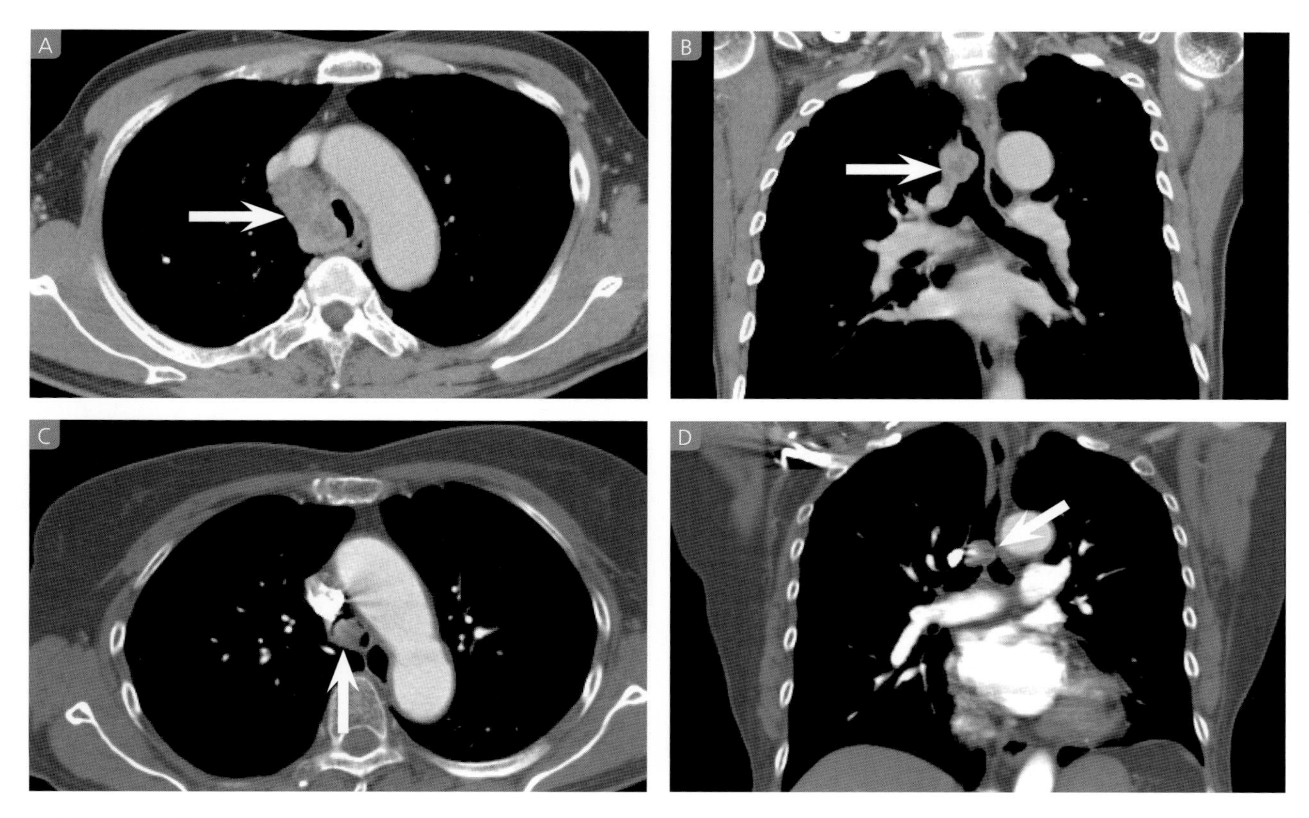

■ 그림 16-3. **편평상피세포암**
대동맥궁의 CT(A)에서 기관의 외측벽을 침범하는 기관 종양과 기관주변부 림프절 종대가 동반된 것이 보인다(화살표). 관상면으로 재구성한 영상(B)에서도 기관 내 유두상 종양과 이 병변이 기관 벽 외부로 파급된 것을 확인할 수 있다. 다른 환자의 축상면(C)과 관상면(D) CT에서 기관 내에 국한된 유두상 종양이 보인다(화살표).

가장 흔하여 전체의 50% 이상을 차지하고 50대 남자에서 잘 생기며, 흡연과 밀접한 관계가 있다.

CT에서 주로 기관의 측벽 혹은 후벽에 위치한 용종 모양의 종괴 또는 불규칙한 연조직 종괴이고, 기관 내와 밖으로 종괴를 형성한다(그림 16-3). 선낭암종은 두 번째로 흔한 악성종양으로 점액선에서 발생하고, 성별에 따른 발병 빈도의 차이는 없으며, 흡연과 관계없다. 주로 기관의 후외측 벽에 호발하며, 점막하조직과 신경주위조직을 따라 퍼지는 경향

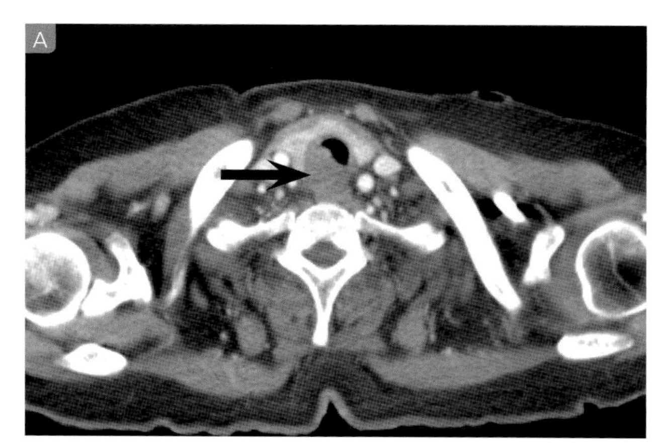

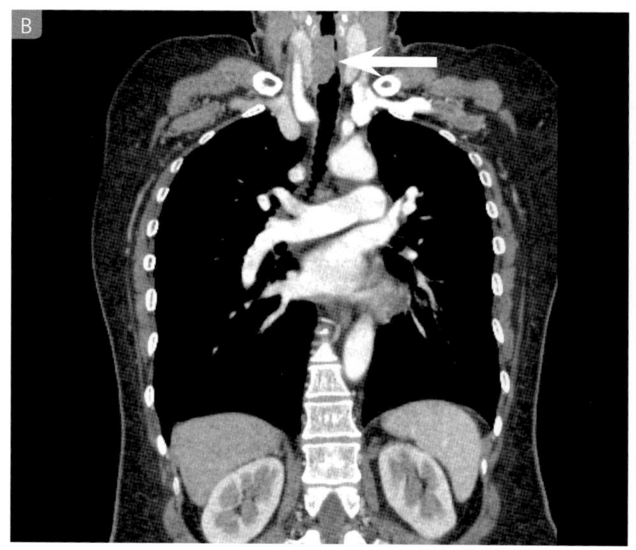

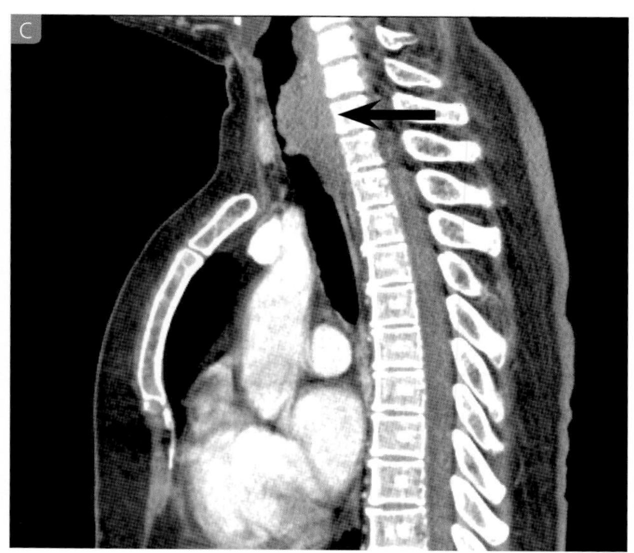

■ 그림 16-4. **선낭암종**
갑상선이 보이는 부위의(A) CT에서 기관의 후외측 벽을 침범하는 종양이 보인다(화살표). 관상면(B)과 시상면(C)으로 재구성한 영상에서 종양 상하부 기관 벽이 두꺼워져 있어 점막하 조직을 따라 침습하는 경향을 보이는 종양의 특성을 보인다(화살표).

이 있다(그림 16-4). 이외에 카시노이드(carcinoid) (그림 16-5), 점액표피양암종(mucoepidermoid carcinoma) 등이 생길 수 있다. 기관의 혈행성전이암은 매우 드물고, 악성흑색종, 신장암, 대장암, 유방암 등이 원발 병소로 알려져 있고, CT에서 기관 벽에 용종 모양의 종괴를 보인다.

양성종양은 약 10% 이하이고, 유두종(papilloma), 과오종(hamartoma), 연골종(chondroma), 평활근종 (leiomyoma), 신경섬유종(neurogenic tumor) 등이 있다. 기관의 양성종양 중 가장 흔한 것은 유두종으로, 바이러스 감염에 의해 소아에서 발생하고, 다발성 후두유두종과 함께 기관-기관지 및 폐에 파종을 일으킨다(그림 16-6). 기관지 과오종은 폐과오종의 한 형태로, 종괴 내부에 지방 음영과 석회화를 보이면 특이적으로 진단할 수 있다[2, 3]. CT 에서 기관 종양은 대개 비특이적인 모습을 나타내어 각각의 종류뿐만 아니라 양성과 악성을 감별하는 것도 어려울 때가 많지만, 종양의 범위 및 기관 주변으로의 침범, 그리고 폐쇄 원위부의 상태 등을 평가할 수 있다.

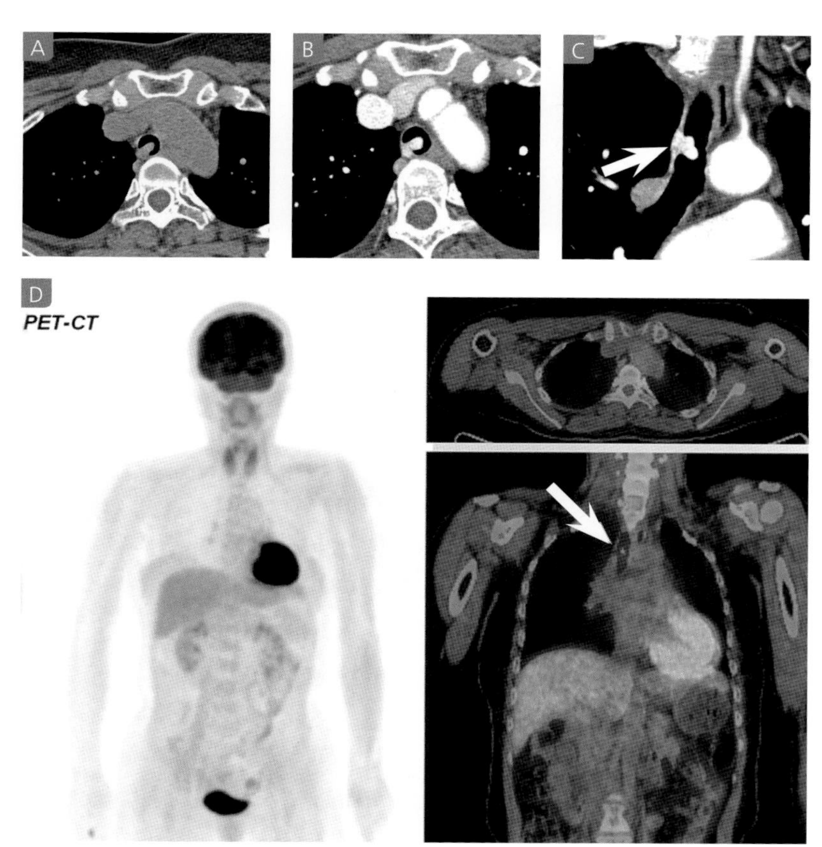

■ 그림 16-5. **기관 카시노이드**
대동맥궁 위치에서의 조영증강하지 않은 CT에서 우측 후방의 기관벽에서 기원하는 용종모양의 종괴가 기관 내부로 돌출되어 기관내경이 좁아졌으며(A), 조영증강 후 기관종괴는 조영증강이 매우 잘 된다(B,C). PET-CT(D)에서는 종괴에 FDG섭취가 증가되어 보인다.

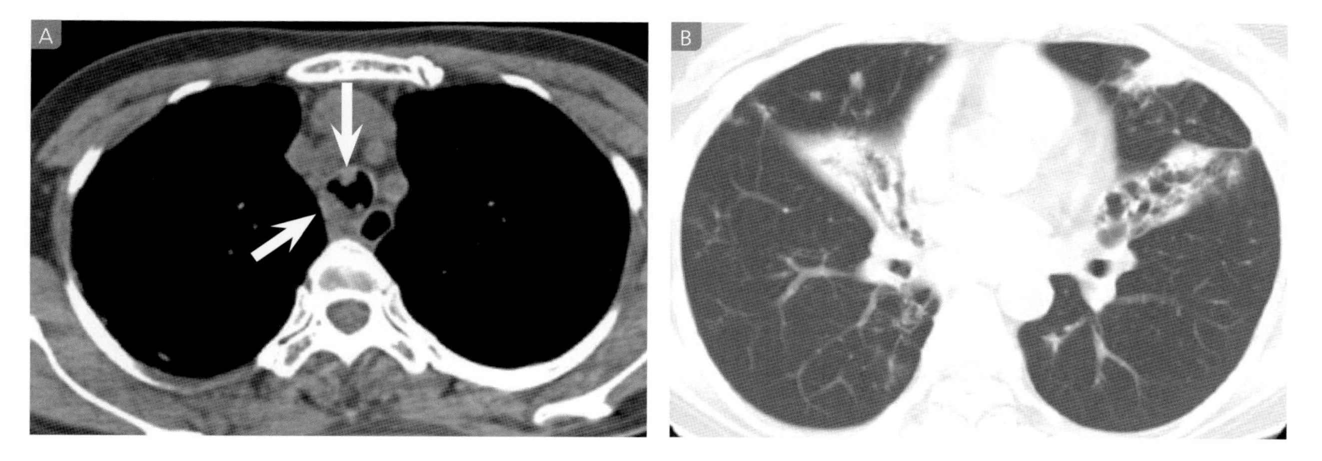

■ 그림 16-6. **유두종**
대동맥궁 상부의 CT(A)에서 기관 내부로 돌출된 종양이 보인다(화살표). 이 병변이 폐 실질로 파종되어 양 상엽에 폐 결절이 동반되어 있고, 우중엽과 좌설엽에 폐허탈 및 기관지확장증이 동반되어 있다(B). 이는 유두종에 의해 생길 수 있으나 매우 드문 소견이다.

2) 기관 내경이 미만성으로 감소하는 질환

(1) 결핵

기관 및 주기관지 결핵은 기도의 염증성 협착을 일으키는 가장 흔한 원인으로, 폐실질 병변에서 배출되는 균에 반복 감염되거나, 종격동의 결핵성 림프절염에서 직접 파급되거나, 혈행성 파급에 의해 발생한다. 진행 시기에 따라 초기에는 결절들이 점막 밑으로 침윤하고, 진행하면서 기관 및 기관지 벽에 궤양과 괴사를 형성하며, 치유되면서 섬유화에 의한 기도 협착을 일으키는데, 많은 경우 부위에 따라 여러 시기의 병변이 섞여서 나타난다. 병변은 흔히 다발성으로 발생하며, 국소적으로 한정되는 경우는 드물고, 작은 기관지에서 시작하여 큰 기관지로 파급된다. 젊은 여자에서 호발하며, 폐결핵의 10-20%에서 기관지 결핵을 동반한다. CT 소견은 병변의 시기에 따라 달리 나타나는데, 활동성 결핵의 경우 기관 벽이 불규칙하게 두꺼워지고 내경이 감소하며, 염증에 의한 조영 증가와 기관 주변 지방조직으로의 침윤과 종격동

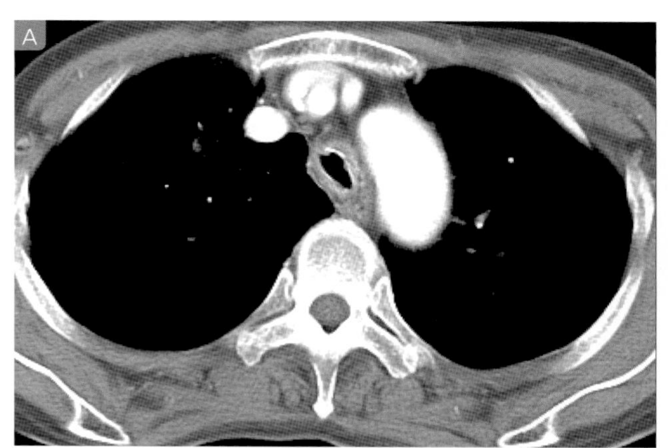

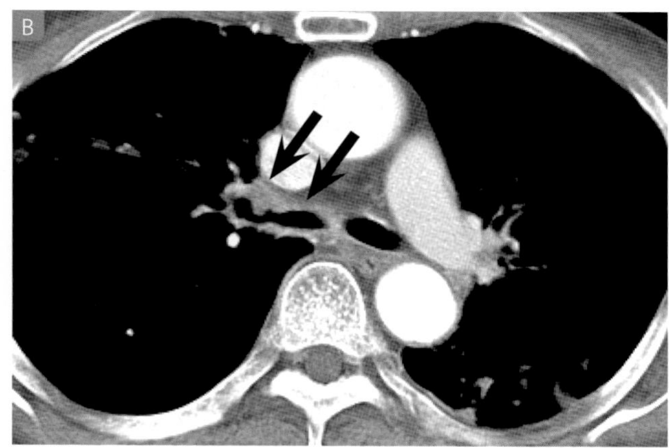

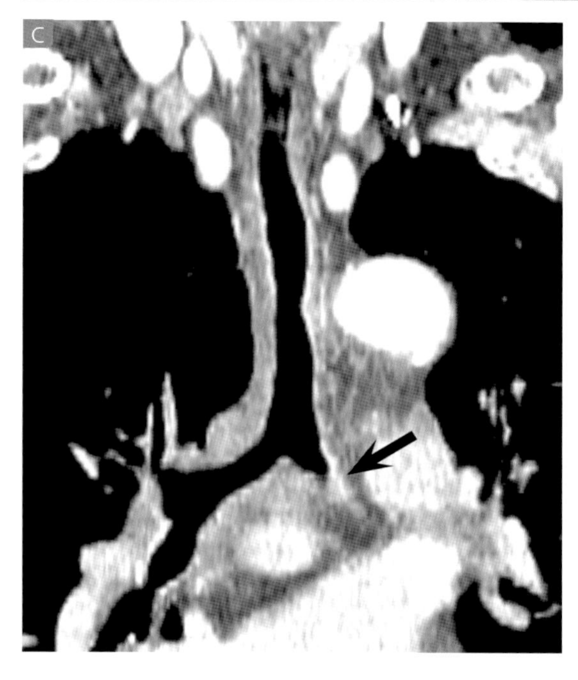

■ 그림 16-7. **기관/주기관지 결핵**
축상면 대동맥궁(A)과 기관분지하부(B)의 조영증강CT에서 기관과 우측 주기관지의 내경이 감소하였으며 기관과 주기관지벽의 평활한 비후를 볼 수 있다(화살표). 비스듬한 관상면으로 재구성한 영상(C)에서 기관과 좌측 주기관지 벽이 전장에 걸쳐 비후되어 있다(화살표).

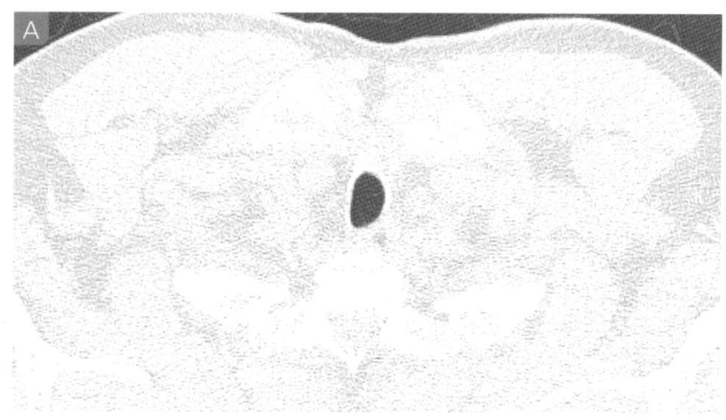

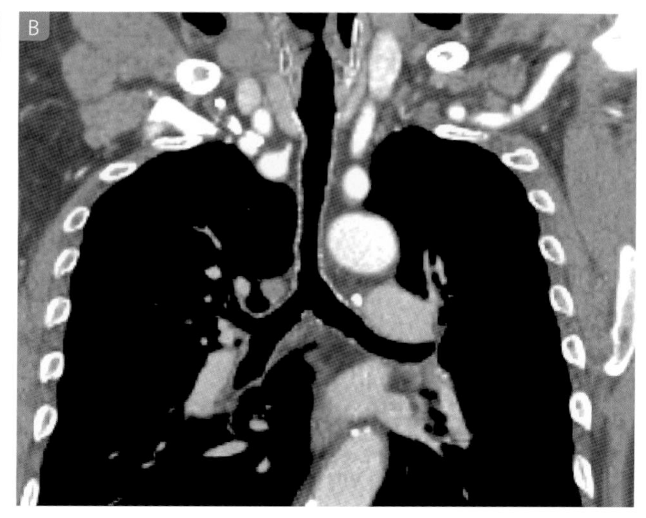

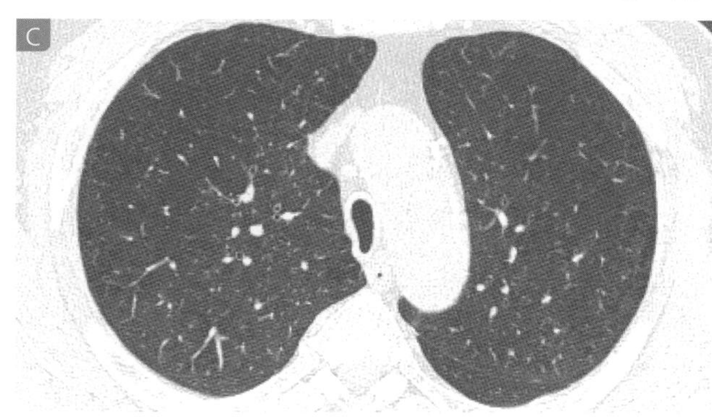

■ 그림 16-8. Saber-sheath 기관
흉곽 입구 상부(A)에서는 기관의 모양이 정상이지만 흉곽내(B)에서는 기관의 횡경이 전후경의 1/2 이하로 작아진 전형적인 소견을 볼 수 있다. 흉곽 입구 부위에서의 이러한 기관 횡경의 변화는 관상면 영상(C)에서 더욱 쉽게 알 수 있다.

림프절 종대 등이 보인다. 폐실질에 결핵을 시사하는 소견이 동반되어 있고 기관 및 주기관지의 병변이 긴 분절을 침범하는 소견(그림 16-7) 등으로 악성종양이나 다른 질환과 감별이 가능하다. 결핵이 치유되면 섬유화에 의한 기도협착과 폐쇄, 이로 인한 무기폐 등이 보일 수 있으며, 벽의 비후가 얇아지고 기관 내벽이 매끈하게 호전된다[4].

(2) Saber-sheath 기관

정상에서는 기관이 말발굽 모양으로 앞뒤 길이가 좌우 길이와 비슷하지만, saber-sheath 기관의 경우 흉곽 내의 기관 앞뒤 길이가 길어지고 좌우 길이가 짧아져 비율이 1/2~2/3 이하가 되며, 경부에서 갑자기 정상모양으로 된다(그림 16-8)[5]. 만성폐쇄성폐질환과 밀접하게 연관되어 있으며, 만성폐쇄성폐질환 환자의 95%에서 saber-sheath 기관을 보인 반면, 정상인에서는 18%에서만 보인다. 정확한 병인은 밝혀지지 않았지만, 만성폐쇄성폐질환에서 흉곽내 압력의 정도와 형태 변화에 따른 이차적인 변형으로 추정하고 있다[6].

(3) 재발성다발성연골염

원인을 모르는 자가면역질환으로 귀, 코, 상부 기도 및 관절 등 전신의 연골에 염증을 일으키는 전신 질환이며 기관 및 주기관지의 평활한 미만성 내경 감소를 초래한다. 20-30대에 흔하지만 모든 연령에서 발생하며, 남녀 성별의 차는 없고 백인에서 호발한다. 약 반수의 환자에서 후두와 기관 연골을 침범한다. 점막 및 점막 하층은 침범하지 않는 연골 및 연골막에 한정된 염증으로 활동성 연골염이 있는 경우 기관 벽이 매끈하게 두꺼워지며 내경이 감소한다(그림 16-9)[2, 5]. 내경의 감소는 호흡에 따라 고정되어 있을 수도 있으나 기관골연골연화증이 동반될 수도 있다[7]. CT에서 두꺼워진 기관 내

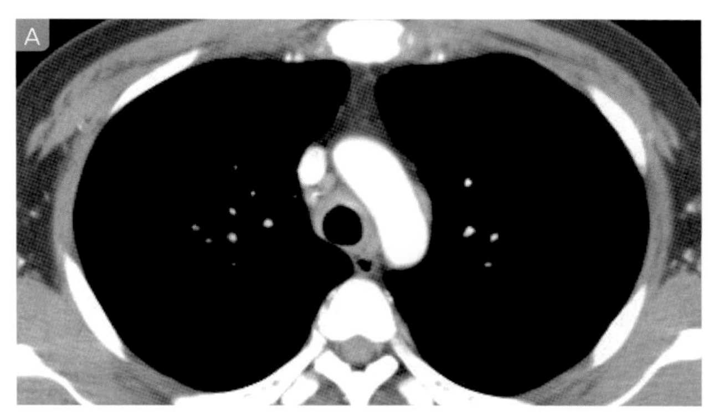

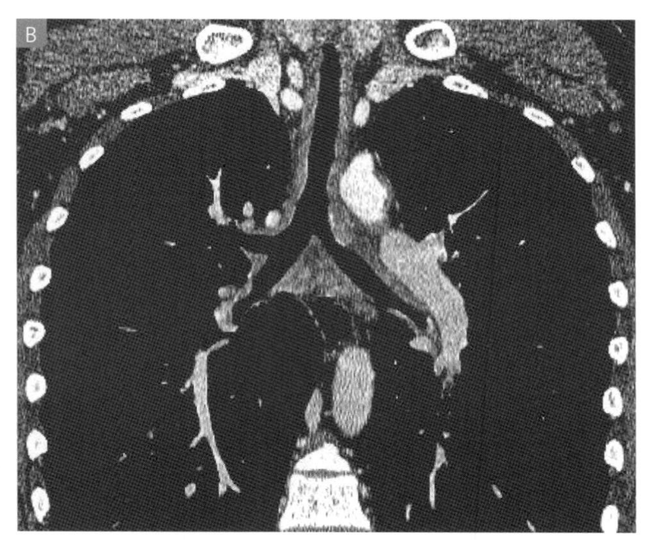

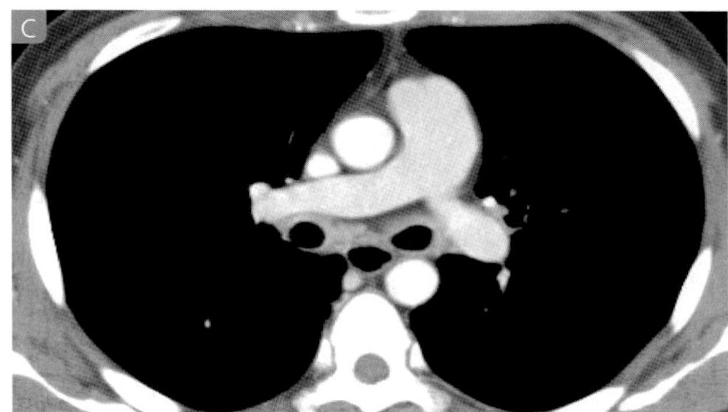

■ 그림 16-9. **재발성다발성연골염**
대동맥궁(A)과 기관분지하부(B)의 축상면 CT에서 기관과 양측 주기관지가 주로 앞쪽 벽의 비후로 내강협착 소견을 보인다. 관상면 영상(C)에서 기관과 주기관지벽의 전반적인 비후와 내강협착을 보인다.

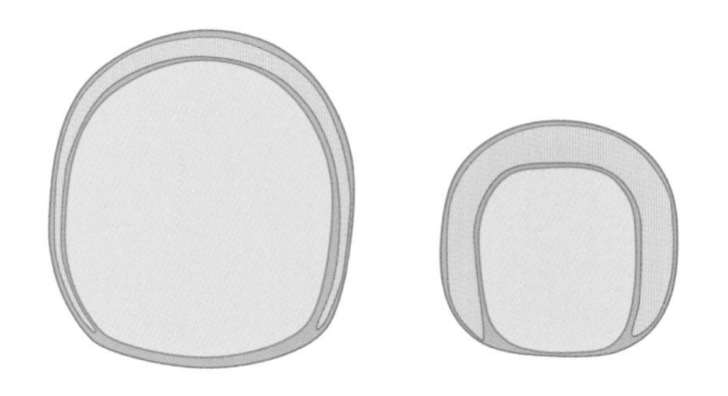

■ 그림 16-10. **재발성다발성연골염의 모식도**
왼쪽 정상 기관에 비교하여 재발성다발성연골염의 경우 기관벽이 매끈하게 두꺼워지며 내경이 감소한다.

■ 그림 16-11. **기관기관지 골연골증식증의 모식도**
점막밑층에서 연골과 골로 이루어진 결절들이 기도점막을 폴립모양으로 돌출시킨다.

벽이 매끈한 점이 아밀로이드증이나 기관기관지골연골증식증 등 다른 질환과의 감별에 도움이 된다(그림 16-10)[1, 2, 5].

(4) 기관기관지골연골증식증

기관기관지골연골증식증(tracheobronchopathia osteochondroplastica)은 정확한 원인이 밝혀지지 않은 비교적 드문 질환으로, 기관 및 주기관지 점막 밑에 연골과 골로 이루어진 다수의 결절들이 기도 점막을 폴립모양으로 기도 내부로 돌출시켜 내경을 감소시킨다(그림 16-11). CT 소견은 기관 연골이 석회화되고 불규칙하게 두꺼워지며, 앞과 옆 기관 벽에 석

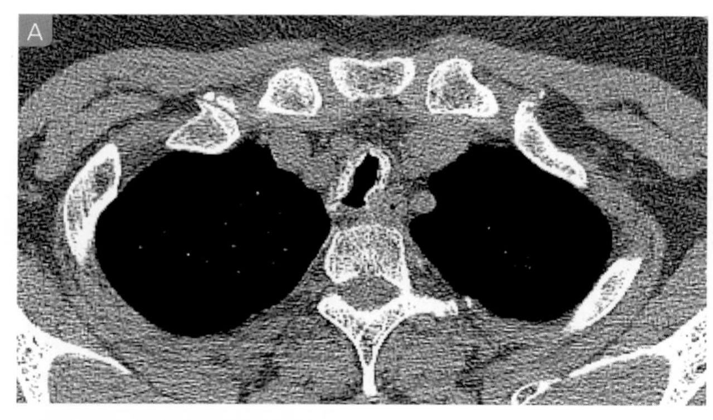

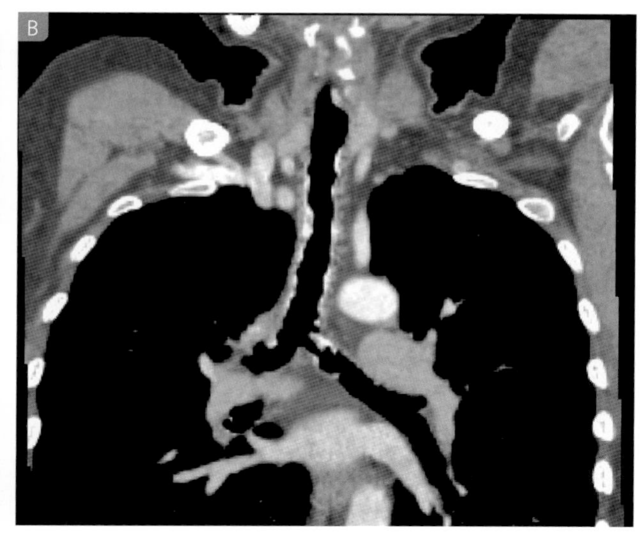

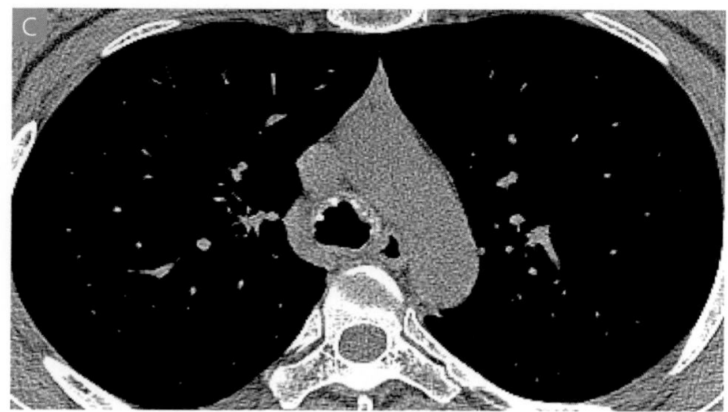

■ 그림 16-12. **기관기관지 골연골증식증**
흉곽 입구 부위(A)와 대동맥궁(B)의 조영증강하지 않은 CT에서 기관벽의 불규칙한 비후와 함께 석회화된 결절들이 기관 내부로 돌출되어 내경이 감소하였으며, 기관의 막성 후벽은 정상이다. 관상면 영상(C)에서 기관 전체와 양측 주기관지 근위부를 침범한 병변의 범위를 잘 알 수 있다.

회화된 결절이 내강으로 돌출되어 내강을 감소시키나, 후벽에는 연골 조직이 없으므로 침범하지 않는 것이 특징적이다(그림 16-12). 아밀로이드증에서도 석회화된 결절이 보일 수 있지만, 막성 부위인 후벽도 두꺼워진다는 것이 감별점이다[1, 2, 5].

(5) 아밀로이드증

다양한 장기에 아밀로이드라고 하는 단백질이 침착하는 질환으로, 원인에 따라 원발성과 이차성, 침범하는 범위에 따라 국소성과 전신성으로 구별된다. 원발성 호흡기아밀로이드증은 드문 질환으로 기관기관지형, 결절성 폐실질형, 그리고 미만성 폐실질형의 세 가지 형태가 있다. 이 중 기관기관지형이 가장 흔한 형태로, 아밀로이드 단백이 다발성 혹은 미만성으로 점막 아래에 침착된다. 점막 층 자체는 대개 정상이고 결절 내에 석회화가 생길 수 있다. 기관지 벽이 두꺼워져 기관 내경이 감소하는데(그림 16-13) 기관의 막성 부위도 침범하므로 기관기관지골연골증식증과 감별할 수 있다[1, 2, 5].

(6) 육아종다발혈관염

육아종다발혈관염(granulomatosis with polyangiitis)은 여러 장기의 괴사성 육아종성 염증 및 혈관염을 일으키는 질환으로, 주로는 신장, 폐, 부비강을 침범하며 드물게 기관을 침범하여 육아종을 형성하며 침윤을 일으킨다. 약 15-25%에서 기관을 침범한다고 알려져 있으며, 전형적으로 성문 하부의 협착을 보인다[1]. CT 소견은 후두연골과 기관 벽의 비정상적인 연조직 침윤에 의해 내경이 평탄하게 감소하며(그림 16-14), 동반되는 폐실질의 결절이나 폐 침윤 등을 볼 수 있다.

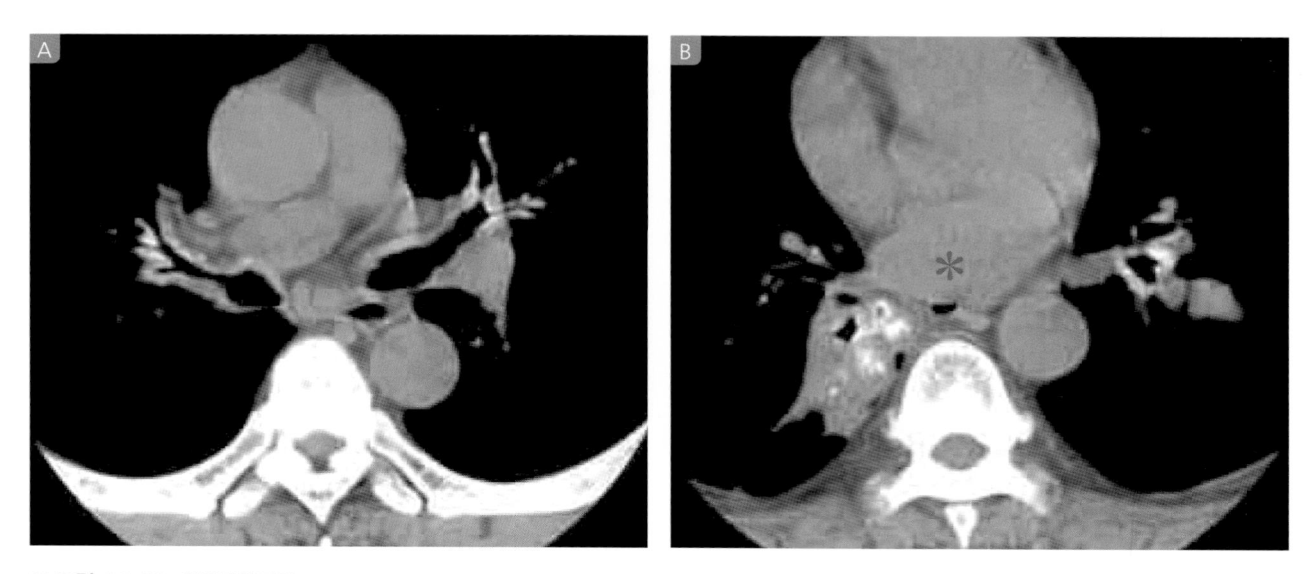

■ 그림 16-13. **아밀로이드증**
기관분지하부(A)와 좌심방(별표)이 보이는 부위(B)의 CT에서 주기관지와 기관지 벽의 비후와 석회화에 의해 내경이 감소되어 있고 우하엽의 무기폐가 동반되었다.

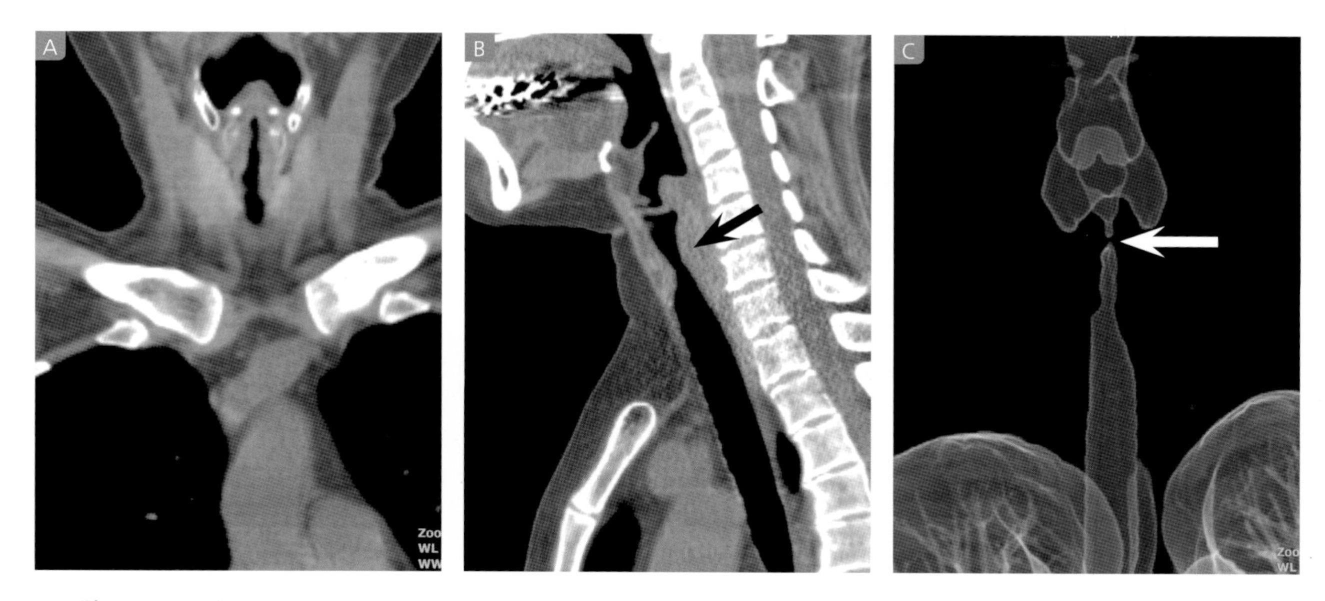

■ 그림 16-14. **육아종다발혈관염 환자의 성문하 기관지협착**
관상면(A), 시상면(B), 3D재구성 이미지(C) 에서 전형적인 성문하부 기관지협착을 확인할 수 있다(화살표).

3) 기관 내경을 증가시키는 질환

(1) 기관기관지거대증(Tracheobronchomegaly, Mounier-Kuhn syndrome)

기관기관지거대증은 기관의 횡경 25 mm, 전후경 27 mm 이상인 경우로 정의되며, Mounier-Kuhn syndrome이나

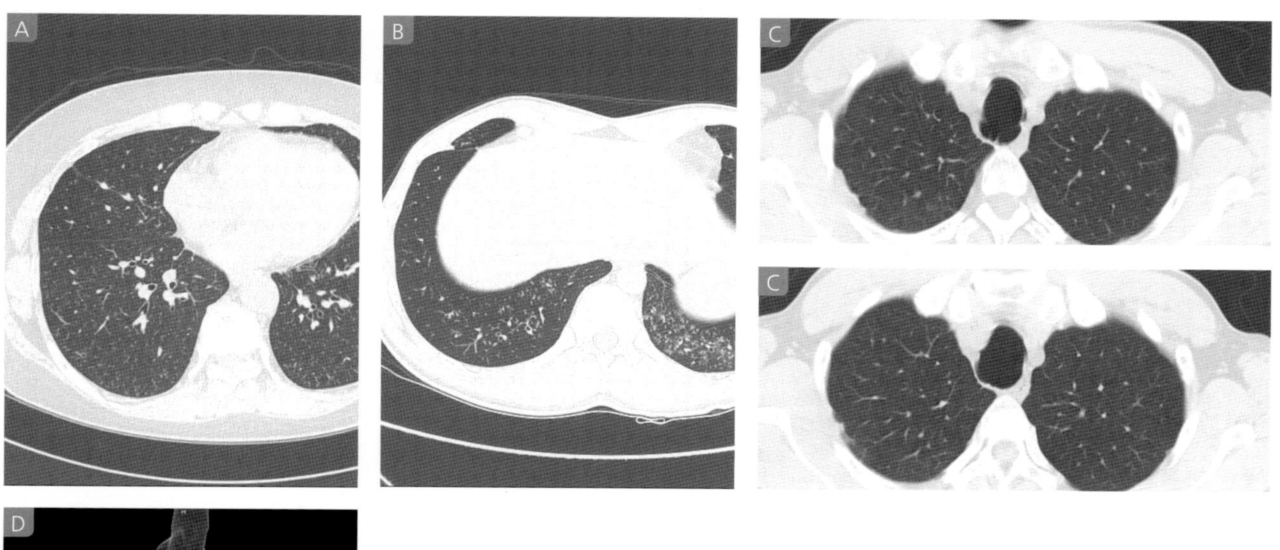

■ 그림 16-15. Mounier-Kuhn syndrome
흉부X선 후전사진(A) 및 측면사진(B)에서 기관의 내경이 현저히 증가하였다. 흉관입구 위치에서 얻은 CT(C)와 3D shaded surface display(D)에서 기관내경의 증가와 기관점막의 돌출로 아코디언 모양을 보인다.

Ehlers-Danlos syndrome 등에서 선천적으로 발생하거나, 폐 상엽의 심한 섬유화를 초래하는 사르코이드증이나 낭성섬유증 또는 알레르기성아스페르길루증 등의 염증성 질환에서 후천적으로 보일 수 있다[5].

Mounier-Kuhn syndrome은 기관 및 주기관지의 연골 부위와 막성 부위의 탄력섬유, 근육의 선천성 결함에서 기인 한다고 알려져 있다. 주로 30-40대 남성에서 발생한다고 하며, 반복되는 폐 감염, 만성기침 등의 증상을 나타낸다. CT에서 대동맥 궁 2 cm 위 위치에서 측정한 기관의 직경이 3 cm, 주기관지의 직경이 2.4 cm 이상이면 진단적 가치가 있다. 기관의 연골 고리 사이로 기관 점막이 바깥쪽으로 돌출되어 물결모양의 주름이 많은 기관을 보인다(그림 16-15). 호기 시에 기관 내강의 허탈이 동반될 수 있다[1, 2, 5].

4) 기관연골연화

기관연골연화(tracheomalacia)는 기관 벽과 기관 연골이 약해져서 쉽게 내강이 허탈되는 것을 말한다. 기관내 삽관이나 기관절개술 후, 만성폐쇄성폐질환, 외상, 염증, 재발성다발성연골염 등과 연관하여 대부분 이차적으로 발생한다. 흡기와 호기CT 또는 역동적CT에서 흉곽 내 기도 단면의 면적 변화가 50-70% 이상이면 진단할 수 있다(그림 16-16).

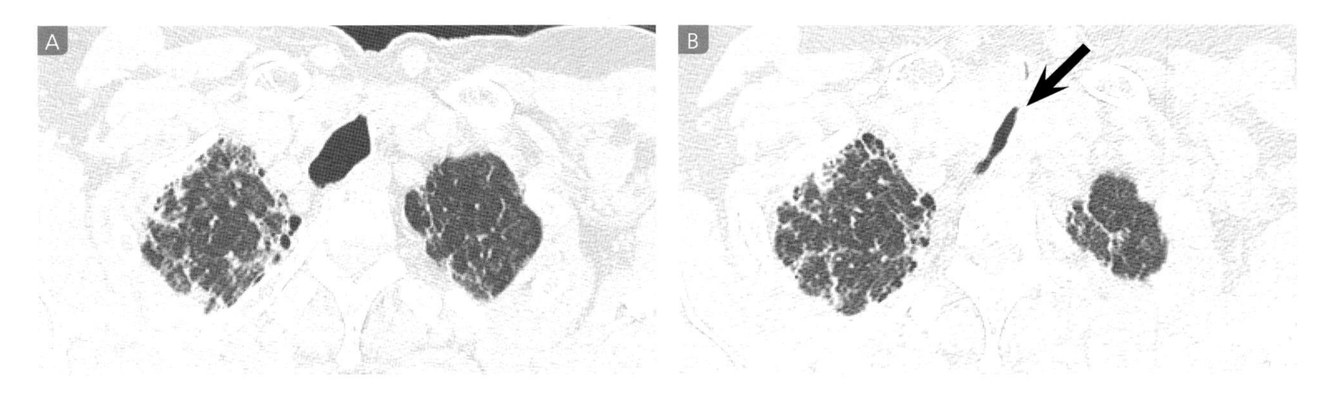

■ 그림 16-16. **기관연골연화**
기관내 삽관을 하였던 기왕력이 있는 환자로 흡기(A)에 비해 호기(B) 시에 약해진 기관의 내강이 허탈되는 것이 보인다(화살표).

2. 기관지질환

1) 선천성 기형

정상기관지의 작은 변형들은 분절기관지와 세분절기관지에 흔히 있지만, 대부분 이러한 변형들은 이차적인 병변을 동반하기 전에는 임상적으로 중요하지 않다.

(1) 기관기관지(tracheal bronchus)

기관분기부 상방에서 기관지가 나오는 것으로 대부분 기관 분기부의 2 cm 이내의 우측에서 발생한다. 전위기관지(displaced) 혹은 과잉기관지(supernumerary)일 수 있는데, 전위기관지는 과잉기관지보다 빈도가 높으며, 정상 위치가 아닌 다른 위치에서 기관지가 나오는 것을 말하고, 과잉기관지는 정상 기관지 이외의 기관지가 부가된 것을 말한다. 과잉기관지는 끝이 막혀있는 맹관일 수 있으며, 이 경우 기관게실이라고 부를 수도 있다. 기관기관지는 보통 증상을 발현하지 않지만, 간혹 기관지확장증, 반복되는 폐렴 등을 일으킬 수 있다(그림 16-17).

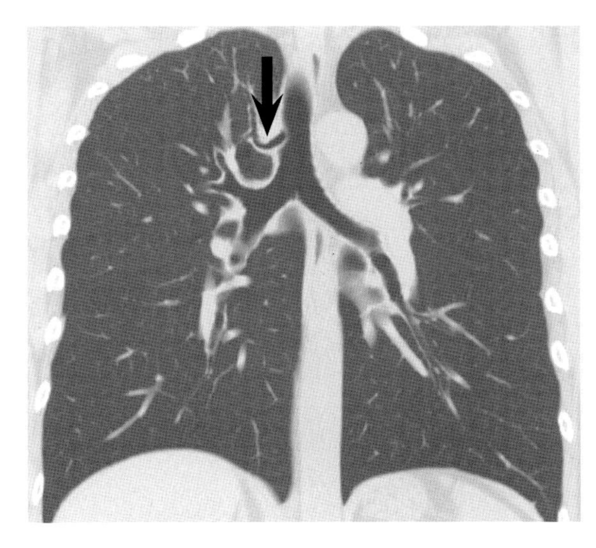

■ 그림 16-17. **기관기관지**
기관분기부 상방에서 기관지가 나오는 것(화살표)이 보인다.

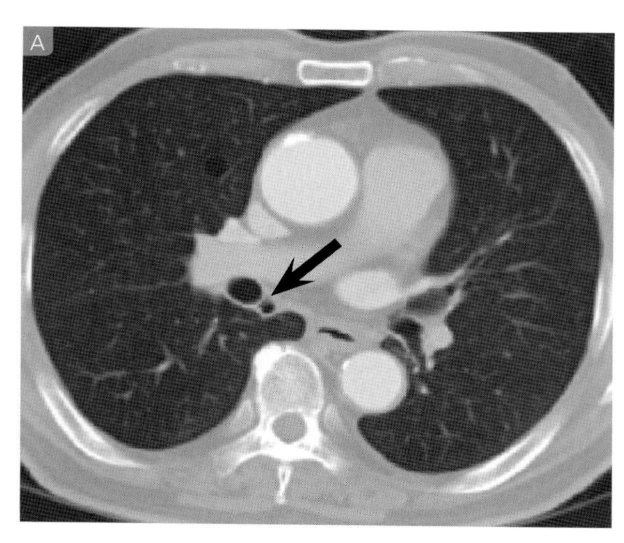

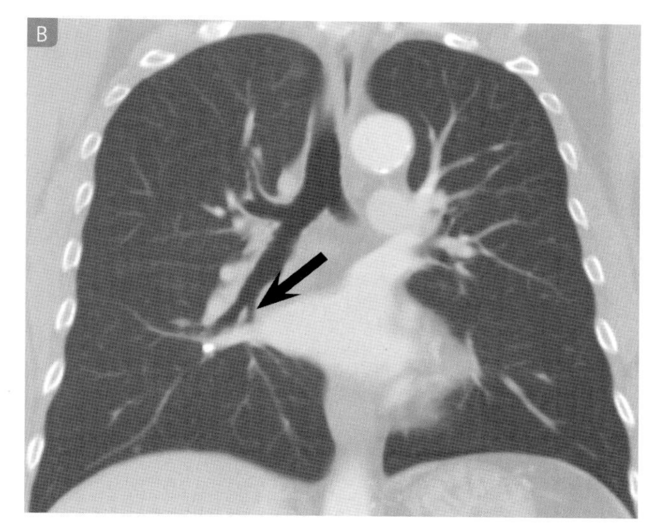

■ 그림 16-18. **부심장기관지**
우측 중간기관지(bronchus intermedius)의 하측, 내측벽에서 발생한다(화살표).

(2) 부심장기관지(accessory cardiac bronchus)

우측 주기관지 혹은 중간기관지(bronchus intermedius)의 하측, 내측 벽에서 발생한다. 그 끝은 막혀 있거나, 비정상 폐 조직과 연결되어 있을 수 있다. 부심장기관지는 그 분절의 감염과 객혈을 동반할 수 있다(그림 16-18)[8].

(3) 기관지폐쇄증(bronchial atresia)

분절 또는 아분절 기관지가 폐쇄되는 것으로, 폐쇄된 기관지 원위부의 기관지와 폐는 정상적으로 발달된다. 주로 분절 기관지에 잘 생기며, 상엽 특히 좌상엽의 첨후분절기관지에 가장 흔하다. CT에서 점액류(mucocele) 및 해당 부위 과팽창을 확인할 수 있으며, 이는 주위 정상폐로부터 측부 공기 편류(collateral air drift)에 의한 것이다[8].

2) 기관지확장증

기관지의 비가역적 확장을 보이는 만성질환이다. 병리학적으로 기관지의 확장과 벽의 파괴, 다양한 정도의 만성 염증을 동반하며, 그 이하 부위에는 폐 섬유화, 폐기종, 기관지폐렴, 무기폐 등이 동반된다. 폐의 용적 감소는 무기폐보다는 폐 실질 자체의 파괴에 의한 것이 많다. 가장 흔한 원인은 감염으로, 기관지에 염증이 생기면 원위부 기관지와 세기관지가 막히고, 원위부 폐에 다양한 정도의 무기폐가 생기며 이어서 기관지가 확장된다. 확장된 기관지 내에는 점액이 효과적으로 빠져나가지 못하고 고이게 되어 쉽게 감염되고, 기관지 벽의 약화, 원위부 기도 폐쇄, 점액 형성 증가 등의 악순환이 지속된다. 다른 원인으로 결핵, 폐암, 기관지내 이물, 주변 림프절에 의한 압박 등에 의해 기도 폐쇄가 일어나면 그 원위부 기관지에 점액이 차서 기관지가 확장되고, 특발폐섬유증이나 방사선 치료, 폐결핵 치유 과정의 심한 섬유화 등에 의해 기관지가 주변으로부터 견인되어 기관지가 확장되기도 한다. 또한 다양한 유전적인 질환에서도 기관지확장증이 동반되는데, 대표적인 것이 낭성섬유증(cystic fibrosis), 섬모운동장애증후군(immotile cilia syndrome), alpha 1-antitrypsin 결핍증 등이다(표 16-2). 기관지확장증은 확장 정도에 따라 원주상(cylindrical), 정맥류성(varicose), 낭성(cystic)형태로 구분하고(그림 16-19), 범위에 따라 국한성과 미만성으로 구분한다. CT에서는 폐 주변부로 주행하면서 가늘어지지 않는 확

표 16-2. 기관지확장증의 원인

감염	박테리아, 항산성균(mycobacteria), 바이러스, 마이코플라즈마
면역결핍상태	선천성, 후천성
점막섬모의 청소기능이상	낭성섬유증, 섬모운동장애 증후군, Young 증후군
전신질환	교원질-혈관질환, 염증성 장질환
기관지폐쇄	선천성기관지패쇄증, 기관지내종양, 림프절종대에 의한 압박
기관지벽 이상	기관기관지 거대증, William-Campbell 증후군
면역반응	알레르기성 폐기관지 아스페르길루증, 천식, 폐이식거부반응
단백분해효소-항단백분해효소의 불균형	Alpha 1-antitrypsin 결핍증

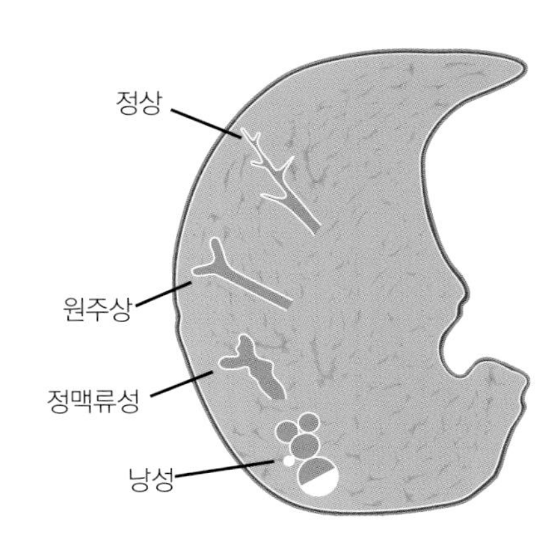

■ 그림 16-19. 기관지확장증의 형태분류

장된 기관지가 보이면 진단할 수 있고, 같이 주행하는 폐동맥보다 기관지 내경이 크면 기관지가 확장되었다고 할 수 있다. 기관지 벽의 비후는 진단에 반드시 필요한 조건은 아니지만 대부분 동반된다. 기관지의 주행 방향과 스캔방향과의 관계, 점액충만 여부 등에 따라 반지 모양(signet ring sign), 기찻길 모양(tram-track sign), 포도송이처럼 기낭이 밀집한 모양(cluster of cysts), 기낭이 줄지어 있는 모양(string of cysts), 기낭 내의 공기액체층, 결절 또는 난형 음영, 관 또는 가지 모양 음영 등으로 나타난다(그림 16-20) (표 16-3). 동반되는 폐의 소견들로는 기관지확장증이 있는 이하 부위의 무기폐, 섬유화, 폐기종, 감염에 의한 폐경화, 세기관지염에 의한 모자이크 양상의 저음영, 폐소엽 내 가지, 선, 결절 모양 음영 등이

표 16-3. 기관지확장증의 CT소견

폐주변부로 갈수록 가늘어 지지 않는 확장된 기관지
확장된 기관지에 공기가 차 있을 때 반지모양(signet ring sign) 기찻길 모양(tram-track sign) 기낭들이 군집한 모양(cluster of cysts) 기낭이 줄지어 있는 모양(string of cysts) 기낭 내의 공기액체층(air-fluid level within cysts)
확장된 기관지에 점액 혹은 분비물이 차 있을 때 관 또는 가지모양의 음영 원형 또는 난형의 음영
동반될 수 있는 소견들
기관지벽의 비후, 모자이크 양상의 폐 저음영, 폐소엽내의 결절, 무기폐, 폐경화, 폐기종

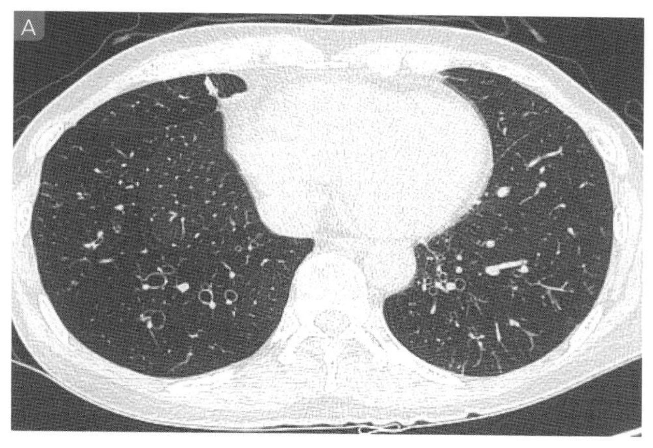

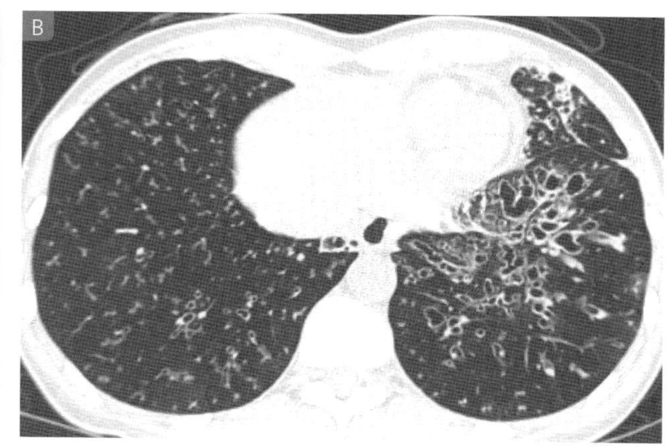

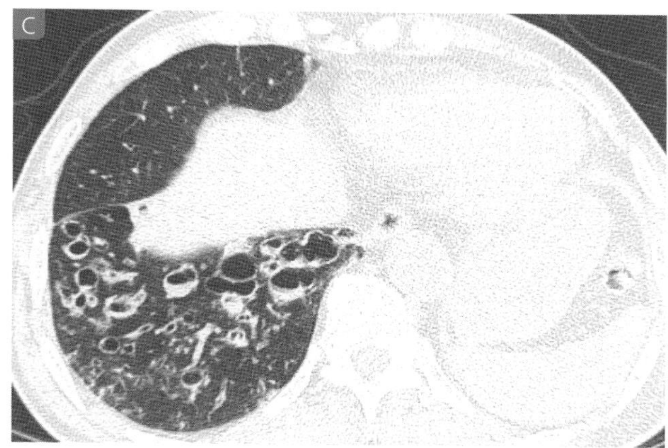

■ 그림 16-20. **기관지확장증**
A. 우하엽의 기관지가 확장되어 반지모양으로 보이고 있으며, 폐색세기관지염을 시사하는 폐실질의 저음영이 양측 폐에 동반되어 있다. **B.** 좌하엽과 설상엽에 기관지가 정맥류 모양으로 확장되어 있고 일부에는 점액이 충만되어 가지모양으로 보인다. 양측 폐에 세포세기관지염을 시사하는 소엽중심성결절과 분지모양음영이 동반되어 있다. **C.** 우하엽에 기낭의 형태로 확장된 기관지가 포도송이처럼 모여 있고 내부에 점액에 의한 공기액체층이 보인다.

있다[9-11].

3) 기관지결석

기관지 내에 석회화된 이물이 있을 때 기관지결석(broncholithiasis)이라 하고, 이는 대개 기도 주변의 석회화된 림프절이 기도 내로 침식하여 발생하고, 때로는 석회화된 기도 연골이 떨어져 나오거나 흡입된 이물질이 석회화되어 생기기도 한다. 기도 내 석회화된 이물과 기도 변형의 결과로 무기폐, 폐쇄성폐렴, 기관지 내 점액 충만, 기관지확장증 등이 생긴다. 드물게 석회화된 이물이 주변 식도나 큰 혈관을 침식하여 기도와 식도 그리고 혈관과의 누공을 만들기도 한다. CT에서 기관지 내부나 주위에 석회화된 림프절이 있고, 기관지 폐쇄를 일으킬 만한 연조직 종괴가 없을 때 진단할 수 있다(그림 16-21). 석회화된 과오종이나 카시노이드와 같은 종양은 기관지결석증과 비슷하게 보일 수 있다[12].

4) 기관지탄분섬유화증

기관지탄분섬유화증(anthracofibrosis)은 기관지내시경에서 점막의 검은색 착색을 동반한 기관지 내경 감소나 폐쇄가 있는 경우를 말한다. 병리검사에서 검은 탄분 착색의 산재와 더불어 기관지 벽의 섬유화를 보이는데 기관지 주위 섬유화를 동반하기도 한다(그림 16-22)[13]. 환자의 약 70%가 50대 60대 이상의 흡연력이나 탄분증과 관련이 없다. 임상증상은

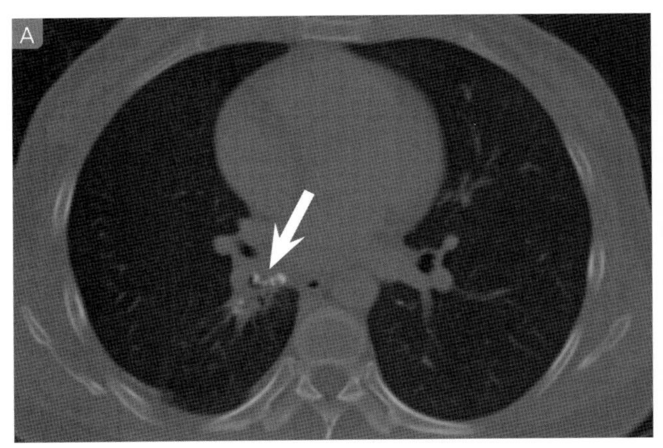

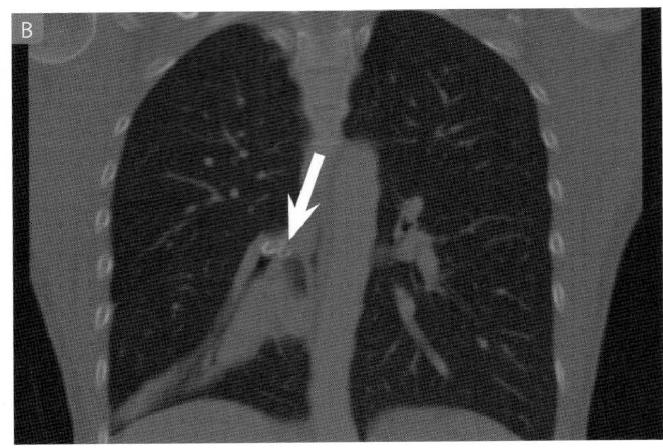

■ 그림 16-21. **기관지결석증**
우하엽기관지 주변과 내강에 석회화된 물질이(화살표) 있고, 이로 인한 우하엽의 일부에 무기폐가 동반되었다.

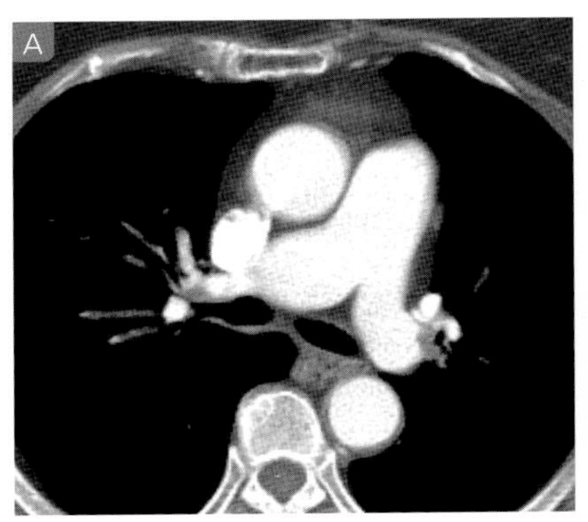

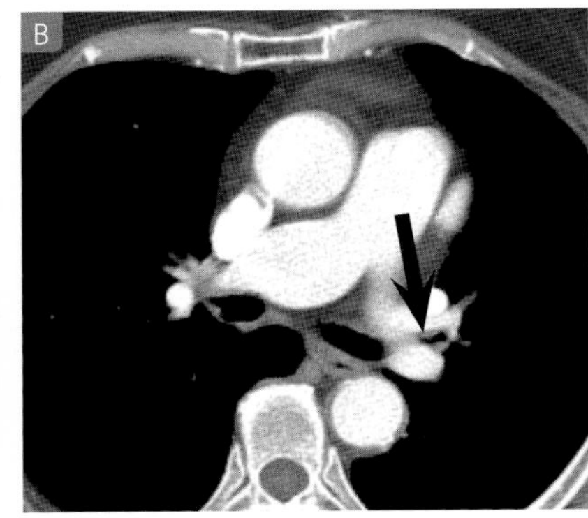

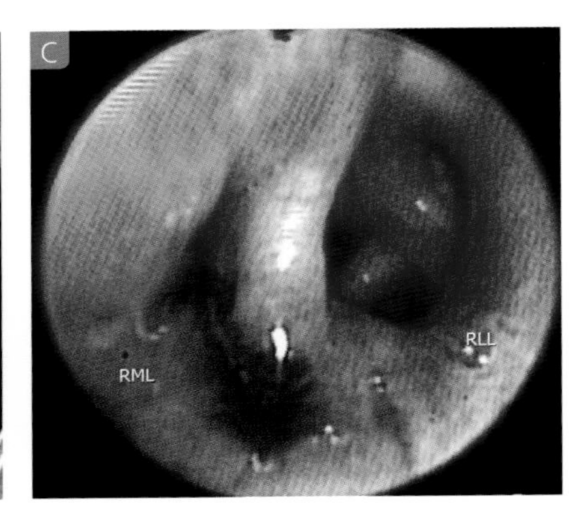

■ 그림 16-22. **기관지탄분섬유화증**
기관지 천식이 있던 환자의 CT에서(A, B) 기관분지하부 양 상엽기관지가 분지하는 부위에서 우상엽기관지와 좌상엽기관지의(화살표) 내경이 좁아져 있다. 기관지내시경(C)에서 양상엽, 우중엽, 설상엽의 기관지 점막의 검은 착색과 내경감소를 확인하여, 기관지탄분섬유화증으로 진단할 수 있었다.

기침이나 운동시 호흡곤란이다. 환자는 보통 흉부X선사진에서 엽 혹은 분엽성 무기폐를 보이며, 호발 연령을 고려할 때 폐암과의 감별을 위하여 CT 혹은 기관지내시경을 시행하게 된다. CT상 평탄한 기관지 내경 감소와 기관지 주변 림프절비대를 보이는 경우가 빈번하고(80-94%), 허탈된 폐엽 주변에 석회화를 포함한 림프절을 동반하며, 80% 정도에서 여러 기관지를 침범하며, 그 중 우중엽기관지 침범이 가장 흔하다. 주기관지나 기관을 침범하는 경우는 매우 드물다고 알려져 있다. 원인은 불명확하지만 40-61%에서 활동성 결핵 병소, 12%에서 비활동성 결핵을 동반하여 결핵과의 연관성이 알려져 있다. 폐암과의 감별에 중요한 점은 여러 기관지를 침범하며 침범된 기관지 주변에 석회화된 림프절을 동반하고, 분명한 기관지내 종괴 병변이 없다는 것이다. 활동성 기관지결핵과의 감별에 중요한 점은 여러 기관지를 침범하며 평탄한 기관지내경의 감소를 보인다는 점이다(표 16-4).

표 16-4. 기관지탄분섬유화증과 기관지결핵의 비교

기관지탄분섬유화증	기관지결핵
60대 이상의 여자	젊은 여자
다발성, 분절기관지 혹은 엽성기관지를 침범	단일 엽성기관지 침범
기관과 주기관지는 침범하지 않음	원위부 기관과 주기관지를 따라 길게 파급하여 내강을 감소시킴

II 세기관지 질환

1. 소기도 질환과 세기관지염

일반적으로 소기도와 세기관지, 소기도 질환과 세기관지염이 구분 없이 쓰이고 있으며 일부 문헌에서는 같게 취급하고 있으나, 소기도/소기도 질환과 세기관지/세기관지염은 정확히 같은 의미는 아니다. 차이점에 대해서는 아래에 기술하였다. 영상의학적으로는 둘의 구분이 큰 의미가 없다고 생각되며 대부분의 영상의학 문헌에서 두 용어를 동일시하고 있으므로 여기서도 '세기관지 질환'으로 부르기로 한다[14-17].

1) 소기도 질환

소기도라는 용어는 본래 폐의 생리학적 연구에서 사용되었던 것으로 직경 2-3 mm 이하의 기도를 의미한다. 따라서 소기도는 직경 2-3 mm 이하의 기관지와 막성세기관지(종말세기관지와 호흡세기관지)를 포함한다. 소기도의 직경은 작지만 총 단면적은 중심기도(central airway)에 비해 훨씬 크고, 정상적으로 소기도에 의한 기도 저항은 전체의 약 10-20%만을 차지한다. 따라서 소기도의 협착을 유발하는 소기도 질환 초기에는 증상이 없거나 경미하고 폐기능 검사에서 정상이거나 경도의 이상 소견만 보인다. 그래서 소기도를 폐의 'silent zone'으로 부르기도 한다. 동시에 소기도는 폐의 공기 분배에 중요한 역할을 하고 있지만 호기 시 허탈을 막아 주는 단단한 구조가 없다는 점에서 폐의 'Achilles heel'이라고 불리기도 한다. 소기도 질환이 진행할수록 소기도의 협착과 기도 저항은 급격하게 증가하게 된다[14, 18]. 소기도 질환이라는 용어는 Hogg 등(1968)에 의해 최초로 '다양한 정도의 만성적인 공기흐름의 제한을 유발하는, 가장 작은 기관지와 세기관지를 침범하는 염증과 섬유화로서 기관지염 혹은 세기관지염이라는 용어만으로는 적절하지 않은 질환'의 의미로 사용되었으며, 이후 범위가 확장되어 현재 일반적으로 큰 연골성 기도에의 심각한 영향 없이 만성적으로 공기흐름이 저하되는 말초 기도의 질환을 의미한다[3, 6]. 가장 흔히 사용되는 분류체계는 조직병리학적 특성에 바탕을 하는 것으로 Myers and Colby (1993)에 의해 소기도질환의 체계적인 분류가 이루어진 이후 수차례 개정되어 왔다[15]. 임상적으로는 원인(감염, 독성 물질의 흡입, 특발성 등)과 임상 증상 및 징후(호흡곤란, 수포음 등), 폐기능검사(폐쇄성 혹은 제한성 변화 등) 그리고 앞으로 설명할 영상 소견을 근거로 하여 진단 및 치료 접근을 하게 된다[19].

2) 세기관지 질환

세기관지는 조직학적으로 벽에 연골과 점액샘을 포함하지 않는 기도를 뜻하고, 개개의 세기관지는 일반적으로 1mm 보다 작다. 따라서 세기관지는 소기도에 포함되는 개념이다. 세기관지 질환은 세기관지를 침범하는 다양한 질환을 포함하고 있으며, 매우 드물게 미만특발폐신경내분비세포 증식(diffuse idiopathic pulmonary neuroendocrine cell hyperplasia, DIPNECH)과 같은 신생물에 의한 침범도 가능하지만[20], 대부분 염증성 질환이므로 세기관지염으로 통용된다[17, 21].

2. 세기관지 질환의 영상 소견

세기관지 질환은 세기관지에 침윤하는 염증 세포의 종류나 섬유화 여부 등 조직병리학적 소견에 따라 세분되는데 이러한 세포 단위의 변화를 영상의학적으로 구분하는 것은 현재로서는 불가능하다. 영상의학적으로는 아래에서 설명할 공통적인 소견으로 나타나는 경우가 대부분이다. 다만 주로 침범하는 부위나, 공통적인 소견들 중 가장 뚜렷하게 나타나는 소견이 무엇인지, 그리고 임상 정보를 이용해 감별하게 된다. 고해상CT에서 보이는 세기관지 질환의 영상 소견은 직접적인 소견과 간접적인 소견으로 나눌 수 있다[14, 17, 21, 22].

1) 세기관지 질환의 직접적 영상 소견

세기관지 질환의 직접적 영상 소견은 세기관지 벽의 변화 자체와 그로 인한 직접적 결과를 의미한다. 세기관지 벽 및 주위의 비후와 그로 인한 세기관지강의 폐색이 CT에서는 고리 모양, 관 모양 또는 분지 모양 음영 등으로 나타난다(표 16-5).

표 16-5. 세기관지염의 CT소견

직접적 소견	세기관지 벽 비후
	중심소엽성결절과 분지모양음영
	간유리음영과 경화
간접적 소견	폐음영의 모자이크 패턴(흡기영상)
	공기가둠(호기영상)

(1) 세기관지벽비후

정상적으로 0.1 mm 내외의 두께를 갖는 세기관지 벽은 최대 공간해상도 0.3 mm 의 고해상CT에서 보이지 않지만, 세기관지 질환으로 인해 두꺼워지게 되면 보일 수 있다. 따라서 세기관지벽비후는 세기관지 질환의 가장 초기에 나타날 수 있는 영상 소견이다(그림 16-23). 병리적으로는 원인에 따라 다양하지만 주로 세기관지 벽 내의 염증세포 침윤(급성/

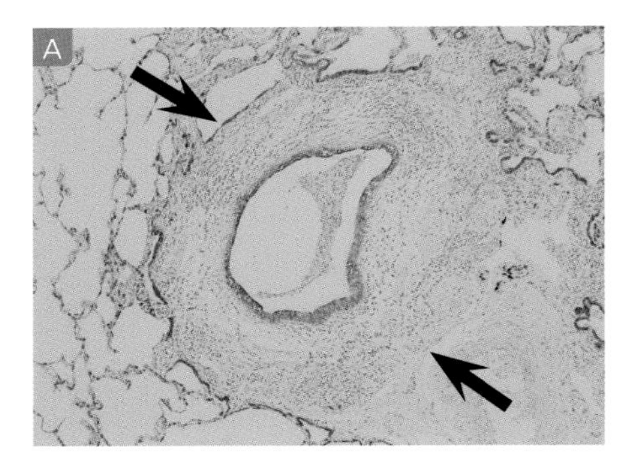

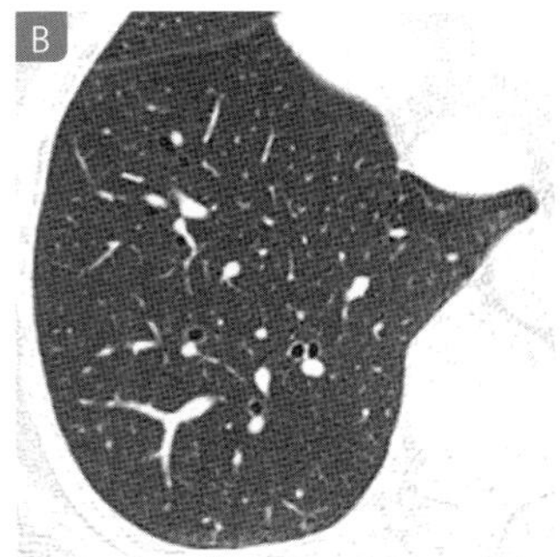

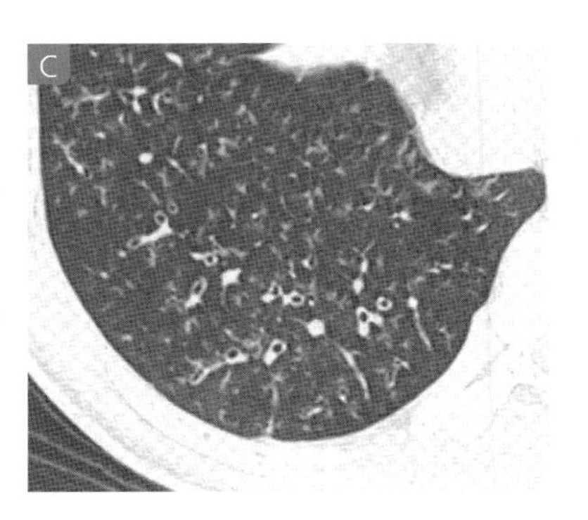

■ 그림 16-23. **세기관지 질환의 영상소견: 세기관지벽비후**
세기관지벽비후는 세기관지 질환의 가장 초기에 나타나는 소견이다. 현미경 사진(A)은 염증세포 침윤에 의해 두꺼워진 세기관지 벽을 보인다(화살표). 고해상CT 사진(B)은 정상 소견으로 세기관지가 보이지 않는다. 이차폐소엽 가운데의 작은 점상 혹은 분지하는 음영들은 소엽세동맥에 의한 것이다. 반면 오른쪽 고해상CT 사진(C)에서는 두꺼워진 세기관지 벽이 보인다.

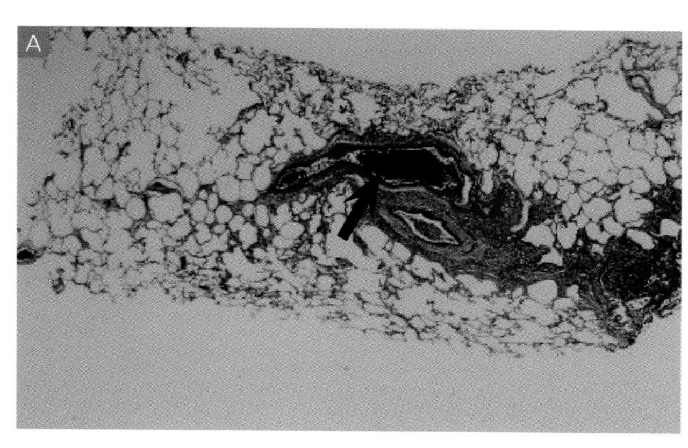

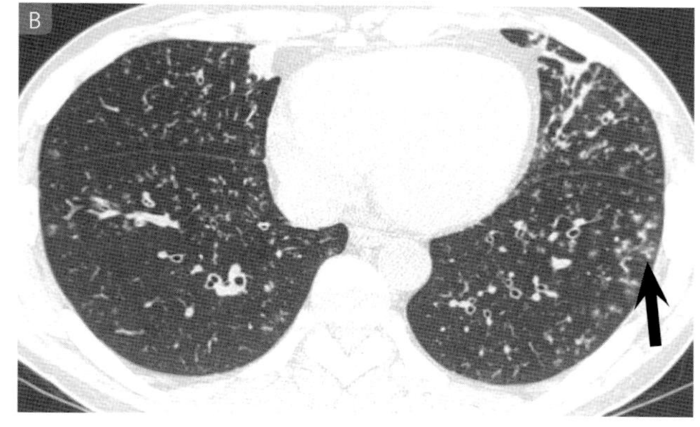

■ 그림 16-24. **세기관지 질환의 영상소견: 중심소엽성 결절과 분지모양음영**
세기관지에 염증성 삼출물이 차면 분지하는 음영이 만들어진다. 현미경 사진(A)에서 염증세포 침윤에 의한 세기관지 벽 비후와 함께 내부를 채우고 있는 염증성 삼출물이 보인다(화살표). CT의 축상면에 평행하게 주행하지 않는 세기관지의 병변은 소엽중심성 결절로 보인다. 염증이 주변 폐포까지 확대되면 경계가 좋지 않은 중심소엽성 간유리음영으로 보인다. 고해상CT(B)는 마이코플라즈마 세기관지염의 소견으로, 분지모양음영과 비교적 경계가 좋은 혹은 경계가 불분명한 중심소엽성결절(화살표), 그리고 나뭇가지발아모양이 보인다.

급만성/만성세기관지염, 미만성범세기관지염, 호산구성세기관지염), 림프조직 과형성(소포세기관지염) 또는 섬유화(증식세기관지염, 폐색세기관지염)에 의한 것이다.

(2) 중심소엽성 결절과 분지모양 음영

고해상CT에서 중심소엽성 결절과 분지모양 음영은 일반적으로 경계가 불분명한 중심소엽성 간유리음영에서부터 윤곽이 뚜렷하고 진한 음영까지 포함한다. 유명한 나뭇가지발아모양(tree-in-buds pattern)은 끝으로 갈수록 가늘어지지 않고 싹튼 나뭇가지 모양처럼 망울진 끝이 있는 것을 말하는데, 세기관지벽의 염증성 비후, 세기관지강 내의 염증성 삼출물 및 그로 인한 세기관지강의 확장에 의해 나타난다(그림 16-24). 나뭇가지발아모양 결핵 감염에서 흔하지만 이러한 소견은 비특이적이며 그 외 세포세기관지염의 모든 형태에서 보일 수 있다. 또한 이 음영은 폐동맥, 림프관, 폐포를 포함한 이차폐소엽의 다른 중심 구조물에 영향을 주는 질환에서도 보일 수 있다.

(3) 간유리음영과 경화

간유리음영이나 경화는 주로 폐포의 충만에 의해 나타나며 고해상CT에서 흔하게 보이는 비정형적인 소견이다. 중심소엽성 간유리음영은 일반적으로 분비물에 의해 기도 내강이 완전히 차지 않은 상태로, 세기관지 주위의 염증을 반영한다. 경화는 간유리음영보다 높은 밀도를 갖는 물질에 의해 폐포가 채워진 경우에 나타나며, 폐포 내를 채우는 섬유아세포(fibroblastic) 조직의 폴립형 형태(Masson's body)를 보이는 증식세기관지염에서 양측 폐에 주로 흉막 하와 기관지혈관 주변부에 분포하는 경화가 주된 소견으로 나타난다(그림 16-25).

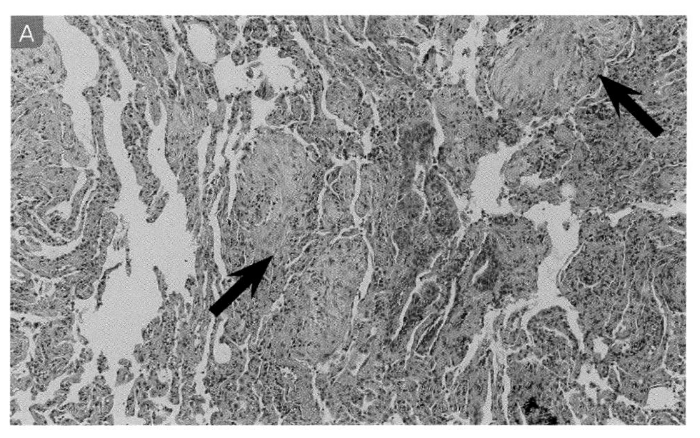

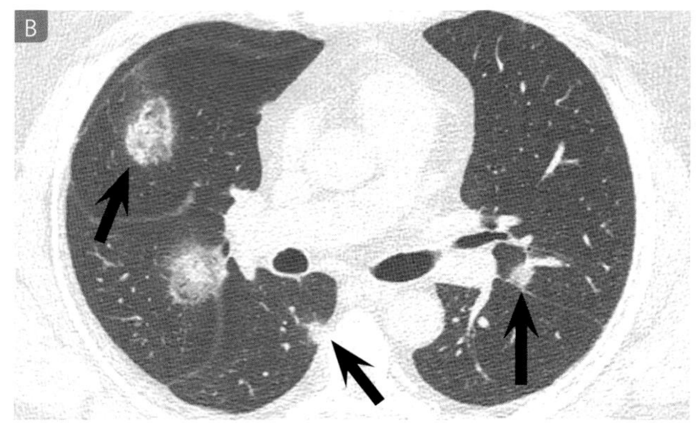

■ 그림 16-25. **세기관지 질환의 영상소견: 간유리음영과 경화**
증식세기관지염에서 세기관지와 폐포를 채우는 높은 밀도의 Masson's body에 의해 경화가 나타나며, 일부 폐포만이 채워졌을 때 간유리음영이 나타난다. 현미경 소견(A)은 폐포를 채우고 있는 Masson's body를 보여준다. 고해상CT(B)에서 주로 흉막하와 기관지혈관주변부에 분포하는 경화가 보인다(화살표).

2) 세기관지 질환의 간접적 영상 소견

(1) 폐음영의 모자이크 패턴과 공기가둠

모자이크 패턴의 비균질 폐음영은 폐색세기관지염(constrictive bronchiolitis)의 주된 소견이다. 이는 세기관지의 폐색에 의한 공기가둠을 반영하는 것으로 호기영상에서 더 뚜렷하게 보이며, 흡기상태에서 보이는 저음영구역이 호기상태에서 부피가 줄지 않고 유지된다(그림 16-26). 하지만 모자이크 패턴은 폐색세기관지염에서만 나타나는 것이 아니라 다른 세기관지질환이나 만성폐색전증, 폐동맥고혈압과 같은 혈관성 폐질환 그리고 간질성 폐질환에서도 나타난다. 세기관지질환에서의 모자이크 패턴에서 저음영 부분은 정상적인 환기가 이루어지지 않는 폐소엽을 의미하며 상대적으로 산소 농도가 낮아 폐혈류가 감소하여 혈관 크기가 감소한다. 이는 간질폐질환에서 나타나는 섬유화에 의한 모자이크 패턴과 감별하는 데 도움이 되는 소견이다(표 16-6).

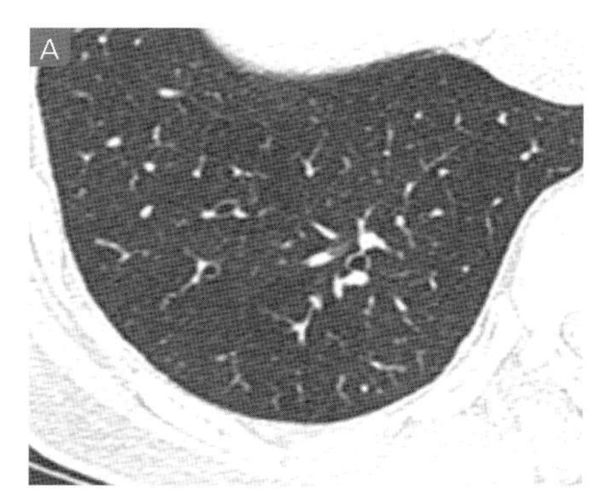

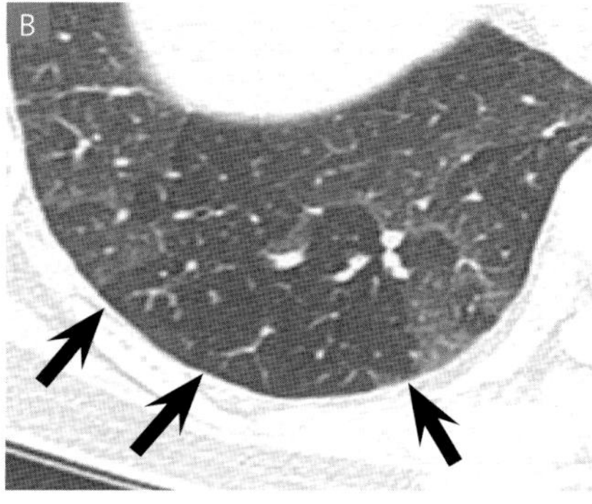

■ 그림 16-26. **세기관지 질환의 영상소견: 폐음영의 모자이크 패턴**
흡기(A)와 호기(B)시의 고해상CT. 호기상태의 영상에서 모자이크 패턴의 폐실질의 저음영이 우하엽에서 보이며, 이는 공기가둠을 시사하는 폐색세기관지염의 전형적인 소견이다.

표 16-6. CT에서 보이는 모자이크 패턴의 감별점

질환	혈관	호기 CT	임상증상
소기도질환	감소된 폐음영내 혈관 크기와 수가 감소	호기상태에서 더 뚜렷하게 보임	호흡곤란 기침 천명(쌕쌕거림)
혈관성 폐질환	감소된 폐음영내 혈관 크기와 수가 감소	호기CT에서 공기가둠 소견 없음	운동성 호흡곤란 기침 없음(no cough) 천명 없음(no wheezing)
간질폐질환	감소된 폐음영내 혈관 크기와 수가 저음영이 없는 폐내의 혈관과 비슷	호기CT에서 공기가둠 소견 없음	호흡곤란 기침, 열 천명 없음(no wheezing)

CHAPTER 16

3. 세기관지염의 분류

세기관지염의 분류에 있어 통일된 분류체계는 아직까지 없으며, 환자의 증상을 바탕으로 한 임상적인 분류, 조직학적인 특성을 바탕으로 한 형태학적 분류, 그리고 고해상CT 소견을 바탕으로 한 영상의학적 분류 등이 있고, 원발성 세기관지 질환과 이차성 세기관지 질환으로 분류되기도 한다. 가장 흔히 사용되는 분류체계는 조직병리학적인 특성을 바탕으로 하는 것으로, 넓은 범주로 세포세기관지염과 폐색세기관지염으로 크게 나눈다(표 16-7)[23].

1) 세포세기관지염

세포세기관지염(cellular bronchiolitis, inflammatory bronchiolitis)은 세기관지 내강이나 벽의 염증 세포의 침윤이 특징이다. 침윤하는 염증 세포의 종류 등 조직병리학적 소견에 따라서 급성/급만성/만성 세기관지염, 소포세기관지염, 미만성

표 16-7. 세기관지염의 분류

병리형태	임상·병리형태	원인
세포세기관지염(cellular bronchiolitis)	감염세기관지염(급성, 만성)	세균, 마이코박테리아, 진균, 바이러스
	소포세기관지염(follicular bronchiolitis)	자가면역성(autoimmunity), 면역저하(immunosuppressed states)
	미만성범세기관지염(diffuse panbronchiolitis)	원인 불명
	호흡세기관지염(respiratory bronchiolitis)	흡연
	과민폐렴(hypersensitivity pneumonia)	알러지성(allergic)
	흡인세기관지염(aspiration bronchiolitis)	만성 흡인
폐색세기관지염 (constrictive bronchiolitis)	폐색세기관지염	원인 불명 이식후(골수이식, 폐이식 등) 자가면역성(autoimmunity)

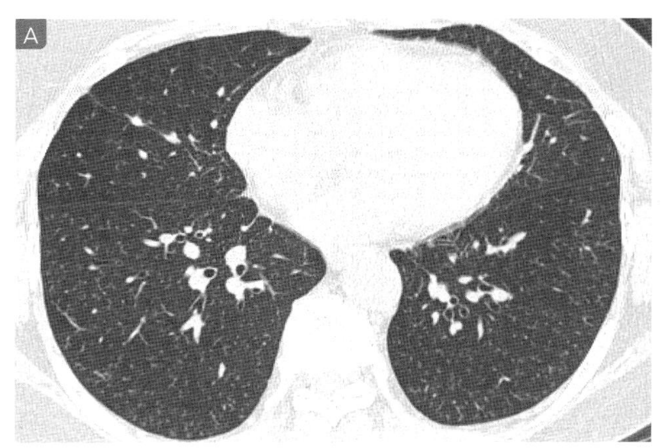

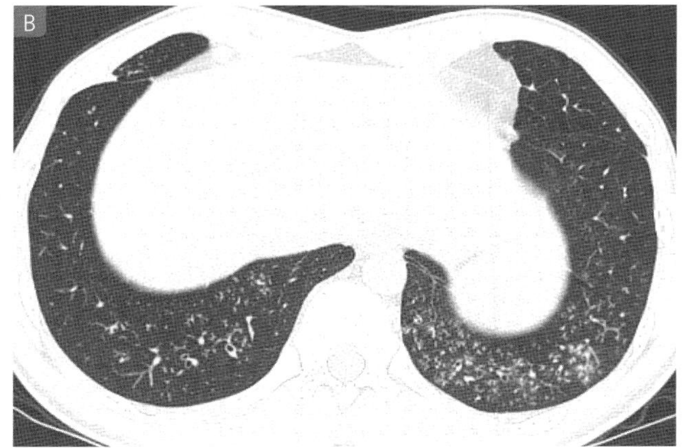

■ 그림 16-27. **세포세기관지염**
세포세기관지염(A)과 감염세기관지염(B)으로 진단된 환자들의 고해상CT. 경계가 불분명한 중심소엽성 간유리음영과 결절들이 보이며, 감염세기관지염 환자에서는 분지하는 선상음영도 일부 동반되어 있다.

범세기관지염, 과민폐렴, 흡인세기관지염 등으로 나눈다. 감염세기관지염은 세포세기관지염의 대부분을 차지한다. 기타 세포세기관지염의 두 가지 특징적인 아형은 소포세기관지염(follicular bronchiolitis)과 미만성범세기관지염(diffuse panbronchiolitis)이다. 고해상CT 에서 공통적으로 중심소엽성 결절과 분지모양음영이 관찰된다(그림 16-27). 이러한 소견은 공기가둠, 간유리 음영, 또는 경화 등과 동반되기도 하며, 염증이 세기관지 주위 공기공간으로 퍼질 경우 더 크고 불명확한 중심소엽성 결절이 나타나기도 한다.

(1) 급성/만성세기관지염

일반적인 세기관지의 염증을 의미하는 개념이다. 급성세기관지염은 세기관지의 급성 염증으로서 세기관지 점막과 벽에 중성구가 침윤하고 세기관지 점막 세포가 떨어져 나가며 결국 세기관지 내부에 괴사성 물질과 삼출물이 채워지게 된다. 주로 소아에서 겨울철에 호흡기세포융합바이러스(respiratory syncytial virus, RSV) 등 감염에 의해 발생하는 경우가 흔하다. 그 밖에도 홍역 바이러스, 아데노바이러스, 인플루엔자 바이러스, 파라인플루엔자 바이러스, 진균, 미코플라스마, 백일해균 등에 의해 나타날 수 있다. 임상적으로 기도협착에 의한 쌕쌕거림(wheezing), 흉벽 퇴축(chest retraction), 코벌렁임(nasal flaring), 저산소증에 의한 과다 호흡, 빈맥 등의 증상과 징후가 나타난다. 영상의학적으로는 양 폐를 미만성으로 혹은 하폐 분절을 침범한다. 소아에서는 공기가둠에 의한 과투과성으로만 나타나는 경우가 흔하다. 만성세기관지염에서는 만성 염증세포가 침윤하며 간혹 융합성 배아중심(germinal center)이 관찰될 수 있는데, 융합성 배아중심이 주로 나타나게 되면 소포세기관지염으로 진단하게 된다. 세기관지 주변에 섬유화가 진행되면 비가 역적인 협착이 발생하여 폐색세기관지염으로 발전할 수 있다. 감염 외에도 다양한 원인에 의해 나타날 수 있다. 급만성세기관지염은 병리적으로 급성과 만성 염증소견이 모두 나타나는 상태로, 만성세기관지염과 유사한 임상적 특징을 보인다.

(2) 소포세기관지염

소포세기관지염(follicular bronchiolitis)은 기관지와 연관된 림프조직(bronchus-associated lymphoid tissue, BALT)이 림프 모양으로 과형성된 것으로 정의하며, 세기관지 주위의 림프성 소포(lymphoid follicles)와 융합성 배아 중심과 함께 나타나는 것이 조직학적 특징이다. 이러한 조직학적인 소견은 비정상적인 면역반응에 의한 것으로서 선천적인 또는 후천적인 면역결핍증후군, 교원혈관병(특히 류마티스관절염과 쇼그렌증후군), 과민폐렴, 림프세포증식질환 등 다양한 면역 관련 질환 그리고 기관지확장증 등 만성적인 염증과 관련이 있다. 또한 이식 후 폐색세기관지염 증후군과 관련이 있는 것으로 알려져 있다. 폐의 림프조직 과증식에 의한 질환으로 림프구간질폐렴(lymphoid interstitial pneumonia, LIP)과 기관지연관림프조직림프종(BALT lymphoma)이 있는데, 전자는 폐간질을 침범한다는 점, 후자는 단일클론성 림프구들로 이루어진다는 점이 다르다. 가장 흔한 고해상CT 소견은 양측 폐에서 미만성으로 중심소엽성결절이 보이는 것인데, 폐의 림프관분포를 따라 기관지 주위 및 흉막 아래 결절이 보일 수도 있다. 결절은 주로 3 mm 이하의 크기로 간유리음영을 동반할 수 있다[16]. 그 외에도 드물지만 경미한 기관지확장과 기관지 벽의 비후, 얇은 벽을 갖는 낭종(cyst) 그리고 폐기종이 보일 수 있다. 낭종은 림프모양의 소낭들이 림프관을 막아 체크 밸브처럼 작용하여 발생하는 것으로 생각되며, 림프구간질폐렴이나 림프관평활근종증(lymphangioleiomyomatosis, LAM)에서도 보이는 소견이다.

CHAPTER
16

(3) 미만성범세기관지염

미만성범세기관지염(diffuse panbronchiolitis)은 아시아인에서 흔하며 만성적인 기류 제한과 세기관지 병변을 동반한 기도 염증이 특징이다. 양측 폐를 미만성(diffuse)으로 침범하며 병리적으로 세기관지벽 전층(pan-)을 침범한다. 대부분의 환자는 만성적인 부비동염을 동반한다. 미만성범세기관지염의 원인과 발병 기전은 아직 알려지지 않았으나, 인종에 따른 경향성이 있고, 가족성 발병의 경우 공통적인 유전자가 관련된 것으로 보고되었다. 가장 특징적인 병리 소견은 만성적인 염증과 호흡세기관지, 주변 폐포관 그리고 폐포에 포말대식세포(foamy macrophage)의 세기관지중심성 축적이다. 호흡세기관지가 주로 침범되며, 질환이 더욱 진행되면 종말세기관지의 이차적인 확장이 나타나고 큰 기관지의 염증이 동반된다. 그러나 이와 유사한 변화가 다른 여러 가지 질환에서도 나타날 수 있으므로 미만성범세기관지염은 다른 질환들의 가능성을 모두 배제해야 진단할 수 있다. 고해상CT에서 중심소엽성결절과 분지 모양 음영, 그리고 세기관지확장증과 기관지확장증이 보이고 주변부 폐의 감소된 음영도 보인다(그림 16-28). 이러한 CT 소견은 질환의 진행 단계에 따

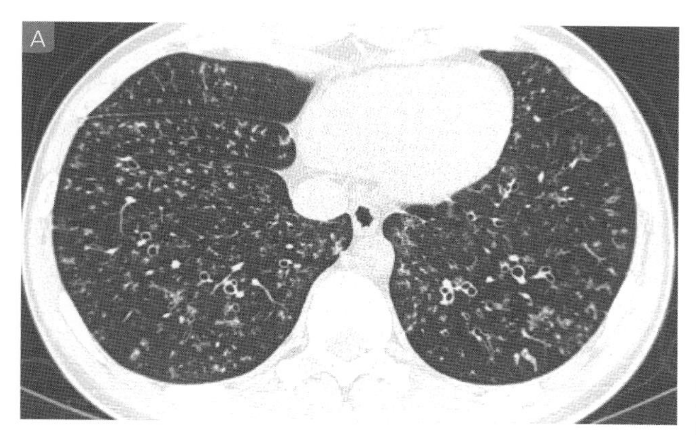

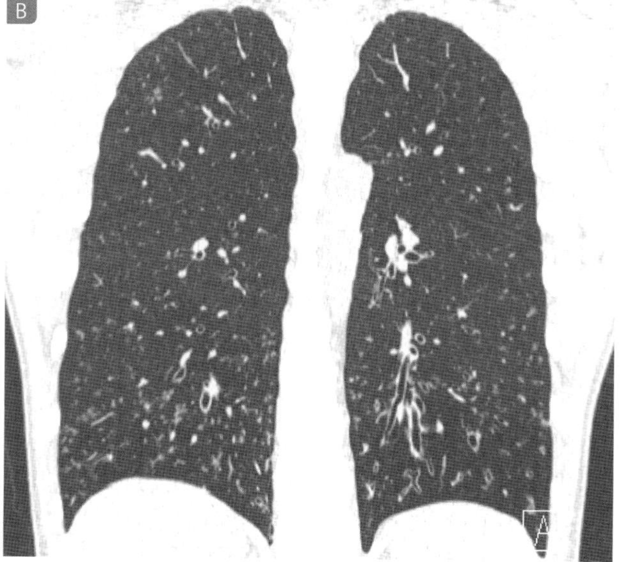

■ 그림 16-28. **미만성범세기관지염**
양측 폐에 경계가 불분명한 중심소엽성 간유리음영과 미세결절들이 보이고, 양하엽의 기관지가 확장되어 축상면 영상(A)에서 반지모양으로 보이며 관상면 영상(B)에서 기차길 모양으로 보인다.

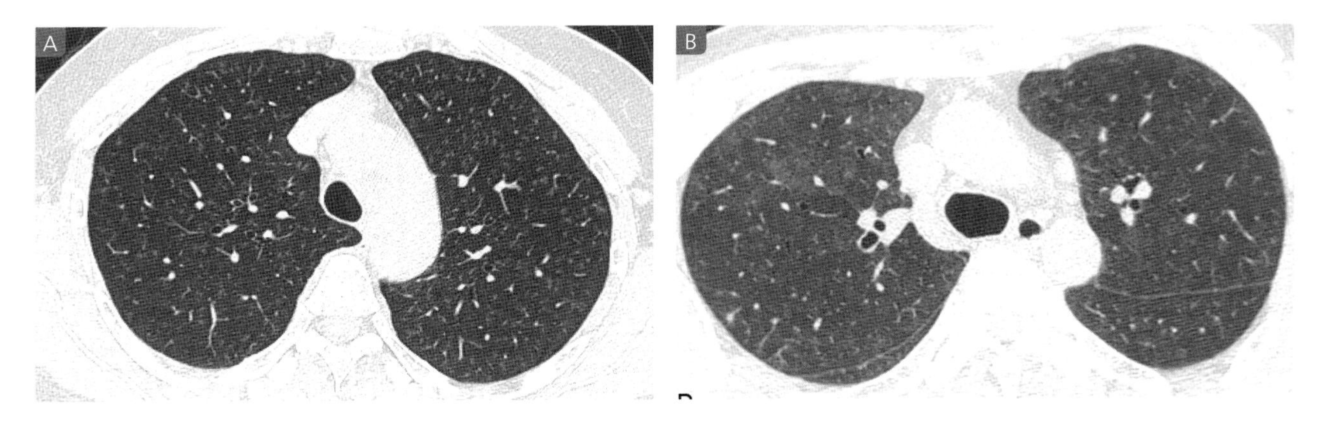

■ 그림 16-29. **호흡세기관지염과 간질폐관련호흡세기관지염**
호흡세기관지염(A)은 고해상CT에서 경계가 불분명한 중심소엽성 간유리음영이 보이며, 간질폐관련호흡세기관지염(B)는 고해상CT에서 경계가 불분명한 중심소엽성결절과 간유리음영을 보인다.

라 달리 나타나는데, 초기에는 결절성 음영만 나타나다가, 진행 단계에서는 결절과 함께 선상 음영이 보이고, 질환이 더욱 진행되면 결절성 음영은 반지 모양 또는 관 모양의 음영으로 보이게 되며, 마지막 단계에 이르러서는 근위부종말세기관지와 기관지의 확장이 나타나 기관지확장증의 소견과 유사한 CT 소견을 보이게 된다[24]. 이러한 소견은 미만성범세기관지염의 임상적인 단계와 병리학적인 변화를 반영한다.

2) 호흡세기관지염

흡연은 다양한 기도 및 폐질환을 일으키는데, 호흡세기관지염(respiratory bronchiolitis)도 담배를 많이 피우는 이들에서 흔히 보이는 소견이다. 호흡세기관지염은 증상이 없어, 주로 다른 질환을 진단하는 도중 우연히 발견하게 된다. 호흡세기관지염은 세기관지에 발생한 가벼운 만성 염증으로, 착색된 대식세포가 호흡세기관지와 주변의 폐포에 축적된다. 호흡세기관지염이 심해져서 폐실질까지 충분히 퍼지면 증상을 보이는 가벼운 간질폐질환을 일으킬 수 있고, 이를 간질폐관련호흡세기관지염(respiratory bronchiolitis-associated interstitial lung disease, RB-ILD)이라 하고 간질폐질환으로 분류한다. 간질폐관련호흡세기관지염의 조직 소견은 호흡세기관지염과 동일하지만, 증상과 징후, 폐기능검사의 이상 소견 등 임상 양상으로 구분한다. 고해상CT에서 경계가 불분명한 중심소엽성결절과 간유리음영을 보일 수 있으며(그림 16-29)[22], 이는 세기관지 염증과 폐포염에 의한 것이다. 기관지벽 비후도 종종 보인다. 병변의 분포에 대해서는 주로 폐 상부를 침범한다고 알려져 있으나, 뚜렷한 구역별 경향을 보이지 않고 미만성으로 침범한다는 연구 결과가 있다. 호흡세기관지염과 간질폐관련호흡세기관지염은 흔히 폐기종을 동반하며 이는 흡연과의 연관성을 반영한 것으로 생각된다.

3) 폐색세기관지염

폐색세기관지염(constrictive bronchiolitis)은 세기관지 점막 하와 주위의 섬유화와 평활근(smooth muscle) 증식에 의해 세기관지가 비가역적으로 좁아지거나 막혀 만성기류폐색을 일으키는 것을 특징으로 하는 질환이다. 흔한 원인은 과거의 감염이나 독성 증기, 만성 과민성 폐렴, 교원혈관병, 페니실라민(penicillamine)이나 코카인(cocaine) 같은 약물, 장기이식 등이다. 고해상CT에서 모자이크 패턴이 주된 소견으로 나타난다(그림 16-30)[22]. Swyer-James 또는 MacLeod 증후

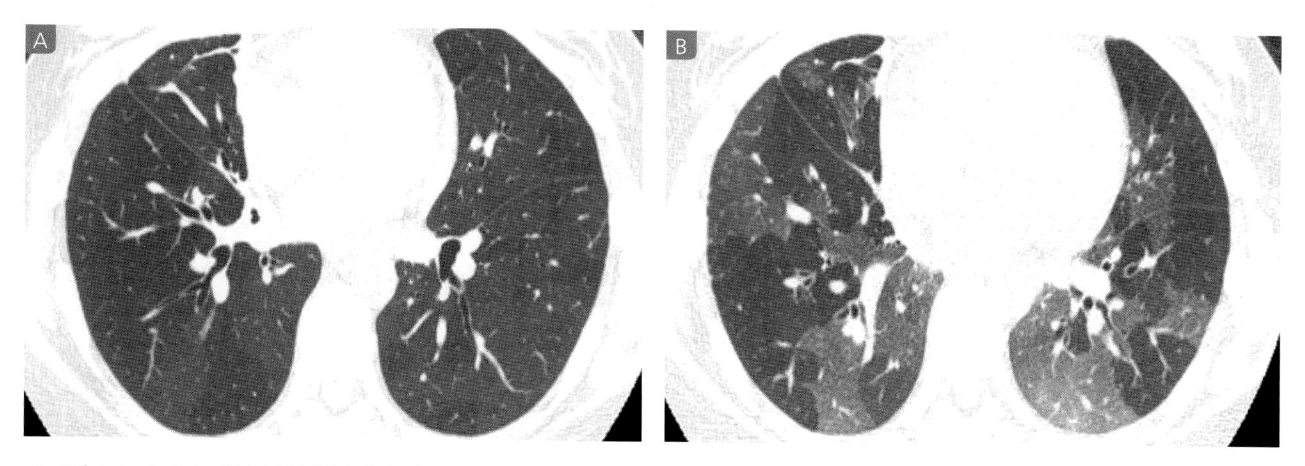

■ 그림 16-30. **조혈모세포 이식후 발생한 폐색세기관지염**
흡기(A)와 호기(B) CT에서 흡기상태에서 보이는 저음영구역이 호기상태에서 더욱 뚜렷한 저음영 병변으로 보인다.

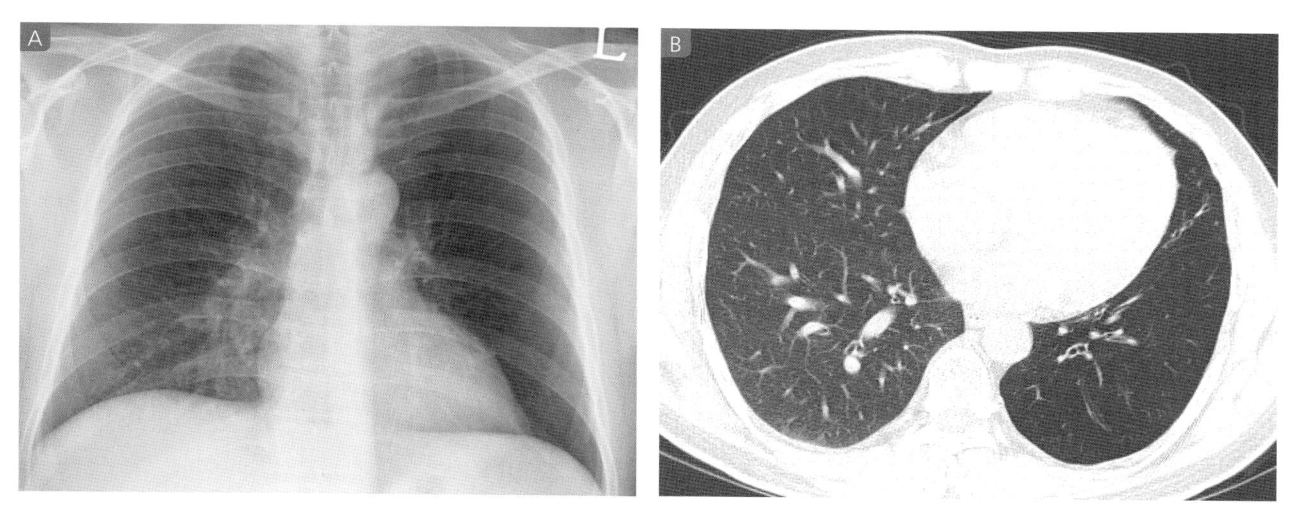

■ 그림 16-31. **Swyer-James 증후군**
흉부X선사진(A)에서 좌폐의 음영이 감소하였고, CT(B)에서 좌하폐에 기관지확장증과 폐혈관 가지가 가늘어져 있다.

군은 감염 후 폐색세기관지염의 특별한 형태로, 주로 소아에서 심한 바이러스 감염에 의해 발달 과정의 폐에 손상이 생기는 것이다. 주로 한쪽 폐에 영향을 미치는데, 고해상CT에서 손상된 폐가 정상 폐보다 더욱 저음영으로 보이고, 흡기 시 감소된 혈관 분포와 함께 정상 또는 감소된 폐 용적 그리고 호기 시 공기 가둠의 소견이 보인다(그림 16-31).

참고문헌

1. Webb EM, Elicker BM, Webb WR. Using CT to diagnose nonneoplastic tracheal abnormalities: Appearance of the tracheal wall. AJR Am J Roentgenol 2000;174:1315-1321.
2. Kwong JS, Muller N, Miller RR. Diseases of the trachea and main-stem bronchi: Correlation of ct with pathologic findings. Radiographics 1992;12:645-657.
3. McCarthy MJ, Rosado-de-Christenson ML. Tumors of the trachea. J Thorac Imaging 1995;10:180-198.
4. Moon WK, Im JG, Yeon KM, Han MC. Tuberculosis of the central airways: Ct findings of active and fibrotic disease. American Journal of Roentgenology 1997;169:649-653.
5. Marom EM, Goodman PC, McAdams HP. Diffuse abnormalities of the trachea and main bronchi. AJR Am J Roentgenol 2001;176:713-717.
6. Greene R. "Saber-sheath" trachea: Relation to chronic obstructive pulmonary disease. AJR Am J Roentgenol 1978;130:441-445.
7. Lee KS, Ernst A, Trentham DE, Lunn W, Feller-Kopman DJ, Boiselle PM. Relapsing polychondritis: Prevalence of expiratory ct airway abnormalities1. Radiology 2006;240:565-573.
8. Zylak CJ, Eyler WR, Spizarny DL, Stone CH. Developmental lung anomalies in the adult: Radiologic-pathologic correlation1. Radiographics 2002;22:S25-S43.
9. Kang EY, Miller RR, Muller NL. Bronchiectasis: Comparison of preoperative thin-section ct and pathologic findings in resected specimens. Radiology 1995;195:649-654.
10. Hartman TE, Primack SL, Lee KS, Swensen SJ, Muller N. Ct of bronchial and bronchiolar diseases. Radiographics 1994;14:991-1003.
11. 임정기, 이경수. 흉부 방사선과학, 1st ed. 서울: 일조각, 2000.
12. Conces D, Tarver R, Vix V. Broncholithiasis: Ct features in 15 patients. AJR Am J Roentgenol 1991;157:249-253.
13. Kim HY, Im J-G, Goo JM, Kim JY, Han SK, Lee JK et al. Bronchial anthracofibrosis(inflammatory bronchial stenosis with anthracotic pigmentation). AJR Am J Roentgenol 2000;174:523-527.
14. Abbott GF, Rosado-de-Christenson ML, Rossi SE, Suster S. Imaging of small airways disease. J Thorac Imaging 2009;24:285-298.
15. Allen TC. Pathology of small airways disease. Arch Pathol Lab Med 2010;134:702-718.
16. Kang EY, Woo OH, Shin BK, Yong HS, Oh YW, Kim HK. Bronchiolitis: Classification, computed tomographic and histopathologic features, and radiologic approach. J Comput Assist Tomogr 2009;33:32-41.
17. Leslie KO, Wick MR. Practical pulmonary pathology : A diagnostic approach. 2nd ed. Philadelphia, PA: Elsevier Saunders 2011. 282-307.
18. Hogg JC, Macklem PT, Thurlbeck WM. Site and nature of airway obstruction in chronic obstructive lung disease. N Engl J Med 1968;278:1355-1360.
19. 대한결핵 및 호흡기학회. 호흡기학. 서울: 군자출판사, 2004:391-394.
20. Koo CW, Baliff JP, Torigian DA, Litzky LA, Gefter WB, Akers SR. Spectrum of pulmonary neuroendocrine cell proliferation: Diffuse idiopathic pulmonary neuroendocrine cell hyperplasia, tumorlet, and carcinoids. AJR Am J.
21. Ryu JH. Classification and approach to bronchiolar diseases. Curr Opin Pulm Med 2006;12:145-151.
22. Pipavath SJ, Lynch DA, Cool C, Brown KK, Newell JD. Radiologic and pathologic features of bronchiolitis. AJR Am J Roentgenol 2005;185:354-363.
23. Winningham PJ, Martínez-Jiménez S, Rosado-de-Christenson ML, Betancourt SL, Restrepo CS, Eraso A. Bronchiolitis: A Practical Approach for the General Radiologist. RadioGraphics 2017; 37:777−794.
24. Teel GS, Engeler CE, Tashijian JH, duCret RP. Imaging of small airways disease. Radiographics 1996;16:27-41.

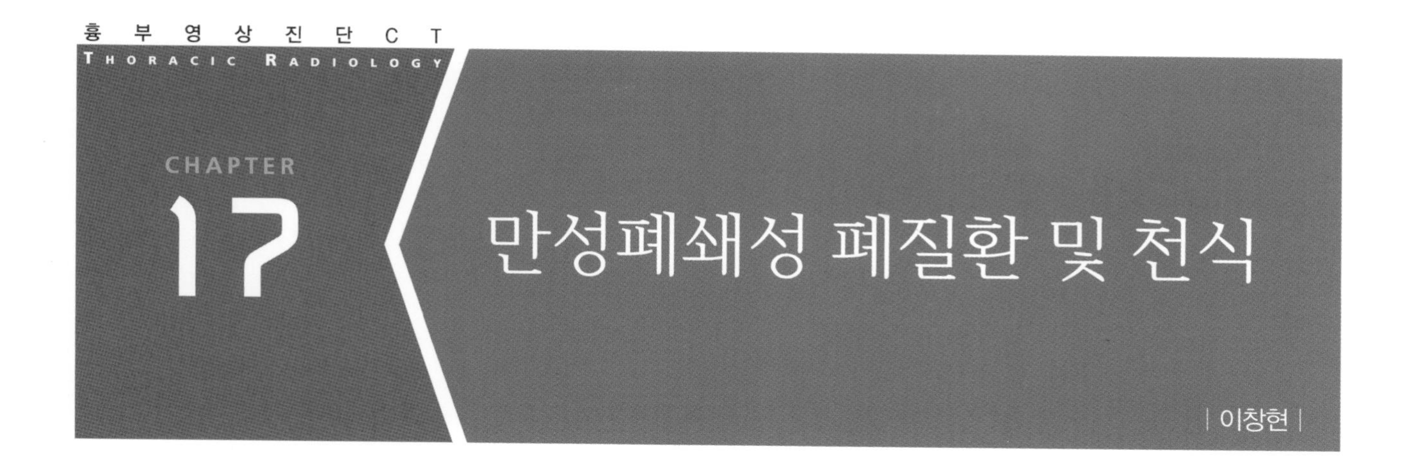

Contents

I 만성폐쇄성 폐질환의 중요성과 정의

높은 흡연률과 노령인구의 증가로 만성폐쇄성 폐질환은 현재 세계적으로 사망원인의 4위이며 2020년에 이르면 사망원인의 3위가 될 것이라고 추정되고 있다. 또한 세계보건기구에서 정한 어떤 질병의 사회경제학적인 부담을 나타내는 DALY (Disability Adjusted Life Year)지수가 만성폐쇄성 폐질환의 경우 1990년도 12위에서 2020년에는 5위로 올라설 것으로 예측하고 있는 질환이다[1, 2]. 이와 같이 유병율과 사망률이 점점 높아지고 있으며 이에 동반되는 환자 개개인의 장애도와 사회경제적 부담이 큰, 임상적으로 중요한 질환이다. 2001년 미국의 National Heart, Lung, and Blood Institute(NHLBI)와 세계보건기구(WHO)가 공동으로 만성폐쇄성 폐질환에 대한 경각심을 제고시키고 만성폐쇄성폐

표 17-1. 기류제한의 정도에 따른 만성폐쇄성 폐질환의 분류(기도확장제 투여 후 FEV1에 근거함)

FEV1/FVC 〈 0.7 인 환자에서	
GOLD 1: Mild	FEV1 ≥ 80% predicted
GOLD 2: Moderate	50% ≤ FEV1 〈 80% predicted
GOLD 3: Severe	30% ≤ FEV1 〈 50% predicted
GOLD 4: Very Severe	FEV1 〈 30% predicted

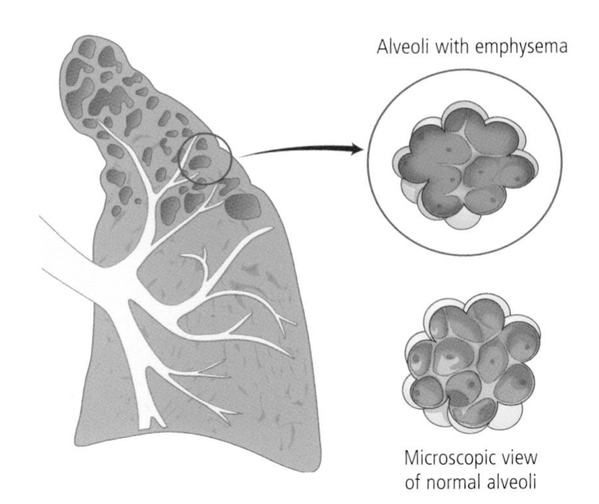

■ 그림 17-1.
만성폐쇄성 폐질환은 소기도 및 말단기도의 확장 및 폐포벽의 파괴를 동반하며 영구적인 비정상적 폐포의 확장이 있는 상태이다.

질환에 의한 사망률을 감소시키기 위한 목적으로 근거중심의학에 기초를 둔 만성폐쇄성 폐질환의 진단과 치료를 위한 지침서를 발표하였다(Global Initiative for Chronic Obstructive Lung Disease (GOLD))[3].

만성폐쇄성 폐질환은 비가역적 기류폐쇄를 특징으로 하는 질환이다(disease state characterized by airflow limitation that is not fully reversible) (표 17-1). 대개의 경우 이 질환은 진행성이며 독성 분진이나 가스에 대한 폐의 이상염증반응이 동반된다. 만성폐쇄성 폐질환은 소기도의 폐쇄를 동반한 만성폐쇄성 기관지염, 폐실질의 파괴와 말단 기도의 확장을 동반한 폐기종, 폐의 탄력성의 소실 및 소기도의 폐쇄 등을 모두 포함한다(그림 17-1).

American Thoracic Society(ATS)에서 정의한 폐기종의 정의는 말단기관지이하부위의 기관지 및 폐포의 영구적인 비정상적 확장과 벽의 파괴를 동반한 폐의 상태이며 섬유화의 증거는 뚜렷하지 않은 상태이다[4, 5].

II 만성폐쇄성 폐질환의 영상진단

1. 흉부X선

만성폐쇄성 폐질환의 진단에 있어서 흉부X선 검사의 역할은 주로 다른 질환의 배제에 있다. 흉부X선으로는 주로 폐실질의 파괴에 다른 폐기종이 있는 경우 진단이 가능한데 이 또한 심한 경우만이 진단이 가능하며 판독자간의 변이가 많고 정량화가 어렵다(표 17-2)(그림 17-2)[6, 7].

만성 기관지염의 경우 기관지벽의 비후와 간질음영의 증가에 의하여 지저분한 폐야(dirty chest)를 보인다고 알려져 있으나, 이는 매우 비특이적이며 민감도가 낮은 방법으로 진단적이지 못하다.

2. 흉부CT

CT를 이용하면 폐기종의 발견, 분포 및 정도의 판정과 기도 및 기관지 벽의 비후에 대한 평가 등 만성폐쇄성 폐질환의

표 17-2. 만성폐쇄성 폐질환의 흉부X선사진 소견

Hyperinflation
Low diaphragm: 우측 횡격막이 쇄골의 중앙선 위치에서 7번째 늑골의 앞쪽보다 아래에 있을 때 Flat diaphragm: 늑골횡격막각과 심장횡격막각을 연결하는 선에 수직으로 횡격막까지 선을 그어 그 거리가 1.5 cm 미만일 때 Increased retro-sternal space on lateral radiograph Obtuse costophrenic angle on chest PA and lateral radiograph Vertical, slender heart
Vascular attenuation
Radiolucency Arterial deficiency: 폐중앙과 폐변연부의 폐혈관의 수와 크기감소 Pulmonary hypertension: 중심폐혈관의 확장 Bullae (>1 cm)

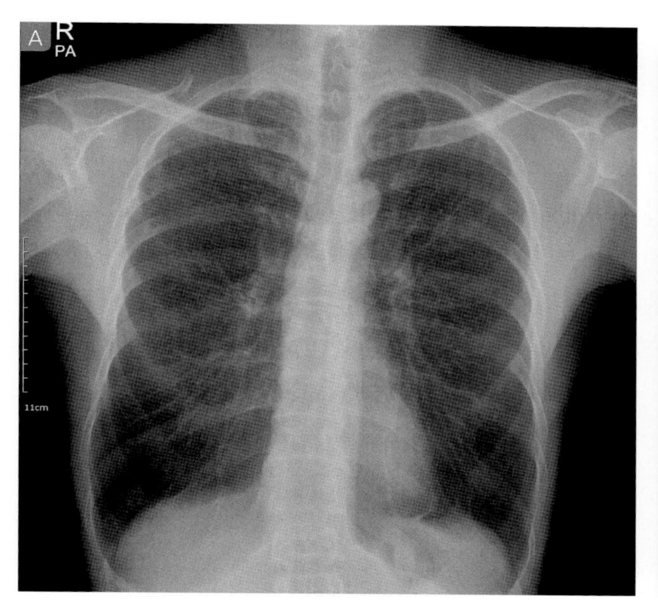

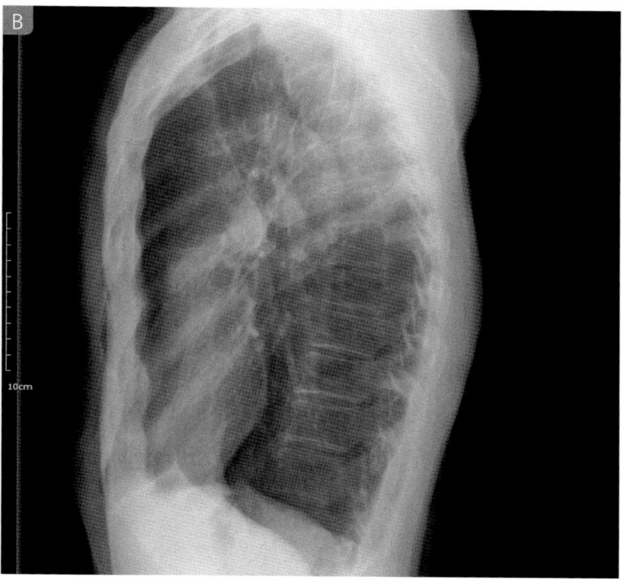

■ 그림 17-2. **만성폐쇄성 폐질환의 흉부X선사진**

A. 흉부X선 전후사진에서 폐의 과투과성과 상하길이의 증가 그리고 횡격막이 편평해진 것을 볼 수 있다. 우측 횡격막의 첨부가 우측 7번째 늑골의 전방부 아래에 위치하고 있다. 중심폐동맥이 커져 보여 폐동맥의 동반가능성을 시사하며 폐야의 혈관음영은 감소되어 보인다. **B.** 흉부측면사진에서 흉골후방의 과투과성, 흉골후면과 심장과의 거리증가를 볼 수 있고 횡격막 또한 편평해진 것을 확인할 수 있다

다양한 요소에 대한 평가가 가능하다. 특히 한번의 호흡정지 내에 얇은 절편두께를 이용하여 폐전체를 영상화하는 것이 가능해짐에 따라 정량적인 평가에도 새로운 길이 열렸다고 할 수 있다. 그러나 아직도 만성폐쇄성 폐질환의 병리적인 변화의 중심인 말초기도를 CT로 영상화하기에는 공간 해상도의 제한이 있다.

1) 폐기종과 CT를 이용한 폐실질의 평가

폐기종을 진단하는데 있어서 CT는 매우 민감한 방법이다[8-10]. 폐기종의 진행을 평가하는데 있어 전통적인 폐기능평

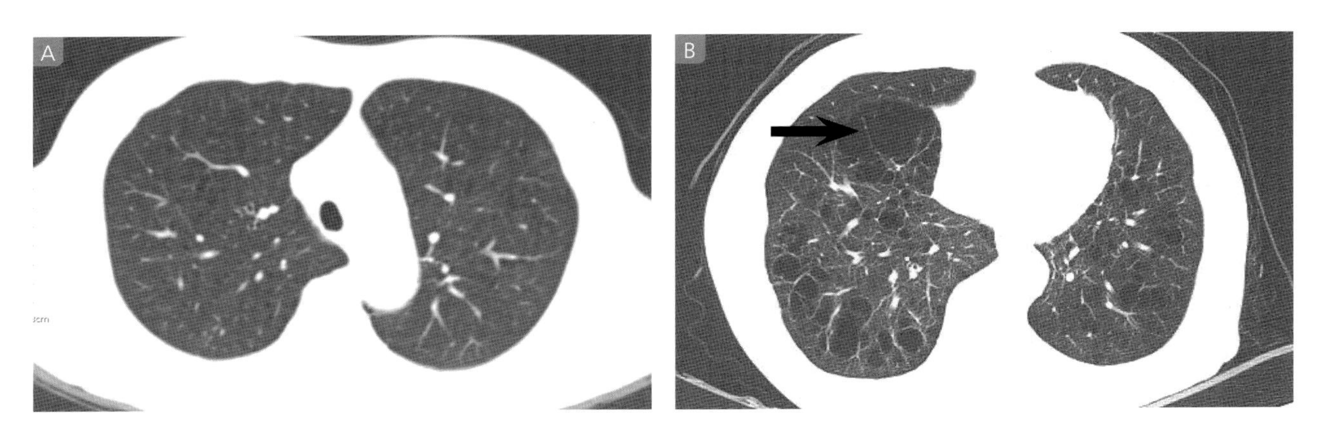

■ 그림 17-3. **중심소엽성폐기종**
A. 중심소엽성폐기종은 이차폐소엽의 중심부에서 대부분 2-10 mm의 저음영으로 보이며 대개 격벽을 동반하지 않는다. **B.** 일부에서는 저음영이 융합되어 대기포를 형성하기도 한다(화살표).

가보다 CT densitometry가 2.5배나 민감하여 폐기종의 신약을 평가하는데도 유용하게 쓰일 것이라는 보고도 있다(11). CT에서의 폐기종영역이 병리소견과 잘 일치함은 여러 연구에서 입증된 바 있다[12, 13]. 특히 중심소엽성 폐기종의 경우 대개 상부의 폐에서 먼저 병변이 발생하는데 이 경우 폐기능검사나 환자의 증상에 미치는 영향이 적어서 병변이 상당히 진행될 때 까지는 다른 임상검사로는 진단이 어렵다. 흡연자를 대상으로 한 연구에 따르면 CT를 이용하면 폐기능검사에서 이상을 보이기 전에 폐기종 환자를 진단할 수 있다고 한다[14, 15]. 심한 폐기종 환자의 경우 폐용적감소술(lung volume reduction surgery)을 시행하기도 하는데 이 경우 병변의 분포가 주로 상엽에 있으면서 운동능력이 감소된 환자에서 효과가 있으며 상엽의 폐기종에서 운동능력이 좋은 경우에는 완화치료목적으로 시행될 수 있어 CT는 폐기종의 분포를 평가하는 데 매우 유용하다[16, 17].

2) 폐기종의 아형에 따른 CT 소견의 차이

폐기종은 파괴가 동반되는 폐의 위치와 분포에 따라 중심소엽성폐기종(centrilobular, proximal acinar, or centriacinar emphysema), 범소엽성폐기종(panlobular or panacinar emphysema), 말초소엽성폐기종(paraseptal or distal acinar emphysema)의 세가지로 나눌수 있다. 하지만 폐기종의 정도가 심해질수록 세가지 타입의 구분이 어려워진다. 중심소엽성 폐기종은 폐포의 중앙에 위치한 호흡세기관지를 주로 침범하여 주로 이차성 소엽의 중심부위를 차지하게 된다. 대부분 흡연으로 인한 것으로 알려져 있고 대부분의 폐기종이 이에 해당된다. 주로 상엽의 첨분절, 후분절, 그리고 하엽의 상분절에 호발한다. 병리학적으로 호흡세기관지가 파괴되어 CT에서는 이차폐소엽의 중심부에 작은 저음영부위로 보이며 주변의 정상폐실질과 대조되어 쉽게 찾을 수 있다(그림 17-3). 대개 경계 혹은 격벽이 보이지 않지만 주위에 섬유화가 있는 경우 격벽이 보이기도 한다. 범소엽성 폐기종은 alpha-1 antitrypsin 결핍에서 발생하며 비흡연자 폐기종으로 알려져 있으나 중심소엽성폐기종과 동반되기도 한다. 폐기종중 가장 광범위한 형태로 하폐 및 전폐에 호발한다. 폐소엽전체가 파괴되고 확장되어 폐구조물들이 단순화되고 혈관주변조직이 파괴된다. 이에 따라 CT에서는 전체적인 폐음영의 감소로 나타난다(그림 17-4). 말초소엽성 폐기종은 소엽간 중격이나 기관지 혈관속에 인접한 폐포가 선택적으로 확장되는 경우로, 이들이 합쳐져서 대기포(bulla)를 형성하기도 한다(그림 17-5). 흉막에 인접한 말초 폐부위에 호발하며 자발성 기흉을 유발할 수 있다. 일부에서는 흡연과 동반된 중심소엽성 폐기종과 함께 보이나 일부에서는 단독으로 발현하기도 한다.

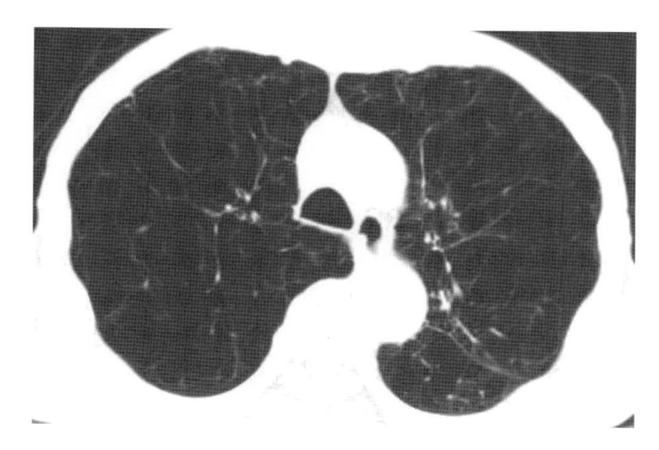

■ 그림 17-4. **범소엽성폐기종**
범소엽성폐기종에서는 이차성소엽전체를 침범하는 폐실질의 파괴를 동반하며 광범위한 음영의 감소를 보이며 전반적으로 혈관들이 작고 드물게 보인다.

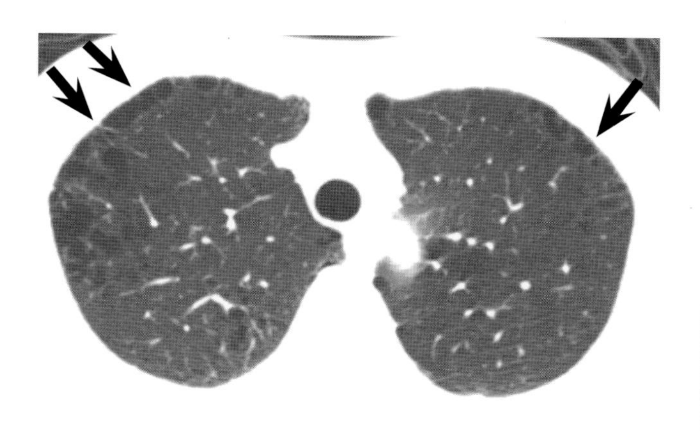

■ 그림 17-5. **말초소엽성폐기종**
말초소엽성폐기종은 흉막과 인접한 폐포가 확장되는 경우로 소엽간중격에 의해 격막이 보이기도 한다(화살표). 종종 폐기종부위가 합쳐져서 흉막하 기포를 형성한다. 대부분 중심소엽성 폐기종과 함께 동반되는 경우가 많다.

불규칙 폐기종은 결핵이나 진폐증 등에서 폐의 섬유화 부위의 주변에 발생한다.

3) CT를 이용한 폐기종의 정량화

폐기종의 심한 정도나 치료경과의 평가는 처음에는 주관적으로 판단하였으며 이 역시 병리소견과 잘 일치한다는 보고가 있으나 이는 판독자간의 혹은 판독자내의 변이가 심하다는 단점이 있다. 이에 따라 일정한 CT값 이하를 폐기종 영역으로 간주하고 그 정도를 정량화하는 CT densitometry기법이 소개되었다[18]. 이후 여러 다양한 연구에 의해 CT densitometry기법이 병리조직과 매우 잘 일치하며 폐기능검사 결과와도 비교적 잘 일치함이 보고되어 왔다[19]. 또한 CT를 이용한 정량화 기법은 운동시 최대부하량이나 최대산소소모량 등의 생리적인 폐기능 지표와도 잘 일치한다고 한다. 과거에는 주로 HRCT를 이용한 방법들이 소개되어 왔으나 특히 다중절편전산화단층촬영(multi-detector computed tomography, MDCT)의 도입 이후 최근에는 주로 폐전체의 용적을 대상으로 폐기종 영역을 평가하는 방법이 도입되고 있다. 하지만 이러한 정량화 결과들을 공통적인 지수로 사용되기 위해서는 여러 가지 기술적인 요건들이 고려되어야 한다. 이중 가장 중요한 것은 각 검사간의 비교에 있어서 같은 기기, 방사선량, 절편두께, 재구성방식, 호흡상태를 유지하는 것이다[20].

(1) 기기간의 차이 : 각 다른 회사의 장비마다 다른 X선 튜브, 검출기, 재구성방식을 사용함에 따라 검사결과를 서로 비교하는 것이 어렵다.

(2) 방사선 조사량 : CT가 폐기종의 치료경과를 판단하는데 이용되기 위해서는 가능한 방사선 조사량을 줄이는 것이 유리하다. 최근 발표된 연구에 의하면 최소 20mAs이상으로 유지하는 것을 권고하고 있다. 하지만 조사량을 줄이면 잡음이 증가함에 따라 폐기종지수가 증가하는 경향이 있다.

(3) 재구성방식 : 재구성방식의 차이는 정량화 결과에 지대한 영향을 미친다. 일반적으로 sharp(high frequency) reconstruction kernel을 사용하면 잡음이 증가하며 폐기종지수가 높게 측정되는 경향이 있다. 최근 연구에서는 beam hardening correction은 사용하지 않는 것이 좋으며 각 재구성방식에 따른 차이는 그렇게 크지 않다 하더라도 추적

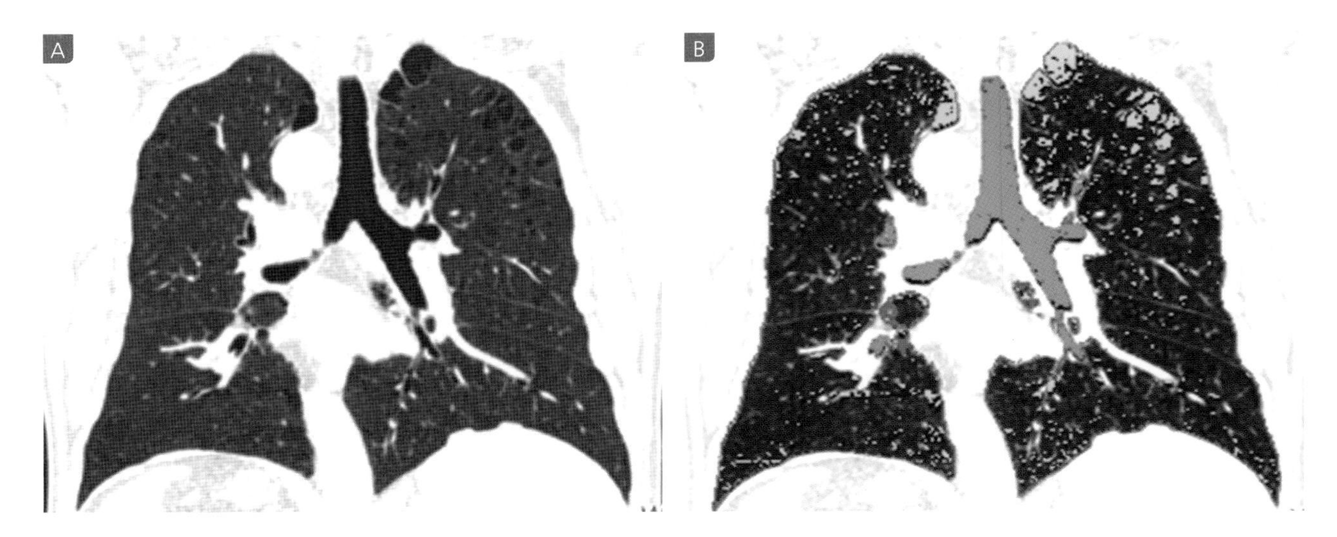

■ 그림 17-6. **전산화단층촬영을 이용한 폐기종의 정량적분석**
A. 양측 폐상엽에 말초소엽성폐기종이 함께 동반되어 있다. **B.** 폐기종 부위를 정량화하기 위하여 폐실질을 따로 분리한 후에 -950HU 보다 낮은 픽셀값을 가진 부위를 자동으로 선택하여 폐기종이 전체 폐실질에서 차지하는 용적을 계산할 수 있다.

검사를 시행할 경우 동일한 재구성방식을 사용하는 것을 재차 강조하고 있다.

(4) 절편의 두께 : 대개 절편의 두께가 감소할수록 잡음이 증가하는 경향이 있다. 이는 특히 sharp reconstruction kernel을 사용할 때 영향이 크다. 그러나 최근 MDCT기법이 발전하여 isovoxel sampling이 가능해졌으므로 얇은 절편 두께를 사용하여 3D 영상을 얻고 자동 폐추출시에도 유리하다.

(5) 호흡상태 : 대개는 흡기말에 CT를 촬영한 연구가 많으며 일부 연구에서는 호기말에 촬영한 경우가 보다 폐기능검사와 잘 일치한다고 보고하고 있다. 또한 추적검사에서 같은 호흡상태를 유지하기 위해서는 호흡상태의 조절이 필요하며 spirometry의 사용이 재현성을 증가시키지는 않는다고 한다.

(6) 폐기종 영역을 평가하는 역치(threshold) : HRCT를 이용한 경우는 주로 -950HU(0.75~1 mm sections)를 이용하였으나 비교적 두터운 절편을 사용하는 경우는 -910HU(5~7 mm sections)를 이용하기도 하였다. MDCT를 사용할 경우에는 -960HU 또는 -970HU나 1st percentile이 유용하다는 보고가 있다(그림 17-6)[21].

(7) 필터 : 저선량흉부CT를 이용하여 CT정량화를 할 경우에 잡음을 감소시키고 정상흉부CT에서와 비슷한 정도의 픽셀값을 얻기 위하여 필터를 사용하는 경우가 있다. 주로 중심값(median) 또는 평균값(mean) 필터가 많이 쓰인다.

4) CT densitometry를 이용한 평가요소

폐기종지수는 일정한 역치 아래의 폐영역의 용적이 전체폐용적의 몇 %인지를 표현하는 방법이다. 이와는 달리 폐의 CT density의 일정한 %를 차지하는 영역의 CT값으로 표현하기도 한다. 히스토그램분석은 폐영역내의 CT값의 분포를 분석하는 방법이다. 그 외에도 mean lung density, peak lung density, standard deviation 등이 평가에 사용되기도 하며, 전체 폐활량 등을 측정할 수도 있다. 폐엽과 분절, 기도 등을 자동으로 추출하여 각폐엽 및 폐분절엽의 지수를 따로 평가하는 소프트웨어 프로그램들도 상용화되어 사용되고 있다. 천식환자의 치료에 사용되는 기관지 열성형술(bronchial thermoplasty) 및 만성폐쇄성 폐질환에서의 기관지내시경을 통한 기관지내 밸브설치를 이용한 용적감소술(bronchoscopic volume reduction with valve implants)에서 기관지 및 폐실질의 폐엽에 따른 폐기종지수와 엽간열 등을 평가하는데 이용되고 있다.

5) CT를 이용한 말초기도의 평가

만성폐쇄성 폐질환 환자에서 기류폐쇄를 일으키는 주요 병소가 말초기도이나 CT를 이용한 평가는 한정되어 있다. CT를 이용한 평가는 주로 호기시 말초기도의 조기폐쇄에 의한 공기가둠(air-trapping)의 평가에 국한된다고 할 수 있다. CT에서 보이는 공기가둠의 정도가 말초기도의 평활근층내의 염증침윤의 정도와 연관되어 있다는 보고가 있으며 이러한 공기가둠의 발견이 만성폐쇄성 폐질환의 조기발견에 도움을 줄 수 있을 것이라는 보고도 있다. 이러한 연구를 바탕으로 호기말CT가 기류폐쇄를 평가하는데 더 유용하다고 알려져 있다[22]. 따라서 폐를 자동분할하여 각 폐엽 및 폐분절의 공기포획을 정량화하여 평가하려는 노력이 있다.

6) CT를 이용한 중심기도의 평가

흉부X선과는 달리 CT를 이용하면 기도벽의 비후를 비교적 잘 평가할 수 있다. 그러나 CT를 이용하여 기도벽의 비후를 정성적으로 평가하는 것은 주관적이고 창 설정(window setting)의 영향을 심하게 받게 된다. 따라서 컴퓨터를 이용하여 객관적으로 기도벽을 평가하려는 연구들이 시도되었다. 비록 말초기도에 비하여 중심기도가 기류폐쇄에 미치는 영향은 비교적 적은 것으로 알려져 있으나 이러한 기관지 등의 벽 비후나 기도내경 등을 평가하면 말초기도의 변화를 추정하는데 사용될 수도 있을 것이라는 보고도 있다. 임상적으로 만성기관지염을 보이는 경우 그렇지 않은 만성폐쇄성 폐질환 환자에서보다 기도벽의 비후가 있다는 것이 알려져 있다[23]. 최근에는 MDCT를 이용한 용적데이터에서 기도를 자동으로 추출하여 특정부위를 자동으로 측정하는 기법이 개발되어 사용되고 있다.

III 천식

천식은 전세계적으로 유병율이 대략 5-10% 정도로 학계에 보고되어 있으며 계속 증가하고 있는 추세이다. 우리나라도 1998년 인구 1000명당 11.0명에서 2005년 23.3명으로 빠르게 증가하고 있다. 이에 따라 천식의 사회경제적 비용만도 총 2조원에 이르는 것으로 나타나 전체 만성호흡기질환의 질병부담은 암이나 심-뇌혈관에 비견할만한 수준일 것으로 예측되고 있다. 천식에 대한 영상학적 소견은 질환의 병태생리를 이해하고 치료에 도움을 줄 것으로 기대된다.

1. 천식의 정의

천식은 가역적 기도의 폐쇄(reversible airway obstruction), 만성기도염증(chronic airway inflammation), 비특이적 기도의 과반응성(nonspecific airway hyper-reactivity)이 특징이다[24]. 천식의 사후검사에서 만성폐쇄성 폐질환과 다른 3대 병리소견은 기도내 점액마개와 호산구침윤, 기저막비후이다. 천식은 기도전체의 질환이지만 만성폐쇄성 폐질환은 소기도와 폐실질의 질환이며 단순만성기관지염은 큰 기도의 질환이다.

2. 천식의 영상소견

대부분의 천식환자의 흉부X선 소견은 정상이며 일부에서 과환기소견이 보일 수 있다. 천식이 있는 환자에서 영상검사는 주로 천식과 연관성이 있는 합병증 즉 알레르기성 기관지폐아스페르길루스증이나 과민성폐렴이 의심될 때 하게 된다[25]. CT는 기도벽의 비후나 호기시 공기가둠을 평가하는 데에도 도움이 된다. 천식환자에서 정상인보다 기도벽이 두껍고 이는 공기흐름의 장애와 연관성이 있으며 MDCT 기반의 3D 소프트웨어를 이용하여 기도의 비가역적변화를 비침습적으로 알 수 있는 척도를 제시해 줄 수도 있다[26].

공기가둠을 호기시 CT에서 -850HU 이하로 정의하였을 때 9.66%이상일 경우 공기가둠형 천식으로 정의될 수 있다. 공기가둠형 천식환자는 천식과 관련하여 입원하거나, 중환자실방문, 기계호흡을 더 많이 한 병력이 있고 폐렴, 높은 호중구수, 기류폐쇄, 아토피 등과 연관성이 많은 것으로 알려져 있다.

Ⅳ 기도 및 폐실질의 기능적 영상평가

최근들어 CT와 마찬가지로 MRI역시 기계적, 기술적 진보가 이루어지고 있으며 이에 따라 공간, 시간 해상능이 현저히 개선되고 있고 이에 따라 동적인 정보의 획득이 가능해져서 폐환기나 관류 등을 평가하는 것이 가능해졌다. 기존의 검사와는 달리 MRI를 이용하면 높은 공간해상능을 유지하며 기능적인 영상을 보여줌에 따라 국소적 폐기능의 평가가 가능하다는 장점이 있다.

1. Hyperpolarized gas imaging

헬륨은 MRI검사에서 매우 높은 신호강도를 제공하므로 고해상도의 영상을 보여준다. 단순히 폐포내의 가스의 농도를 평가하는 방법부터 한번의 헬륨가스의 흡입 후 동적인 평가를 하는 방법, 확산강조영상 기법을 이용하여 폐포의 크기를 평가하는 방법, 산소를 이용하여 헬륨이 씻겨나가는 것을 평가함으로써 환기-관류조합을 평가하는 방법 등 다양한 방법들이 소개되고 있다[26]. 그러나 이 방법은 헬륨가스를 만들어내는데 고가의 장비가 필요하고 헬륨영상을 위하여 특별한 RF 코일이 필요한 점 등 국내에서는 이용이 불가능하다.

2. Oxygen-enhanced MR imaging

산소는 미약하지만 상자성(paramagnetic)을 띠는 성질을 가진다. 따라서 산소의 농도가 증가하면 그 부위의 T1값이 감소하게 된다. 이 특성을 이용하는 방법이 산소조영증강기법이다. 이 방법은 실제로는 폐포내의 산소가 아니라 폐포내에서 모세혈관 내로 확산된 산소 특히 헤모글로빈과 결합하지 않고 혈장내에 녹아있는 산소의 신호강도를 이용한다는 점에서 진정한 의미의 환기검사라기 보다는 오히려 폐확산능을 반영하는 검사라고 할 수 있다. 실제 몇몇 연구에서 산소조영증강 MR검사의 결과와 폐확산능이 잘 일치함을 보여주고 있다[27]. 이 방법은 쉽게 검사가 가능하다는 장점이 있으나 폐환기 자체를 보여주지는 못하며 그 신호강도가 약한 단점이 있다. 또한 산소환기에 의하여 폐의 생리적 상태가 변화할 수 있다는 점도 제한점이다.

3. Contrast-enhanced MR perfusion imaging

소량의 조영제를 급속주입후 동적으로 폐영상을 얻은 후 각 폐영역의 시간-신호강도곡선을 얻게 되면 이를 수학적으로 계산하여 국소적인 폐조직내의 혈액량, 혈류, 평균저류시간 등을 얻을 수 있다. 이 방법을 이용하면 폐 각부위의 관류특성을 수치화 할 수 있다. 또한 다양한 관류지도를 만들어 준다. 따라서 만성폐쇄성 폐질환 환자에서 폐실질 및 기도병변에 따른 폐관류의 병태 생리학적 특성에 대한 연구 등이 가능할 것으로 보인다[28]. 그러나 이러한 기법은 수학적인 여러 가지 가정을 사용하게 되며 그 모델에 따라 다른 결과를 보여서 진정한 의미의 정략적인 분석법이 되기 위해서는 동물실험 등을 통한 연구가 더 필요하다.

4. Dual-energy xenon ventilation CT

Dual source CT가 개발되고 three material decomposition theory에 의해 제논가스 성분만을 CT영상에서 추출하여 제논 환기영상이 가능하게 되었다[29]. 이로 인해 이론적으로 호흡주기에 영향을 받지 않는 제논영상을 얻을 수 있으며 만성 폐쇄성 폐질환 및 천식환자에서 말단기도에서의 제논가스 가둠 및 제논가스 환기장애를 보여줄 수 있다[30, 31]. 이러한 제논 환기 CT는 만성폐쇄성 폐질환 및 천식의 병태생리를 이해하는 데 도움을 주며 다양한 임상적 응용이 시도되고 있다.

참고문헌

1. Murray CJL. Lopez AD. Evidence-based helath policy-lessons from the Global Burden of Disease Study. Science 1996;274:740-743
2. Kemp SV, Polkey MI, Shah PL. The epidemiology, etiology, clinical features, and natural history of emphysema. Thorac Surg Clin 2009;19:149-158
3. Pauwels RA, Buist AS, Calverley PM, Jenkins CR, Hurd SS, GOLD Scientific Committee. Global strategy for the diagnosis, management, and prevention of chronicobstructive pulmonary disease. NHLBI/WHO Global Initiative for ChronicObstructive Lung Disease (GOLD) Workshop summary. Am J Respir Crit Care Med 2001;163:1256-1276
4. Snider GL, Kleinerman J, Thurlbeck WM, Bengali ZK. The definition of emphysema. Report of a National Heart, Lung, and Blood Institute, Division of Lung Diseases workshop. Am Rev Respir Dis 1985;132:182-185
5. (ATS) Committee on Diagnostic Standards for Nontuberculous Respiratory Diseases, American Thoracic Society. Definitions and classification of chronic bronchitis, asthma, and pulmonary emphysema. Am Rev Respir Dis 1962;85:762-769
6. Thurlbeck WM, Muller NL. Emphysema: definition, imaging, and quantification. AJR Am J Roentgenol 1994;163:1017-1025
7. Thurlbeck WM. The incidence of pulmonary emphysema, with observations on the relative incidence and spatial distribution of various types of emphysema. Am Rev Respir Dis 1963;87:206-215
8. Murata K, Itoh H, Todo G, Kanaoka M, Noma S, Itoh T, et al. Centrilobular lesions of the lung: demonstration by high-resolution CT and pathologic correlation. Radiology 1986;161:641-645
9. Murata K, Khan A, Herman PG. Pulmonary parenchymal disease: evaluation with high-resolution CT. Radiology 1989;170:629-635
10. Foster WL, Gimenez EI, Roubidoux MA, Sherrier RH, Shannon RH, Roggli VL, et al. The emphysemas: radiologic-pathologic correlations. Radiographics 1993;13:311-328
11. Stolk J, Putter H, Bakker EM, Shaker SB, Parr DG, Piitulainen E, et al. Progression parameters for emphysema: a clinical investigation. Respir Med 2007;101:1924-1930
12. Hayhurst MD, MacNee W, Flenley DC, Wightman NA, MacNEE W, Wright D, et al. Diagnosis of pulmonary emphsyma by computerized tomography. Lancet 1984;2:320-322
13. Gould GA, MacNee W, McLean A, Warren M, Redpath A, Best JJK, et al. CT measurements of lung density in life can quantitate distal airspace enlarge-

ment-an essential defining feature of human emphyesma. Am Rev Respir Dis 1988;137:380-392

14. Gurney JW. Pathophysiology of obstructive airways disease. Radiol Clin North Am 1998;36:15-27
15. Gurney JW, Jones KK, Robbins RA, Gossman GL, Nelson KJ, Daughton D, et al. Regional distribution of emphysema:correlation of high-resolution CT with pulmonary function tests in unselected smokers. Radiology 1992;183:457-463
16. Gibert S, Zheng B, Leader JK, Luketich JD, Fuhrman CR, Landreneau RJ, et al. Computerized estimation of the lung ovlume removed during lung volume reduction surgery. Acad Radiol 2006;13:1379-1386
17. Stolk J, Versteegh MIM, Montenij LJ, Bakker ME, Grebski E, Tutic M, et al. Densitometry for assessment of effect of lung volume reduction surgery for emphysema. Eur Respir J 2007;29:1138-1143
18. Muller NL, Staples CA, Miller RR, Abboud RT. "Density mask": an objective method to quantitate emphysema using computed tomography. Chest 1988;94:782-787
19. Gevenois PA, Yernault JC. Can computed tomography quantify pulmonary emphysema? Eur Respir J 1995;8:843-848.
20. Newell JD, Jr., Hogg JC, Snider GL. Report of a workshop: quantitative comptued tomography scanning in longitudinal studies of emphysema. Eur Respir J 2004;23:769-775
21. Madani A, De Maertelaer V, Gevenois PA. Pulmonary emphysema: radiation dose and section thickness at multidetector CT quantification-comparison with macroscopic and microscopic morphometery. Radiology 2007;243:250-257
22. Matsuoka S, Kurihara Y, Yagihashi K, Hoshino M, Watanabe N, Nakajima Y. Quantitative assessment of air trapping in chronic obstructive pulmonary disease using inspiratory and expiratory volumetric MDCT. AJR Am J Roentgenol 2008;190:762-769
23. Nakano Y, Muro S, Sakai H, Hirai T, Chin K, Tsukino M, et al. Computed tomographic measurements of airway dimensions and emphysema in smokers. Am J Respir Crit Care Med 2000;162:1102-1108
24. Global Strategy for Asthma Management and Prevention, Global Initiative for Asthma (GINA). 2000 Original: Workshop Report. Available at:http://www.ginathma.com. NIH publication 02-3659
25. Lynch DA. Imaging of asthma and allergic bronchopulmonary mycosis. Radiol Clin North Am 1998;36:129-142
26. Castro M, Fain SB, Hoffman EA, Gierada DS, Erzurum SC, Wenzel S. Lung imaging in asthmatic patients: the picture is clearer. J Allergy Clin Immunol 2011;128:467-478
27. Ohno Y, Iwasawa T, Seo JB, Koyama H, Takahashi H, Oh YM, et al. Oxygen-enhanced magnetic resonance imaging versus computed tomography: multicenter study for clinical stage classification of smoking-related chronic obstructive pulmonary disease. Am J Respir Crit Care Med 2008;177:1095-1102
28. Ohno Y, Hatabu H, Murase K, Higashino T, Kawamitsu H, Watanabe H, et al. Quantitative assessment of regional pulmonary perfusion in the entire lung using three-dimensional ultrafast dynamic contrast-enhanced magnetic resonance imaging: Preliminary experience in 40 subjects. J Magn Reson Imag 2004;20:353-365
29. Chae EJ, Seo JB, Goo HW, Kim NK, Song KS, Lee SD, et al. Xenon ventilation CT with a dual-energy technique of dual-source CT: initial experience. Radiology 2008;248:615-624
30. Kim WW, Lee CH, Goo JM, Park SJ, Kim JH, Park EA, et al. Xenon-Enhanced Dual-Energy CT of Patients With Asthma: Dynamic Ventilation Changes After Methacholine and Salbutamol Inhalation. AJR Am J Roentgenol 2012;199:975-981
31. Park EA, Goo JM, Park SJ, Lee HJ, Lee CH, Park CM, et al. Chronic Obstructive Pulmonary Disease: Quantitative and Visual Ventilation Pattern Analysis at Xenon Ventilation CT Performed by Using a Dual-Energy Technique. Radiology 2010;256:985-997

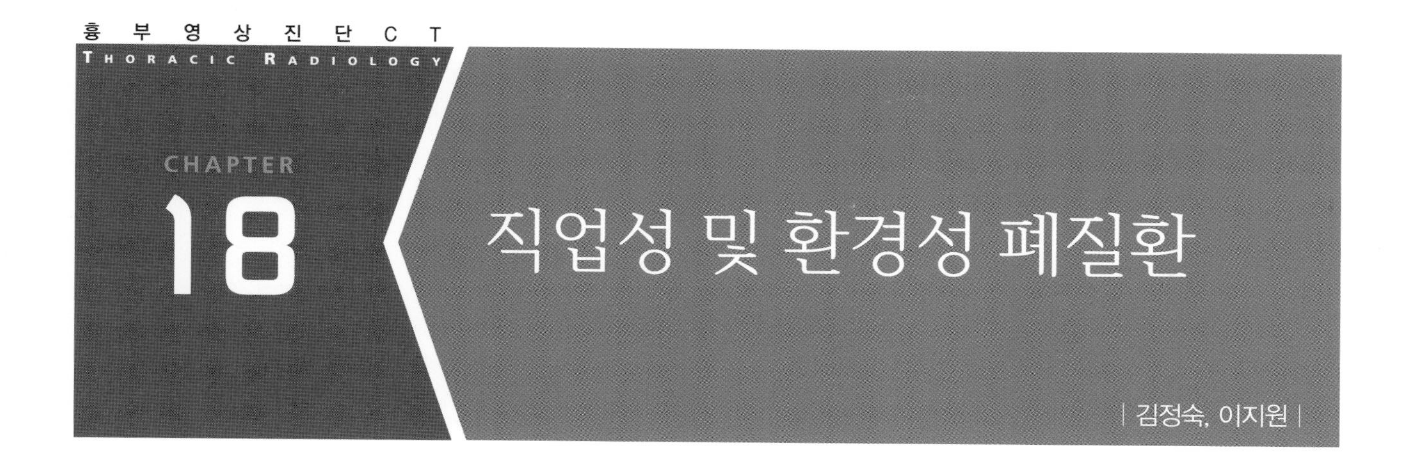

Contents

환경성 폐질환은 독성 물질의 흡입 혹은 흡인과 같은 해로운 환경에 노출되어 생기는 폐질환이다. 환경성 폐질환의 발생은 환경 인자의 노출 강도 및 기간, 환자의 생리적 및 생물학적 감수성, 해로운 환경 인자의 독성 효과에 좌우된다[1]. 환경성 폐질환은 크게 직업성 폭로에 의한 폐질환과 일반 환경 폭로에 의한 폐질환으로 나눈다. 직업성 폐질환은 폭로 물질에 따라서 무기성 분진(inorganic dusts), 유기성 분진(organic dusts), 독성 가스, 감염 및 발암성 물질 등으로 구분할 수 있다. 이 중 흉부X선사진 혹은 흉부CT로 진단할 수 있는 가장 흔한 질환은 진폐증으로 불리는 무기성 분진의 흡입에 의한 것이다. 유기성 분진의 흡입에 의한 질환은 과민성 폐질환으로도 불린다[2-3].

직업성 질환을 진단하기 위해서는 1) 알려진 유해물질에 노출된 병력이 있어야 하고, 2) 유해물질 노출과 임상증상 발현까지 적절한 시간 경과가 있어야 하며, 3) 임상소견이 노출된 유해물질과 서로 관련이 있어야 하며, 4) 환자의 임상증상이나 소견이 노출 유해물질 이외에 다른 방법으로 설명할 수 없어야 한다.

I 무기성 분진에 의한 폐질환

대부분 무기성 분진에 10년 이상 노출된 경우 발생한다.

1. 규폐증

규폐증(silicosis)은 장기간 유리규산(free silica, SiO_2)의 흡입에 의해 생긴 폐의 만성섬유화성질환이다. 토석 채취업을 비롯하여 암석가공업, 도자기공업, 금속광업, 석공업, 내화연화제조업, 주물공업, 석탄공업, 토건업, 유리제조업 등에서 발생한다[1, 3]. 최근에 규산이 포함된 모래 분사기(sandblaster, 청바지 및 기타 다양한 물질의 가공공정에 오염물 제거 및 표면 모양 조정 과정에 사용)에 의한 규폐증이 사회적 이슈가 되고 있다.

표 18-1. **규폐증의 영상소견**

	단순형	복합형
흉부X선 소견	경계가 선명한 소결절, 상엽분포, 종격동림프절석회화	진행성거대섬유증
CT 소견	소결절, 중심소엽성 및 흉막하분포, 상엽의 후방부, 종격동림프절석회화	진행성거대섬유증, 주변부 폐기종

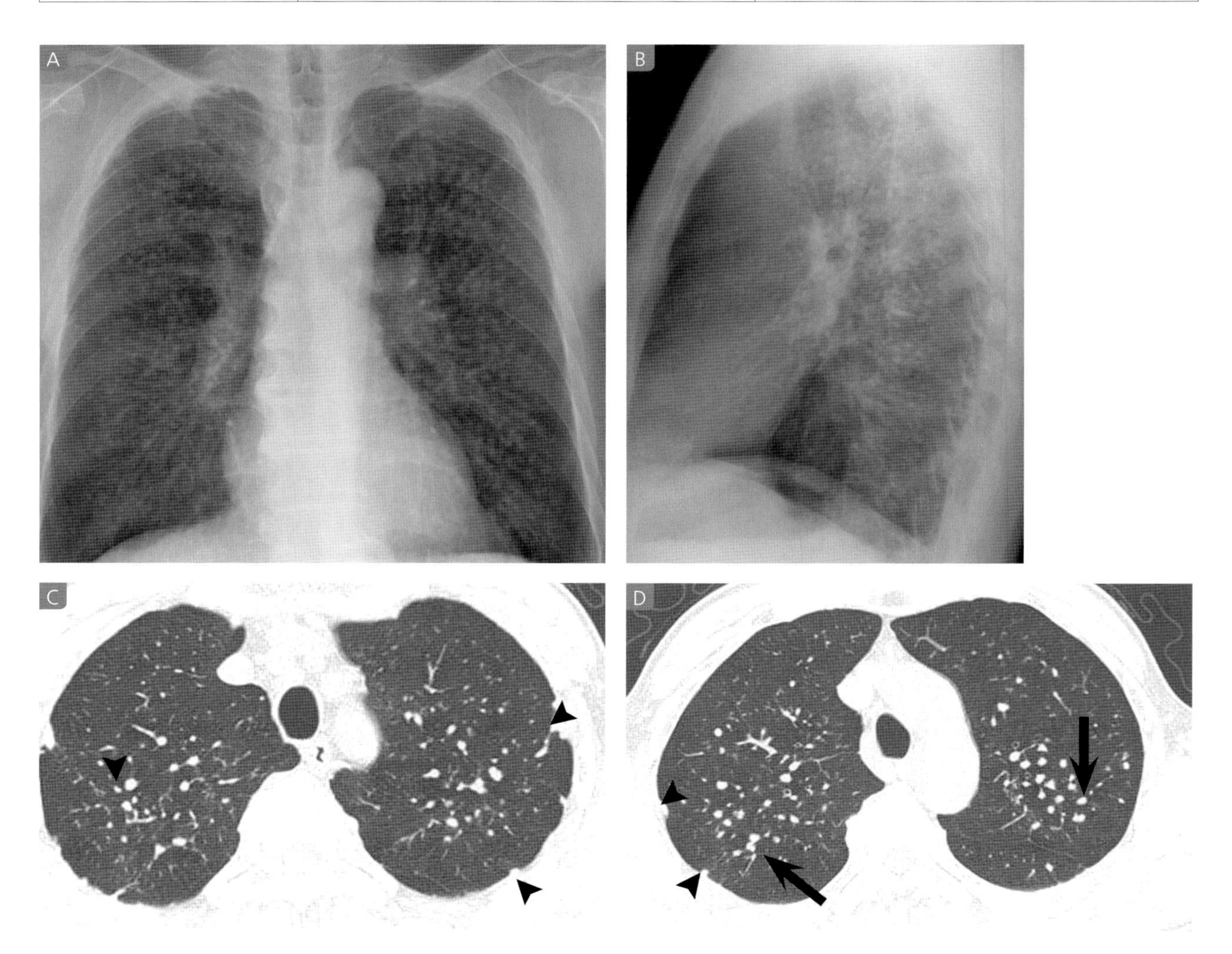

■ 그림 18-1. **단순형 규폐증**
흉부X선사진(A, B)에서 양폐에 미만성으로 경계가 선명한 소결절들이 있으며, 측면흉부사진에서 특징적으로 폐의 후방부에 결절이 위치하고 있다. 고해상CT(C, D)에서 소결절이 중심소엽(화살표) 및 흉막하부(화살촉)에서 보인다.

흉부X선사진에서 대음영 유무에 따라 단순형과 복합형으로 분류한다. 단순형은 흉부X선상 경계가 선명한 소결절들로 보이며 주로 상엽에 생긴다. 고해상CT에서는 소결절들이 주로 중심소엽성(centrilobular), 흉막하부(subpleural) 분포를 보이며, 상엽의 후방부에 위치한다(그림 18-1) (표 18-1)[1]. 폐문부 및 종격동 림프절의 석회화가 생겨 달걀껍질모양 석회화(egg-shell calcification)를 동반하기도 한다[1, 3].

복합형 규폐증(complicated silicosis)은 소결절이 섬유화에 의해서 융합되어 1 cm 이상의 대결절을 형성하는 경우이다. 1 cm 이상의 대결절들이 관찰되고(진행성거대섬유증, progressive massive fibrosis, PMF) 이들은 상, 중엽의 외연부에 주로 생기며 폐문부로 점차 이동하게 되고, 흉막과의 사이에 폐기종이 관찰된다(그림 18-2). 진행성거대섬유증은 대개 양측성, 대칭성 음영을 보이며 종종 석회화 및 공동이 동반될 수 있다. 공동이 보이는 경우 진행성거대섬유증 자체의 허혈성 괴사 혹은 폐결핵이 동반되어 있는 것을 의심해야 한다[1, 3].

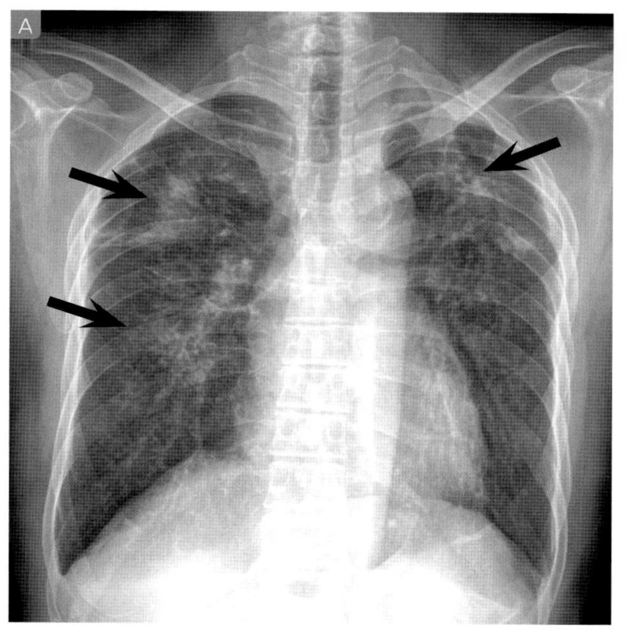

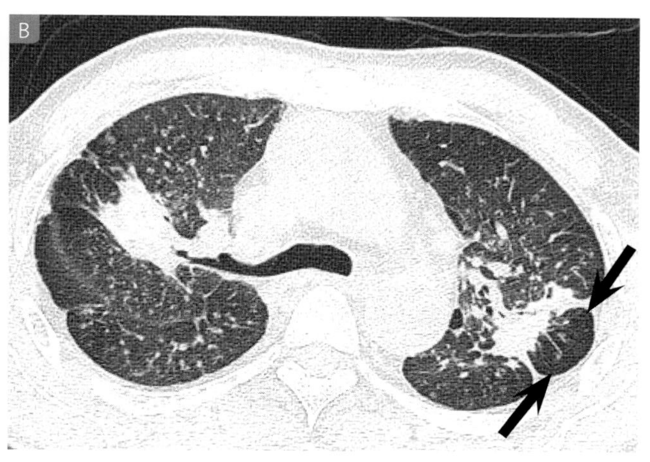

■ 그림 18-2. **복합형 규폐증**
흉부X선사진(A)에서 양측 폐문부 주변에 대음영(화살표)이 대칭적으로 보인다. 고해상CT(B)에서 불규칙한 경계의 소결절들과 함께 대결절이 보이고, 대결절 외측에 폐기종(화살표)이 동반되어 있다.

2. 탄광부진폐증

탄광에서 석탄분진의 흡입은 탄광부진폐증(coal worker's pneumoconiosis)이나 규폐증을 유발할 수 있다. 병리학적으로 규폐증은 중심부에 콜라겐이 있고 주변부에 입자포함 대식세포(particle-laden macrophage)로 구성되어 있는 반면, 탄광부진폐증은 중심부에 석탄분진이 있고 콜라겐은 미미하며 주변부에 탄분포함 대식세포(pigment-laden macrophage)로 구성되어 있어 확연히 구분된다. 그러나 영상의학적으로는 이들의 감별은 표 18-2와 같은 소견을 이용하면 부분적으로 가능하지만, 거의 구분이 되지 않고 규폐증과 유사하다[1]. 탄광부진폐증 역시 단순형과 복합형으로 구분할 수 있다[3].

폐결핵, 폐암 및 폐섬유화는 진폐증의 중요한 합병증이며, 특히 폐암은 사망의 주요 원인이므로 이의 동반 여부를 알아내는 것은 중요하다. 폐결핵은 규폐증이 없는 성인남자보다 발생 위험도가 2.8배 증가한다. 진행성거대섬유증에서 보

표 18-2. 규폐증과 탄광부진폐증의 차이점

	규폐증	탄광부진폐증
원인	유리규산	석탄(순수한 탄소)
결절 크기	더 큼 q (1.5-3 mm)	더 작음 p (〈 1.5 mm)
결절 경계	더 명확	덜 명확, 좀더 과립형 외양
결절 석회화	넓게 분산됨	중앙에 점상 분포
림프절석회화	상대적으로 흔함(5%)	상대적으로 드뭄(1.3%)
폐기종	덜 흔함	더 흔함
폐섬유화	덜 흔함(10%)	더 흔함(10-40%)

이는 결절이나 경화가 양측이 비대칭적으로 보이거나 공동이 형성된 경우, 또는 변화가 빠른 경우에 폐결핵, 비결핵성 마이코박테륨의 중복감염의 가능성을 확인해야 한다. 폐암이 동반된 경우, MRI 영상은 이 둘의 감별에 도움이 되지만 (진행성거대섬유증: low signal on T2WI vs. 폐암: high signal on T2WI), PET 또는 PET-CT는 둘 다 FDG uptake가 잘 되므로 이 둘의 감별에 도움이 되지 않는다. 진폐증에서 생기는 폐섬유화는 상용간질폐렴(UIP)이나 비특이간질폐렴(NSIP)과 유사하게 폐하부에 그물음영양상과 벌집모양을 보이며, 진폐결절을 동반하는 경우도 있지만 동반하지 않는 경우도 있다. 따라서 직업노출력이 충분한 환자에서 보이는 상용간질폐렴나 비특이간질폐렴 형태의 미만성간질폐질환은 진폐에 의한 폐섬유화의 가능성도 고려해야 한다[3, 4].

3. 용접공폐

용접공폐(welder's lung)는 용접 때 발생하는 용접연기의 주성분인 산화철의 폐내 축적으로 인한 질환으로 철분진폐증(siderosis)으로도 불린다. 산화철은 폐에 섬유화를 유발하지 않으며 원인물질을 제거하면 호전이 가능하다. 고해상CT에서는 경계가 불분명한 중심소엽성 결절과 미만성 간유리음영을 보인다(그림 18-3)[1, 3].

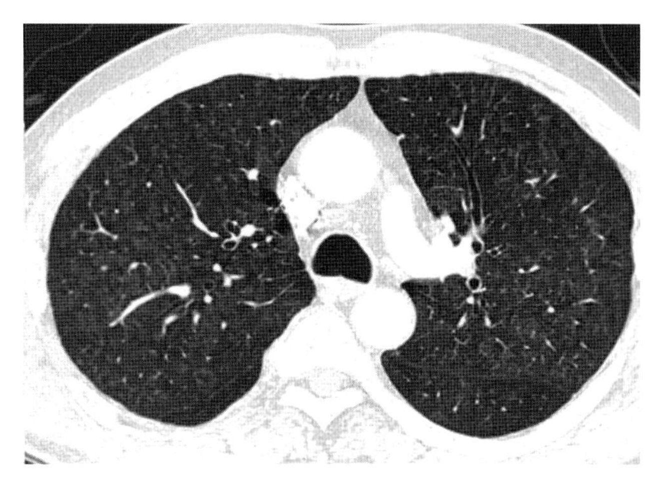

■ 그림 18-3. **용접공폐**
고해상CT에서 소엽중심성의 경계가 불분명한 간유리음영이 폐전체에서 관찰된다.

4. 석면관련질환

석면(asbestos)은 우리가 사는 곳 어디에나 존재하는 물질로 자연계에 존재하는 규산광물의 총칭으로 화학구조가 수정 같은 구조를 가지는 섬유성 무기물질을 일컫는다. 크게 사문석계(serpentine)와 각섬석계(amphibole)로 구분한다. 사문석계에는 백석면(chrysotile)이 있으며, 긴 곡선 형태의 섬유다. 각섬석계에는 갈석면(amosite), 청석면(crocidolite), 직섬석(anthophyllite), 투각섬석(tremolite), 양기석석면(actinolite)이 있고, 짧은 직선 형태로 폐의 심부에 침투가 가능해서 더 해로운 것으로 알려져 있다. 최근까지 사문석계의 독성(폐암, 악성중피종 발생 등)에 대한 논란이 있었지만, 사문석계의 백석면을 포함한 모든 석면이 독성의 차이는 있더라도 폐암 및 악성중피종 등 치명적인 호흡기질환을 일으킨다는 것이 중론이다[5]. 석면광산 및 석면을 다루는 공정(단열재 및 자동차의 제어장치 제조, 석면방직, 건축, 조선 등)에서 생길 수 있다[1]. 석면이 폐로 흡입되면 흉막과 폐실질에 병변을 유발한다(표 18-3). 흉막에는 양성흉막삼출(benign asbestos-related pleural effusion), 흉막반(pleural plaque), 미만성 흉막비후(diffuse pleural thickening), 원형무기폐(round atelectasis), 악성중피종(malignant mesothelioma) 등이 발생한다. 폐실질에는 석면폐증(asbestosis)과 폐암이 생긴다. 이 중 폐암과 악성중피종이 가장 심각한 질환으로 알려져 있다. 각질환의 잠복기는 양성흉막삼출이 10년 전후로 가장 짧으며, 그 밖에 대부분의 질환은 20년 전후의 잠복기를 보인다.

표 18-3. 석면관련질환의 영상소견

흉막반	국소적이고 평활한 흉막비후, 하부 흉벽의 후외측 및 가로막 흉막 침범, 폐꼭대기와 갈비가로막각에는 발생하지 않음
미만성흉막비후	흉막비후가 흉벽의 1/4 이상을 침범, 갈비가로막각 소실
원형무기폐	둥근 종괴, 종괴주변 기관지와 혈관이 서로 가까이 모임(comet tail sign)
석면폐증	흉막하부 점 또는 선상음영, 흉막하부 곡선음영, 소엽내 간질비후, 소엽간 중격비후, 폐실질밴드, 견인기관지확장증, 벌집모양
석면관련 폐암	폐암 진단시, 흉막반이나 석면폐증이 동반되어 있는 경우
악성중피종	종격동 흉막비후, 결절성 흉막비후, 1 cm 이상의 흉막비후, 환상의 흉막비후, 단일성 흉막 종괴

1) 양성흉막질환

흉막반이 석면에 의해 생기는 가장 흔한 질환이고, 석면 노출의 표시인자이다. 양성흉막삼출이 가장 낮은 발생빈도로 발생한다. 흉막반은 벽쪽흉막(parietal pleura)을 주로 침범하고, 내장쪽흉막(visceral pleura)을 침범할 수도 있지만 대부분 침범하지 않는다. 그러나 엽간열(interlobular fissure)은 침범한다. 흉막반은 양측에 대칭적으로 생기며, 하방 1/2(6th~9th ribs)의 후외측에 주로 생기고, 가로막 흉막에 생기는 것은 석면에 의한 흉막반의 특징적 소견이다. 그러나 폐꼭대기와 갈비가로막각(costophrenic angle, CPA)에는 발생하지 않는다. 흉부X선사진과 CT에서 경계가 분명한 연조직 음영의 국소적이고 평활한 흉막비후로 보이며, 흉곽을 따라 평행하게 나타난다. CT에서는 흉막반의 진단이 쉽고, 특히 비석회화 흉막반인 경우 흉부X선사진에 비해 진단이 용이하다(그림 18-4)[1, 4]. 흉막반의 석회화는 약 10-15%에서 생긴다[6].

미만성흉막비후는 발생빈도는 높지 않으며 내장쪽흉막과 벽쪽흉막을 모두 침범한다. 일측성으로 생기는 경우가 많으며, 원형무기폐 유발과 관련성이 높은 것으로 알려져 있다. 흉부X선사진상 매끄러운 경계를 보이는 균질한 음영의 흉

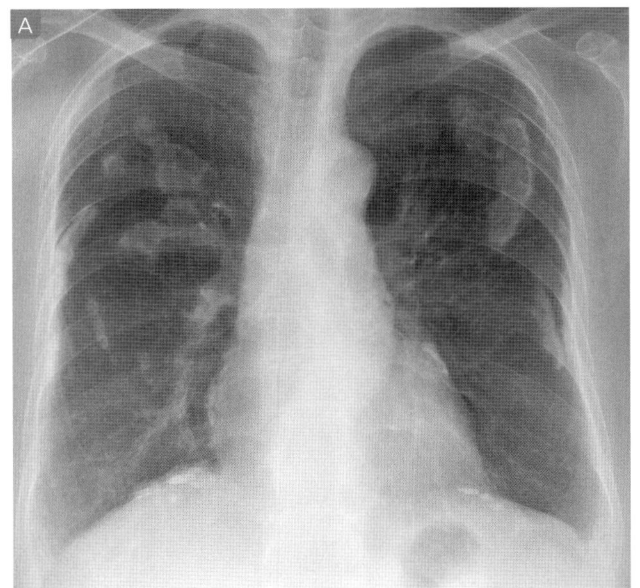

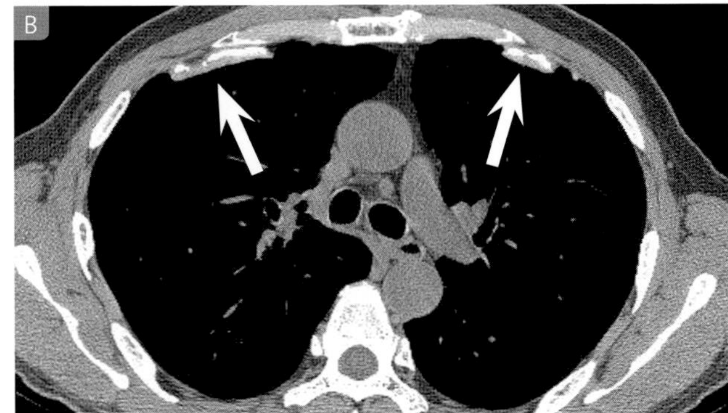

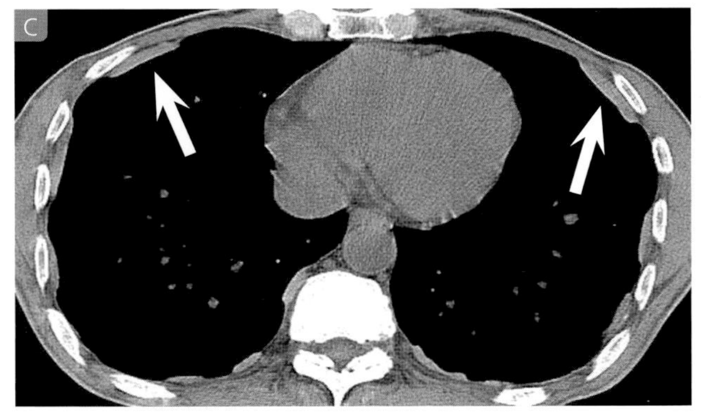

■ 그림 18-4. **흉막반**
흉부X선사진(A)에서 양측 폐야 및 가로막에 석회화된 흉막반이 보인다. 고해상CT(B, C)에서 양측 흉막에 국소적이며 평활한 흉막비후(화살표)가 늑골 내연을 따라 보이며 일부에서는 흉막반에 석회화가 동반되어 있다.

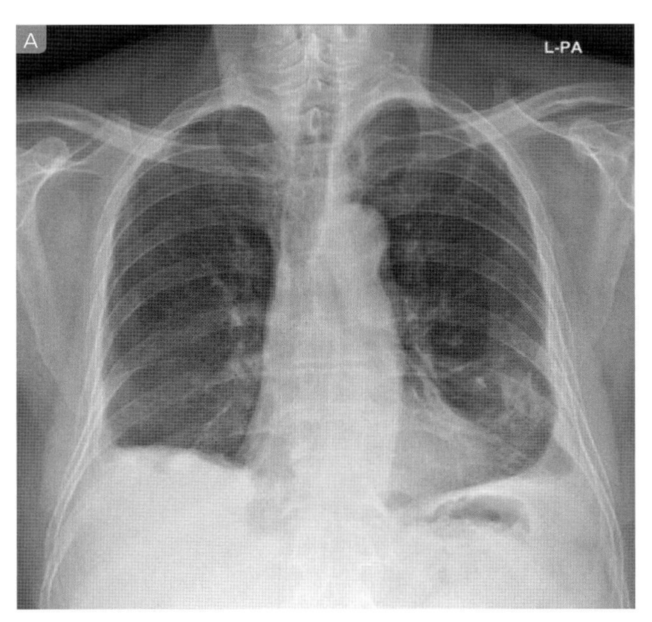

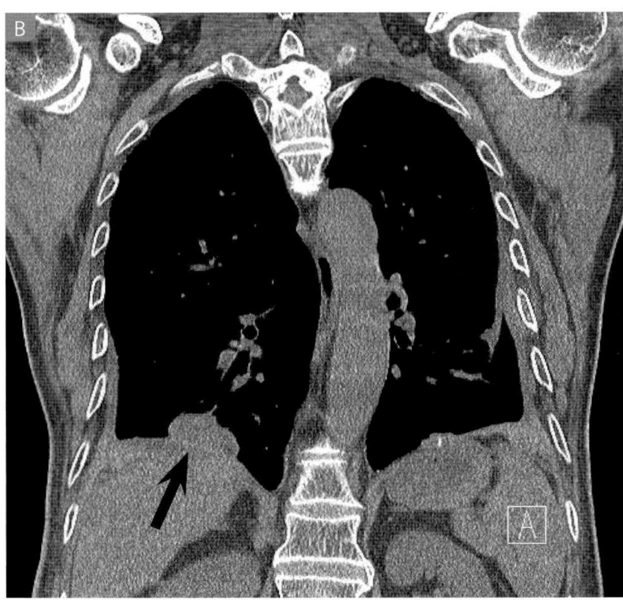

■ 그림 18-5. **미만성흉막비후**
흉부X선사진(A)에서 양측 흉막비후가 흉벽의 1/4 이상을 침범하고 있고 갈비가로막각이 소실되어 있다. 관상면CT(B)에서는 갈비가로막각의 소실과 함께 광범위한 흉막비후 및 원형무기폐(화살표)가 동반되어 있다.

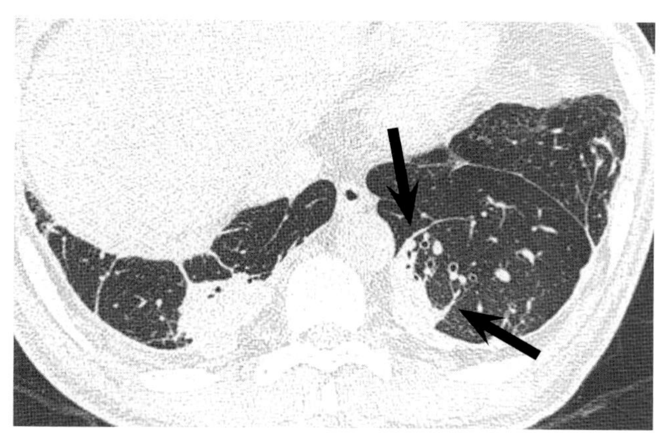

■ 그림 18-6. **원형무기폐**
양폐 하부에 무기폐에 의한 둥근 종괴가 관찰된다. 인접한 기관지와 혈관이 종괴로 모여서 혜성 꼬리 모양(comet tail sign)을 만들고, 인접한 흉막의 비후가 동반되어 있다.

CHAPTER 18

막비후가 흉벽의 1/4 이상을 침범하는 경우 진단할 수 있고, 갈비가로막각이 소실되는 것이 특징이다. CT에서는 갈비가로막각의 소실과 함께 3 mm 두께, 5 cm 넓이, 상하로 8 cm 에 걸쳐 흉막비후가 관찰되는 경우 진단할 수 있다(그림 18-5).

흉막삼출도 유발될 수 있는데 석면노출 후 10년 이내에 발생할 수 있는 유일한 소견이며 가장 낮은 빈도로 생긴다(3% 전후)[1].

원형무기폐는 흉막의 유착에 의한 기관지-혈관구조의 변형을 동반하는 주변부 폐의 변형이다. CT에서 무기폐는 둥근 종괴 모양으로 나타나며 특징적으로 폐문에서 뻗어 나온 기관지와 혈관이 종괴로 다가가면서 서로 가까이 모여 마치 혜성 꼬리 모양(comet tail sign)을 만들기도 하고, 대부분 인접한 흉막의 비후나 석회화가 동반된다(그림 18-6)[1].

2) 석면폐증

석면폐증은 석면분진 흡입에 의한 폐실질의 미만성 간질성 섬유화로 폐실질에 생기는 가장 중요한 변화다. 석면노출로부터 20년이 지난 후부터 발생하며, 석면에 고농도로 장시간 노출되었을 때 발생한다. 이러한 폐섬유화가 폐암을 유발할 수 있다는 점에서 환경산업보건 분야의 관심의 대상이 된다. 일반적으로 석면폐증은 조직학적 표본없이 진단한다.

병리학적으로 폐섬유화는 폐하부의 흉막하부 소기관지 주위에서 시작하여 점차 폐포벽, 소엽으로 진행한다. 엎드린 자세의 고해상CT (HRCT with prone position)는 석면폐증을 진단할 수 있는 가장 민감한 검사법이다. 초기에 흉막하 점 또는 선상음영(subpleural dotlike or branching opacities) 및 흉막하 곡선음영(subpleural curvilinear opacities)이 보인다. 점차 진행되면 소엽내 간질비후(intralobular interstitial thickening)와 소엽간 중격비후(interlobular septal thickening)가 관찰된다. 섬유화가 좀더 진행되면 폐실질밴드(parenchymal bands), 벌집모양과 견인기관지확장증(traction bronchiectasis)이 관찰된다(그림 18-7, 18-8)[5]. 이러한 소견은 특발폐섬유증(idiopathic pulmonary fibrosis)과 유사한 소견이나, 석면노출의 과거력이 있거나 벽측흉막비후가 있다면 석면폐증을 더욱 시사한다[3, 7].

3) 석면관련 악성종양

폐암은 석면노출자의 주요 사망원인이며 석면에 대량 노출된 경우 20-25%에서 발생하며, 석면노출 이후 20-30년 정도 뒤부터 발생한다. 석면노출이 심할수록 폐암 발생위험도는 증가하며, 비노출자에 비해 5배 정도 폐암 발생 위험도가 증가한다. 석면노출과 흡연은 폐암발생에 상호 상승작용을 한다. 석면관련 폐암은 다른 원인에 의한 폐암과 병리아형과 발생 부위에 차이가 없고, 영상의학적 소견도 일반적인 폐암과 동일하다. 따라서 일상적인 진료에서 환자의 석면 노출

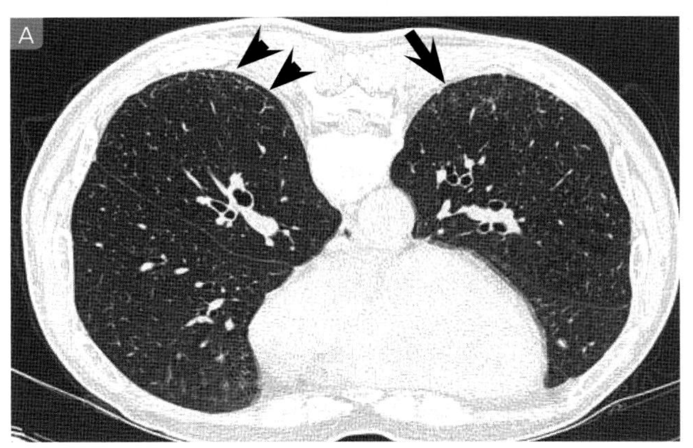

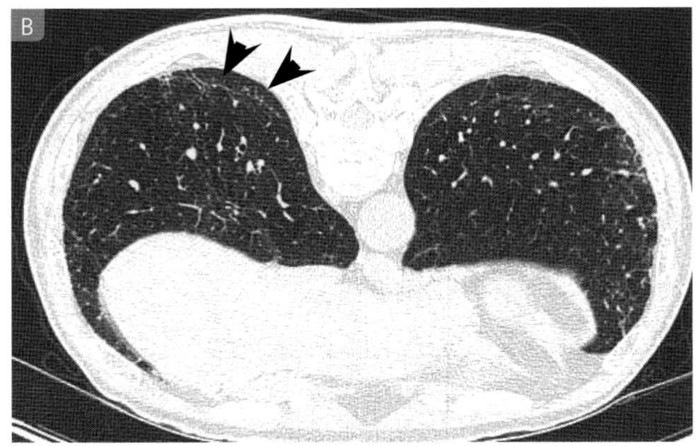

■ 그림 18-7. **석면폐증**
엎드린 자세의 고해상CT(A)에서 양 폐하부에 흉막하 점 또는 선상음영(화살표), 흉막하 곡선음영(화살촉), 그물음영양상 및 견인기관지확장증이 보인다.

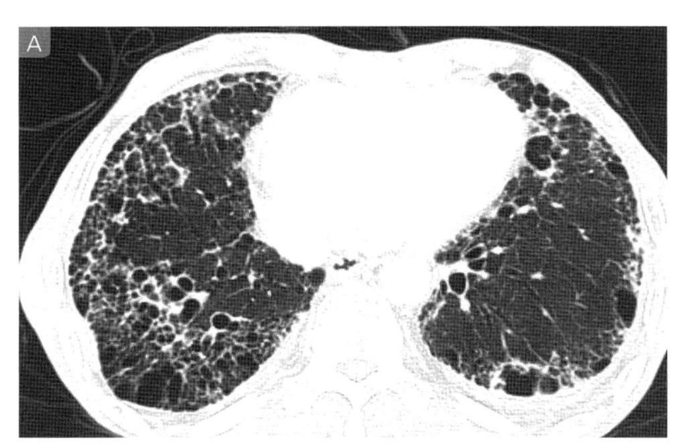

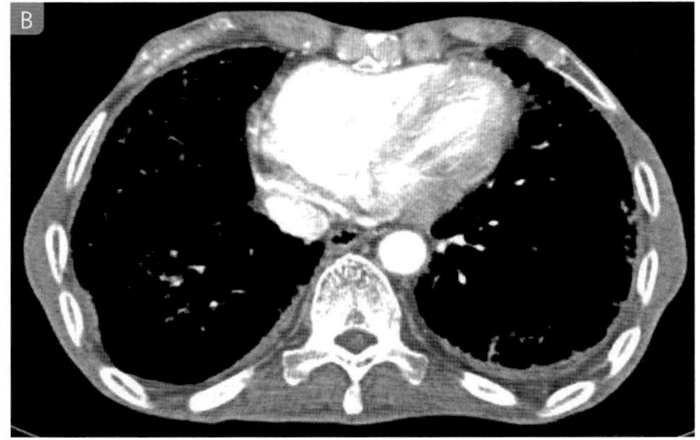

■ 그림 18-8. **석면폐증**
고해상CT(A)에서 양 폐하부에 벌집모양, 그물음영양상과 견인기관지확장증이 보인다. 같은 부위의 종격동창(B)에서 비석회화 흉막반이 양측에 관찰된다.

력을 알기 어려우므로, 폐암 진단시 흉막반이나 석면폐증이 동반되어 있는 경우(그림 18-9), 석면관련 폐암의 가능성을 시사하는 것이 영상의학과 의사의 중요한 역할이라 할 수 있다.

악성중피종(malignant mesothelioma)은 드문 신생물이지만, 흉막의 가장 흔한 원발성 신생물이고, 폐암 다음으로 흔한 석면과 관련된 악성종양이다. 악성중피종과 석면 노출력과의 연관성은 80~90% 정도에서 확인되고 있다. 잠복기는 20~40년이며, 예후는 매우 나쁘며 대부분 진단 1년 내에 사망한다. 단순흉부사진과 CT상 대부분 흉막삼출과 흉막 종괴의 형태로 나타난다. 흉막삼출이 가장 흔한 소견이며, 대부분 일측성으로 나타나고 한쪽 폐용량의 1/3 이상을 차지하는 경우가 대부분이다. CT소견은 종격동 흉막비후(mediastinal pleural thickening), 결절성 흉막비후(nodular pleural thickening), 1 cm 이상의 흉막비후, 환상의 흉막비후(circumferential pleural thickening)로 나타나며, 대개 병변쪽으로 종격동이 이동하는 등의 일반적인 악성흉막질환의 소견과 동일하다. 그밖에 드물게 단일성 흉막 종괴로 나타난다(그림 18-10)[1].

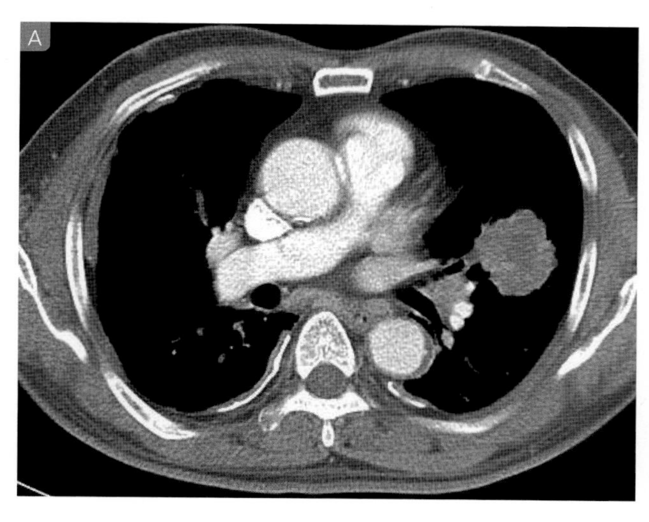

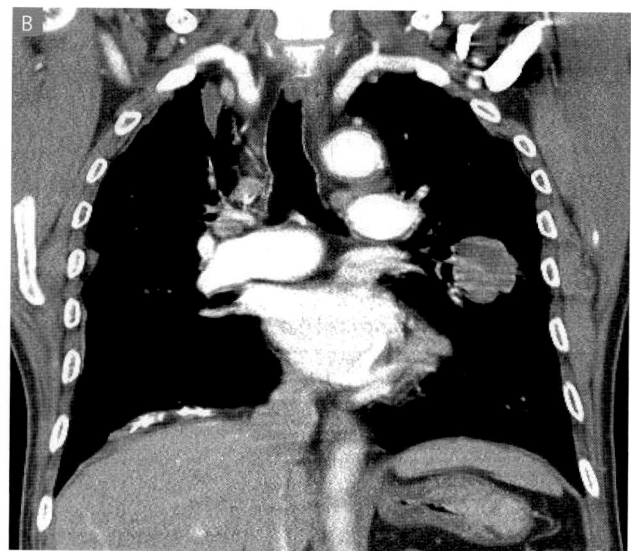

■ 그림 18-9. **석면관련 폐암**
좌상엽에 폐암이 관찰되며, 비석회화와 부분 석회화된 전형적인 흉막반이 양쪽 흉막과 우측 가로막에 동반되어 있다. 석면슬레트 공장에 20년 근무 경력을 갖고 있는 환자이다.

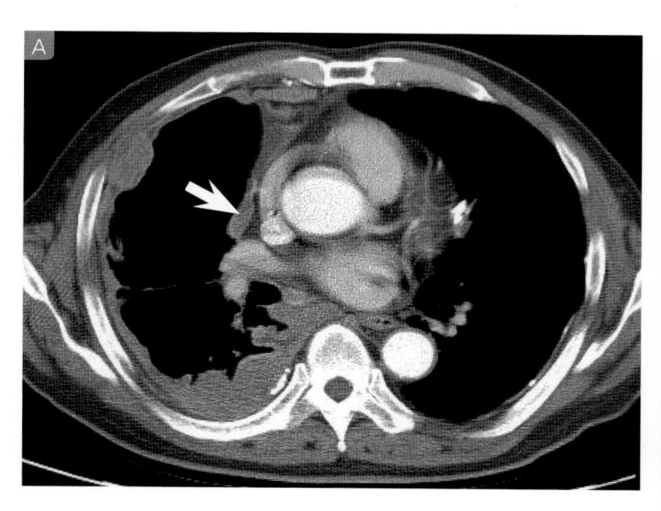

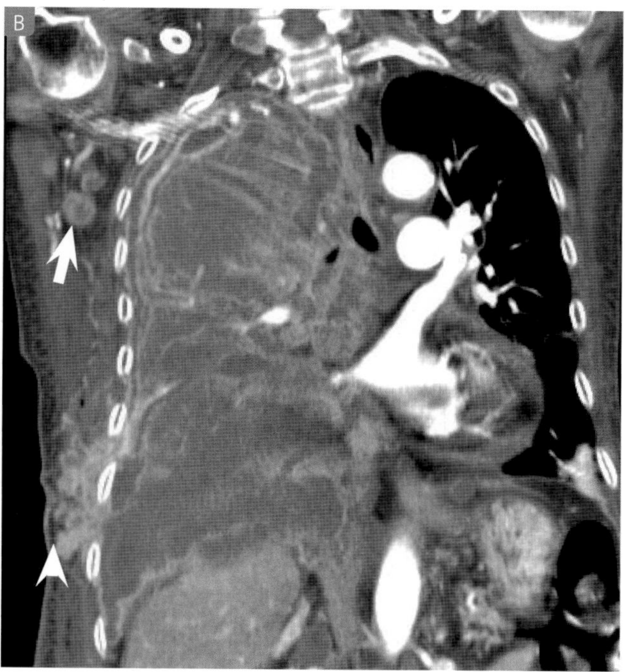

■ 그림 18-10. **악성중피종**
A. 우측 흉곽 전체를 둘러싸고 있는 환상의 흉막비후가 관찰된다. 1 cm 이상의 흉막비후와 종격동 흉막비후(화살표)를 동반하고 있다. 좌측 흉부에 석회화된 흉막반이 있다. **B.** 우측 흉곽 전체를 차지하는 큰 종괴가 관찰된다. 비균질한 조영 증강과 내부에 저음영의 괴사를 동반하고 있고, 우측 액와부 림프절(화살표)과 흉벽의 전이(화살촉)가 동반되어 있다.

II 유기성 분진에 의한 폐질환(과민폐렴)

과민폐렴(hypersensitivity pneumonitis)은 감작된 물질을 반복적으로 흡입함으로써 발생되는 질병으로 세포 매개성 또는 보체 매개성 면역 반응을 주기적으로 하는 면역성 염증질환이다. 원인이 되는 항원으로는 세균, 진균, 동물성 단백질, 화학 물질 등이 있다[8]. 병리조직학적 변화는 급성, 아급성, 만성의 3가지로 분류된다. 급성기에는 종말세기관지 주변에서 간질폐렴으로 시작하여 폐실질 내로 퍼져나간다. 아급성기에는 건락화되지 않은 조직구성육아종을 형성하며 만성기가 되면 폐의 섬유화를 초래한다[2]. 영상소견은 원인 물질이 달라도 같은 양상을 보이게 된다(표 18-4). 급성기에는 정상인 경우가 많다. 급성기와 아급성기에 보이는 가장 흔한 소견은 작은 폐결절(1-3 mm)로 간유리음영으로 보이는데 거의 모든 경우에서 양측성으로 나타난다. 고해상CT에서 간유리결절들은 중심소엽성분포를 보이고 반점형 또는 미만성의 간유리음영이 보인다. 이러한 음영 내부에 폐소엽의 모자이크감쇄양상이 동반되기도 한다(headcheese pattern)(그림 18-11). 만성기에는 섬유화로 인한 폐상부의 그물음영양상 혹은 그물결절음영양상, 벌집모양이 생긴다. 만성기의 고해상CT 소견은 폐소엽간중격비후에 의한 폐실질의 변형을 동반한 굵고 불규칙한 선상 음영이 흉막하부에 잘 생긴다(그림 18-12)[1, 9].

표 18-4. 과민폐렴의 영상소견

급성기	정상
아급성기	간유리음영의 소결절, 소엽중심성분포, 양측성
만성기	그물음영양상 혹은 그물결절음영양상, 벌집모양, 폐소엽간중격의 비후

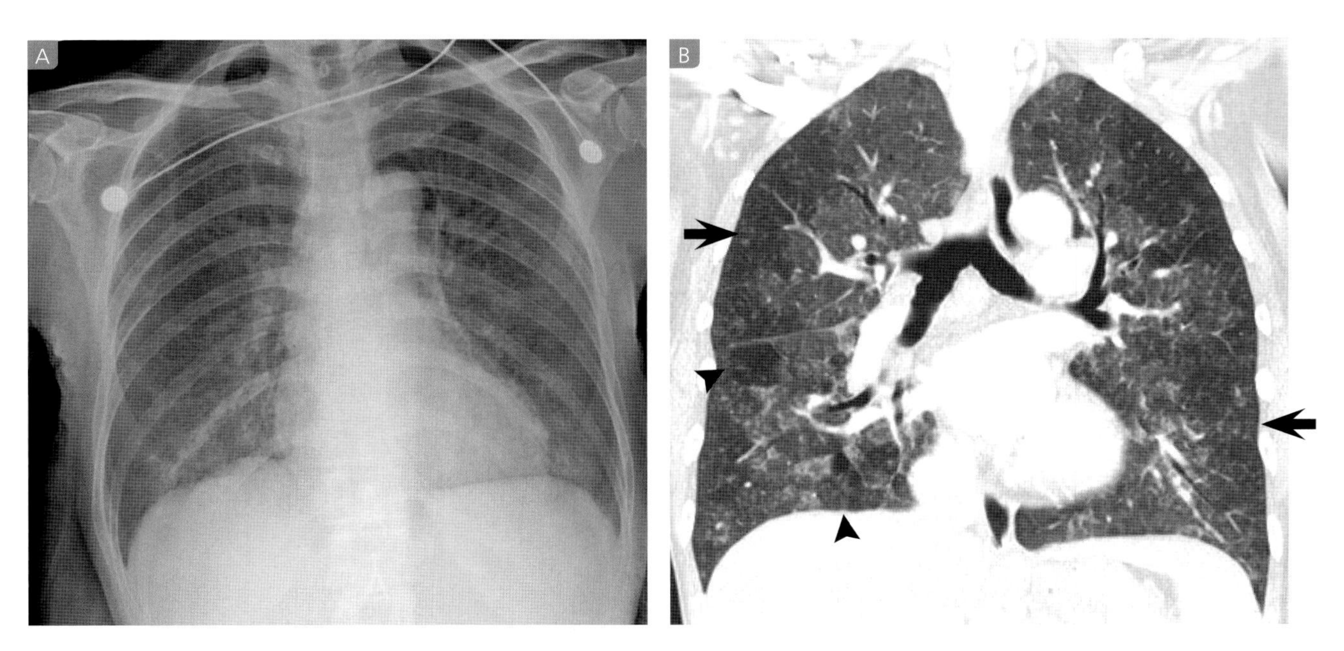

■ 그림 18-11. 아급성 과민폐렴
흉부X선사진(A)에서 양폐에 미만성 간유리음영이 관찰된다. 관상면CT(B)에서는 미만성 간유리음영과 중심소엽성 간유리결절들(화살표)이 관찰된다. 이러한 음영 내부에 폐소엽의 모자이크감쇄양상(화살촉)이 동반되어 있다(headcheese pattern).

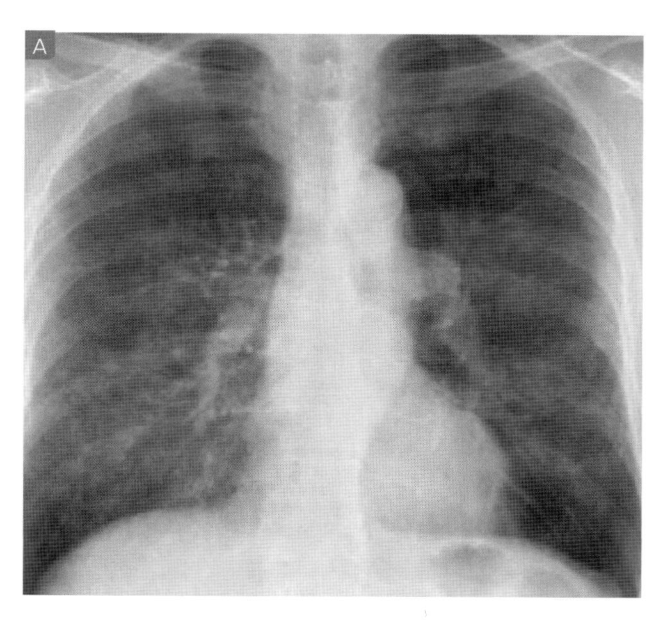

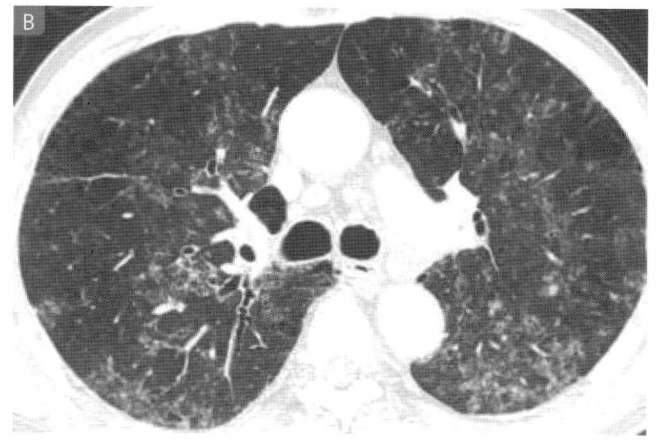

■ 그림 18-12. **만성 과민폐렴**
흉부X선사진(A)에서 양측 폐중하부에 그물음영양상 및 간유리음영이 관찰된다. 고해상CT(B)에서는 다발성 간유리음영, 소결절과 그물음영양상이 혼재해 있다.

Ⅲ 독성물질에 의한 폐질환

자극성 폐손상과 질식의 원인이 되는 독성 흡입 물질의 직업적 노출 원인은 다양하다(표 18-5)[1]. 독성 화학 물질(toxic chemicals)의 급성 효과에 영향을 주는 요인은 용해성, 입자 크기, 농도, 노출 기간, 화학적 성질, 노출된 사람의 분당 환기량과 같은 숙주 요인이다. 수용성이 높고 자극이 심한 물질(ammonia, sulfur dioxide, acid gases such as hydrochloric acid and sulfuric acid)일수록 상기도에 영향을 미치는 반면, 수용성이 낮고 자극이 덜한 물질(phosgene, ozone or nitrogen dioxide)은 상기도를 통과하여 말초 기도 및 폐실질에 영향을 미친다[1].

표 18-5. **독성 흡입 물질의 직업적 노출 원인과 독성 효과**

독성 흡입 물질	직업적 노출 원인	효과
암모니아	농업, 폭발물, 플라스틱 제조업	기도의 점막 손상, 폐부종
황화수소	화학 제품과 금속 제조, 석유 정제, 제지 공장	호흡 중추 억제, 폐부종
염소	가정용 세제, 종이, 섬유, 하수 처리, 수영장	상기도, 눈 점막 자극, 폐부종
질소 산화물	용접공, 아이스하키 경기장 작업자, 염료	폐쇄성세기관지염, 화학성 폐렴, 폐부종

1. 파라콰트중독(paraquat poisoning)

파라콰트은 제초제로 폐, 간, 신장, 심근 그리고 부신피질에 손상을 초래한다. 흡입후 폐손상이 일어나지만 급속하게 폐섬유화를 초래한다[1, 9]. 병리학적으로는 미만성 폐손상이며 중독 후 7일 이상 경과하면 폐섬유화가 진행된다. 폐구조가 비틀리고 세기관지 및 폐포소관이 확장되고 폐포가 허탈된다. 가장 흔한 고해상CT 소견은 미만성 양측성 간유리음영이고(그림 18-13) 이들은 점차 견인기관지확장증과 불규칙한 선상음영을 동반한 폐경화로 바뀐다(그림 18-14)[10].

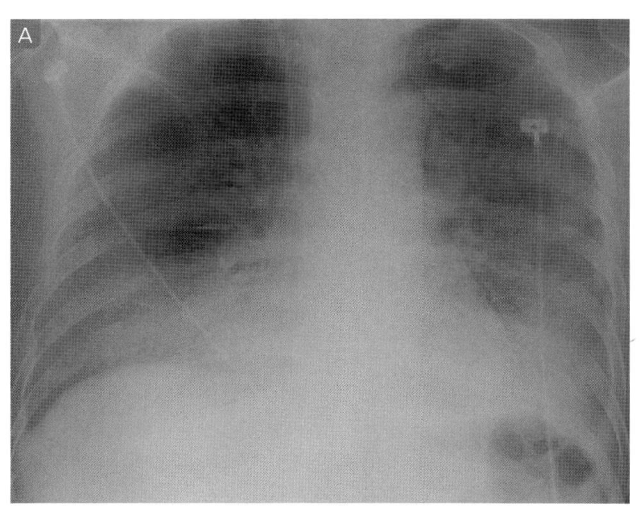

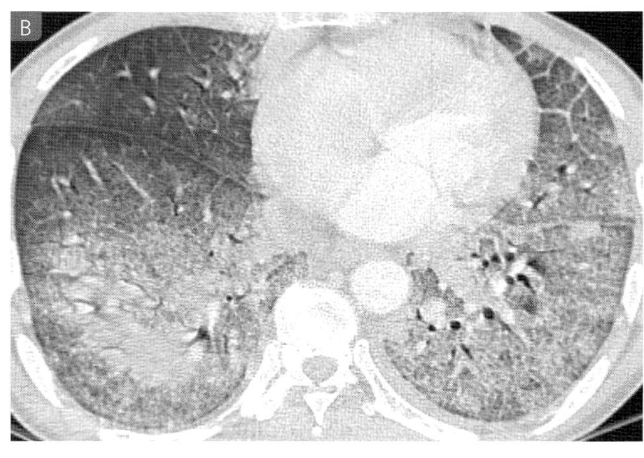

■ 그림 18-13. **파라콰트 중독에 의한 폐변화**
파라콰트 음복 2일 후의 흉부X선사진(A)에서 양 폐의 중, 하엽에 폐경화가 보인다. 같은 날 시행한 고해상CT(B)에서 양측 폐에 미만성 간유리음영과 우하엽에 폐경화가 관찰된다.

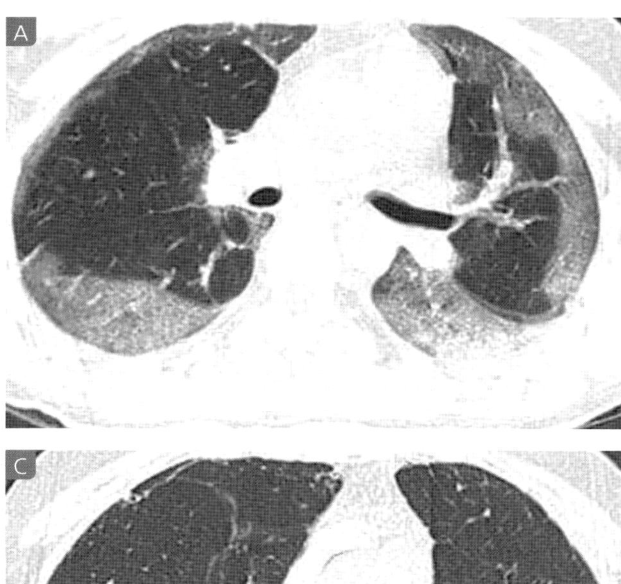

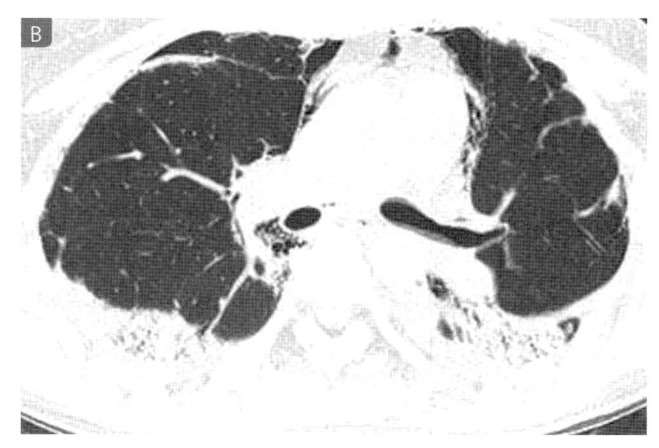

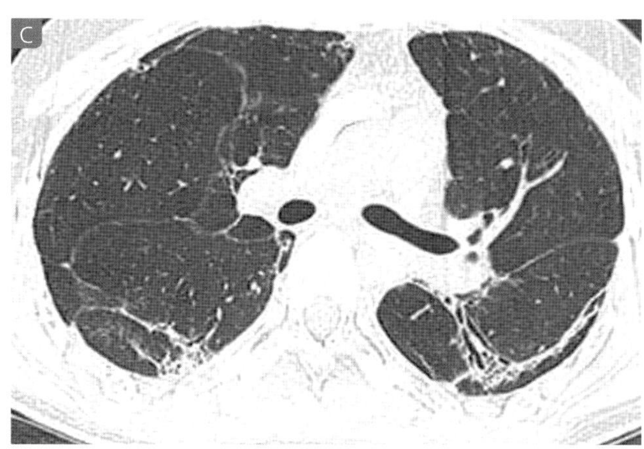

■ 그림 18-14. **파라콰트 중독의 추적 고해상CT 소견**
파라콰트 음복 7일 후의 고해상CT(A)에서 양 폐의 흉막하에 간유리음영이 관찰된다. 14일 후의 고해상CT(B)에서는 간유리음영이 폐경화로 변화되었고 6개월 후의 고해상CT(C)에서는 불규칙한 선상음영과 견인기관지확장증을 동반한 위축된 폐경화가 관찰된다.

참고문헌

1. Kim KI, Kim CW, Lee MK, Lee KS, Park CK, Choi SJ et al. Imaging of occupational lung disease. Radiographics 2001;21:1371-1391.
2. Silva CI, Churg A, Muller NL. Hypersensitivity pneumonitis: Spectrum of high-resolution CT and pathologic findings. AJR Am J Roentgenol 2007;188:334-344.
3. Chong S, Lee KS, Chung MJ, Han J, Kwon OJ, Kim TS. Pneumoconiosis: Comparison of imaging and pathologic findings. Radiographics 2006;26:59-77.
4. Cox CW, Rose CS, Lynch DA. State of the Art: Imaging of Occupational Lung Disease. Radiology 2014;27:681-696.
5. Roach HD, Davies GJ, Attanoos R, Crane M, Adams H, Phillips S. Asbestos: When the dust settles an imaging review of asbestos-related disease. Radiographics 2002;22 Spec No:S167-184.
6. Peacock C, Copley SJ, Hansell DM. Asbestos-related benign pleural disease. Clin Radiol 2000;55:422-432.
7. Akira M, Yamamoto S, Inoue Y, Sakatani M. High-resolution CT of asbestosis and idiopathic pulmonary fibrosis. AJR Am J Roentgenol 2003;181:163-169.
8. Flors L, Domingo ML, Leiva-Salinas C, Mazon M, Rosello-Sastre E, Vilar J. Uncommon occupational lung diseases: High resolution CT findings. AJR Am J Roentgenol 2010;194:W20-26.
9. Hartman TE. The HRCT features of extrinsic allergic alveolitis. Semin Respir Crit Care Med 2003;24:419-426.
10. 10. Lee SH, Lee KS, Ahn JM, Kim SH, Hong SY. Paraquat poisoning of the lung: Thin-section CT findings. Radiology 1995;195:271-274 .

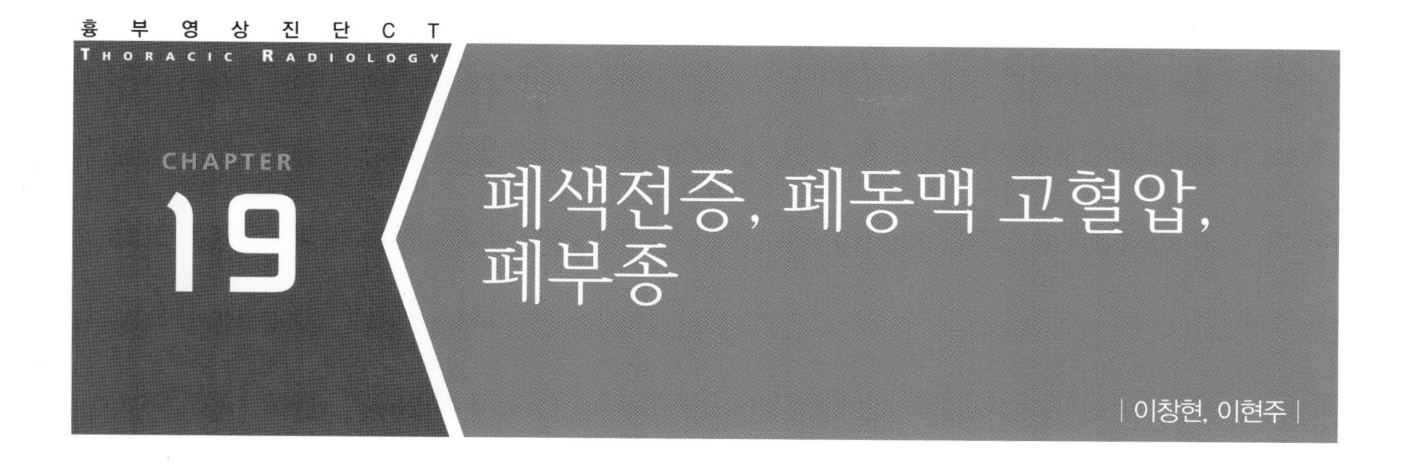

Contents

I 폐색전증

1. 급성 폐색전증

1) 임상 소견

폐색전증은 심근경색증, 뇌경색 다음으로 많은 급성심혈관질환으로 정확한 진단이 이루어지지 않거나 지연됨으로써 매년 수천명의 사망자가 발생한다[1]. 폐색전증(pulmonary embolism)은 심혈관 사망의 원인 중 심근경색, 뇌경색에 이어 3번째 흔한 원인이다. 폐동맥 색전증의 원인으로는 심부정맥혈전증(deep vein thrombosis)이 가장 흔하며, 특히 슬와정맥(popliteal vein) 상부의 하지 정맥에서 발생한 경우가 90~95%를 차지하며, 그 외 전신 정맥이나 우심방, 우심실의 혈전이 원인이 된다. 심부정맥혈전증 환자는 폐동맥 색전증의 발생 가능성을 염두에 두어야 하고 폐동맥색전증 환자는 심부정맥혈전증의 유무를 확인하는 것이 중요하여 서로 밀접한 관계를 가진 질환이다. 심부정맥혈전증이 있는 환자에서 폐동맥색전증의 발생은 50%까지 보고되며, 심부정맥혈전증을 적절히 치료하지 못하면 재발하거나, 폐동맥색전증이 25~50%까지 발생하는데 반해, 심부정맥혈전증이 임상적으로 없는 경우 폐동맥색전증의 발생 확률은 1%도 되지 않는다. 폐동맥색전증을 치료하지 않은 경우 사망률은 30%이다. 그러나 항응고(anticoagulation) 치료를 시행한 경우 사망율은 급격히 감소하여 10% 이내가 된다. 색전증의 임상 소견으로는 호흡 곤란, 흉막성 흉통(pleuritic chest pain), 기침, 객혈, 실신 등이 있고, 임상 징후로는 빈호흡, 빈맥, 수포음, 발열 등이 있다. 원래 호흡기 질환이 없던 사람에서 앞의 증상들이 발생한 경우 폐색전증을 의심해야 한다. 그러나 이러한 증상들은 각종 만성호흡기 질환에서도 보일 수 있으므로 감별이 필요하다. 급성 폐색전증의 임상 소견은 폐혈관 폐쇄와 연관되어 폐실질에 미치는 영향의 정도, 동반된 심장 및 폐 질환 유무, 폐색전의 크기, 숫자, 위치, 이전의 폐색전증 병력 등 여러가지 요인에 의해 결정된다.

급성폐색전증의 진단에는 D-dimer 검사와 흉부X선 촬영, 폐환기/관류 스캔, 폐혈관조영술, CT, MRI 등의 영상진단법이 있다[2-4]. 흉부X선 촬영은 매우 비특이적이어서 진단에 사용되지 않으며 조영증강 CT를 이용한 진단이 일반적이다. 다중검출기 CT가 보급되기 이전에는 방사성 동위원소 주사법이 일차적인 영상검사로 사용되었고 확진에는 침습적 혈관조영술이 사용되었으나 현재는 조영증강 CT로 이러한 역할이 대체되었다. 기존의 검사법과 비교하여 조영증강 CT는 비침습적이며 기술적으로 쉽고 광범위하게 사용가능하며 관찰자간, 검사간의 변이가 적어 재현성이 높다는 장점이 있다. 또한 폐색전증이 아닌 경우 폐혈관 이외의 부위를 동시에 관찰함으로써 환자의 증상을 설명할 대체진단이 가능하다는 점도 장점이다. 폐혈관조영CT(pulmonary CT angiography) 의 민감도는 53-100%, 특이도는 83-100% 로 알려져 있고 이러한 넓은 범위값은 최근의 영상진단기술과 기기의 급속한 발전으로 해석될 수 있다[5].

2) 전산화단층촬영

CT 소견은 크게 혈관 변화와 폐실질 변화로 나눌 수 있다(표 19-1). 혈관 변화는 혈관 내 응고물질에 의한 저음영이 가장 중요하며 이는 조영제가 찬 혈관 내에 충만 결손으로 보인다(그림 19-1). 혈전성 색전 종괴가 혈관 내에서 자유롭게 떠다니는 '철도길 징후(railway tract sign)'가 보일 수 있다(그림 19-2). 폐동맥의 내경은 대개 증가한다. 폐실질의 변화로 쐐기모양의 흉막하 폐경화가 보일 수 있는데 이는 폐경색(pulmonary infarction)이나 폐출혈(pulmonary hemorrhage)이 동반되었음을 의미한다(그림 19-3). 무기폐와 흉막삼출이 동반될 수 있다.

폐경화로 나타나는 폐경색은 대개 폐색전 발생 후 24-48 시간 후에 발생하며, 흉막에 기저를 둔 음영으로 그 첨단부는 폐문을 향하고 있고 쐐기모양인 경우가 전형적이다. 폐경색은 중심부 동맥 폐쇄보다는 주변부 동맥 폐쇄 때 잘 나타난다. 폐경색 내부에 공동을 보일 수 있고 폐경색에 의한 폐경화 부위 중앙에 간유리음영이 보이는 역달무리징후(reversed halo sign)를 보일 경우 폐경색을 의심할 수 있다(그림 19-3)[5, 6].

폐색전증이 생긴 환자에서 우심부전으로 인하여 순환허탈(circulatory collapse)이 생길수 있고 이에 따른 추가적인 폐색증은 매우 위험하다. 따라서 급성우심부전의 초기발견이 중요하며 이는 적절한 치료를 시작하는 데 중요한 도움이 된

표 19-1. 급성폐색전증의 CT 소견

혈관내 색전	혈관벽과 급격한 각을 이루는 혈관내 충만결손(Intraluminal filling defect with acute angles relative to the vessel wall) 철도길 징후: 혈관강 내에서 떠다니는 혈관내 색전(Railway tract sign: thromboembolic mass floating freely in the lumen) 혈관 내경의 증가(Enlarged vascular diameter)
폐실질 변화	쐐기모양의 흉막하 폐경화(Wedge-shaped pleural-based consolidation) 무기폐(Atelectasis) 흉막삼출(Pleural effusion)

표 19-2. 우심실 부전의 CT소견

우심실 확장(단축 단면도에서 우심실의 직경이 좌심실보다 크다) 간정맥으로의 조영제 역류 폐색전증 지수 〉 60%

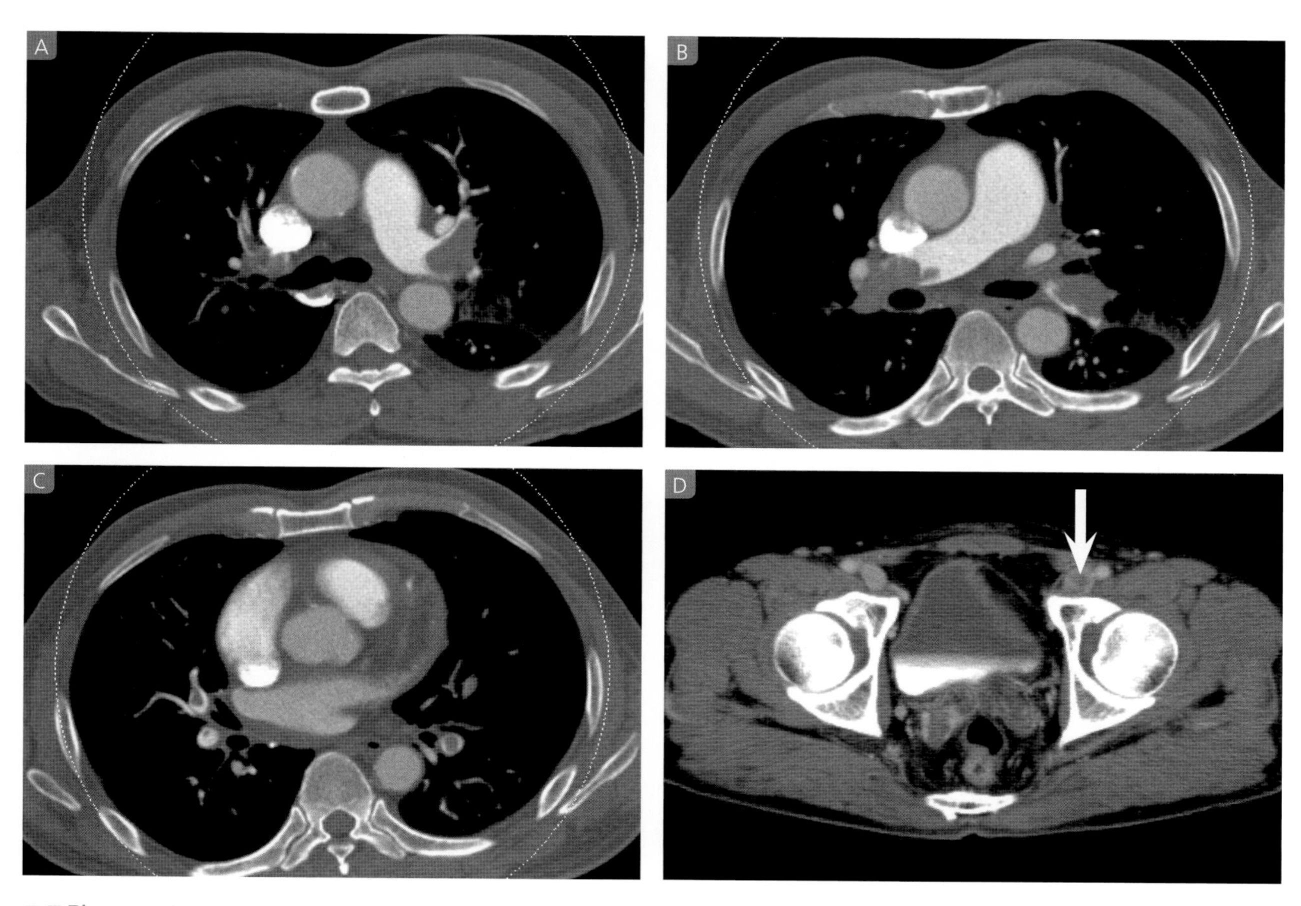

■ 그림 19-1. **심부정맥혈전증을 동반한 급성폐색전증**
A-C. 양측 주폐동맥과 양측 폐의 엽상동맥, 분절동맥내부에 혈관 내 색전 물질에 의한 저음영의 충만결손이 보인다. **D.** 충만결손은 동맥의 중심에 위치하며 폐동맥의 내경은 모두 정상이다. 좌측 대퇴정맥에 정맥 혈전에 의한 저음영의 충만 결손이 보인다(화살표).

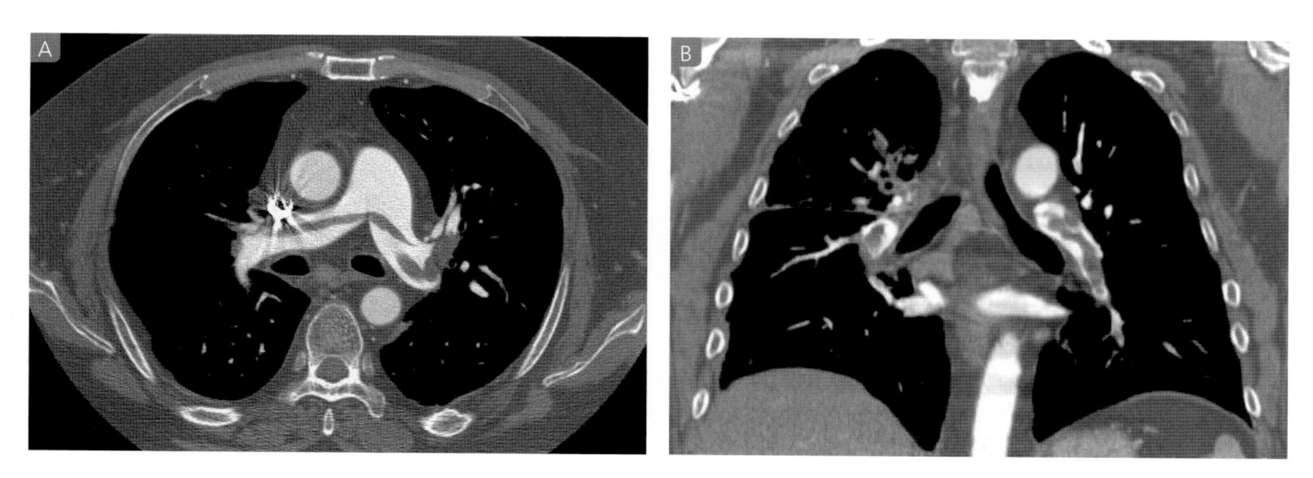

■ 그림 19-2. **혈관내에서 떠다니는 색전(철도길 징후)**
양측 폐동맥의 중앙부위에 부유하는 양상의 저음영 충만결손이 보인다. 이러한 폐동맥 중심부에 위치하는 저음영의 충만결손과 말 폐동맥의 혈류 유지는 급성폐색전증의 특징이다.

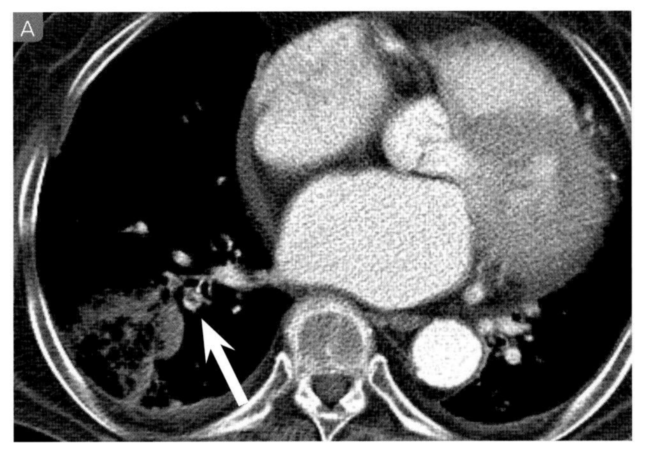

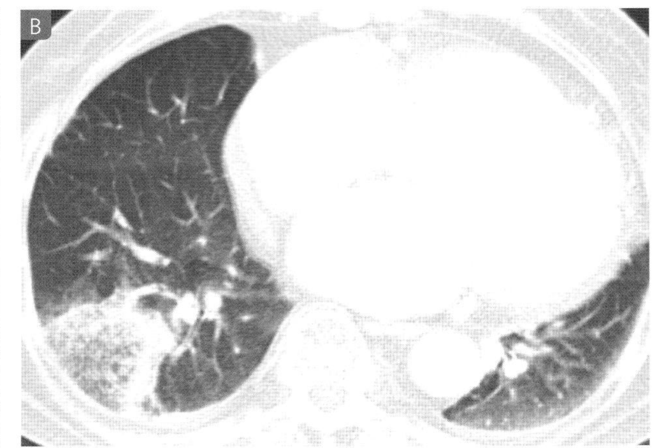

■ 그림 19-3. **폐경색을 동반한 급성폐색전증**

A. 우폐 하엽 세분절 폐동맥 내부에 색전 물질에 의한 저음영의 충만결손이 보인다(화살표). 흉막에 기저부를 둔 쐐기모양의 증가된 음영은 폐경색에 의한 소견이다. **B.** CT에서 중앙부위는 간유리음영으로 주변부위는 폐경화로 보이며 이를 '역달무리징후(reversed halo sign)'이라 한다. 급성폐색전증에서 폐경색은 주로 중심부 폐동맥보다는 말 폐동맥의 완전한 폐쇄에 의해 발생한다.

다. 우심실 부전은 심장초음파로 진단할 수 있지만 폐혈관조영CT로써 우심실부전의 형태학적인 특징을 정량화 할 수 있다. 우심실 부전의 CT 소견은 표 19-2와 같다[7, 8].

폐색전증의 대부분이 심부정맥의 혈전에 의하여 발생하므로 폐색전증의 정확한 진단과 치료를 위해서는 심부정맥의 평가가 필요하다. 폐색전증의 진단을 위하여 CT촬영 후 추가조영제의 주입없이 하지에 대해 CT를 시행하면 심부정맥의 혈전 유무를 동시에 진단할 수 있다. 이런 방법을 간접 CT 정맥조영술(indirect CT venography)이라 한다. 최근 심부정맥혈전을 진단하는데 민감도와 특이도는 각각 93~97%, 97~100%로 보고되어, 기존의 진단용 검사인 하지정맥 도플러 초음파 검사와 동등한 진단적 정확도를 보인다고 할 수 있다.

3) 흉부X선사진

급성폐색전증의 진단에서 흉부X선사진은 급성호흡곤란의 원인이 될 수 있는 기흉, 만성호흡질환의 악화, 대동맥 박리 등의 기타 원인을 배제하는 데에 가장 큰 의의가 있다고 할 수 있다. 급성폐색전증 환자의 흉부X선사진 소견은 정상 소견에서부터 흉막 삼출, 폐실질 이상소견 등 다양하다. 폐경화는 주로 출혈 및 폐경색에 의해 나타난다. 폐경색이 발생한 경우 폐의 주변부 흉막하 부위에 쐐기모양의 폐경화가 나타나며 이를 햄톤혹(Hampton's hump)라고 부른다(그림 19-4). 흉막 삼출은 단독으로 나타날 수 있고 폐경색이 발생한 경우 더욱 현저히 나타난다.

4) 방사성동위원소 주사

폐색전증 진단을 위해서는 동위 원소 검사에는 환기주사(ventilation scan)와 관류주사(perfusion scan)를 동시에 시행한다. 관류주사는 99mTc-MAA(Technetium macroggregated human serum albumin)를 주로 사용하며 환기주사에는 133Xe(xenon gas)를 사용한다. 관류주사에서 음영 결손을 보이고 환기주사에서 정상일 때 폐동맥 색전증이라 진단할 수 있다(그림 19-5). 관류주사, 환기주사 모두에서 음영 결손이 관찰되면 폐동맥색전증을 제외한 폐기종 등 다른 질환을 생각해야 한다.

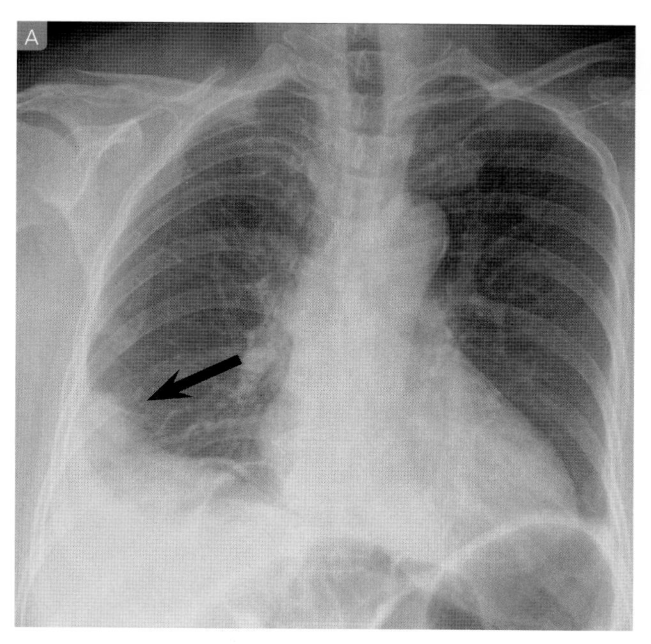
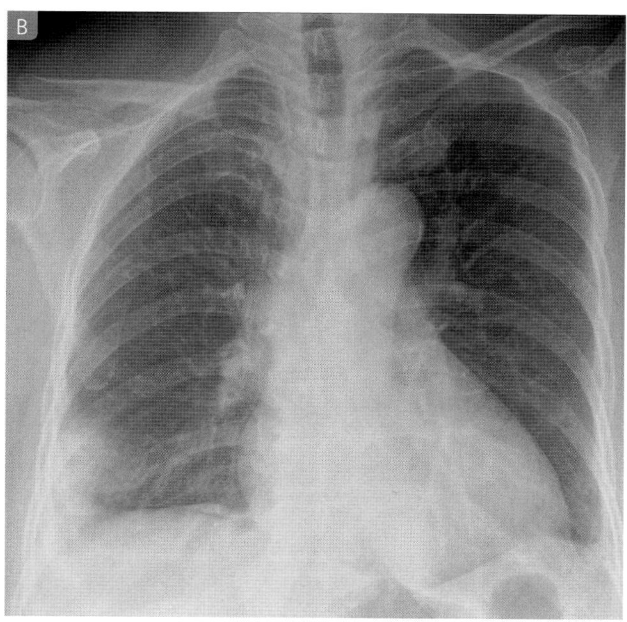

■ 그림 19-4. **폐경색을 동반한 급성폐색전증**

A. 우측에 늑골횡격막각의 둔화는 흉막 삼출에 의한 것이다. 우측 폐 하부에 흉막에 기저부를 둔 쐐기모양의 증가된 음영(Hampton's hump)(화살표)은 폐경색에 의한 소견이다.

B. 3일 후 촬영한 사진에서 흉막 삼출은 양이 감소하였고 폐경색에 의한 쐐기모양의 증가된 음영도 크기가 약간 감소되었다.

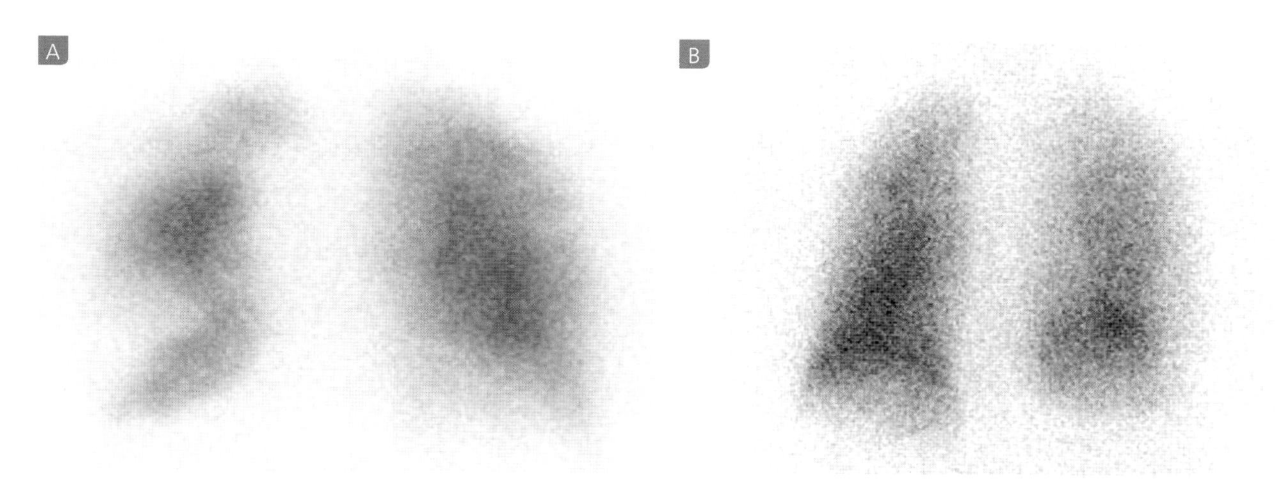

■ 그림 19-5. **급성폐색전증의 방사선동위원소 검사**

A. 관류 주사에서 양측 폐에 다발성의 관류 결손이 보이며, **B.** 환기주사에서는 정상이다. 관류 주사에서는 관류 결손이 보이고 환기 주사에서는 정상소견인 경우 폐동맥색전증이라 진단할 수 있다.

5) 폐혈관조영술

다중검출기 CT가 보급되기 전인 2000년대 초반까지도 폐혈관조영술이 폐동맥 색전증의 확진을 위한 최적표준(gold standard) 검사이었다. 그러나 다중검출기 CT의 보급 이후 말초 폐혈관의 폐색전증 진단능이 CT에서 오히려 우수함이 알려졌다. 또한 전반적인 진단능에 있어서도 폐혈관조영술과 CT에 차이가 없음이 알려져 현재는 폐색전증 진단 목적의 폐혈관조영술을 시행하는 경우는 매우 드물다. 폐혈관조영술은 침습적 검사 방법으로 심천공, 심손상, 부정맥, 심정지, 사망, 조영제 과민 반응 등의 합병증을 초래할 수 있다.

2. 만성 폐색전증

1) 임상 소견

급성폐색전증 환자의 1-5%가 만성폐색전증(chronic pulmonary embolism)으로 진행한다. 대개 폐동맥고혈압을 동반하여 만성폐색전성고혈압(chronic thromboembolic pulmonary hypertension, CTEPH) 으로 불린다. 폐동맥고혈압으로 진행하는 경우 임상적으로 대개 수년간의 무증상기간을 거쳐 재발성 혹은 진행성 호흡곤란, 만성 기침, 비특이적 흉통, 빈맥, 실신 등의 증상을 유발하게 된다.

2) 영상 소견

만성폐색전증에서는 급성폐색전증과 달리 CT에서 혈관벽에 붙어 있는 납작한 형태의 폐동맥내 충만결손이 특징이다. 급성폐색전증에서의 폐동맥내 색전은 치료를 하지 않았거나 항응고제 치료로도 완전히 소실되지 않은 경우 만성으로 진행하게 되는데 시간이 지나면서 색전은 기질섬유화(organization) 및 재개통화(recanalization)를 거쳐 혈관벽에 붙어 있는 납작한 형태를 띠게 된다. 폐동맥 내경은 대개 정상보다 감소하며 내경의 감소는 폐색전이 있던 혈관에서 더욱 현저하다(그림 19-6). 만성폐색전증의 영상소견은 표 19-3과 같다.

폐동맥고혈압으로 진행한 경우 중심부 폐동맥 확대, 우심방, 우심실 확대 소견을 동반할 수 있다. 폐실질의 변화로는 모자이크 모양 폐실질 저음영(mosaic pattern of low attenuation)이 대표적이다(그림 19-7). 모자이크 저음영의 기전은 확실히 밝혀지진 않았지만 혈관자체의 국소적 저관류(oligemia) 및 저관류에 의한 이차적 현상인 기관지 협착이 원인으로 추정되고 있다.

표 19-3. 만성폐색전증의 CT 소견

혈관 변화	폐동맥벽과 둔각을 이루며 혈관벽에 붙어있는 납작한 충만결손 (Eccentric flattened defect with obtuse angle relative to the vessel wall) 폐동맥벽의 울퉁불퉁한 모양(Irregular or nodular arterial wall) 폐동맥 내경 감소(Narrowing of the vessel diameter) 엽상폐동맥, 분절폐동맥의 급격한 내경 감소 (Abrupt cut-off of distal lobar or segmental artery) 중심부 폐동맥 확대, 우심방, 우심실 확대
폐실질 변화	모자이크 모양 폐실질 저음영(Mosaic pattern of low attenuation)

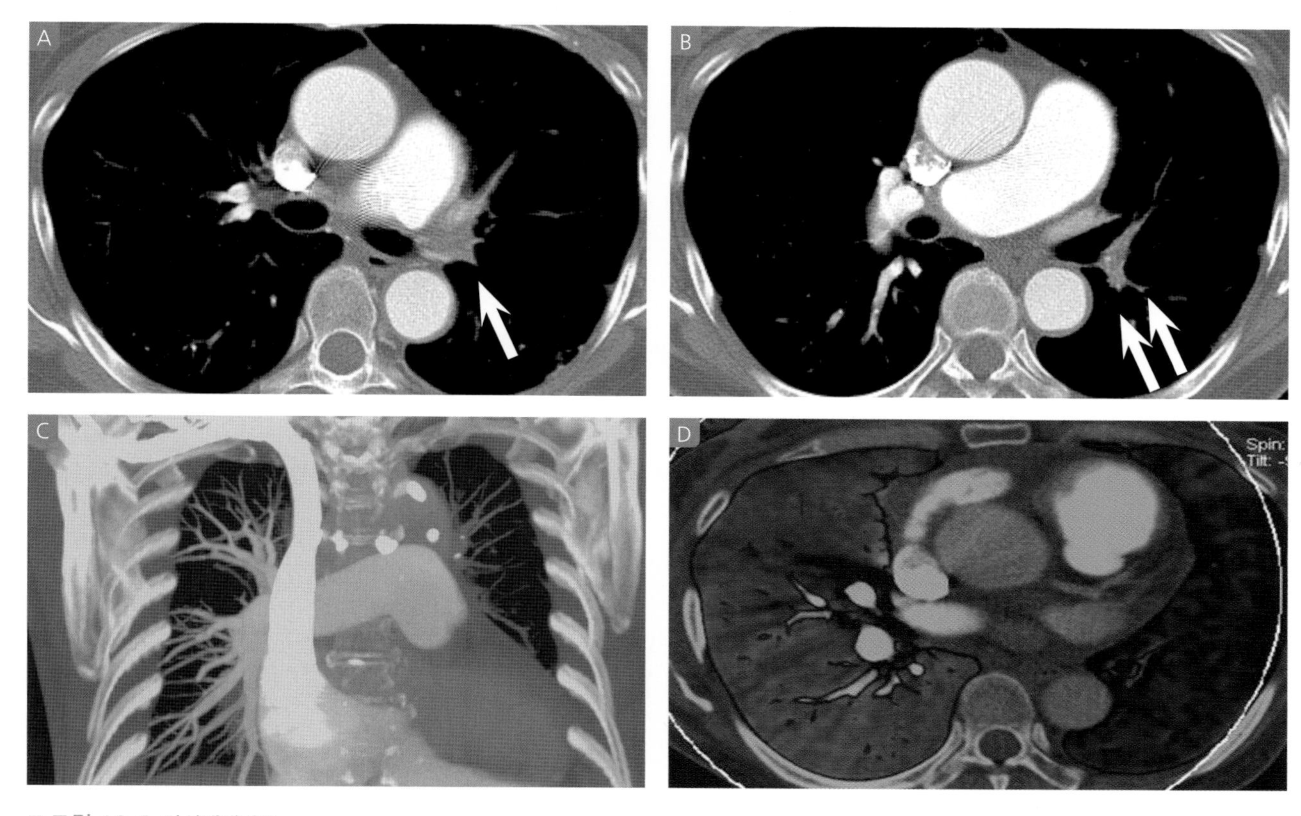

■ 그림 19-6. **만성폐색전증**

A. 좌측 주폐동맥(화살표)과 좌측 하행폐동맥(이중화살표)에 색전에 의한 충만결손이 보이고 이들 폐동맥들의 내경이 정상보다 현저히 감소되어 있다. **B.** 좌측 하행폐동맥의 경우 우측 하행폐동맥과 내경을 비교해 보면 내경 감소를 쉽게 알아 볼 수 있다. **C.** 관상면으로 재구성한 사진에서 좌측폐의 혈관이 우측폐에 비해 현저히 가늘어져 있음을 볼 수 있다. **D.** 이중 에너지 기법으로 촬영한 CT에서 폐의 혈류 분포를 보여주는 폐혈류 분포 영상에서 좌측폐가 전체적으로 어둡게 보여 폐혈류의 감소를 의미한다.

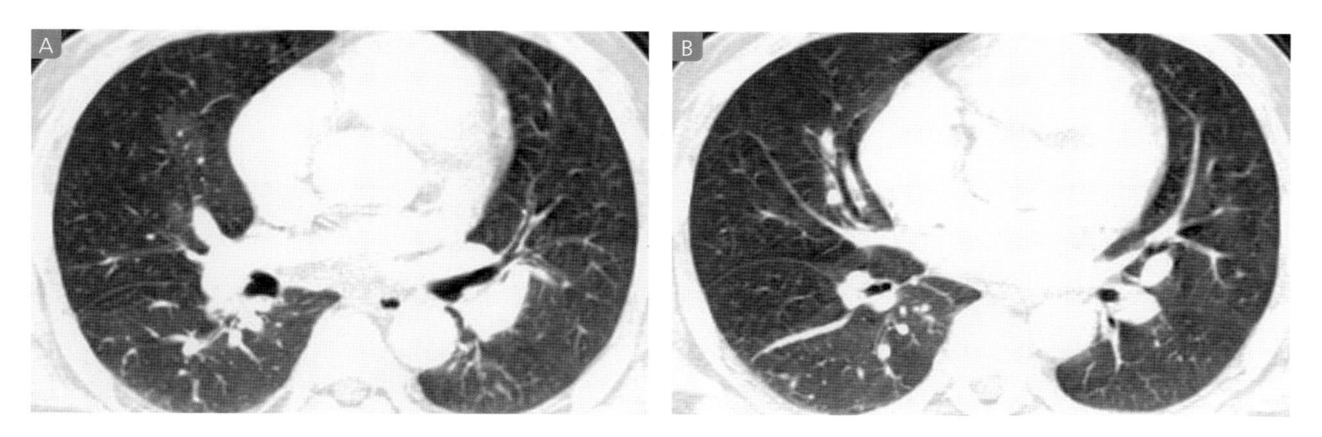

■ 그림 19-7. **만성폐색전증, 모자이크 모양 저음영**

양측 폐에 저음영을 보이는 폐실질과 정상음영의 폐실질이 혼재되어 보인다. 이러한 양상을 모자이크 모양 저음영(mosaic pattern of low attenuation)이라 한다. 저음영을 보이는 폐실질 내부의 혈관 내경이 정상음영으로 보이는 폐실질 내부의 혈관 내경보다 감소되어 보인다. 이는 만성폐색전증에 의한 저관류(oligemia)와 저관류에 의해 유발되는 기관지 수축에 의한 공기가둠(air-trapping) 현상에 의할 것으로 추정되고 있다.

3. 비혈전성 폐색전증

혈전에 의한 폐색전증 이외에도 다양한 물질이 폐동맥을 침범하여 폐색전증을 유발할 수 있고 대표적으로 지방색전증(fat embolism), 양수색전증(amniotic fluid embolism), 종양색전증(tumor embolism), 공기색전증(air embolism)을 들 수 있다.

지방색전증(fat embolism)은 대개 외상, 경골이나 대퇴골 골절, 정형외과 수술, 지방제거 수술 후에 발생한다. 혈관내로 흘러 들어간 지방 방울(fat globule)이 지방산(free fatty acid)으로 분해되는 데 걸리는 12-36시간 동안 증상이 없는 잠복기를 거쳐 호흡곤란(dyspnea), 신경학적 증상(neurologic symptoms), 발열(fever), 피부의 점상 출혈(petechial rash)로 발병한다. CT에서 미만성 혹은 반점상의 간유리음영(ground glass opacity) 및 혼재된 폐경화(consolidation)를 보인다(그림 19-8).

종양색전증(tumor embolism)은 악성 종양의 폐전이의 한 형태로 볼 수 있으며 종양이 폐혈관내에서 증식하여 폐혈관내에 종양에 의한 색전으로 발전하게 된다(그림 19-9).

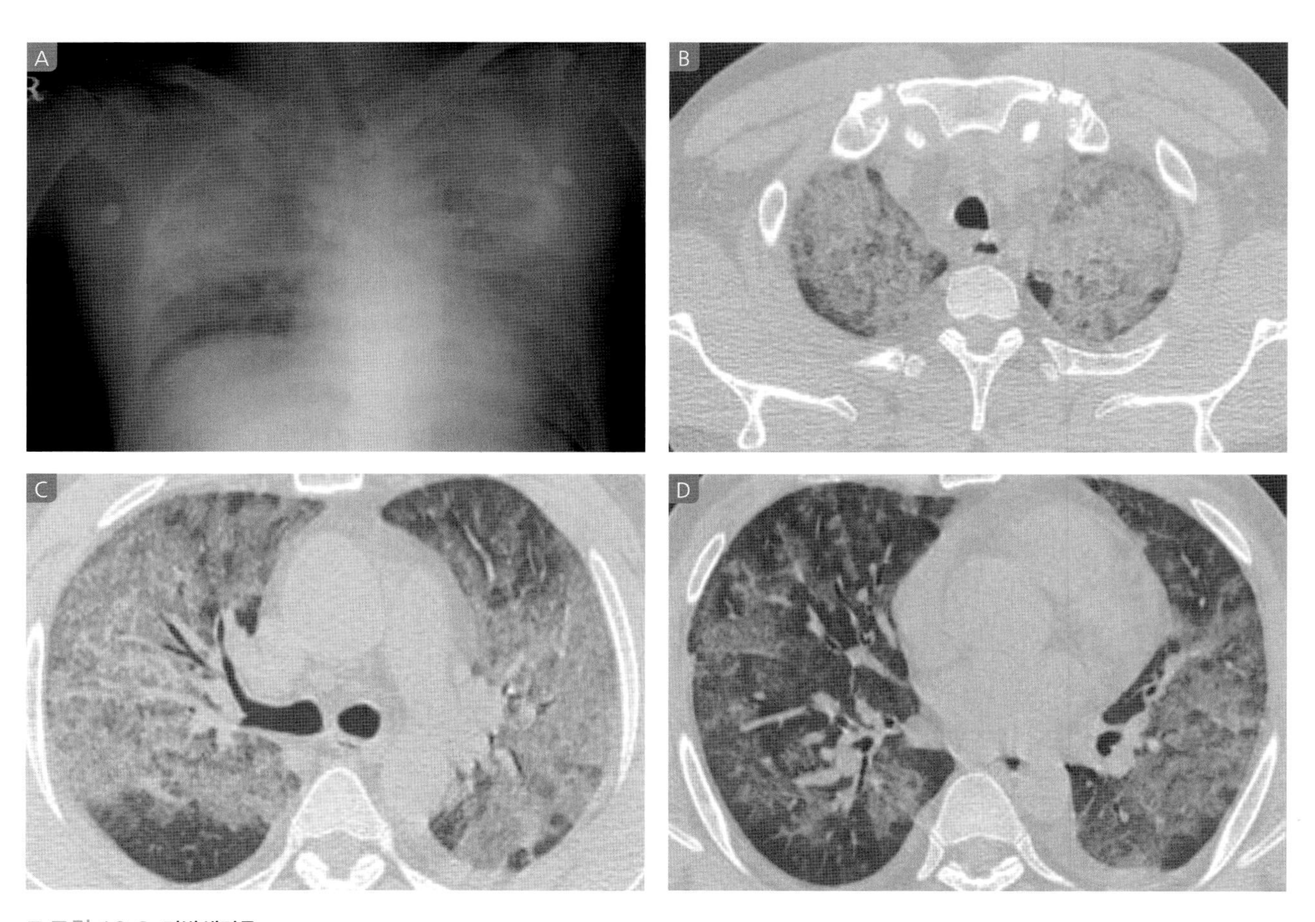

■ 그림 19-8. **지방색전증**

A. 교통사고 후 이틀 만에 호흡곤란으로 응급실에서 내원하여 시행한 흉부X선사진에서 양측 폐야에 전반적인 폐경화가 보인다. **B-D.** CT에서 양측 폐 전체에 미만성의 폐경화가 보인다.

양수색전증(amniotic fluid embolism)은 쌍둥이 출산, 인공적 분만유도, 자궁파열, 전치태반, 임신성 고혈압에 병발하는 경우가 많으며 양수가 산모의 혈류로 흘러 들어가 혈관을 폐쇄시키거나 혈관내막에 손상을 일으켜 발병한다. 급작스러운 심장혈관계 이상징후, 청색증(cyanosis), 전반적 혈관응고장애(disseminated intravascular coagulopathy)를 유발할 수 있고 사망률이 13%에 이른다. CT에서 양측 폐의 폐경화(consolidation)를 보이는 경우가 가장 많고 이는 폐포성 폐부종과 유사하므로 감별이 필요한 경우가 많다.

공기색전증(air embolism)은 공기가 체정맥을 통해 들어가거나, 폐정맥으로 들어가는 경우에 발생한다. 비혈전성 폐색전증의 CT 소견은 표 19-4과 같다.

4. 폐동맥CT조영술에서 폐색전증의 진단에 유의할 사항

폐동맥 CT조영술에서 폐색전증으로 잘못 진단될 가능성이 있는 인공물이나 해부학적 구조물들이 있어서 주의해야 한

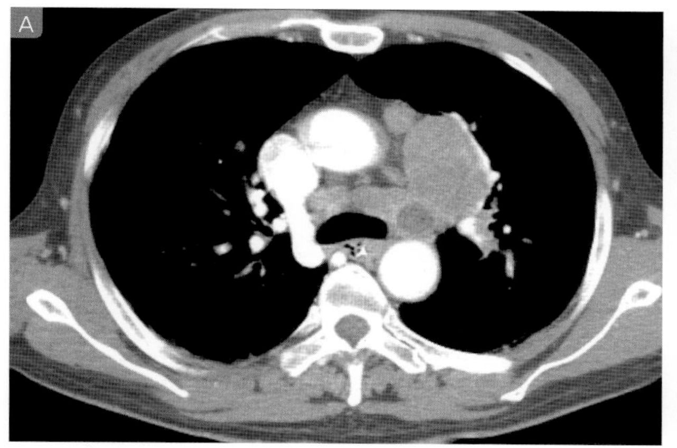

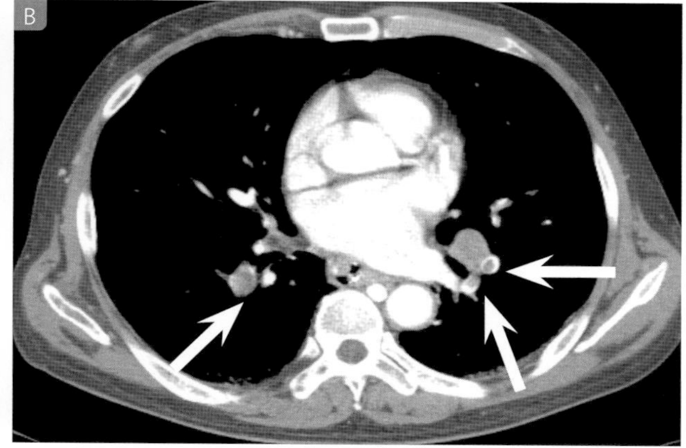

■ 그림 19-9. **종양색전증**
종격동에 다발성의 전이성 림프절 확대가 보이며, 양측 폐의 분절성 폐동맥 내부에 종양색전증으로 생각되는 다발성의 저음영 충만결손이 보인다(화살표). 이는 간세포암의 전이에 의한 것이다.

표 19-4. **비혈전성 폐색전증의 CT 소견**

지방색전증	미만성 혹은 반점상의 간유리음영(Diffuse or patchy ground glass opacity) 간유리음영(Diffuse ground-glass opacity) 혼재된 폐경화(Consolidation)
양수색전증	양측 폐의 폐경화(Bilateral consolidation)
종양색전증	폐동맥 충만결손(Pulmonary arterial filling defect) 울퉁불퉁한 모양의 말 폐동맥 내경증가(Nodular or beaded thickening of peripheral pulmonary arteries) 소엽중심성 결절, 나뭇가지에서 싹이 나는 모양(Centrilobular nodule, tree-in-bud pattern)
공기색전증	정맥성: 체정맥 및 폐동맥 내강의 공기음영 전신성: 폐정맥, 좌심방, 좌심실 및 뇌동맥을 비롯한 체동맥 내강의 공기음영

다. 환자측면에서는 호흡인공물(respiratory motion artifact), 영상노이즈, 폐혈관카테터, 유속인공물(flow-related artifact)이 있고 기술적인 측면에서는 영상창조절(window setting), 줄모양인공물(streak artifact), 폐알고리듬 인공물(lung algorithm artifact), 부분용적 인공물(partial volume artifact), 계단모양 인공물(stair step artifact)이 있다. 또한 혈관과 인접한 임파선으로 인한 부분용적인공물, 혈관의 분기점, 정맥의 불충분 조영증강 등을 폐색전증으로 오인하지 않아야 한다. 간혹 폐엽절제후 폐동맥의 절단부위에서 폐색전을 볼 수 있는데 이는 Virchow가 혈전형성의 원인인자로 제안한 혈관의 상처, 혈류의 방해, 응고항진이 모두 조합된 결과이다[9].

II 폐동맥 고혈압

폐동맥고혈압은 평균폐동맥압(mean pulmonary arterial pressure)이 휴식기에 25 mmHg가 넘거나 운동 시에 30 mmHg가 넘는 상태로 정의할 수 있다[10, 11]. 과거에 폐동맥고혈압은 특발성 폐동맥고혈압(idiopathic pulmonary arterial hypertension, formerly primary pulmonary hypertension)과 동의어로 생각되었고 치료가 불가능하며 예후가 매우 나쁜 질병으로 생각되어 왔다. 그러나 폐동맥고혈압의 다양한 원인이 알려졌고 원인에 따라 다양한 병태생리가 연구되었다. 수술로 교정되는 경우도 있으며 이후 내과적인 방법으로 치료되는 경우도 있고 원인에 따라 치료방법 및 예후가 각각 다를 수 있다.

흉부X선소견은 중심폐혈관의 확대와 원위부 폐혈관의 급격한 크기 감소이다(그림 19-10). 가장 중요한 것은 중심과 원위부 폐혈관의 상대적 크기의 불균형이다. 중심 폐동맥의 확장은 고혈압 정도와 비례하지 않으며 심한 폐동맥고혈압이 있어도 흉부 사진에서 정상으로 보일 수 있다. 심장가슴비(cardiothoracic ratio)로 측정되는 심장의 크기는 정상이거

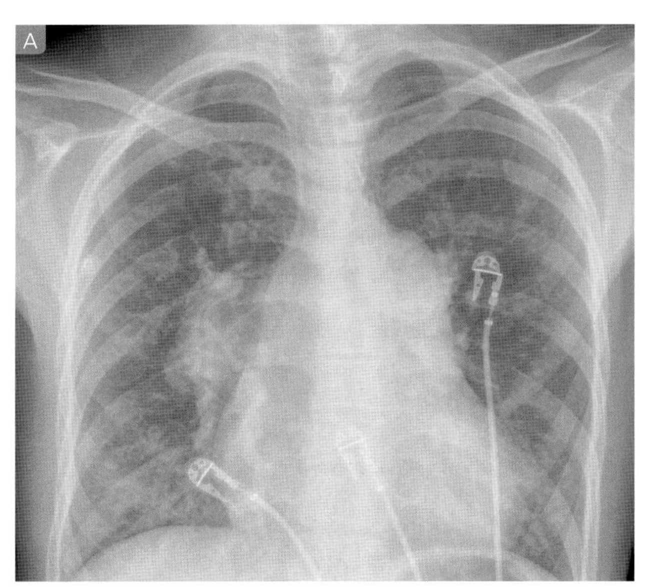

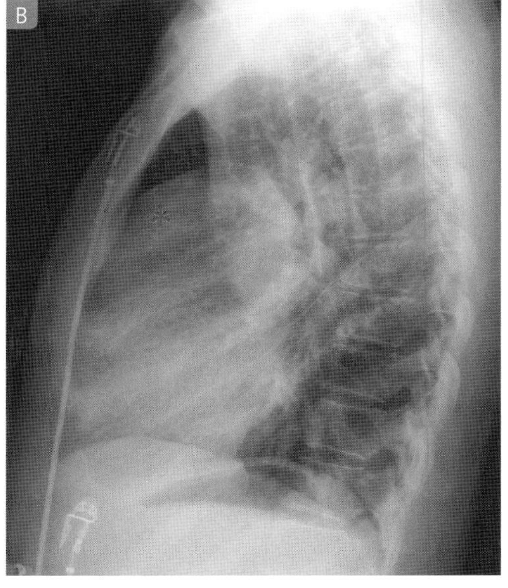

■ 그림 19-10. **폐동맥고혈압**
A. 중심폐혈관의 확대와 상대적으로 원위부 폐혈관 크기의 감소가 뚜렷하며, 심장이 커져있다. **B.** 흉골 뒤쪽공간(별표)이 정상인에 비해 좁아져 있고 이는 우심실 확장을 의미한다.

나 커질 수 있다. 우심방과 우심실의 확대에 의하여 흉부후전사진에서 심장 우측연이 튀어나와 보일 수 있고 흉부측면 촬영에서 흉골 뒤 공간이 좁게 보일 수 있다(표 19-5).

흉부CT에서는 주폐동맥의 확장이 가장 중요한 소견이다(표 19-6)[12]. CT에서 우폐동맥이 분지하는 부위에서 상행대동맥과 인접한 주폐동맥 직경을 측정하였을 때 29 mm 를 넘는 것을 폐동맥 고혈압 진단기준으로 하였을 경우 69-87%의 민감도와 89-100%의 특이도를 보이는 것으로 알려졌다. 폐동맥 고혈압은 주폐동맥의 직경이 29 mm 이상이고 폐혈관의 분절성 폐혈관 대 분절성 폐기관지의 비가 4개의 대엽중 3개 이상에서 1:1 이상일 경우(특이도 100%)에 진단할 수 있다. 좀 더 간단한 방법으로 50세 이하에서 동일한 CT 부위에서 폐동맥과 대동맥의 직경을 측정하여 폐동맥 직경이 대동맥보다 큰 경우를 폐동맥고혈압으로 진단할 수 있으며 90%이상의 특이도와 95%이상의 양성예측도가 보고되었다(그림 19-11)[13, 14].

그러나 대동맥의 직경은 노령에서는 증가하므로 이러한 기준은 노령 환자에서는 대동맥의 확장정도를 고려하여 진

표 19-5. **폐동맥고혈압의 흉부X선 소견**

중심폐혈관의 확대(Central pulmonary arterial dilatation)
원위부 폐혈관의 급격한 크기 감소(Attenuation of peripheral pulmonary vessels (peripheral pruning))
정상이거나 확장된 심장크기(Heart size: normal or enlargement)
우심실 확장: 흉부측면사진에서 흉골 뒤 공간의 감소(Dilatation of right ventricle: reduction of retrosternal space on lateral radiograph)
우심방 확장: 흉부후전사진에서 심장 우측연 돌출(Dilatation of right atrium: widening of right heart border on chest PA)

표 19-6. **폐동맥고혈압의 CT 소견**

주폐동맥의 내경 증가(> 29 mm) (Dilatation of main pulmonary artery)
상행대동맥 직경보다 큰 주폐동맥 직경(Larger main pulmonary artery than ascending aorta)
우심방 확장(Dilatation of right atrium)
우심실 확장(Dilatation of right ventricle)
폐 주변부 혈관 직경 감소(Decreased diameter of peripheral pulmonary arteries)

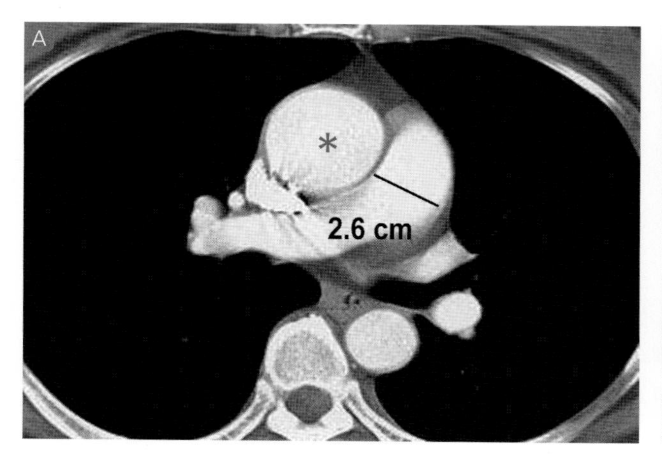

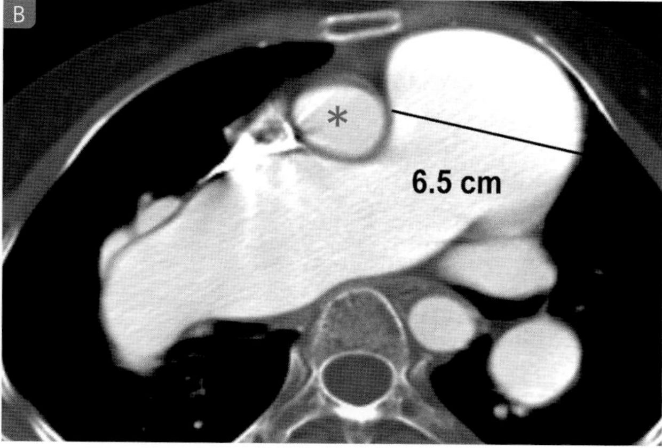

■ 그림 19-11. **정상인과 폐동맥고혈압**

A. 정상인에서 주폐동맥의 내경이 2.6 cm으로 측정되며 인접한 상행대동맥(별표)보다 내경이 작음을 알 수 있다. **B.** 폐동맥고혈압 환자에서 주폐동맥의 내경이 6.5 cm으로 측정되며 인접한 상행대동맥(별표)보다 내경이 현저히 커져 있음을 알 수 있다.

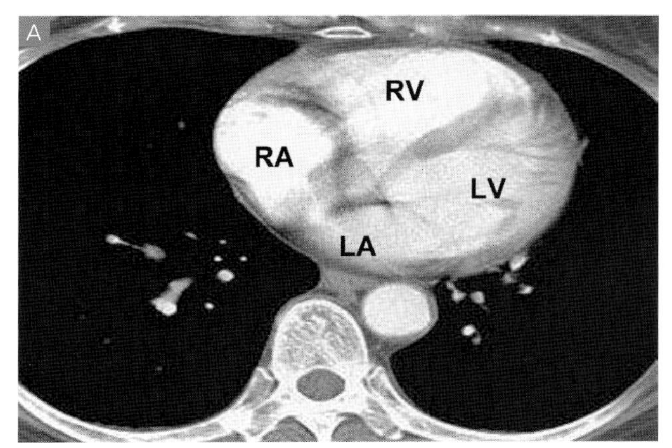

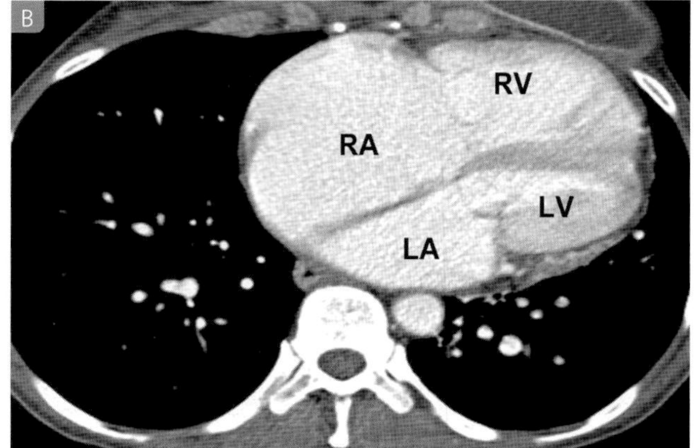

■ 그림 19-12. **정상인과 폐동맥고혈압 환자의 심장의 변화**
정상인의 심장(A)과 비교하여 폐동맥고혈압(B)에서는 우심방과 우심실의 상대적 확장을 보인다.

표 19-7. **폐동맥고혈압의 원인별 분류**

전모세혈관 폐동맥고혈압(Precapillary pulmonary arterial hypertension) 소혈관 질환(Small vessel disease) 폐동맥 폐쇄, 협착(Pulmonary arterial obstruction and stenosis) 혈류 증가(Increased blood flow)
후모세혈관 폐동맥고혈압(Postcapillary pulmonary arterial hypertension) 폐정맥폐쇄병(Pulmonary veno-occlusive disease) 좌심방 압력증가(Raised left atrial pressure)

단하여야 한다. CT의 재구성 기법으로 심장의 장축(long axis), 단축(short axis) 면을 얻었을 때 우심방의 횡경 35 mm, 우심실 횡경 45 mm가 정상의 기준치이며 폐동맥고혈압 환자에서는 우심방과 우심실이 정상치보다 커질 수 있다(그림 19-12).

폐동맥 고혈압의 분류법으로는 원인별 분류와 임상양상에 따른 분류가 있다. 이 책에서는 원인별 분류법에 따라 기술하고자 한다(표 19-7).

1. 전모세혈관 폐동맥고혈압

1) 소혈관 질환에 의한 폐동맥고혈압

특발성 폐동맥고혈압(idiopathic pulmonary arterial hypertension), 간경화 환자에서 보이는 간폐증후군(hepatopulmonary syndrome)과 문맥폐고혈압(portopulmonary hypertension)이 대표적이다. 특발성 폐동맥고혈압은 임상적으로 확인되는 원인이 없는 폐동맥고혈압을 의미한다. 20-45세의 여자에서 주로 보이며 얼기형성폐동맥병증(plexogenic arteriopathy)이 주된 병리소견(75%)이다[15]. CT에서 주폐동맥의 확장과 폐주변부의 구불구불한 작은 혈관들을 볼 수 있으며 심한 경우 우심방, 우심실의 확장과 심막삼출을 동반한다. 폐실질에서는 폐문주변주 또는 폐주변부에 모자이크음영을 보이

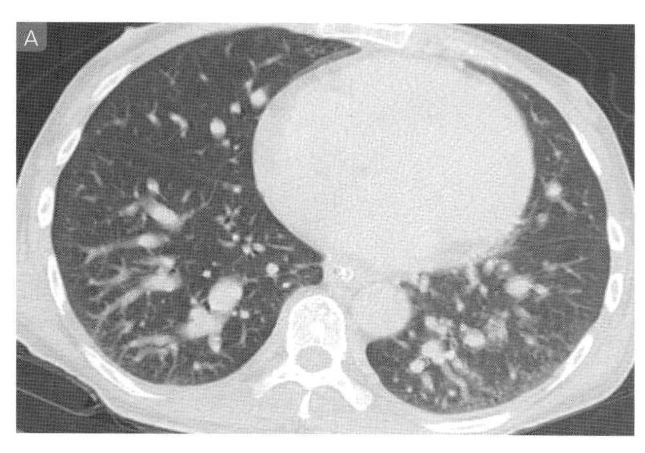

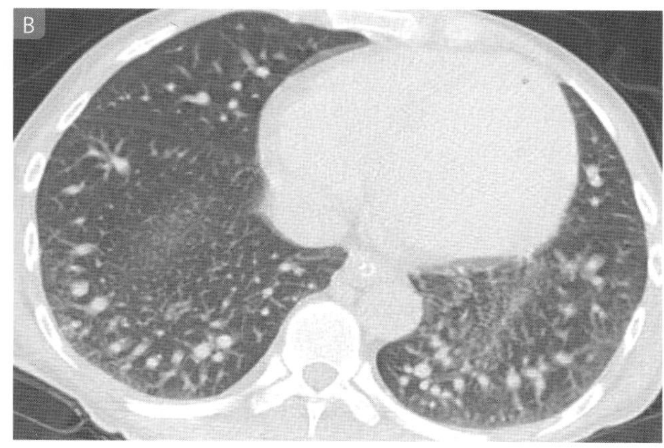

■ 그림 19-13. **간폐증후군**
간경변이 동반된 환자에서 양 폐의 하부에 소폐동맥의 직경이 증가되어 있으며(A) 폐의 주변부까지 폐혈관이 저명하게 보인다(B) .

는데 이는 분절성 폐음영을 주로 보이는 만성폐색전증에 의한 폐동맥고혈압과 감별점이다(16).

간폐증후근은 간경변환자의 15-20%에서 볼 수 있으며 폐포-동맥간 산소분압차의 증가와 소폐동맥과 모세혈관의 확장이 특징이다(그림 19-13).

2) 폐동맥 폐쇄에 의한 폐동맥고혈압

만성폐색전증, 폐동맥육종, 타카야수 동맥염, 섬유화성 종격동염 등이 중요한 원인이다. 만성폐색전증에 의한 폐동맥고혈압(chronic thromboembolic pulmonary hypertension, CTEPH)의 경우, CT에서 폐색전물이 폐동맥 내에서 편심성 충만결손으로 보이며 폐동맥 직경의 감소를 보인다. 폐실질에서는 분절성 폐혈관의 감소와 동반한 모자이크 모양의 저음영(mosaic pattern low attenuation)이 보일 수 있다(그림 19-14). 만성폐색전증에 의한 폐동맥고혈압(73%)에서는 기관지

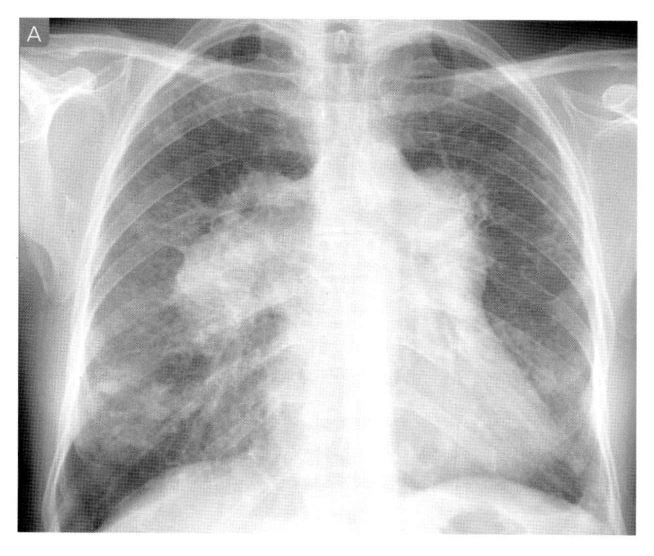

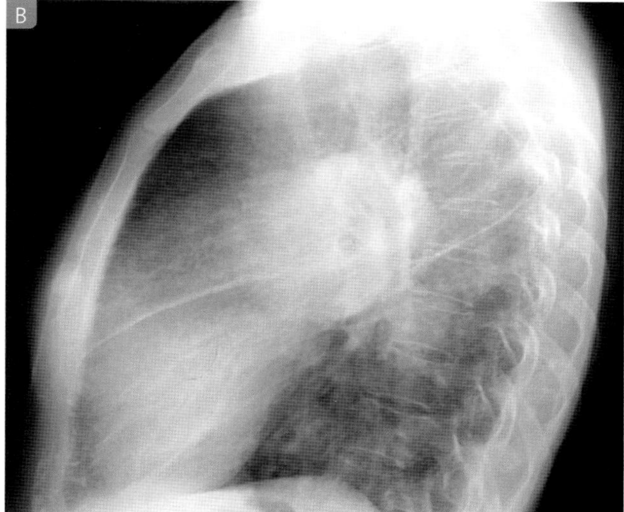

■ 그림 19-14. 폐정맥폐색성 질환에 의한 폐동맥고혈압

동맥과 체혈관동맥의 확장이 잘 동반되며 이는 특발성 폐동맥고혈압(14%)에서는 드물다[17].

3) 증가된 폐혈류에 의한 폐동맥고혈압

심방중격결손증(ASD), 심실중격결손증(VSD), 동맥관개존증(PDA), 대동맥폐동맥중격결손, 부분적 폐정맥환류이상(PAPVR)과 같은 선천성 심질환에 의한 좌우단락과 갑상선중독증, 만성신부전과 같은 혈액량이 증가된 상태가 원인이다.

2. 후모세혈관 폐동맥고혈압

1) 폐정맥폐색성 질환

폐정맥에 혈전이 형성되고 혈관내막 섬유화가 생겨 폐정맥과 소정맥이 점차적으로 감소되는 질환이다. CT에서 폐동맥고혈압과 폐부종의 소견이 같이 존재한다는 점이 특징이다. 폐동맥고혈압의 소견인 확대된 주폐동맥을 볼 수 있고, 폐부종의 소견인 평활한 소엽간중격 비후, 미만성 다발성 간유리혼탁, 흉막삼출을 볼 수 있다. 일반적인 폐정맥압 상승에 의한 폐부종과는 달리 정상 직경의 폐정맥 소견을 보인다(그림 19-15). 폐포성 부종과 간질성 부종이 모두 보일 수 있다. 좌심방은 커지지 않아 승모판 질환(mitral valve disease) 및 좌심방 점액종(myxoma)과의 중요한 감별점이 된다[18-20].

2) 좌심방압 상승에 의한 폐동맥고혈압

좌심실 심근이상, 승모판질환, 좌심방 점액종, 좌심방 혈전 등이 원인이다. 폐정맥폐색성 질환과는 달리 폐정맥과 좌심방의 확장을 볼 수 있다.

표 19-8. 정수압성 폐부종의 고해상CT 소견

간질성 폐부종	기관지혈관속 간질 비후, 기관지주위 띠(커프) (Peribronchovascular interstitial thickening, peribronchial cuffing) 소엽간 중격 비후(Interlobular septal thickening) 간유리음영(Ground-glass opacity)
폐포성 폐부종	폐경화(Consolidation) 경계가 불분명한 결절성 폐침윤(Ill-defined nodular infiltration) 공기기관지음영상(Air-bronchogram) 박쥐날개모양 폐경결(Bat's wing pattern consolidation)
공통 소견	폐정맥 및 폐동맥 확장(Increased vascular diameter) 흉막삼출(Pleural effusion)

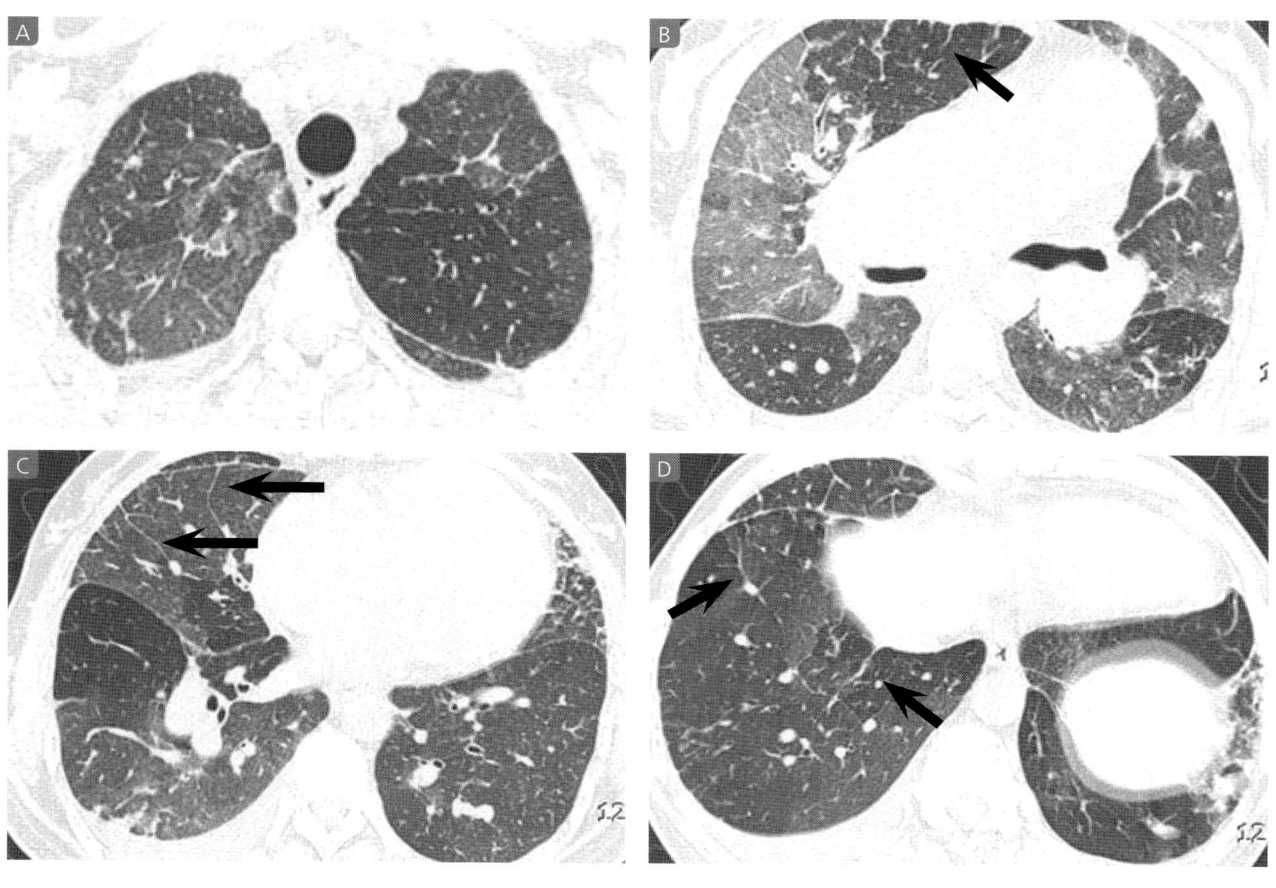

■ 그림 19-15. **폐정맥폐색성 질환에 의한 폐동맥고혈압**
A-D. 고해상CT에서 양측폐에 반점상의 다발성 간유리음영이 보이며 소엽간중격 비후(화살표)가 동반되어 있다. 이러한 간유리음영과 소엽간중격 비후는 간질성 폐부종의 전형적 소견이며 폐동맥의 확장과 이러한 폐부종의 소견이 동반되는 것이 폐정맥폐색성 질환의 특징이다.

III 폐부종

폐부종은 혈관 밖의 폐조직에 비정상적으로 액체가 고이는 것이며, 기전에 따라 정수압성 폐부종(hydrostatic pulmonary edema), 투과성 폐부종(permeability edema), 또는 복합성 폐부종으로 분류될 수 있다. 폐부종은 누출액(transudate)형과 삼출액(exudate)형으로 분류될 수도 있다[21].

투출액형은 증가된 모세혈관 정수압이나 삼투압의 감소에 의해 일어난다. 모세혈관막은 정상이며 단백질에 대한 모세혈관막의 선택적 투과성도 유지되어 있다. 이는 흔히 정수압성 폐부종으로 불린다. 삼출액형은 모세혈관 내피세포 손상으로 단백질 투과율이 증가되며 부종액 내의 높은 단백질 농도가 특징이다.

1. 정수압성 폐부종

1) 병태생리학

혈관바깥 공간(extravascular space)의 수분 저류를 막기 위한 여러 가지 안전 장치들이 있는데 그 중 가장 중요하고도 제일 먼저 작동하는 것이 림프계(lymphatic system) 이다. 수분의 여과되는 양이 림프계(lymphatic system)를 통해 제거되는 양보다 많아지면 남은 수분은 우선 폐간질에 축적되어 폐부종의 양상이 나타나기 시작한다. 폐부종에서 최초의 수분이 저류 되는 곳은 기관지혈관속 주위 간질조직(peribronchovascular interstitium)으로 이 부위는 폐포내 보다 압력이 낮으므로 폐포보다 먼저 수분의 저류가 생긴다.

폐포 상피는 비교적 물에 대한 투과성이 낮으므로 간질압이 과도하게 높아지거나 상피세포 장벽이 파괴 되어야만 폐포성 폐부종이 형성된다. 폐부종의 회복은 나중에 생긴 것부터 좋아지므로 우선 폐포성 폐부종이 호전되고 이어 간질성 폐부종이 호전된다.

2) 흉부X선 소견

(1) 폐정맥압의 증가

폐정맥압이 증가되면 가장 먼저 나타나는 소견은 혈관의 재분포(redistribution)이다. 정상인에서는 중력의 영향으로 폐하부의 혈관이 더 굵다. 혈관의 재분포는 서서 최대 흡기 후 얻은 흉부X선에서 잘 보이는데, 폐의 상부와 하부의 혈관의 굵기가 같아지거나 역전된다. 승모판협착, 만성 좌심실부전 등 만성적 폐정맥압 상승에서 잘 보이나 급성 심근경색과 같은 급성 압력 상승에서는 자주 관찰되지는 않는다[22].

(2) 혈관경폭의 확대

혈관경폭(vascular pedicle width, VPW)은 상대정맥(SVC)과 우측 주기관지(right main bronchus)가 교차하는 부위와 대동맥으로부터 좌쇄골하동맥이 기시하는 부위까지의 수평거리이다(그림 19-16). 정상인에서 혈관경폭의 평균값은 48

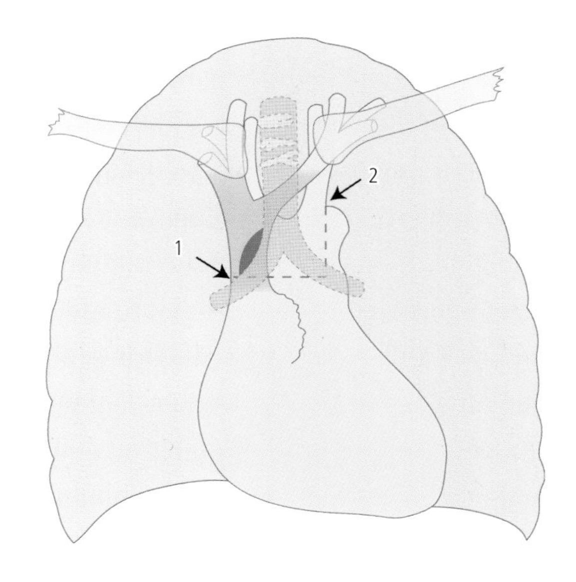

■ 그림 19-16. **혈관경폭 모식도**
(1) 상대정맥(SVC)과 우측 주기관지(right main bronchus)가 교차하는 부위
(2) 대동맥으로부터 좌쇄골하동맥이 기시하는 부위
(1)과 (2)를 지나는 수직선사이의 최소 거리가 혈관경폭(vascular pedicle width, VPW)이다.

mm 이고, 정상범위는 38-58 mm 이다. 혈관경폭은 앙와위에서 크게 증가하나(평균 17%). 전후와 후전 촬영 사이의 차이는 별로 없다. 혈관경폭과 전체 순환혈액량은 상관관계가 높고 심부전, 신부전, 수액과다 환자에서 혈관경폭이 증가한다[23].

3) 고해상CT 소견

간질성 및 폐포성 폐부종의 고해상CT 소견은 (표 19-8)에서 정리하였다.

(1) 간질성 폐부종의 고해상 CT소견

기관지혈관속 주변부의 간질조직(peribronchovascular interstitium)에 수분이 차면 이 부위가 두꺼워지면서 고해상CT에서 기관지혈관속 간질 비후(peribronchovascular interstitial thickening) 혹은 기관지주위 띠(커프)(peribronchial cuffing)가 보이게 된다(그림 19-17). 흉막하 간질조직(subpleural interstitium)에도 수분저류가 일어나 폐소엽간 중격 비후(interlobular septal thickening)가 보이게 된다(그림 19-18). 이러한 폐소엽간 중격 비후는 흉부X선에서 Kerley's B line과 동일한 병변이다. 폐소엽간 중격 비후는 폐부종의 진단에 매우 유용한 지표이다. 그러나 이 소견은 비특이적이어서 림프관성 폐전이(lymphangitic carcinomatosis), 사르코이드증(sarcoidosis) 등 폐의 간질을 따라 병변이 분포하는 다른 질환에서도 볼 수 있다[22].

정수압성 폐부종에서는 폐정맥압이 증가하므로 폐정맥 내경이 확장되는 것이 일반적이다. 신부전(renal failure)와 동반된 폐부종과 같이 전신의 혈액량이 증가하는 경우에는 폐동맥의 확장도 동반된다. 정수압성 폐부종에서는 양측성이며 대칭성의 흉막삼출이 동반되는 경우가 흔하다.

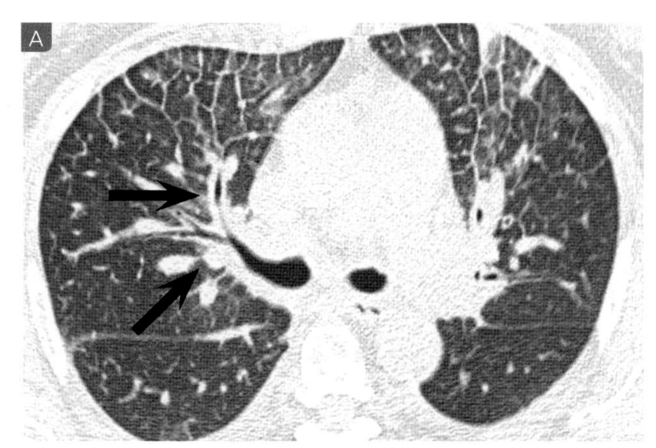

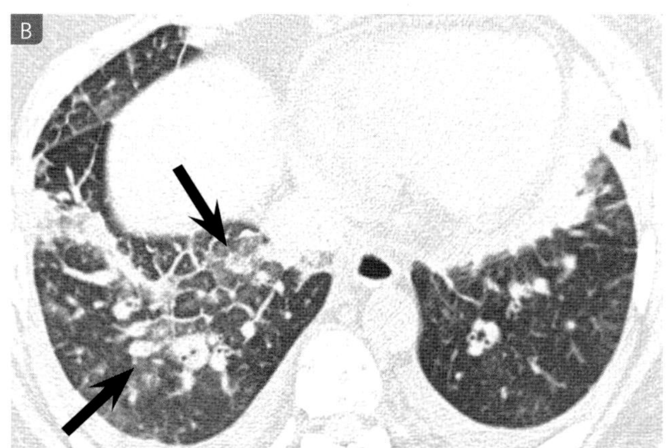

■ 그림 19-17. **간질성 폐부종 기관지 혈관속 비후와 간유리음영**

A. 우상엽 전분절 기관지벽과 후분절 기관지벽의 두께가 현저히 증가되어 있다(peribronchial cuffing, 화살표). 이러한 소견은 기관지를 둘러싸고 있는 기관지혈관주변 간질(peribronchovascular interstitium)에 수분이 저류되어 나타나며 정수압성 폐부종의 가장 초기 소견에 해당된다. **B.** 우하엽 폐실질에 간유리음영이 보인다(화살표). 이는 수분의 저류가 간질공간을 넘어 폐포의 일부까지 침범하였음을 의미하며 폐포성 폐부종이 시작되었음을 의미한다. A, B 사진 모두에서 평활하고 두께가 일정한 소엽간중격비후가 동반되어 있다.

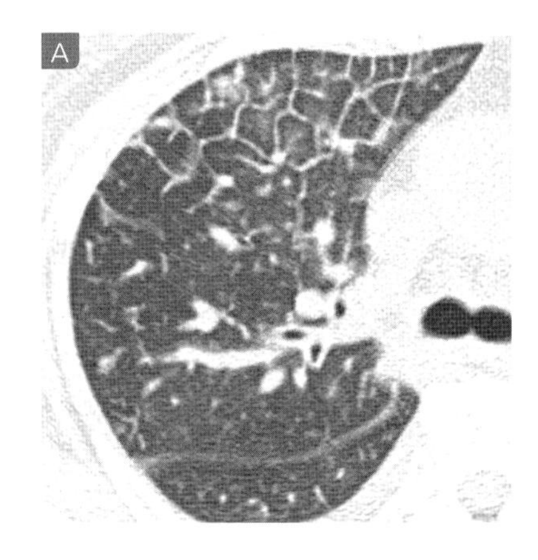

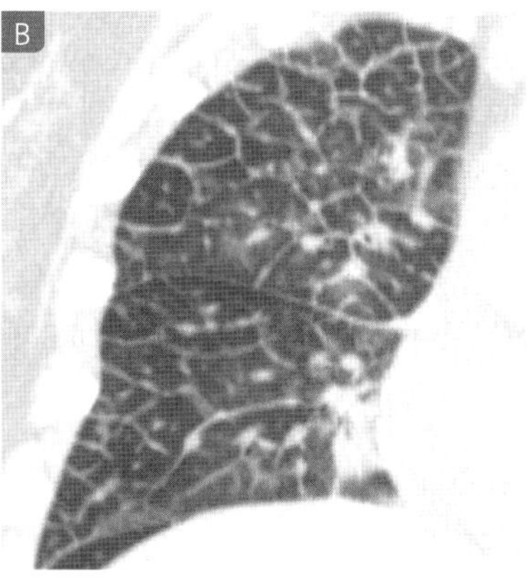

■ 그림 19-18. **간질성 폐부종, 소엽간중격비후**
그물모양의 선들이 보이며 이들은 이차폐소엽의 경계에 해당하는 소엽간 중격이 비후되었을 때 보이는 소견이다. 간질성 폐부종에서는 평활하고 두께가 일정한 소엽간 중격 비후를 보여 두께가 불균일한 소엽간 중격 비후를 보이는 림프관성폐전이와 구별될 수 있다.

(2) 폐포성 폐부종의 고해상CT 소견

폐부종이 진행하여 간질공간을 넘어 폐포에도 부분적으로 수분저류가 생기면 간유리음영(ground-glass opacity)이 고해상CT에서 보이기 시작하며, 폐포의 수분저류가 점점 진행하여 폐포공간이 수분으로 완전히 채워지면 폐경화(consolidation)가 보이고 이 시기부터는 폐포성 폐부종(alveolar pulmonary edema)이라고 부른다.

처음에는 폐경화가 5-10 mm 크기 정도의 경계가 불분명한 결절 형태로 보이며, 이들이 융합되어 가면서 넓은 범위의 폐경화를 형성한다. 폐부종에 의한 폐경결 내부에서 공기기관지음영상(air-bronchogram)을 흔히 볼 수 있다. 폐포성 폐부종에서 폐경결의 분포는 수분저류의 분포와 동일하다. 일반적으로 박쥐날개모양(bat's wing pattern), 천사 날개모양(angel's wing pattern), 나비모양(butterfly pattern)등으로 표현되는 양측 폐문주위에 현저한 폐경화가 나타나는 경우가 폐포성 폐부종의 일반적인 소견으로 알려져 있으나(그림 19-19), 실제로는 하부 폐야에 우세한 폐경화로 나타나는 경우가 좀 더 흔하다는 보고도 있다. 전형적인 박쥐날개모양의 폐경화는 흡기와 호기를 활발히 할 수 있는 환자에서 잘 나타나는데 이는 폐의 주변부 즉 흉막하 부위는 흡기와 호기 시 신장성(distensability)이 크고, 림프계에 의한 흡수가 중심부보다 더 왕성하여 수분저류가 폐문주위보다 덜 일어나기 때문이다. 그러나 흡기 및 호기 운동이 저하되어 있는 환자에서는 이러한 박쥐날개모양의 폐경화는 잘 보이지 않는다.

4) 편측성 정수압성 폐부종

같은쪽과 반대쪽에서 발생하는 폐부종의 원인으로 표 19-9에서 정리하였다.

2. 투과성 폐부종(급성호흡곤란증후군)

폐모세혈관 내피세포의 손상으로 내피세포 장벽이 파괴되고 단백질이 풍부한 액체가 간질 공간으로 빠져나가게 된다. 이러한 모세혈관 내피세포 손상 시에는 폐포 상피세포도 손상을 받아 조기에 액체가 폐포공간으로 빠져나가게 된다. 투과성 폐부종은 기관지벽 비후, 중격선, 흉막삼출을 거의 동반하지 않는다. 이는 중력이 부종의 분포에 영향을 주지 않음을 의미한다. 액체는 바로 폐포로 빠져나가기 때문에 기관혈관주위 간질조직(bronchovascular interstitium)이 일차적인 저항선으로 작용하는 정수압성 폐부종과 달리 초기부터 폐경화가 나타난다. 단백질이 풍부한 액체가 간질 공간으로 빠져나가므로 혈관 내에는 액체를 재흡수할 교질삼투압이 존재하지 않아 정수압성 폐부종보다 부종이 오래 지속된다. 폐

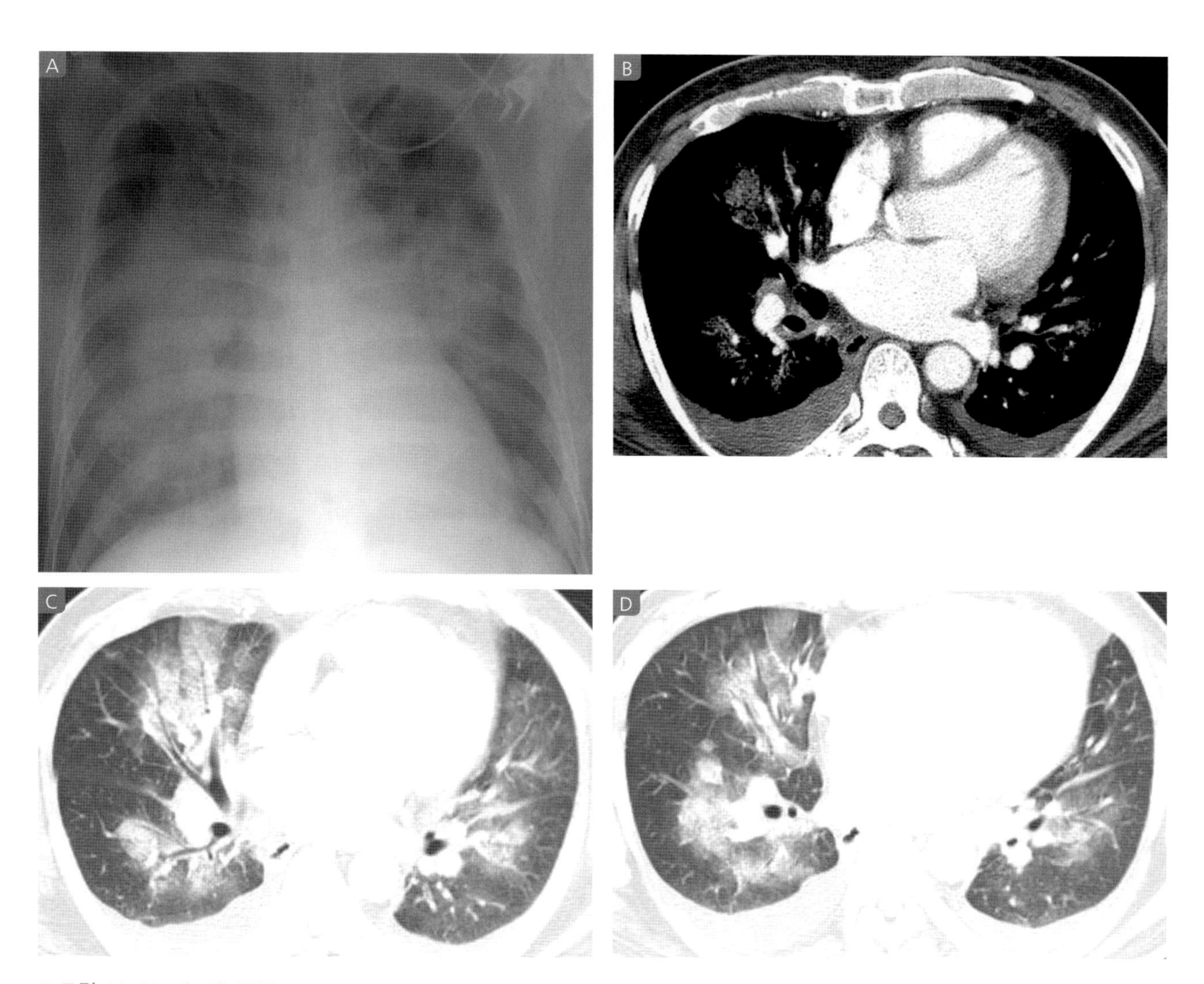

■ 그림 19-19. **폐포성 폐부종**
양측 폐야에 박쥐날개모양(bat's wing pattern)의 폐경화가 보이며(A), 양측성이고 대칭적인 흉막삼출이 보인다(B). 폐중심부에 현저한 박쥐날개모양의 폐경화가(C, D) 보인다.

표 19-9. **비전형적 모양의 정수압성 폐부종의 원인**

같은쪽 편측성 폐부종	장기간 한쪽 옆으로 누워있는 경우 전신동맥에서 폐동맥으로의 단락에 의한 폐혈류 증가 편측성 정맥폐쇄성 질환 종양에 의한 일측성 림프폐쇄
반대쪽 편측성 폐부종	선천성 폐동맥 형성부전이나 단절 Swyer-James syndrome 편측성 혈전색전증 편측성 환기장애외 이에 따른 혈류감소를 동반한 섬유흉

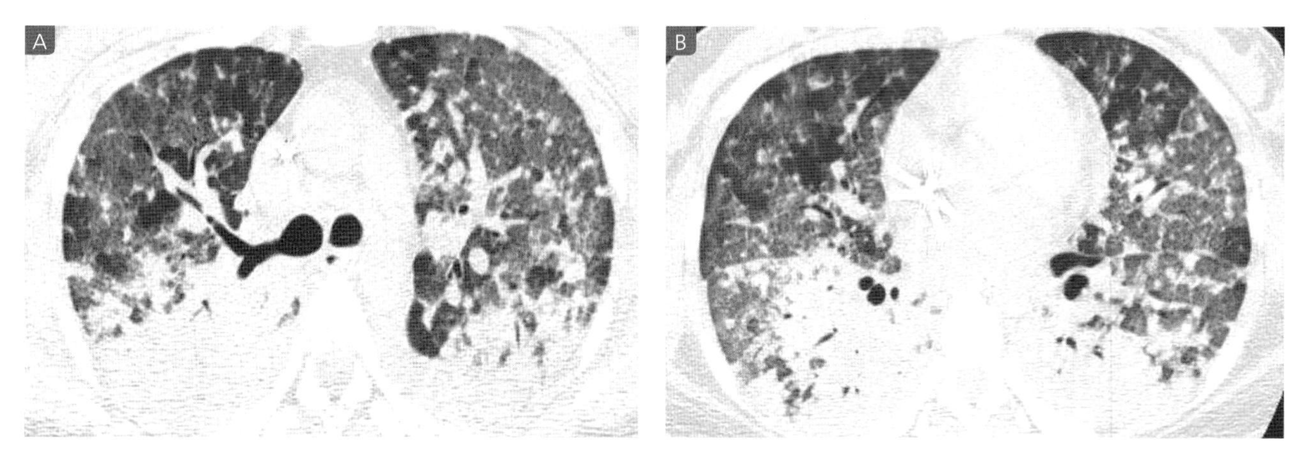

■ 그림 19-20. **급성호흡곤란증후군**
양측 폐에 전반적인 폐경화와 간유리음영이 보인다. 이러한 소견은 2기 투과성폐부종의 특징이다.

표 19-10. **급성 호흡곤란증후군의 병리학적 변화 및 영상 소견**

시기	병리학적 소견	CT 소견
1기 (12~24시간)	급성삼출기: 폐포 상피와 모세혈관 내피가 떨어져 나오는 간질성 염증 시기	영상의학적 잠복기
2기 (1~5일)	유리질막 형성기: 간질과 폐포강 내로의 액체 누출이 진행하여 폐포내부를 채움	미만성 양측성 폐경화(Diffuse bilateral consolidation)
3기	섬유화기: 섬유화에 의한 폐실질 치유와 II형 폐포폐세포(alveolar pneumocyte)의 증식	간유리음영(Ground-glass opacity) 흉막하 선상 음영(Subpleural line) 견인기관지확장증(Traction bronchiectasis, traction bronchiolectasis) 벌집모양 폐(Honeycomb appearance) 간질성 폐기종(Interstitial emphysema) 기종격동, 기흉(Pneumomediastinum, pneumothorax)

손상을 갖는 급성호흡곤란증후군(acute respiratory distress syndrome, ARDS)에서는 치료 중 많은 양의 수액이 들어가기 때문에 정수압성 폐부종이 가중되는 경우도 종종 있다[24, 25].

급성호흡곤란증후군은 사망률이 60%에 이르는 치명적인 상태이며 대개 박테리아 폐혈증, 폐렴, 위 내용물의 흡인, 쇼크, 외상, 화상, 약물과용, 미만성 폐결핵 등 기저원인과 연관되어 생기는 경우가 대부분이다. 원인이 없이 특발성으로 발생하는 특발성 급성호흡곤란증후군(idiopathic ARDS)을 급성간질폐렴(acute interstitial pneumonia)라고 한다.

급성호흡곤란증후군의 병리학적 변화는 3기로 나누어지며 병리적인 변화는 CT 소견의 변화와 밀접한 관련이 있다 (그림 19-20) (표 19-10).

표 19-11. 정수압성 폐부종과 투과성 폐부종의 비교

	정수압성 폐부종	투과성 폐부종
증상발현	동시에 나타남	지연되어 나타남
폐부종	폐문주위에 우세	전 폐야에 균일
기관지벽 비후, 소엽간 중격 비후	동반	드묾
공기-기관지 음영	폐포성폐부종에서 보임	흔함
호전 속도	빠름	느림
폐혈관경폭	증가	변화 없음
폐혈류 분포	상엽으로 재분포	정상
흉막삼출	흔함	드묾

3. 폐부종의 원인에 대한 감별

정수압성 폐부종과 투과성 폐부종의 구분은 영상 소견만으로는 힘든 경우가 많다. 하지만 어떤 소견들은 양자 간의 감별에 도움을 준다. 정수압성 폐부종은 중력에 의한 분포를 하고, 기관지벽 비후, 소엽간중격비후를 보인다. 혈류는 좌심방 압력이 높아 역전되는 재분포를 보인다. 투과성 폐부종은 중력에 의한 분포를 보이지 않으며, 기관지벽 비후나 중격선이 없고, 공기-기관지음영상을 보인다. 혈류분포는 정상이고, 폐혈액량과 심장크기가 정상인 것은 심장에 원인이 없다는 것을 의미한다. 혈관경폭과 기정맥의 폭은 정상이다(표 19-11).

4. 기타원인에 의한 폐부종

기타 원인에 의한 폐부종으로는 재팽창폐부종(re-expansion pulmonary edema), 고도(high-altitude) 폐부종, 상기도 폐쇄에 의한 폐부종, 신경성 폐부종 등이 있다. 재팽창폐부종의 경우, 흉막삼출(pleural effusion)이나 기흉(pneumothorax)을 급격히 배출하였을 경우에 생기며 대개 1-2일에 걸쳐 호전된다(그림 19-21). 드물게 후두경련, 크루프, 후두개염 등의 상기도 폐쇄와 연관된 폐부종이 생길 수 있고 기관내 삽관이나 기관절개로 상기도 폐쇄를 해소해 주면 폐부종은 빨리 사라진다. 신경성 폐부종의 경우 두부손상, 두개내 출혈, 종양 등 뇌질환이 급성 폐부종과 연관될 수 있다. 영상소견은 비대칭, 상엽의 호발 등이 보고되어 있고 심장이 커지지 않았다는 것을 제외하고는 심인성 폐부종과 감별이 어렵다[26].

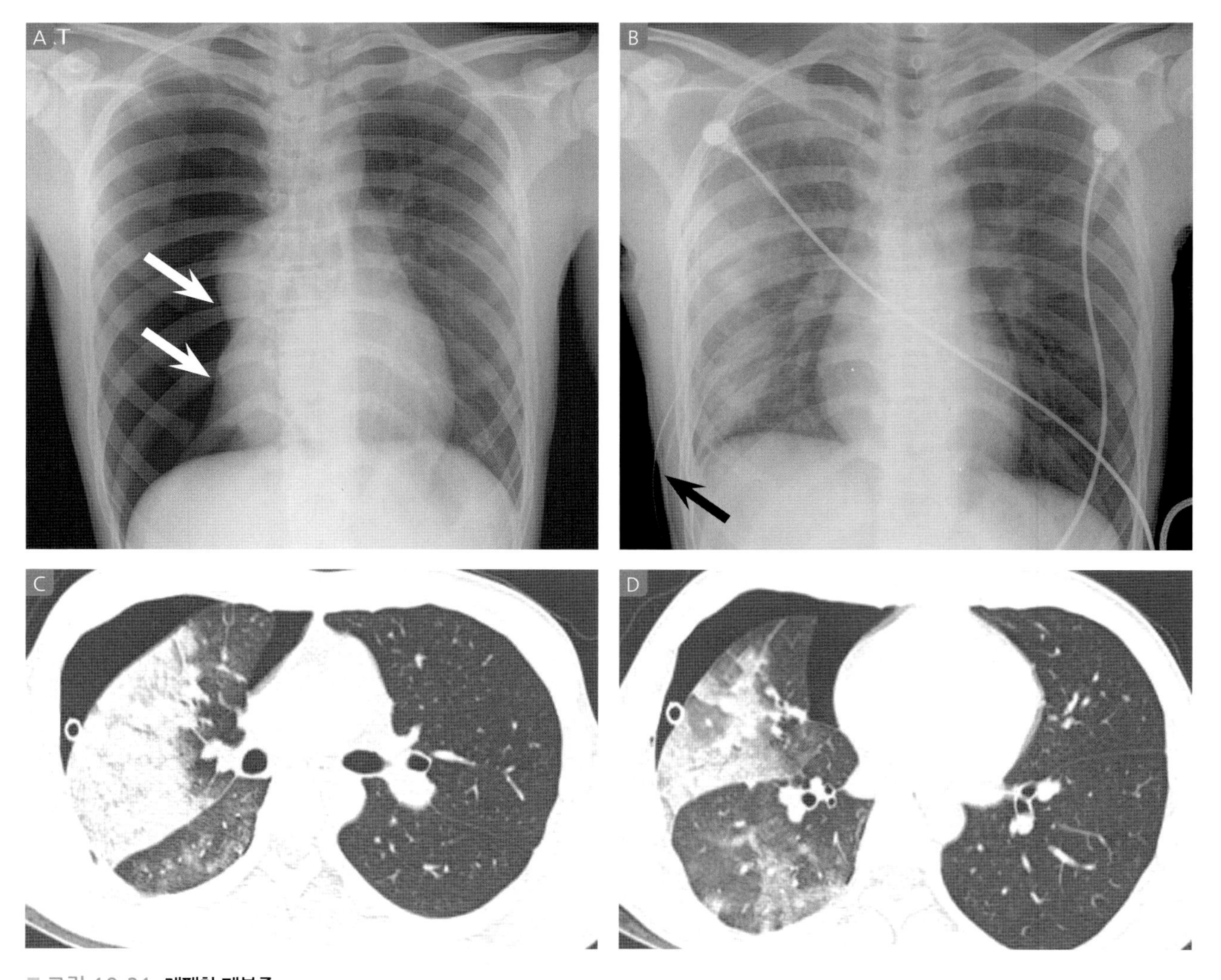

■ 그림 19-21. **재팽창 폐부종**

A. 우측 흉곽의 기흉으로 우측폐가 완전한 허탈을 보인다(화살표). **B.** 흉관 삽관 후의 사진에서 흉관(화살표)이 보이고 우측 폐에 이전에는 없던 간유리음영과 폐경화가 나타났다. **C, D.** 같은 시기에 촬영한 고해상CT에서도 우측 폐에 간유리음영과 폐경화가 보인다.

참고문헌

1. Anderson FA Jr, Wheeler HB, Goldberg RJ, Hosmer DW, Patwardhan NA, Jovanovic B, et al. A population-based perspective of the hostpial incidence and case fatality rates of deep vein thrombosis and pulmonary embolism: the Worcestor DVT study. Arch Intern Med 1991;151:933-938
2. Brown MD, Rowe BH, Reeves MJ, Birmingham JM, Goldhaber SZ. The accuracy of the enzymelinked immunosorbent assay D-dimer test in the diagnosis of pulmonary embolism: a meta-analysis. Ann Emerg Med 2002;40:133-134
3. Value of ventilation/perfusion scan in acute pulmonary embolism: results of the Prospective Investigation of Pulmonary Embolism Diagnosis (PIOPED) the PIOPED investigators. JAMA 1990;263:2753-2759
4. Borris LC, Christiansen HM, Lassen MR, Olsen AD, Schutt P. Comparison of real-time B-mode ultrasonography and bilateral ascending phlebography for detection of postoperative deep vein thrombosis following elective hip surgery: the Venous Thrombosis Group. Thromb Haemost 1989;61:363-365
5. Coche EE, Muller NL, Kim KI, Wiggs BR, Mayo JR. Acute pulmonary embolism: ancillary findings at spiral CT. Radiology 1998; 207:753-758

6. Rathbun SW, Raskob GE, Whitsett TL. Sensitivity and specificity of helical computed tomography in the diagnosis of pulmonary embolism: a systematic review. Ann Intern Med 2000;132:227-232
7. Contractor S, Maldjian PD, Sharma VK, Gor DM. Role of helical CT in detecting right ventricular dysfunction secondary to acute pulmonary embolism. J Comput Assist Tomogr 2002;26:587-591
8. Wu AS, Pezzullo JA, Cornan JJ, Hou DD, Mayo-Smith WW. CT pulmonary angiography: quantification of pulmonary embolus as a predictor of patient outcome initial experience. Radiology 2004;230:831-835
9. Richard JW, Ana MS, Angela JG, Paul WS, Rosita MS, Robert MS CT of in situ vascular stump thrombosis after pulmonary resection for cancer. AJR Am J Roentgenol 2001;176:1423-1425
10. Frazier AA, Galvin JR, Franks TJ, Rosado-de-Christenson ML. Pulmonary vasculature: hypertension and infarction. RadioGraphics 2000;20(2):491-524
11. Burke AP, Farb A, Virmani R. The pathology of primary pulmonary hypertension. Mod Pathol 1991;4 (2):269-282
12. Frazier AA, Galvin JR, Franks TJ, Rosado-de-Christenson ML. Pulmonary vasculature: hypertension and infarction. RadioGraphics 2000;20(2):491-524
13. Ng CS, Wells AU, Padley SP. A CT sign of chronic pulmonary arterial hypertension: the ratio of main pulmonary artery to aortic diameter. J Thorac Imaging 1999;14(4):270-278
14. Tan RT, Kuzo R, Goodman LR, Siegel R, Haasler GB, Presberg KW. Utility of CT scan evaluation for predicting pulmonary hypertension in patients with parenchymal lung disease. Medical College of Wisconsin Lung Transplant Group. Chest 1998;113(5):1250-1256
15. Frazier AA, Galvin JR, Franks TJ, Rosado-de-Christenson ML. Pulmonary vasculature: hypertension and infarction. RadioGraphics 2000;20(2):491-524
16. Bergin CJ, Rios G, King MA, Belezzuoli E, Luna J, Auger WR. Accuracy of high-resolution CT in identifying chronic pulmonary thromboembolic disease. AJR Am J Roentgenol 1996;166(6):1371-1377
17. Remy-Jardin M, Duhamel A, Deken V, Bouaziz N, Dumont P, Remy J. Systemic collateral supply in patients with chronic thromboembolic and primary pulmonary hypertension: assessment with multi?detector row helical CT angiography. Radiology 2005;235(1):274-281
18. Swensen SJ, Tashjian JH, Myers JL, Engeler CE, Patz EF, Edwards WD, et al. Pulmonary venoocclusive disease: CT findings in eight patients. AJR Am J Roentgenol 1996;167(4):937-940
19. Shackelford GD, Sacks EJ, Mullins JD, McAlister WH. Pulmonary venoocclusive disease: case report and review of the literature. AJR Am J Roentgenol 1977;128(4):643-648
20. Cassart M, Gevenois PA, Kramer M, Jacobovitz D, Francquen P, Yemault JC, et al. Pulmonary venoocclusive disease: CT findings before and after single-lung transplantation. AJR Am J Roentgenol 1993;160(4):759-760
21. West JB, Dollery CT, heard BE. Increased pulmonary vascular resistance in the dependent zone of isolated dog lung caused by perivascular edema. Circ Res 1965;17:191-206
22. Morgan PW, Goodman LR. Pulmonary edema and adult respiratory distress syndrome. Radiol Clin North Am 1991;29:943-963
23. Pistolesi M, Milne EN, Miniati M, Giuntini C. The vascular pedicle of th heart and the vena azygos: Part II. Acquired heart disease. Radiology 1984;152:9-17
24. Greene R. Adult respiratory distress syndrome: acute alveolar damage. Radiology 1987;163:57-66
25. Iannuzzi M, Petty TL. The diagnosis, pathogenesis, and treatment of adult respiratory distress syndrome. J Thorac Imag 1986;1:1-10
26. Fleman AH. Neurogenic pulmonary edema: observations in 6 patients. AJR J Roentgenol 1971;112:393-396

Contents

흉부 손상은 두부와 사지 손상 다음으로 세 번째로 흔한 손상이다. 흉부 외상은 심장이나 기관, 기관지, 식도 손상과 동반되었을 때 치사율이 높다. 또한 흉부 이외의 다른 장기 손상과 동반되었을 때 사망률이 더욱 증가한다. 선진국에서 발생한 흉부 둔상의 2/3 이상이 자동차 사고에 의해서 발생한다. 그 외 추락이나 둔기에 의한 타박에 의해서도 발생할 수 있다[1].

영상검사는 사고환자의 호흡, 순환기능을 평가하는데 중요한 역할을 한다[2]. 그러나 심한 손상을 받은 환자에서 충분한 흡기 후의 직립 흉부X선 후전사진(chest PA)을 촬영하는 것이 불가능하며, 환자의 위치 및 자세 조절, 호흡 조절이 어렵고, 여러 가지 모니터 장치를 부착하고 있어, 적절한 앙와위 흉부X선 전후사진을 얻기 힘든 경우가 많아 손상 부위의 진단이 어렵다.

전산화단층촬영술(CT), 특히 다중절편검출 전산화단층촬영술(MDCT)은 요즘 대부분의 병원에서 이용이 가능하고 영상획득시간이 매우 짧아 흉부 외상 환자의 일반적인 영상검사법으로 자리잡고 있다. 흉부X선사진과 비교하여 CT는 폐좌상을 좀 더 정확히 평가하여 호흡 부전을 미리 예견할 수 있고 흉추 골절(특히 경흉추 연결부위), 대동맥 손상, 종격동 혈종, 기흉, 심낭출혈 등 흉부X선사진으로는 명확하지 않은 손상을 더 정확히 진단할 수 있다[1-3].

표 20-1. 흉부 외상의 주요 손상기전

급가속/감속(rapid acceleration and/or deceleration)
직접 충격(direct impact)
흉부압박(thoracic compression)

흉부 외상의 주요 손상기전(표 20-1)은 3가지로 설명하는데 급가속/감속은 자동차 사고나 추락사고 시에 발생하며 조직, 기관, 혈관 등에 전단력(shearing force)이 작용하여 조직의 파열이 초래되는 것이다. 직접충격은 자동차사고, 추락사고, 움직이는 물체와의 부딪힘 등으로 인해 발생하며 늑골, 흉골, 견갑골 골절과 연조직의 혈종은 흉벽에 국소적인 손상을 유발하는 것이다. 직접 충격 시 운동에너지가 흉벽을 통해서 깊은 연부조직까지 전달될 수 있으며 이에 의해 폐와 심장도 손상될 수 있다. 압박 손상은 급제동시 조직이 흉벽이나 척추 등 고정되어 있는 구조물에 부딪히면서 발생하고 기관의 파열, 타박, 출혈 등이 발생할 수 있다[4].

이 장에서는 외상에 의한 다양한 흉부 손상의 부위별 특징과 CT 소견에 대해 알아보도록 하자.

I 폐실질 손상

1. 폐좌상

폐좌상(pulmonary contusion)은 폐의 간질과 폐포의 열상이 동반되지 않은 손상을 의미한다. 폐좌상은 흉부외상에서 발생하는 손상 중 가장 흔하다. 조직학적으로는 폐실질의 손상 없이 폐포 모세혈관의 손상에 따른 출혈과 삼출액이 폐간

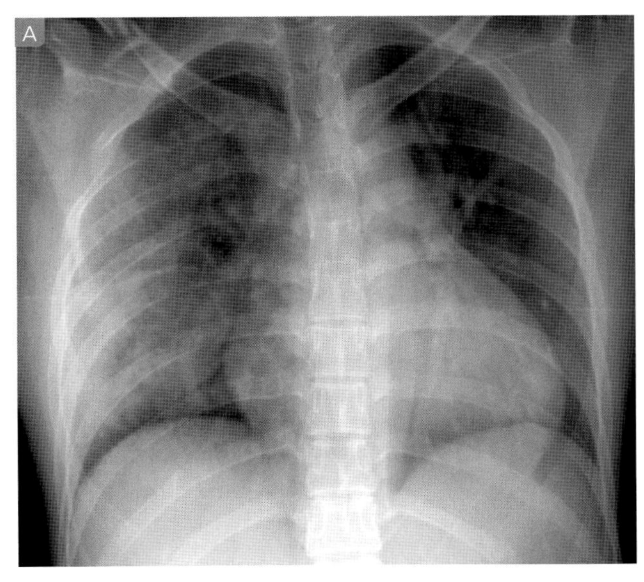

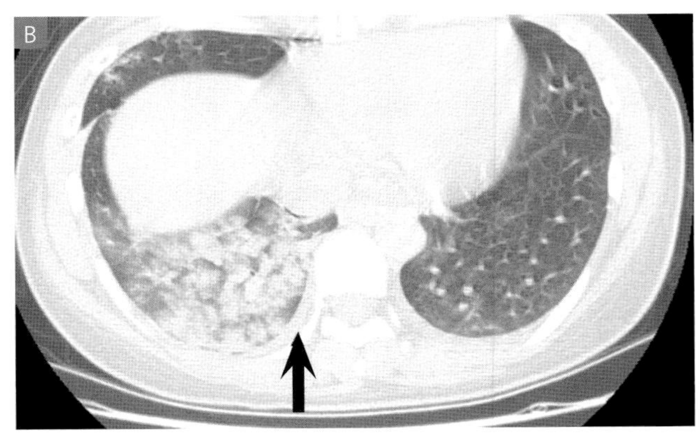

■ 그림 20-1. **폐좌상**
4 m 높이에서 추락한 환자의 영상으로, 우측폐에 미만성으로 증가된 불규칙한 경화가 있다. 우측 쇄골의 외측 1/3에 골절이 있고(A), 우하엽에 기관지 주위에 경화가 있고 혈흉이 있다(B, 화살표).

질을 채우며, 손상 기전은 폐 내에서의 국소 압박과 복원력이다. 영상소견으로 폐좌상(표 20-2)은 불규칙한 결절에서 커다란 경화까지 비특이적인 소견을 보이지만 손상 후 시간 경과에 따른 병변의 형성과 변화가 진단에 중요한 단서가 된다. 폐좌상은 전형적으로 손상 후 몇 시간 내에 발생하여 7일 이내에 없어진다. 그리고 사고 시 충격은 기관혈관속(bronchovascular bundle)에 따르는 해부학적인 분절과는 무관하게 흡수되므로 병변의 분포는 폐렴이나 흡인 시에 보이는 병변과는 대조적으로 해부학적인 분포를 따르지 않는다[1, 4]. CT에서 폐좌상은 경계가 불명확한 주변부 폐의 경화로 나타난다(그림 20-1). 반면 흉부X선사진은 동반된 다른 외적 손상으로 인해 폐좌상의 조기 발견이 어려울 수 있다.

표 20-2. **폐좌상의 CT 소견**

다양한 크기의 불규칙한 경화이나 간유리음영
대부분 7일 이내에 소실되는 경화
비해부학적 분포
흉막하 1-2 mm 부분은 침범 안함

2. 폐열상

폐열상(pulmonary laceration)은 폐실질이 찢어지는 것을 의미한다. 손상기전은 흉부 둔탁 외상으로 인한 전단력과 관통손상으로 인한 직접적인 천공이다. 손상된 주변 폐의 복원력으로 인해 선형의 찢어짐은 곧 타원형 또는 원형으로 바뀐다. 폐열상 부위가 혈액으로 차 있는 경우를 혈종이라 하며, 공기로 차 있는 경우를 공기낭종(pneumatocele)이라 부른다. 종괴 내부에 물보다 높은 음영을 확인하면 혈종을 진단할 수 있다[1, 4].

표 20-3. **폐열상의 CT 소견**

공기나 혈종을 포함하는 둥근 낭성병변
대부분 단일 낭성병변이나 다수도 가능
크기는 대부분 2-5 cm

폐열상의 전형적인 영상의학적 소견(표 20-3)은 공기 또는 공기와 액체를 함께 포함하는 둥근 병변이다. 보통 1개의 병변이지만 여러 개로 나타날 수도 있고, 대부분 직경이 2-5 cm 정도이지만 매우 커질 수도 있다(그림 20-2, 20-3). 폐열상은 손상 초기부터 존재하더라도 주변 폐의 경결, 혈흉, 기흉 등으로 인해 병변이 불명확할 수도 있다.

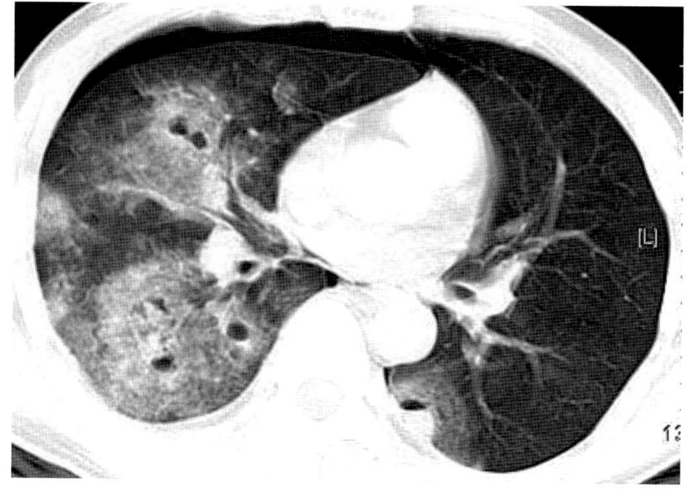

■ 그림 20-2. **폐열상**
우중엽과 양하엽에 기관지 주위에 간유리음영이 있으며 공기-액체층을 포함하는 다수의 낭성 병변이 있다.

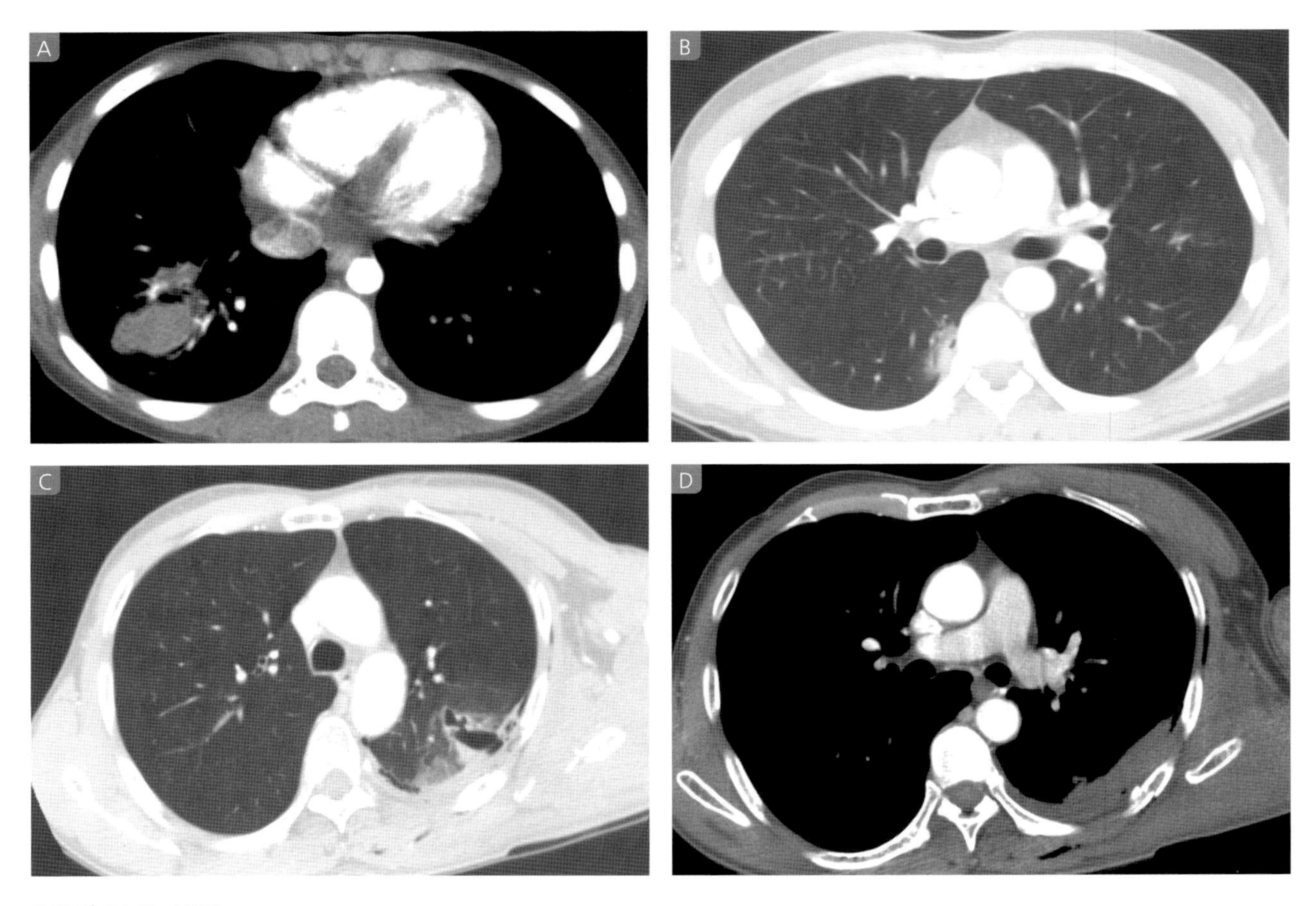

■ 그림 20-3. **폐열상**

A. 둥근모양의 조영증강 되지 않은 종괴모양 병변. 내부에 공기-액체 층이 있다. **B.** 척추체 우측의 길쭉한 모양의 경화는 빠른 압박에 의한 척추체 주위 폐 전단에 의해 발생하였다. **C.** 좌하엽의 주변부에 부분적인 경화와 간유리음영이 있고 비정상적 공기음영이 동반되었다. **D.** 폐열상과 인접한 늑골에 골절이 있다.

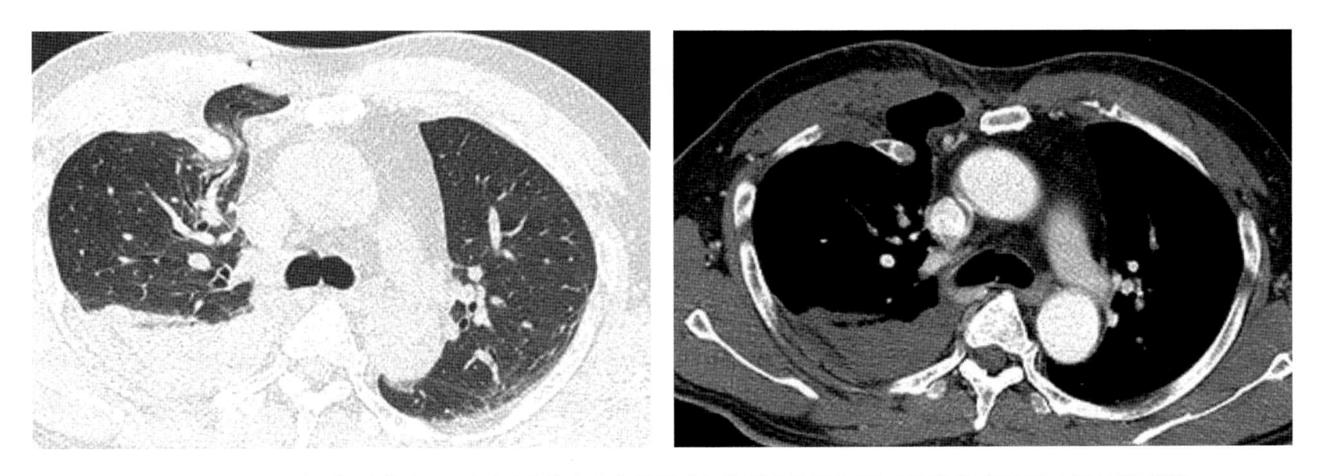

■ 그림 20-4. 우상엽 전분절이 우측 앞 흉벽으로 전위되어 있다. 우측 두 번째 늑골 골절이 동반되었고 골편 일부가 내측으로 전위되었다.

3. 폐탈장

외상성 폐탈장(pulmonary herniation)은 흉막으로 싸여진 폐 부위가 흉벽의 결손 부위를 통하여 돌출되면서 발생하며 보통 늑골 골절과 동반된다(그림 20-4). 폐탈장은 양압기계환기(PEEP)시 발생이 증가하기 때문에 전신 마취와 기관내 삽관을 받고 있는 환자의 경우 주의를 요한다[1].

II 기도 손상

CHAPTER 20

기관기관지 열상

흉부 외상 중 기관기관지 열상(tracheobronchial laceration)은 드물지만 기관파열시에는 높은 사망률을 보인다. 임상양상이나 흉부촬영에서 비특이적이므로 진단이 늦어질 수 있다. 또한 대혈관 손상과 같은 흔히 동반되는 손상으로 인해 기관기관지 손상의 진단이 방해를 받기도 한다.

기관기관지 손상은 흉곽내 손상과 흉곽외 손상으로 나눌 수 있다. 흉곽내 기관기관지손상의 기전은 사고 당시 닫힌 성문에 대한 기도내의 갑작스러운 압력의 증가 때문이다. 흉곽의 전후 압박에 의해 폐가 양 옆으로 힘을 받게 되고 기관분기부(tracheocarinal junction)를 통과하여 찢어지게 된다. 다른 기전으로는 목의 과신전, 흉골과 척추체 사이에서의 직접적인 손상, 상대적으로 고정된 반지연골(cricoid cartilage)과 기관분기부가해지는 전단력를 동반한 갑작스런 감속 등이다. 기관지열상은 보통 세로 방향으로 기관의 연골부분과 막성 부분의 접합부위에 발생한다. 좌측 보다는 우측 주기관지(80%)에서 발생하고 기관분기부 근위부 1-2 cm가 호발 부위이다(표 20-4). 기관지열상의 흔한 소견은 경부 피하 기종과 종격동 기종이다. CT 소견이 기관 열상을 시사하는 경우, 손상 부위와 정도를 파악하기 위해 기관지 내시경을 통한 확실한 진단이 이루어져야 한다. 기관기관지 열상의 CT 소견은 아래 표와 같다(그림 20-5) (표 20-5)[5, 6].

표 20-4. 기도 손상의 요점정리

원인	관통상, 기관삽관시 과팽창, 흉부둔상, 과속 교통사고
임상양상	40대 이하의 남성이 대부분, 첫번째-세번째 늑골 골절 동반
손상 기전	성문이 닫힌 상태에서 갑작스런 충돌
위치	90% 기관지 골절: 주기관지 근위부 1-2 cm 연골환 10% 기관 골절: 기관분기부 2 cm 상방 우측 〉〉 좌측

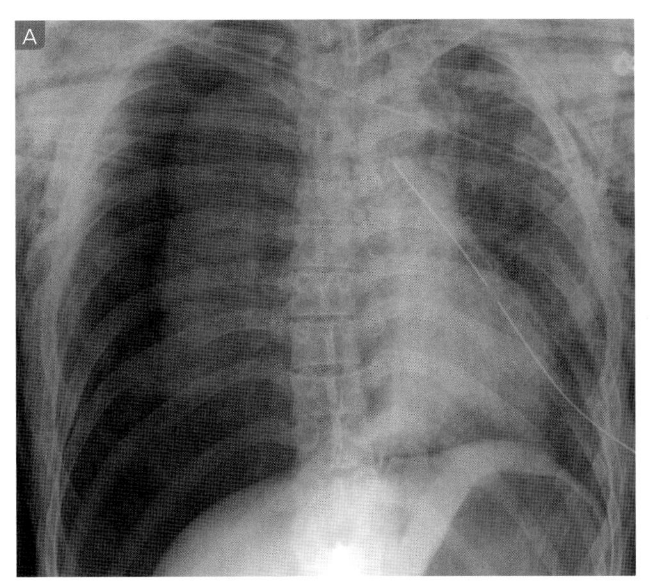

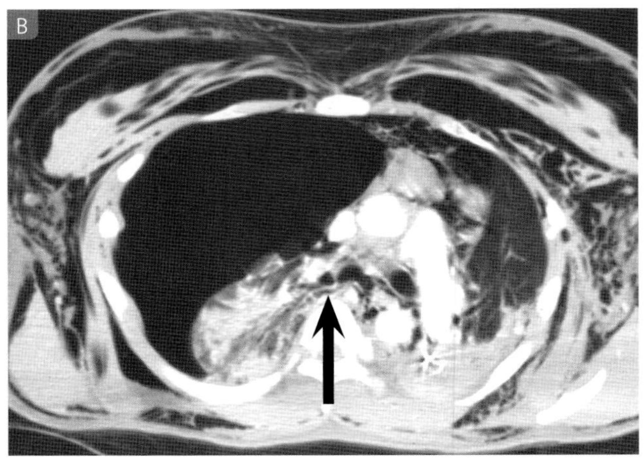

■ 그림 20-5. **우기관지 열상**

29세 남자가 교통사고로 트럭과 기둥에 압박된 사고로 내원. 흉벽 전체와 목 부위에 광범위한 피부하 공기음영이 있고 기종격동이 있다. 우측에 기흉과 폐허탈이 있다. 좌흉에 도관이 삽입되어 있다. **A.** 중앙에 기관기관지 공기 음영이 그려지지 않고 기관내관이 삽입되어 있다. 흉벽 전체에 광범위한 피부하 공기음영과 기종격동이 잘 보인다. **B.** 기관분기부 원위부 2 cm 정도에 우기관지의 내경이 좌측에 비해 좁아져 있다.

표 20-5. **기관기관지 열상의 CT 소견**

기관지 벽 결손(적절한 폐창 조절 필요) 기관지 변형 이상 교통 기관 삽관 풍선의 과팽창, 기관 밖 탈출 간접소견 – 심경부 공기증 심한 기종격동

III 식도 손상

식도는 종격동 내에서 잘 보호받고 있기 때문에 흉부 둔상에서 식도 손상(esophageal injury)은 극히 드물다. 대부분의 식도 손상은 관통 외상을 통하여 발생하지만 목 부위의 타박상 또는 파열(burst type force)에 의해서도 발생할 수 있다. 파열에 의한 식도 손상은 원위부 식도 손상을 유발하는 반면에 목 부위의 타박상은 전형적으로 경부 식도 손상을 유발한다. 원위부 식도 찢김은 보호가 약한 식도 좌측 측면부위에 주로 발생하고 연하통이나 식도 출혈 등의 임상증상을 발생시킨다. 종격동 기종, 종격동염, 기흉수흉, 경구 방사선 조영제가 종격동이나 흉막강내로 새는 CT 소견이 외상성 식도 천공의 가능성을 시사한다(그림 20-6) (표 20-6). 정확한 손상 부위를 평가하기 위해서는 식도경검사가 필요할 수도 있다[1, 7].

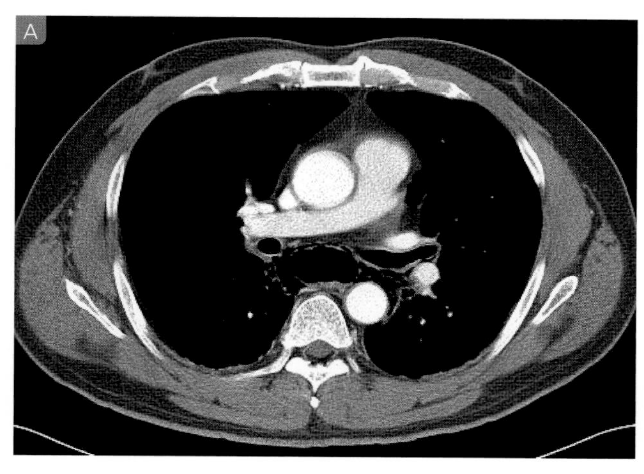

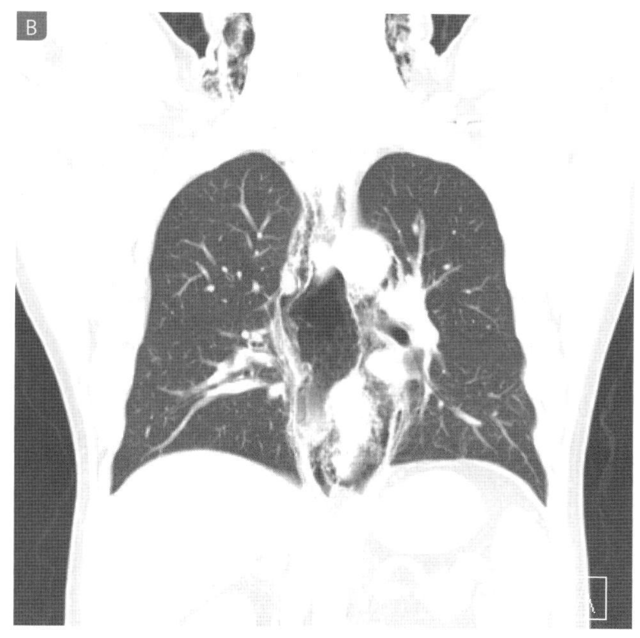

■ 그림 20-6. **식도 손상**
A. 둥근 모양의 공기 음영이 식부 부위에 있고 식도벽을 인지하기 어렵다.
B. 3차원 관상면 재구성 CT에서 식도파열로 인한 비정상적 공기기둥이 보인다.

표 20-6. **식도 손상의 CT 소견**

기종격동
종격동염
기흉수흉
경구조영제의 누수
권고: 내시경검사, 수용성 조영제를 사용하는 식도조영술

Ⅳ 심장 손상

심장 손상(heart injury)은 주로 교통사고에 의해 발생한다. 심장 둔상은 단순한 좌상에서부터 심장 파열까지 포함한다. 심장 손상은 흉부 외상성 손상 가운데 가장 치명적이나, 일부 질환들은 신속한 응급 처치로 생존하기도 한다. 심장 둔상의 진단은 대부분 임상적으로 이루어지며, 비정상적인 심전도나 심장 효소의 증가를 볼 수 있다. 심장 둔상의 영상학적 소견에는 혈액심장막, 조영물질의 심막강 또는 종격동으로의 누출, 공기심장막, 심장 탈장으로 인한 심장 위치 이동, 횡격막심막 파열로 인한 이상 장공기 음영 등이 있다[1].

심막손상

심막 손상은 보통 흉부의 직접적인 타격이나 복부 내압 증가로 인한 간접적인 힘에 의해 발생한다. 찢김의 정도는 작게는 수 밀리미터에서부터 크게는 심막 전체를 포함할 수도 있다. 큰 찢김의 경우 심장 탈장을 유발시켜 심장 기능 부전이

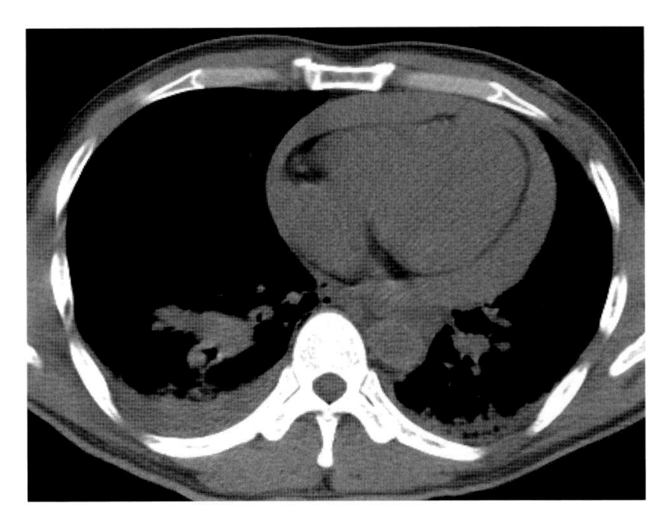

■ 그림 20-7. **혈액심장막(Hemopericardium)**
교통사고로 발생한 혈액심장막의 증례. 고음영의 액체가 심장막공간에 있고 양측 혈흉도 동반되었다.

나 죽음에까지 이를 수 있다. 심막 손상이 가장 흔한 부위는 심막의 좌측 부위로 횡격막 신경과 평행하며 심막의 횡격막면을 따른다(그림 20-7)[1].

Ⅴ 대동맥과 대혈관 손상

1. 대동맥 손상

대동맥 손상은 매우 치명적인 질환으로 가장 흔한 원인은 교통사고이다. 급한 감속으로 인하여 대동맥의 대동맥 내막이 파열되고, 심하면 대동맥 벽의 전층 손상으로 이어질 수 있다. 대동맥 손상은 전형적으로 근위부 하행대동맥, 대동맥 활, 대동맥 뿌리, 원위부 하행대동맥 등을 포함하는 대동맥 분지 부위에 발생한다[1]. 대동맥 손상은 보통 대동맥 주위 혈종을 동반하는데 대동맥 자체의 혈관내 혈관(vasa vasorum)이나 주변의 작은 정맥으로부터의 출혈 때문이라고 생각된다. CT 소견은 표 20-7과 같다. 다면/체적 재구성 영상은 대동맥 활의 분지 혈관으로부터 손상 부위까지의 거리, 손상의 길이, 손상 부위의 상하로 위치한 대동맥 직경, 혈관 질환, 기존에 있던 해부학적인 기형 여부 등을 판단하는데 유용하다[8,

표 20-7. **대동맥 손상의 CT 소견**

대동맥 손상의 CT 소견
대동맥 거짓동맥류(pseudoaneurysm)
박리 피막
대동맥 음영 또는 직경의 변화
혈전
조영제 누출

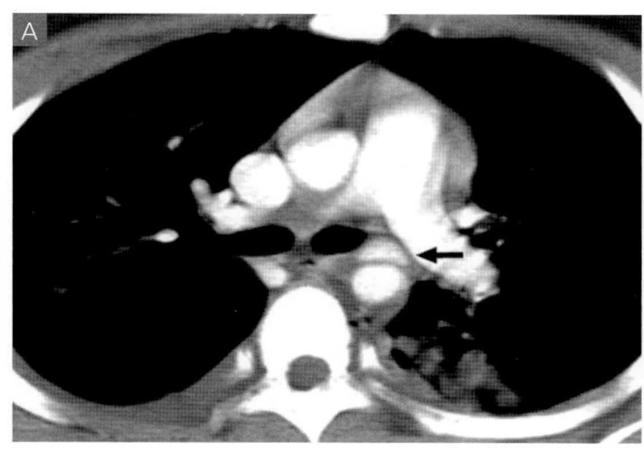

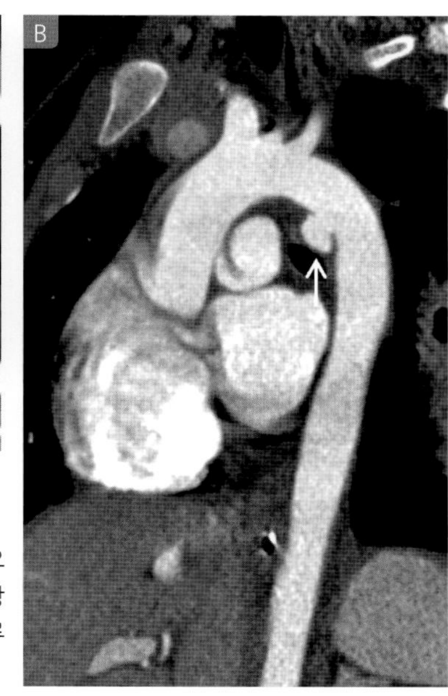

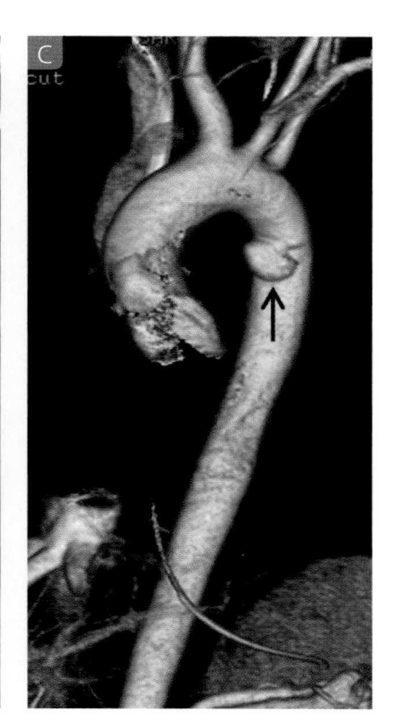

■ 그림 20-8. **외상성 대동맥 거짓동맥류**
A. 근위부 하행대동맥 앞쪽으로 국소적으로 조영제가 혈관 밖으로 유출되었다. 소량의 대동맥 주위 혈종이 있다. **B,C.** 3차원 시상면 재구성 사진과 체적 사진에서 근위부 하행대동맥에 거짓동맥류(pseudoaneurysm)(화살표)가 보인다.

9]. 현재 쓰이는 MDCT는 심장동기 검사 방법(cardiac gating scan)을 수행할 수 있다. 이것은 특히 빈맥이나 심한 대동맥 박동을 가진 환자에서 상행대동맥 손상을 더욱 정확하게 발견하게 해준다. 흉부 외상 환자의 맥박수가 80회를 넘는 경우 선상 인공물에 의해 이미지가 왜곡될 수 있다. 대동맥이나 심장 손상이 의심되는 경우 조영제 주입과 함께 심장동기 검사를 고려해 보아야 한다(그림 20-8, 20-9)[1].

2. 대동맥 분지 혈관 손상

대동맥 분지 혈관 손상은 외상성 폐쇄, 박리, 거짓동맥류, 조영제 누출 등을 포함한다. 이것은 대부분 갑작스런 목의 신전이나 어깨 견인, 대동맥 분지 혈관이 신장되는 경우 발생한다. 총경동맥(common carotid artery)의 손상은 뇌경색을 포함한 신경학적 손상을 일으키기도 한다. 대동맥 손상 환자의 경우 손상 정도에 따라 수술적 방법이 달라질 수 있으므로 다른 분지에도 손상이 있는지 여부를 판단하는 것이 중요하다. 상부 종격동이나 하경부 부위의 동맥주위 혈종은 팔머리동맥이나 쇄골하 동맥의 손상 가능성을 간접적으로 시사하는 중요한 표시이다(그림 20-10)[1, 9].

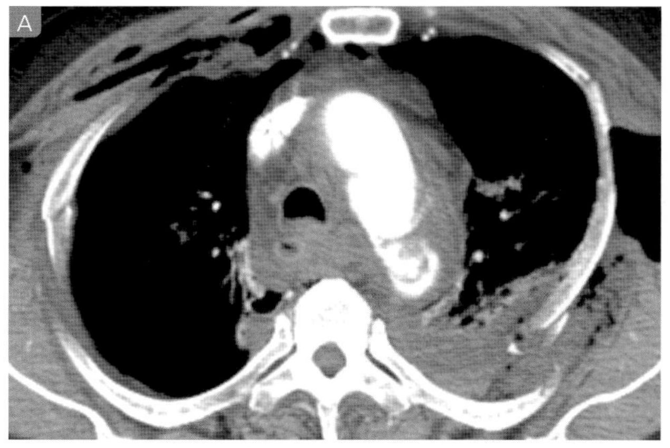

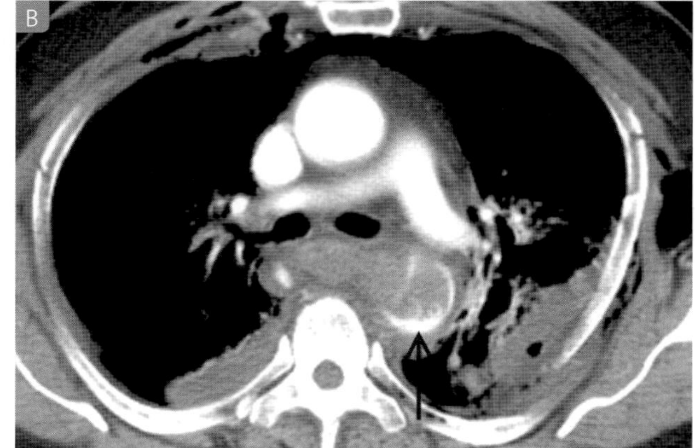

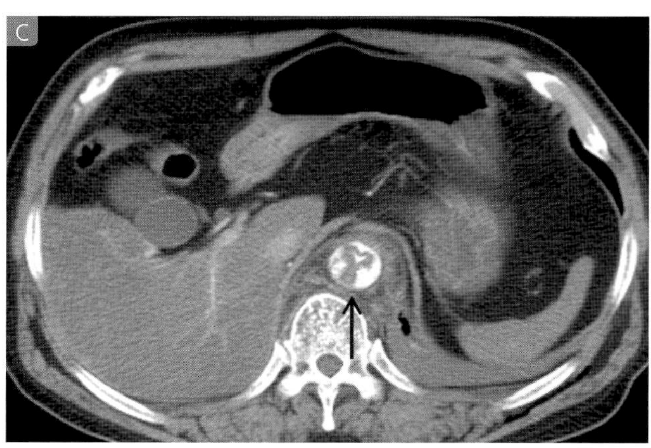

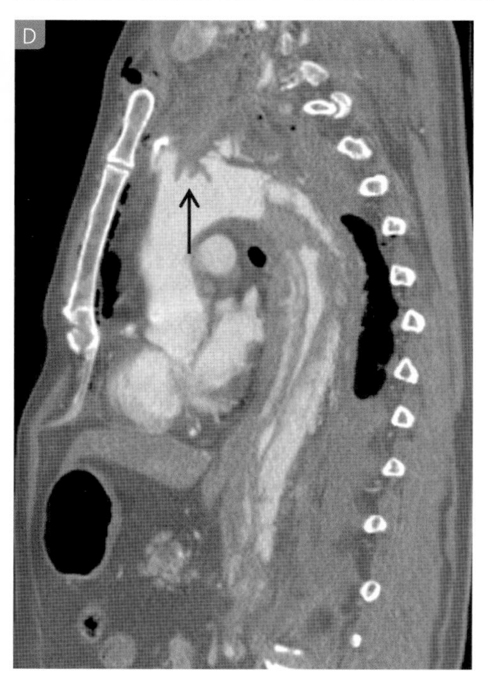

■ 그림 20-9. **대동맥 파열과 대동맥 박리**
A. 대동맥 활에서 대동맥벽 일부 결손이 보이고 조영제가 유출되고 있다. **B.** 근위부 하행대동맥 내부에 충만 결손을 보이는 혈종(화살표)이 있다. **C.** 하행대동맥에는 박리 피막(화살표)이 보인다. **D.** 3차원 시상면 재구성 사진에 대동맥벽의 결손(화살표)과 박리 피막이 한 사진에 잘 포함되어 있다.

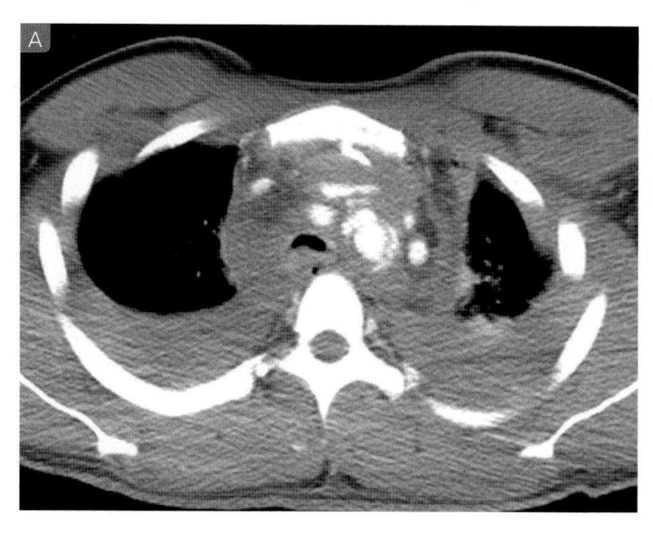

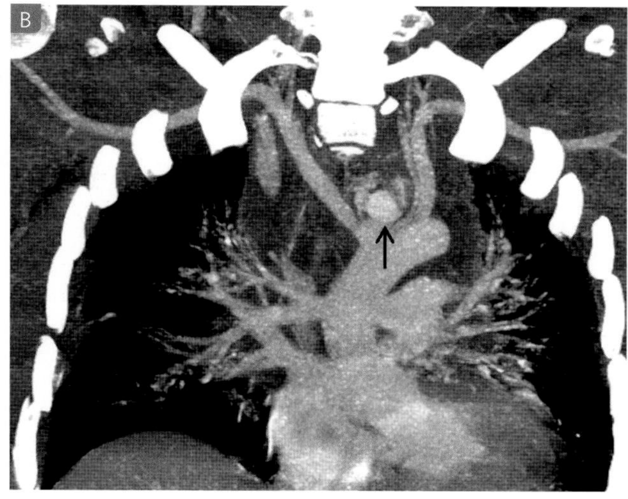

■ 그림 20-10. **외상성 대동맥 파열**
대동맥 활의 우측 팔머리동맥(right brachiocephalic artery)과 좌총경동맥(left common carotid artery) 기시부에 조영제 유출(A)과 최대강도투사(MIP) 재구성 사진(B)에서 거짓동맥류(pseudoaneurysm)(화살표)가 있다.

Ⅵ 흉막

1. 기흉

외상성 기흉은 일반적으로 장측흉막의 직접 천공에 따른 공기유출에 의하며 흔히 늑골절을 동반한다. 기흉의 임상적인 중요성은 기흉의 크기 보다는 환자의 심폐기능에 미치는 영향에 있다. 모든 사고 환자에서의 기흉은 환자가 전신 마취를 받거나 양압 기계호흡(positive pressure mechanical ventilation)을 받는 경우 급격히 진행되어 생명을 위협할 수 있으므로 임상적으로 중요하게 다루어져야 한다[1].

긴장성 기흉(tension pneumothorax)은 흉부 외상에 의한 흉부 손상 중 가장 흔한 사망 원인이다. 대부분의 경우 호흡

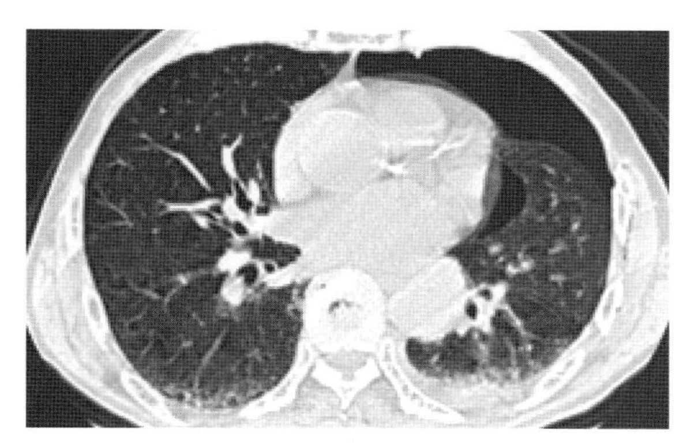

■ 그림 20-11. **외상성 기흉**
1.5 m 높이에서 추락한 환자의 CT에서 좌측에 기흉이 있고 폐 일부가 허탈되어 있다(좌).

표 20-8. 외상성 기흉에서 CT의 역할

전신마취나 양압 기계호흡을 받아야 할 경우 경미한 기흉 발견 중요 양을 정확히 평가하고 연부 조직 내의 공기와 구분가능 동반된 늑골 골절을 보다 정확히 평가하여 발생기전을 파악 재팽창성폐부종을 확인

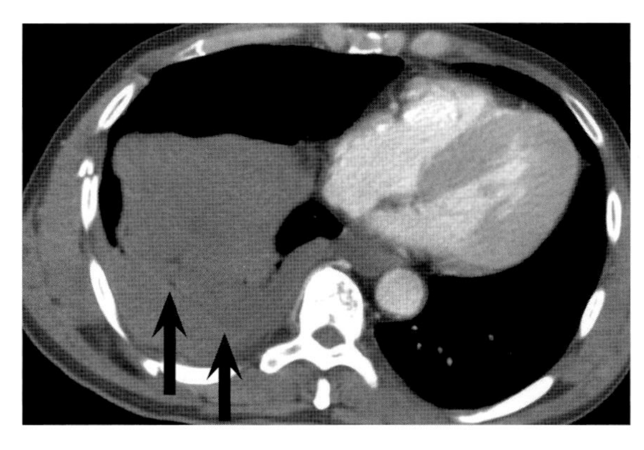

■ 그림 20-12. **외상성 혈흉**
액체-액체 층(화살표)이 보이는 우측 혈흉이 있으며 우측 늑골의 다발성 골절이 동반되었다.

곤란, 저혈류, 경정맥 확장, 호흡음 감소, 반대편으로의 기관 전이 등의 증상과 징후로 진단된다[1]. 외상성 기흉의 CT 검사는 기흉의 원인과 양을 평가하는데 중요하다(그림 20-11) (표 20-8). CT는 긴장성 기흉 치료 후에 발생할 수 있는 재팽창폐부종을 평가하는데 유용하다. 횡격막의 위치나 평평함을 3차원 재구성 사진에서 확인할 수 있다.

2. 혈흉

혈흉(hemothorax)은 흉강 내에 피가 고이는 것이다. 낮은 혈압 상태에서 혈관에서의 출혈은 저절로 멈추거나 흉막 배액으로 해결이 된다. 하지만 다량의 출혈은 종괴효과를 일으켜, 심장과 대혈관을 압박하거나, 혈액량감소쇼크, 폐의 허탈에 의한 저산소증 등을 유발하여 생명에 위협이 되기도 한다[1].

CT에서 급성기의 출혈은 흉강에 고인 높은 음영의 액체로 보인다. 현재 출혈이 진행되고 있으면 서로 다른 감쇠(attenuation)를 갖는 액체가 층을 이루는 것(fluid-fluid level)을 확인할 수도 있다(그림 20-12)[1].

VII 횡격막 손상

횡격막 손상(diaphragmatic injury)은 주로 젊은 남자에서 자동차 사고시 발생한다. 횡격막 손상은 종종 영상 소견이 경미하거나 골반골절, 비장파열, 신장 손상 등의 동반으로 진단이 어려울 수 있다[10, 11]. 횡격막 손상의 진단이 늦어질 경우 흉곽내의 장기 탈장, 감돈(strangulation) 등이 초래될 수 있고 그 경우 사망률이 50%에 달할 수 있다[11].

손상기전은 흉벽을 변형시키고 횡격막 손상을 유발하는 측부 충격, 갑작스러운 복압의 증가를 유발하는 직접 복부 충격이다. 관통상과는 대조적으로 둔상에 의한 손상은 보통 10 cm 이상으로 길게 찢어지며 횡격막의 늑간 부착부위와 척추 사이 횡격막의 후측부에 발생한다[10, 11]. 횡격막 손상은 좌측에서 3배 정도 잘 생기는데, 우측은 간의 protective

표 20-9. 횡격막 손상의 CT소견

편측 횡격막의 비연속성 복부 장기의 흉곽내속으로의 탈장 Collar sign(탈장된 장이 횡격막 손상부위에서 좁아지는 모양) Dependent visceral sign(탈장된 장기가 후방 늑골위의 dependent portion으로 층층이 쌓이는 모양) 감별: 횡격막 전위

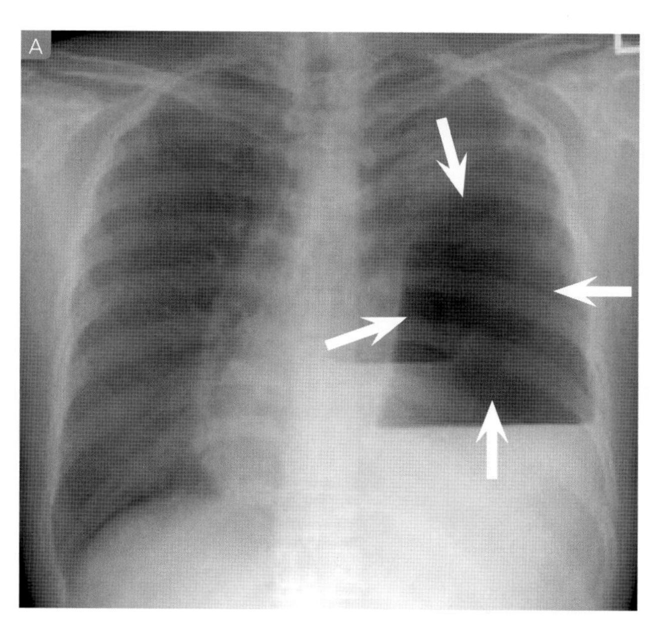

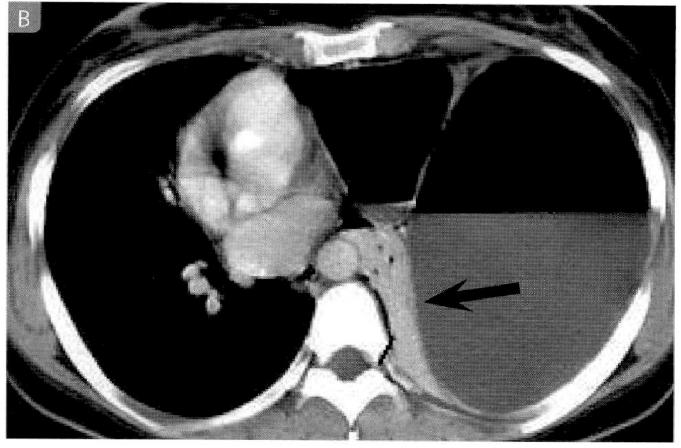

■ 그림 20-13. **횡격막 손상**
좌흉에 탈장된 위 내부의 커다란 이상 공기음영(흰화살표)이 있으며 내부에 공기-액체층을 포함하고 있다. 종격동은 우측으로 전위되어 있다. 좌하엽 허탈(검은 화살표)이 동반되었다.

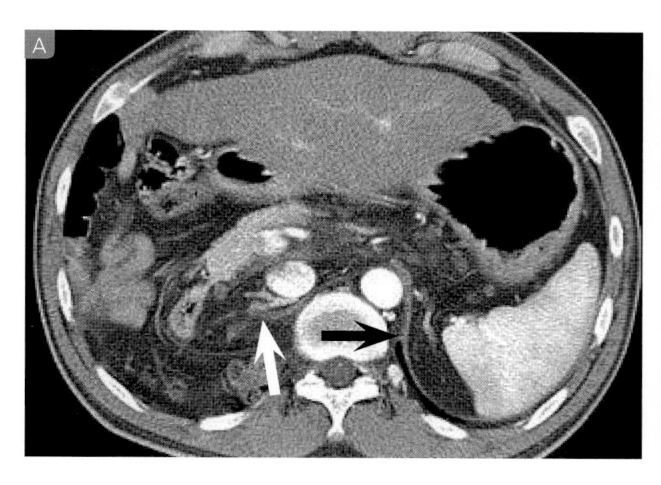

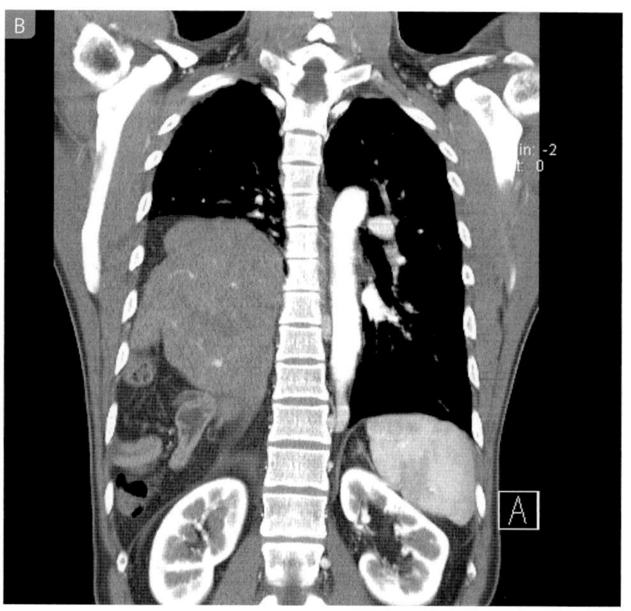

■ 그림 20-14. **횡격막 손상**
좌측 횡격막 다리(diaphragmatic crus, 검은화살표)가 잘 유지되어 있는 반면 우측 횡격막 다리가 절단(흰화살표) 되어 보이고 장간막, 지방, 간이 횡격막을 지나 우측 흉곽에 올라와 있다.

effect가 있고, 좌측은 posterolateral aspect가 발생학적으로 약하기 때문이다. 우측 진단이 masking되는 경우가 많아 심한 손상이 더 많다[11].

횡격막 손상의 CT소견은 표 20-9와 같다. 횡격막 전위(diaphragmatic eventration)도 횡격막 손상으로 오인될 수 있으나 관상면, 시상면 재구성영상에서 횡격막의 단절이 없음을 확인하는 것으로 구별할 수 있다. 횡격막 손상이 흉수와 동반되어 있는 경우 손상 부위가 작고 복부 장기의 탈장이 없으면 진단이 어려울 수 있다(그림 20-13, 20-14)[12].

1. 횡격막 탈장(diaphragmatic hernia)

CT에서 횡격막 손상 진단을 방해하는 예로, 선천적, 후천적 탈장이 있다. 선천적 탈장의 경우 가장 많은 위치는 왼쪽 후방외측(Bochdalek hernia)이고, 앞쪽 내측으로 sternocostal triangle에서 발생하는 Morgagni 탈장이 있다. 후천적 탈장은 횡격막 다리(crus) 후방에서 가장 잘 발생한다[11].

2. 횡격막 마비, 탈장(diaphragmatic palsy, eventration)

횡격막 마비, 전위는 횡격막이 이완 및 상승된 비정상적 구역으로 주로 왼쪽에서 발생한다. 횡격막 전위가 있는 경우 이환된 횡격막이 얇아지나 손상은 보이지 않는다. 횡격막 신경 손상에 의한 횡격막 마비의 경우도 횡격막 전위가 원인이 될 수 있다[11].

VIII 흉벽 손상

1. 늑골 골절

늑골 골절(rib fracture)은 흉부외상에 동반되는 가장 흔한 손상이다. 가장 흔한 골절부위는 근육이 가장 얇게 늑골을 감싸는 4-9번 늑골의 측부이다. 1번, 2번 늑골은 짧고 굵으며 근육으로 잘 둘러싸여 있어 이 부위의 골절은 강한 충격의 사고였음을 시사한다. 1, 2번 늑골 골절이 있는 사고는 보통 폐, 심장 좌상, 경부 손상, 심한 복부 손상을 동반한다. 1번 늑골의 단독 골절은 편타 손상(whiplash injury)과 동반될 수 있다. 간, 비장, 신장의 열상은 9-12번 늑골 골절과 잘 동반된다. CT는 늑골 골절이 있는 환자에서 늑골 골절과 동반된 폐손상 또는 복부 장기의 손상을 함께 진단할 수 있어서 유용하다(그림 20-15)[13].

동요흉(flail chest)은 5개 이상 인접한 늑골 골절 또는 3분절이상의 골절을 의미하며, 직접적인 폐와 흉막의 손상과 흉벽의 호흡 보조기능 손실로 인하여 호흡부전을 초래할 수 있다. 동요흉은 흡기시 비정상적인 움직임(paradoxic retraction)으로 저환기를 유발하기도 한다(표 20-10)[13].

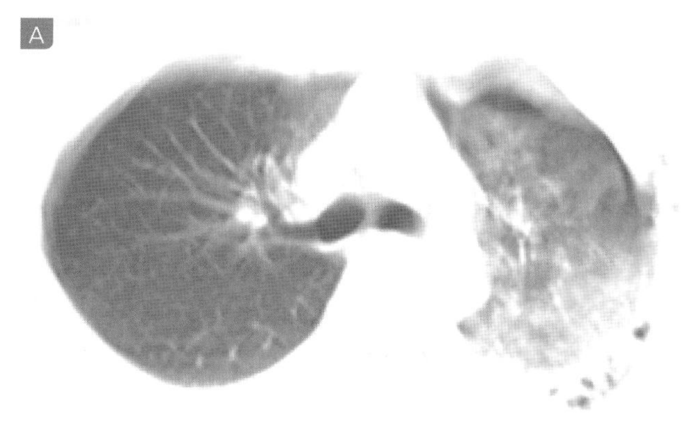

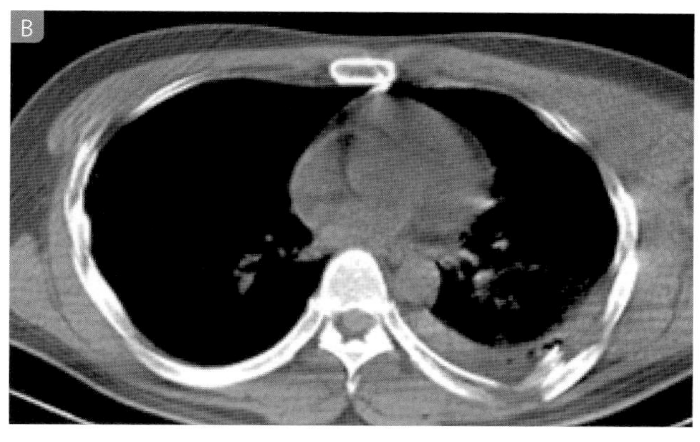

■ 그림 20-15. **늑골 골절**
A. 좌측 기흉과 좌상엽에 폐출혈이 동반되었다. **B.** 좌흉에 다발성 늑골 골절이 있고 골파편이 내측에 있다.

표 20-10. **외상성 늑골 골절 요점**

가장 흔한 골절부위	4-9번 늑골(측부 근육이 가장 얇은 늑골)
1,2 번 늑골 골절	강한 충격을 시사. 보통 폐, 심장 좌상, 경부 손상, 심한 복부 손상을 동반
9-12번 늑골 골절	간, 비장, 신장의 열상 동반
동요흉	5개 이상 인접한 늑골 골절 또는 3분절 이상의 골절을 의미, 호흡 부전에 주의

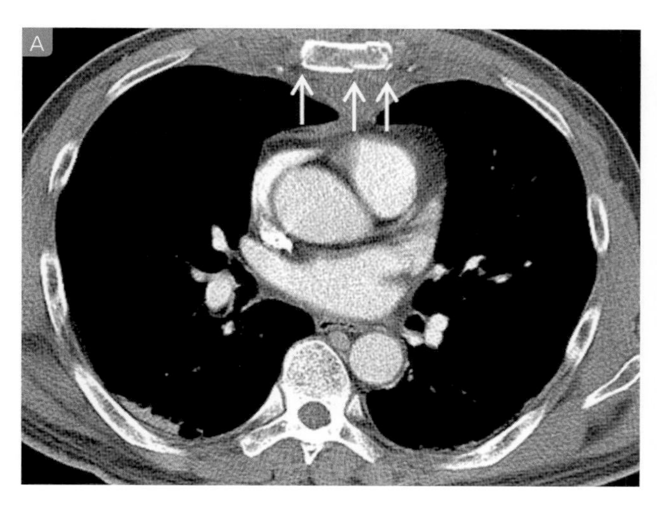

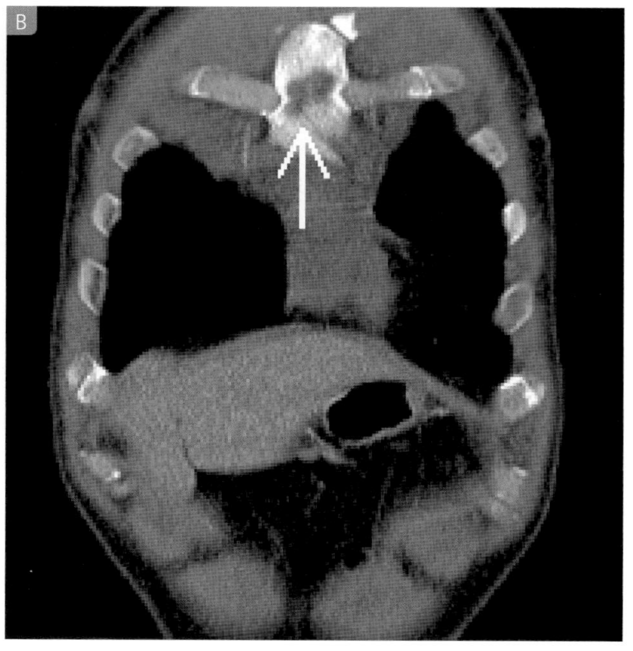

■ 그림 20-16. **흉골 골절**
A. 전흉벽 흉골의 골피질에 다수의 층과 골 파편이 보이고(화살표) 전종격동에 혈종으로 생각되는 음영이 있다. **B.** 3차원 관상면 재구성 사진에서 비스듬이 주행하는 선상 저음영이 보인다(화살표).

2. 흉골 골절

흉골 골절(sternal fracture)은 주로 노인에서 발생한다. 자동차사고가 흉골 골절의 원인 중 80%를 차지한다. 흉골 골절은 강한 충격의 사고를 시사하며 종격동 구조물의 손상, 즉 심장, 대혈관 및 기관 기관지 손상을 동반한다. CT가 동반된 종격동 손상을 보여주므로 흉골 골절 진단에 가장 좋은 검사방법이다(그림 20-16). 미세한 흉골 골절의 진단에 초음파가 유용할 수 있다[14].

3. 견갑골 골절

견갑골은 잘 보호되는 구조물로 견갑골 골절은 강한 충격에 의한 손상을 의미한다. CT는 흉부X선사진에 비해 견갑 골 골절과 늑골 골절, 기흉, 좌상 등 동반된 손상 진단에 더 민감하다(그림 20-17)[14].

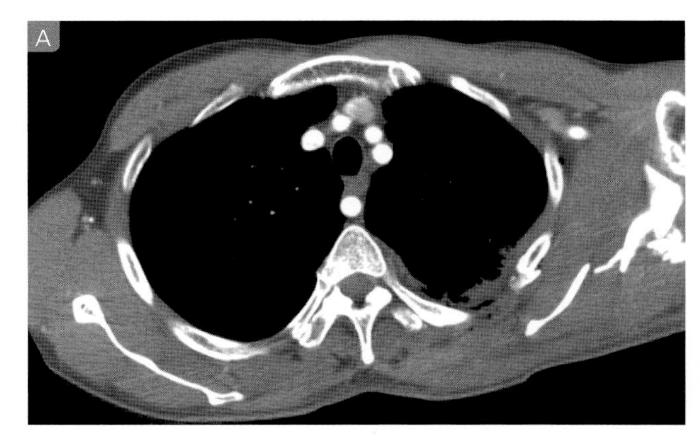

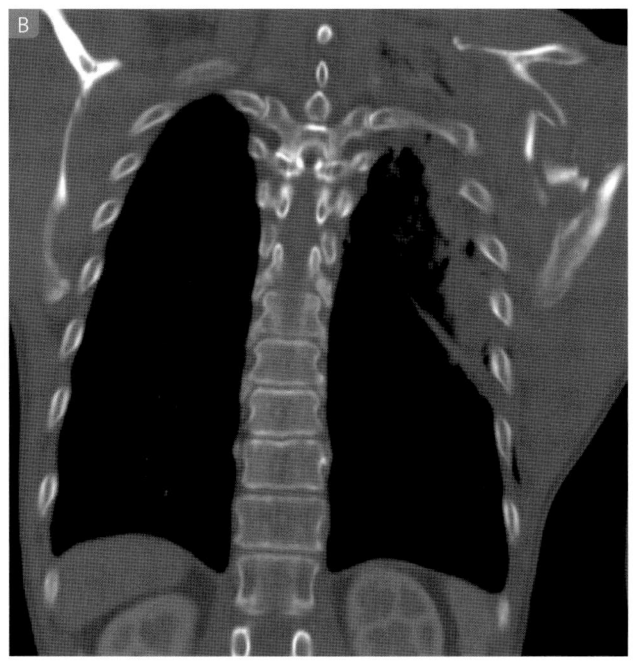

■ 그림 20-17. **견갑 골절**
좌측 견갑골에 다발성 골 파편을 포함한 복합 골절이 있다. 대부분 인접한 늑골 골절과 동반된다.

Ⅸ 흉부 관통상

흉부의 관통상(penetrating chest trauma)은 대부분 날카로운 것에 의해 찔리거나 발포에 의한 총상으로 발생한다. 모든 자상(stab wound)은 저에너지 손상으로 간주되며 탄상(gunshot wound)은 고에너지와 저에너지 손상으로 분류된다. 고에너지 탄상은 300-700 m/s 이상의 총구 속도에 의해 발생한다. 대부분의 관통상은 도시환경에서 칼과 저에너지 손상 중의 하나인 권총에 의해서 발생한다. 미국에서 흉부관통상은 주요 외상센터 입원의 4-15%를 차지한다[15]. 우리나라에

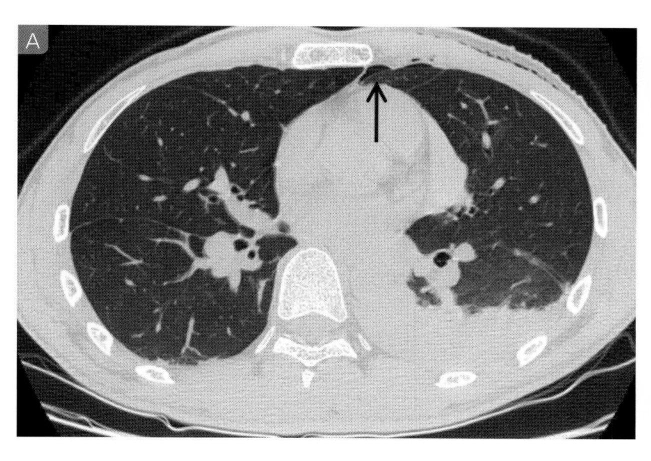

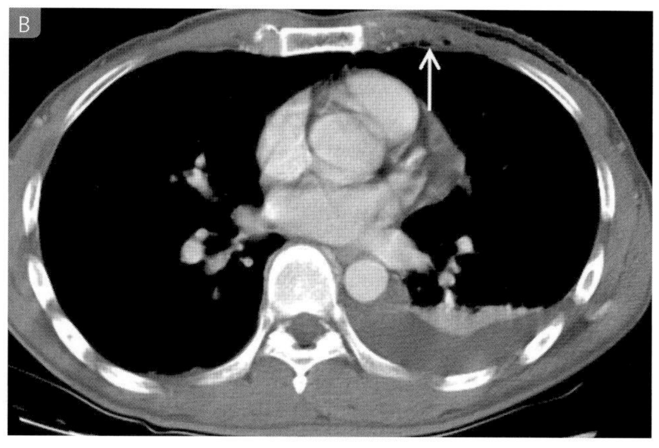

■ 그림 20-18. **자상**
혈흉과 기흉(화살표)이 동반되었고(A) 전흉벽에 공기음영(화살표)으로 자상의 경로를 추적할 수 있다(B).

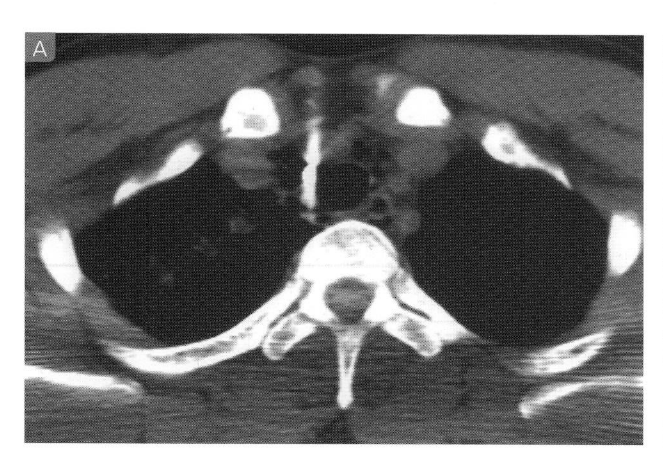

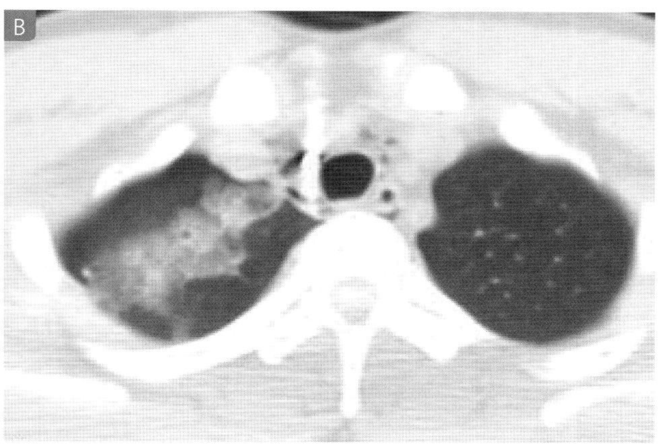

■ 그림 20-19. **탄상**
탄알이 우측기관주위에 보이며 주변에 비정상적인 공기 음영이 다수 보인다. 이 경우에 주변 대혈관 상태 확인이 중요하다. 우상엽에 폐경화가 보여 폐출혈이 의심된다.

서는 총기 사고는 드물며 자상은 도시환경에서 종종 발생한다. 흉벽, 흉막, 폐와 달리 종격동을 지나는 자상이나 탄상의 경우 생명에 위협을 초래하는 심장, 대혈관, 식도 그리고 기관지 같은 중요기관 손상과 동반될 가능성이 높다. CT에서 공기, 출혈, 골, 탄알 파편 등을 인지하면 손상의 경로를 알 수 있고 재구성 영상으로 도움을 받을 수 있다. 손상의 정확한 범위와 종격동과의 관계를 정확히 파악하기 위해서는 골 창 영상과 폐 창 영상을 적절히 사용하는 것이 중요하다(그림 20-18) (그림 20-19).

참고문헌

1. Kaewlai R, Avery LL, Asrani AV, Novelline RA. Multidetector CT of blunt thoracic trauma. Radiographics 2008;28:1555-1570.

2. Primack SL, Collins J. Blunt nonaortic chest trauma: radiographic and CT findings. Emerg Radiol 2002;9(1):5-12.
3. Van Hise ML, Primack SL, Israel RS, Muller NL. CT in blunt chest trauma:indication and limitations. Radiographics 1998;18:1071-1084.
4. Wagner RB, Crawford WO Jr, Schimpf PP. Classification of parenchymal injuries of the lung. Radiology 1998;167:77-82.
5. Unger JM, Schuchmann GG, Grossman JE, Pellet JR. Tears of the trachea and main bronchi caused by blunt trauma; radiologic findings. AJR Am J Roentgenol 1989;153:1175-1180.
6. Chen JD, Shanmuganathan K, Mirvis SE, Killeen KL, Dutton RP. Using CT to diagnose tracheal rupture. AJR Am J Roentgenol 2001;176:1273-1280.
7. Ketai L, Brandt MM, Schermer C. Nonaortic mediastinal injuries from blunt chest trauma. J Thorax Imaging 2000;15:120-127.
8. 홍민지,김영통,조성식,김상원,신형철,김일영. 흉부대동맥 및 대혈관 외상. 대한영상의학회지2009;60:241-247.
9. Groskin SA. Selected topic in chest trauma. Radiology 1992;183:605-617.
10. Iochum S, Ludig T, Walter F, Sebbag H, Grosdidier G, Blum AG. Imaging of diaphragmatic injury: a diagnostic challenge Radiographics 2003;22:S103-S116.
11. Desir A, Ghaye B. CT of blunt diaphragmatic rupture. Radiographics 2012;32(2):477-498.
12. Killeen KL, Mirvis SE, Shanmuganathan K. Helical CT of diaphragmatic rupture caused by blunt trauma. AJR Am J Roentgenol 1999;173:1611-1616.
13. Fraser RS, Muller NL, Colmas N, Pare P.D. Penerating and Nonpenerating Chest Trauma. in Diagnosis of Disease of the Chest. 4th ed. Philadelphia: Saunder, 1999;2611-2657.
14. Thoongsuwan N, Kanne JP, stern EJ. Spectrum of blunt chest injuries. J Thorac Imaging 2005;20(2):89-97.
15. Shanmuganathan K, Matsumoto J. Imaging of penetrating chest trauma. Radiol Clin North Am 2006 Mar;44(2):25-38.

Contents

종격동 질환의 50%는 증상이 없이 우연히 발견되며 대부분의 질환이 특정한 종격동 구역에 호발한다. 흔히 발생하는 질환은 표 21-1과 같다.

종격동 종양에 의한 증상은 종양이 주변 장기를 직접 침범하거나 신생물딸림증후군(Paraneoplastic syndrome)에 의해서 나타난다(표 21-2).

또한, 종격동에는 다양한 선천성 낭성 병변들이 발생하며, 기관지낭(45%), 흉선낭(28%), 심장막낭종(11%) 순으로 흔하게 발생한다[1].

표 21-1. **종격동 구역에 따라 호발하는 종격동 종괴**

전종격동 종양(anterior mediastinal mass)	갑상선 종양(thyroid tumor) 흉선종(thymoma) 기형종(teratoma) 림프종(lymphoma)
중종격동 종양(middle mediastinal mass)	림프절병증(lymphadenopathy) 선천성 낭종(congenital cyst)
후종격동 종양(posterior mediastinal mass)	신경성 종양(neurogenic tumor)

표 21-2. 종격동 종양과 관련된 신생물딸림증후군의 증상

증상(symptom)	분비되는 호르몬	관련된 종격동 종양
고혈압	카테콜라민(catecholamine)	부신경절종(paraganglioma) 신경모세포종(neuroblastoma) 신경절신경종(ganglioneuroma)
고칼슘혈증	부갑상선호르몬(parathyroid hormone)	부갑상선종(parathyroid adenoma)
갑상선항진증	티록신(thyroxin)	갑상선종양(thyroid tumor)
쿠싱증후군	부신피질자극호르몬(adenocorticotropic hormone, ACTH)	카르시노이드종양(carcinoid tumor)
여성유방증	사람융모성성선자극호르몬(human chorionic gonadotropin, HCG)	생식세포종양(germ cell tumor)
저혈당증	인슐린(insulin)	카르시노이드종양(carcinoid tumor) 소세포암종(small cell carcinoma)
설사	혈관작용소장펩타이드(vasoactive intestinal peptide, VIP)	신경절신경종(ganglioneuroma) 신경모세포종(neuroblastoma) 신경섬유종(neurofibroma)

I 전종격동 질환

1. 흉선기원종양

1) 정상흉선

정상 흉선(normal thymus)은 대부분 갑상선의 하방, 심장이나 대혈관의 전방에 위치한다. 사춘기가 되면서 퇴화되기 시작하며, 25세 정도 되면 지방으로 대치된다. CT상 유아기나 초기 유년기에는 4변형(quadrilateral)을 보이며, 전혈관공간을 채울 정도로 크기도 하지만, 나이가 들면서 점점 작아지고 삼각형 또는 화살촉 모양으로 변한다. 경계(margin)는 매끄러우며(smooth), 두께는 보통 1-2 cm 정도이다. 조영 증강 전에는 근육과 비슷한 정도이고 조영 증강을 하면 비교적 균질하게 음영이 증가된다(그림 21-1)[1, 2].

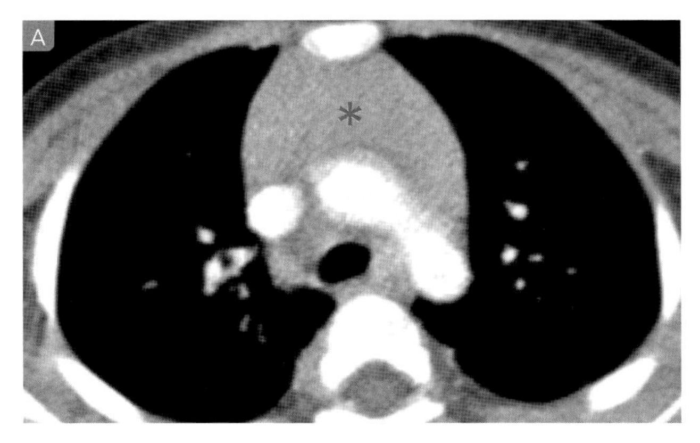

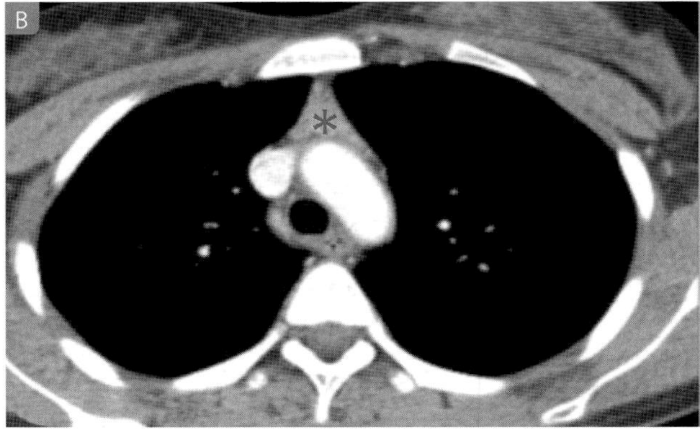

■ 그림 21-1. **정상흉선** **A.** 3세 남아 4변형(quadrilateral) 모양(별표) **B.** 16세 여아 삼각형모양(별표)

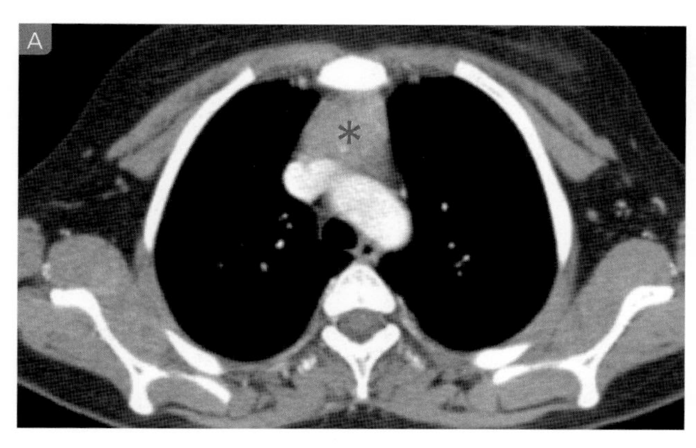

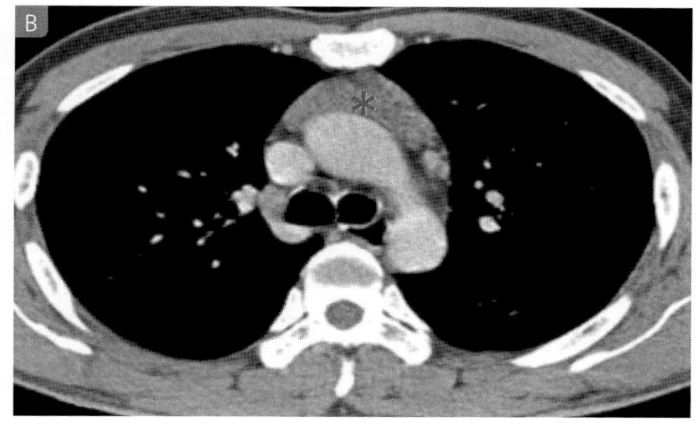

■ 그림 21-2. **흉선비대증**

A. 14세 여자에서 진성증식증의 예. 코인두암(nasopharyngeal cancer)으로 항암 치료를 하였다. 조영 증강 CT에서 흉선이 삼각형 모양으로 커져 있다(별표). **B.** 40세 남자에서 림프구 증식증의 예. 중증근무력증 환자로 조영 증강 CT에서 흉선이 삼각형 모양으로 커져 있다(별표).

2) 흉선비대증

흉선 비대증(thymic hyperplasia)은 진성 증식증(true hyperplasia)과 림프구 증식증(lymphoid hyperplasia)으로 나눈다. 진성 증식은 스트레스(stress), 항암치료나 방사선 치료 후, 암 등에 의해서 위축(atrophy)된 흉선이 다시 커진 경우로 동일 연령에 비해 흉선의 크기와 무게가 모두 증가된다(그림 21-2 A). 이에 비해서 림프구 증식증은 흉선 수질(medulla)의 배중심(germinal center)내에 있는 림프구성 소포(lymphoid follicle)의 수가 증가된 경우로 흉선 크기의 증가가 없을 수 있다. 중증근무력증(myasthenia gravis), 혼합결합조직병(connective tissue disease) 등이 있는 환자에서 흔히 발생한다. CT에서 정상 흉선(45%), 정상 모양이면서 크기가 커진 경우(35%), 국소 종괴 형태(25%)로 나타날 수 있다(그림 21-2 B)[1-4].

3) 흉선상피종양

흉선상피종양(thymic epithelial tumor)은 50-65세 사이에 흔히 발생하며 2004년도 WHO 분류에 의하여 상피 세포(epithelial cell)의 세포 비정형(cellular atypism)에 따라 흉선종(thymoma)과 흉선암종(thymic carcinoma)으로 분류한다(표 21-3). 흉선종의 각 형태와 흉선암종을 감별하는 것은 매우 중요하다. 조영 증강 CT상 불균일한 조영 증강을 보인다면 고 위험군 흉선종 또는 흉선암종의 가능성이 높다. 또한 불규칙한 형태, 괴사나 낭성 형성, 림프절 비대, 혈관 침범이 동반되면 흉선암종의 가능성이 높다.

표 21-3. **흉선종의 분류와 연관이 있는 질환들**

종류(type)	분류(classification)		관련된 질환
흉선종	저위험군	A형	저감마글로불린혈증(hypogammaglobulinemia), 적혈구무형성증(red bloood cell aplasia)
		AB형 B1형	중증근무력증(myasthenia gravis)
	고위험군	B2형, B3형	중증근무력증(myasthenia gravis)
흉선암종		C형	자가면역질환(autoimmune disease)

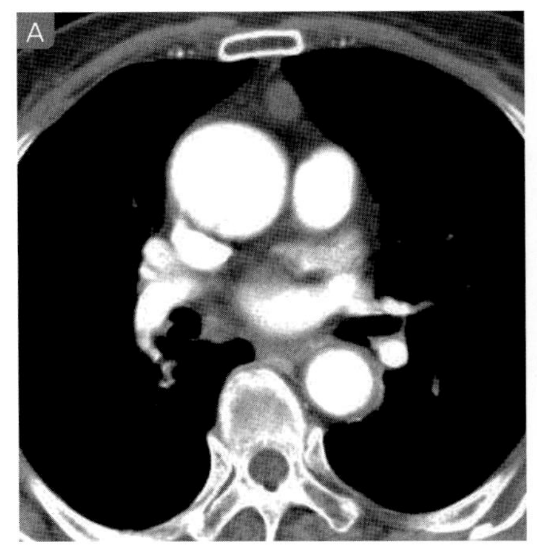

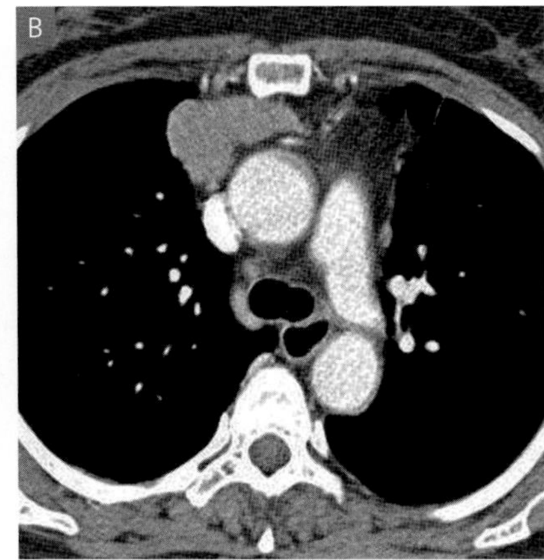

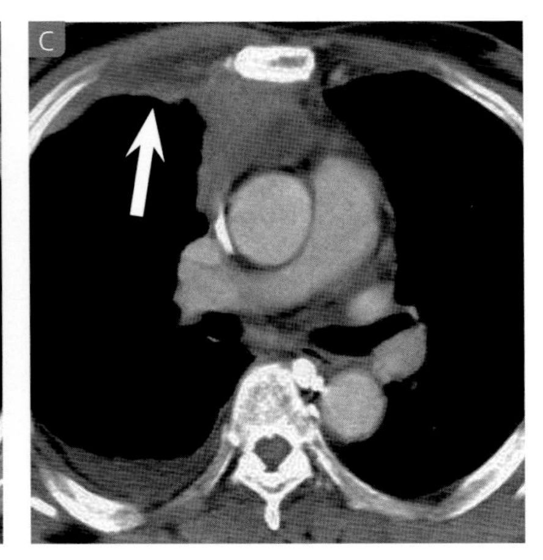

■ 그림 21-3. **흉선종**

A. 흉선종(type A) 전종격동에 경계가 잘 되는 둥근 종괴가 있으며, 조영 증강은 거의 안 된다. **B.** 흉선종(type AB): 전종격동에 3 cm 크기의 경계가 불규칙한 종괴가 있으며, 불균일한 조영 증강을 보인다. **C.** 흉선종(type B3): 전 종격동에 불균일한 조영 증강을 보이며, 불규칙한 경계면을 가진 종괴가 있으며, 근처의 흉막을 침범하고(화살표), 흉막삼출이 있다.

흉선종이 있는 환자의 약 40%에서 중증근무력증이 있으며, 중증근무력증 환자의 약 10%에서 흉선종이 발견된다(표 21-3).

CT상 대부분의 흉선종은 경계가 분명한 둥글거나 계란형의 종괴 형태로 보인다. 조영 증강 전에는 균일한 연부 조직 음영을 보이며, 조영 증강 후에는 약간의 조영 증강을 보인다. 드물지만 종괴의 크기가 큰 경우 내부에 출혈, 괴사, 낭형성에 의해서 저 음영을 동반하기도 한다. 흉선종의 34%에서는 주변 장기로(혈관, 폐 또는 늑막) 국소 침윤(local invasion)이 생긴다. 특히 동측 늑막으로 고립성 전이(isolated pleural metastasis, so-called drop metastasis) 또는 근접한 전이(contiguous pleural metastasis)가 동반될 수 있으며, 비후성 근접한 전이(thickened contiguous pleural metastasis)의 경우 중피종(mesothelioma)로 종종 오인한다(그림 21-3).

흉선암종은 중년 여성에서 더 호발한다. 흉선암종의 가장 흔한 2가지 병리학적 세포 형태는 편평세피암종(squamous cell carcinoma)과 신경내분비암종(neuroendocrine carcinoma)이다.

편평세피암은 흔히 괴사와 출혈을 동반하며, 다른 장기로 전이를 잘한다. 신경내분비암종은 드물지만 신생물딸림증후군과 연관이 있는 것으로 알려져 있다. 딴곳 부신겉질자극호르몬(ectopic ACTH)가 있는 환자의 10%에서 흉선암종이 동반되므로 쿠싱증후군이 있는 환자는 종격동에 대한 검사를 위해서 CT를 해야 한다. 흉선암종은 흉선종과 다르게 출혈, 괴사, 낭성 변화가 흔하며, 석회화도 10-40%정도 보인다. 경계는 불규칙하거나 분엽(lobulation)의 모양을 보이며 불균일한 조영 증강을 보인다(그림 21-4, 21-5)(표 21-4)[1, 2, 5-8].

표 21-4. **흉선 상피 종양의 CT 소견**

저위험 흉선종	부드러운 경계면, 피막에 잘 싸여져 있음 균일한 음영 증가
흉선암종	불규칙한 경계면, 괴사 또는 낭 형성 불균일한 음영 증가, 대혈관 침범

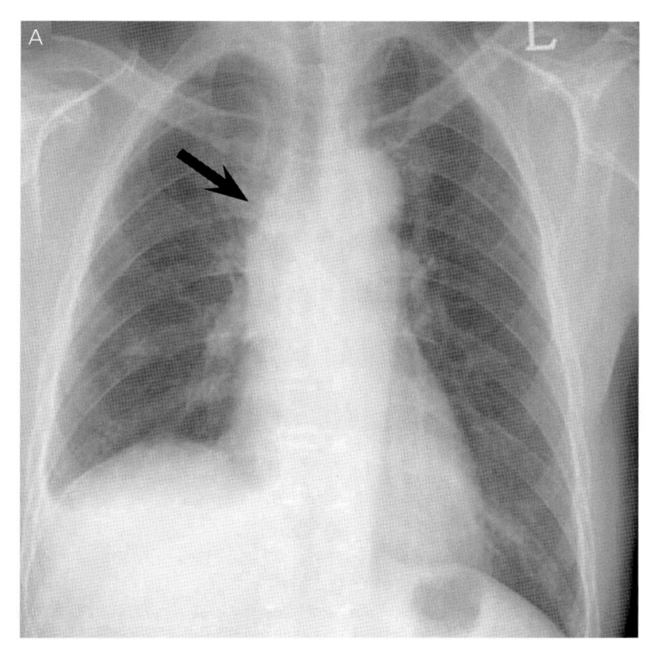

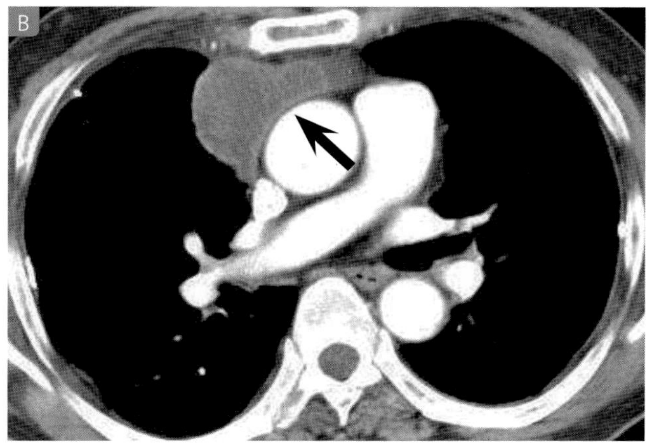

■ 그림 21-4. **흉선암종**
흉부X선사진(A)에서 우측 폐 중심부에 불규칙한 경계면을 가진 종양이 있다(화살표). CT(B)에서 불균일하게 조영 증강을 보이는 종괴가 있고 상행 대동맥과는 분명한 경계를 보인다(화살표).

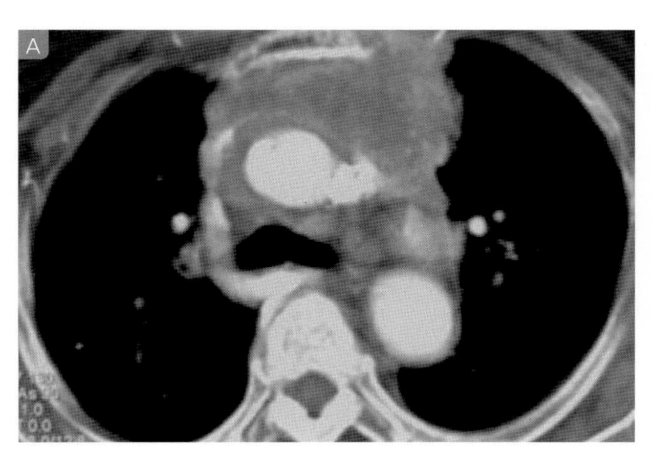

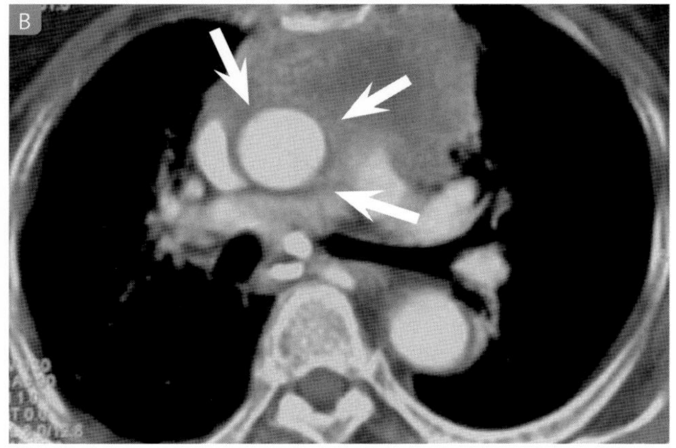

■ 그림 21-5. **흉선암종**
전종격동에 불규칙한 경계면을 가진 종양이 있다. 종양의 중심부는 괴사에 의해 저음영을 보이고, 종양의 주변부가 불균일하게 조영 증강이 된다. 이 종양은 후방에 있는 상행대동맥을 감싸면서 큰 혈관들을 침범하고 있다(화살표).

4) 흉선낭

전종격동 종양의 1-2%를 차지하며, 대부분 선천성이다. 선천성 흉선낭(thymic cyst)은 CT상 조영 증강되지 않는 균일한 물음영(0-20HU)으로 경계가 잘 되고, 부드러운 경계과 얇은 벽을 보인다. 그러나 내부에 출혈이나 감염이 생기면 음영이 20HU이상 증가된다(그림 21-6)[2, 3].

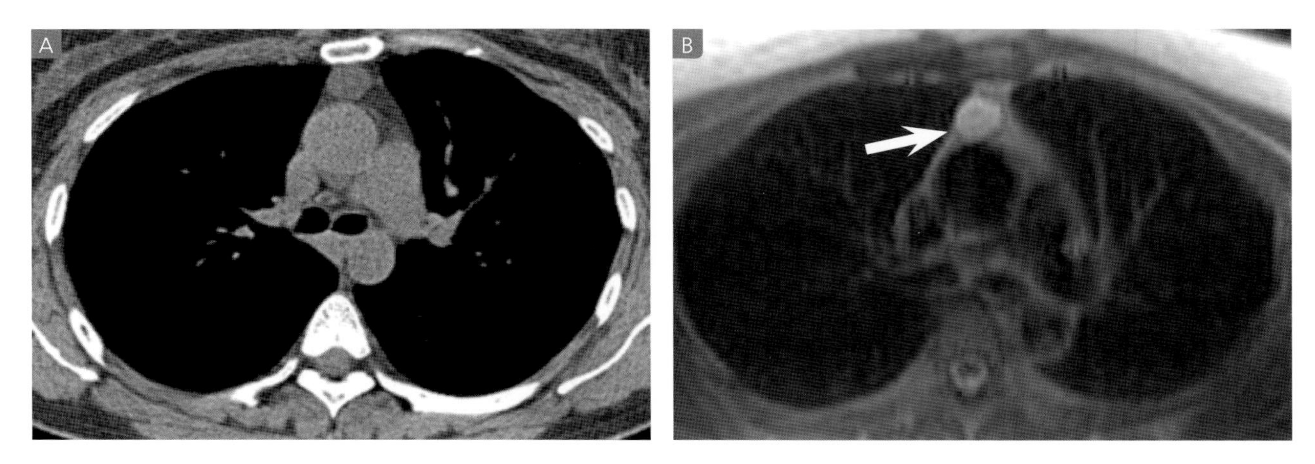

■ 그림 21-6. **흉선낭**
조영 증강 전 CT(A)에서 전종격동에 물 음영을 가진 경계가 잘 되는 둥근 결절이 있다. 자기공명 T2 영상(B)에서 균일한 고신호를 보인다(화살표).

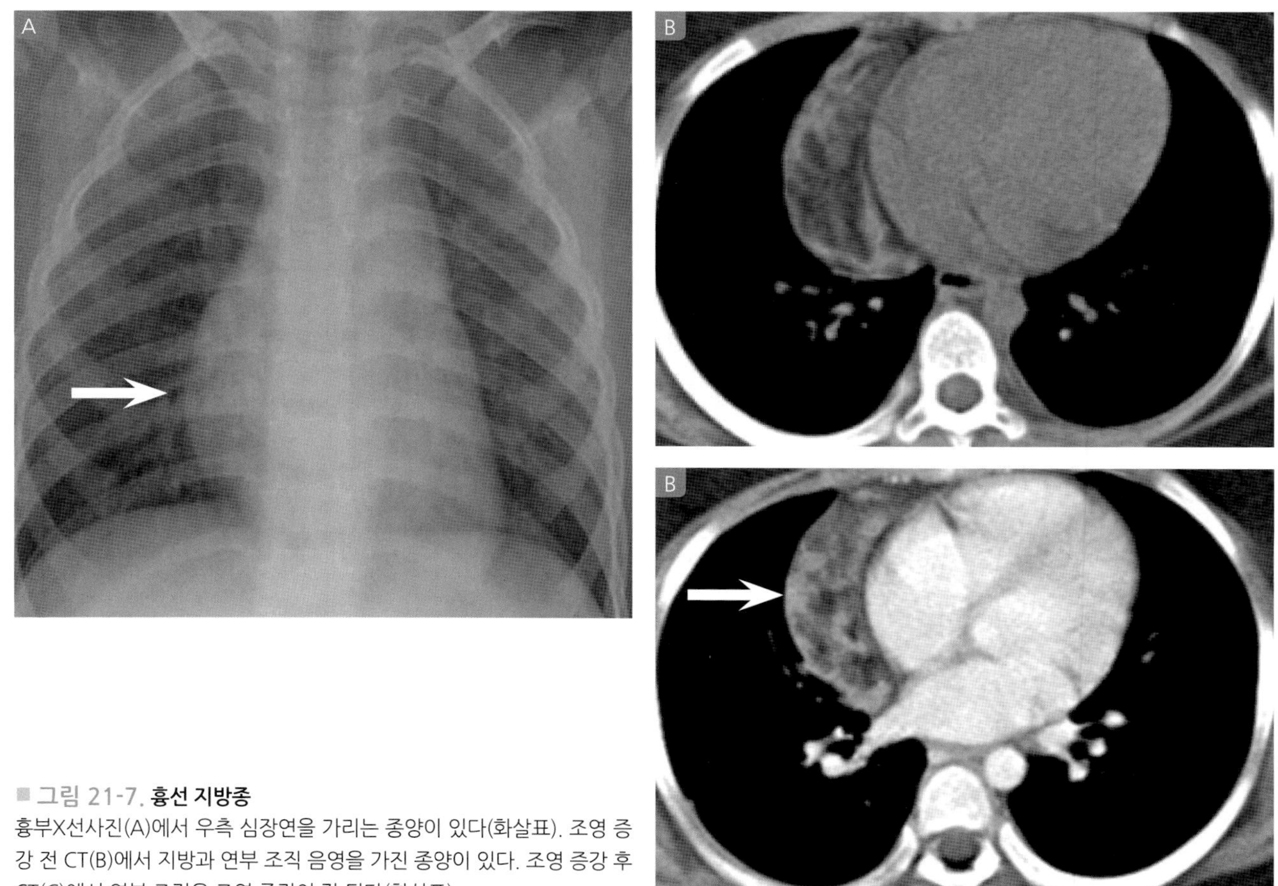

■ 그림 21-7. **흉선 지방종**
흉부X선사진(A)에서 우측 심장연을 가리는 종양이 있다(화살표). 조영 증강 전 CT(B)에서 지방과 연부 조직 음영을 가진 종양이 있다. 조영 증강 후 CT(C)에서 연부 조직은 조영 증강이 잘 된다(화살표).

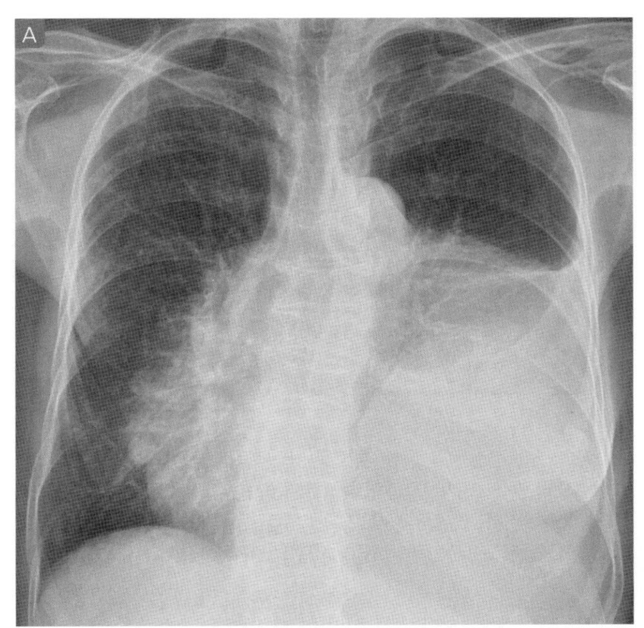

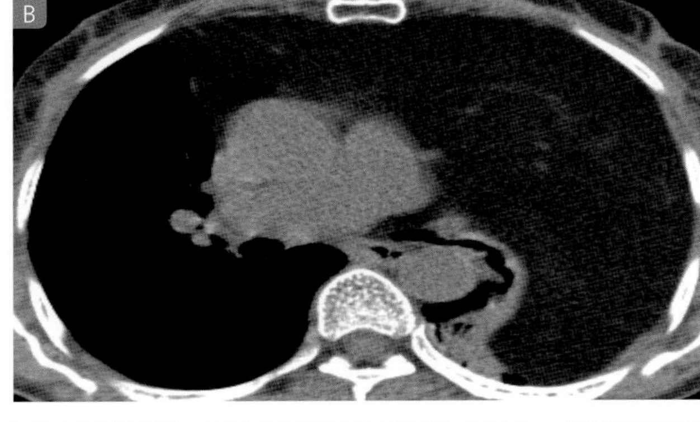

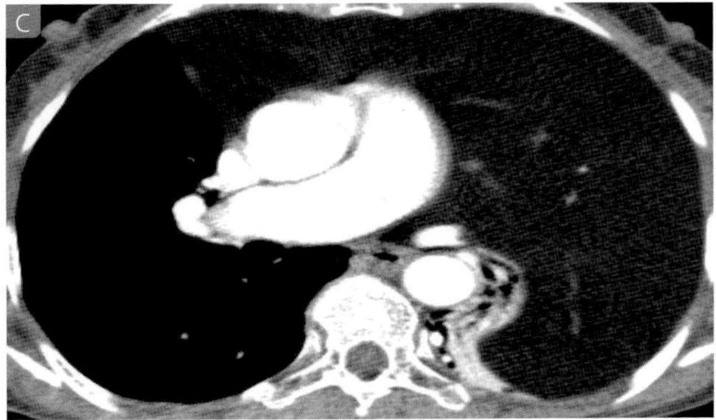

■ 그림 21-8. **흉선 지방종**
흉부X선사진(A)에서 좌측 심장연을 가리는 종양이 있다. 조영 증강 전 CT(B)에서 전 종격동에 지방을 포함하고 있는 큰 종양이 있다. 조영 증강 후 CT(C)에서 전 종격동의 지방 조직은 조영 증강이 안된다.

5) 흉선 지방종

드문 종양이며, 성숙한 지방 조직과 신생물이 아닌 흉선 조직으로 구성된 경계가 잘 되는 종양(thymolipoma)이다. 대부분 증상이 없으며, 우연히 발견된다. 약 7%에서 중증근무력증과 연관이 있다. CT에서 매우 풍부한 지방 또는 지방과 연부 조직 음영을 보인다(그림 21-7, 21-8)[1, 2, 9].

2. 종격동 생식세포종양

조직학적으로 고환 또는 난소 종양과 동일하며, 원시생식세포(primordial germ cell)가 생식세포(gamete)로 성숙되는 과정 중 원시생식세포요소(primitive germ cell element)로부터 기원한 것으로 알려져 있다. 종격동 생식세포 종양은 기형종(teratoma), 정상피종(pure seminoma), 악성 비정상피종(malignant nonseminomatous tumor)로 나눈다.

1) 기형종

2개 또는 3개의 배엽층(외배엽, 내배엽, 중배엽)에서 기원한 다양한 종류의 성숙 또는 미성숙체 세포 조직이 섞여 있는 종양이다. 모든 종격동 생식 세포 종양의 50-70% 정도로 흔하며, 호발 연령은 20대로 알려져 있다. 대부분 임상 증상은

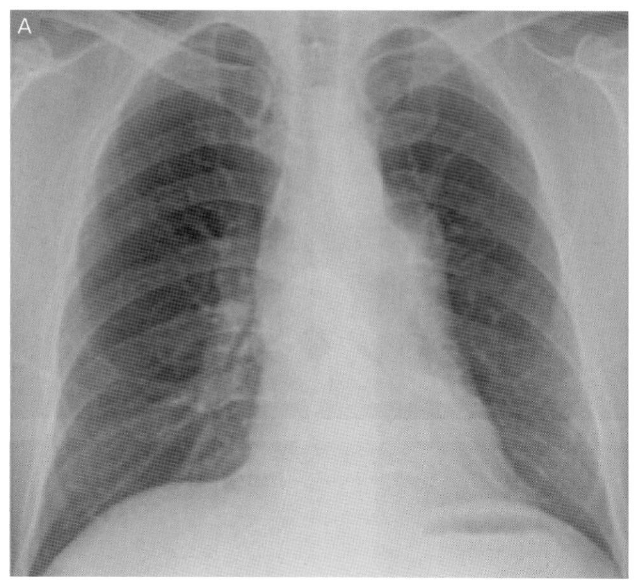
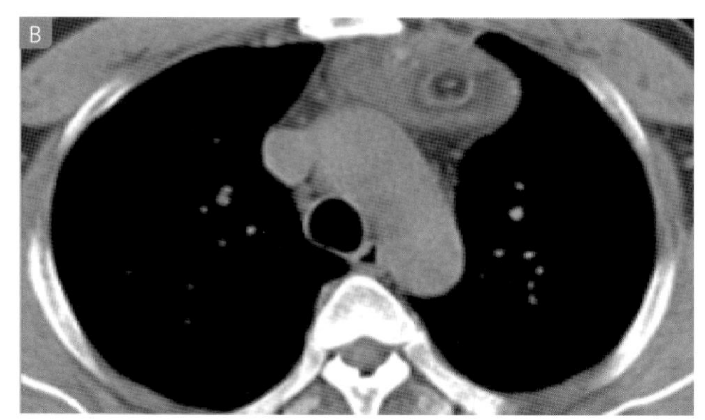
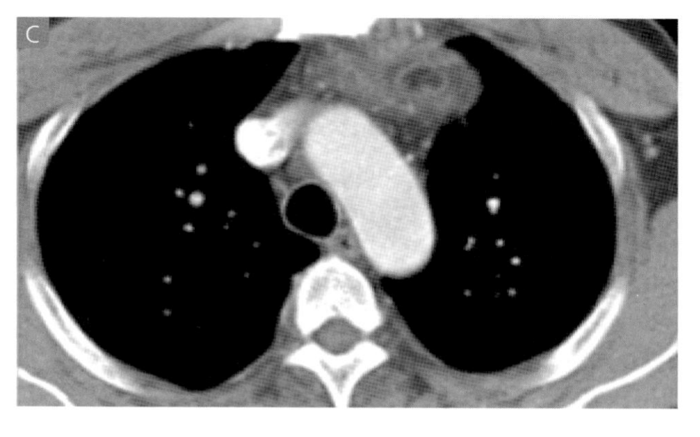

■ 그림 21-9. **기형종**
흉부X선사진(A)에서 좌측 폐문부 근처에 경계가 잘 되는 전종격동 종양이 있다. 조영 증강 전 CT(B)에서 종양의 내부에는 석회화, 지방, 연부 조직이 포함되어 있으며, 조영 증강 후(C)에는 연부 조직 부위가 불균일한 조영 증강을 보인다.

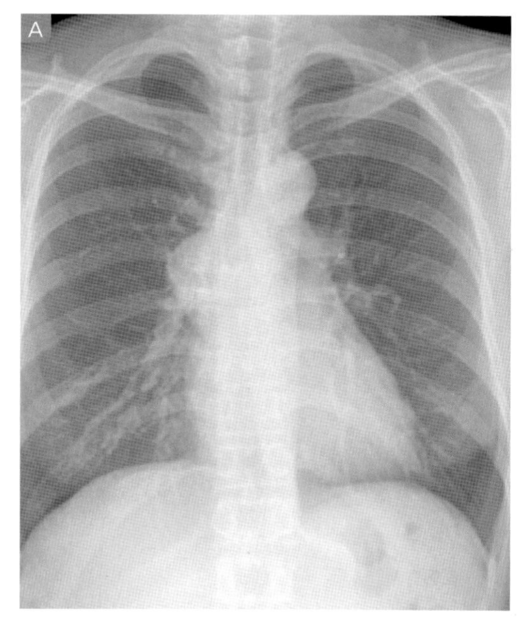
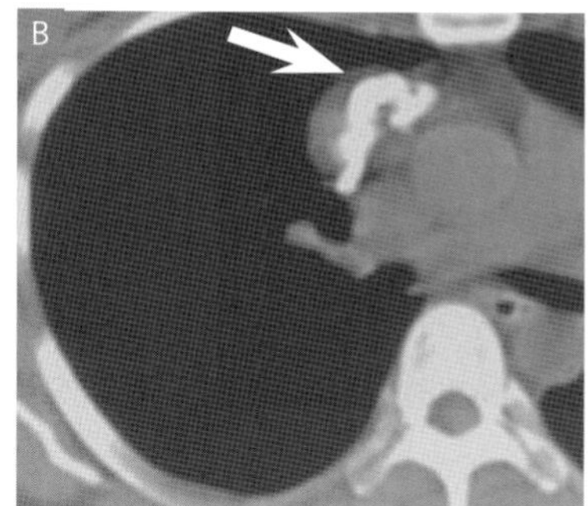
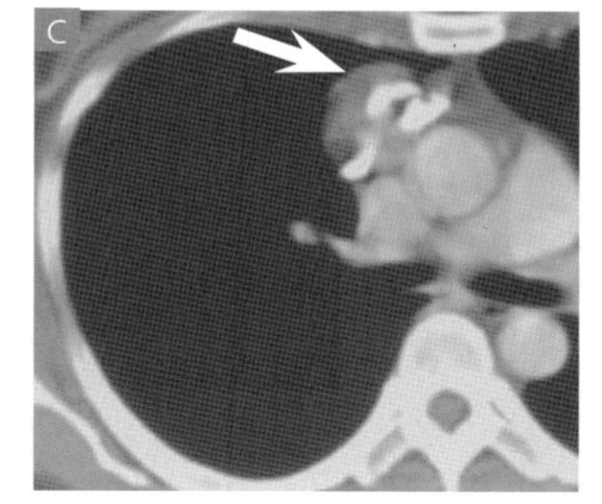

■ 그림 21-10. **기형종**
흉부X선사진(A)에서 우측 폐문부 근처에 경계가 잘 되는 석회화를 포함한 전종격동 종양이 있다. 조영 증강 전 CT(B)에서 종양의 내부에는 석회화(화살표) 연부 조직이 포함되어 있으며, 조영 증강 후(C)에는 연부 조직 부위가 불균일한 조영 증강을 보인다(화살표).

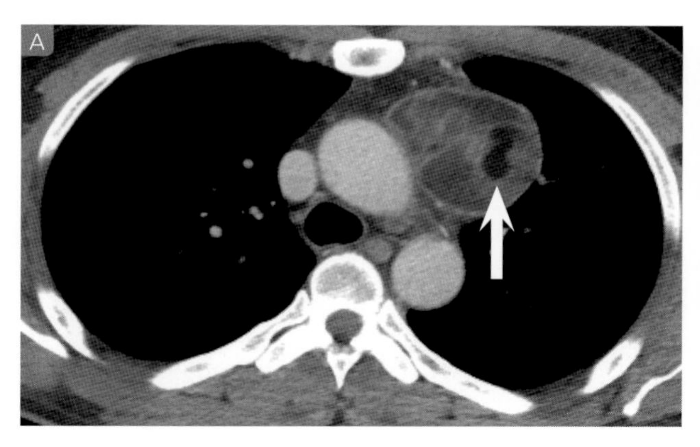

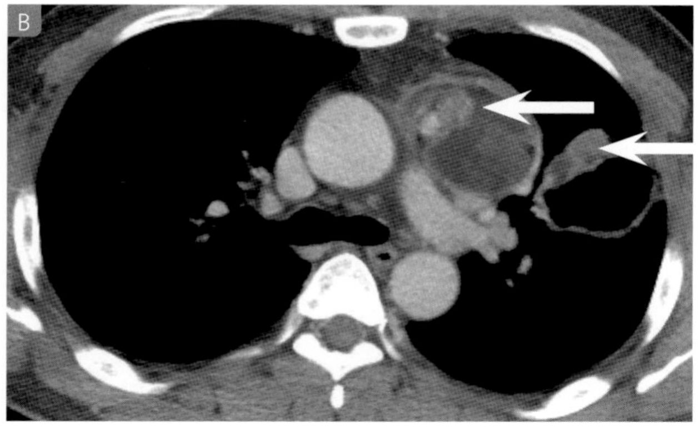

■ 그림 21-11. **기형종**

조영 증강 후 CT(A)에서 종양의 내부에는 지방(화살표)과 연부 조직이 포함되어 있으며, 석회화, 지방과 불균일한 조영 증강을 보이는 연부 조직(B)(화살표)이 있다. 이와 동반해서 좌상엽에는 기형종 파열로 인해서 낭성 종괴가 있으며, 낭성 종괴의 벽에는 지방과 연부 조직(화살표)이 포함되어 있다.

없으며, 우연히 발견된다. 드물게는 기형종의 낭내에 출혈이 생기면 갑자기 종괴의 크기가 증가되고, 이로 인해서 심한 흉통을 호소하기도 한다. CT에서 연부 조직, 지방, 석회화(50%), 낭 등을 모두 또는 이 중 2-3개 정도를 동시에 보이는 불균질한 음영의 종괴로 보인다(그림 21-9~21-11)(표 21-5). 또는 경계가 잘 지어지는 낭성 종괴의 형태로 보이기도 하며, 고지질이 있는 경우에는 지방-액체층을 보인다[1, 2, 3, 10, 11].

2) 악성생식세포종양

순음 정상피종(pure seminoma)과 악성 비정상피종(malignant nonseminomatous tumor)이 있다. 순음 정상피종은 20-40세에 호발하며, 1/3 정도에서 혈청 β -hCG가 상승되어 있으나 혈청 알파태아단백은 정상이다. 증상의 대부분은 종괴가 커져서 주변의 기관지나 혈관을 침범할 때 나타난다. 따라서 흔한 증상이 흉통과 호흡곤란이다. CT상 경계가 잘 되는 경계를 가지는 큰 종괴의 형태로 흔히 보인다. 그러나 주변의 기관지나 혈관을 침범하면 불규칙한 경계를 보인다. 조영 증강 전에는 균일한 음영을 보이며, 조영 증강을 하면 약간 조영 증강이 된다. 석회화나 낭성 변화는 드물다(그림 21-13)(표 21-5).

악성 비정상피종은 거의 모두 남자에서만 발생한다. 모든 환자에서 혈청 알파태아단백이 증가되어 있다. 혈청 알파태아단백의 증가는 난황낭 종양(yolk sac tumor)과 강한 연관성이 있으며, β-hCG의 증가는 융모막암종(choriocarcinoma component)과 연관이 있다. 종격동 늑막(mediastinal pleura)과 폐에 흔히 전이하고 50% 이상에서 간, 뇌, 뼈에 혈행성 전이를 한다. 그러나 림프절 전이는 드물다. CT에서 종양은 괴사와 출혈을 흔히 동반하므로 종양의 내부에 여러 곳에서 저음영을 포함한 불균일한 음영을 보인다(그림 21-13) (표 21-5)[1, 2, 10, 11].

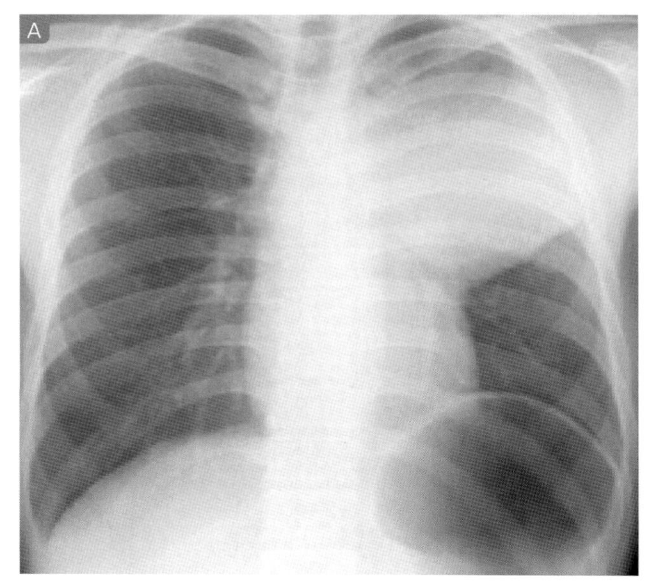

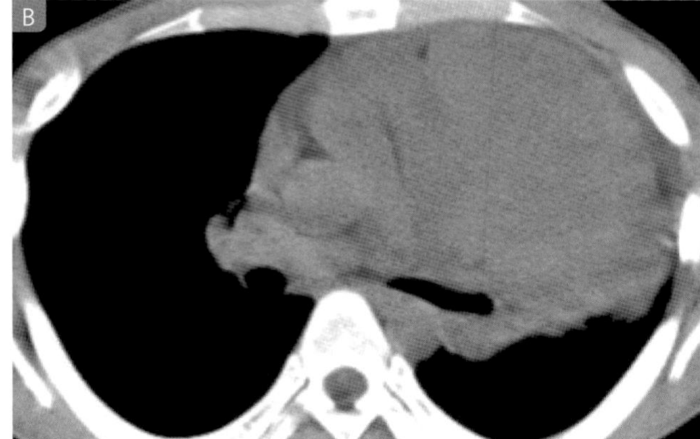

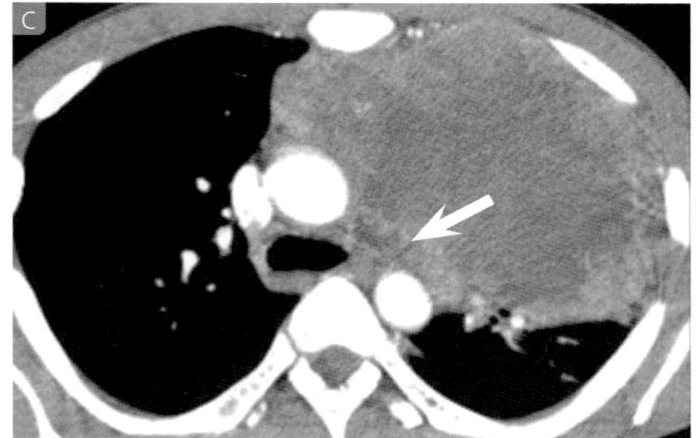

■ 그림 21-12. **순음 정상피종**
흉부X선사진(A)에서 좌상부에 경계가 잘 되는 큰 전종격동 종양이 있다. 조영 증강 전 CT(B)에서 종양은 불규칙한 경계면을 가지고 있으며, 근육과 비슷한 음영을 보인다. 커진 종양으로 인하여 좌측 기관지가 후방으로 밀리고 있다. 조영 증강 후 CT(C)에서 종양의 중심부는 괴사에 의해서 저음영으로 보이며, 종양의 주변부는 조영 증강이 잘 된다. 종양은 상행대동맥을 감싸고 있으며, 대동맥폐동맥창을 침범하고 있다(화살표).

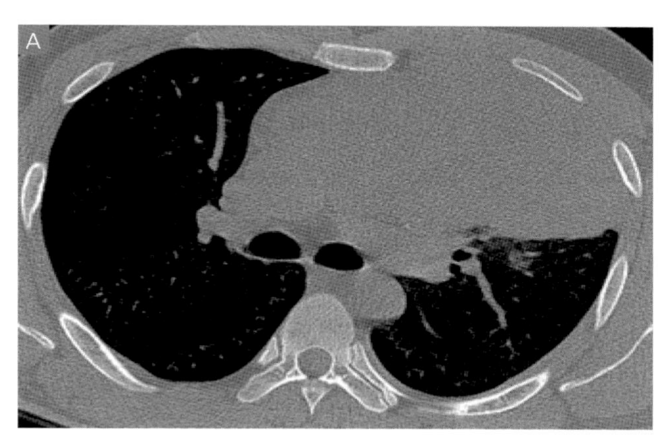

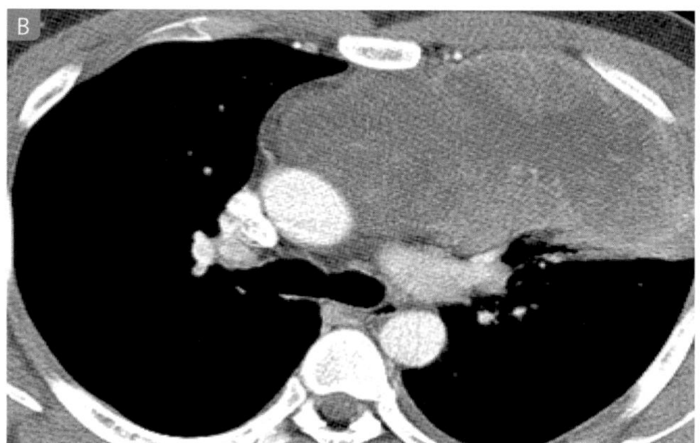

■ 그림 21-13. **난황낭 종양**
조영 증강 전 CT(A)에서 전종격동에 근육과 비슷한 음영을 가진 큰 종양이 있다. 조영 증강 후 CT(B)에서 중심부에 괴사를 동반한 불균일한 조영 증강을 보이며, 폐동맥을 후방으로 밀고 있다.

표 21-5. 생식세포종양의 CT 소견

기형종	연부조직, 석회화, 지방, 머리카락 등을 포함 종양의 경계는 분명함, 불균일한 음영
정상피종	큰 분엽성의 종양, 균일한 음영, 석회화는 매우 드묾
악성 비정상피종	크고 불규칙한 경계면, 불균일한 음영과 국소적인 석회화 늑막 또는 심장막에 삼출액

3. 종격동 림프종

원발성 종격동 림프종(primary mediastinal lymphoma)은 종격동 림프절 또는 흉선에서 기원하며, 폐암 다음으로 상대정맥증후군의 흔한 원인이다. 원발성 종격동 림프종은 매우 큰 종격동 종양으로 인해서 상대정맥증후군, 기도 폐쇄, 늑막액, 심낭막액 같은 임상 증상이 나타난다. 종격동에서 발생하는 림프종의 흔한 세 가지 형태는 큰B세포 림프종(large B cell lymphoma), 전구 T 세포 림프구성 림프종/백혈병(precursor T-cell lymphoblastic lymphoma/leukemia), 결절 경화성 호즈킨 림프종(nodular sclerosing hodgkin's lymphoma)이다. CT에서 매우 큰 전종격동 종괴와 커진 종격동 림프절, 다량의 늑막 삼출액의 소견이 보인다. 큰 종괴는 흔히 괴사를 일으키며, 전혈관(prevascular)와 곁기관(paratracheal) 림프절군에 연속적으로 림프절 비대를 동반한다. 종양이 주변의 종격동 구조물을 침범함으로써 상대정맥(superior vena cava)를 부분적으로 또는 완전히 막고, 이로 인해 측부 혈류이나 종격동 부종을 일으킨다(그림 21-14, 21-15)[1, 2, 10. 12].

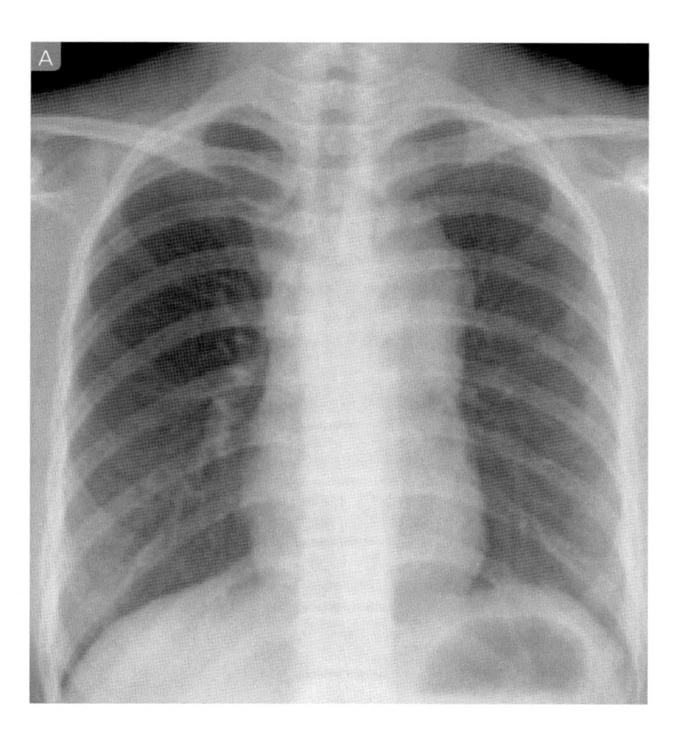

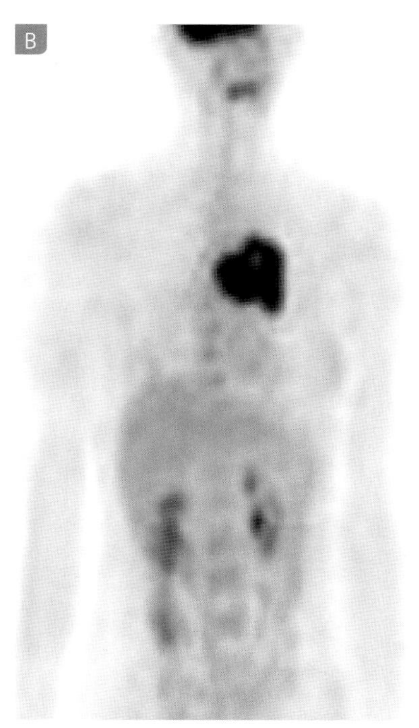

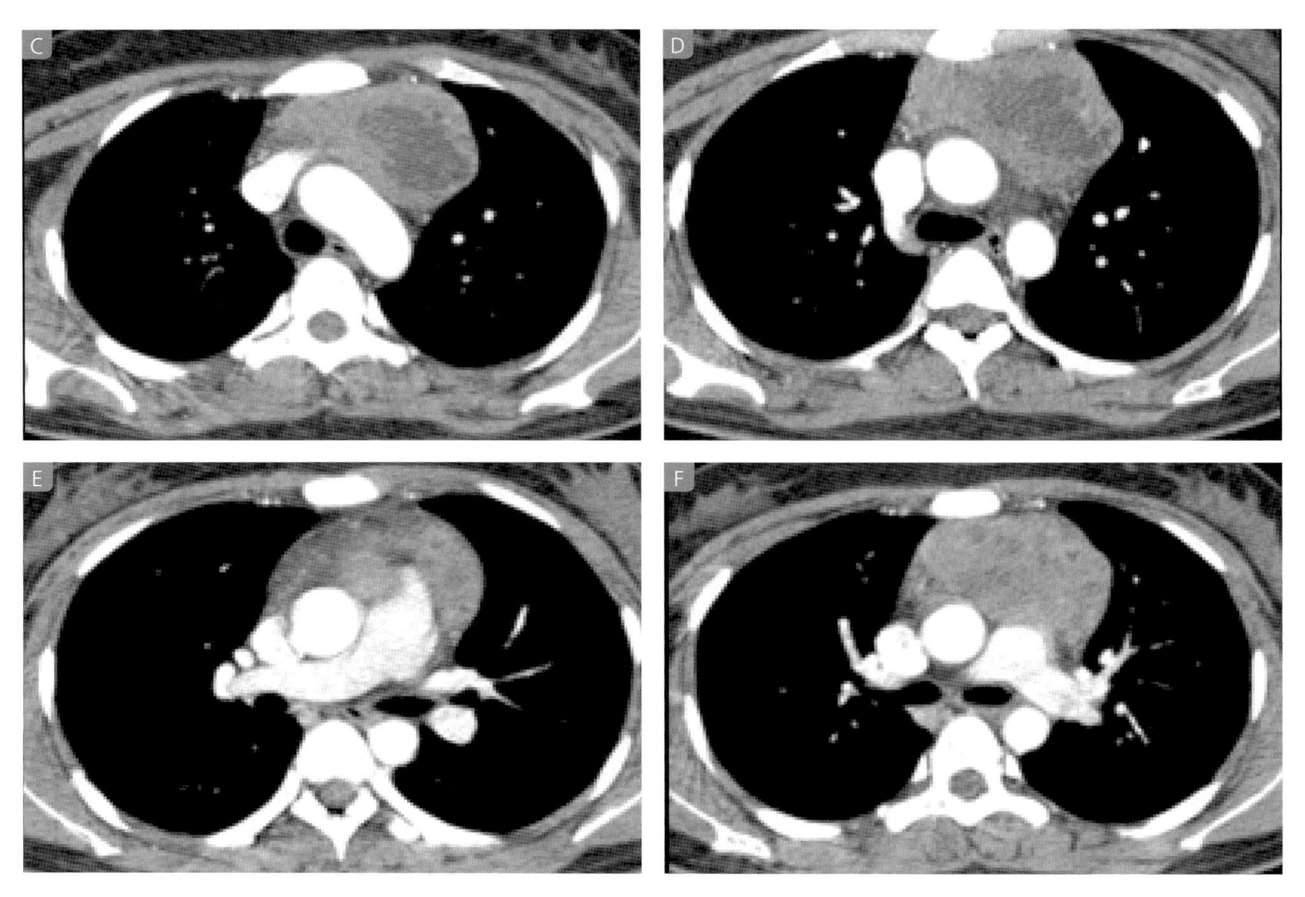

■ 그림 21-14. **종격동 림프종**
흉부X선사진(A)에서 상부 종격동이 양측으로 확장되어 있다. PET/CT(B)에서 종양은 대사과다증(hypermetabolism)을 보인다. CT(C-F)에서 종양의 중심부는 괴사에 의해 낭성 변화가 되어있고, 종양은 조영 증강이 잘 된다. 이 종양은 후방에 있는 혈관의 틈으로 자라고 있다.

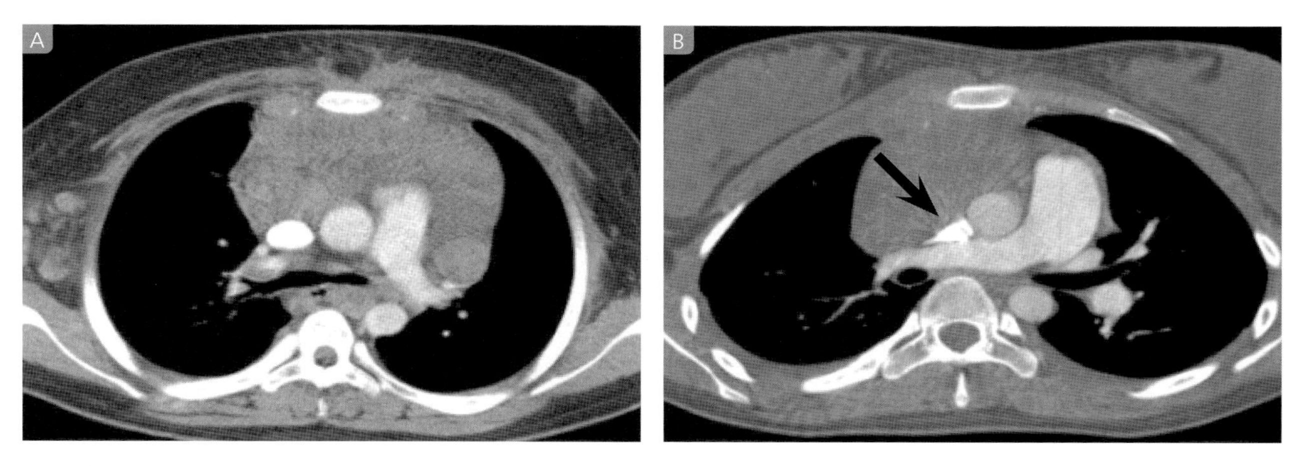

■ 그림 21-15. **종격동 림프종으로 인한 상대정맥증후군**
조영 증강 후 CT(A)에서 우측 겨드랑이에 다양한 크기의 림프절이 있고, 전종격동에는 조영 증강이 잘 되는 큰 종양이 있다. 이 종양은 후방에 있는 혈관사이 틈으로 자라고 있다. (B) 큰 전종격동 종양에 의해서 상대정맥(화살표)이 심하게 눌려 있다.

4. 갑상선 종양

흔한 종격동 갑상선 종양(mediastinal thyroidal tumor)은 다발성 결절성 갑상선종이다. 흔히 40대의 여자에서 호발하며, 갑상선의 하엽 또는 협부에서 기원한 종양이 전 또는 중종격동으로 내려온다. 대부분 증상이 없지만 종양이 커져서 기도를 누르는 경우 호흡곤란이나 목쉰 소리가 생긴다. CT에서 특징적으로 목 갑상선과 연결되며 내부에 석회화를 동반한 종양 형태로 나타난다. 조영 증강 전 CT상 100HU이상의 높은 음영을 보이며, 조영 증강 후에는 갑상선과 비슷한 정도의 높은 음영을 보인다. 종양의 내부에 낭이나 출혈이 있는 경우 조영 증강 CT상 저 음영으로 보인다. 종양이 주변의 조직들을 침범하거나 주변의 림프절이 커져 있으면, 갑상선 암을 의심해야 한다(그림 21-16)[1-3, 12].

CHAPTER 21

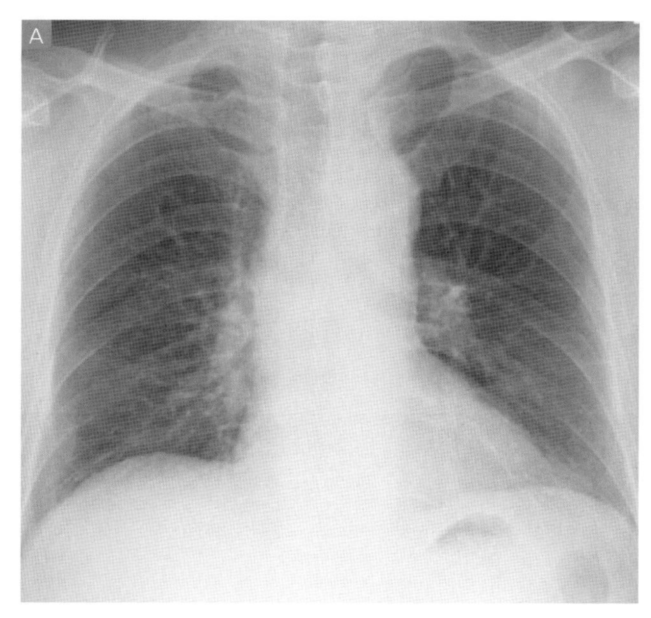

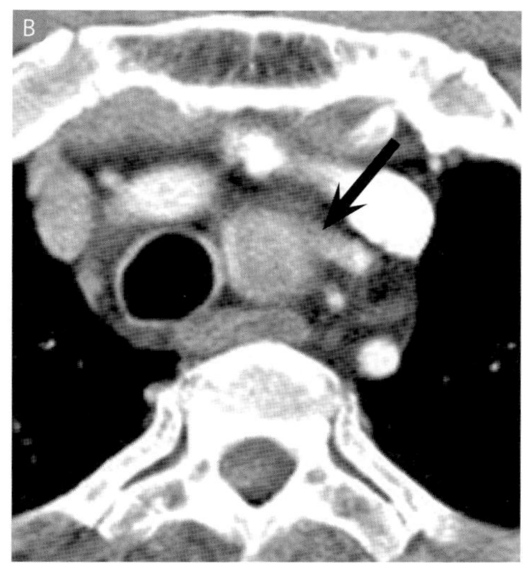

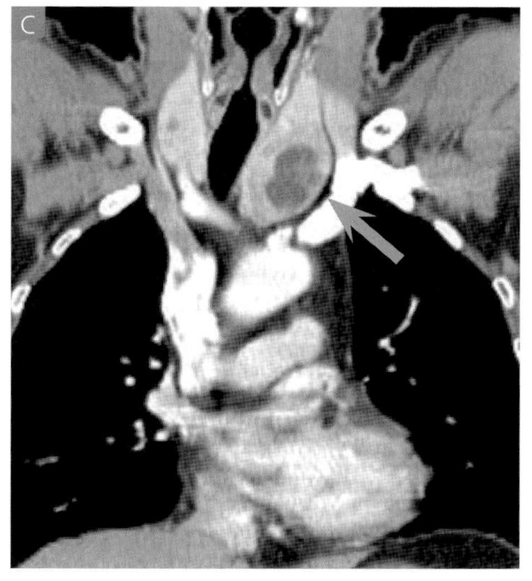

■ 그림 21-16. **갑상선 종양**
흉부X선사진(A)에서 종양에 의해서 기관(trachea)이 우측으로 밀려 있다. CT(B,C)에서 전종격동내에 조영 증강이 잘되는 종양이 있으며(화살표), 관상면에서 좌측 갑상선과 연결된다.

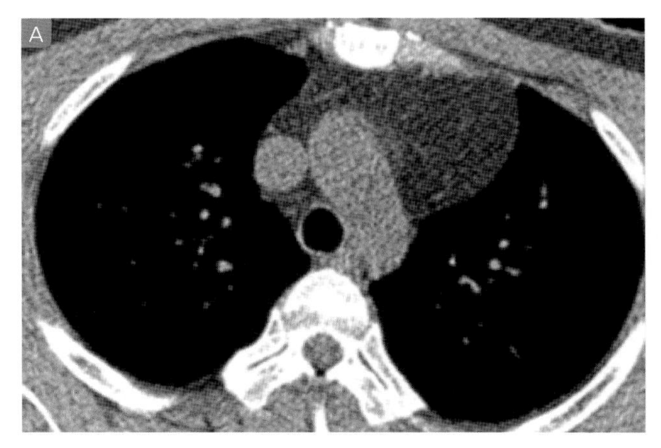

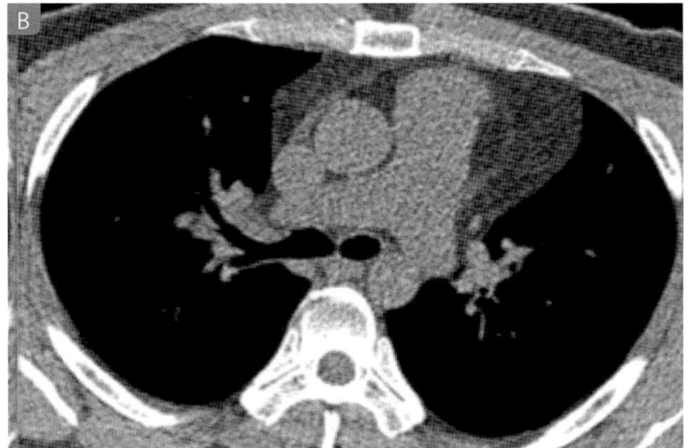

■ 그림 21-17. **종격동 지방종증**
조영 증강 전 CT(A,B)에서 전종격동에 지방이 비정상적으로 축적되어 있다.

5. 종격동 지방종증

종격동 지방종증(mediastinal lipomatosis)는 비교적 드문 질환이며, 종격동에 지방이 비정상적으로 축적됨으로써 생기는 질환이다. 대부분 코티졸(cortisol)이 과량 분비되는 질환(cushing's syndrome, ectopic adrenocorticotropic hormone syndrome, long-term corticosteroid therapy)과 연관이 있다. 종종 지방종증이 상종격동에서 발생하므로 흉부X선사진에서 상종격동이 넓어져 보인다. CT상 종격동에 균일한 지방 음영(-70HU에서 -130HU)의 축적으로 쉽게 진단이 된다(그림 21-17)[1, 12].

6. 심장횡격막각 종양

전종격동중 좌우측 심장 경계면과 전방 횡격막과 경계 사이의 공간이며, 이 부위에서는 큰 종격동 지방 덩이(large mediastinal fat pad), 지방종(lipoma), 심장막 낭(pericardial cyst), 커진 심장바깥막(epicardial) 림프절, 흉선 종양, 모르가니(morgagni) 허탈이 호발한다. 심장막 낭종(pericardial cyst)은 심장막의 드문 선천성 이상으로 초기 발육기간동안 전방 심

표 21-6. **주요 전종격동 종양의 특징**

종괴의 발생 빈도	흉선종(50%), 일차성 종격동 림프종(20%) 생식세포종양(15%)
흉선종	40%는 중증 근무력증과 관련
종격동생식세포종양	혈청α -FP 또는 β -hCG가 증가(80-90%)
중요한 CT소견 기형종 종격동생식세포종양 림프종	 연부조직, 지방, 석회화가 포함되어 있는 종양 종양이 크며, 종양근처에서 지방선(fat plane)이 사라짐 전종격동 종양이 있으며 동시에 종격동 림프절이 커짐

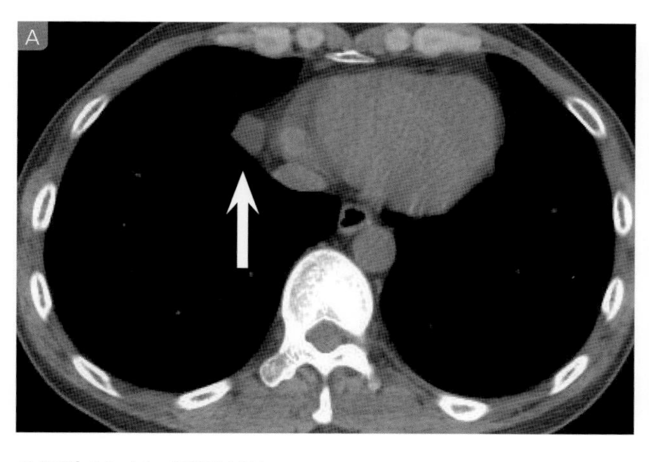

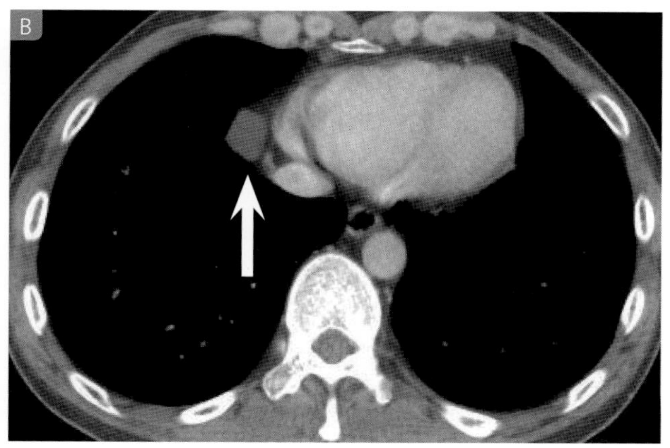

■ 그림 21-18. **심장막 낭종**
조영 증강 전 CT (A)에서 물 음영을 가진 경계가 좋은 종양(화살표)이며, 조영 증강 후 CT (B)에서 조영증강이 되지 않는 물 음영을 가진 경계가 좋은 종양이다(화살표).

장막 오목(anterior pericardial recess)의 딴곳융합(aberrant fusion)으로 생긴다. 보통 장액성 액체(serous fluid)를 포함한다.

CT상 경계가 잘 되는 둥근(well-circumscribed), 단방성, 균일한 액체 음영(0-20HU)의 종괴로 보이며, 조영 증강은 되지 않는다(그림 21-18)[1-3, 12].

주요 전종격동 종양의 특징은 표 21-6과 같다.

Ⅱ 중종격동 질환

중종격동에는 주로 림프절 종양, 사르코이드증(sarcoidosis), 림프종(hodgkin's disease), 전이(metastasis)가 주로 생긴다.

1. 림프종과 림프절 전이

단경이 10 mm 보다 커진 경우 림프절이 비정상적으로 커졌다고 간주한다. 가장 흔한 원인으로는 육아종성 염증(granulomatous inflammation), 전이(metastasis), 림프종, 사르코이드증이다. 폐암 환자의 30%가 진단 시 이미 커진 중종격동 림프절을 동반한다. 종격동 림프절로 전이되는 흉곽외 일차성 암(extrathoracic primary malignancy)으로는 머리와 목 종양, 비뇨생식기 종양, 유방암, 악성 흑색종이 있다. 전신 증상이 있으면서 비대칭적으로 림프절 비대가 있는 경우 림프종이나 전이를 생각해야 한다. 림프종이나 전이의 CT 소견은 림프절이 뭉쳐서(conglomerate) 다수의 큰 종괴 형태로 보이며, 조영 증강 후 사진에서 불균질한 조영 증강을 보인다(그림 21-19).

조영 증강 CT에서 커진 림프절이 저음영을 보이는 경우 결핵, 곰팡이 감염, 폐암으로부터의 전이, 림프종을 생각해야 한다. 이 질환을 감별하기 위해서 환자의 나이, 전신 증상의 유무, 면역 상태, 커진 림프절의 특징적인 소견 유무가 필요하다(표 21-7, 21-8)[1, 13].

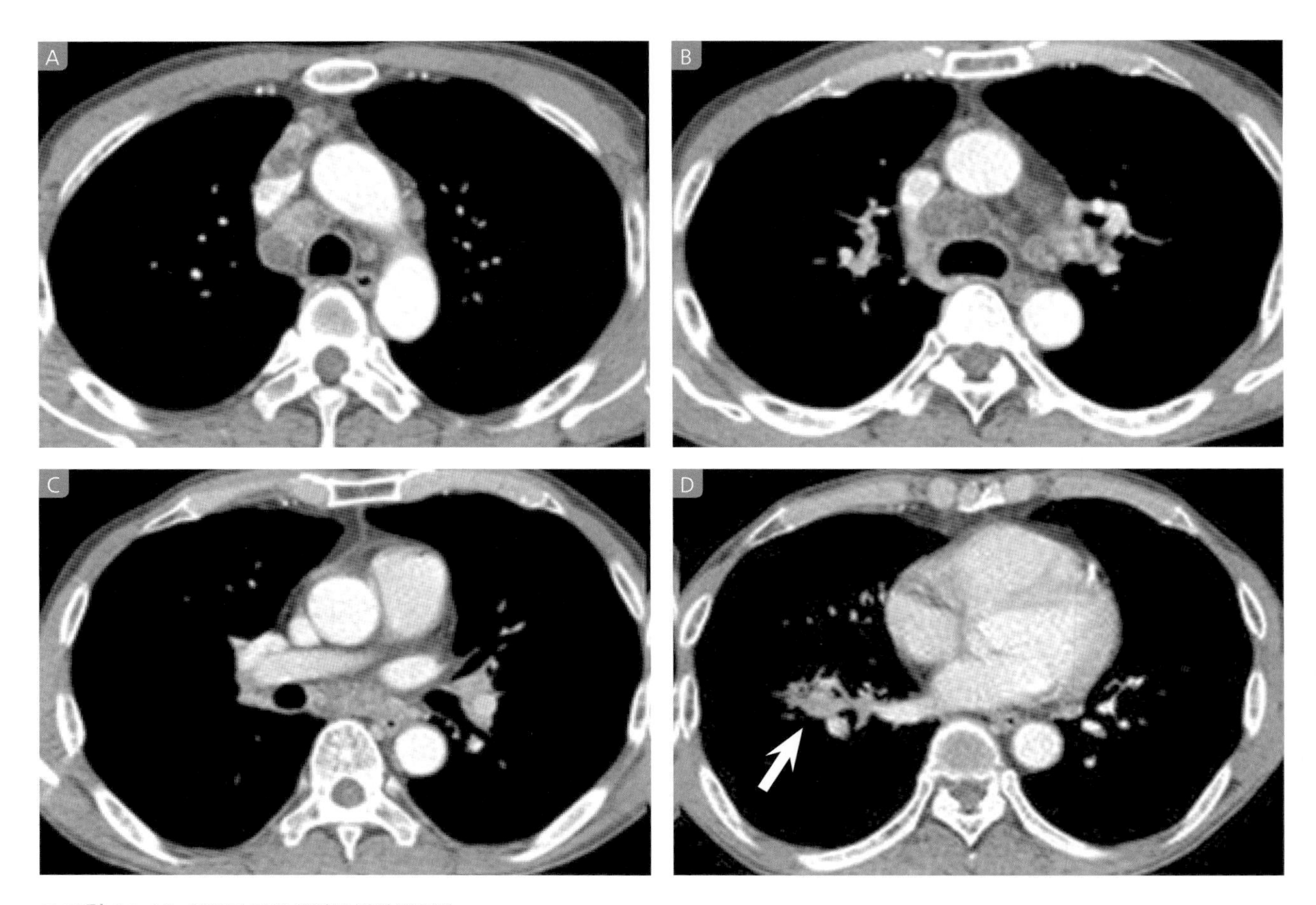

■ 그림 21-19. **폐암에 의한 종격동 전이 림프절**
조영 증강 후 CT(A-D)에서 종격동에 다수의 림프절이 비정상적으로 커져 있으며, 림프절의 내부는 대부분 저음영이고, 림프절의 외측이 주로 조영 증강이 된다. 우하엽에는 폐 종양(화살표)이 있다.

2. 육아종성 림프절염

결핵이나 사르코이드증로 인해서 림프절이 커지는 질환(granulomatous lymphadenitis)이다. 결핵의 급성기에 종격동 림프절이 커지며, 주로 폐가 침범된 측의 림프절이 비대칭적으로 커진다.

CT상 2 cm 이상으로 림프절이 커지면서 림프절의 중심부는 저 음영을 보이고, 주변부에 조영 증강을 보인다(그림 21-20).

젊은 연령에서 전신 증상없이 양측 폐문부와 종격동 림프절 비대가 있는 경우 사르코이드증(sarcoidosis)을 생각해야 한다(그림 21-21)[1, 15].

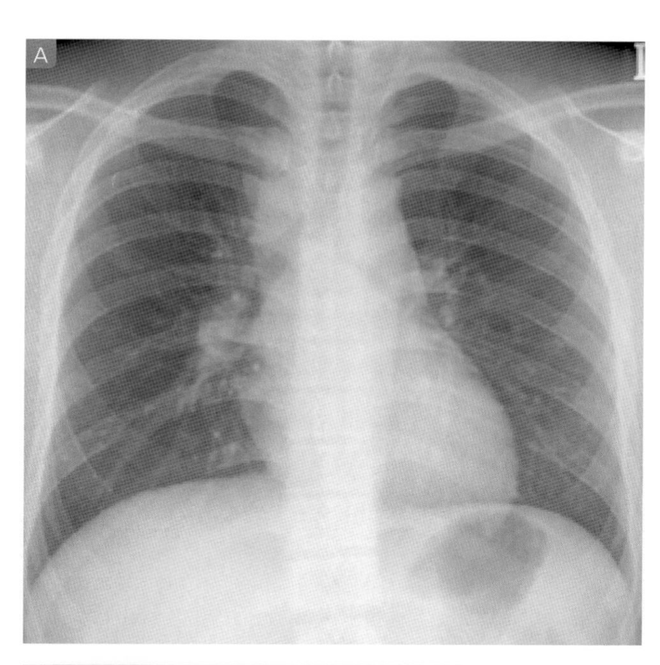

■ 그림 21-20. **결핵성 종격동 림프절염**
흉부X선사진(A)에서 상부 종격동이 양측으로 확장되어 있으며, 우 폐문부가 커져 있다. CT(B-E)에서 종격동내에 다수의 비정상적으로 커진 림프절이 있으며, 림프절의 중심부는 저음영을 보이고, 림프절의 주변부만 조영증강이 된다(화살표).

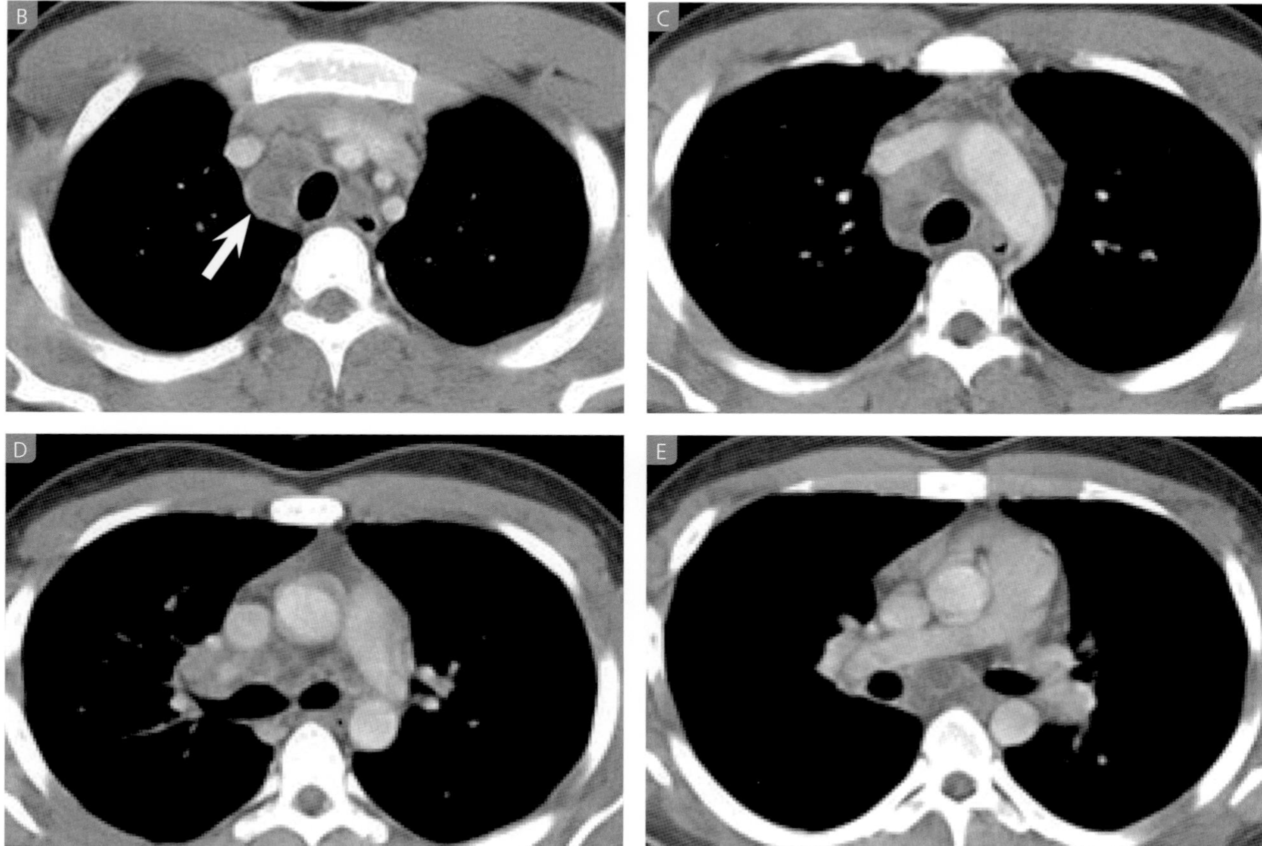

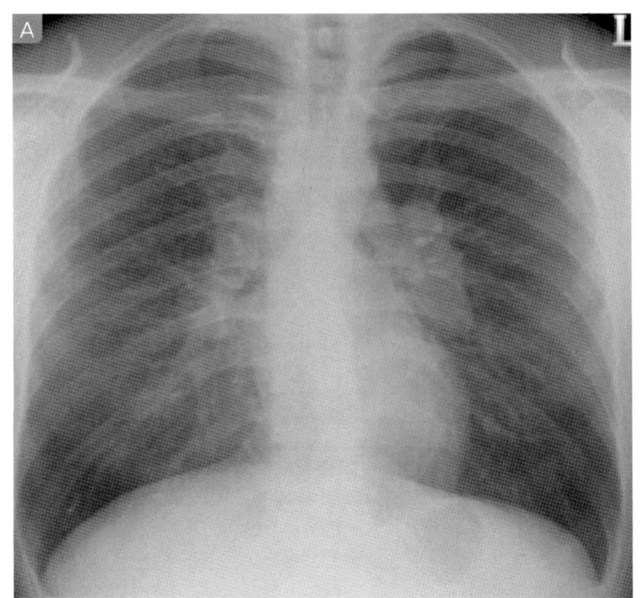

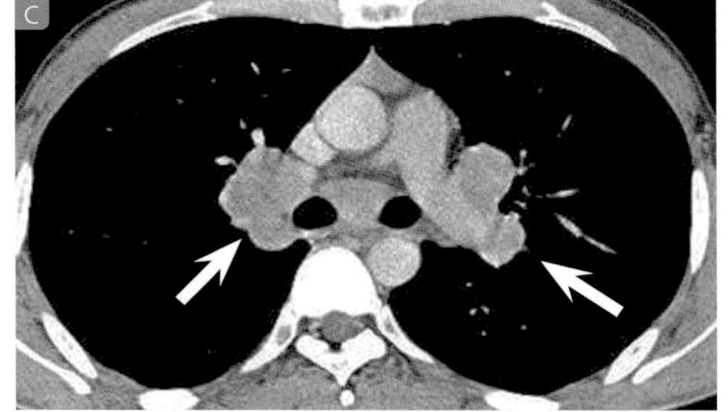

■ 그림 21-21. **사르코이드증**
흉부X선사진(A)에서 양측 폐문부가 대칭적으로 커져 있다. CT(B,C)에서 종격동과 양측 폐문부에 비정상적으로 커진 림프절이 있으며, 비교적 균일한 조영 증강의 형태를 보인다(화살표).

3. 거대 림프절 증식증

캐슬만병(Castleman's disease, giant lymph node hyperplasia)이라고도하며 병리소견에서 형질세포형(plasma cell type)과 유리질관형(hyaline vascular type)으로 나누며, 중종격동에서는 유리질관형이 흔히 우연하게 발견된다. CT상 종격동에 단일 비대 림프절이 강한 조영 증강을 보이면 가능성이 높다(그림 21-22)[16].

표 21-7. **중종격동과 양측 폐문부에 림프절이 커지는 원인 질환**

종류	질환명	특징 소견
감염성	결핵	조영 증강 CT상 림프절이 중심부 저음영을 포함한 균질한 조영 증강
염증성	사르코이드증 진폐증 또는 규폐증	젊은 연령에서 전신 증상없이 양측 폐문부와 종격동 림프절 비대 림프절의 주변부에 얇은 벽을 가진 석회화(thin peripheral calcification, so-called egg-shell calcification)
종양(일차성) 종양(전이성) 유방암	림프종 폐암, 식도암	림프절이 뭉쳐서(conglomerate) 다수의 큰 종괴 형태로 보이며, 조영 증강 후 사진에서 불균질한 조영 증강을 보임
기타	거대 림프절 증식증	균일하게 고음영의 조영 증강

표 21-8. 림프절 석회화의 원인

양성	악성
결핵 또는 곰팡이 질환 사르코이드증 진폐증 또는 규폐증 거대 림프절 증식증	치료된 림프종과 다른 악성 종양 일차성 종양의 전이: 골육종, 연골육종, 점액성 선암

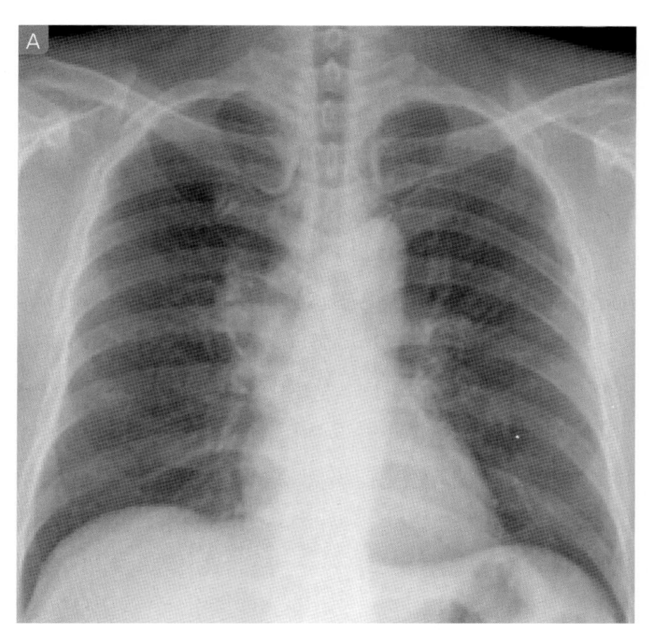

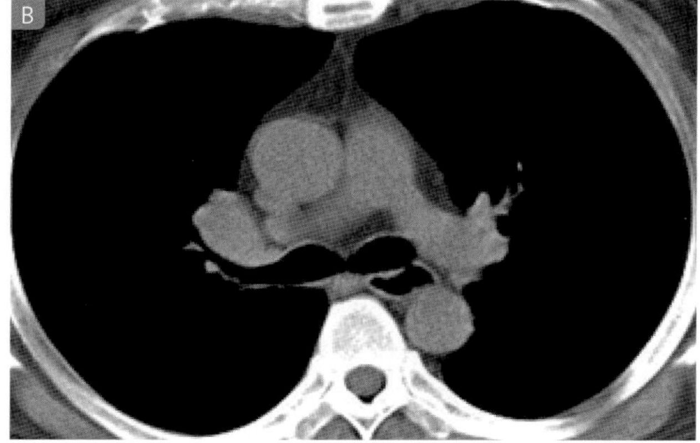

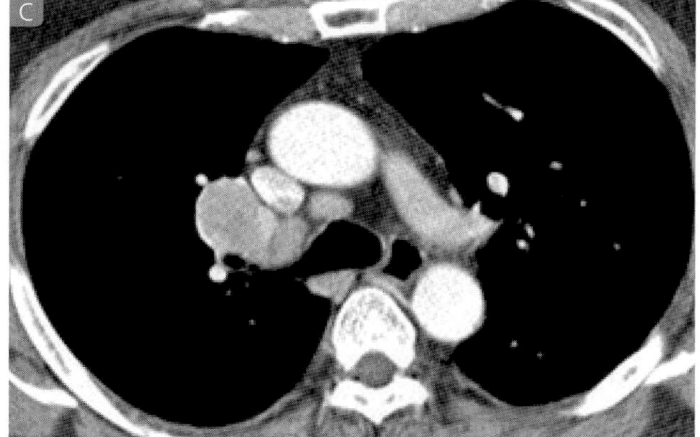

■ 그림 21-22. **거대 림프절 증식증**
흉부X선사진(A)에서 우측 폐문부가 커져 있다. 조영 증강 전 CT(B)에서 우 폐문부에 경계가 좋은 종양이 있으며, 근육과 비슷한 음영을 보인다. 이 종양은 조영 증강 후 CT(C)에서 균일하게 고음영의 조영 증강을 보인다.

4. 기관지낭

배아앞창자(embryonic foregut)의 비정상적인 싹(abnormal budding)에 의해서(bronchogenic cyst) 생긴다. 대부분 기관 융기(tracheal carina)근처에서 발생한다. CT에서 둥글거나 타원형의 종괴이며, 균일한 물 음영 또는 연부 조직 음영을 보이며, 조영제 투여 후 조영 증강은 거의 되지 않지만, 때로는 주변부만 약간 조영 증강이 되기도 한다. 그러나 낭종 내에 칼슘이나 고단백질이 포함되면, CT 값이 100HU이상 증가된다(그림 21-23, 21-24)[1, 3, 17].

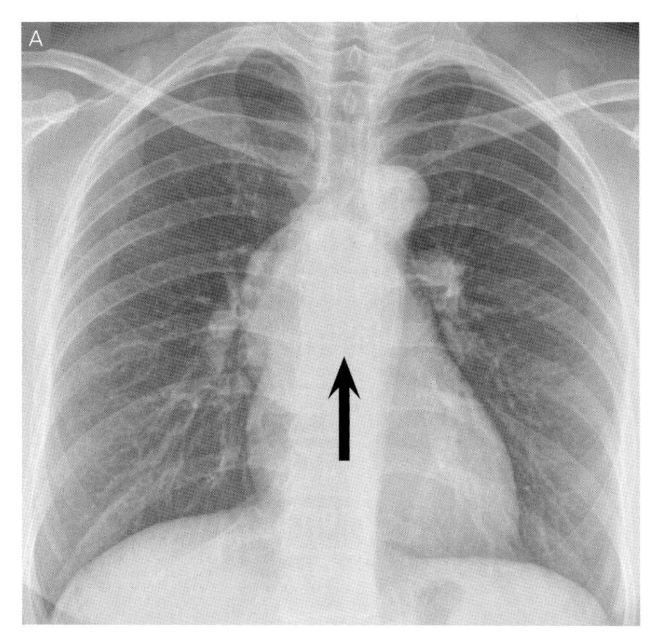

■ 그림 21-23. **기관지낭**
흉부X선사진(A)에서 기관지 분지부에 경계가 잘 되는 균질한 음영의 종양이 있다(화살표). 조영 증강 전 CT(B)에서 기관지 분지부에 저음영의 경계가 잘 되는 종양이 있으며, 조영 증강 후 CT(C)에서 조영 증강이 안된다. T2 강조 영상(HASTE)(D)에서 균질한 고신호 강도를 보이며, 조영 증강 T1 강조영상(E)에서 조영 증강은 되지 않는다.

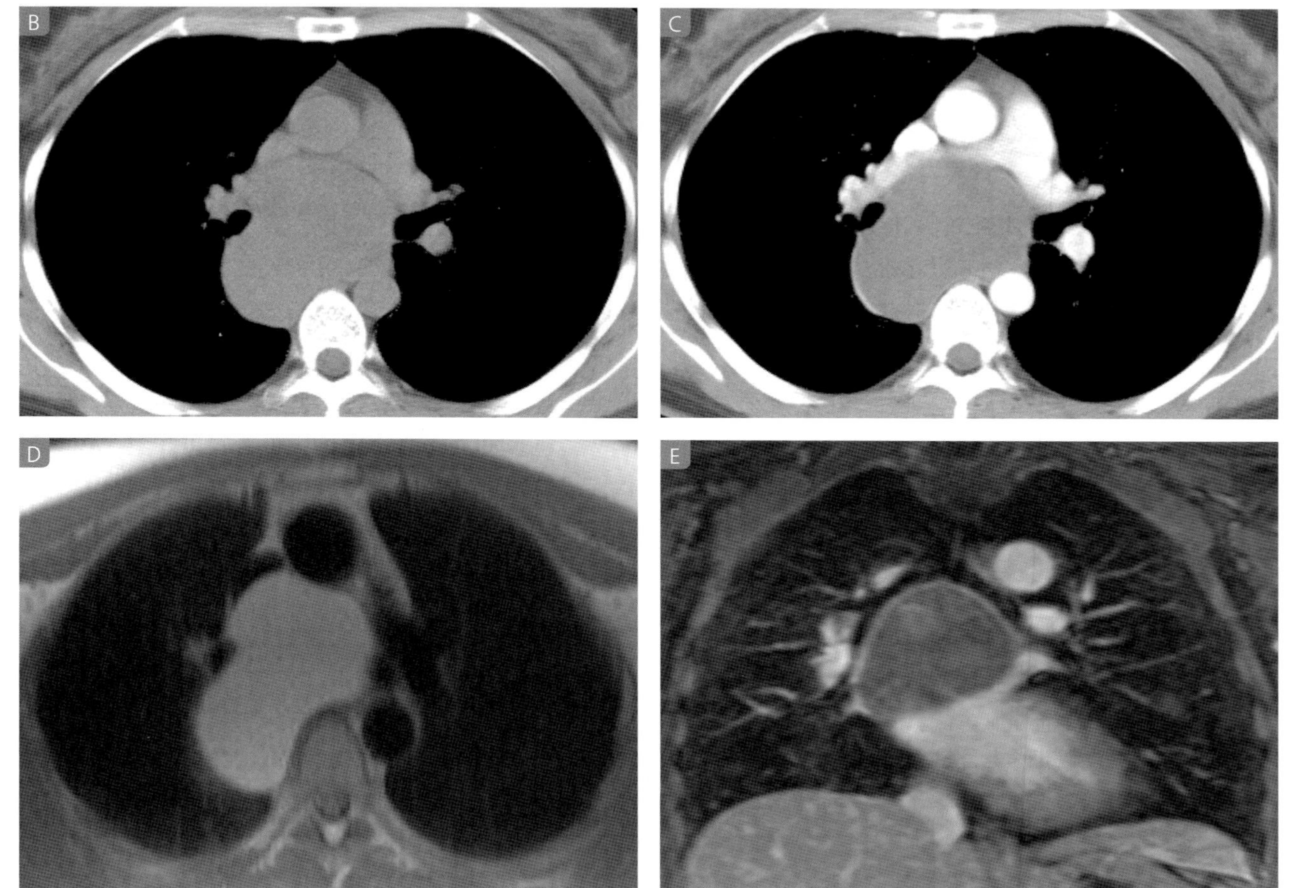

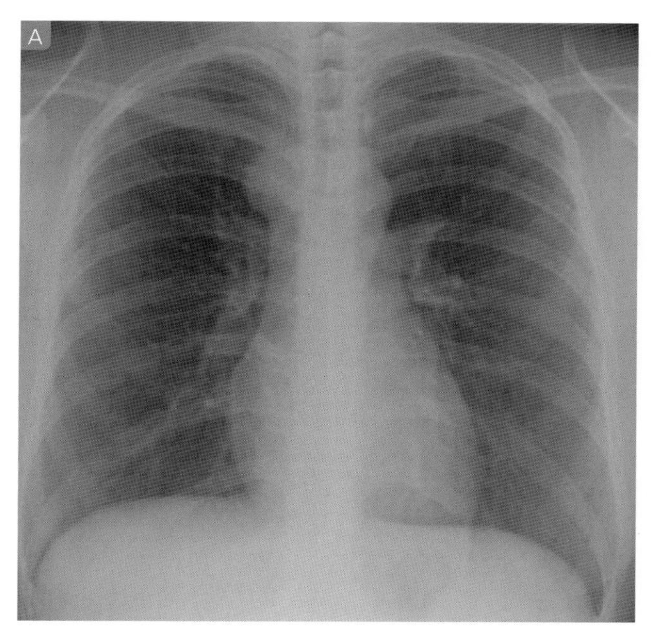

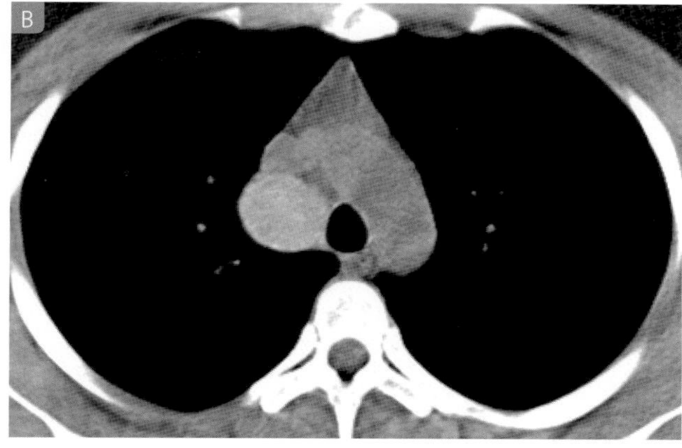

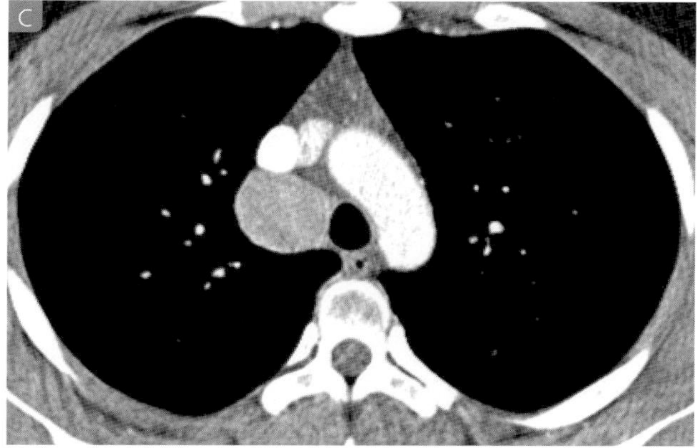

■ 그림 21-24. **기관지낭**
흉부X선사진(A)에서 우측 상부 종격동에 경계가 잘 되는 종양이 있다. 조영 증강 전 CT(B)에서 우측 기관지옆 공간에 고음영의 경계가 잘 되는 종양이 있으며, 조영 증강 후 CT(C)에서 조영 증강은 거의 되지 않는다.

III 후종격동

1. 신경성 종양

신경성 종양(neurogenic tumor)은 발생하는 조직에 따라 3개의 형태로 분류를 하며(표 21-9), 성인에서 발생하는 종양의 대부분은 양성이다.

1) 말초 신경 종양

말초 신경 종양(tumors of peripheral nerves)의 90%는 양성이다. 젊은 또는 중년 연령에 호발하며, 약 10%에서 다발성으로 발생한다. 신경집종(neurilemoma)는 모든 연령에서 발생할 수 있으며, 수술로 제거하면 완치된다. CT상 경계가 잘 되는 둥근 종괴의 형태로 보이며, 조영 증강 전 CT상 균일한 음영을 보인다. 조영 증강 후 사진에서는 불균일한 조영 증강을 보인다(그림 21-25).

신경섬유종(neurofibroma)은 여자보다 남자에서 흔하며, 20-40대에 호발 한다. CT에서 부드러운 경계면, 둥글거나 타원형 모양, 균일한 음영을 보인다. 조영 증강 CT에서 약간 조영 증강을 보인다. 큰 종괴의 경우 중심부가 괴사가 되어

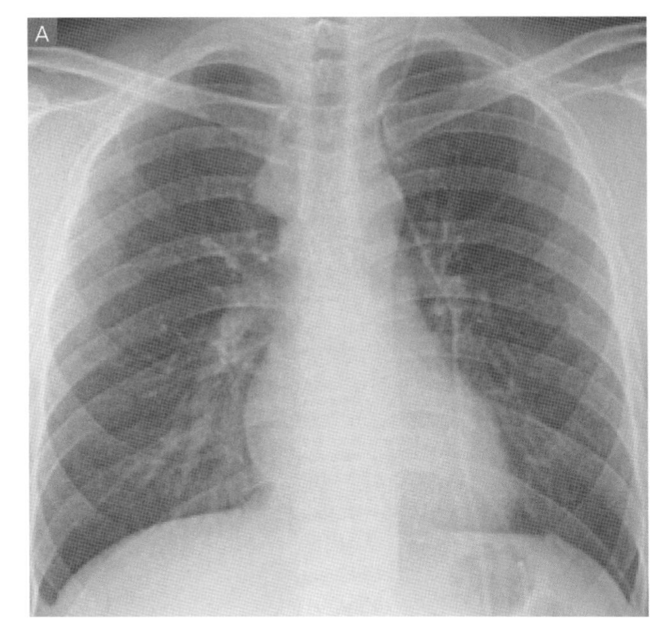

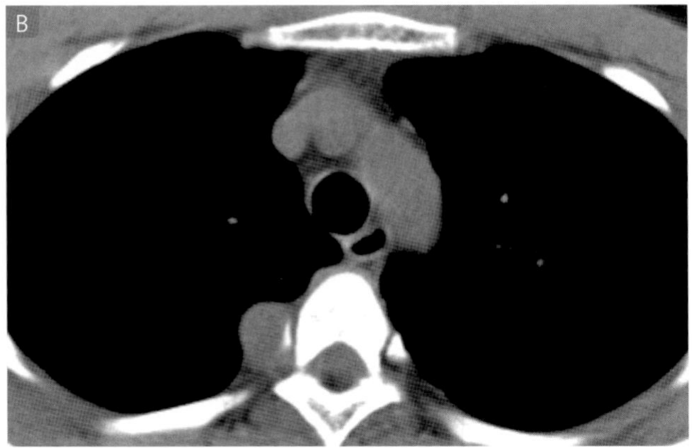

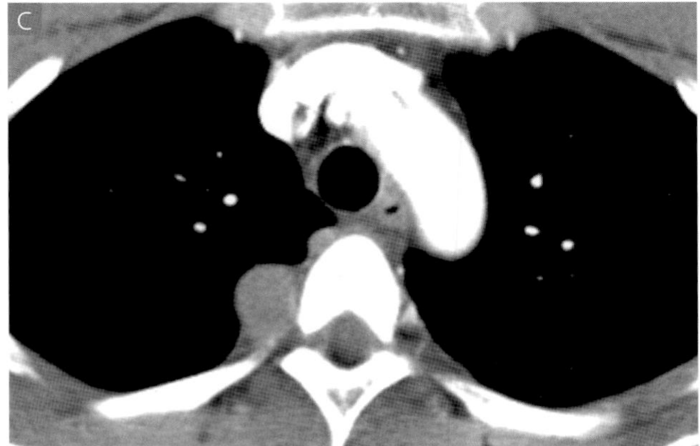

■ 그림 21-25. **신경집종**
흉부X선사진(A)에서 우측 상부 종격동에 경계가 잘 되는 종양이 있다. 조영 증강 전 CT(B)에서 우측 후종격동에 근육과 비슷한 음영의 경계가 잘 되는 종양이 있으며, 조영 증강 후 CT(C)에서 약간 조영 증강이 된다.

서 저음영으로 보일 수 있다. 신경집종과 신경섬유종의 10% 정도는 근처의 척추 사이 구멍(intervertebral foramen)내로 자라서 척수관 방향으로 커진다.

이로 인해서 아령 형태를 보인다. 신경섬유종증(neurofibromatosis)은 대부분 염색체우성소질(autosomal dominant trait)이며, 만성적으로 진행하는 질환이다. 특징적으로 다수의 신경집 종양을 형성한다. CT는 신경섬유종의 육아종성 변성을 찾는 데 매우 유용하다. CT상 말초 신경의 광범위한 방추형 비대 또는 말초 신경을 따라서 다수의 종괴가 생긴

표 21-9. **신경성 종양의 분류**

기원(origin)	관련된 질환
말 신경	신경집종(neurilemoma) 신경섬유종(neurofibroma) 악성신경집종양(malignant nerve sheath tumor)
교감신경절	신경절신경종(ganglioneuroma) 신경절신경모세포종(ganglioneuroblastoma) 신경모세포종(neuroblastoma)
결신경절	결신결정종(paraganglioma)

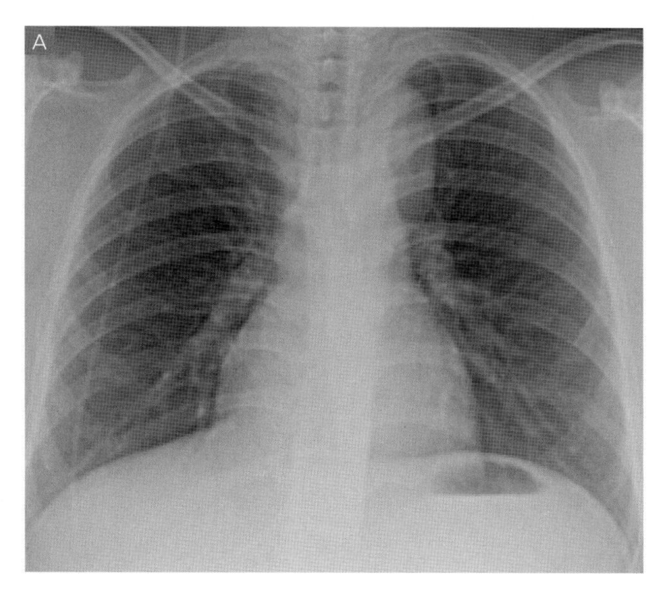

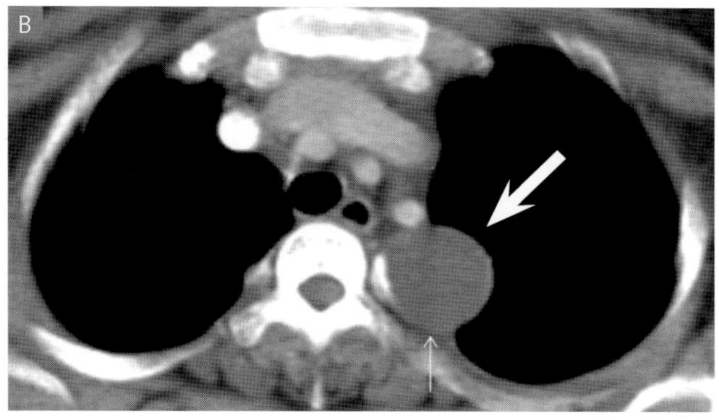

■ 그림 21-26. **신경섬유종**
흉부X선사진(A)에서 좌측 폐 상부에 길쭉한 모양의 후종격동 종양이 있다. CT(B)에서 후종격동에 경계가 잘 되는 둥근 모양의 종양이 있으며, 약간 조영 증강이 된다(화살표).

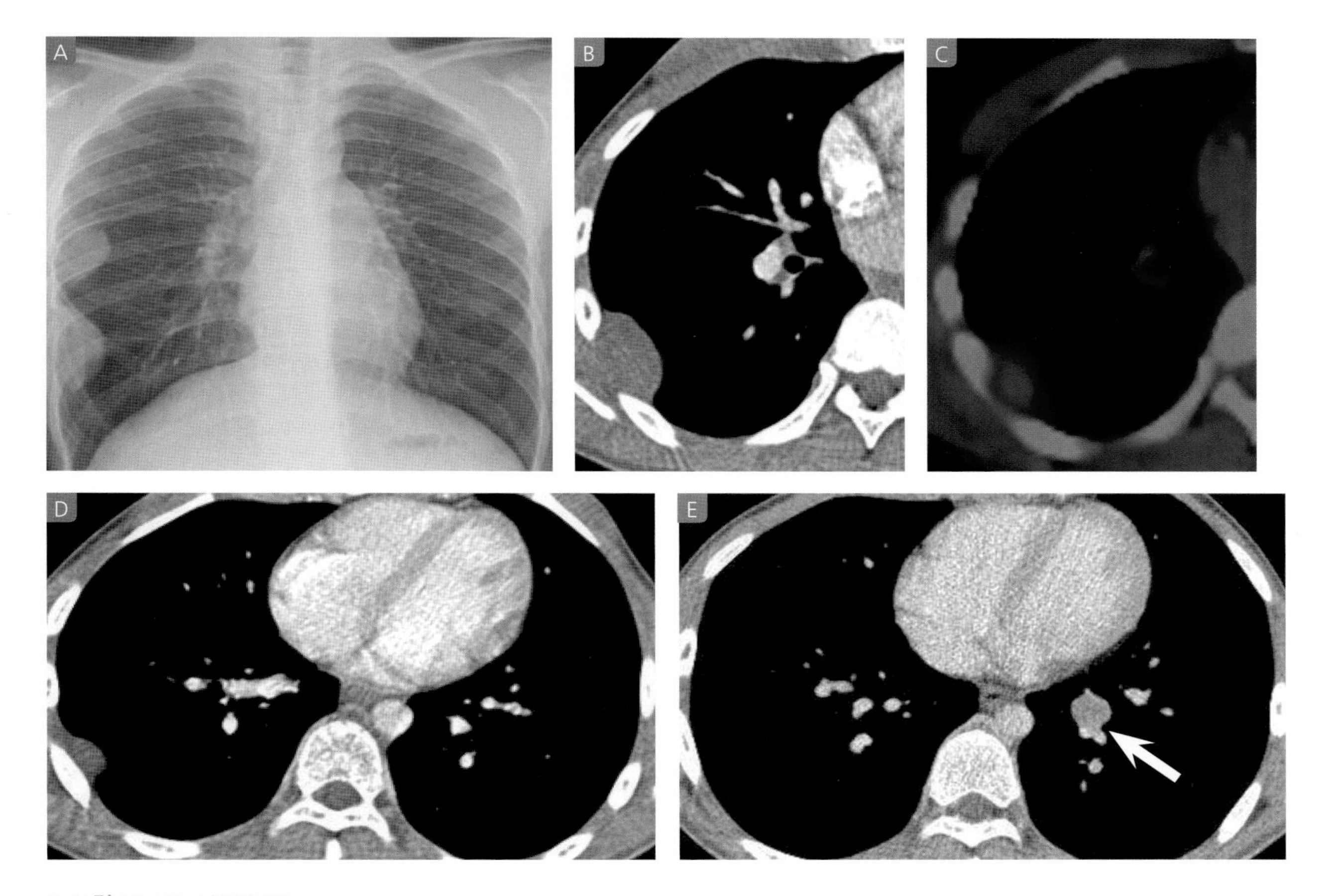

■ 그림 21-27. **섬유신경종**
흉부X선사진(A)에서 우측 폐에 경계가 잘 되는 두 개의 종양이 있다. CT(B)에서 이 종양은 늑간 사이에서 기원을 하며, 둥글고 경계가 잘 되는 종양이다. 조영 증강 CT에서 조영 증강은 거의 되지 않는다. PET/CT(C)에서 종양내에 약간의 대사과다증이 있다. 1년 전과 후의 조영 증강 CT(D,E)를 비교할 때 좌하엽에 폐전이 결절이 새로 생겼다(화살표).

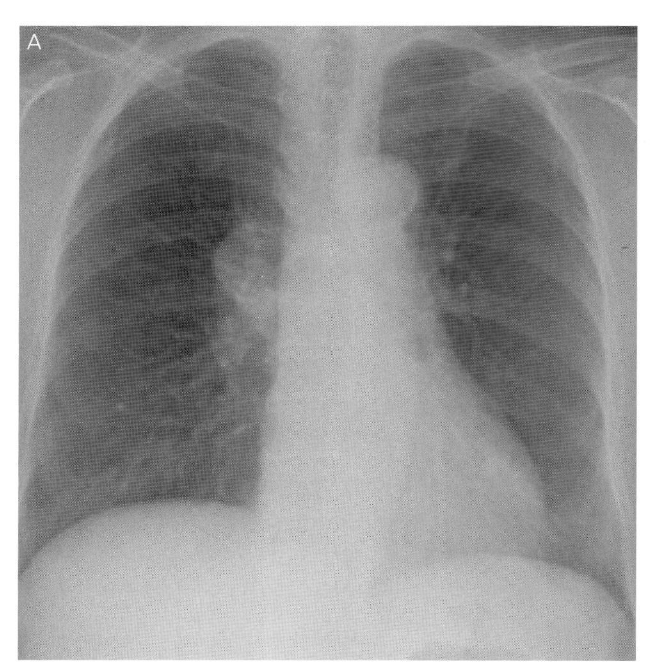

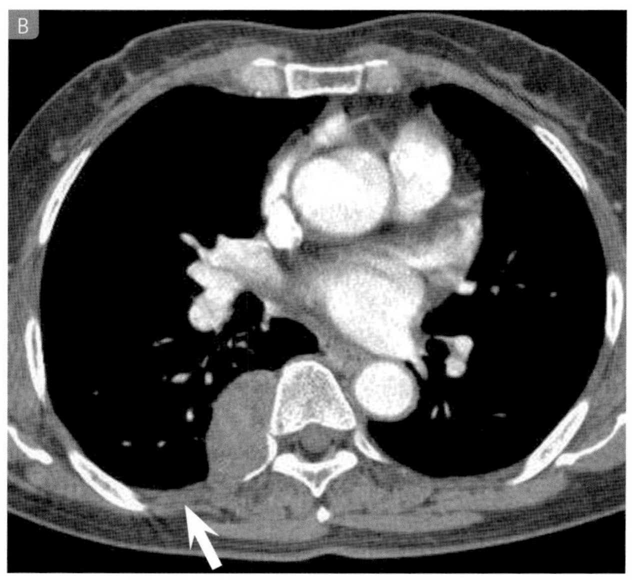

■ 그림 21-28. **악성 신경집 종양**
흉부X선사진(A)에서 우 폐문부에 상대정맥선을 소실시키지 않는 종양이 있다. 조영 증강 CT(B)에서 후종격동에 종양이 있으며, 불균일한 조영 증강을 보이고, 늑막을 침범하고 있다(화살표).

다. 보통 흉곽 근육보다 저음영을 보이며, 조영제를 투여하면 약간 또는 주로 주변부만 조영 증강을 보인다(그림 21-26, 21-27).

악성 신경집 종양(malignant nerve sheath tumor)은 신경집 종양의 15%를 차지한다. CT에서 종괴의 크기가 5 cm 이상, 종괴의 내부에 저 음영이 있는 경우, 불규칙한 또는 경계가 불분명하며, 근처 구조물의 압박 또는 파괴, 늑막 삼출액 또는 늑막 전이, 전이성 폐 결절이 있는 경우 악성 종괴의 가능성이 있다(그림 21-28)[1, 17, 18].

2) 교감 신경절 종양

유아와 어린이에서 호발하며, 50%가 악성이다. 신경절신경종(ganglioneuroma)은 교감 또는 늑간 신경에서 기원하는 피막으로 잘 싸여져 있는 양성 종양이며, CT에서 조영 증강 전에는 저 음영을 보이며, 조영 증강 후에는 약간 또는 중간 정도 조영 증강을 보인다. 약 20%에서 내부에 석회화를 동반한다(그림 21-29).

신경절신경모세포종(ganglioneuroblastoma)은 악성 신경모세포종와 양성 신경절신경종의 중간 정도의 종양이며, 신경모세포종에 비해 치료 반응이나 예후가 좋다. CT상 낭성 종양에서 균일한 고형성 종괴까지 다양하게 보인다. 신경모세포종(neuroblastoma)은 90%가 8세 이전에 발생하며, 이 중 50%가 2세 이전에 발생한다. 모든 신경모세포종 중 14% 정도에서 원발성 흉곽내 신경모세포종의 형태로 나타난다. CT상 피막이 없는 분엽의 종괴로 보이며, 조영 증강 후에는 불균질한 음영을 보인다(그림 21-30)[17, 18].

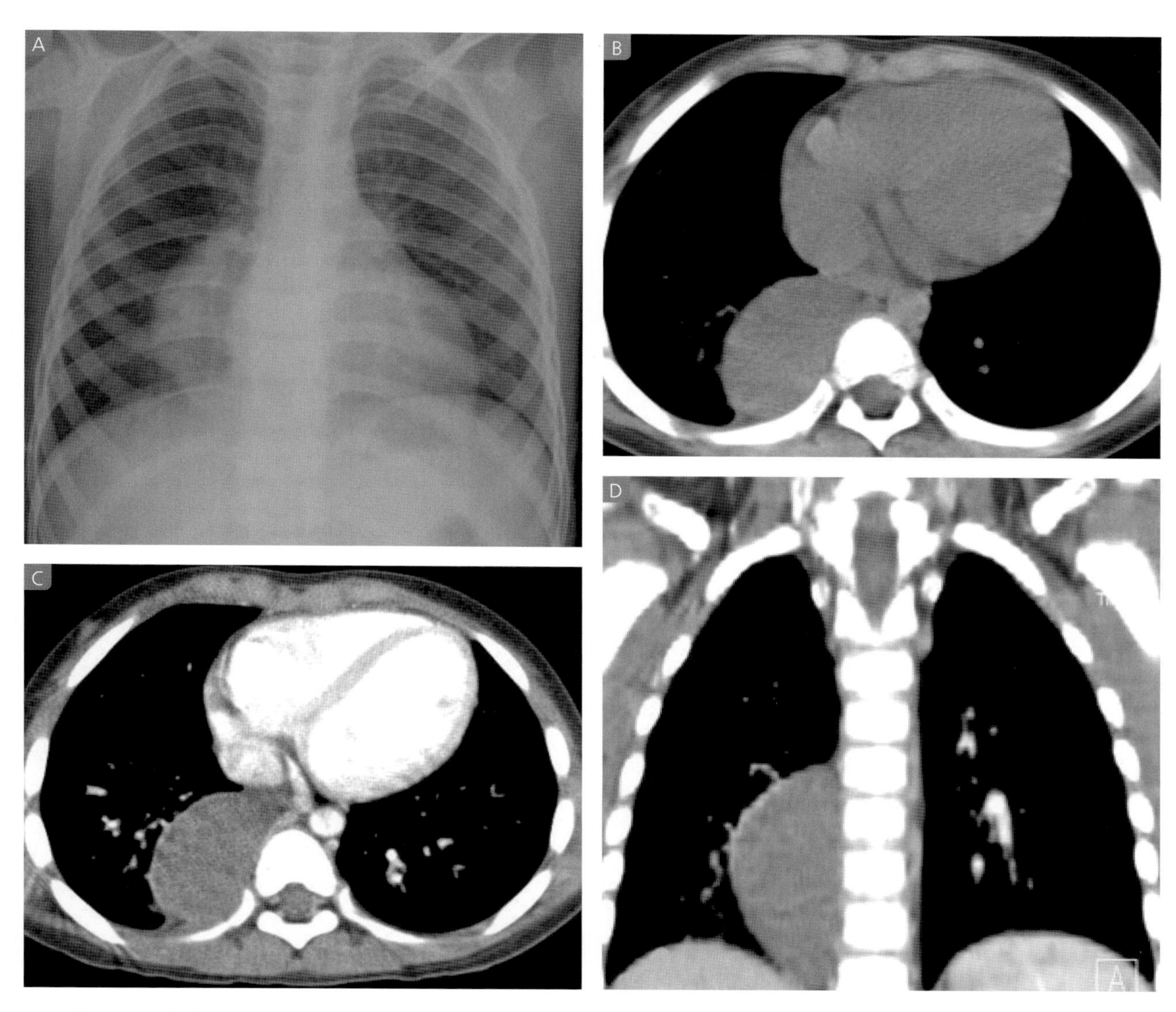

■ 그림 21-29. **신경절신경종**
흉부X선사진(A)에서 우측 심연을 소실시키는 종양이 있다. CT(B,C)에서 후종격동에 타원형의 종양이 있으며, 조영 증강 후(C)에 약간 조영 증강이 된다. 관상면(D)에서 척추를 따라서 길쭉한 모양을 하고 있다.

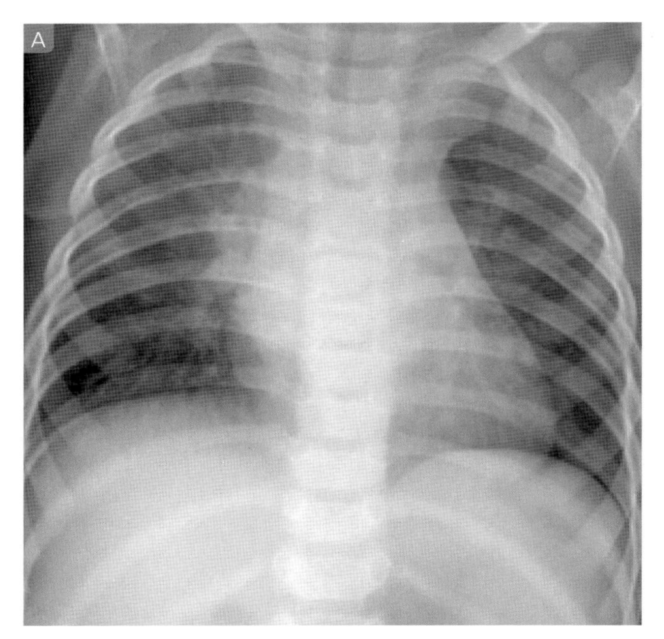

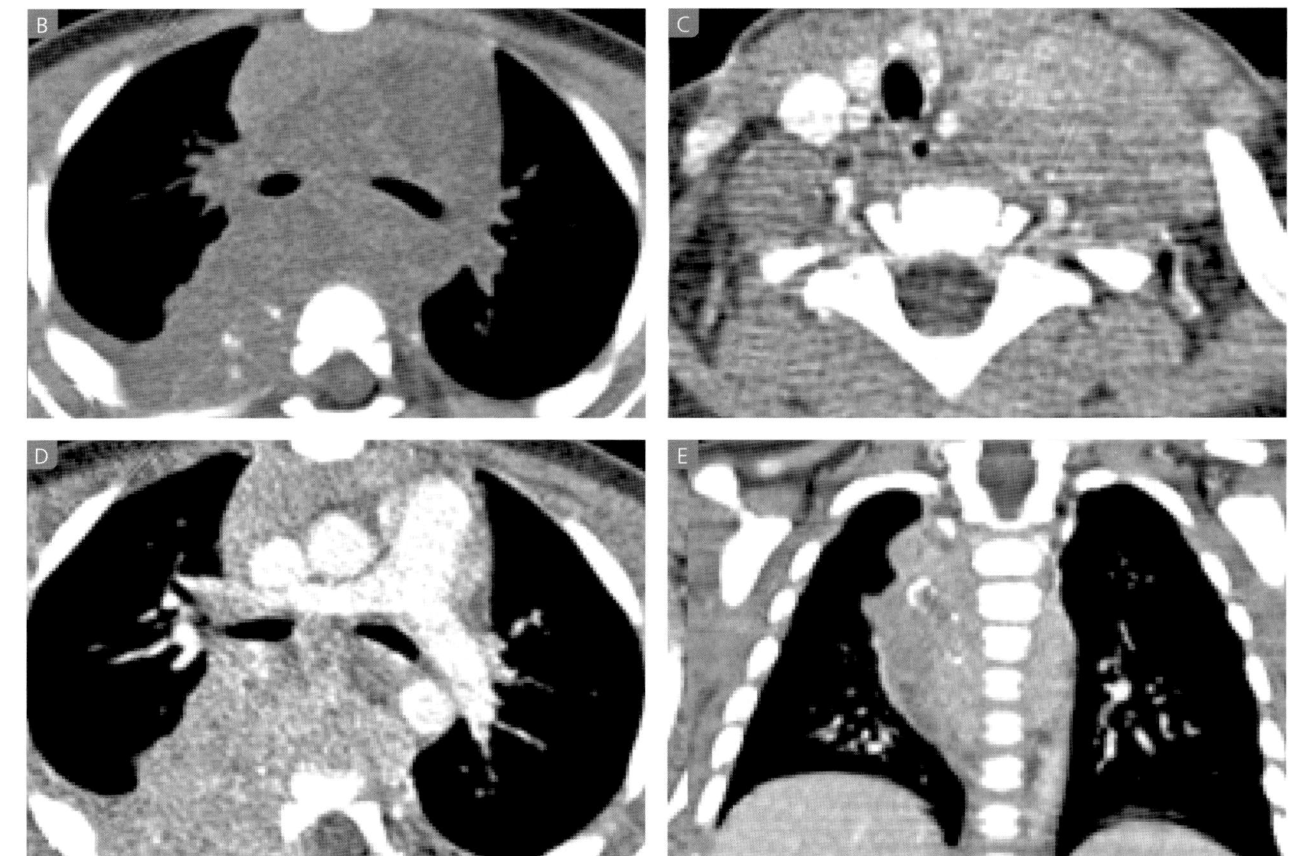

■ 그림 21-30. **신경절신경모세포종**
흉부X선사진(A)에서 우측 폐문부 근처에 종양이 있다. CT에서 우측 후종격동에 종양이 있으며, 조영 증강 전 CT(B)에서 내부에 석회화를 포함하고 있다. 조영 증강 후 CT(C,D)에서 좌측 쇄골상공간(supraclavicular space)에 큰 전이 림프절이 있으며, 우측 후종격동에 있는 종괴는 늑막과 척추뼈를 침범하고 있다. 관상면(E)에서 척추뼈를 따라 길쭉한 모양을 보인다.

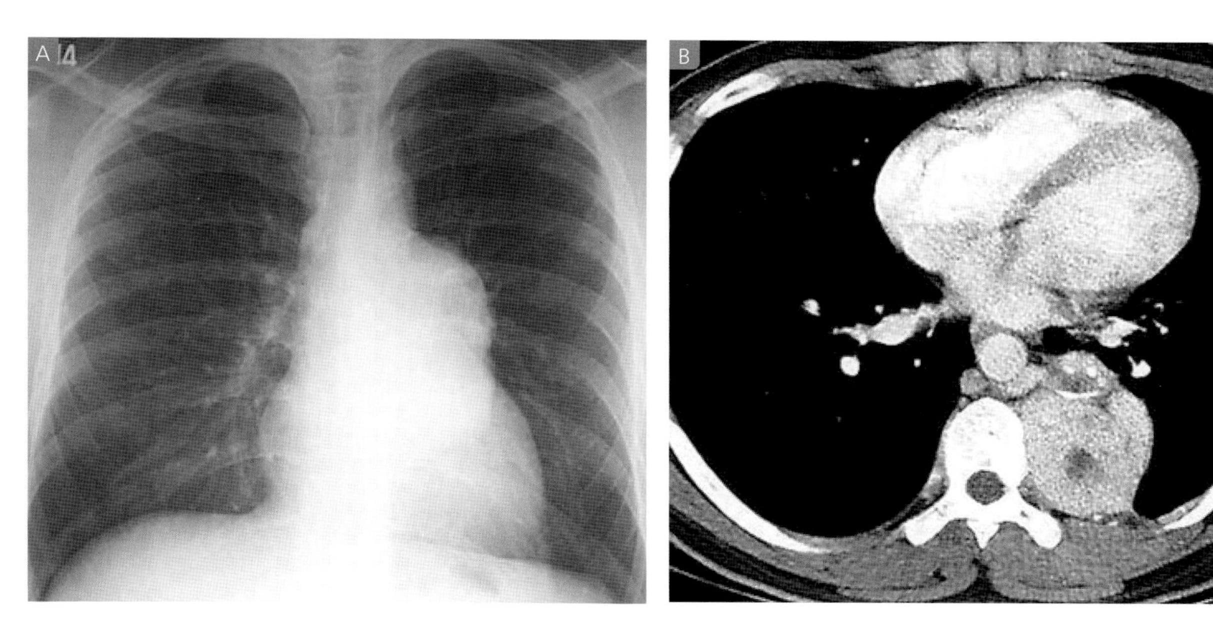

■ 그림 21-31. **결신경절종**
흉부X선사진(A)에서 좌측 곁척추(paraspine)에 큰 분엽형의 종괴가 있다. 조영 증강 CT(B)에서 소량의 석회화를 포함하고 있으며, 불균일한 조영 증강을 보인다.

3) 곁신경절 기원 종양

곁신경절종(paraganglioma)은 교감성 신경절(sympathetic ganglia)과 얼기(plexus)근처의 곁신경절 세포(paraganglion cell)에서 기원하는 드문 신경 종양이다. 조영 증강 전 CT상 연부 조직 음영을 보이며, 조영 증강 후에는 강한 조영 증강을 보인다(그림 21-31)[1, 17, 18].

2. 식도 질환

식도는 대동맥의 좌측과 기정맥의 우측에 있으며, 식도의 종괴가 의심되거나 식도암의 병기, 식도 천공이 의심될 때 CT를 촬영한다. 식도암(esophageal cancer)은 위장관 암의 10%정도 차지한다. 식도암의 CT소견은 식도 폐색으로 인해서 식도 내경의 협착이나 확장, 식도 벽의 두께 증가, 식도 주변의 림프절의 크기 증가이다. 식도의 벽에서 기원하는 식도 점막밑 종양(esophageal submucosal tumor)의 CT소견은 식도 내경으로 돌출하는 종양으로 부드러운 경계면을 보인다. 조영 증강 정도는 종양의 크기에 따라 다양하다(그림 21-32, 21-33)[1, 17, 18, 19].

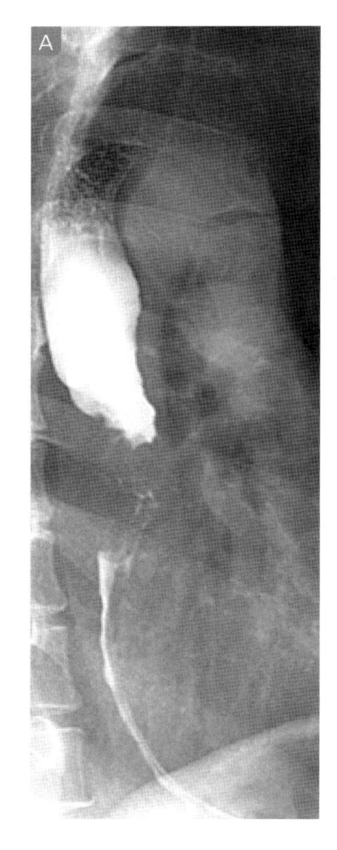

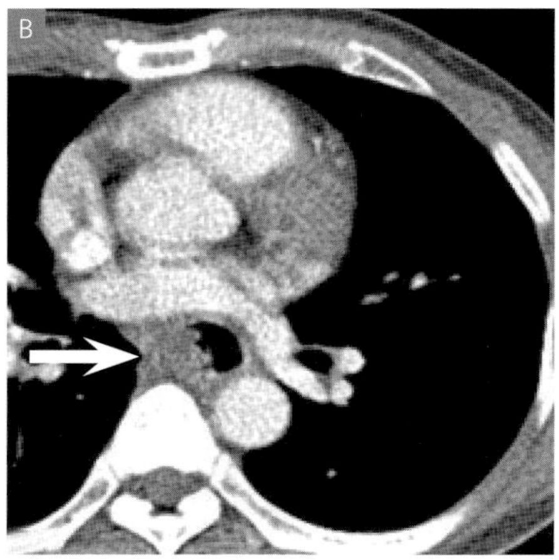

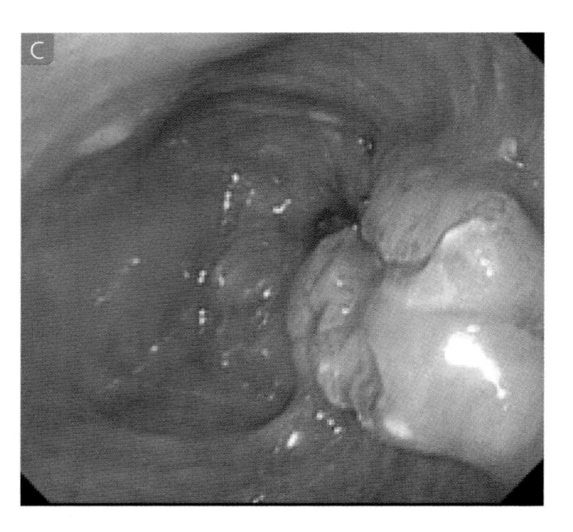

■ 그림 21-32. **식도암**
바륨 식도조영술(A)에서 식도의 중간에서 바륨의 충만 결손이 있다. CT(B)에서 식도의 벽이 두꺼워져 있으며, 식도 내경이 좁아져 있고, 종양은 매우 불균일한 경계면을 보인다(화살표). 식도 내시경(C)에서 식도 내로 돌출되어 있는 종양이 있다.

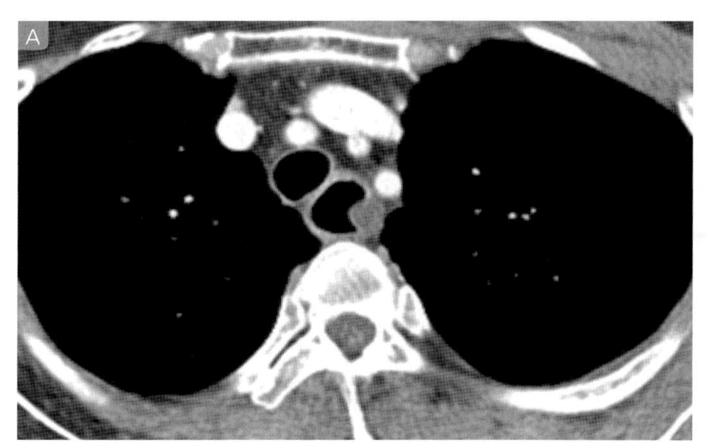

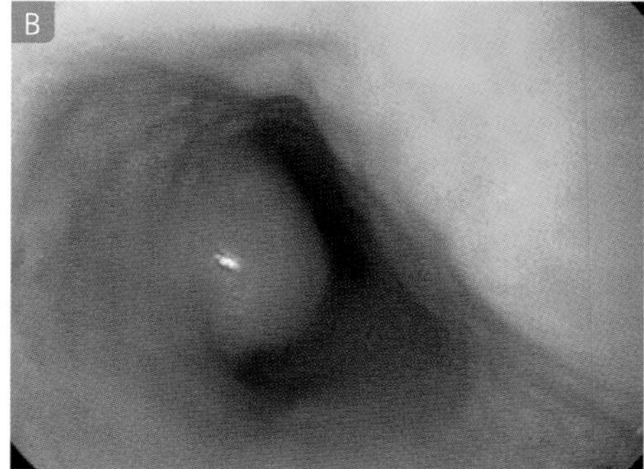

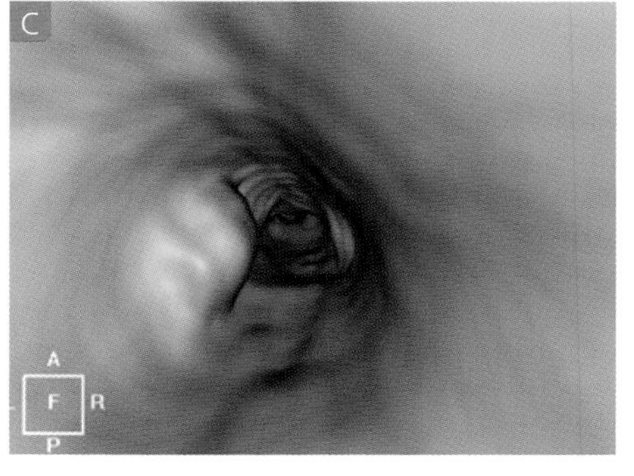

■ 그림 21-33. **식도점막밑종양**
CT(A)에서 상부 식도에 내경으로 돌출되는 작은 결절이 있으며, 부드러운 경계면을 보이고, 식도벽도 일부 두꺼워져 있다(화살표). 식도 내시경(B)에서 식도 내로 돌출되어 있는 경계가 부드러운 결절이 있다. 삼차원 CT식도 내시경 사진(C)에서도 식도 내시경과 비슷한 모양의 결절을 볼 수 있다.

3. 혈관 이상

상대정맥의 폐쇄에 의한 상대정맥증후군, 하대정맥(inferior vena cava)의 이상에 의한 기정맥(azygos)과 반기정맥(hemiazygos vein)의 확장, 흉부 대동맥의 동맥류(aortic aneurysm), 대동맥 박리(aortic dissection), 대동맥의 선천성 질환이 생길 수 있다(그림 21-34, 21-35)[1, 17, 18, 20].

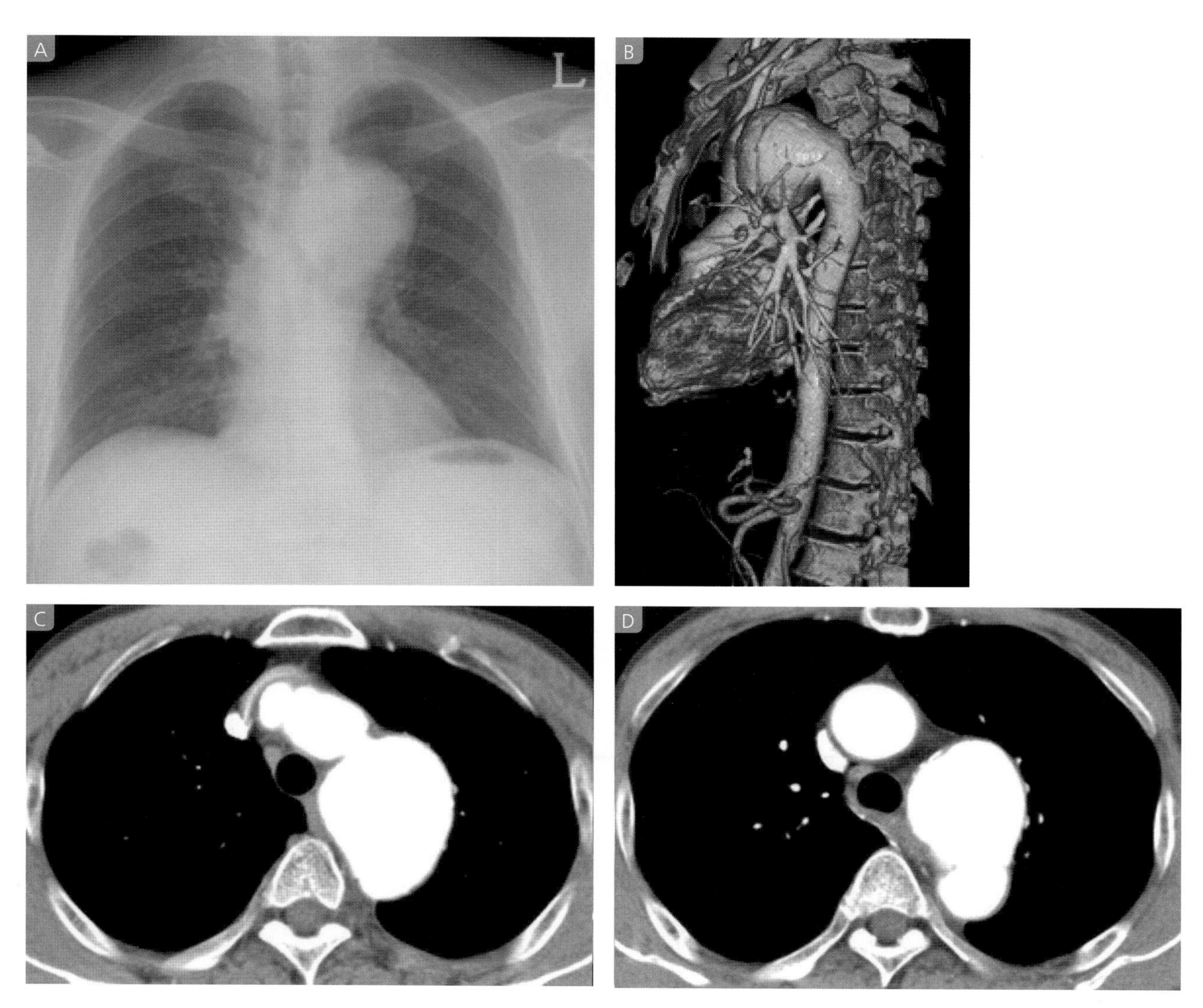

■ 그림 21-34. **대동맥류**
흉부X선사진(A)에서 대동맥 활 외측에 종괴가 의심된다. CT(B-D)에서 대동맥궁 - 하행대동맥 부위에 주머니 모양의 대동맥류가 보인다.

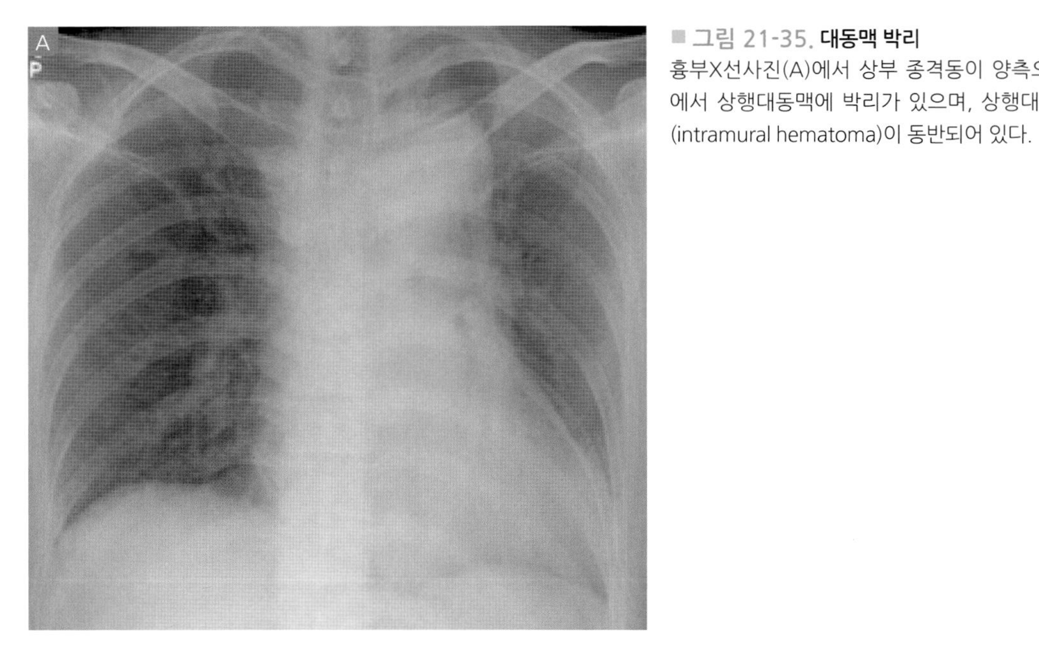

■ 그림 21-35. **대동맥 박리**
흉부X선사진(A)에서 상부 종격동이 양측으로 확장되어 있다. CT(B-E)에서 상행대동맥에 박리가 있으며, 상행대동맥-하행대동맥에 벽속혈종(intramural hematoma)이 동반되어 있다.

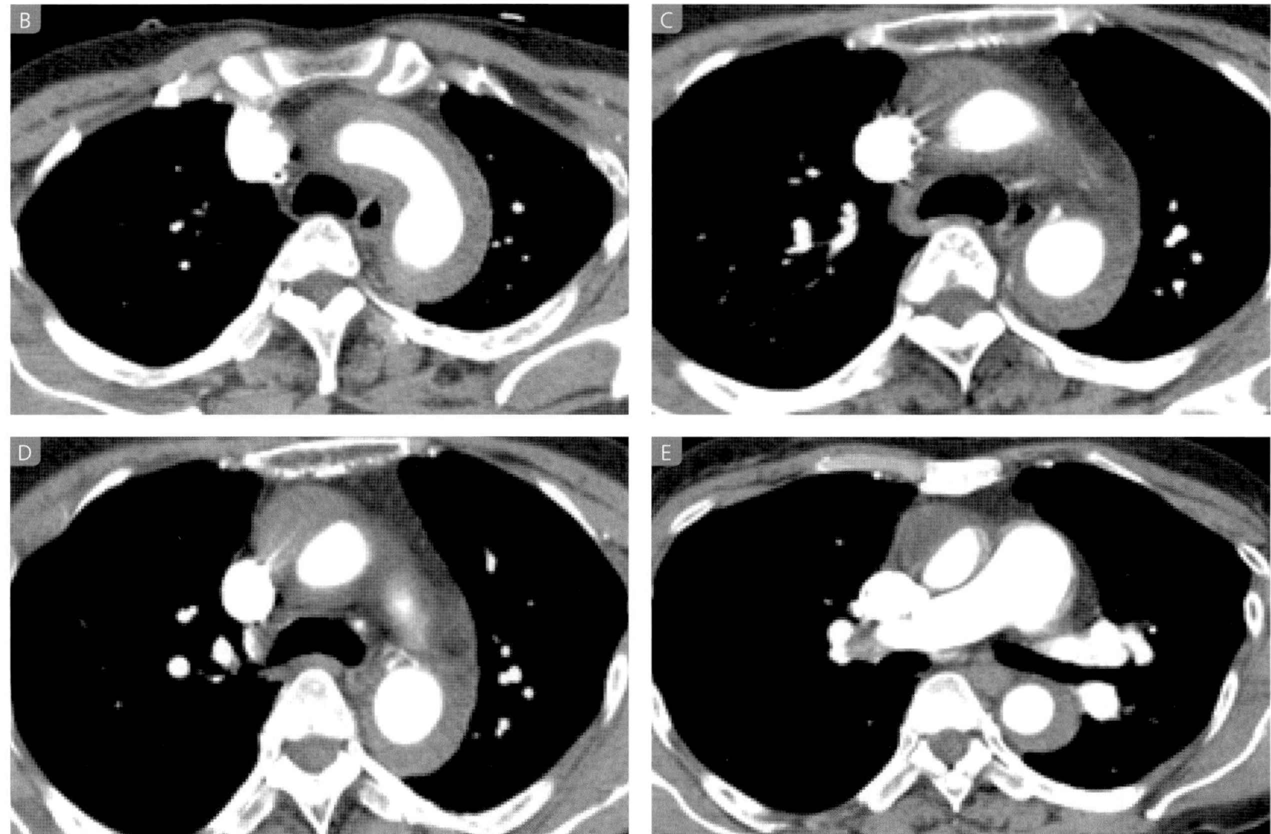

참고문헌

1. Hansell DM, Armstrong P, Lynch DA, Page McAdams H. Imaging of disease of the chest. 4thed. Elsevier 2005
2. Tomiyama N, Honda O, Tsubamoto M, Lnoue A, Sumikawa H, Kuriyama K, et al. Anterior mediastinal tumors: diagnostic accuracy of CT and MRI. Eur J Radiol 2009;69:280-288
3. Kim JH, Goo JM, Lee HJ, Chung MJ, Jung SI, Lim KY, et al. Cystic tumors in the anterior mediastinum: Radiologic-pathologic correlation. J Comput Assist Tomogr 2003;27:14-23
4. De Kraker M, Kluin J, Renken N, Maat AP, Bogers AJ. CT and myasthenia gravis: correlation between mediastinal imaging and histopathological findings. Interact Cardiovasc Thorac Surg 2005;4:267-271
5. Travis WD, Brambilla E, H. Konrad Muller-Hermelink, Curtis C. Harrisl. Pathology and genetics of tumors of the lung, pleura, thymus, and heart. World Health Organization Classification of Tumors. Lyon. International Agency of Research on Cancer (IARC) Press, 2004
6. Sadohara J, Fujimoto K, Muller NL, Kato S, Takamori S, Ohkuma K, et al. Thymic epithelial tumors: comparison of CT and MR imaging findings of low-risk tymomas, high-risk thymomas, and thymic carcinomas. Eur J Radiol 2006;60:70-79
7. Jeong YJ, Lee KS, Kim J, Shim YM, Han J, Kwon OJ. Does CT of thymic epithelial tumors enable us to differenciate histologic subtypes and predict prognosis? AJR Am J Roentgenol 2004;183:283-289
8. Tomiyama N, Johkoh T, Mihara N, Honda O, Kozuka T, Koyama M, et al. Using the World Health Organization Classification of thymic epithelial neoplasms to describe CT findings. AJR Am J Roentgenol 2002;179:881-886
9. Glazer HS, Wick MR, Anderson DJ, Semenkovich JW, Molina PL, Siegel MJ, et al. CT of fatty thoracic masses. AJR AM J Roentgenol 1992;159:1181-1187
10. Drevelegas A, Palladas P, Scordalaki A. mediastinal germ cell tumors: a radiologic-pathologic review. Eur Radiol 2001;11:1925-1932
11. Moran CA, Suster S. Primary germ cell tumors of the mediastinum, I. analysis of 322 cases with special emphasis on teratomatous lesions and a proposal for hitopatholgic classification and clinical staging. Cancer 1997;80:681-690
12. Quint LE. Imaging of anterior mediastinal mass. Cancer imaging 2007;7:56-62
13. Boiselle PM, Patz EF Jr, Vining DJ, weissieder R, Shepard JA, McLoud TC. Imaging of mediastinal lymph node. CT, MR, and FDG PET. RadioGraphics 1998;18:1061-1069
14. Non-Hodgkin's lymphoma classification project. A clinical evaluation of the International Lymphoma Study Group Classification of Non-Hodgkin's Lymphoma. Blood 1997;89:3909-3918
15. Criado E, Sanchez M, Ramirez J, Arguis P, de Carait TM, Perea RJ, et al. Pulmonary sarcoidosis: typical and atypical manifestations at high-resolution CT with pathologic correlation. Radiographics 2010;30:1567-1586
16. Kim JH, JunTG, Sung SW, Shim YS, Han SK, Kim YW, et al. Giant lymph node hyperplasia(Castleman's disease) in the chest. Ann Thorac Surg 1995;59:1162-1165
17. Strollo DC, Rosado de Christernson ML, Jett JR. Primary mediastinal tumors, part II: tumors of the middle and posterior medistinum. Chest 1997;112:1344-1357
18. Marchevsky AM. Mediastinal tumors of peripheral nervous system origin. Semin Diagn Pathol 1999;16:65-78
19. Jin GY, Park SH, Han YM. Usefulness of MDCT evaluation of the intraluminal surface of esophageal masses using only effervescent powder without injection of hypotonic agent. Abdom Imaging 2009;34:424-429
20. McMahon MA, Squirrell CA. Multidetector CT of Aortic Dissection: A Pictorial Review. Radiographics 2010;30:445-460

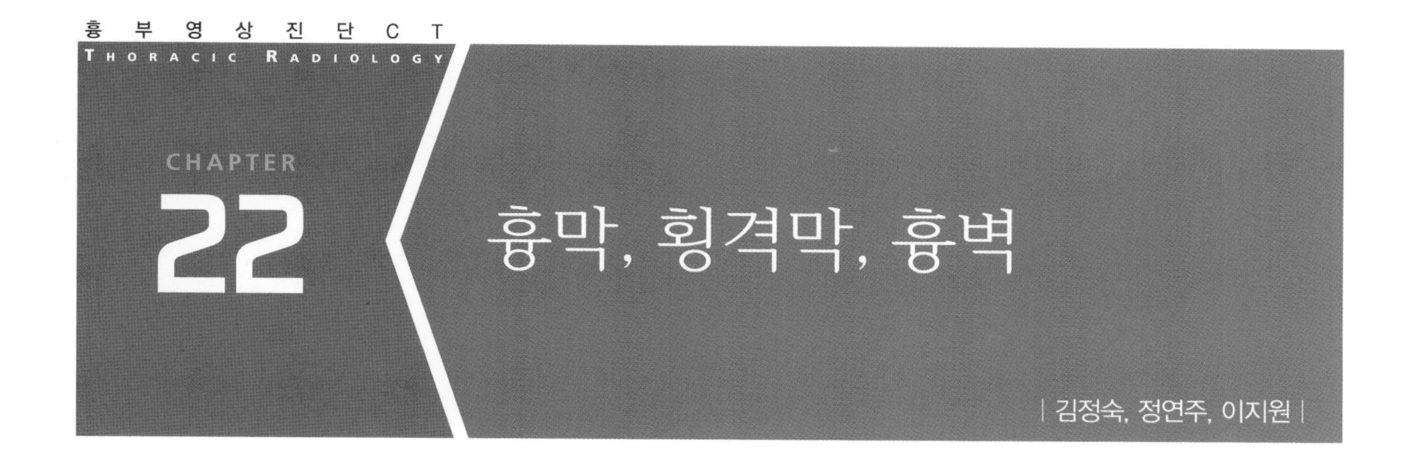

Contents

I 흉막

흉막은 폐, 종격동, 횡격막과 흉곽을 싸고 있는 막으로 내장쪽흉막(visceral pleura)과 벽쪽흉막(parietal pleura)으로 구성되어 있다. 이 두 개의 막 사이의 잠재적 공간인 흉막 공간(흉막강, 흉강, pleural space)은 정상에서 15-20 ml 정도의 소량의 흉막삼출액만 있기 때문에 CT에서 구별되지 않는다[1].

1. 흉막삼출

흉막삼출액이 생기는 것은 폐, 종격동 또는 흉벽의 질환과 관련이 있으며, 1) 모세혈관 정수압 증가, 2) 교질 삼투압 감소, 3) 림프관 배액 장애, 4) 모세혈관의 투과성 증가 등에 의해 생긴다. 흉막삼출에는 누출성(transudate)과 삼출성(exudate)이 있으며, 이 둘의 감별은 중요하다[1, 2]. 기립위 흉부X선사진에서 흉막삼출은 중력 때문에 폐의 가장 하부에 고인다. 균질한 음영이 위로 오목하고, 안쪽이 낮고 바깥쪽이 높은 초승달 모양으로 보인다. 앙와위(supine) 흉부X선사진에서는 흉막삼출이 흉곽의 뒤 아래쪽에 고이므로 한쪽 흉곽의 균질한 음영증가로 보여 흉막삼출을 진단하기 어렵다. CT 소견은 흉곽의 후하방에 저음영의 초승달 모양으로 보인다. 양이 증가하면 인접한 폐는 수동적 무기폐로 인해 흉막삼출 내에 떠 있는 모양을 보이게 된다. 흉막의 조영 증강이 동반된 경우 삼출성 흉막삼출(exudate)을 시사한다. 그러나 흉막의 조영 증강이 없는 경우 누출성과 삼출성 흉막삼출의 구별은 불가능하며, 누출성과 삼출성 흉막삼출의 가능성이 모두

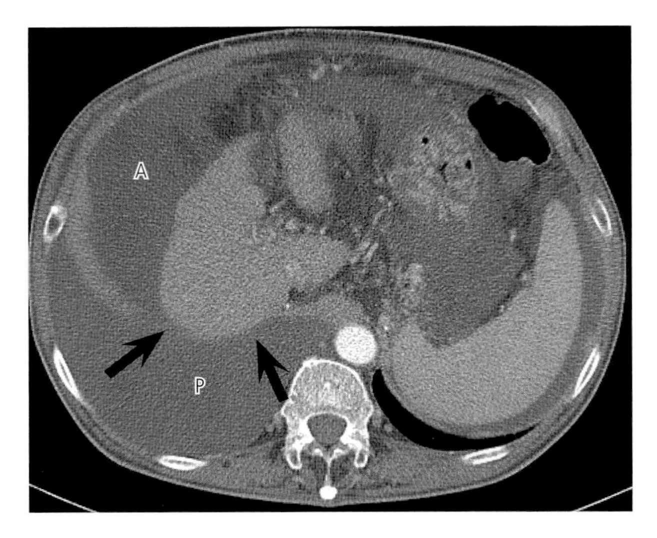

■ 그림 22-1. **횡격막 징후 및 노출부 징후**
횡격막 징후: 횡경막의 뒤 바깥쪽에 보이는 액체가 흉막삼출(P)이며, 앞 안쪽에 보이는 액체가 복수(A)이다. 노출부 징후: 노출부(화살표)에 인접해 보이는 액체가 흉막삼출이다(A: 복수, P: 흉막삼출).

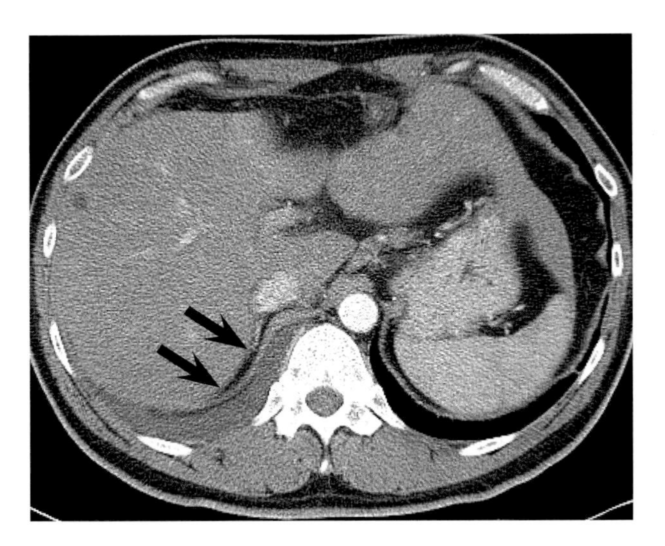

■ 그림 22-2. **횡격막각 이동 징후**
소량의 흉막삼출로 인해 횡격막각(화살표)이 앞 바깥쪽으로 이동되어 있다.

표 22-1. 흉막삼출과 복수의 차이점

	흉막삼출	복수
횡격막 징후	횡격막의 뒤 바깥쪽	횡격막의 앞 안쪽
횡격막각 이동 징후	횡격막각을 앞 바깥쪽으로 이동	횡격막각을 뒤 안쪽으로 이동
경계면 징후	간이나 비장과의 경계가 불분명	간이나 비장과의 경계가 분명
노출부(bare area) 징후	노출부에 액체가 보임	노출부에 액체가 보이지 않음

있다. 흉막삼출은 조영 증강 전 CT에서 흉막비후, 폐경화와 폐허탈보다 저음영으로 보인다. 조영 증강 후에 흉막삼출은 조영 증강이 되지 않으나 흉막비후, 폐경화와 폐허탈은 조영 증강이 되므로, 이들 차이는 증가되어 구별이 더 쉬워진다. CT는 1) 소량의 흉막삼출, 2) 흉막비후, 3) 흉막삼출과 동반된 흉막비후나 종괴, 4) 대량의 흉막삼출에 의해 가려진 폐나 종격동의 병변 유무와 이들 병변의 정확한 위치와 특성을 아는데 흉부X선사진보다 유리하다. 그러나 흉막 삼출의 격막 등의 내부 특성을 파악하는 데는 초음파가 좀 더 유용하다. 흉막삼출과 복수가 동반된 경우 이 둘의 감별이 어려운 경우가 있다. 이를 감별하기 위해 표 22-1과 같은 소견을 이용하면 구분이 가능하다(그림 22-1, 22-2) (표 22-1)[2, 3].

1) 양성 흉막삼출

(1) 누출성 흉막삼출(transudate)

모세혈관 정수압 증가 또는 교질 삼투압 감소에 의해 생기며 배액할 필요가 없다. 전신질환, 즉 심부전, 협착 심장막염

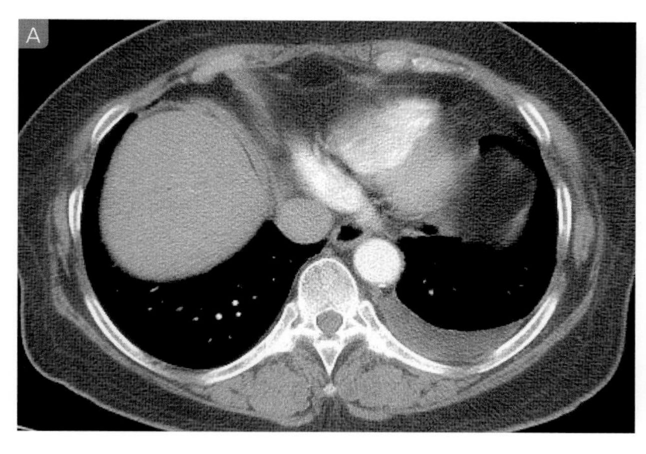

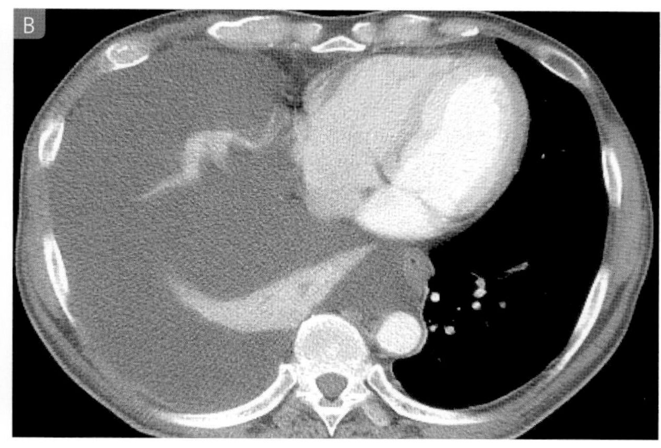

■ 그림 22-3. **흉막삼출**
A. 소량의 흉막삼출: 흉곽의 후하방에 저음영의 초승달 모양으로 보인다. **B.** 다량의 흉막삼출: 저음영의 흉막삼출이 보이고, 인접한 폐는 수동적 무기폐로 인해 흉막삼출 내에 떠 있는 모양을 보인다. 조영 증강 후에 흉막삼출은 조영 증강이 되지 않으나 흉막비후, 폐경화와 폐허탈은 조영 증강이 되어 구별이 더 잘 된다.

(constrictive pericarditis) 등의 심장막질환, 신장기능부족(renal failure), 간경화 등에 의한 복수가 있는 경우 등에서 생긴다. 복수에 의한 흉막삼출을 제외하고, 대부분 양측성으로 생긴다(그림 22-3).

(2) 삼출성 흉막삼출(exudate)

염증이나 종양에 의한 모세혈관의 투과성 증가에 의해 생기므로, 원인 질환을 밝히는 것이 중요하다. 원인 질환은 폐렴, 결핵, 종양, 폐색전증, 결합조직병, 석면 노출, 간농양, 췌장염 등의 복부 질환 등에 의해 생긴다. 흉강천자(thoracentesis)에서 1) 단백질 함량이 3 gm/dL 이상, 2) 흉막삼출과 혈장 단백비가 0.5 이상, 3) 흉막삼출과 혈장 LDH (Lactate dehydrogenase) 비가 0.6 이상, 이 중 최소한 한 가지 이상을 만족시키면 삼출성 흉막삼출이다.

(3) 폐렴주위 흉막삼출(parapneumonic effusion)과 농흉(empyema)

폐렴주위 흉막삼출은 세균성 폐감염에 동반된 삼출성 흉막삼출을 의미하며, 폐렴환자의 40% 정도에서 동반된다. 폐렴주위 흉막삼출은 세 시기로 구분한다. 1) 삼출성 시기(exudative stage): 폐감염에 의한 내장쪽 흉막의 투과성 증가에 의해 생기며, 무균 상태로 소량의 흉막삼출이 보이는 시기이다. CT에서 초승달 모양의 흉막삼출이 흉곽하부에 관찰되며, 50% 정도에서 흉막비후와 이로 인한 조영 증강이 보인다. 2) 섬유화농성 시기(fibrinopurulent stage): 다량의 다형핵백혈구와 세균이 있으며, 섬유막이 형성되기 시작하여 소방을 형성하고 국소화되는 시기이다. CT에서 경계가 분명한 타원이나 렌즈 모양의 흉막삼출로 보이며, 흉막이 비후되고 흉막외 지방층이 증가되어 넓게 보일 수 있다(그림 22-4). 3) 조직화 시기(organizing stage): 섬유모세포가 증식하여 조직화하는 시기로 흉막의 광범위한 섬유화가 진행되어 섬유흉(fibrothorax) 또는 흉막 껍질(pleural peel)이 생긴다. CT에서 매끈한 흉막비후가 보이고, 흉막 바깥에 흉막외 지방이 축적되어 넓어져, 두꺼워진 벽쪽흉막과 늑간근이나 갈비뼈가 분리되어 보인다. 흉막 석회화는 초기에는 부분적으로 생기지만, 진행되면 광범위하게 생기며 흉곽의 부피가 감소된다(그림 22-5)[2]. 농흉은 흉막삼출이 감염되어 고름이 생긴 것으로 섬유화농성 시기에 해당한다. CT에서 경계가 분명한 타원이나 렌즈 모양의 흉막삼출이 고여 내장쪽과 벽쪽 흉막 사이에 흉

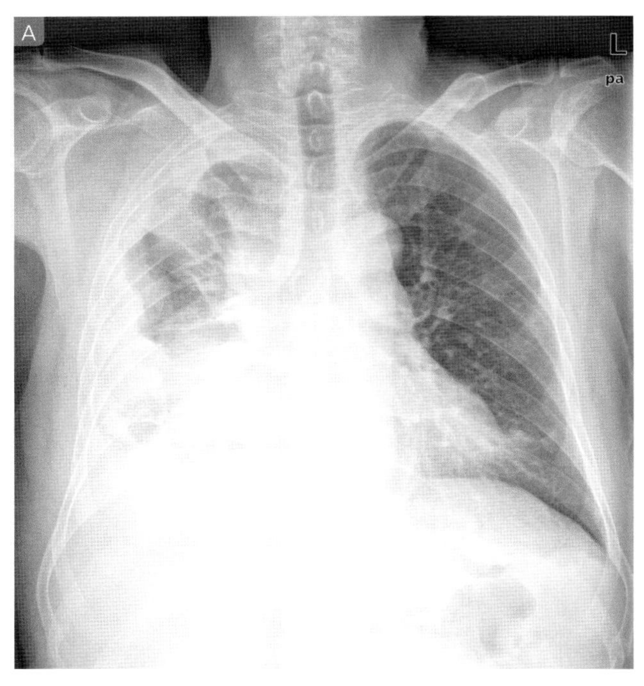

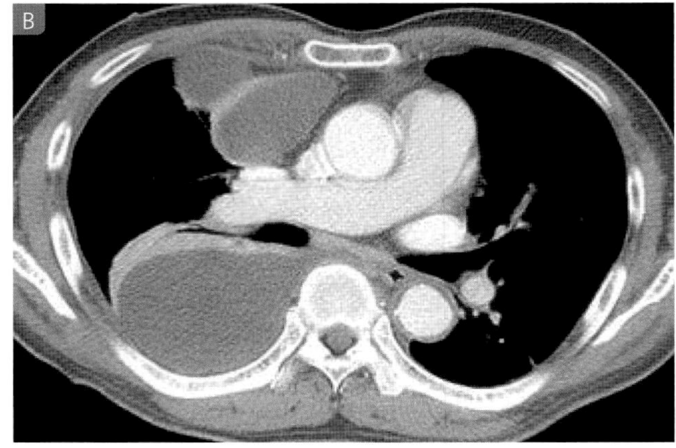

■ 그림 22-4. **섬유화농성 시기**
흉부X선사진과 CT에서 오른쪽 흉막에 소방 형성에 의한 타원의 경계가 분명한 흉막삼출이 보인다. 인접한 폐와 경계가 분명하고 인접한 폐는 수동적 무기폐를 동반하고 있다.

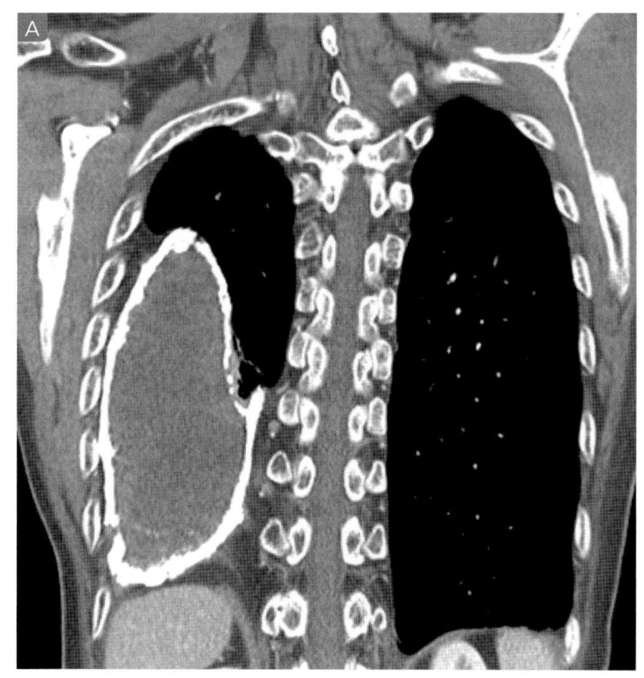

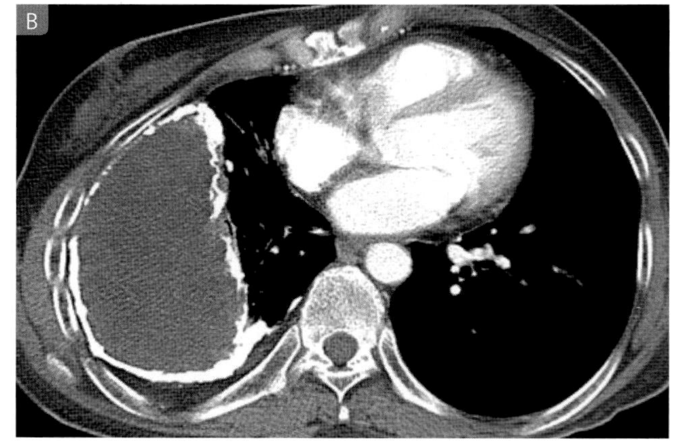

■ 그림 22-5. **조직화 시기**
오른쪽 흉막에 경계가 분명한 타원형의 흉막삼출이 보인다. 매끈한 흉막 석회화가 보이고, 흉막 바깥에 흉막외 지방이 축적되어 있다. 병변 부위의 흉곽의 부피가 감소되어 있다.

막이 분리되어 보이고(split-pleura sign), 인접한 폐를 밀어내는 양상을 보인다. 이 때 두 개의 흉막은 균일한 두께로 매끄럽게 두꺼워져 조영 증강되어 보인다. 농흉과 주변부 폐농양은 감별하기 어려운 경우가 있지만, 표 22-2의 소견을 이용

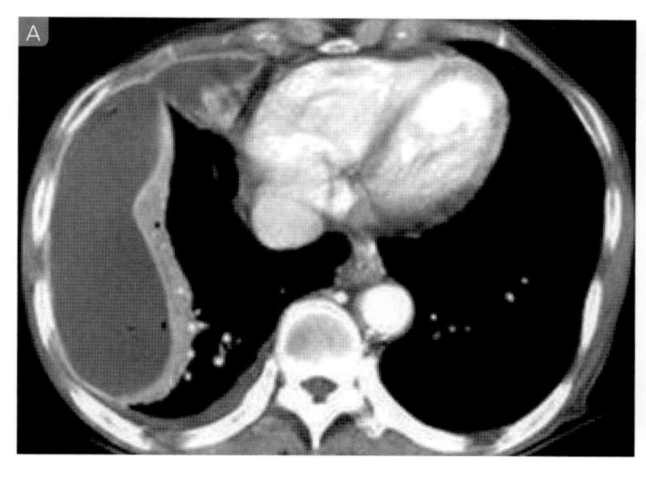

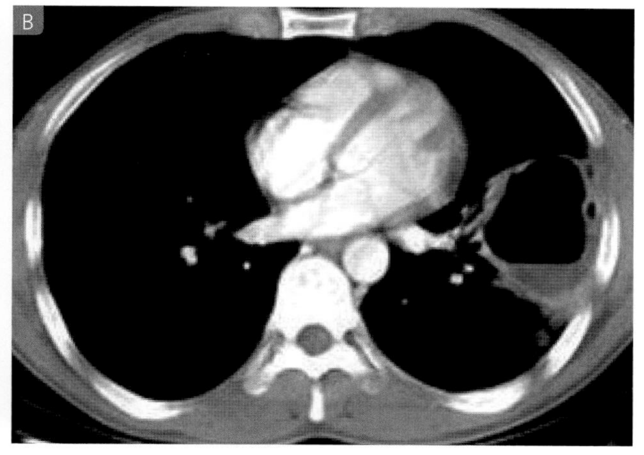

■ 그림 22-6. **농흉과 폐농양의 비교**
A. 농흉: 타원 내지는 렌즈 모양의 얇고 균일한 두께의 벽을 갖고 있다. 인접한 기관지혈관다발을 밀고 있다.
B. 폐농양: 원형의 불규칙하고 두꺼운 벽을 갖고 내부에 공기-액체층을 보인다. 인접한 기관지혈관다발이 끊겨 보인다.

표 22-2. **농흉과 폐농양의 차이점**

	농흉	폐농양
모양	타원 또는 렌즈 모양	원형
벽두께	얇고, 균일함	두껍고, 균일하지 않음
외벽경계(바깥벽)	분명	불분명
내벽	매끈함	불규칙함
기관지혈관다발	병변에 의해 밀리거나 구부러짐	병변으로 연결 또는 끊어짐

하면 감별이 가능하다(그림 22-6) (표 22-2)[4].

(4) 결핵성 흉막삼출

결핵의 새로운 감염의 약 10%에서 흉막삼출이 생긴다. 결핵성 흉막삼출은 편측성 삼출로 나타나는 경우가 많으며, 유리형(free)이나 방형성(loculated) 형태로 생길 수 있다. CT에서 폐렴 주위 삼출과 동일한 소견을 보여 감별이 어렵다. 급성 결핵성 흉막삼출은 얇고 매끈한 흉막비후를 보인다. 만성 결핵성 농흉은 국소성 흉막삼출로 보이며, 흉막비후와 석회화를 동반한다. 적절한 치료를 하지 않은 경우 기관지흉막루(bronchopleural fistula)가 발생할 수 있으며, 이로 인해 흉막삼출 내의 공기-액체층이 보일 수 있다(그림 22-7). 만성 결핵성 농흉이 흉벽에 감염되면 흉벽침습농흉(empyema necessitatis)이 생길 수 있다. 비활동성 결핵에서는 흉막삼출이 없는 미만성 흉막비후를 동반한 흉막유착을 보인다[5, 6].

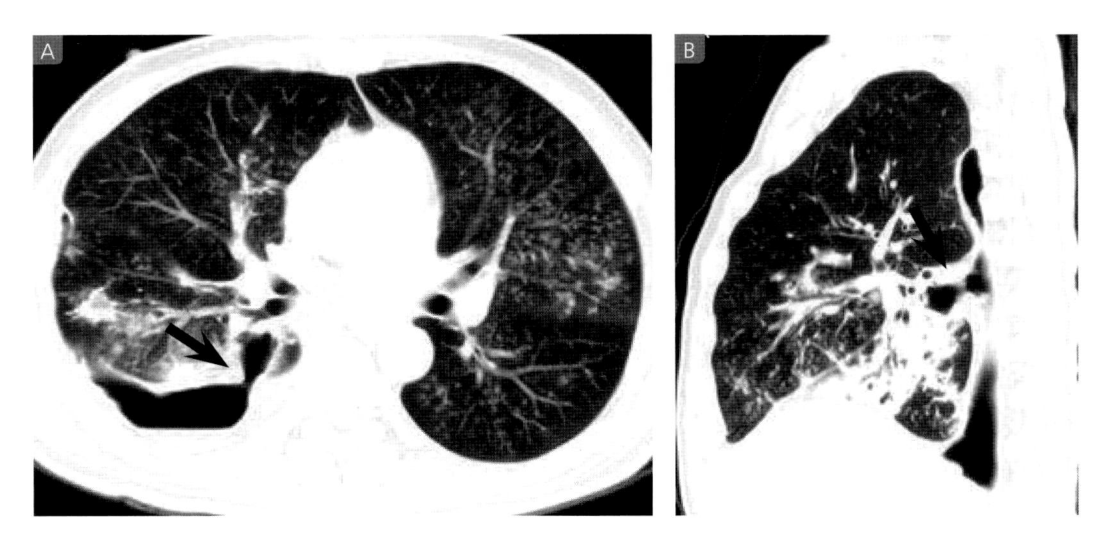

■ 그림 22-7. **결핵에 의한 기관지흉막루**
우하엽 상분절에 결핵에 의한 공동이 보이며, 이 공동과 흉막 사이에 기관지흉막루가 관찰된다(화살표). 흉막삼출 내부에 공기-액체층이 보이고, 양 폐에는 결핵에 의한 병변이 보인다.

(5) 혈흉(hemothorax)

흉막공간에 혈액이 고인 것으로, 흉막삼출 적혈구용적률(hematocrit)이 혈액 적혈구용적률의 50%를 넘는 경우를 말한다. 대부분의 원인은 외상이며, 그 밖에 대동맥 파열 또는 박리, 악성종양, 혈액응고장애, 자궁내막증, 석면노출 등에 의해 생길 수 있다.

흉부X선사진에서 다른 흉막삼출과 동일한 소견을 보이므로 감별이 불가능하다. CT에서 흉막삼출의 하운스필드 수치(hounsfield number, HU)가 50 HU 이상으로 높고, 혈액-액체층이 보일 수 있다. 드물게 조영제가 혈관으로부터 새어나가는 것이 CT에서 보일 수 있다. 혈흉은 조직화 과정을 거쳐 흉막비후 또는 석회화되어 흉막유착을 만들 수 있다(20장 참조).

(6) 유미흉(chylothorax)

흉막공간에 림프액이 고인 것을 말한다. 흉관(thoracic duct)의 손상이나 가슴 림프의 폐쇄에 의해 생긴다. 림프종이나 전이암 같은 종양, 외상 등에 의해 생길 수 있다. 흉부X선사진에서 다른 흉막삼출과 동일하게 보이며, CT에서 지방에 의한 저음영에서 물과 같은 정도의 음영까지 다양하게 보일 수 있다. 지방 성분에 의한 저음영이 보일 경우 가능성을 생각할 수 있다.

2) 악성 흉막삼출

다른 부위 원발성 종양에 의한 전이에 의해 발생한다. 흉막전이는 폐암, 유방암, 난소암, 위장관암에 의해 잘 생긴다. 흉부X선사진에서 흉막삼출이 유일한 소견인 경우가 대부분이다. CT에서 악성 흉막삼출은 표 22-3과 같은 소견을 보인다. 이에 비해 양성 흉막삼출에 동반된 흉막비후는 균일하고 매끈한 것이 특징이다. 그러나 결핵성 흉막삼출은 악성 흉막질환 소견이 보이는 경우가 있어 감별 진단이 어려운 경우가 있다(그림 22-8) (표 22-3)[7].

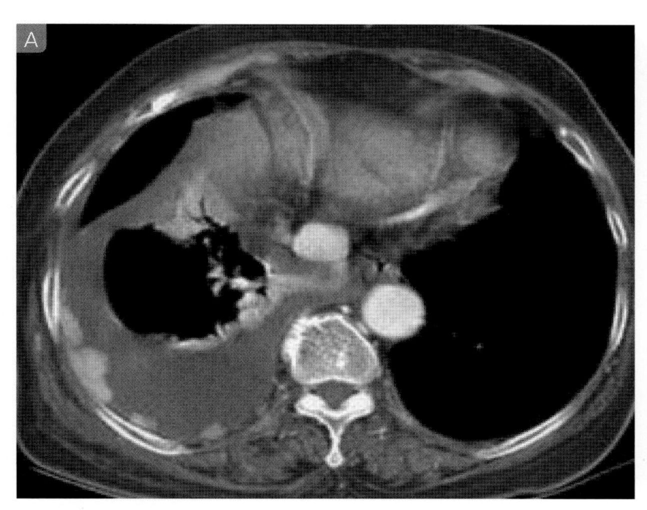

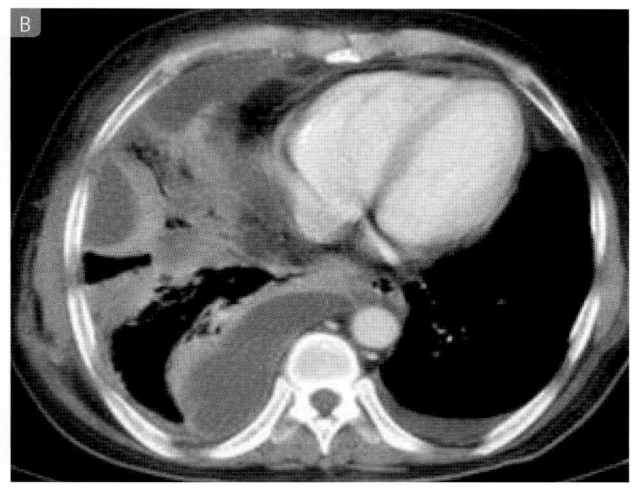

■ 그림 22-8. **악성 흉막삼출과 양성 흉막삼출의 비교**
A. 악성 흉막삼출: 자궁경부암의 흉막 전이로 두께가 두꺼운 결절성 흉막비후가 관찰된다. **B.** 양성 흉막삼출: 여러 개의 소방을 형성하고 있지만, 균일하고 매끈한 흉막비후가 보인다.

표 22-3. **악성 흉막삼출의 영상소견**

두께가 1 cm 이상인 벽측 흉막비후
원주모양의 흉막비후
결절성 흉막비후
부분적으로 끊겨져 있는 흉막비후
종격동 흉막비후

2. 흉막 섬유화(pleural fibrosis)

흉막을 침범하는 거의 모든 질환과 폐를 침범하는 모든 염증성 질환에 의해 생길 수 있다. 대부분 국소적으로 생기며, 국소성 흉막 섬유화(pleural fibrosis)는 영상검사에서 발견되지만 기능적인 이상을 보이지 않으므로 임상적 의의는 거의 없다. 그러나 광범위한 미만성 흉막 섬유화는 기능적 이상을 동반하게 되므로 임상적 의의를 갖는다.

1) 국소성 흉막 섬유화

(1) 치유된 흉막염

가장 흔한 원인은 대부분 폐렴에 의한 섬유성이나 섬유화농성 흉막염에 의해 생기므로, 아래 부위 흉막에 잘 생긴다. 흉부X선사진에서 늑골횡격막각(costophrenic angle)이 소실되거나 둔하게 보이고, 뒤쪽이나 옆쪽 흉막을 따라 선상 또는 석회화음영이 보인다. CT에서도 흉막의 비후와 늑골횡격막각이 둔해진 것을 볼 수 있고, 흉부X선사진에서 구별이 어려운 소량의 흉막삼출과 흉막비후를 감별할 수 있는 장점이 있다(그림 22-9).

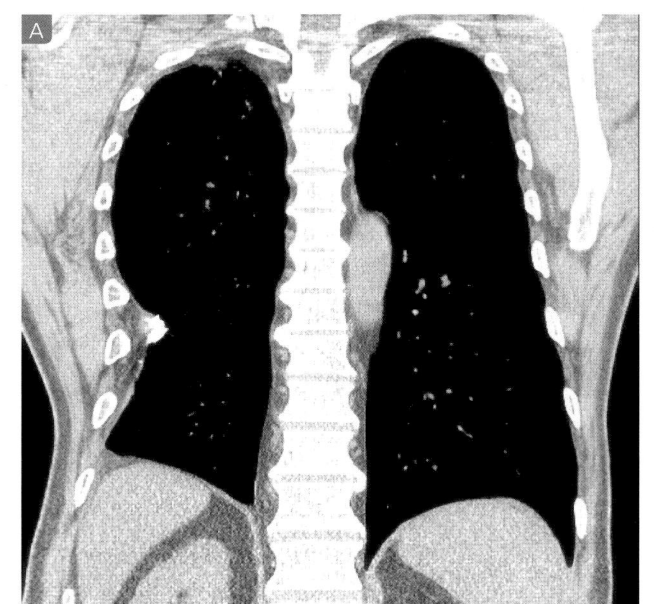

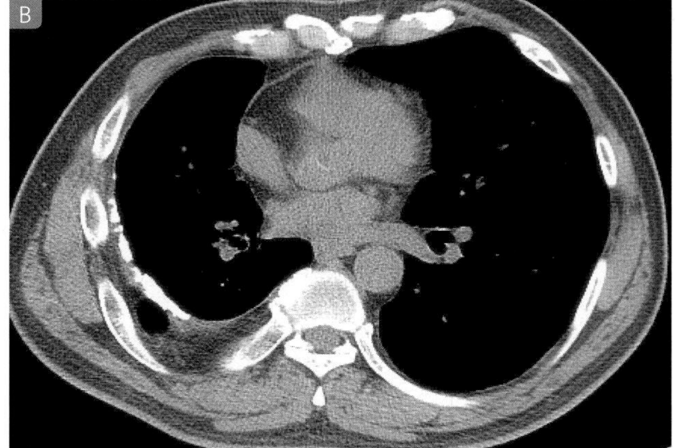

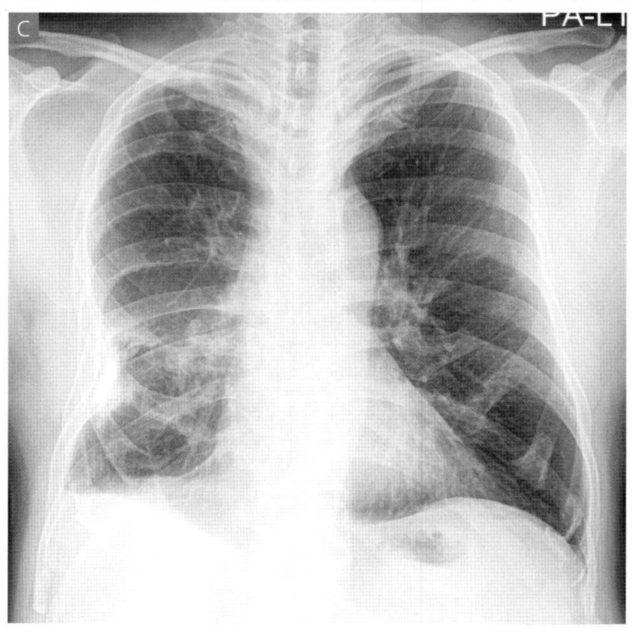

■ 그림 22-9. **흉막 섬유화**
A-B. 관상면과 축상면 CT에서 흉막의 비후와 석회화가 보이고, 흉막외 지방이 침착되어 있다. 병변부위의 흉곽의 크기가 감소되어 있다. **C.** 흉부X선 사진에서 늑골횡격막각이 소실되어 둔하게 보이고, 옆쪽 흉막을 따라 선상과 석회화 음영이 보인다.

(2) 폐첨부모자(apical cap)

흔한 이상소견으로 한쪽 또는 양쪽으로 나타날 수 있으며, 연령이 증가할수록 발생 빈도는 증가한다. 원인불명인 경우와 결핵이나 방사선치료 후에 생길 수 있다. 원인불명인 경우 5 mm 이하의 두께를 보이지만, 결핵이나 방사선 치료 후에 생긴 경우는 원인불명인 경우보다 더 두꺼워진 경우가 많다[8]. 흉부X선사진에서 한쪽 또는 양쪽 폐첨부에 구부러진 연조직 음영으로 보인다. 아래쪽 경계가 매끈하거나 물결 모양을 보인다. CT에서 흉막외 지방층이 넓게 보이고, 결핵이나 방사선 치료에 의한 경우는 인접한 폐실질의 섬유화에 의한 연조직 음영이 동반된다.

폐첨부 모자는 폐첨부 폐암(Pancoast tumor)과 감별하는 것이 중요하다. 좌우의 폐첨부 두께가 5 mm 이상 차이나거나 부분적으로 볼록한 부위를 보이는 경우 의심해야 한다(그림 22-10)[8].

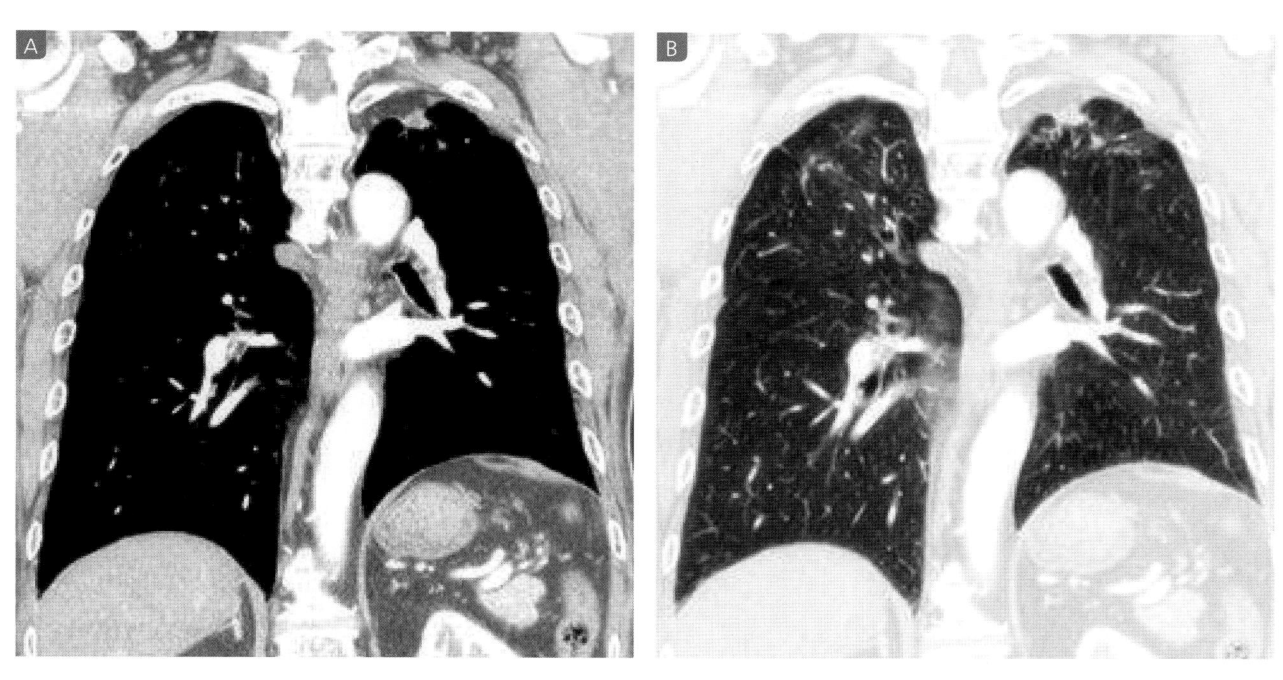

■ 그림 22-10. **폐첨모자**
흉막외 지방층이 넓게 보이고, 결핵에 의해 인접한 폐실질의 섬유화에 의한 연조직 음영이 보인다.

(3) 흉막반(흉막판, pleural plaque)

대부분 석면 노출에 의해 생기며, 석면 노출자와 비노출자의 발생률은 차이가 크다(39% vs. 4%). 흉막반은 특징적으로 벽쪽 흉막을 침범하며, 내장쪽 흉막은 잘 침범하지 않지만 엽간열에는 흉막반이 생길 수 있다. 양쪽에 대칭적으로 생기며, 아래쪽 1/2 (6-9번째 늑골 사이)에 잘 생기고 횡격막 흉막에 잘 생기는 것이 특징이다. 그러나 폐첨부와 늑골횡격막각에는 생기지 않는다. 흉부X선사진과 CT에서 경계가 분명한 연조직 음영의 밴드로 보이고 흉곽을 따라 평행하게 나타난다. 그러나 흉부X선사진에서는 앞뒤로 위치한(en face) 비석회화 흉막반이나 횡격막의 비석회화 흉막반의 경우 발견하기가 어렵다. 그러나 CT는 앞뒤로 위치한 비석회화 흉막반뿐만 아니라 비석회화 횡격막 흉막반을 진단하는데 유용하다(그림 22-11). 비석회화 흉막반의 경우 흉막외 지방, 흉곽 근육, 늑간 정맥 및 다른 원인에 의한 내장쪽흉막비후와 감별이 필요하므로 정상 해부학을 잘 알고 있는 것이 중요하다. 석회화 흉막반의 경우 결핵성 흉막 석회화와 감별이 필요하다. 결핵성은 비대칭적이고, 병변쪽 흉곽의 용량이 감소하고, 흉막외 지방층이 넓어지며, 두꺼워진 흉막과 폐의 경계가 불규칙한 것이 특징이다[8].

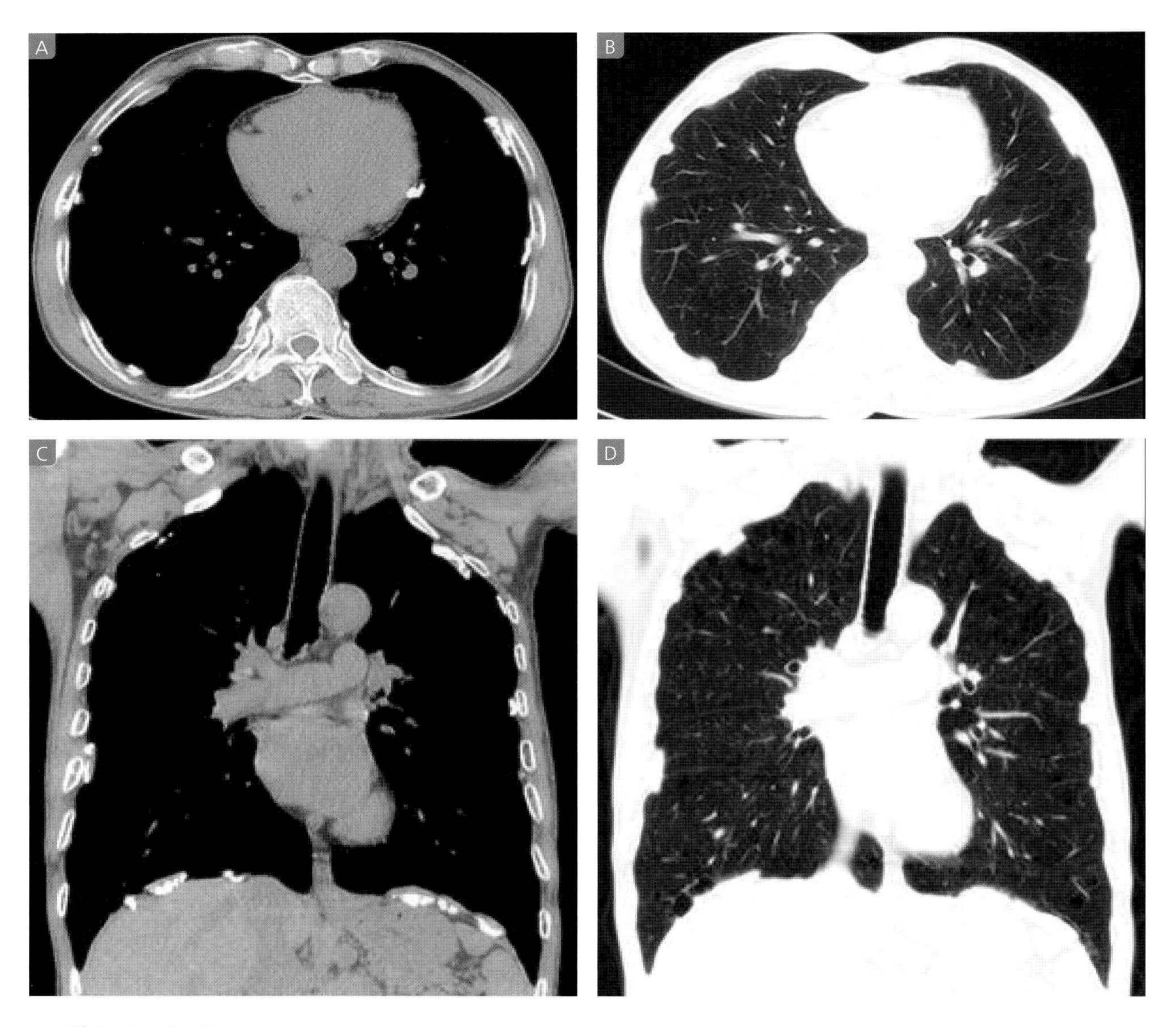

■ 그림 22-11. **흉막반**
흉곽과 횡격막을 따라 평행하게 경계가 분명한 연조직 음영의 밴드가 있으며, 일부 석회화를 동반한다.

표 22-4. **원형무기폐의 영상소견**

폐 후하방 주변부에 잘 생김 원형 또는 난원형 종괴의 형태를 보임 조영 증강이 잘 됨 인접 기관지혈관다발이 종괴 내로 말려들어감(whirling appearance, commet tail appearance) 인접한 흉막비후나 석회화를 동반함

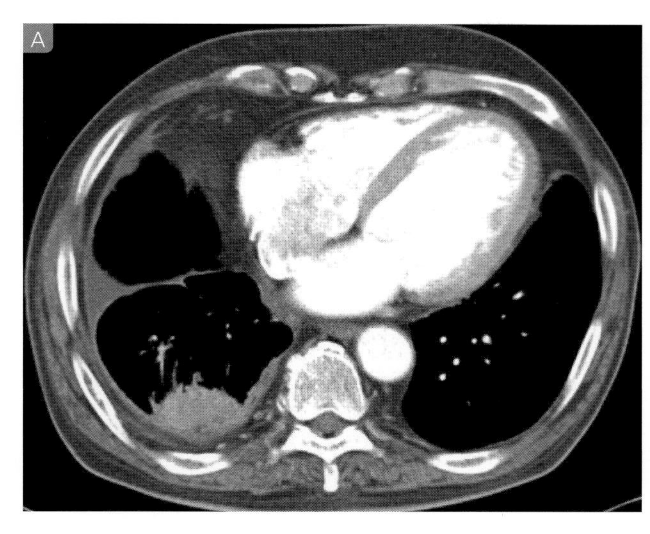

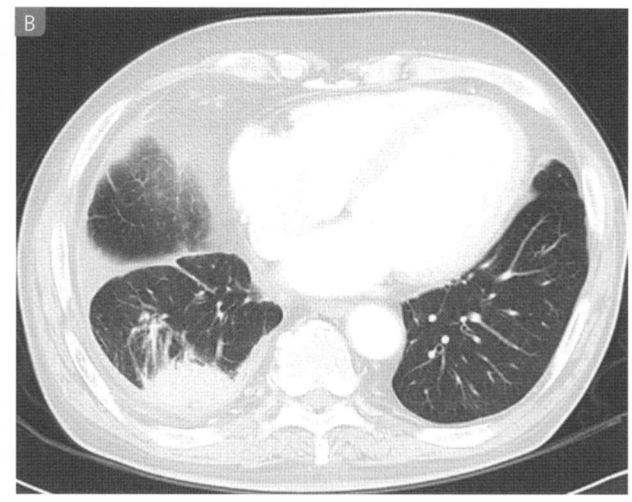

■ 그림 22-12. **원형무기폐**
오른쪽 하폐 후하방 주변부에 조영 증강이 잘되는 원형의 종괴가 보이며, 인접 기관지혈관다발이 종괴 내로 말려들어가고, 인접한 흉막의 비후와 삼출이 동반되어 있다. 오른쪽 하폐 용량감소에 의해 오른쪽 주엽간열이 후하방으로 이동되어 있다.

(4) 원형무기폐(round atelectasis)

종괴와 유사한 원형으로 보이는 만성 무기폐의 한 형태이다. 생기는 기전은 불분명하며, 반복적인 흉막삼출에 의해 인접 폐가 수동적으로 무기폐가 되는 것으로 생각된다. 석면노출에 의해 가장 잘 생기며, 그 밖에 결핵 등의 흉막 감염, 요독흉막염, 폐색전증 등에 의해 생긴다. CT 소견은 표 22-4와 같으며, 전형적인 형태를 보여 진단은 비교적 쉽게 할 수 있다. 그러나 원형무기폐는 주변부 폐종양으로 오인될 수 있으므로 정확한 진단이 중요하다(그림 22-12) (표 22-4)[9].

2) 미만성 흉막섬유화, 섬유흉(fibrothorax)

세균성 농흉, 결핵, 혈흉, 류마티스모양 질환 같은 결합조직병 및 석면 노출 등에 의해 생긴다. 흉부X선사진에서 적어도 흉곽의 1/4 이상을 침범하며, 매끈하고 연속되는 흉막의 비후가 보일 때 진단할 수 있다. CT상 흉막 섬유화에 의해 흉막이 매끈하게 두꺼워지고, 부분적인 또는 광범위한 석회화가 동반될 수 있다. 만성적인 섬유화에 의해 흉막외 지방층이 증가하고, 병변쪽 흉곽의 크기가 정상 흉곽과 비교하여 감소될 수 있다. 이러한 광범위한 흉막의 석회화는 특히 결핵, 농흉 및 혈흉에 의해 잘 생기며, 폐의 움직임에 제한을 주게 되어 기능적 장애를 동반하게 된다.

3. 기흉

기흉은 흉막 공간에 공기가 고이는 것을 말한다. 자발성, 외상성 및 의인성(iatrogenic) 기흉으로 구분된다. 자발성 기흉은 외상이 없이 생기는 것으로, 기존 폐병변 유무에 따라 원발성과 이차성으로 나뉜다. 원발성 자발성 기흉은 10, 20대의 젊은 남성에 주로 생기며(4-5배), 키가 크고 마른 체형에서 잘 생긴다. 대부분 폐첨부 작은 공기집(흉막하 기포, apical subpleural bleb)이나 큰 공기집(bulla)에 의해 생긴다. 이차성 자발성 기흉의 원인질환은 만성폐쇄성폐질환이 50-60대에 생기는 자발성 기흉의 주요 원인이다. 원인질환에 따른 이상 소견이 기흉과 함께 동반되어 나타난다(표 22-5).

표 22-5. 기흉의 원인

자발성 기흉	원발성: 작은 공기집(기포), 큰 공기집 이차성: 림프관근종증, 랑게르한스세포조직구증, 폐쇄성폐질환, 공동성 또는 낭종성 폐 감염 또는 폐전이
외상성 기흉	
의인성 기흉	폐생검, 흉강천자, 중심정맥관 삽입

CT는 일반적으로 기흉의 진단에 흉부X선사진보다 더 예민한 검사로, 내장쪽흉막 바깥의 흉막 공간에 공기가 보이는 것으로 진단이 가능하다. 원발성 자발성 기흉의 원인인 작은공기집은 흉막 밑의 작은 공기주머니로 관찰되며, 그 밖에 기흉의 원인인 폐기종도 진단할 수 있다. CT는 소량의 기흉 진단, 그리고 이차성 자발성 기흉의 원인 질환의 진단에도 유용하다. 그 밖에 종격동기종(pneumomediastinum)과 종격동 근처의 기흉의 감별에도 유용하다(그림 22-13). 긴장기흉(tension pneumothorax)은 흉막 공간의 공기압력이 대기압보다 높은 경우로, 들이마신 공기가 볼밸브(ball valve) 기전에 의해 흉막 공간에 갇혀 생긴다. 심한 저산소증이나 산증에 빠져 사망에 이를 수 있으므로 빨리 압력을 낮춰주는 것이 중요하다. 기계적 폐환기나 외상에 의해 긴장기흉이 생길 수 있다. 표 22-6과 같은 소견과 함께 순환 장애가 동반된 경우 긴장기흉을 진단할 수 있다(그림 22-14) (표 22-6)[1, 2].

재팽창폐부종(re-expansion pulmonary edema)은 흉막 공간에서 공기나 흉막삼출을 너무 빠른 속도로 빼줄 때, 허탈된 폐엽이 펴지는 과정에서 생긴다. 기전은 정확히 알려지지 않았지만, 일종의 투과성 폐부종으로 알려져 있다. 치명적

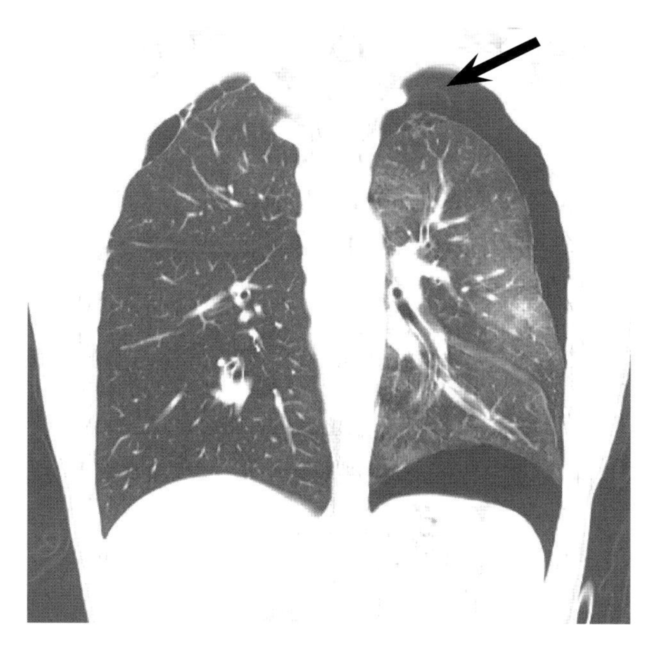

■ 그림 22-13. **일차성 자발성 기흉**
왼쪽 흉곽에 기흉이 보이며, 폐첨부에 작은공기집(화살표)이 관찰된다. 이와 더불어 오른쪽 폐첨부에도 주변부 폐기종이 보인다.

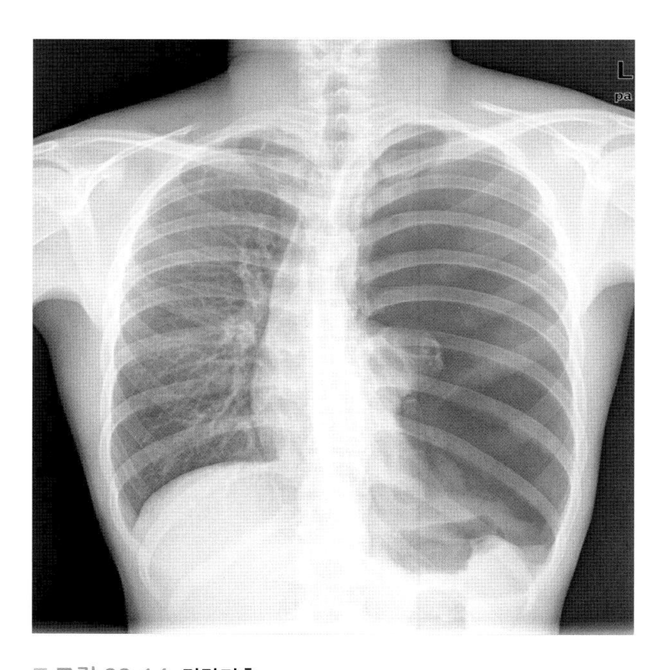

■ 그림 22-14. **긴장기흉**
흉부X선사진에서 왼쪽 기흉에 의해 종격동이 반대쪽으로 밀리고, 횡격막이 아래로 내려가 있고, 늑골 사이가 넓어져 있다.

표 22-6. 긴장기흉의 영상소견

종격동이 반대쪽으로 밀림 횡격막이 아래로 내려감 늑골 사이가 넓어짐

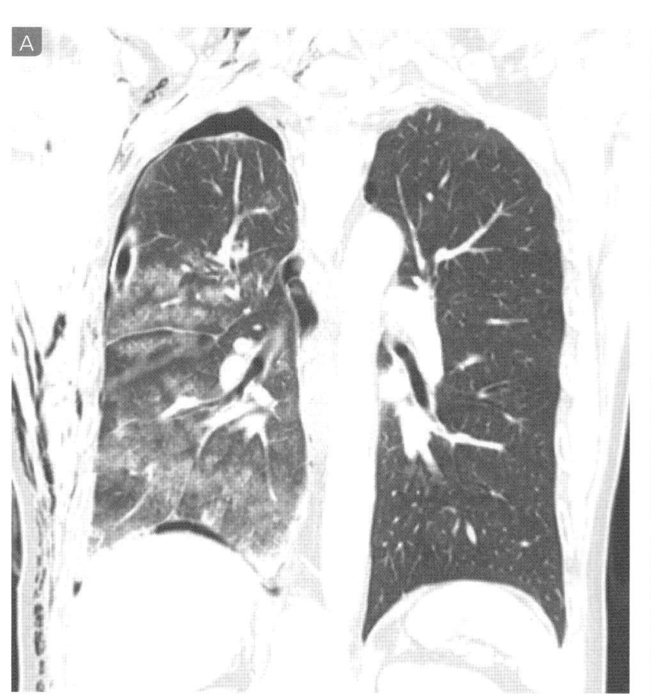

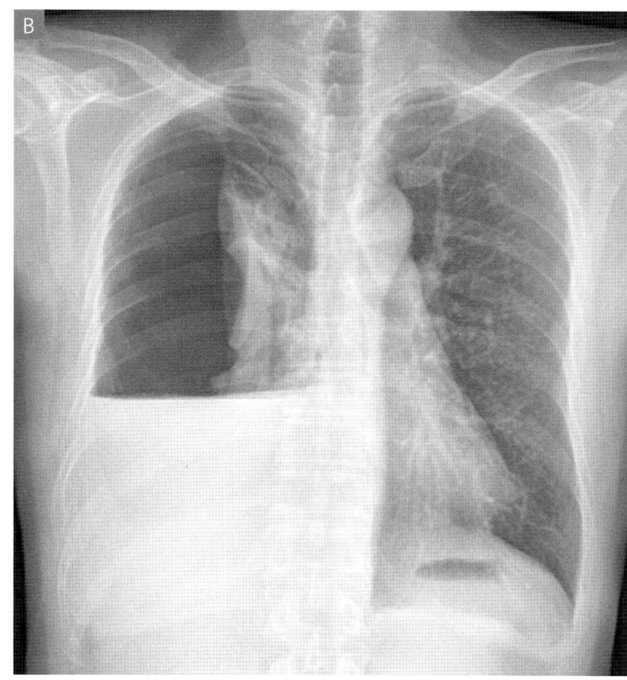

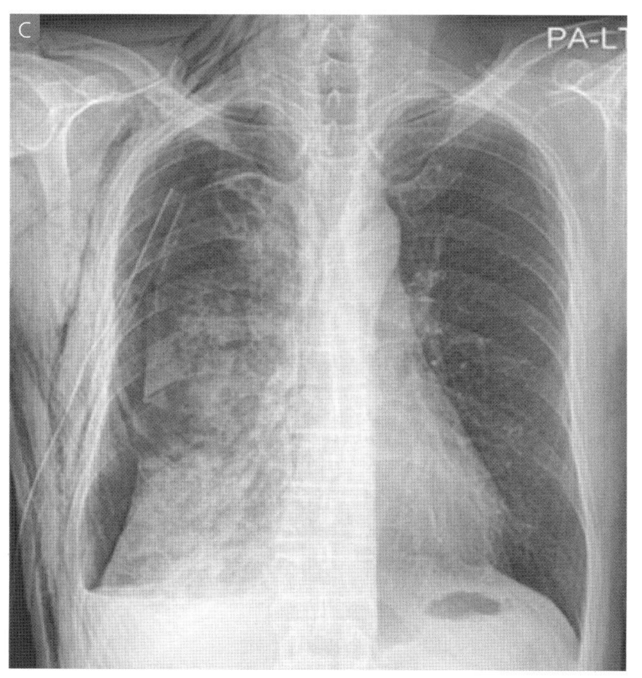

■ 그림 22-15. **재팽창폐부종**

A. 관상면 CT에서 우폐 전체에 젖빛유리음영과 부분적인 폐경화가 보인다. **B.** 흉부X선사진에서 오른쪽 장액성 기흉에 의해 우폐의 심한 무기폐가 보이고, **C.** 흉관 삽입 후 우측 무기폐가 호전되면서 폐실질에 폐경화가 생긴 것을 볼 수 있다.

일 수 있고, 대부분 공기를 뺀 병변 쪽에 생기며 드물게 반대쪽에도 생긴다. 오래 지속된 폐허탈일수록, 배액속도가 빠를수록, 음압을 동원해 배액할수록 잘 생긴다. CT에서 간유리음영과 폐경화로 보인다(그림 22-15)[1, 2].

4. 흉막 종양

흉막에 생기는 종양은 90% 이상이 이차성 전이암이고, 원발성 종양은 5-10% 정도이다. 흉막 종양은 흉막 종괴, 흉막비후 또는 흉막삼출의 형태로 나타난다. 악성 흉막 종양의 경우 원발성이나 이차성에 무관하게 흉막삼출이 가장 흔한 소견이다.

1) 원발성 흉막 종양

(1) 흉막의 고립성 섬유종(Solitary fibrous tumor of the pleura)

과거에는 양성중피종으로 불리었으나, 중피세포에서 기원하지 않으며 석면 노출력과 무관한 종괴로 악성중피종과 별개의 종양이다. 50대에 발견되는 경우가 많으며, 여자에서 남자보다 조금 더 흔하다. 증상이 없이(50%) 우연히 발견되는 경우가 많다[10, 11]. 흉부X선사진에서 대부분 경계가 분명한 흉막병변으로 보이지만, 엽간열(fissure)에 생기는 경우 폐종괴로, 종격동 흉막에 생기는 경우 종격동 종괴로 오인될 수 있다. CT에서 흉막의 경계가 분명한 분엽성 종괴(lobulated mass)로 관찰된다. 내부 음영은 균질하며, 조영 증강 후 주변 연부조직보다 조영 증강이 잘 된다(그림 22-16). 종괴의 크기가 큰 경우 내부에 출혈이나 괴사에 의한 저음영이 동반될 수 있다. 엽간열에 생긴 흉막국소섬유종양은 엽간열에 국한된 흉막삼출로 오인될 수 있지만, 흉막삼출보다 높은 음영을 보이고 조영 증강이 잘되는 것으로 구분이 가능하다. 줄기(stalk 또는 pedicle)가 있는 경우 호흡이나 자세 변화에 따라 위치나 모양이 변할 수 있다. 1/4 정도에서 종괴 내부에

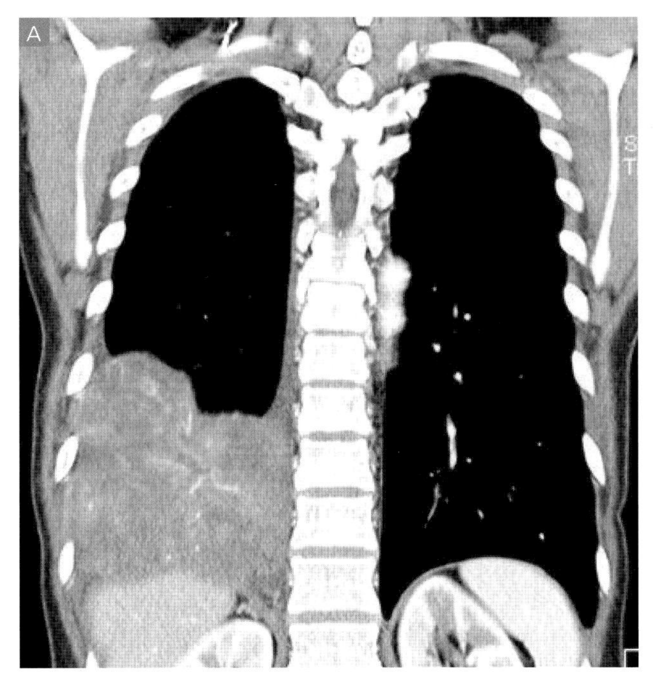

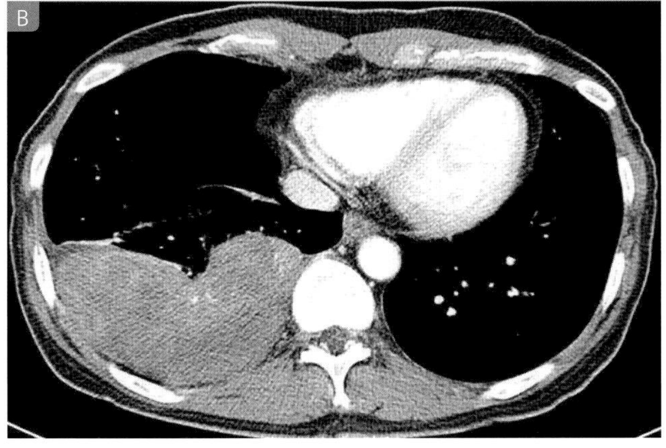

■ 그림 22-16. **흉막국소섬유종양**
오른쪽 하방에 경계가 분명한 분엽성 종괴가 보인다. 내부 음영은 균질하며, 조영 증강 후 주변 연부조직보다 조영 증강이 잘되어 보인다.

석회가 동반될 수 있고, 17% 정도까지 흉수가 동반될 수 있으며 주변 늑골의 과형성이 동반될 수 있다. 양성종양으로 알려져 있지만, 30-40%는 병리적으로 악성이다. 영상소견으로 악성과 양성을 구분하기는 쉽지 않지만, 10 cm 이상으로 종괴의 크기가 크거나, 내부에 괴사나 출혈이 동반되어 비균질적 음영을 보이거나, 흉벽 침범이 있거나, 동측에 흉수가 동반되어 있다면 악성일 가능성이 있다[10, 11].

(2) 악성중피종(malignant pleural mesothelioma)

악성중피종은 흉막에 생기는 악성도가 높은 종양으로 예후가 나쁘다. 대부분 50세 이후의 남자(80% 이상)에서 발생한다. 편측성으로 나타나며 한쪽 폐용량의 1/3 이상을 차지하는 경우가 많다. 일반인에서 발생 빈도는 매우 낮고, 석면에 노출된 직업력이 있는 경우 5% 전후의 발생 빈도를 보이고, 20-40년의 잠복기를 갖는다. 우리나라의 석면사용 실태를 고려하면, 점차 증가하여 2040년 전후에 악성중피종의 발생 빈도가 최고조에 달할 것으로 예측된다. CT에서 초기에는 분명한 종괴나 흉막비후 없이 단순한 흉막삼출의 형태로 보일 수 있으며 표 22-7과 같은 형태로 나타난다[12]. 75% 정도에서 흉막삼출을 동반하고, 양이 많은 경우에도 병변이 있는 쪽 흉곽 용적이 감소되거나 종격동이 병변쪽으로 이동하는 경우에 악성중피종의 가능성을 고려해야 한다(그림 22-17) (표 22-7). 이러한 종괴의 일반적인 특성은 흉막 전이암과 구별이 어렵다. 그러나 흉막 전이암에서는 폐문과 종격동 림프절에 전이가 주로 생기는 반면, 악성중피종에서는 내유방 림프절(internal mammary LN)과 횡격막주변 림프절(peridiaphragmatic LN)에 전이가 잘되는 경향이 있으므로 감별에 도

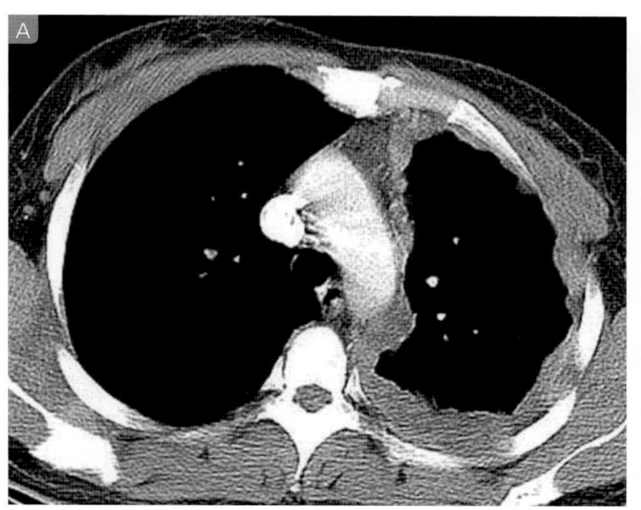

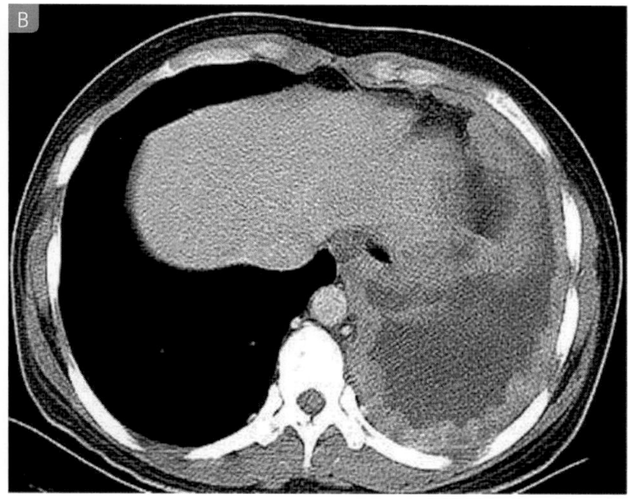

■ 그림 22-17. **악성중피종**
왼쪽 흉막에 전반적인 결절형태의 흉막비후가 관찰되고, 흉막삼출을 동반하고 있다. 병변 흉곽 용적이 감소되어 있다.

표 22-7. **악성중피종의 영상소견**

단순 흉막삼출: 초기 형태
결절형태의 흉막비후를 동반한 흉막삼출: 가장 흔한 형태
엽간열의 결절성 흉막비후
국소 흉막 종괴: 드문 형태

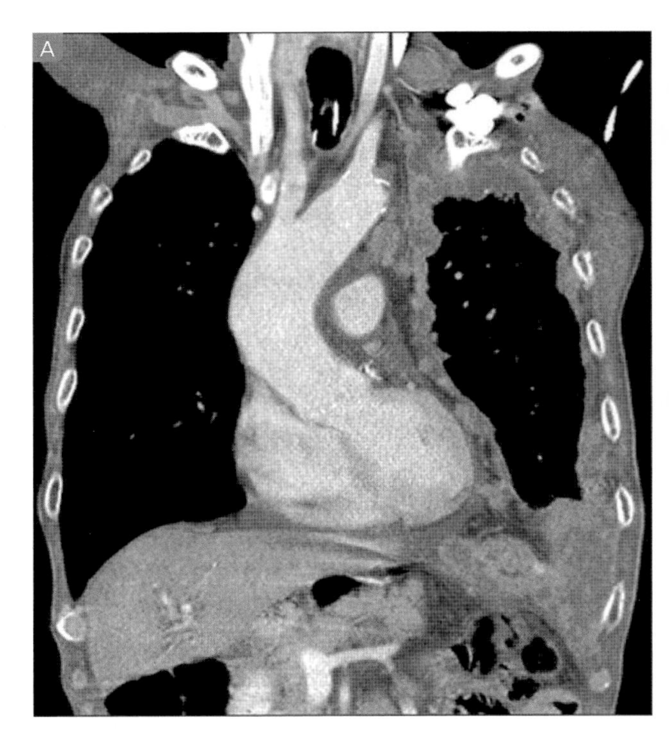

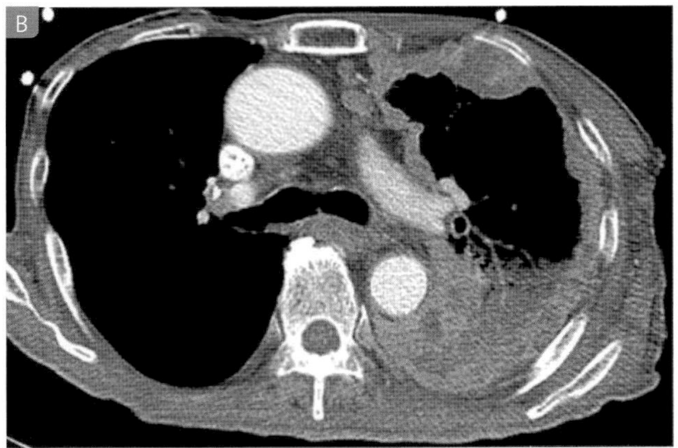

■ 그림 22-18. **폐암에 의한 흉막 전이암**
왼쪽 흉막의 미만성 결절성 흉막비후와 함께 소량의 흉막삼출이 관찰된다.

움을 받을 수 있다. 또한 석면노출력이 있거나, 흉막반이나 석면폐증이 동반된 경우 악성중피종의 가능성을 고려해 볼 수 있다.

2) 흉막 전이암

흉막에 생기는 신생물의 90% 이상은 전이암으로 가장 흔하다. 흉막 전이의 40%는 폐암에서, 20%는 유방암에서, 10%는 악성 림프종에서, 기타 다른 암에서 20-30%가 발생하며, 5-10% 정도에서는 원발병소를 알 수 없는 경우도 있다[13]. 흉부X선사진상 흉막 전이는 흉막삼출이 가장 흔한 소견이며, 유일한 소견인 경우도 많다. 따라서 양성 흉막삼출과 감별이 쉽지 않다. 흉막 전이는 CT상에서 흉막의 변화가 관찰되지 않는 단순 흉막삼출의 형태부터 매끈한 흉막 비후, 국소적 흉막 종괴 또는 미만성 결절성 흉막비후의 형태까지 다양하게 나타난다. 원발성 흉막의 악성 종양인 악성중피종과 흉막 전이는 영상 소견이 유사하여 구별이 어렵다. 원발성 병변의 유무, 석면 노출력 등이 이 두 질환의 감별에 중요하다 (그림 22-18).

II 횡격막

횡격막은 흉부와 복부를 구획 짓는 막이며, 흉벽과 함께 흉곽 내 장기를 보호하고 호흡 운동을 한다.

1. 횡격막 위치 및 운동 이상

1) 횡격막 마비

일측성 횡격막 마비는 신경자극의 전달에 장애가 생겨 발생한다. 종양의 횡격막 침범에 의해 가장 흔히 생기며, 원인을 모르는 경우가 두 번째로 흔한 원인이다. 이 경우 대부분 우측에 마비가 발생한다. 양측성 횡격막 마비의 가장 흔한 원인은 척수손상이며, 그 외 심장수술 후에 일시적으로 동반되는 경우(cardiac frostbite)가 있다. 횡격막 마비는 병변부위 횡격막이 정상 이상으로 상승하고, 호흡시 횡격막 운동이 감소되거나 역으로 움직이고, 재채기시에는 양측 횡격막이 동시에 급속히 하강하게 되는데 일측성 횡격막마비가 있는 쪽에서는 역행성 운동(paradoxical movement)이 일어나게 된다(sniff test)[14]. 늑골횡격막각(costophrenic angle)과 늑골척추고랑(costovertebral sulci)이 깊고, 얇고 날카로워진다.

2) 횡격막 전위(횡격막내장탈출, diaphragmatic eventration)

횡격막의 일부 또는 전체의 근육발달 장애로 횡격막의 근육이 얇은 막으로 대치되어 생기는 선천성 이상이다. 부분적 내장탈출이 더 많으며, 오른쪽 앞 안쪽에 잘 생기고 남녀의 발생 차이가 없다. 광범위한 내장탈출은 대부분 왼쪽에 생기며 남자에서 잘 생긴다. 흉부X선사진에서는 횡격막 마비와 동일한 소견을 보인다. CT, 초음파 및 MRI를 이용하면 정상에 비해 얇아진 횡격막을 관찰할 수 있어, 종양이나 탈장에 의한 횡격막의 부분 돌출과 구별할 수 있다(그림 22-19).

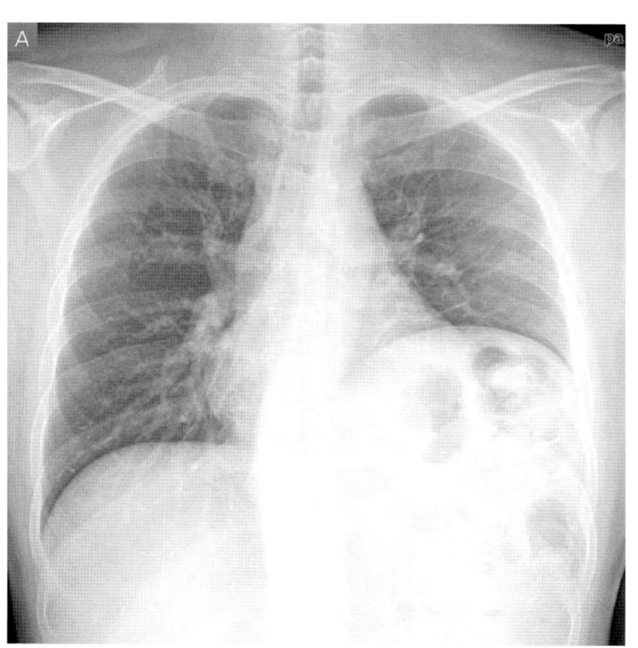

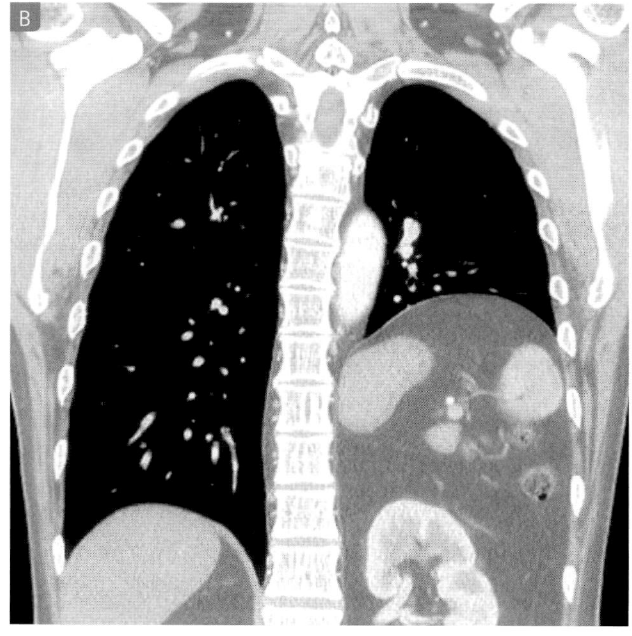

■ 그림 22-19. **횡격막 전위**

A. 흉부X선사진과 CT에서 왼쪽 횡격막이 광범위하게 올라가 있다. **B.** CT에서는 흉부X선사진에서 볼 수 없는 정상에 비해 얇아진 왼쪽횡격막이 보인다.

3) 횡격막 운동저하

횡격막 운동저하는 폐, 흉막, 횡격막 및 복부 장기 등의 다양한 질환에 의해 유발될 수 있다. 폐기종이나 천식의 경우 과도팽창과 공기가둠(air trapping)에 의해 호기시 횡격막의 상승이 저하된다. 그 밖에 하엽의 급성 폐렴, 폐경색, 흉막염, 늑골 골절, 및 상복부의 급성 염증성 병변 등에 의한 국소적 자극에 의해 횡격막이 올라가고 운동이 저하될 수 있다.

2. 횡격막 탈장

선천적이나 후천적으로 횡격막이 약해진 부분에서 생긴다.

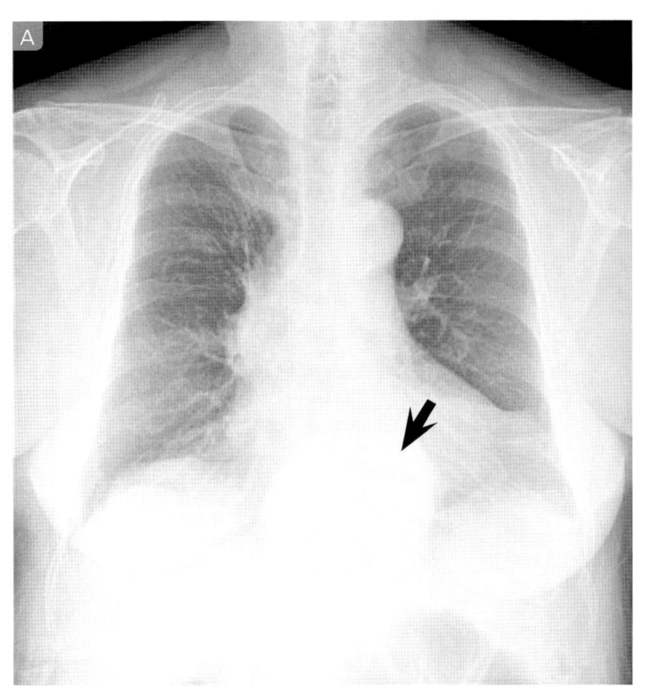

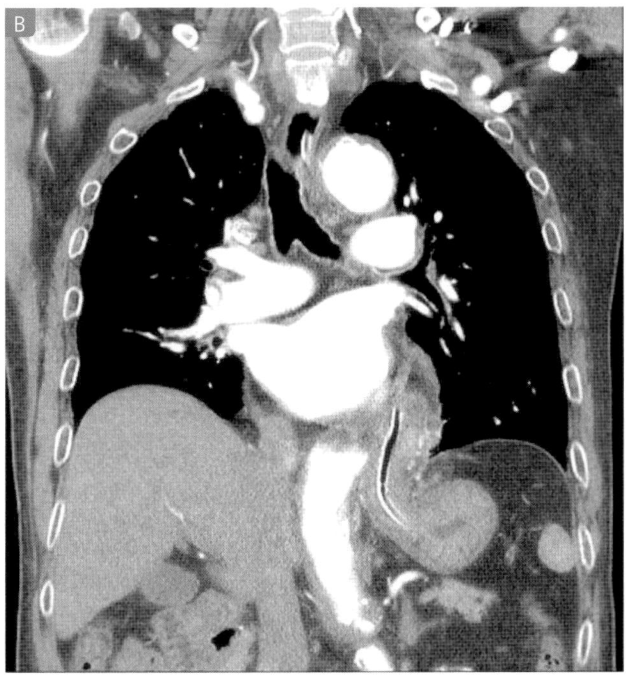

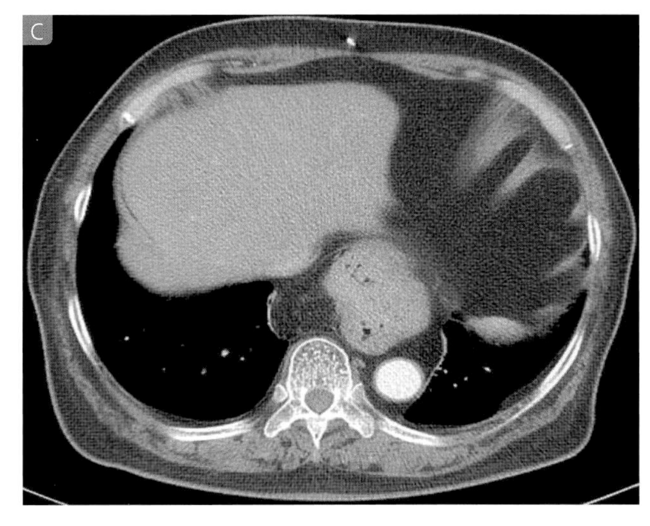

■ 그림 22-20. **식도열공을 통한 탈장**
A. 흉부X선사진에서 종격동 후하방, 심장 후방에 공기-액체층을 가진 종괴(화살표)가 보인다. **B.** 관상면 CT에서 횡격막 상하에 걸쳐 위가 보이며, 내부에 Levin관이 삽입되어 있다. **C.** 축상면 CT에서 횡격막각이 위-식도 연결부위에 밀착되어 보이지 않고, 위가 종격동에서 관찰되며, 주위에 많은 양의 지방이 보인다.

1) 식도열공을 통한 탈장(hiatal hernia)

성인에서 생기는 횡격막 탈장 중 가장 흔한 형태이다. 식도열공은 선천적으로 약해서 탈장이 잘 생긴다. 그러나 비만과 임신 같은 후천적 요인이 더 중요한 요인으로 작용하며, 대부분 증상이 없다. 40세 이상에서 흔하며 고령일수록 발생 빈도가 증가하고 여성에서 많이 생긴다.

흉부X선사진에서 종격동 후하방, 심장 후방의 종괴로 보이며, 내부에 공기나 공기-액체층을 보인다. CT에서 횡격막각이 위-식도 연결부위에 밀착되어 보이지 않고 식도에서 떨어져 있고, 대망지방(omental fat)의 탈출로 인해 하부 식도 주위에 많은 양의 지방이 보일 수 있다(그림 22-20).

2) Bochdalek 탈장

선천적 횡격막 탈장 중 가장 흔한 형태이다. Morgagni 탈장과의 감별이 필요하며, 감별은 표 22-8과 같다. CT에서 후외측 횡격막이 끊어져 보이고, 횡격막 위아래로 복부 장기가 연결되어 종괴로 보인다(그림 22-21) (표 22-8)[15].

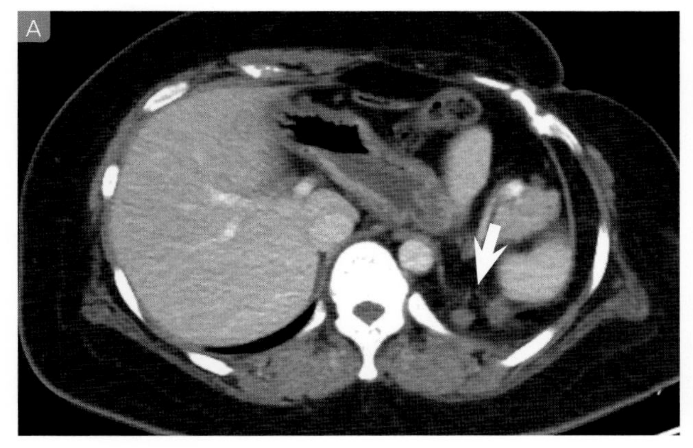

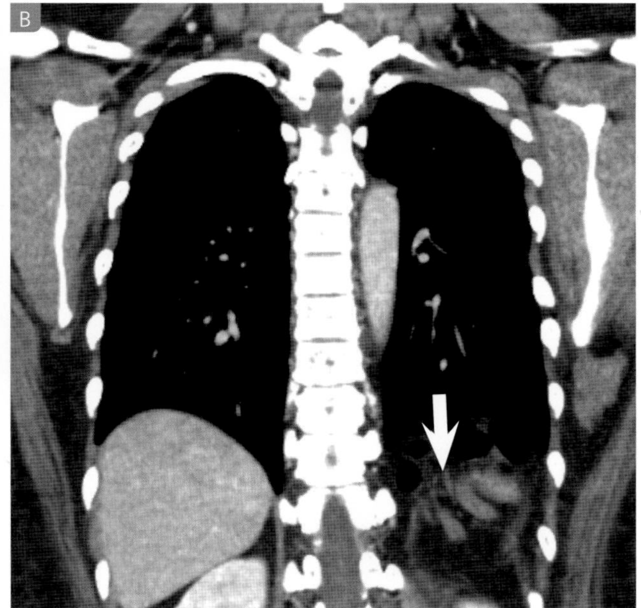

■ 그림 22-21. **Bochdalek 탈장**
축상면(A) 및 관상면(B) CT에서 왼쪽 후외측 횡격막의 결손(화살표)과 소장의 탈장이 보인다.

표 22-8. Bochdalek 탈장과 Morgagni 탈장의 차이점

	Bochdalek 탈장	Morgani 탈장
연령	영아	선천성, 과체중의 중년 여성
위치	왼쪽 뒤 바깥쪽	오른쪽 앞 안쪽
원인	허리갈비 삼각부(lumbocostal trigone)의 엽간열	칼돌기 주변 근육의 엽간열
탈출 장기	소장, 위, 대장 등	대망지방, 대장, 간 등

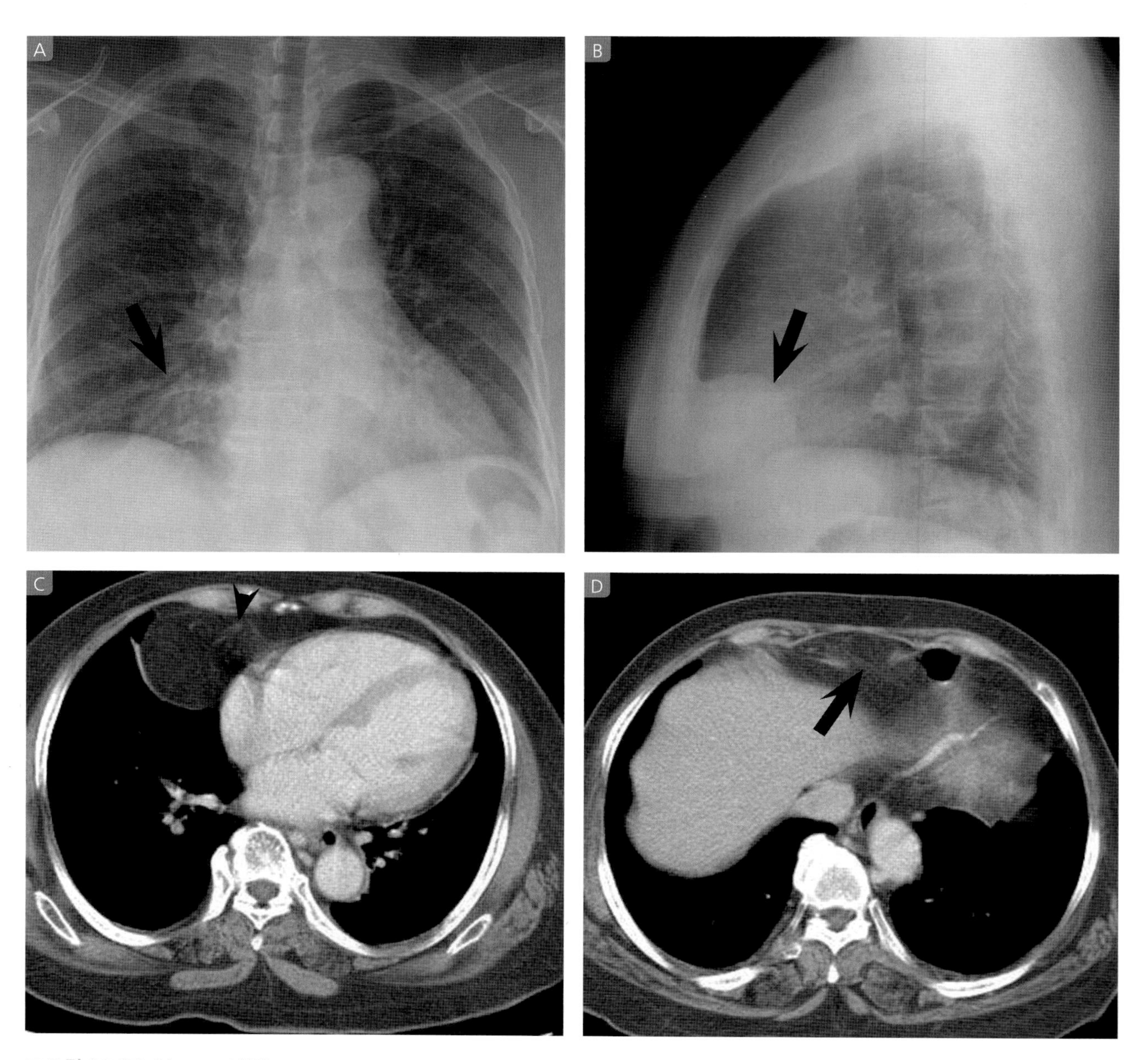

■ 그림 22-22. **Morgagni 탈장**
A, B. 흉부X선사진에서 오른쪽 심장횡격막각에 종괴(화살표)가 있다. **C, D.** 축상면 CT에서 오른쪽 전방에 횡격막 결손(화살표)을 통해 빠져 나온 대망지방과 대방 혈관(화살촉)이 보인다.

3) Morgagni 탈장

흉골 뒤쪽이나 주위에 생기는 탈장으로, 왼쪽은 심장이 막고 있어 주로 오른쪽 전방에 생긴다. 선천성이지만, 과체중의 중년 여성에 더 잘 생긴다. CT에서는 복부장기의 탈출과 탈출한 장기가 횡격막 위아래로 연결되어 있는 것을 확인함으로써 진단할 수 있다(그림 22-22).

3. 횡격막 종양

횡격막 종양은 매우 드물다. 대부분 종양은 힘줄이나 앞쪽 근육 부위에 생긴다. 가장 흔한 양성 종양은 지방종이고, 그 밖에 신경종, 평활근종, 혈관종 등이 생긴다. 악성 종양 중에는 섬유육종(fibrosarcoma)이 가장 흔한 종양이다. 이외에 비종양성으로 림프관종, 자궁내막종 등이 생길 수 있다. CT에서 횡격막 종괴와 인접한 장기의 종괴가 유사하게 보이므로, 연속 영상 및 관상면이나 시상면 재구성 영상을 신중히 분석하면 진단이 가능하다[15].

III 흉벽

흉벽(chest wall)은 내부 장기의 보호와 호흡 운동을 한다. 이외에 팔 운동과 척추 운동에도 관여한다.

1. 흉벽 기형

1) 늑골 기형

늑골의 선천성 기형으로 늑골융합(fusion)과 이분늑골(bifid rib, forked rib, 두갈래 늑골)은 흔한 기형이지만 임상적인 의미는 없다(그림 22-23). 7번 경추에 생기는 경부늑골(cervical rib, 목갈비뼈)은 정상인의 0.5%에서 보이고 여자에서 더 잘 생긴다. 경부 척수, 쇄골하혈관이나 팔신경 얼기(brachial plexus)를 누를 경우 가슴문증후군(thoracic outlet syndrome)을 일으킬 수 있지만, 대부분은 증상이 없다.

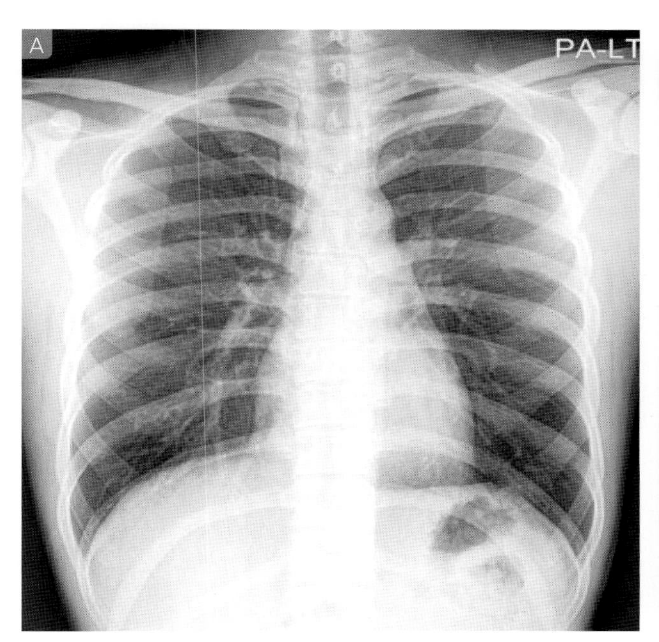

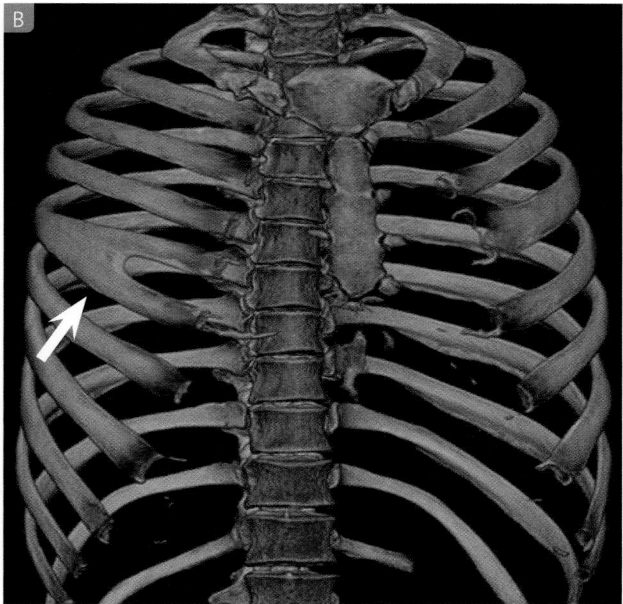

■ 그림 22-23. **이분늑골**
흉부X선사진과 재구성한 VRT CT에서 오른쪽 5번째 늑골의 갈라짐이 보인다(화살표).

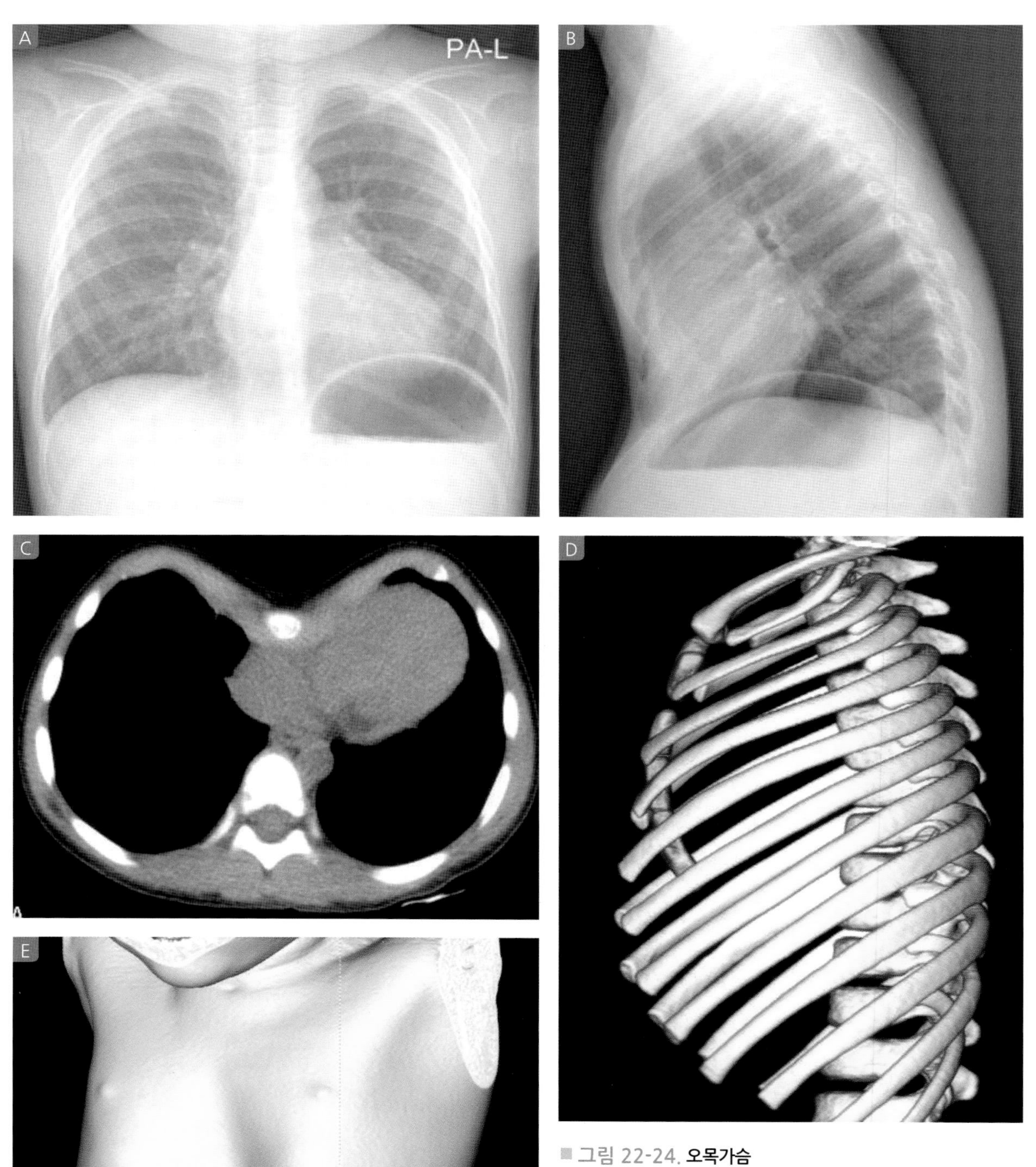

■ 그림 22-24. **오목가슴**

A. 흉부X선정면사진에서 심장이 왼쪽으로 치우쳐 있고, 늑골 앞부분의 경사가 증가되어 있는 것이 보인다. **B.** 측면흉부X선사진에서는 흉골이 내려앉아 있다. **C.** 축상면 CT에서는 내려앉은 흉골과 이 뼈에 의해 눌린 심장이 보인다. **D, E.** 재구성한 VRT 영상에서 내려앉은 흉골과 그 정도를 잘 볼 수 있다.

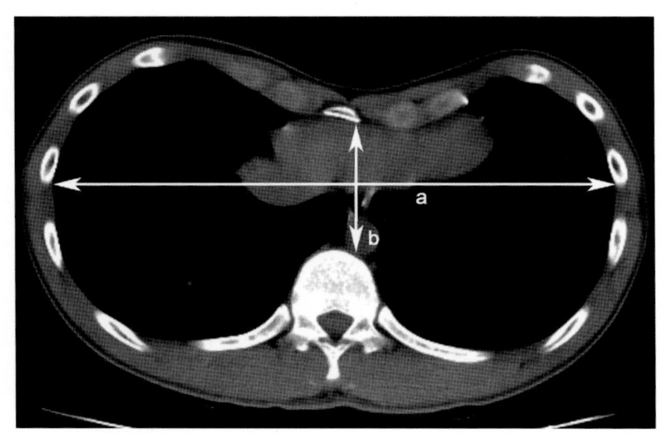

■ 그림 22-25. **할러지수**
흉곽의 가장 오목한 곳의 단일 축상면CT사진에서 흉곽의 좌우직경(a)에서 복장뼈와 척추사이의 전후직경(b)을 나눠 계산한다(Haller index = a/b).

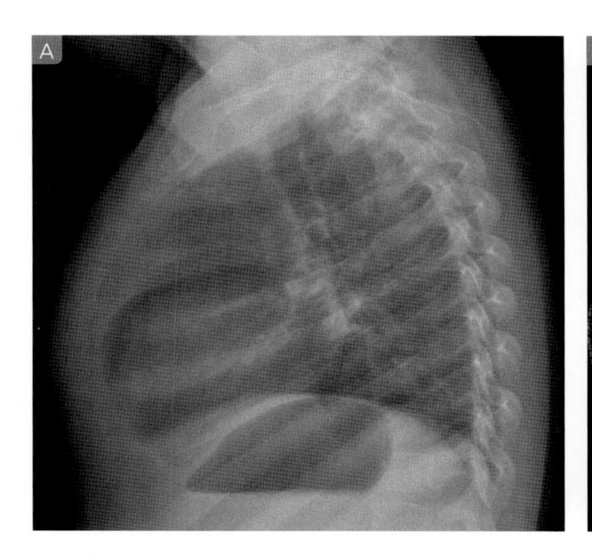

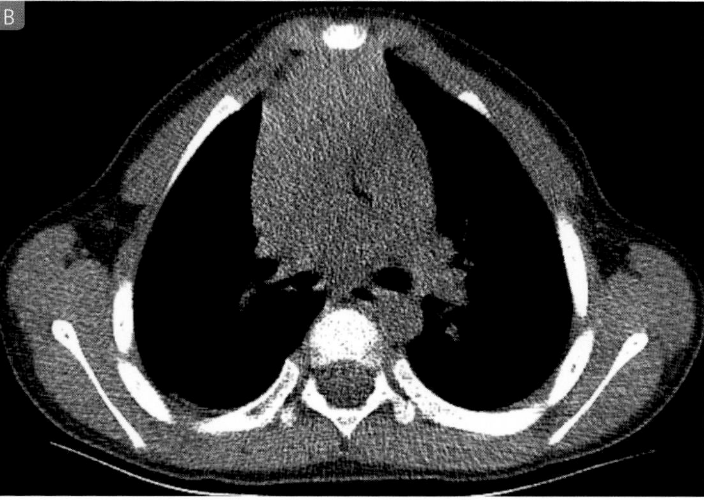

■ 그림 22-26. **새가슴**
측면흉부X선사진(A) 및 축상면CT(B)에서 앞으로 튀어나온 흉골이 보인다.

2) 흉골 기형

오목가슴(pectus excavatum, funnel chest)은 흉골이 내려앉아 낮게 위치하여, 앞쪽 늑골이 흉골보다 앞쪽으로 튀어나와 있는 기형으로 400내지 1,000명당 1명 정도 발병한다. 대부분 증상이 없지만, 심한 경우 흉통, 호흡곤란 및 제한성 폐질환을 호소할 수 있다[16]. 측면흉부X선사진에서는 흉골이 내려앉은 것을 보고 쉽게 진단할 수 있다. CT에서는 이러한 소견과 함께 내려앉은 흉골에 눌린 종격동 구조물(특히 심장)과 눌린 정도를 볼 수 있으며, 흉부X선 정면사진에서 의심되던 우중엽 병변을 배제할 수 있는 장점이 있다(그림 22-24). 할러지수(Haller index)는 CT에서 오목가슴의 정도는 나타내는 대표적인 지수로 흉곽이 가장 오목한 곳에서 흉곽의 좌우직경에서 복장뼈와 척추사이의 전후직경을 나눠 계산한다(그림 22-25). 정상에서는 할러지수가 2.56 이하이며, 3.25가 넘으면 수술적 교정이 필요한 것으로 본다[16].

새가슴(pectus carinatum, pigeon breast)은 흉골 연골의 과성장으로 인해 흉벽이 앞으로 돌출된 기형이다. 오목가슴보다는 드물게 생기고, 남녀 비는 4:1로 남자에서 더 많고 25%에서 가족력을 보인다. 사춘기에 급속한 성장기에 생기는 경우가 가장 흔하며, 출생 시부터 생기는 경우가 그 다음으로 흔하다. 후천적인 원인으로는 개흉수술 후에 생길 수 있다. 측면흉부X선사진에서 흉골이 앞으로 튀어나온 것을 볼 수 있다(그림 22-26). CT나 MR에서 할러지수가 1.98보다 작으면 새가슴으로 진단할 수 있다[16].

3) 기타 기형

쇄골두개골이골증(cleidocranial dysostosis)은 지연(불완전) 골화로 인해 쇄골(clavicle)이 없거나 형성부전으로 인해 작게 보이며, 두개봉합(cranial suture)이 열려 있고, 치골(pubic bone)의 발육결손이 특징인 증후군이다. Sprengel 기형은 견갑골의 하강이 정상적으로 이루어지지 않아 높게 위치하는 기형이다. 견갑골이 작고 높게 위치하여 윗부분이 첫 번째 늑골의 위쪽에 위치한다.

폴랜드 증후군(Poland Syndrome)은 대흉근(pectoralis major muscle)이 완전 또는 부분적으로 형성되지 않으면서 같은 쪽 손발가락붙음증(합지증, syndactyly)이 동반된 질환을 말한다. 큰가슴근이 없어, 흉부X선사진에서 한쪽 폐의 투과성이 증가되어 보이므로 Swyer-James 증후군과 구별이 필요하다 (그림 22-27). 그러나 CT에서 폴랜드 증후군은 폐의 이상이 없는 것을 확인할 수 있으므로 구분이 가능하다.

폐탈장(pulmonary hernia)은 가슴우리(thoracic cage) 밖으로 폐가 돌출되어 있는 경우를 말하며, 늑골사이 탈장(intercostal hernia), 폐경부 탈장(cervical hernia), 횡격막 탈장 등이 있다. 이 중 늑골사이 탈장이 가장 흔하다. 흉부 X선사진상 가슴우리 밖으로 경계가 분명한 폐와 연결된 저음영이 보이거나 공기 음영이 보인다. CT를 촬영하면 진단은 쉽게 할 수 있다.

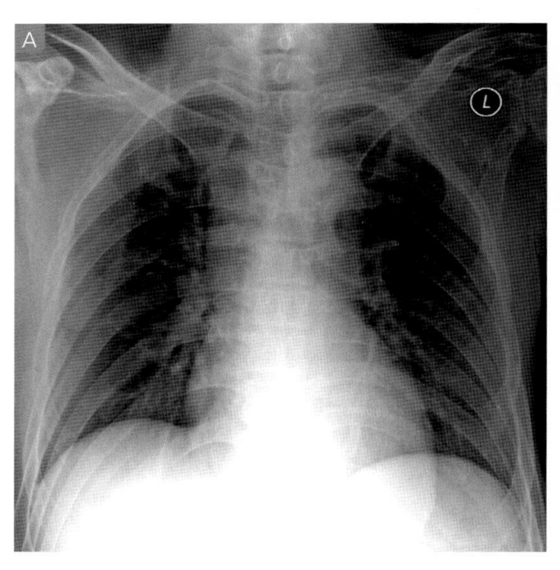

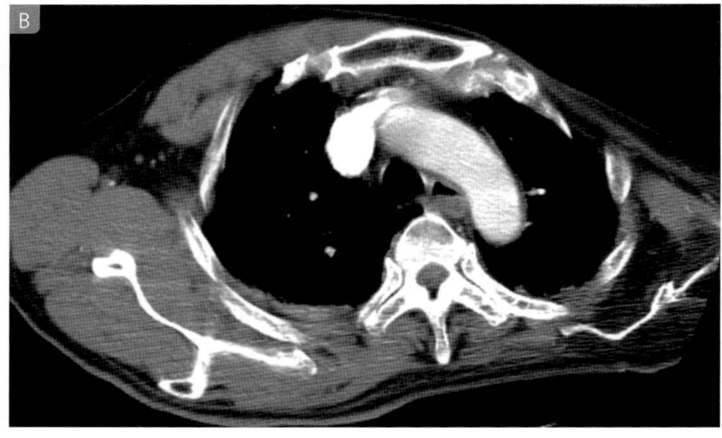

■ 그림 22-27. **폴랜드 증후군**

A. 흉부X선정면사진에서 오른쪽 폐에 비해 왼쪽 폐의 투과성이 증가해 보인다. **B.** 축상면CT에서 왼쪽 대흉근과 소흉근(pectoralis minor muscle)이 보이지 않는다. 가시위근(supraspinatus), 가시아래근(infraspinatus), 삼각근(deltoid)의 결손이 동반되어 있다.

2. 염증성 질환

1) 흉벽침습농흉(흉벽천공농흉, empyema necessitatis, empyema necessitans)

대부분의 흉벽 감염은 주위 뼈의 골수염이 확산되어 이차적으로 생긴다. 흉벽침습농흉은 염증이 흉막 공간에서 흉벽으로 파급되어 생기는 것으로, 결핵성 농흉에서 가장 흔히 생기며, 그 밖에 방사선균증과 노카르디아증 등에서도 생길 수 있다[17]. 흉벽의 농흉은 CT에서 환상 조영 증강(rim enhancement)을 보이는 낮은 음영의 종괴로 관찰된다. 흉벽침습농흉은 CT상 흉막 공간과 흉벽에 걸쳐 주변부에 환상 조영 증강을 보이는 낮은 음영의 종괴로 관찰되며, 흉막공간과 흉벽의 병변이 서로 연결되는 것이 보이는 경우도 있다. 인접한 뼈와 연골의 파괴가 동반될 수 있다[18].

3. 흉벽 종양

흉벽 종양은 발생 빈도가 낮다. 연부조직 종양과 뼈종양으로 분류하며, 뼈종양은 다시 양성과 악성 종양으로 나뉜다. 흉벽 종양은 영상의학적 소견이 비특이적이므로, 발생률, 특징적인 임상 소견, 병변의 발생 위치 및 내부의 석회화 등의 소견을 고려하여야 감별진단이 가능하다[19].

1) 연부조직 종양

흉벽의 양성 연부조직 종양은 지방종, 혈관종, 림프관종, 데스모이드종양(desmoid tumor), 탄력섬유종(elastofibroma dorsi) 등이 생길 수 있다. 이중 지방종이 가장 흔하다. 지방종은 경계가 분명한 지방음영의 종괴로 CT에서 쉽게 진단이 가능하다. 지방육종은 내부의 연조직음영으로 인하여 불규칙한 연조직 음영이 보여 지방종과 구별이 가능하지만, 분화가 잘된 지방육종의 경우 구별이 어려울 수 있다(그림 22-28). 혈관종은 CT에서 정맥돌(phlebolith)이 보이면 진단에 도움

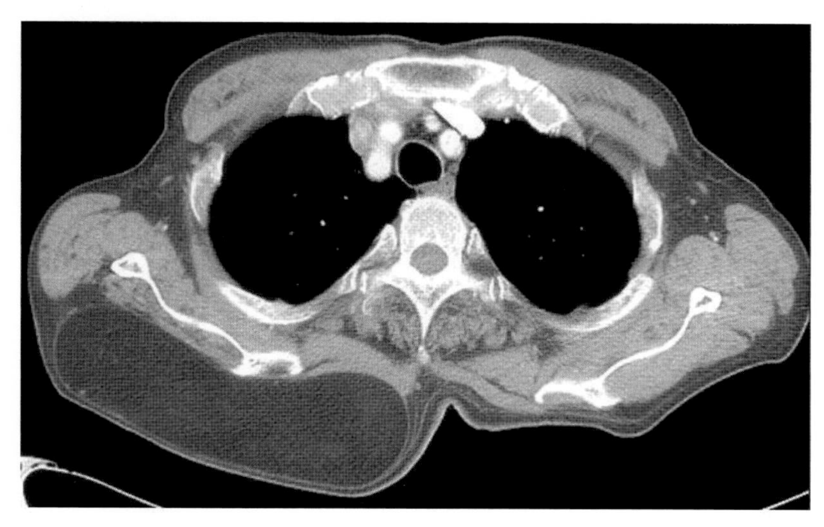

■ 그림 22-28. **흉벽 지방종**
경계가 분명한 특징적인 지방음영의 종괴가 보이고, 내부에 미세한 연조직음영이 동반되어 있다.

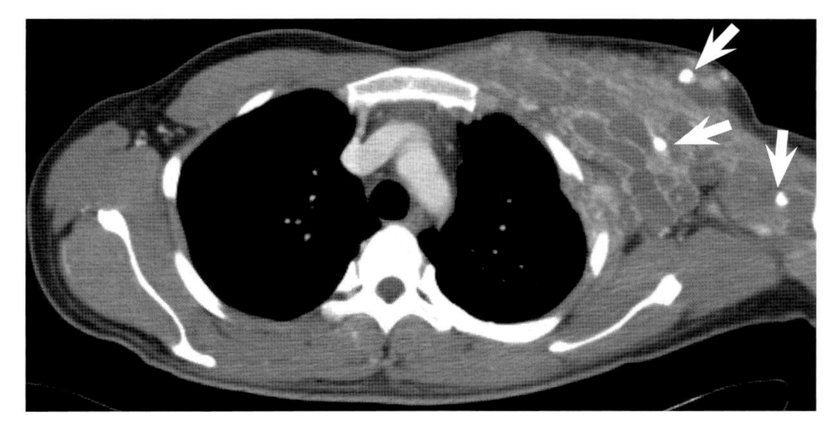

■ 그림 22-29. **혈관종**
왼쪽 흉벽에 대흉근과 소흉근을 침범하고 있는 불균일한 조영 증강을 보이는 종괴가 있으며 내부에 여러 개의 정맥돌(화살표)이 보인다.

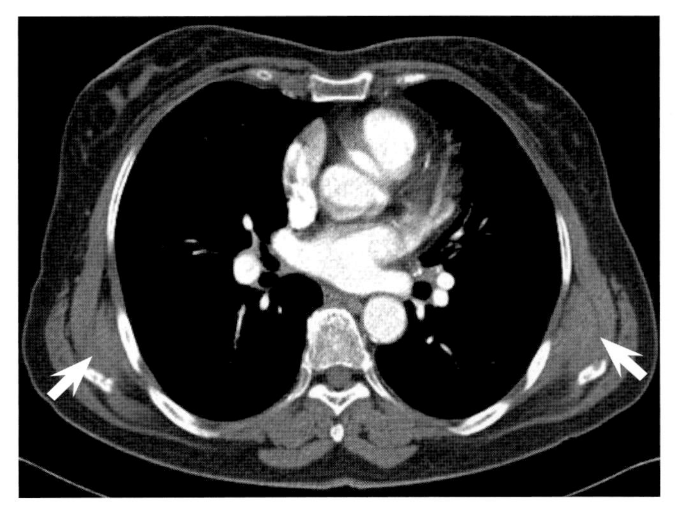

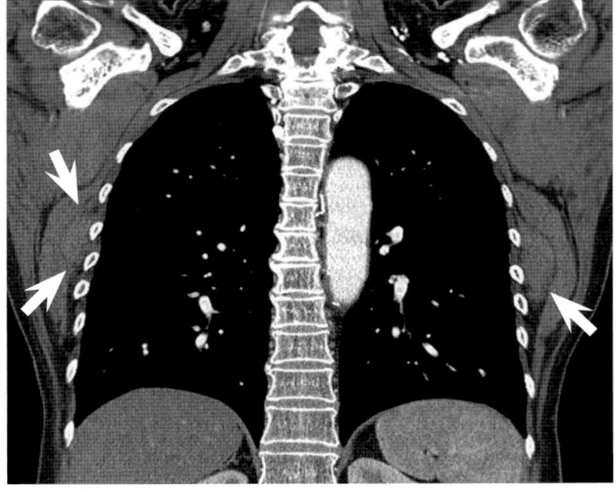

■ 그림 22-30. **탄력섬유종**
축상면 및 관상면 CT에서 양측 견갑골 아래 앞톱니근 안쪽에 주위 근육과 비슷한 음영의 종괴(화살표)가 보이며, 내부에 지방줄무늬가 동반되어 있다.

이 되고, 주위 혈관과 비슷한 정도로 조영 증강되는 점상이나 곡선음영이 보이는 것이 특징이다(그림 22-29). 림프관종은 목에 가장 흔하지만 종격동, 흉벽, 사지에도 생길 수 있다. CT에서 경계가 좋은 균일한 저음영 종괴로 보이며 조영 증강되는 내부 격막을 볼 수 있다. 흉벽의 탄력섬유종은 60세 이상 여자에서 견갑골 직하부나 견갑골 안쪽 흉벽에 잘 발생한다. CT에서 견갑골 직하부나 견갑골 안쪽의 앞톱니근근(serratus anterior) 및 넓은등근(lattisimus dorsi)과 늑골 사이에 경계가 불분명하고 주위 근육과 비슷한 음영의 종괴로 보인다. 종괴 내부에 지방 줄무늬 또는 지방이 흩어져 있는 부분이 보일 수 있다(그림 22-30). 흉벽의 악성 종양은 소아에서는 원시신경외배엽종양(primitive neuroectodermal tumor), 횡문근육종(rhabdomyosarcoma), 골밖유잉종양(extraosseous Ewing's tumor)이 흔하며, 성인에서는 섬유육종, 다형성 미분화육종(pleomorphic undifferentiated sarcoma, formerly malignant fibrous histiocytoma 악성섬유조직구종)이 가장 흔하다. 이들 악성 종양은 비교적 크기가 큰 연조직 종괴로 보이며, 비균일한 조영 증강을 보이고, 내부에 괴사나 변성에 의한 저

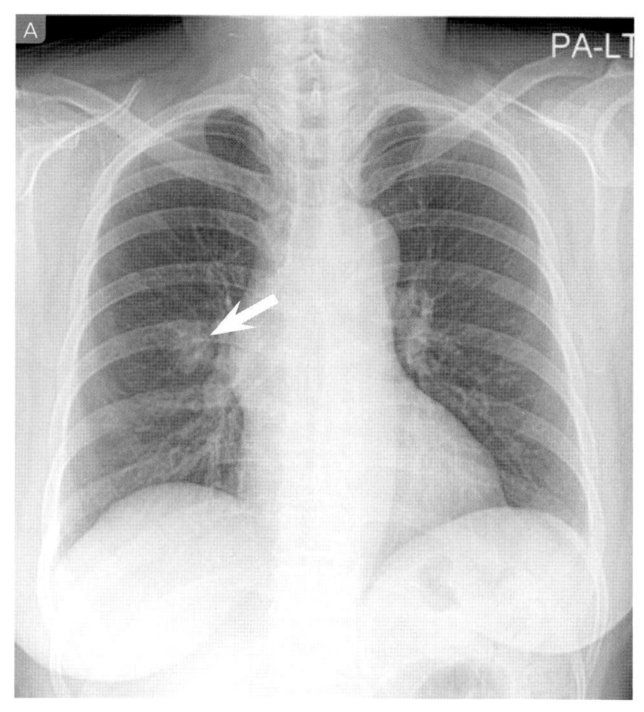

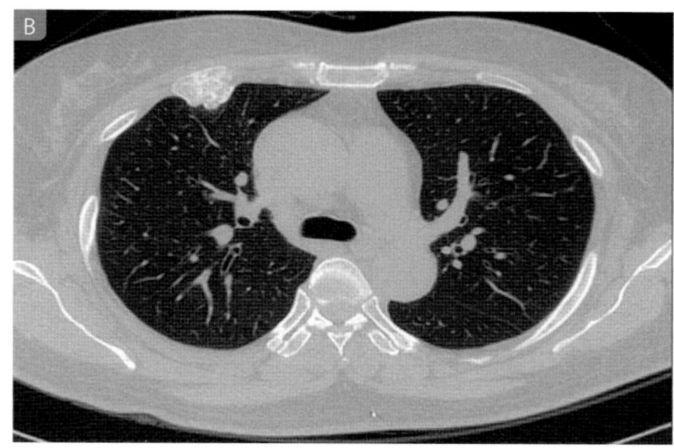

■ 그림 22-31. **뼈연골종**
A. 흉부X선사진에서 오른쪽 3번째 늑골 앞쪽에 걸쳐 경계가 불분명한 원형의 음영증가가 보인다(화살표). **B.** 축상면 CT에서 오른쪽 3번째 늑골 앞쪽에 경계가 분명한 분엽상의 팽창성 뼈종양이 보인다.

음영을 보이는 경우가 많다. 인접한 늑골 등의 뼈파괴를 동반하는 경우가 흔하다. 그러나 이러한 악성 흉벽 종양은 각 종양에 따른 특징적인 소견이 없어, 정확한 진단을 위해서는 조직 생검이 필요하다.

2) 뼈종양

흉벽 골격의 양성종양은 뼈연골종(osteochondroma), 골내연골종(enchondroma), 골모세포종(osteoblastoma), 골내막종(endosteoma) 등이 생기며, 이 중 뼈연골종이 가장 흔하다(그림 22-31). 악성종양은 연골육종, 골육종, 섬유육종, 다형성미분화육종(pleomorphic undifferentiated sarcoma, formerly malignant fibrous histiocytoma 악성섬유조직구종) 등이 생긴다. 이 중 연골육종이 가장 흔한 악성종양이다. 비종양성 종괴로는 섬유성골형성이상증(fibrous dysplasia)이 가장 흔하고, 호산구성육아종(eosinophilic granuloma), 혈관종, 동맥류뼈낭종(aneurysmal bone cyst) 등이 생길 수 있다. 이러한 뼈에 생기는 종괴는 단순촬영과 MRI가 CT보다 진단에 도움이 된다. 고령환자에서 한군데 이상의 늑골에 파괴가 있는 경우 늑골의 전이암과 다발성 골수종(multiple myeloma)의 가능성을 고려해야 하며, 이 두 종양은 거의 유사한 소견을 보이므로 감별에 유의해야 한다.

참고문헌

1. Hansell DM, Armstrong P, Lynch DA, McAdams HP. Pleural disorders. In: Imaging of the diseases of the chest 4th ed. St. Louis, Mo: Elsevier Mosby 2005:1023-1092.
2. Webb WR. The pleural and pleural disease. In: Webb WR, Higgins CB. Thoracic imaging, pulmonary and cardiovascular radiology Philadelphia: LWW

2005:575-608.

3. Halvorsen RA, Fedyshin PJ, Korobkin M, Foster WL Jr, Thompson WM. Ascites or pleural effusion? CT differentiation:four useful criteria. Radiographics 1986;6:135-149.
4. Stark DD, Federle MP, Goodman PC, Podrasky AE, Webb WR. Differentiating lung abscess and empyema; radiography and computed tomography. AJR Am J Roentgenol 1983;141:163-167.
5. Hulnick DH, Naidich DP, McCauley Dl. Pleural tuberculosis evaluated by computed tomography. Radiology 1983;149:759-765.
6. Lee KS, Im J. CT in audlts with tuberculosis of the chest: characteristic finding and role in management. AJR Am J Roentgenol 1995;164:1361-1367.
7. Leung AN, Muller NL, Miller RR. CT in differential diagnosis of diffuse pleural disease. AJR Am J Roentgenol 1990;154:487-492 08. Fraser RS, Colman N, Muller NL, Pare PD. Pleural disease. In: Synopsis of diseases of the chest. Elsevier Saunders 2005:819-847.
8. Terence C. Doyle, Gary A. Lawler. CT Features of Rounded Atelectasis of the Lung. AJR Am J Roentgenol 1984;143:225-228.
9. Briselli M, Mark EJ, Dickersin GR. Solitary fibrous tumors of the pleura: eight new cases and review of 360 cases in the literature. Cancer 1981;47:2678-2689.
10. Rosado-de-Christenson ML, Abbott GF, McAdams HP, Franks TJ, Galvin JR. Localized fibrous tumors of the pleura. RadioGraphics 2003;23:759-783.
11. Wang ZJ, Reddy GP, Gotway MB, et al. Malignant pleural mesothelioma: evaluation with CT, MR imaging, and PET. RadioGraphics 2004;24:105-119.
12. Hussein-Jelen T, Bankier AA, Eisenberg RL. Solid pleural lesions. AJR Am J Roentgenol 2012;198:W512-W520.
13. Nason LK, Walker CM, McNeeley MF, Burivong W, Fligner CL, Godwin JD., Imaging of the diaphragm: anatomy and function. RadioGraphics 2012;32:E51-E70.
14. Fraser RS, Colman N, Muller NL, Pare PD. Disease of the diaphragm and chest wall. In: Synopsis of diseases of the chest. Elsevier Saunders 2005:897-911.
15. Baez JC, Lee EY, Restrepo R, Eisenberg RL. Chest wall lesions in children. AJR Am J Roentgenol 2013;200:W402-W419.
16. Kono SA, Nauser TD. Contemporary empyema necessitatis. Am J Med 2007;120:303-305.
17. Kim HY, Song KS, Goo JM, Lee JS, Lee KS, Lim TH. Thoracic sequelae and complications of tuberculosis. Radiographics 2001;21:839-858; discussion 859-860.
18. Nam SJ, Kim S, Lim BJ, et al. Imaging of Primary Chest Wall Tumors with Radiologic-Pathologic Correlation. Radiog Graphics 2011;31:749-770.
19. Jennifer E. Ochsner, Sarah A. Sewall, Gregory N. Brooks, Rashmi Agni. Elastofibroma Dorsi 2006;26:1873-1876.

CHAPTER
23 흉부CT에서 관찰되는 심장병변

| 전은주, 유승민 |

Contents

I 서론

일반적으로 심전도 동기화(Electrocardiography-gated reconstruction)를 하지 않은 흉부 CT를 판독할 시에 심장의 병변에 대해서는 상대적으로 관심을 덜 기울이는 경우가 많은데, 어떤 연구에 의하면 흉부 CT를 찍을 때 심장의 비정상적인 소견이 약 78%에서 발견되었지만, 이를 언급한 경우는 5%에도 미치지 못한다는 보고가 있다[1]. 그러나, 최근 CT의 기술발달에 따라 영상화질의 시간적, 공간적 해상도가 크게 좋아지면서, 심전도 동기화를 하지 않는 흉부 CT에서도 심장운동에 따른 artifact가 크게 감소되어 심장의 병변을 볼 수 있게 되었다. 특히 임상적으로 비특이적인 흉통이나 호흡곤란을 호소하는 환자에서는 이러한 증상의 원인이 폐나 심장 중 어디에서 기인하는지를 판별하는 것이 환자의 치료와 예후를 결정하는데 매우 중요하다.

또한, 폐와 심장을 동시에 침범하는 사르코이드증(sarcoidosis)이나 호산구성 질환(eosinophilic disease) 등은 심장의 침범(cardiac involvement) 여부가 환자의 예후와 밀접한 관계를 가지므로 폐의 병변뿐 아니라 심장의 병변을 함께 보는 것은 매우 중요하다.

따라서, 비록 심전도 동기화를 하지 않은 흉부영상일지라도 심장병변에 관심을 기울일 필요가 있으며 이 장에서는 이렇게 흉부 CT에서 우연히 발견되는 심장병변중에서 임상적으로 중요하여, 영상의들이 되도록 놓치지 말아야 할 소견들을 중심으로 언급해 보고자 한다(표 23-1).

표 23-1. 흉부 CT에서 관찰되는 임상적으로 중요한 심장병변의 분류

분류	병변	임상적으로 중요한 질환
Myocardium	Myocardial hypertrophy	
	- Focal hypertrophy	Hypertrophic cardiomyopathy Cardiac mass
	- Diffuse hypertrophy	Compensatory hypertrophy (Aortic stenosis, chronic hypertension, Athlete's heart, etc.)
	Myocardial infarction	
	Myocardial calcification	myocardial infarction, trauma, inflammation, endocardial fibrosis, etc.
Cardiac valves	Valve calcification	
	Chamber enlargement	Valvular heart disease Volume overload (ASD, VSD, PDA, etc.) Pressure overload (pulmonary embolism, pulmonary hypertension, etc.)
Intracardiac chambers	Cardiac thrombus	
	Cardiac mass	
Coronary arteries	Coronary artery calcification	Myocardial infarction, angina
	Aneurysm or ectasia	Coronary vasculitis
	Coronary artery anomaly	anomalous origin of coronary sinus with interarterial course
	Arteriovenous fistula	
Pericardium	Absence of pericardium	
	Pericardial effusion	Cardiac tamponade
	Pericardial thickness and calcification	Constrictive pericarditis
	Pericardial masses	
Aorta	Dissection	Marfan syndrome
	Intramural hematoma	
	Atheroma	Penetrating atherosclerotic ulcer
	Aneurysm	Mycotic aneurysm
	Aortitis	Takayasu's arteritis

II 정상 심장의 구조

1. 심장의 위치

심장은 흉부의 중심에서부터 왼쪽으로 위치하면서 심첨이 왼쪽 아래로 위치한다. 젊고 마른 사람일수록 길게, 비만일수록 평행하게 위치하게 된다.

표 23-2. 심장위치의 변화를 초래하는 심장외부 구조물에 의한 원인[2]

심장 전위(attraction of the heart)
- 편측 폐무형성증(Unilateral pulmonary agenesis) - 무기폐(atelectasis of the lung) - 폐절제술(postpneumonectomy) - 기흉
심장전위 및 압박(cardiac displacement with/without compression)
- 가로막 융위(diaphragmatic elevation) - 흉벽 이상(chest wall deformity) - 종격동 종양, 출혈, 삼출액 - 식도종양, 허탈(hernia) - 흉막 삼출액/긴장성 기흉 - 폐종양

심장은 또한, 폐동맥이나 종격동, 식도 등의 주변구조물에 둘러싸여 있어, 심장의 위치가 정상적이지 않고, 눌리거나 한 쪽으로 과도하게 쏠린 경우에는 주변 구조물에 의한 압박이나 위치변형을 고려하여 주변 구조물의 이상여부를 살펴보는 것이 도움이 된다(표 23-2).

2. 각 심방과 심실의 특징

각 심방과 심실은 방의 위치나 벽의 두께에 의해 결정되는 것은 아니고, 고유의 특징을 가지고 있어, 이러한 특징을 잘 알고 있어야 심장의 위치가 바뀌어지는 역전위 심장(situs inversus)이나 선천성 심장을 진단할 수 있다(그림 23-1).

심방에서 좌우를 결정짓는 것은 심방이(appendage)의 모양이다. 우심방이는 삼각형 모양에 넓은 입구를 가지며 우심방과 연결되고, 좌심방이는 손가락모양으로 길고 좁은 입구를 가지며 좌심방과 연결된다.

우심방에는 상대 및 하대정맥, 관상정맥동(coronary sinus)이 유입되고, 좌심방에는 폐정맥이 유입된다.

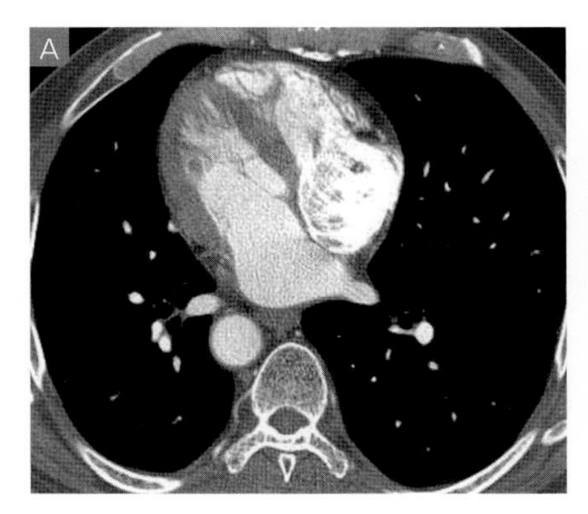

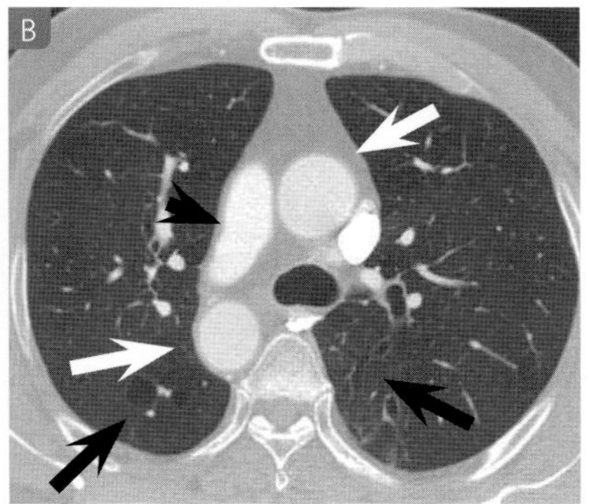

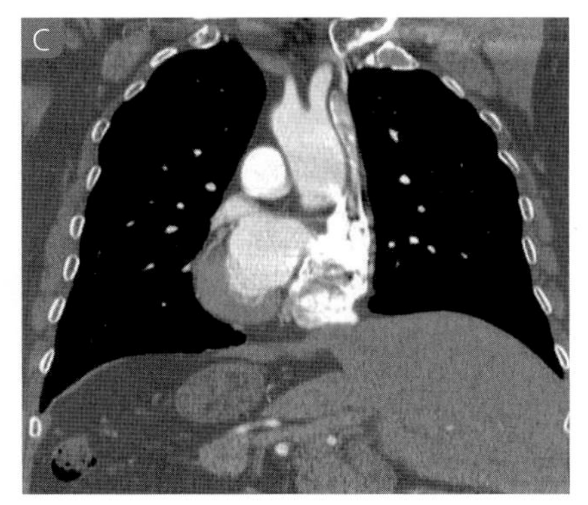

■ 그림 23-1. **카타지너 증후군(Kartagener syndrome)**

A. 감쇄띠(삼각형화살표)와 삼첨판(겹화살표)이 승모판(화살표)보다 아래에 있는 우심실과 좌심실의 위치가 바뀌어 있는 심장역전, **B.** 대동맥(화살표)과 폐동맥(삼각형화살표)의 위치가 바뀌어 있으며 기관지확장증이 양 폐에 있다. **C.** 심장이 우측에 간이 좌측에 위치하는 역전위(situs inversus totalis)가 있고 이 환자는 부비동염과 함께 카타지너 증후군으로 진단되었다.

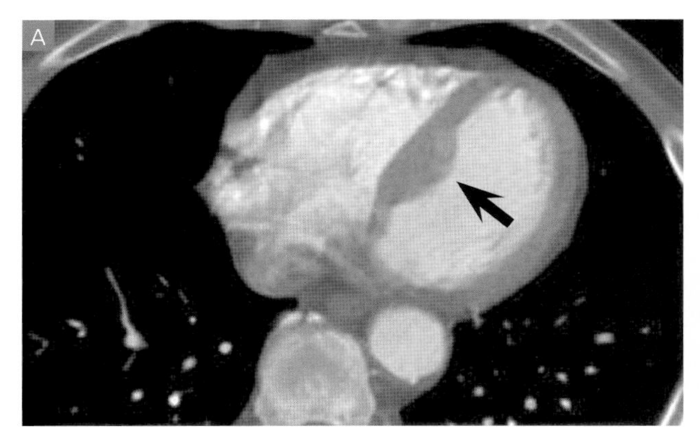

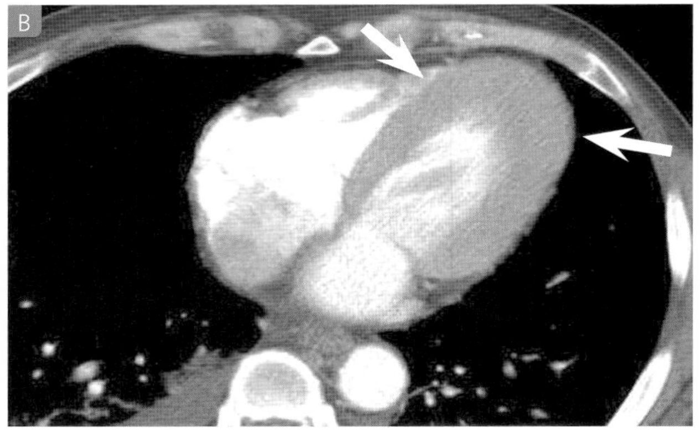

■ 그림 23-2. **비후성 심근증 중격형(A)과 심첨형 (B)**
좌심실의 심장중격이 비대칭적으로 두꺼워진 비후성 심근증 중격형과 심첨부분이 비대칭적으로 두꺼워져 특징적인 스페이드 모양을 보이는 심첨형

우심실에는 삼첨판이 붙고, 좌심실에는 승모판이 붙는데, 일반적으로 삼첨판이 승모판보다 심첨 쪽에 더 가까이 붙으며, 심첨의 중격벽에서 자유벽(free wall) 쪽으로 주행하는 우감쇄띠(moderator band), 삼첨판과 대동맥판 사이에 위치하는 누두부(muscular infundibulum) 등이 보이는 것이 우심실이고, 좌심실에는 전, 후의 유두형근(anterior and posterior papillary muscle)이 관찰된다.

Ⅲ 흉부 CT에서 관찰되는 임상적으로 중요한 심장병변

1. 심근(Myocardium)

1) 심근의 비후

심전도 동기화가 되지 않은 흉부 CT에서는 심장이 수축기에 찍힐 수도 있고, 확장기에 찍힐 수도 있으므로, 심근의 두께를 평가할 때는 주의를 기울여야 한다. 정상 심근의 두께는 좌심실이 확장기에 6-11 mm 이고, 심첨은 1-2 mm 이며, 우심실의 자유벽(free wall)은 1-3 mm 정도 된다.

좌심실의 심장중격이 비대칭적으로 두꺼워지거나 심첨이 스페이드 모양으로 두꺼워지는 경우 비후성 심근증을 의심해 볼 수 있다(그림 23-2)[3].

좌심실이 전체적으로 다 두꺼워졌을 때는 만성 고혈압이나 대동맥판막협착증에 따라 생리학적으로 비후되거나 사르코이드증(sarcoidosis)이나 아밀로이드증(amyloidosis)과 같은 제한성 심근증 등을 고려해 볼 수도 있겠으나, 수축기에 찍힌 정상 심장일 수 있어 환자의 증상이나 동반된 심근음영의 이상, 주변 폐나 종격동의 병변 등을 살펴보는 것이 도움이 될 수 있다(그림 23-3).

폐동맥판막협착증이거나 폐동맥고혈압 등 afterload가 증가되는 경우는 우심실벽의 비후가 생길 수 있어, 우심실의 확장이나 폐동맥의 확장 등의 연관된 소견을 고려해 보는 것이 좋다(그림 23-4)[4].

때로 심근을 침범하는 종양인 경우도 국소적, 혹은 전체적으로 심근이 두꺼워질 수 있으므로, 감별이 어려운 경우는

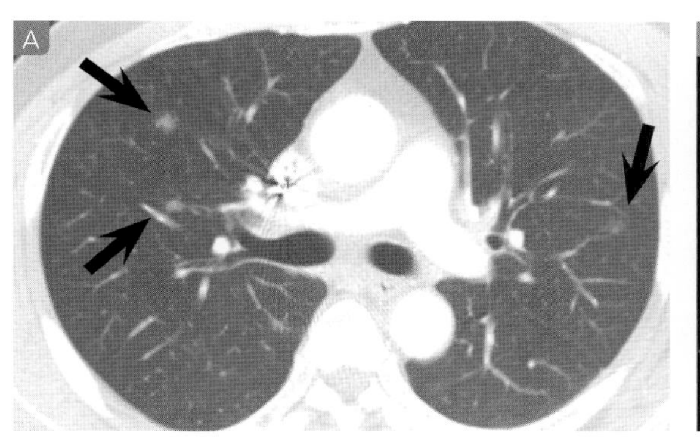

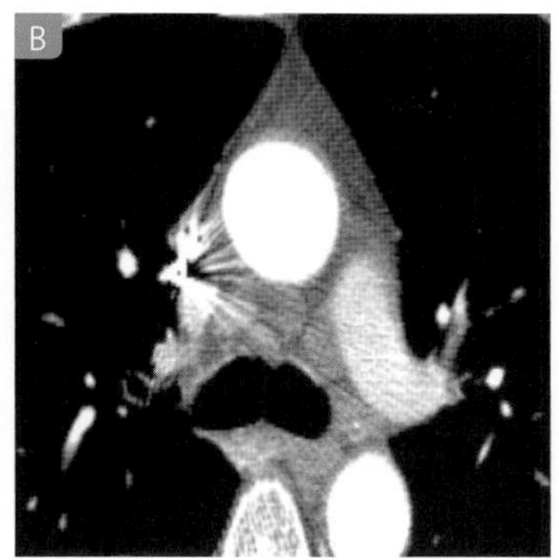

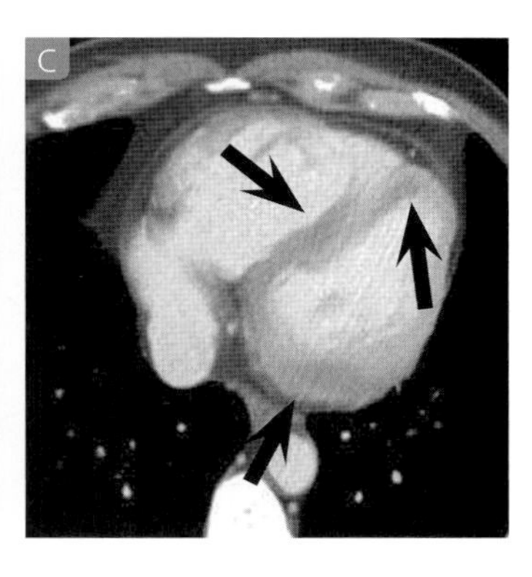

■ 그림 23-3. **사르코이드증에 의한 심근비후**
양측 폐에 간유리음영 결절(ground glass opacity nodule, 화살표)이 산재되어 있고, 종격동에 임파절들이 커져 있는 사르코이드증 환자로, 좌심실의 심근이 전체적으로 두꺼워져 있고 비균질적인 저음영이 관찰되어 심장도 함께 병변이 생겼을 가능성을 염두에 두어야 한다. (환자는 MR 및 조직검사로 인해 폐와 심장을 함께 침범한 사르코이드증을 확인하였다.)

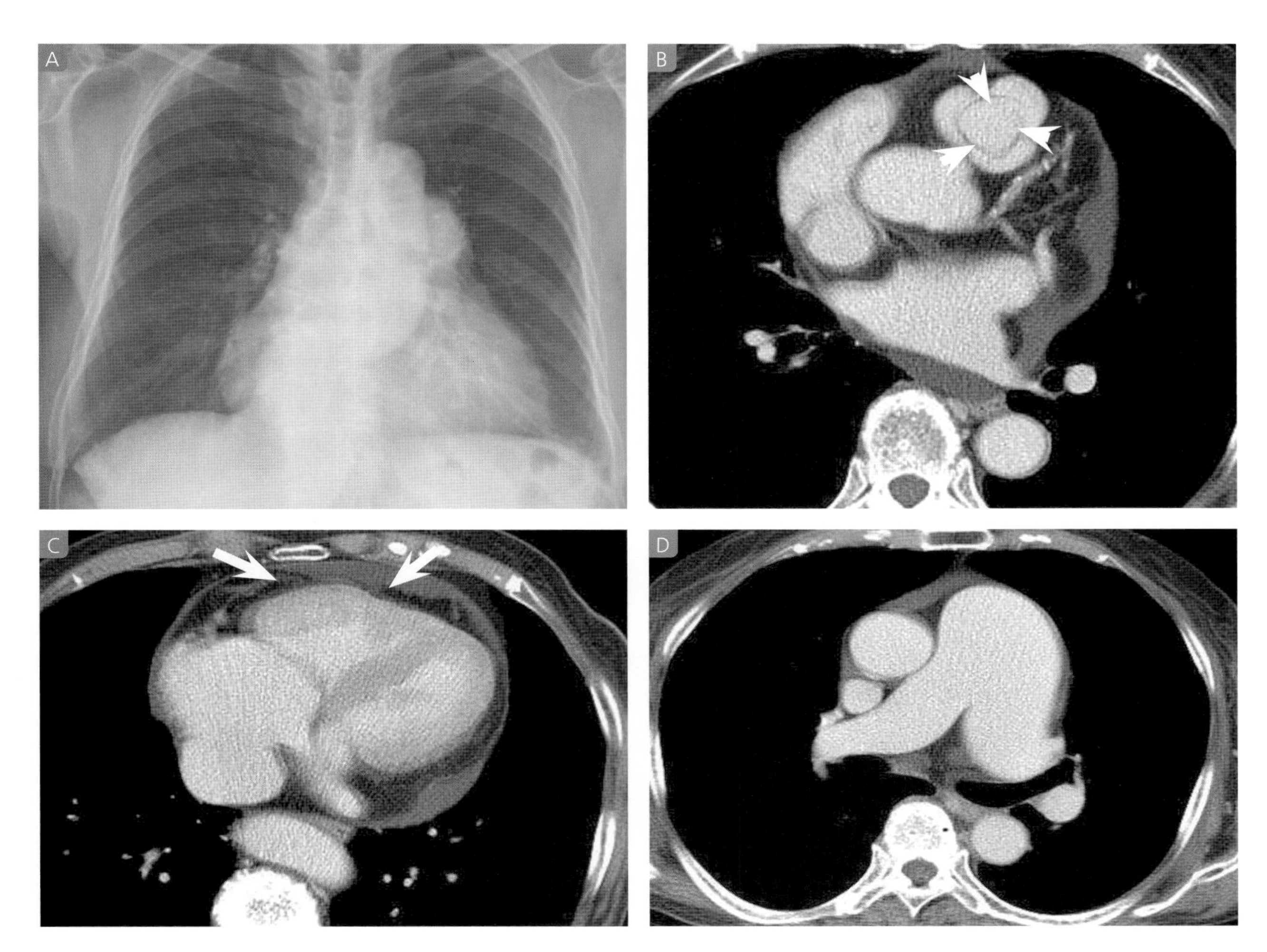

■ 그림 23-4. **폐동맥협착**
흉부사진(A)에서 폐동맥의 경계가 밖으로 돌출되어 보이고, 심장이 커져있다. 흉부CT(B-D)에서 폐동맥판막이 두꺼워져 있고(B, 삼각형화살표) 우심실이 비후되고(C, 화살표) 폐동맥이 심하게 확장되어 있다(D).

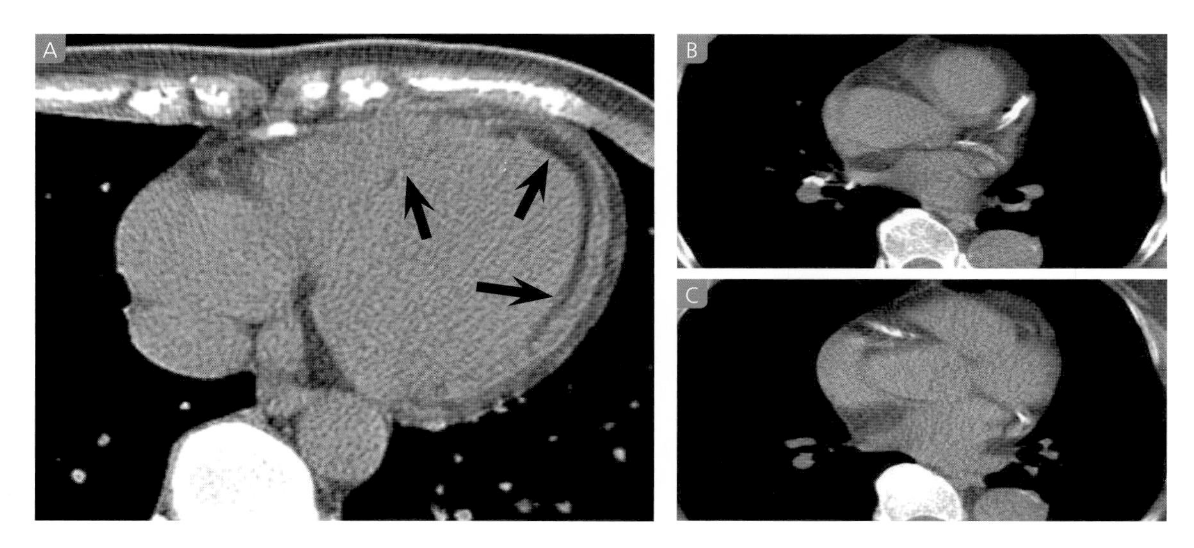

■ 그림 23-5. **심근경색에 의한 심근벽의 지방침윤**
저선량 CT에서 좌심실의 심첨, 중격과 측벽(lateral wall)을 따라 심근내막(subendocardial layer)에 지방이 침착되어 있으며(A, 화살표), 좌측 및 우측 관상동맥 모두에 석회화(B)가 심하게 관찰되는 것으로 보아, 만성 심근경색에 의한 심근의 지방침윤을 의심해 보아야 한다.

심장 MRI를 추가하는 것이 도움이 될 수 있다.

2) 심근경색

일반적으로 심근경색이 급성으로 오는 경우는 심근의 벽의 두께는 비교적 유지되어 있으면서, 심근의 혈류감소로 음영의 감소를 보이나, 심전도 동기화를 하지 않은 흉부 CT에서는 발견하기 어려운 경우가 많다. 그에 반해 만성 심근경색인 경우는 특징적으로 관상동맥이 분포하는 부위의 심근이 국소적으로 얇아지고, 지방이 침윤되어 저선량 폐CT에서도 관찰되므로, 이때 동반되는 관상동맥의 석회화 등과 연관하여 살펴보는 것이 좋다(그림 23-5). 좌전행 동맥(left anterior descending artery)이 막히는 경우는 심첨의 동맥류화가 초래되는 경우가 많은데, 이 경우에는 혈전을 동반할 가능성이 많다(그림 23-6)[5].

3) 심근석회화(Myocardial calcification)

심근의 석회화는 여러 원인에 의해 생길 수 있는데, 심근경색 이후 생기는 석회화는 곡선(curvilinear)의 형태로 막힌 혈관이 지배하던 심근에 생기게 되고(그림 23-7), 심근염에 의해서 생기는 경우는 혈관분포와 상관없이 산발적으로 생길 수 있다. 거친 심근석회화(Coarse myocardial calcification)는 외상, cardioversion, 염증, 심내막섬유화증(endocardial fibrosis) 등 다양한 원인에 의해 생길 수 있다[6].

2. 심장판막(cardiac valve)

심장판막은 매우 얇은 막이고 심장운동주기에 따라 움직이므로, 심전도 동기화를 하지 않은 흉부 CT에서는 관찰에 제한이 있다. 그러나, 심방이나 심실의 확장등을 참고하여 심장판막질환을 짐작할 수 있으며, 이 경우는 심초음파 또는 심

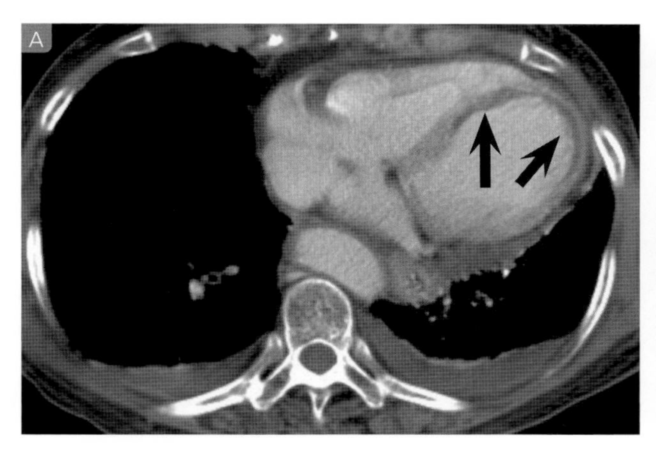

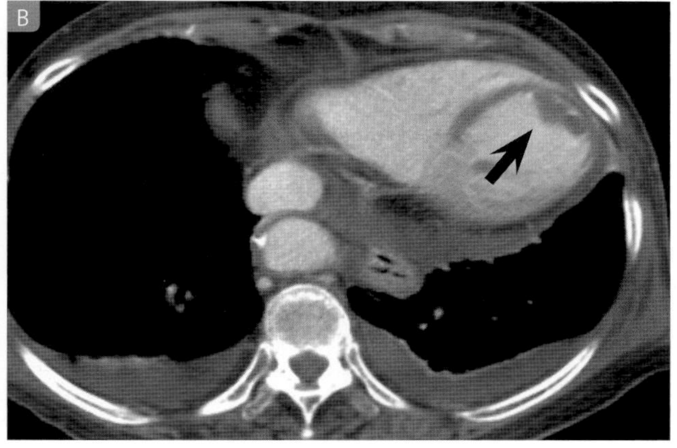

■ 그림 23-6. **심근경색에 의한 심근벽의 변화 및 혈전**
좌전행 동맥이 분포하는 좌심실의 심첨과 중격의 심근이 얇아져 동맥류화되어 있고, 정상심근보다 음영이 감소되어 있어(A, 화살표) 심근경색에 의한 심근의 변화를 보이며, 심첨에 혈전(B, 화살표)이 있다.

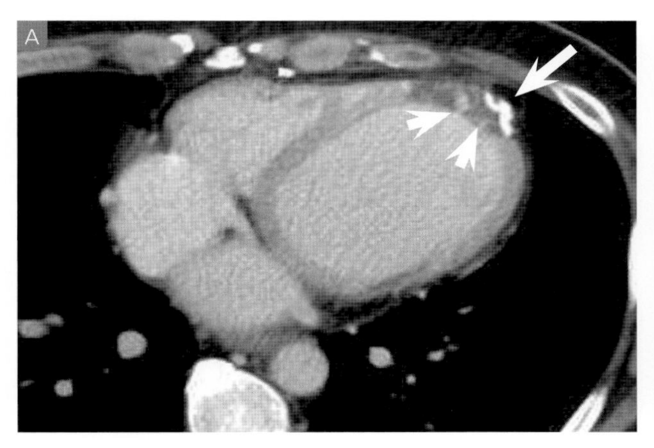

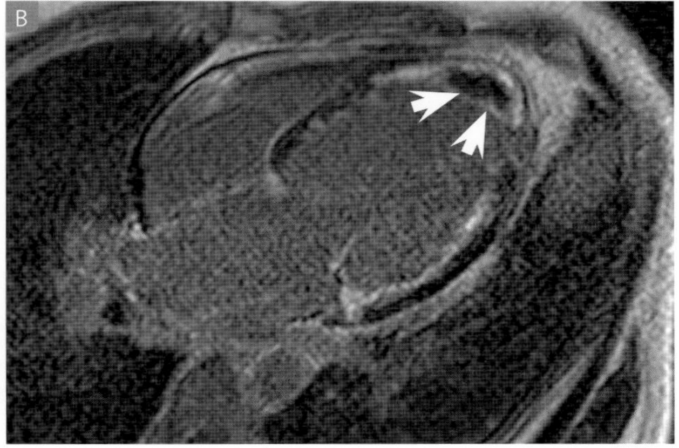

■ 그림 23-7. **심근석회화**
흉부 CT(A)에서 만성심근경색에 의해 심첨이 얇아지고 선상의 석회화(화살표)가 보이고, 저음영의 혈전이(삼각형화살표) 심첨에 붙어있다. 조영증강에서 증가되지 않은 혈전이 관찰된다.

장 MRI를 시행하여 판막의 움직임 및 각 방(chamber)의 기능을 측정하는 것이 바람직하다.

1) 심장판막석회화(Valve calcification)

(1) 승모판 석회화

승모판 석회화는 류마티스 심장에서 생길 수 있으나, 더 흔하게 관찰되는 승모판륜의 석회화(mitral annulus calcification)와 감별이 어려울 수 있다. 전자는 심방의 확장을 동반하는데 반해(그림 23-8), 후자는 판막의 이상이나 전도장애(conduction abnormality)와 관련되어 있을 수 있으나, 이 자체만으로 심방의 확장을 동반하지는 않는다(그림 23-9)[7].

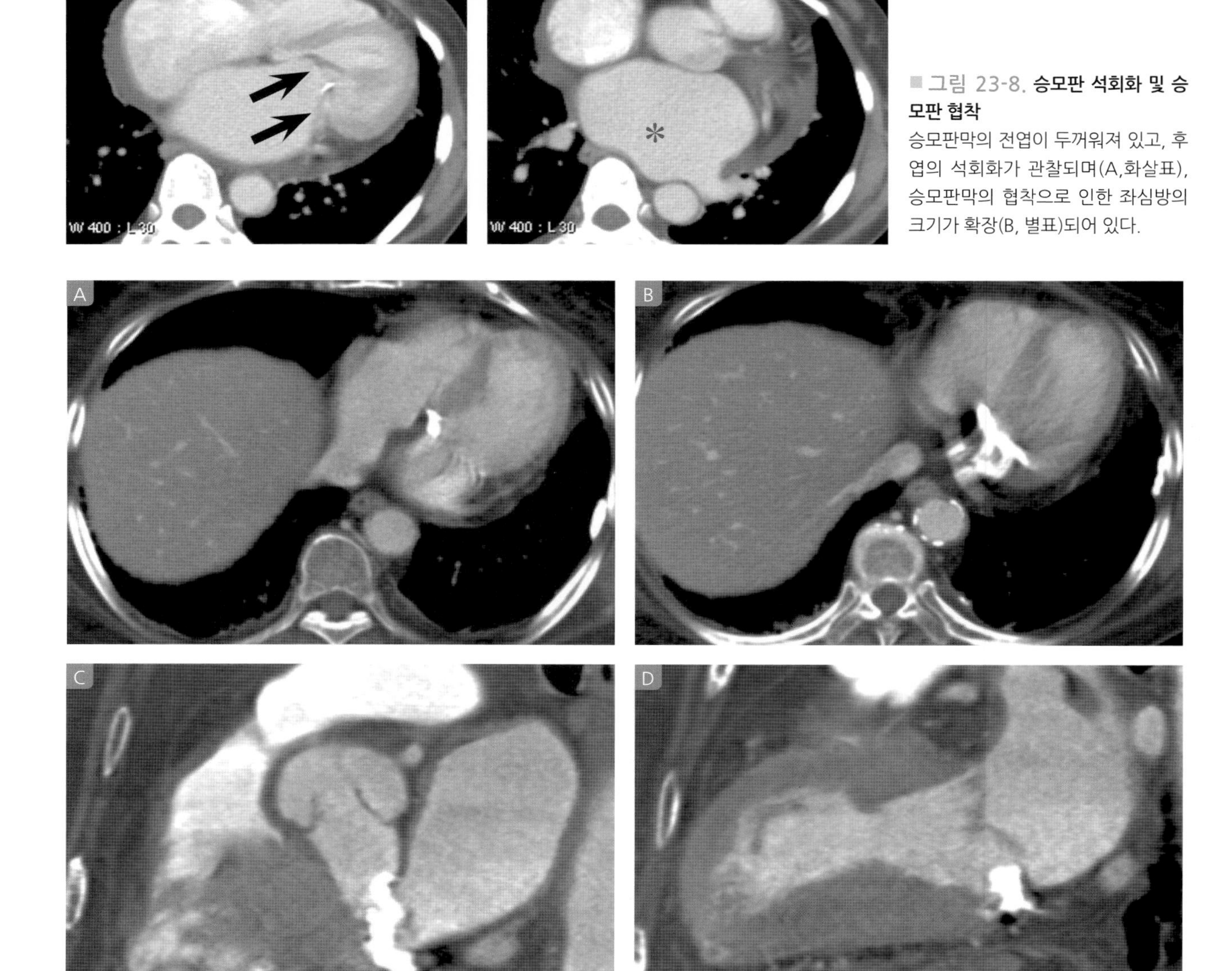

■ 그림 23-8. **승모판 석회화 및 승모판 협착**
승모판막의 전엽이 두꺼워져 있고, 후엽의 석회화가 관찰되며(A,화살표), 승모판막의 협착으로 인한 좌심방의 크기가 확장(B, 별표)되어 있다.

■ 그림 23-9. **승모판륜의 석회화**
흉부 CT(A)에서 방-실루(arterioventricular groove)를 따라 승모판을 감싸는 섬유륜의 석회화가 관찰되고 좌심방은 정상소견을 보인다. 심전도 동기화를 한 관상동맥 CT(B)에서 정상 승모판이 관찰된다.

(2) 대동맥 석회화

대동맥에 심한 석회화를 보이는 경우, 선천성 이엽(bicuspid valve)이 중요한 원인 중 하나로 알려져 있지만, 심전도 동기화를 하지 않은 흉부CT에서 판막의 모양을 관찰하기엔 제한적이다. 대신 좌심실벽의 비후, 상행대동맥의 후협착확장

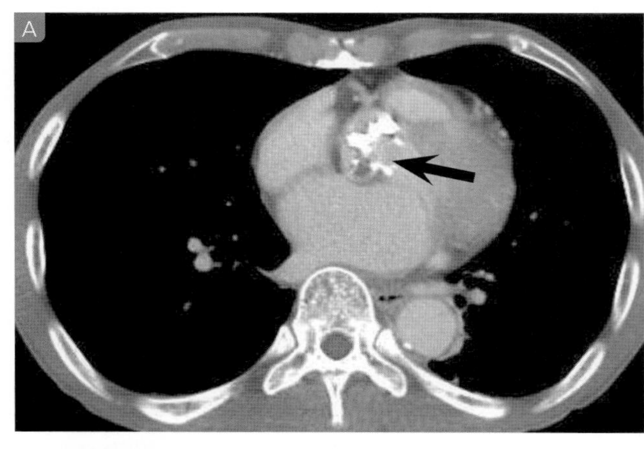

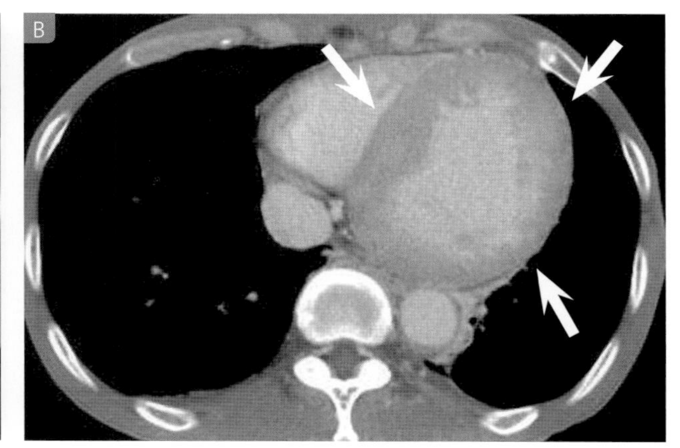

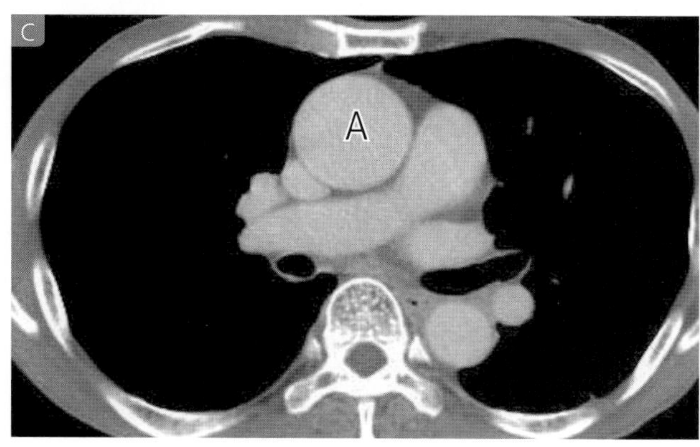

■ 그림 23-10. **대동맥 석회화 및 대동맥협착**
대동맥판막이 석회화되고 두꺼워져 있어(**A.** 화살표) 대동맥판막협착이 의심되며, 이로 인해 좌심실벽이 비후(**B.** 화살표)되고 상행대동맥의 직경이 늘어나 있다.

(post-stenotic dilatation)이 관찰되면, 대동맥협착을 의심해 볼 수 있다(그림 23-10)[8].

2) 심방/실 팽창(Chamber dilatation) 및 모양의 변화

일반적으로 4개의 심실 및 심방의 크기는 서로 비슷하나, 심실이 심방보다 조금 크고, 우심실이 좌심실보다 조금 크다. 이렇게 심방이나 심실이 팽창하는 이유는 운동선수형 심장(Athlete's heart)과 같이 심장의 작업부하가 크거나(increased workload), 판막의 협착이나 폐쇄부전과 같이 전부하나 후부하가 증가하거나(increased preload or afterload) 혹은 확장성 심근증(dilated cardiomyopathy)처럼 수축력이 감소되는 경우 등 다양하다[2].

(1) 판막질환

승모판 협착인 경우 좌심방확장이 특징적이며(그림 23-8), 진행되면 우심장 기능부전(Rt heart failure)으로 인한 상대 및 하대정맥확장, 간정맥 및 기정맥울혈 등의 변화가 관찰이 된다.

승모판 폐쇄부전시 급성인 경우엔 폐부종이 관찰되더라도 좌심방이나 좌심실의 확장이 뚜렷하지 않을 수 있지만, 만성이 되면 좌심방과 좌심실에 용적과부하를 유도하여 모두 확장된다.

대동맥판막협착인 경우 좌심실의 비대와 상행대동맥의 직경이 증가하고, 폐동맥협착인 경우는 우심실의 비대 및 폐동맥고혈압 소견이 생긴다(그림 23-4).

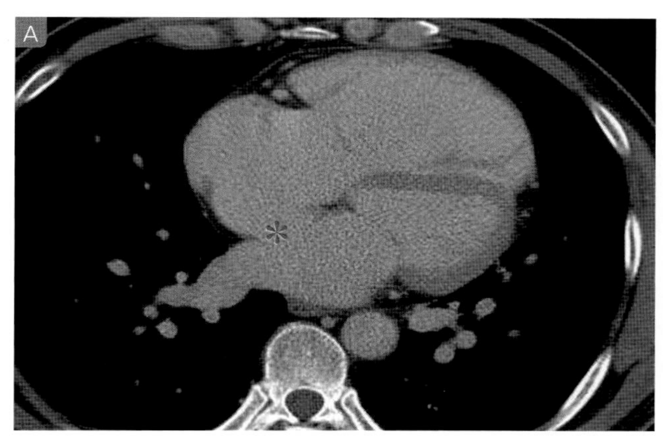

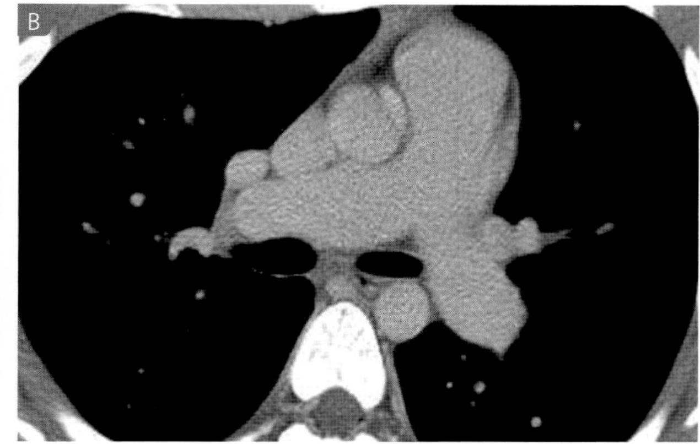

■ 그림 23-11. **심방중격결손에 의한 우심방/실의 확장**
흉부 CT(A, B)에서 심방중격결손(*)에 의해 우심방과 우심실이 커져있고(A), 폐동맥이 확장되었다(B).

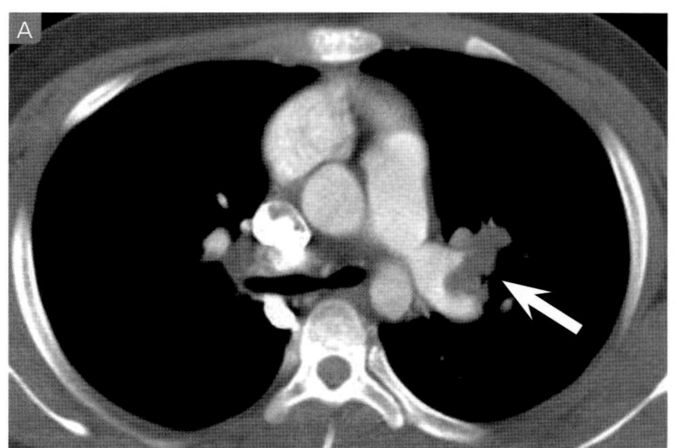

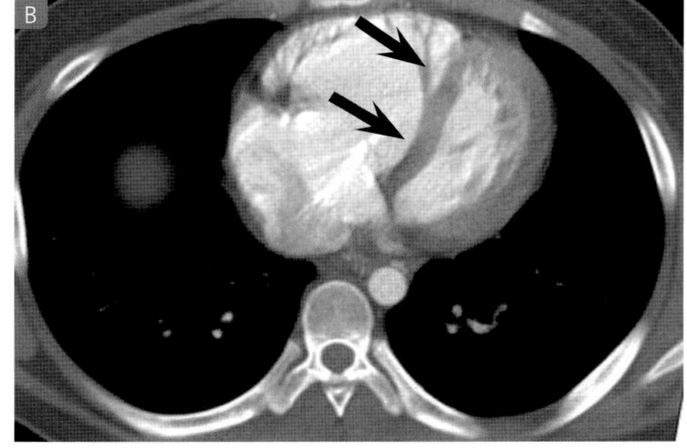

■ 그림 23-12. **폐동맥혈전증에 의한 D-모양의 좌심실**
흉부 CT에서 왼쪽 폐동맥에 혈전에 의한 음영결손(A, 화살표)이 있고 이로 인한 우심실의 비대로 인하여 심중격이 눌리면서(B, 화살표) 좌심실이 D-모양을 보인다.

(2) 심실간중격(interventricular septum)의 모양변화

심방중격이나 심실중격의 결손과 같은 좌우단락이 발생하는 경우, 우측 심장으로 용적이 과부하되어 우측심장이 확장되고, 심한 경우 폐동맥의 확장도 동반된다.(그림 23-11)

폐동맥색전증이 발생하는 경우에는 우심실에 압력이 증가하여 역시 우심실의 비대 및 확장을 보인다.

우심실의 용적과부하때나 압력증가시에는 좌심실이 원형의 모양을 유지하지 못하고 중격이 평평해지면서 좌심실은 D-모양을 보이거나(D-shaped LV), 심하면 오히려 중격이 반대로 전위되는 역전의 모양(reversed LV)을 보이게 되므로, 이러한 형태를 보이는 경우엔 심장 내에 단락이 있는지와 폐동맥의 음영결손은 없는지 살펴보는 것이 좋다(그림 23-12)[4].

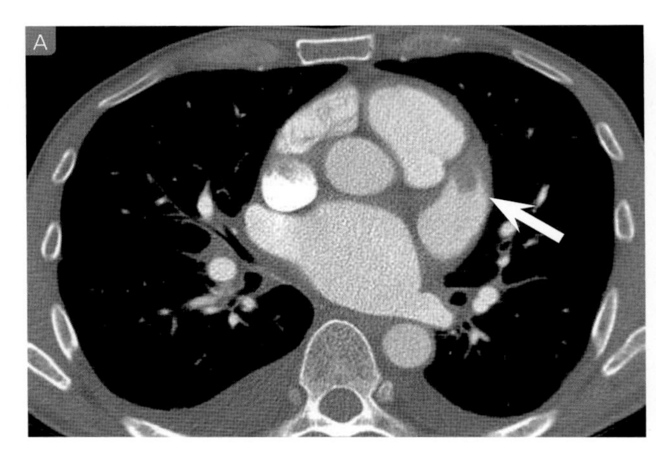

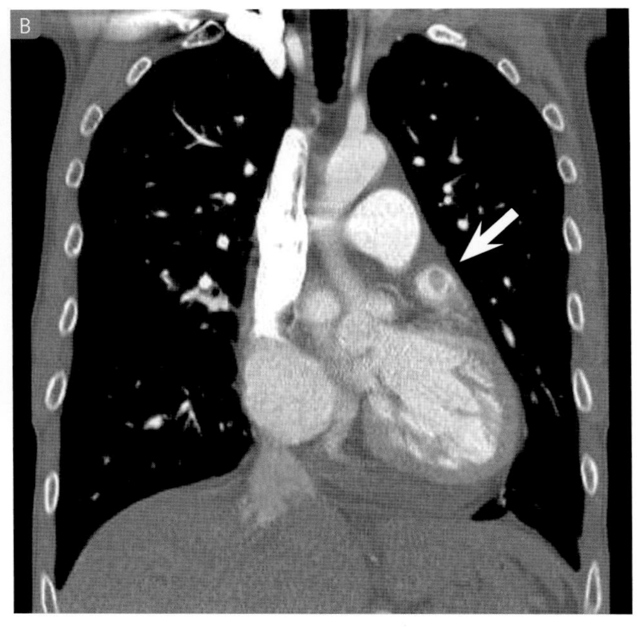

■ 그림 23-13. **심방세동 환자에서의 좌심방이의 혈전**
심방세동이 있는 환자에서 흉부 CT(A)에서 좌심방이에서 난원형의 음영결손(화살표)이 보이며, 관상면(B)에서 이 음영결손(화살표)은 뚜렷하게 관찰된다.

3. 심강내(intracardiac chamber)의 병변

1) 혈전

심실이나 심방에 음영결손이 보이는 경우는 종양보다는 혈전(thrombus)인 경우가 더 많다. 특히 심방세동(atrial fibrillation)이 있거나, 심근경색을 앓고 심근의 벽이 얇아져 동맥류화 되었을 경우, 전자는 좌심방이(left atrial appendage)에(그림 23-13), 후자는 심첨이나 동맥류를 형성한 곳에 혈전이 호발한다(그림23-6, 23-7)[9]. 우심장에 생긴 혈전은 심부정맥혈전(deep vein thrombus)이나 폐색전증과, 좌심장에 생긴 혈전은 전신 색전증(systemic embolism)과 관계가 있다. 그러나 조영증강이 적절하게 되지 않은 경우에도 (특히, 우심방에) 음영결손이 생기므로 진짜 병변인지 주의깊게 살펴야 한다.

혈전은 혈전생성의 위치와 연령에 따라 영상소견이 달라지는데, 금방 생긴 혈전은 균질하고, 공동을 형성하는데 반해, 오래된 혈전은 비균질적이며 여러 겹으로 보이거나, 석회화를 동반하기도 한다. 정상 심방이나 심실에 혈전이 생기는 경우는 그 원인이 종양에 의한 것인지도 의심해 보아야 한다. 때로 종양과 혈전이 구별되지 않는 경우는 조영증강 MRI를 시행하면 종양은 다양한 조영증강이 되는데에 반해 혈전은 조영증강이 되지 않아 감별에 도움이 된다(그림 23-7).

2) 심장종양

심장종양인 경우, 양성인 경우가 더 많고, 그 중 가장 흔한 양성종양인 점액종(myxoma)은 좌심방에 호발하며 격막(septum)에 붙어있는 것이 특징이다(그림 23-14). 악성인 경우에는 전이에 의한 경우가 흔하며, 원발성인 경우는 혈관육종(angiosarcoma)가 가장 흔하다. 악성의 종양은 우심방이나 우심실에 좀 더 호발하는 것으로 알려져 있으며, 종양이 의심되면 MR을 찍는 것이 도움이 된다(그림 23-15)[10].

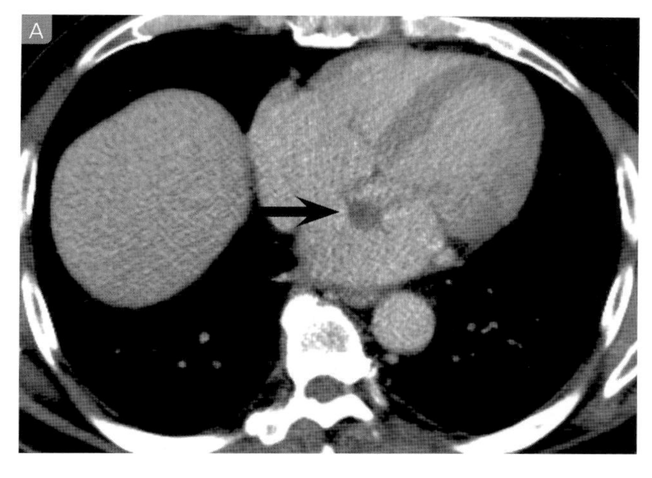

■ 그림 23-14. **심장종양**
좌심방에 저음영의 종양이 관찰되고, 이는 격벽에 연접해 있는 양상으로 수술결과 점액종으로 확진되었다.

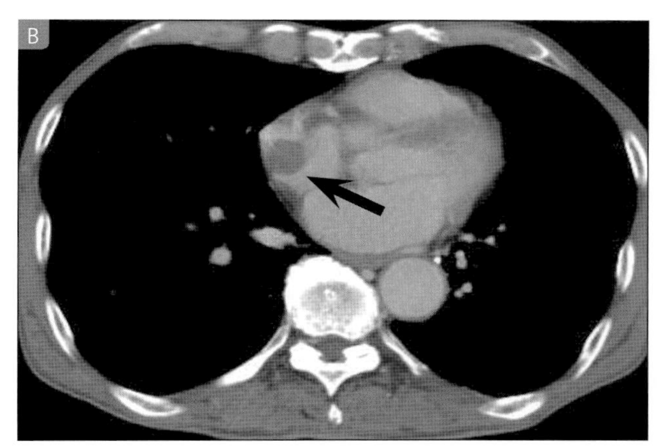

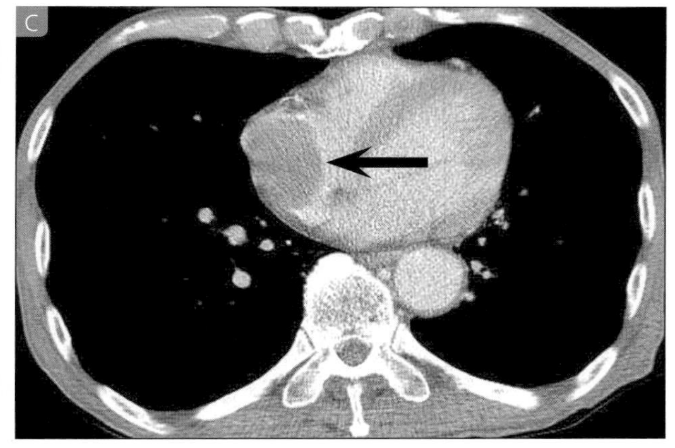

■ 그림 23-15. **심장의 악성종양**
A. B-C. 우심방에 저음영의 종양이 관찰되고 6개월 후 찍은 CT(C)에서 크기가 증가되어 조직검사결과 림프종으로 확진되었다.

4. 관상동맥

1) 관상동맥 석회화

관상동맥의 석회화는 동맥경화증의 위험정도와 매우 잘 비례하므로 관상동맥의 석회화가 심한 경우, 특히 그 혈관이 지배하는 심근의 벽이 얇아지거나 해당심근의 음영이 감소되었을 경우에는 심근경색의 가능성이 있으므로(그림 23-5), 심초음파나 심장효소 검사등을 시행하는 것이 좋다[11]. 필요에 의하면 심전도 동기화 CT를 통해 정확한 관상동맥의 협착정도와 경화반(plaque)의 특징을 살펴보고 적절한 치료를 권하는 것이 좋다.

2) 관상동맥 동맥류

카와사키 질병(Kawasaki disease) 등 동맥염 등 여러 원인에 의해 관상동맥이 동맥류를 형성할 수 있는데, 때로 동맥류에 석회화가 동반되는 경우, 저선량 폐CT에서도 관찰할 수 있다(그림 23-16)[12].

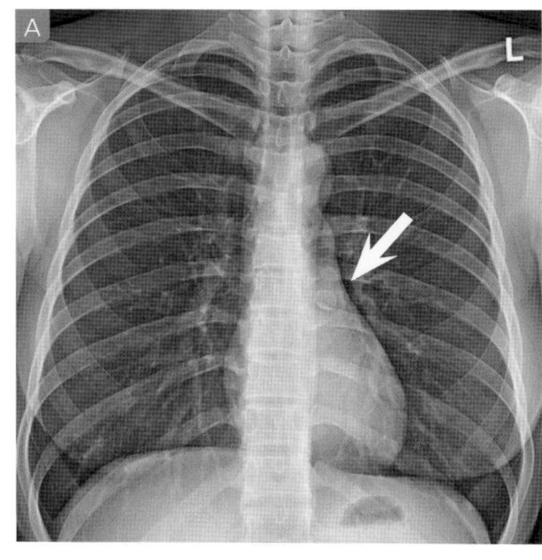

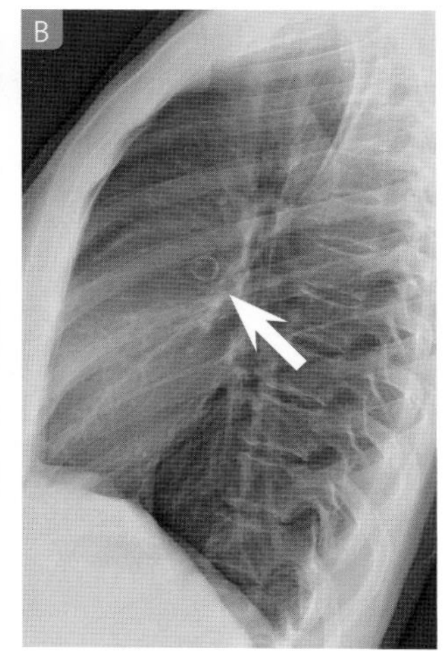

■ 그림 23-16. **관상동맥 동맥류**
흉부 정면(A)과 측면(B)사진에서 심장내 좌측에 원형 모양의 석회화 (화살표)가 보이며, 이 석회화는 저선량 CT(C)에서 좌측 관상동맥구(coronary sinus) 부위에서 관찰되고 있으며, 심전도 동기화를 한 심장 CT(D, E)에서 좌측 주관상동맥(left main coronary artery)의 동맥류가 석회화되어 있는 것을 확인할 수 있다.

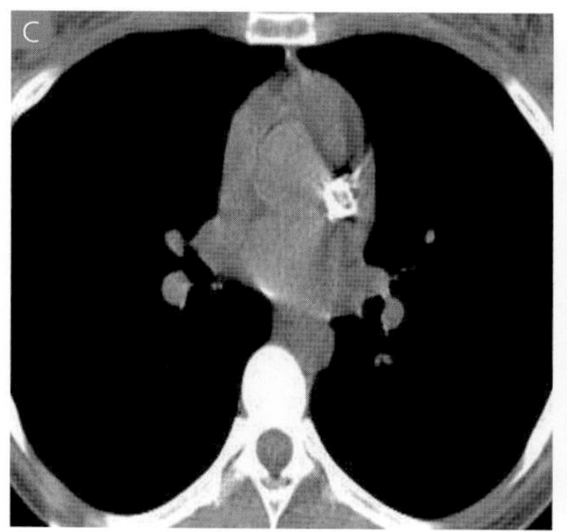

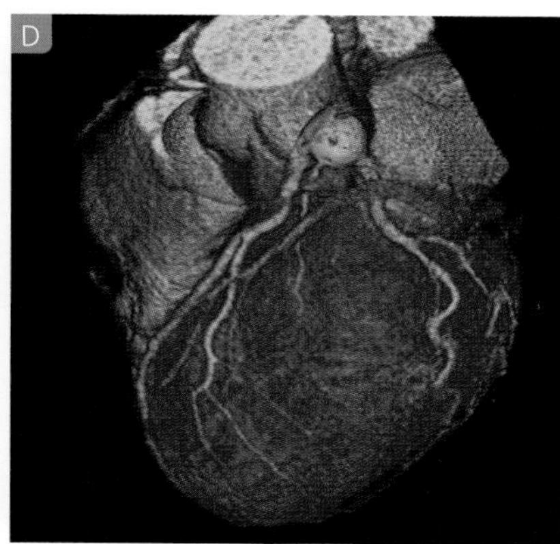

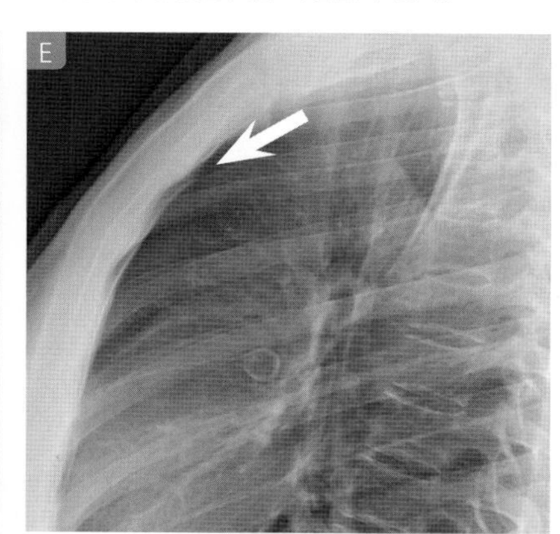

3) 관상동맥의 이상기시

관상동맥은 매우 가늘고, 흉부 CT는 심전도동기화를 하지 않은 상태로 심장박동에 의한 인공물에 의해 관상동맥의 기시부나 경로를 정확하게 파악하기가 힘든 경우가 많으나, 최근 CT기술의 발달로 시간해상도가 좋아져서 흉부 CT에서도 관상동맥의 이상기시를 발견할 수 있는 경우가 많으므로, 유의해서 보는 것이 바람직하다(그림 23-17).

4) 관상동맥 동정맥루(coronary arteriovenous fistula)

수축기시 심잡음이 들리는 환자에서 폐동맥의 앞으로 구불구불하게 확장된 이상 관상동맥을 관찰하면 관상동맥과 정맥이 비정상적으로 연결되어 좌우단락을 형성하는 관상동맥 동정맥루를 의심해볼 수 있으며, 이는 심전도동기화를 한 심장 CT에서 그 기시부와 경로를 확인할 수 있다(그림 23-18).[5]

5. 심장막 (Pericardium)

정상 심막은 심장을 감싸는 매우 얇은 막으로, 주로 epicardial fat에 의해 눈에 보이게 되는데 정상 심장막은 1-2 mm 정도이다[13]. 심장막삼출액(pericardial effusion)은 20-50 ml 정도까지는 정상적으로 찰 수 있으며, pericardial recess에 물이

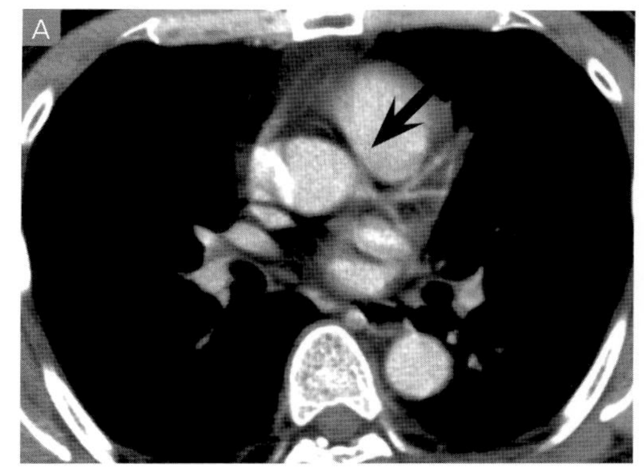

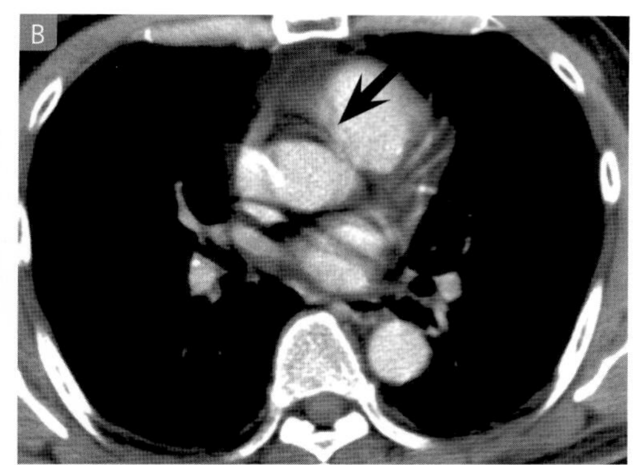

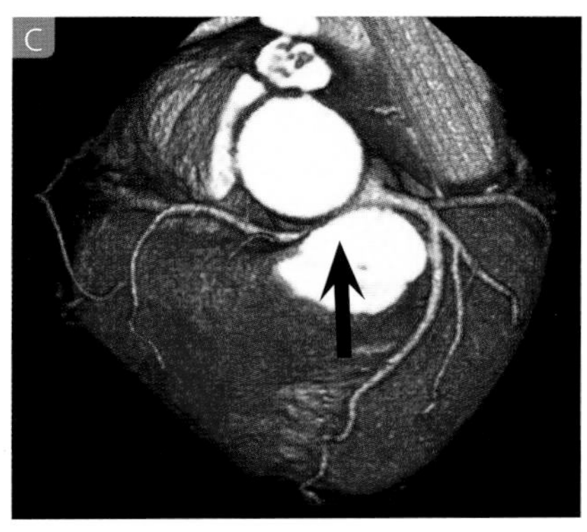

■ 그림 23-17. **관상동맥의 이상기시**
흉부 CT (A, B)에서 우측 관상동맥(화살표)이 좌측 관상동맥구(coronary sinus)에서 기시하여 대동맥과 폐동맥 사이를 지나고 있으며, 이는 심전도 동기화를 한 심장 CT(C)의 3차원영상에서 관상동맥의 이상기시와 경로를 정확하게 확인할 수 있다.

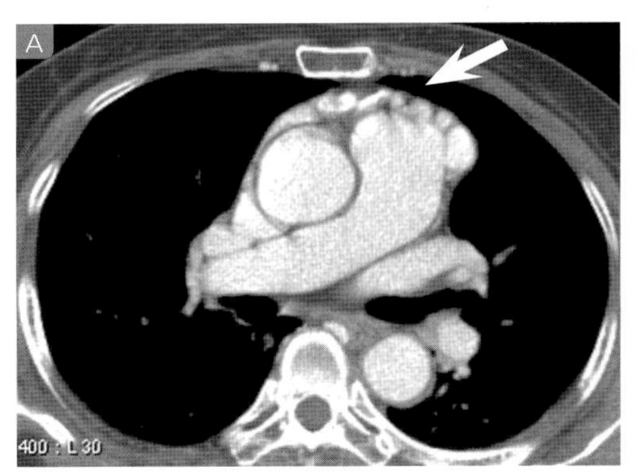

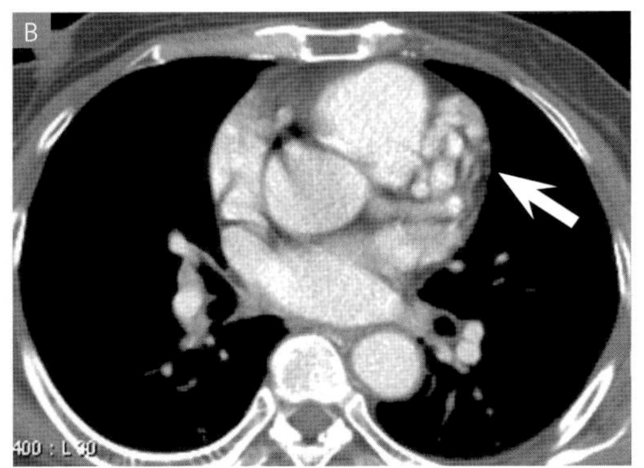

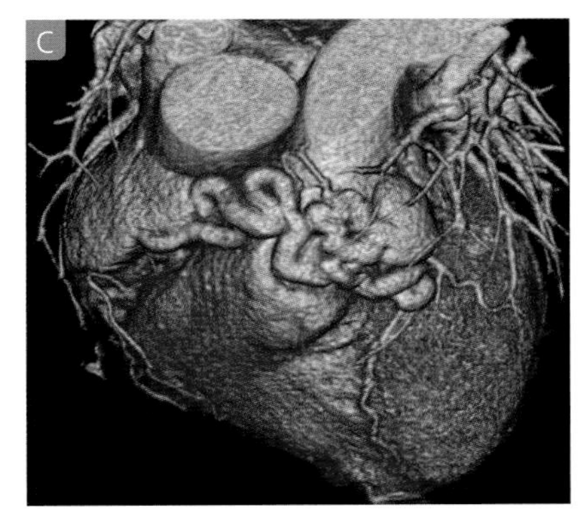

■ 그림 23-18. **관상동맥 동정맥루**
흉부 CT(A, B)에서 폐동맥 앞으로 구불구불하게 확장된 이상혈관(A, 화살표)이 보이고 이는 좌측관상동맥(B, 화살표)과도 연속하여 구불구불하게 확장되어 있다. 심전도동기화한 심장CT 3차원영상(C)에서 좌전하동맥과 우관상동맥이 서로 확장되어 연결되어 있는 동정맥루를 확인할 수 있다.

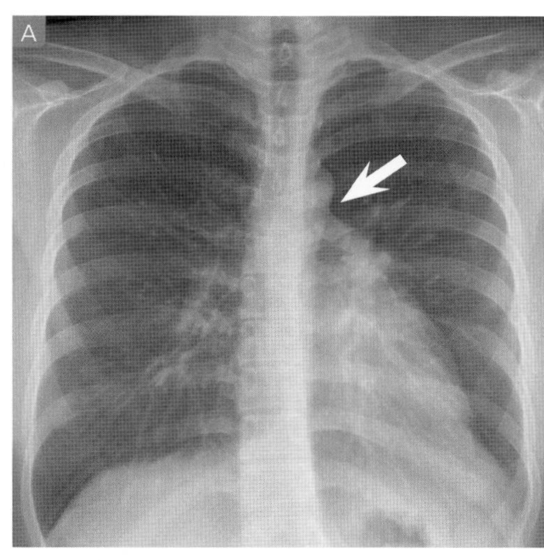

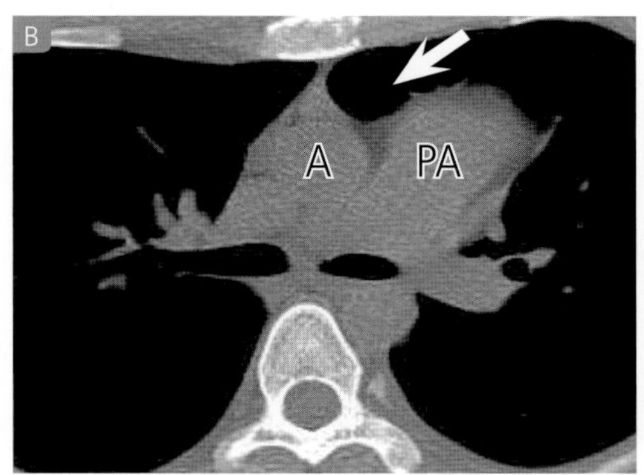

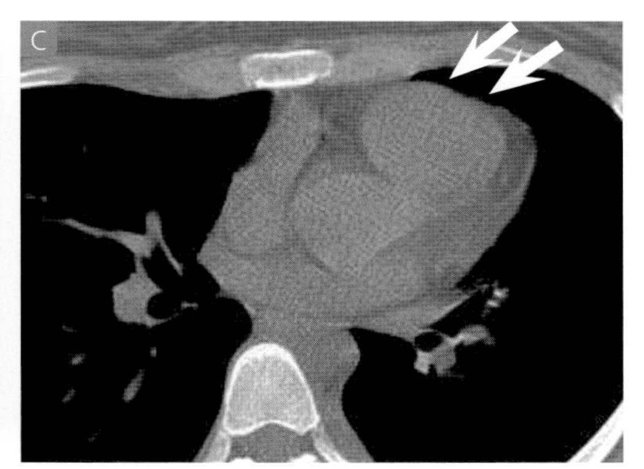

■ 그림 23-19. **선천성 심장막결손**
흉부 전후면 사진(A)에서 심장이 왼쪽으로 치우쳐 있지만, 기관지의 음영은 중립을 유지한 채 보이며, 대동맥과 폐동맥의 경계사이가 움푹한 모양(화살표)을 보이는데, 이는 흉부 CT (B-C)에서 심장막이 결손되어(C, 화살표), 대동맥과 폐동맥 사이에 폐가 끼어들어 가기 때문임을 알 수 있다.

차는 경우 LN, 식도나 thymus병변 혹은 vascular lesion으로 오인하기 쉽다.

1) 선천성심장막결손(Congenital absence of pericardium)

심장막의 결손은 매우 드문 anomaly로, 주로 심장막의 좌측으로 결손이 발생하며, 단독으로 올 수도 있지만 다른 심장기형을 동반하기도 한다. 임상적으로는 전체적으로 심장막이 없거나, 심장막의 결손이 큰 경우보다 작은 경우에 심장탈장(cardiac herniation)이나 괴사(strangulation) 등의 중대한 결과를 초래할 수 있으므로, 심장막결손의 부위와 정도를 정확하게 인지하는 것이 중요하다. 흉부 CT에서 심장막이 없는 부위, 특히 대동맥과 폐동맥 사이에 폐가 끼어들어가 있는 모습이 특징적이다(그림 23-19)[14].

2) 심장막삼출액(Pericardial effusion)

심장막삼출액은 50 ml 이상 심장막에 고여있으면 발견할 수 있으며, 심장기능상실(heart failure), 염증, 종양이나 외상이나 심근경색에 의한 손상 등 여러 원인에 의해 발생하므로, 삼출액만으로 원인을 알기는 어려우나, 삼출액의 음영을 측정하면 그 특성에 의해 원인을 유추해 볼 수 있다. 일반적으로 물과 비슷한 경우(0-20 HU)는 simple transudate effusion이지만, 고음영(> 50 HU)을 보이는 경우는 단백질이 많은 염증성, 혹은 혈액에 의한 심장막삼출액일 가능성이 높다 [2].

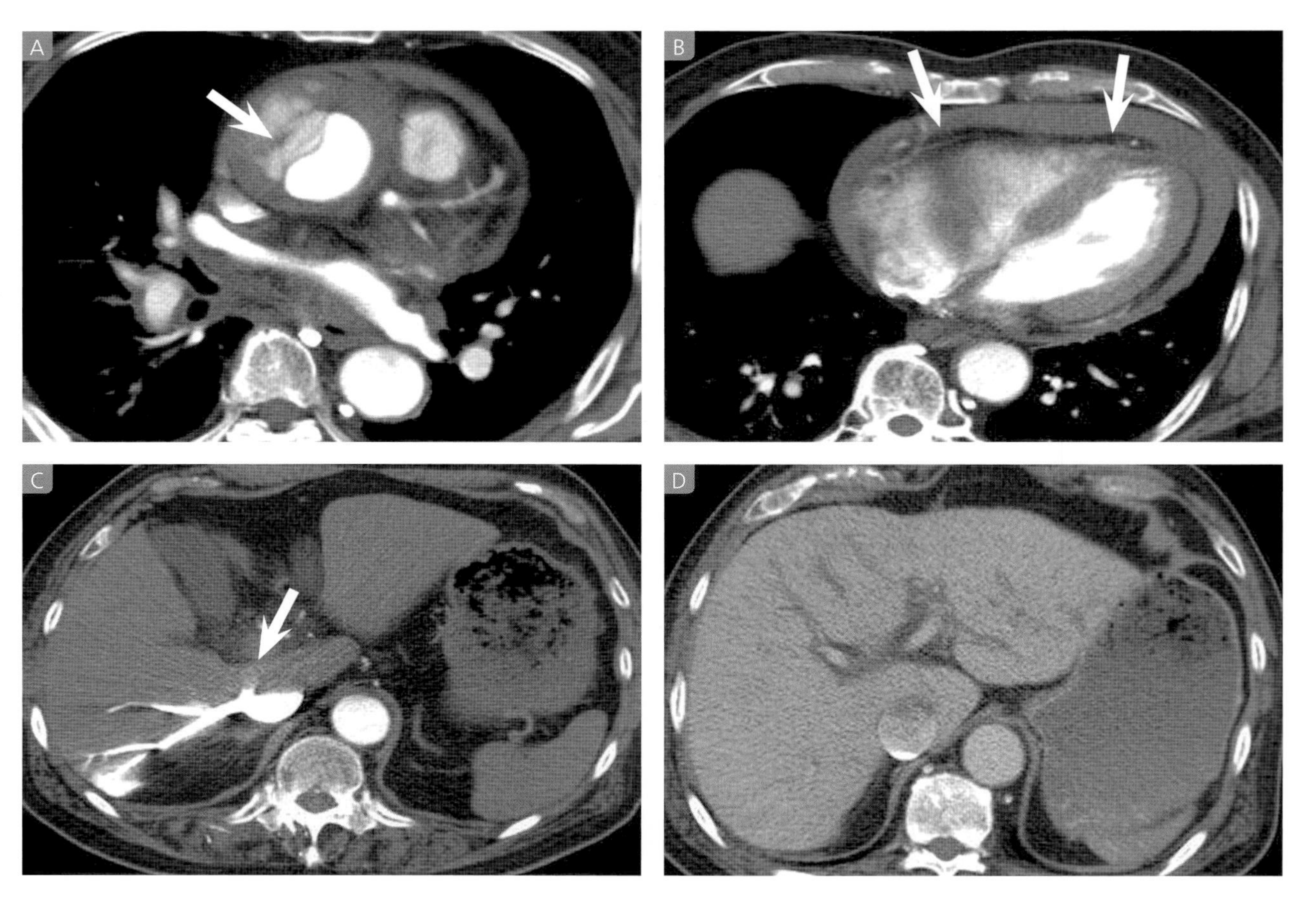

■ 그림 23-20. **심장압전**
대동맥박리(A 화살표)에 의해 심장막 삼출액이 심장을 둘러싸며 심장의 전면이 평평해지는 flattened heart sign(B 화살표)이 관찰되며, 간정맥의 역류(C 화살표) 및 간문맥주위의 부종(D)이 관찰되어 심장압전의 소견이 보인다.

표 23-3. **심장압전의 CT소견**

Large amount of pericardial effusion Enlargement of the SVC and IVC Peirportal lymphedema Reflux of contrast material within the IVC and azygos vein Enlargement of hepatic and renal vein Flattening of the anterior surface of the heart with decreased AP diameter (Flattened heart sign)

많은 양의 심장막삼출액은 심장을 압박하여 심장의 운동을 방해하는 심장압전(cardiac tamponade)을 초래하는데, 이러한 심장압전은 심장막삼출액의 성분이나 양보다는 축적되는 속도가 빠른 경우에 더 영향을 받는다. 많은 양의 심장막삼출액, 심장이 눌려서 평평해지는 모양(flattened heart sign), 심장중격(interventricular septum)의 만곡(bowing), 상대정맥, 하대정맥, 관상동(coronary sinus)의 울혈(dilatation), 간정맥(hepatic vein) 및 기정맥(azygos vein)의 울혈 등이 보이면 심장압전을 의심하고(표 23-3), 빨리 심장막삼출액을 배액하여야 한다(그림 23-20)[15].

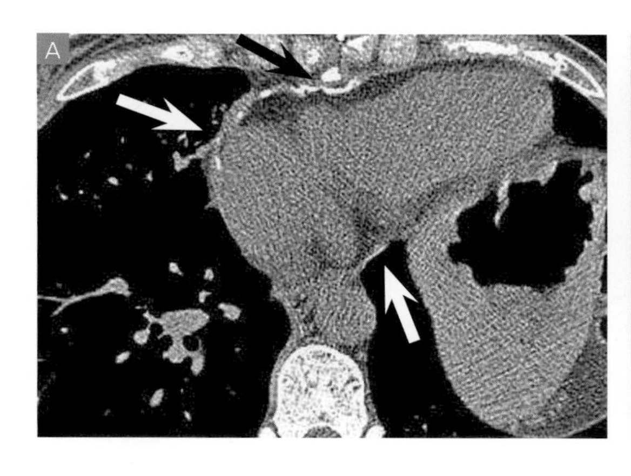

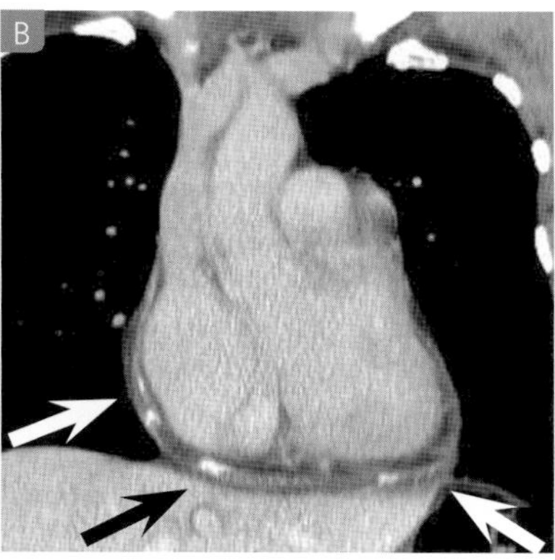

■ 그림 23-21. **비후성 심장막염**
저선량 폐CT(A)에서 심장막이 두꺼워져 있고 석회화가 동반되어 있다. 흉부 CT 관상면(B)에서 심장을 둘러싼 심장막이 전체적으로 두꺼워져 있고 석회화된 비후성 심장막염의 소견이 잘 관찰된다.

CHAPTER 23

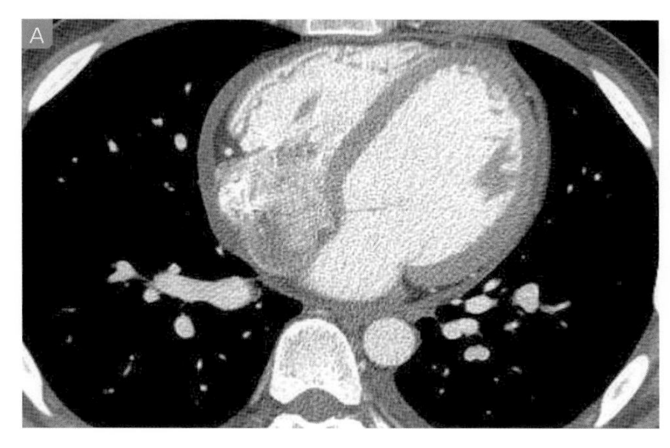

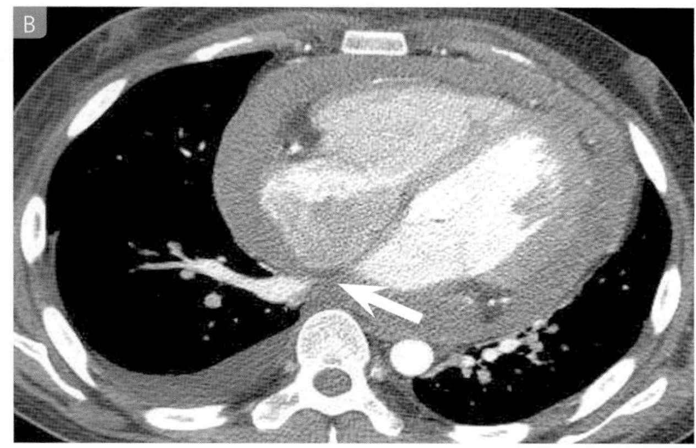

■ 그림 23-22. **심장막 중피종**
초기 흉부 CT(A)에서 심장막이 전체적으로 두꺼워져 있다. 7개월 후 추적 흉부 CT(B)에서 심장막의 비후가 매우 증가하여 종양의 양상을 띠며 좌측 폐정맥의 입구(화살표)가 종양에 의해 압박을 받으며, 좌측에 흉막 삼출액이 새로 관찰된다.

3) 심장막 비후 및 석회화

염증, 약물, 외상 등 여러 원인에 의해 심장막이 두꺼워질 수 있으며, 우리나라는 결핵이 중요한 원인 중 하나로 알려져 있다. 흉부CT에서 심장막이 4 mm 이상 두꺼워지면 충분히 인지할 수 있으며, 특히 석회화를 동반하는 경우는 저선량 CT에서도 인지할 수 있다(그림 23-21). 심장막의 비후나 석회화가 심하면 심장의 확장이 제한되어 심장의 확장기능에 영향을 주게 되는데, 이 경우에는 비후성 심장막염(constrictive pericarditis)을 감별해야 한다[7].

4) 심장막 종양(Pericardial mass)

심장막에 생기는 종양은 주로 원발성 종양보다는 폐나 유방등에서의 전이암일 경우가 많고, 원발성인 경우는 양성보다 악성인 경우가 많다. 심장막에 생기는 악성종양으로는 중피종(mesothelioma), 혈관육종, 임프종 등의 순서로 생기며, 양성종양으로는 섬유종, 기형종, 지방종 등이 생길 수 있다[16]. 심장막의 악성 종양인 경우는 심장막삼출액, 심장막 임프절비후, 심장막 비후 및 조영증강, 심장막의 종양 순으로 나타나기 때문에 초기에는 심장막 삼출액이나 비후만으로 보였다가 추적검사시 종양이 비로소 인지되는 경우가 종종 있으므로[17], 원인을 알 수 없는 심장막 삼출액이나 심장막 비후 환자는 추적검사를 자주 하는 등의 주의를 좀 더 기울일 필요가 있다(그림 23-22).

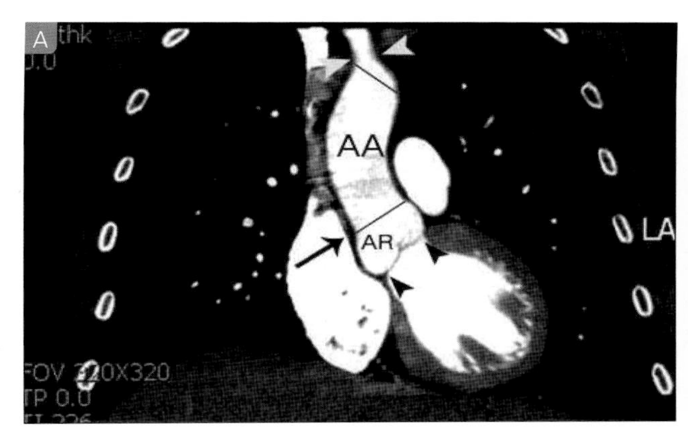

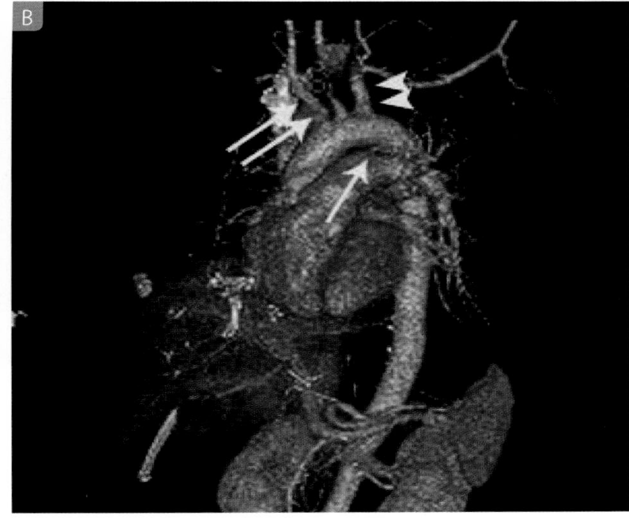

■ 그림 23-23. **CT에서 대동맥의 해부학**

A. Triple rule-out을 시행한 환자의 관상면 CT영상(coronal view)이다. 대동맥 근부(aortic root, AR)는 대동맥판막고리(black arrowheads)에서 ST 교차점 (black arrow)까지이고 상행대동맥(ascending aorta, AA)은 ST 교차점에서 완두동맥(brachiocephalic trunk, white arrowheads) 분기직전까지이다.

B. 동맥개존증(patent ductus arteriosus, single white arrow)이 있는 환자의 volume redering image이다. 대동맥궁의 범위는 완두동맥기시부(double white arrows)에서 동맥개존증(single white arrow)까지이다. 대동맥궁은 근위부 대동맥궁과 원위부 대동맥궁으로 세분화 될 수 있다. 근위부 대동맥궁은 완두동맥기시부에서 좌측쇄골하동맥(left subclavian artery, double white arrowheads) 기시부까지이고, 원위부 대동맥궁은 대동맥협부(aortic isthmus)로 좌쇄골하 동맥에서 동맥개존증 또는 동맥관인대까지이다. 하행대동맥은 동맥개존증 또는 동맥관인대에서 횡격막틈까지이다.

6. 대동맥

대동맥 질환의 진단에 있어 MDCT (multi-detector CT)는 가장 중요한 영상검사(primary imaging tool)로 사용되고 있다. 먼저 대동맥의 정상 CT 해부학을 알아보고 급성대동맥증후군(acute aortic syndrome), 대동맥류(aortic aneurysm), 대동맥염, 기타질환, 수술이나 중재시술 후 소견의 순서로 특징적인 CT 소견을 위주로 살펴보고자 한다.

1) 정상 대동맥 해부학

흉부 대동맥은 대동맥 근부(aortic root), 상행대동맥(ascending aorta), 대동맥궁(aortic arch), 하행대동맥(descending aorta)으로 나뉜다[18, 19]. 대동맥 근부는 대동맥판막고리(aortic annulus)에서 ST 교차점(sino-tubular junction)까지로 관상동맥이 분지되는 발살바동(sinus valsava)과 대동맥판막을 포함한다. 마르판 증후군에서 특징적으로 대동맥 근부의 직경이 증가한다. 상행대동맥은 ST교차점에서 완두동맥(brachiocephalic trunk) 분기직전까지로 정의한다(그림 23-23). 대동맥궁은 완두동맥기시부에서 대동맥협부(aortic isthmus)까지이다. 대동맥협부는 근위부 하행대동맥(proximal descending thoracic aorta)보다 약간 직경이 가는 부분으로 좌쇄골하동맥기시부에서 동맥관(ductus arteriosus) 또는 동맥관인대(ligamentum arteriosum)가 기시하는 부위까지이다. 하행대동맥은 동맥관 또는 동맥관인대에서 횡격막틈(diaphragmatic hiatus)까지이다. 횡단면 영상(axial view)에서 대동맥 직경을 측정하면 실제 직경보다 크게 측정될 가능성이 있다. 따라

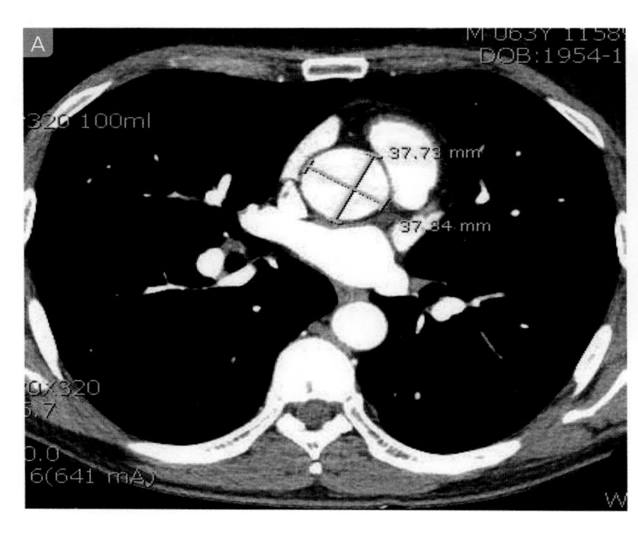

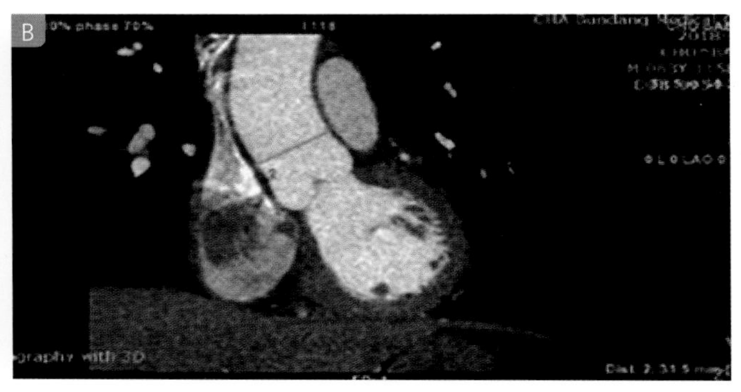

■ 그림 23-24. **대동맥 직경측정**
A. 횡단면 CT영상(axial view)에서 대동맥 직경을 측정하면 실제 직경보다 크게 측정될 가능성이 있다. 따라서 **B.** 관상면 영상에서 대동맥의 장축에 수직으로 측정해야 정확한 직경을 알 수 있다. 그림 A(37.7 x 37.8 mm)에 비해 B의 직경(31.5 mm)이 작다는 것에 유념해야 한다.

서 관상면 영상에서 측정해야 정확한 직경을 알 수 있다(그림 23-24). 대동맥의 직경은 나이나 성별에 따라 차이가 있지만 직경이 4 cm 이상이면 이상소견으로 간주한다.

2) 급성대동맥증후군(acute aortic syndrome)

급성대동맥증후군은 급성 가슴통증을 주 증상으로 하며, 급성관상동맥증후군(acute coronary syndrome)과 폐동맥색전증(pulmonary embolism)과의 감별을 요하며, 흔히 대동맥박리(aortic dissection), 대동맥 벽내혈종(intramural hematoma), 관통성 동맥궤양(penetrating atherosclerotic ulcer)을 포함한다. 저자에 따라서는 대동맥류에 동반된 파열을 포함하기도 한다[20].

(1) 대동맥박리(aortic dissection)

대부분의 대동맥박리는 중장년층의 환자(50세 이상)에서 고혈압에 의해 상승된 전단력(shearing force)에 의해 내막파열(intimal entry tear)이 일어난 후 중막(aortic media)을 따라 박리가 진행되어 진성내강(true lumen)과 가성내강(false lumen)으로 나누어지는 질환이다. 대동맥박리는 흔히 중막 근육층의 바깥쪽 2/3을 따라 진행되므로 가성내강의 바깥벽(outer wall)은 중막의 1/3과 외막(adventitia)으로만 되어 있어 매우 얇아 대동맥 파열이 일어나기 쉽다. 진성내강과 가성내강을 나누고 있는 막을 내막판(intimal flap)이라고 하는데 이는 사실은 잘못된 명칭이다. 왜냐하면, 내막판은 내막으로만 되어 있지 않고 내막과 중막의 2/3로 구성되어 있으므로 내중막판(intimomedial flap)으로 명명하는 것이 더 바람직하다[20]. 대동맥박리의 전체적인 침범범위는 흉곽 입구부(thoracic inlet)에서 대퇴골두(femoral head)를 포함하는 대동맥CT에서 가능하므로, 일반적인 흉부CT에서 발견된 대동맥박리의 판독에 있어서 영상의학과 의사는 1) 대동맥박리의 Stanford type을 구분, 2) 입구파열(그림 23-25)의 위치 및 크기 3) 진성내강과 가성내강의 구분(그림 23-26), 4) 가지동맥

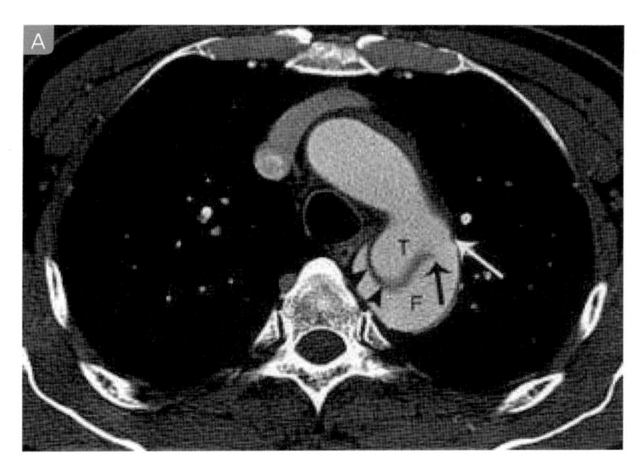

■ 그림 23-25. **Stanford type B 대동맥박리가 있는 환자에서 입구파열(entry tear).**
대동맥궁이 보이는 레벨의 횡단면 영상에서 입구파열(화살표 사이)이 보인다. 내중막판(arrowheads)의 결손부위가 입구파열이며 파열된 내중막판의 끝(black arrow)이 가성내강(F)을 향해 있어 혈류의 흐름이 진성내강(T)에서 가성내강(F)으로 흐르고 있음을 시사한다.

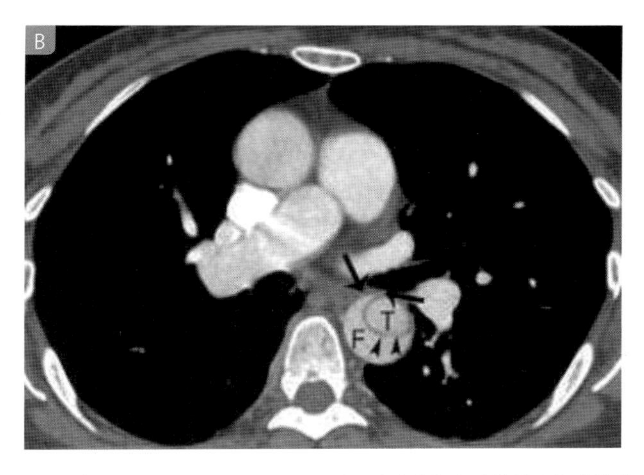

■ 그림 23-26. **Stanford type B 대동맥박리에서 진성내강과 가성내강의 구분**
상행대동맥은 정상이므로 Standford type B 대동맥박리이다. 하행대동맥에 원래는 없던 공간인 가성내강(F)과 진성내강(T)을 나누는 내중막판(arrowheads)이 보인다. 진성내강(T)는 가성내강(F)보다 압력이 낮아 크기가 보통 작고 가성내강은 새의 부리모양처럼 뾰족한 부분(arrows, beak sign)를 보이는 쪽이다.

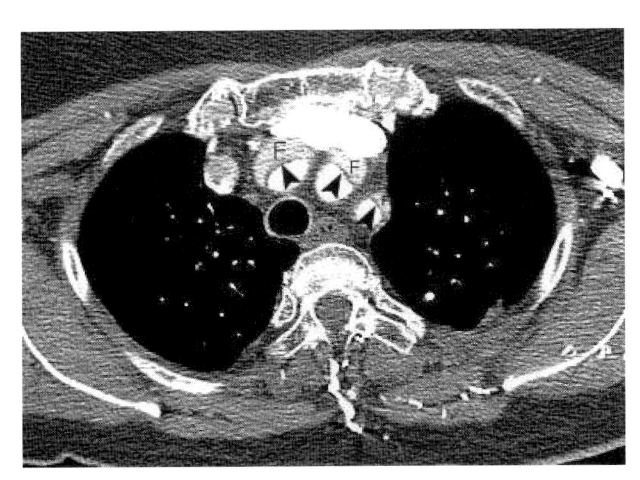

■ 그림 23-27. **Stanford type A대동맥박리가 있는 환자에서 분지혈관 침범.**
우측완두동맥, 좌측총경동맥, 좌측쇄골하동맥으로의 대동맥박리의 파급(arrowheads)가 보인다. 진성내강보다 가성내강(F)의 압력이 높아 조영증강이 상대적으로 저하되어 있다.

(side branch) 침범 유무 (그림 23-27, 28)를 판정해야 한다[20-25]. 상행대동맥에 박리가 동반된 경우는 Stanford type A로, 하행대동맥에만 박리가 있는 경우는 Stanford type B로 구분한다. Stanford type A의 경우 상행대동맥의 근위부(proximal portion)가 심막(pericardium)에 싸여 있어서 대동맥파열이나 누출(leakage)이 생길 경우 심낭압전(cardiac tamponade)이 발생하기 때문에 조기수술을 원칙(그림 23-29)으로 한다. 반면, Stanford type B의 경우는 합병증이 병발하지 않는 한 보존적 치료가 우선시된다. 진성내강과 가성내강의 구분은 스텐트를 삽입하거나 내막판천공술(intimal flap fenestration)등의 중재시술이나 수술적 치료를 시행할 때 중요한 정보를 제공한다. 가성내강의 크기는 진성내강에 비해 흔히 더 크다. 이

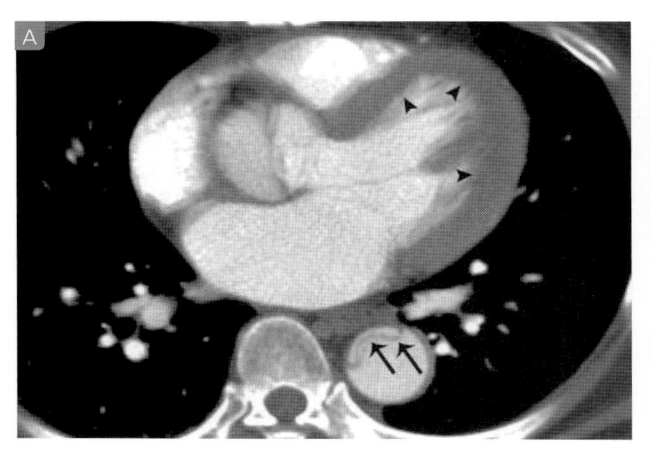

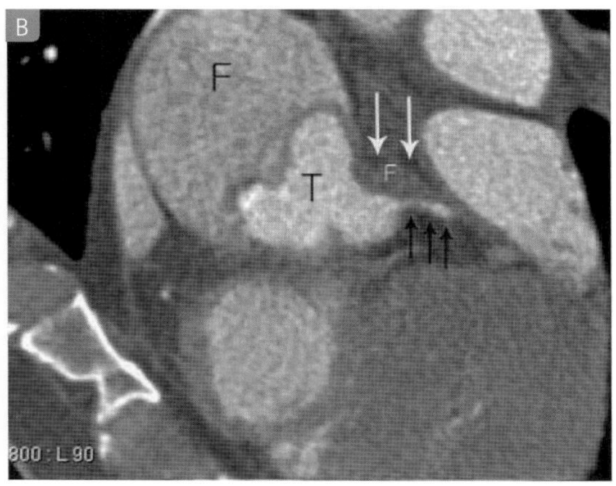

■ 그림 23-28. **Stanford type A 대동맥박리가 있는 환자에서 관상동맥침범에 따른 급성심근경색.**
A. 좌심실의 내막하저음영(subendocardial hypoperfusion, arrowheads)이 보여 급성심근경색이 의심된다. 그러나 하행대동맥에 내중막판(arrows)이 보여 대동맥박리에 의한 이차적인 심근경색임을 시사한다. **B.** 심전도 동기화를 한 관상동맥CT 관상면 영상에서 좌주관관상동맥(left main coronary artery)로의 내중막판의 파급에 의한 협착(arrows)이 보인다. 대동맥 근위부에 진성내강(T)과 가성내강이(F)이 있는 Stanford type A 대동맥박리가 보인다.

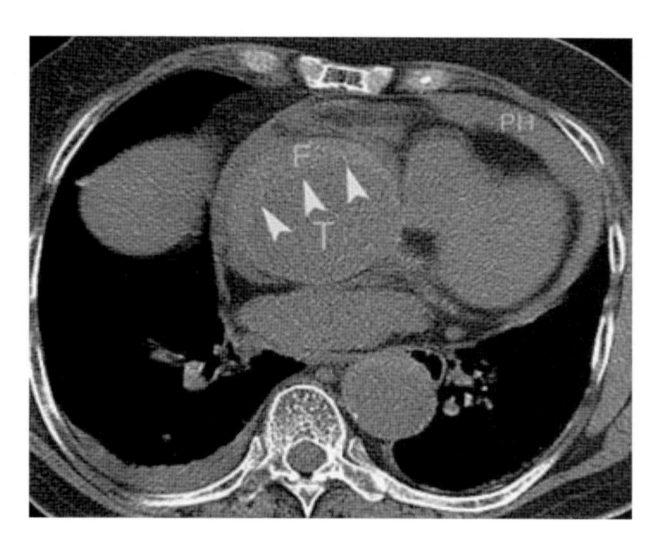

■ 그림 23-29. **Stanford type A 대동맥박리가 있는 환자에서 발생한 심막혈종**
조영전 CT 횡단면영상에서 Stanford type A 대동맥박리의 합병증으로 고음영의 심막혈종(PH, hemopericardium)이 동반되어 있다. 상행대동맥에는 진성내강(T)과 가성내강(F)이 내중막판(arrowheads)에 의해 구분되어 보인다. 가성내강은 혈종에 의해 고음영을 보인다.

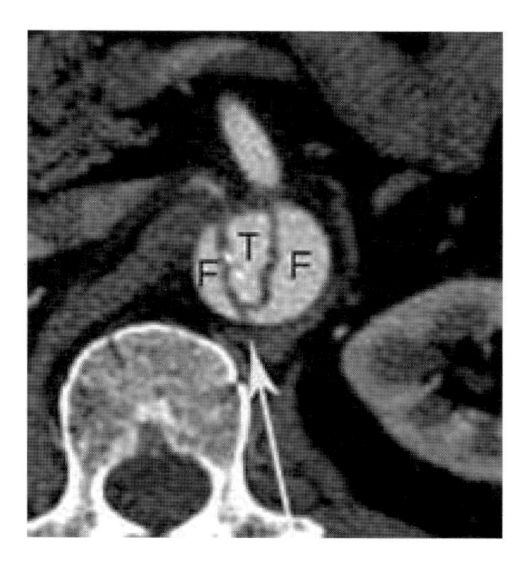

■ 그림 23-30. **거미줄 싸인을 보이는 Stanford type B 대동맥박리.**
흉부CT에서 포함된 복부대동맥 근위부에 진성내강(T)과 가성내강(F)사이에 거미줄 싸인(화살표)이 보인다. 거미줄 싸인은 대동맥박리가 중막 근육층을 따라 파급될 때 완전히 파열되지 않은 근육섬유에 의해 나타나며, 가성내강을 의미하는 증거이다.

는 입구파열(entry tear)의 크기에 비해 출구파열(reentry tear)의 크기가 보통 작아서 가성내강의 압력이 진성내강의 압력보다 높기 때문에 발생한다. 가성내강은 정상에서는 없었던 공간이기 때문에 CT에서는 내중막판과 가성내강의 바깥벽 사이가 새부리모양으로 보이게 되고(beak sign, 그림 23-26), 완전히 파열되지 않은 근육섬유(muscle fiber)가 가성내강에 보이는 거미줄 싸인(cobweb sign)(그림 23-30) 등의 소견을 보인다[20]. 흉부CT에서 대동맥박리가 보일 때는 관상동맥과

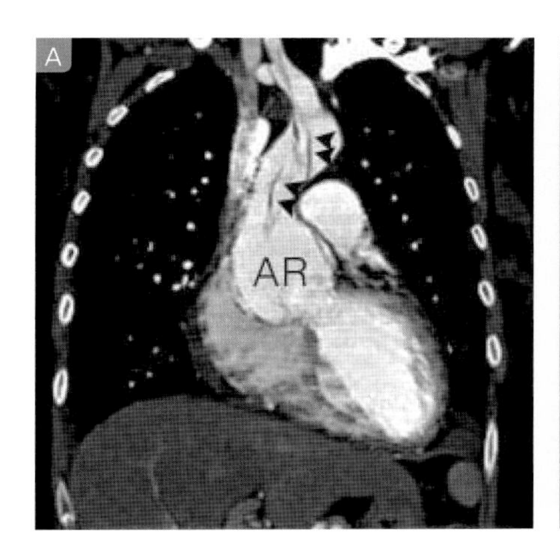

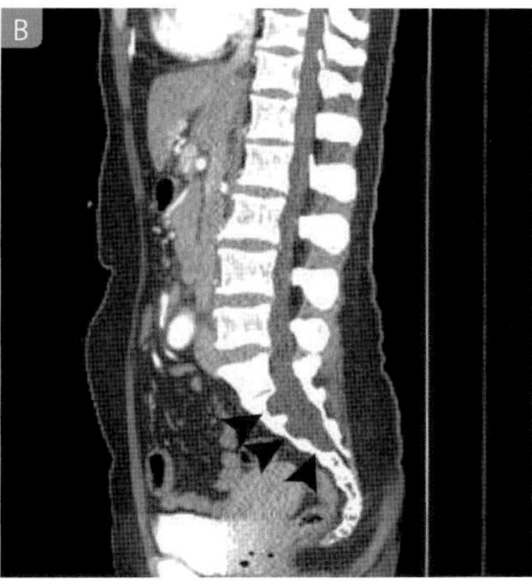

■ 그림 23-31. **마르판 증후군이 있는 32세 여자에서 발생한 Stanford type A 대동맥박리와 경막팽창(dural ectasia).**
A. 50세 미만의 젊은 환자에서 대동맥박리(arrowheads)가 보일 때는 마르판 증후군과 같이 대동맥벽의 결체조직 이상에 의한 대동맥박리의 가능성을 염두에 두어야 한다. 특징적으로 대동맥 근(aortic root: AR)의 팽창에 의해 서양배 모양(western pear appearance)을 보인다. **B.** 대동맥박리의 전체 범위를 알기 위해 시행한 대동맥 CT에서 천장골부위에 경막팽창(arrowheads)이 보여 마르판증후군에 특징적인 소견이다.

총경동맥을 침범했는지 유심히 관찰해야 한다 [21]. 관상동맥침범은 급성심근경색을 의미하는 좌심실 내막하저음영(subendocardial hypoperfusion)의 존재(그림 23-28A)로 의심할 수 있지만, 관상동맥 자체의 침범 유무에 대한 평가는 심전도 동기화를 시행하지 않는 일반적인 흉부 CT에서는 어려울 수 있다. 따라서, 이런 경우는 심전도 동기화 심장 CT를 시행하여 관상동맥의 침범유무를 정확하게 확인하는 것이 바람직하다 [22].

50세 미만의 젊은 환자에 대동맥박리가 있을 때에는 마르판 증후군(그림 23-31) 이나 이엽대동맥판막증(bicuspid aortic valve)와 같이 대동맥 자체의 이상(aortopathy)의 가능성을 배제하여야 한다[18-21]. 심전도 동기화를 시키지 않은 흉부CT에서 대동맥 박리를 진단할 때는 호흡 등의 움직임에 의한 인공물의 가능성 및 내중막판과 혼동되는 정상 구조물 등을 배제하여야 한다(그림 23-32).

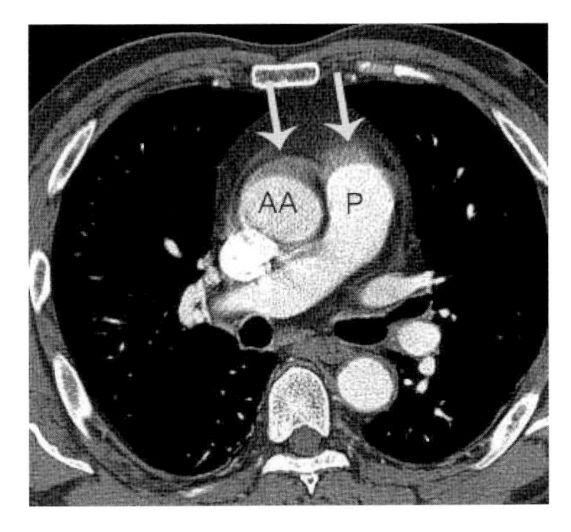

■ 그림 23-32. **대동맥박리와 혼동될 수 있는 인공물의 예.**
대동맥박리와 유사하지만, 상행대동맥(AA)뿐만 아니라 폐동맥(P)에도 인공물(arrows)이 있어 대동맥박리와 감별된다. 또한, 대동맥 박리가 의심되는 병변이 한 두 면의 영상에서만 보이고, 대동맥을 따라 길게 파급되지 않고, 대동맥의 벽 바깥으로 확대되는 경우는 인공물의 가능성을 고려해야 한다.

(2) 대동맥 벽내혈종(intramural hematoma)

과거에 대동맥 벽내혈종은 중막(media)의 혈액을 공급하는 미세혈관(vasa vasorum)의 파열에 의한 것으로 생각하였다. 그러나 최근 연구에 따르면, 대동맥 벽내혈종의 기본적인 병태생리는 전형적인 대동맥박리와 유사하지만, 전자의 경우 후자에 비해 입구파열(entry tear)에 의한 내막결손(intimal defect)과 출구파열(reentry tear)의 크기가 작아서 가성내강으로의 혈류 흐름이 원활하지 않아 혈전형성(thrombosis)이 빨리 일어난다는 특징을 보인다[20]. 전형적인 대동맥박리와 유사한 병태생리를 가지므로 대동맥 벽내혈종의 치료는 대동맥박리와 유사하다. 영상의학과 의사로서 유의할 점은 조영증강 CT만으로 판독할 때, 얇은 두께를 가지는 대동맥 벽내혈종을 동맥경화성변화에 의한 대동맥 벽비후로 오인하는 것이다. 동맥경화성변화와 달리, 대동맥 벽내혈종은 매끈한 내면을 보인다. 이러한 소견이 보일 때는 반드시 조영제

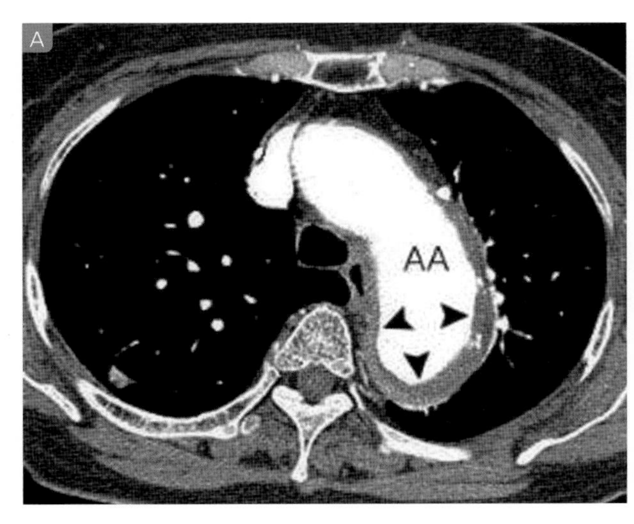

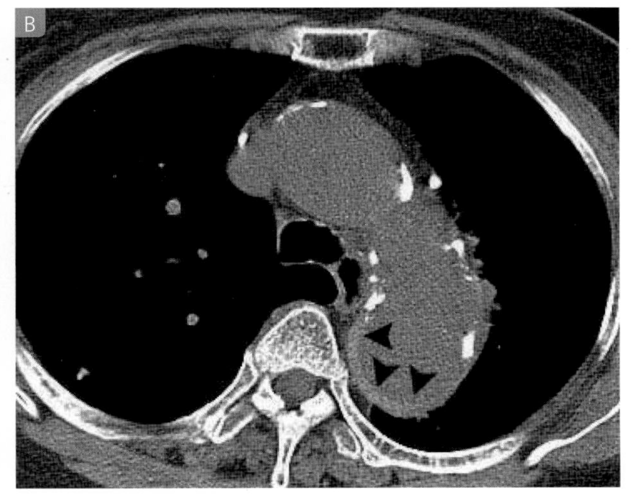

■ 그림 23-33. **Stanford Type B 대동맥 벽내혈종 (intramural hematoma)**
A. 횡단면 CT영상에서 매끄러운 벽비후 (arrowheads)가 대동맥궁에 있어서 벽내혈종이 의심된다. 이럴 경우 동맥경화에 의한 소견으로 생각하지 말고 조영 전 CT를 꼼꼼히 살펴보아야 한다. **B.** 조영 전 CT에서 특징적인 고음영이 벽비후 (arrowheads)에 있어서 급성 대동맥 벽내혈종과 합당하다.

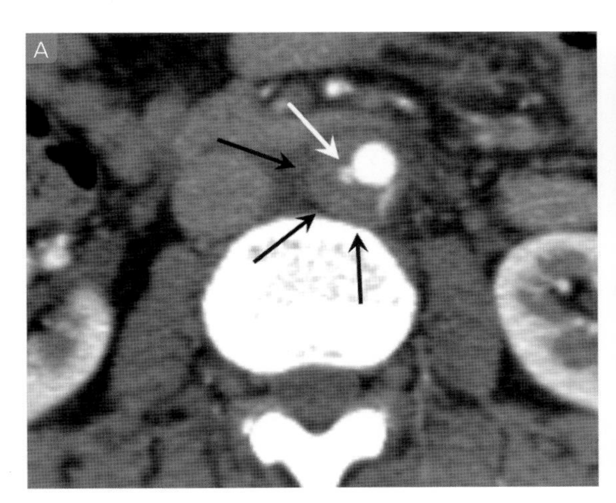

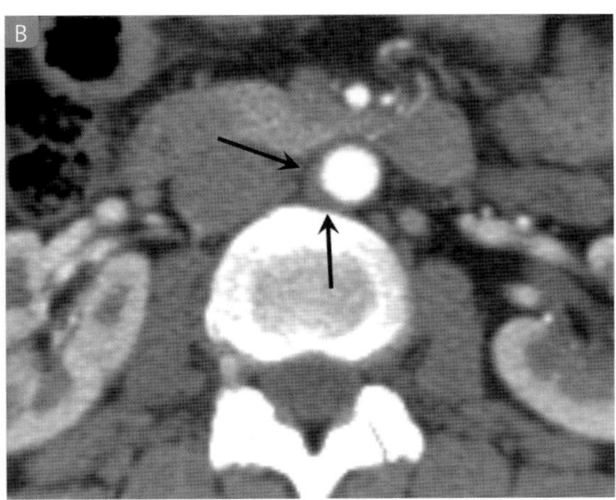

■ 그림 23-34. **대동맥 벽내혈종 (intramural hematoma)에서 생긴 intramural blood pool**
A. 횡단면 CT영상에서 대동맥 벽내혈종 (black arrows) 내에, 내강에서부터 조영제 일부가 차서 주머니모양으로 보이는데, 이는 입구가 2 mm 이하로 좁은 intramural blood pool (IBP, white arrow)로 명명되며, 예후가 좋은 것을 시사한다. **B.** 1년후 추적검사 CT에서 대동맥 혈종 (black arrows)의 크기가 현저하게 줄고, IBP도 소실된 것을 볼 수 있다.

를 쓰지 않은 CT에서 초승달 모양의 고음영이 보이는 지 살펴보아야 한다(그림 23-33) 그러나 아급성 대동맥 벽내혈종 (subactue intramural hematoma)의 경우 조영전 CT에서 전형적인 고음영(HU>50)이 보이지 않을 수 있다. 대동맥 벽내혈종은 대부분 크기가 줄어들거나 완전히 소실되지만, 일부에서는 대동맥박리나 대동맥파열로 진행되기도 한다[23]. 그 과정에 내강에서 조영제 일부가 주머니모양으로 차서 (focal contrast-filled sac) 벽내혈종 내에 보이게 되는데, 입구가 2 mm 이하로 좁고 다른 흉곽동맥 (intercostal artery)나 천추동맥 (lumbar artery)등과 연결이 있는 경우를 intramural blood pool (IBP)라 하고(그림 23-34), 입구가 3 mm 이상을 보이며 다른 가지동맥와 연결이 없는 경우를 ulcer-like projection

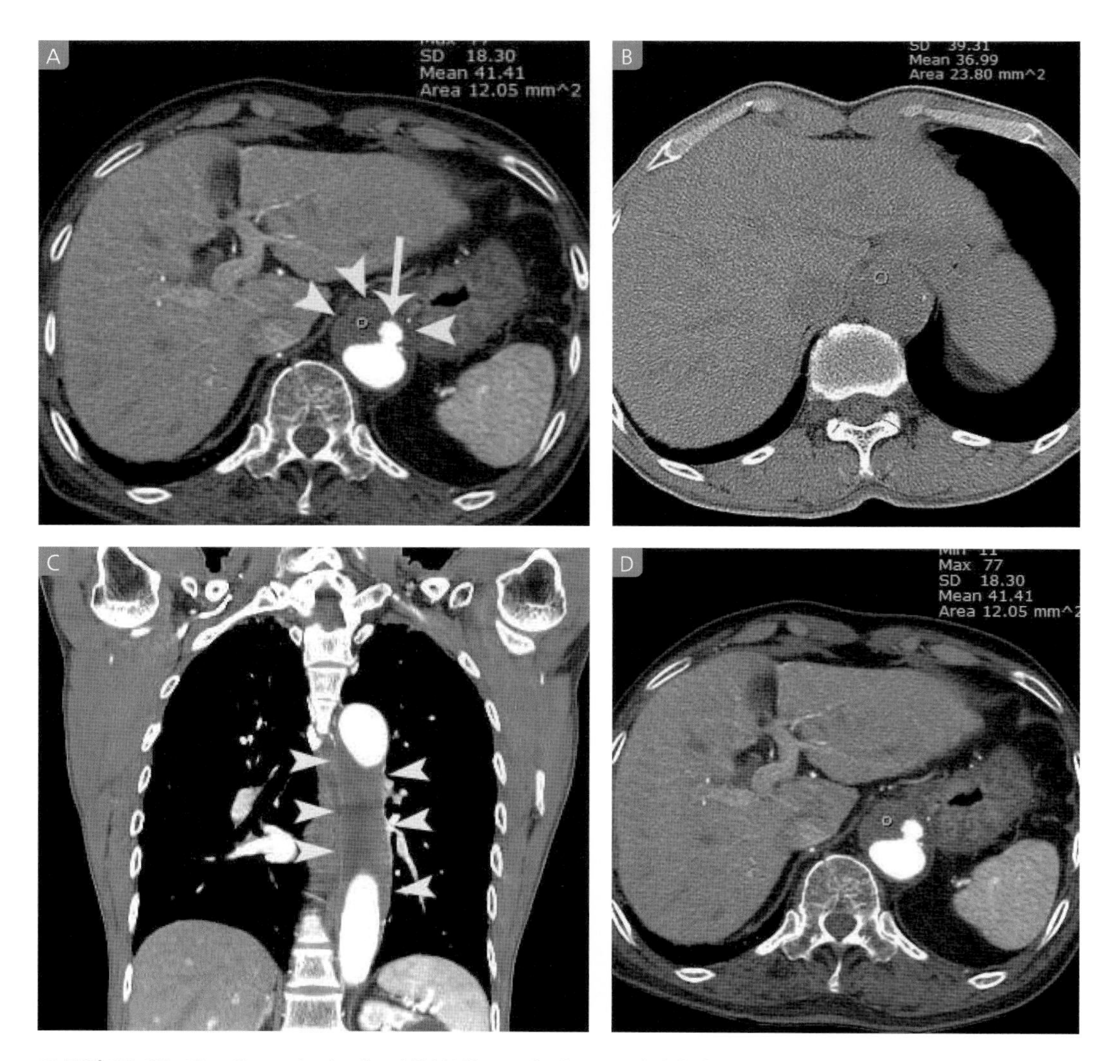

■ 그림 23-35. **Ulcer-like projection (ULP)을 보이는 Stanford type B 아급성 대동맥 벽내혈종(subacute intramural hematoma)**
A. 흉부CT의 아래쪽 영상에서 ULP (arrow)이 보이고 주변에 벽내혈종으로 의심되는 벽비후(arrowheads)가 보인다. 이러한 소견이 있을 때 세 가지 가능성을 염두해 두어야 한다(벽내혈종에 동반된 내막결손(entry or reentry tear), 관통성 동맥궤양과 동반된 대동맥 벽내혈종, 동맥류내 동맥경화성 프라크나 혈전에 동반된 미란). 벽비후의 평균 HU값이 41이다. **B.** 같은 레벨의 조영전 CT에서 벽비후는 HU값이 37이고 분명한 고음영을 보이지 않는다. 환자는 20일 전 외부병원에 급성가슴통증으로 내원한 병력이 있었다. **C.** 동일한 환자의 관상면 CT에서 벽비후(arrowheads)가 대동맥궁까지 파급되어있고 내막을 따라 심한 동맥경화가 보이지 않아서 관통성 동맥궤양이라기 보다는 전형적인 대동맥 벽내혈종에 동반된 내막결손의 가능성이 높다. 동맥경화성 동맥류가 있고 혈전이나 동맥경화반에 동반된 미란(erosion)의 가능성도 유사한 이유로 낮다. **D.** 10년 뒤에 추적검사CT에서 ULP과 동맥벽비후는 소실되지 않고 있다. 이러한 소견은 ULP이 있는 벽내혈종은 합병증이 높다는 것을 시사한다.

(ULP)이라 한다(그림 23-35). 전자의 경우는 예후가 좋아 벽내혈종이 완전히 소실되는 경우가 많은 데 비해, 후자의 경우는 예후가 좋지 않아 대동맥박리나 대동맥파열로의 진행이 더 흔하다. 이러한 ULP의 대부분은 대동맥 벽내혈종의 원인이 된 내막결손(entry or reentry tear)로 알려져 있다 [24]. 그러나 실제 임상에서 내막결손과 동반된 대동맥 벽내혈종과 관통성 동맥궤양에 동반된 대동맥 벽내혈증을 정확히 구분하기 어렵고 병리학적인 확진이 내려지는 경우가 드물어서 ULP이라고 명명하는 것이 바람직하다. 다만, 내막결손과 동반된 대동맥 벽내혈종의 경우 1)대동맥 내강과의 경계면이

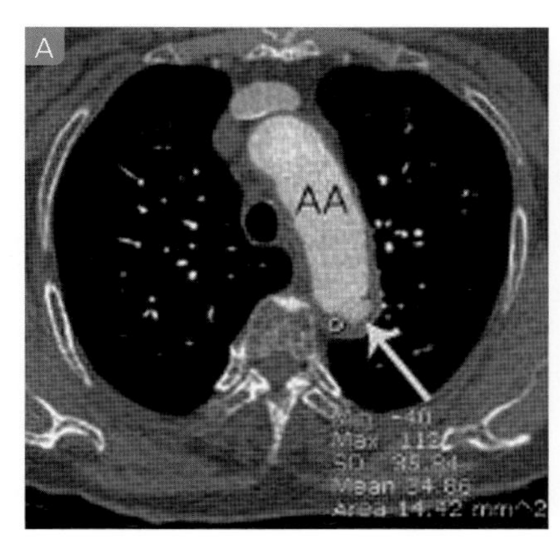

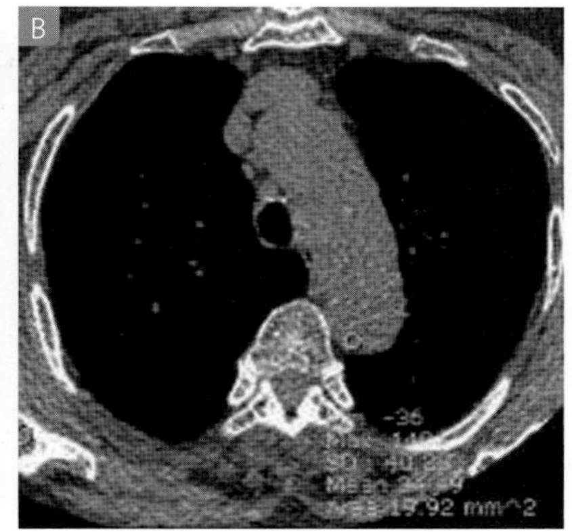

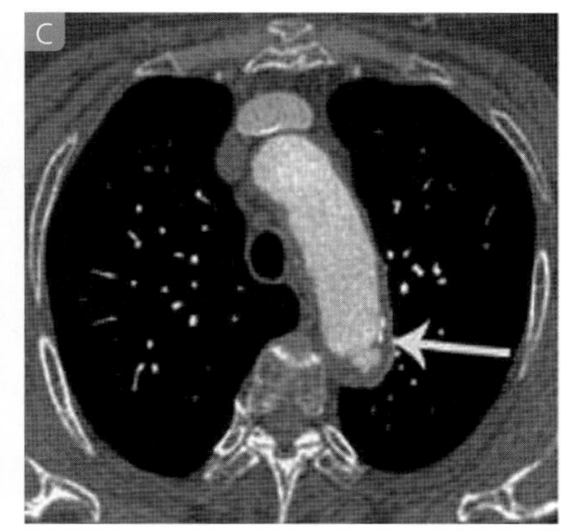

■ 그림 23-36. **대동맥의 관통성 동맥궤양**

A. 횡단면 CT영상에서 대동맥궁(AA)의 원위부에 예상되는 대동맥벽 밖으로 돌출된 병변(arrow)이 보이고, 주변에 벽비후가 동반되어 있다. 벽비후의 평균 HU값은 34이다. **B.** A와 같은 레벨의 조영 전 CT에서 벽비후의 평균 HU값은 34이다. 조영 전 CT에서 분명한 고음영이 아니고 조영증강이 없어서 아급성 대동맥 벽내혈종이 의심된다. 의심되는 벽내혈종은 궤양 주변에만 국한되어 있고 광범위하게 파급하지 않았다. **C.** A보다 약간 위 레벨의 횡단면 CT영상에서 궤양은 동맥경화성 내막석회화(intinal calcification) (arrow)보다 아래에 위치해 있어서 관통성 동맥궤양과 합당하다.

매끄럽고 2) 벽내혈종의 범위가 후자에 비해 넓다. 반면, 관통성 동맥궤양에 동반된 벽내혈종의 경우는 1) 주변에 심한 동맥경화성 변화(석회화나 동맥경화반)가 보이고 2) 심한 동맥경화에 의한 섬유화로 벽내혈종이 주변으로 넓게 파급되기 어려워 국한된 양상을 보인다는 점이 감별점이다[20].

(3) 관통성 동맥궤양 (penetrating atherosclerotic ulcer)

대동맥의 동맥경화성변화가 하행대동맥에 가장 심하기 때문에 관통성 동맥궤양은 하행대동맥에 호발한다. 위장촬영영상에서 위궤양이 보이는 것처럼, 관통성 동맥궤양은 예상되는 대동맥벽(expected aortic wall)보다 바깥으로 돌출된 조영제의 주머니가 있으면 의심해야 한다(그림 23-36). 급성가슴통증이 동반된 경우 대동맥 벽내혈종이 흔히 관통성 동맥궤양 주변에 보인다. 주의해야 할 점은 동맥경화성 경화반 내에 미란이 일어난 경우, 관통성 동맥궤양으로 오인하기 쉬운데, 이 경우에는 전형적인 관통성 동맥궤양과 달리 미란이 예상되는 대동맥벽보다 안쪽에 위치한다는 점이다. 관통성 동맥궤양과 낭성 대동맥류(saccular aneurysm)를 CT모양만으로 정확히 구분하기는 어려운데, 이는 낭성 대동맥류(saccular aneurysm)을 관통성 동맥궤양의 만성적 형태로 보는 견해도 있기 때문이다 [20]. 다만, 낭성 대동맥류인 경우 급성 흉통과 대동맥 벽내혈종이 동반되지 않는다는 차이점이 있다.

3) 대동맥류

대동맥의 직경을 정확하게 측정하는 것은 수술적응증의 판단과 대동맥류의 추적검사에서 매우 중요하다. 횡단면영상(axial view)에서 직경을 측정할 경우 실제직경보다 과대평가할 가능성이 있으므로 반드시 대동맥의 장축에 직각이 되는 축을 따라 관상면 영상(coronal view)에서 측정해야 한다. 전술한 바와 같이 4 cm 이상이면 대동맥류가 있다고 판단한다. 고무풍선이 커질수록 터질 가능성이 높아지는 것과 같이(Laplace law) 대동맥류의 직경이 증가할 수록 대동맥파열의 위험성이 증가하므로 수술적 치료를 고려하게 된다. 추적검사에서 1년에 1cm 이상 직경이 증가하는 것은 수술 적응증이다. 흉부외과의사마다 수술적응증이 되는 직경에 차이가 있지만 기억하기 쉽게 4-5-6-7 rule을 이용하여 4 cm 이

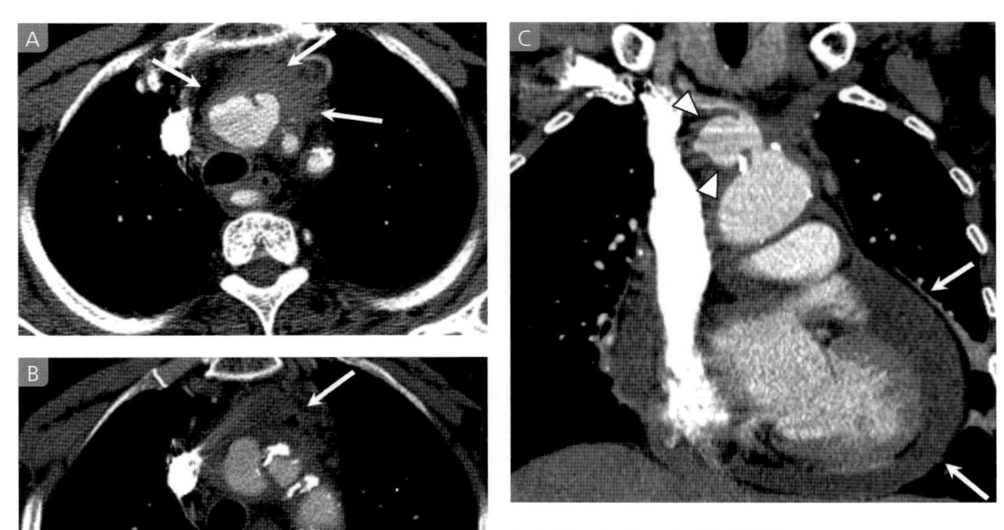

■ 그림 23-37. **염증성 대동맥류**
흉부 CT에서 우측 팔머리동맥(brachiocephalic trunk)이 불규칙한 낭성의 가성동맥류(pseudoaneurysm)를 보이며(A, 화살표) 비정상적인 공기(B, 화살표)가 관찰되어 세균에 의한 염증성 동맥류임을 알 수 있다. 관상면 CT(C)에서 동맥류의 모양이 낭성(삼각형화살표)임이 분명하게 관찰되고, 심장막 삼출액(화살표)이 관찰된다.

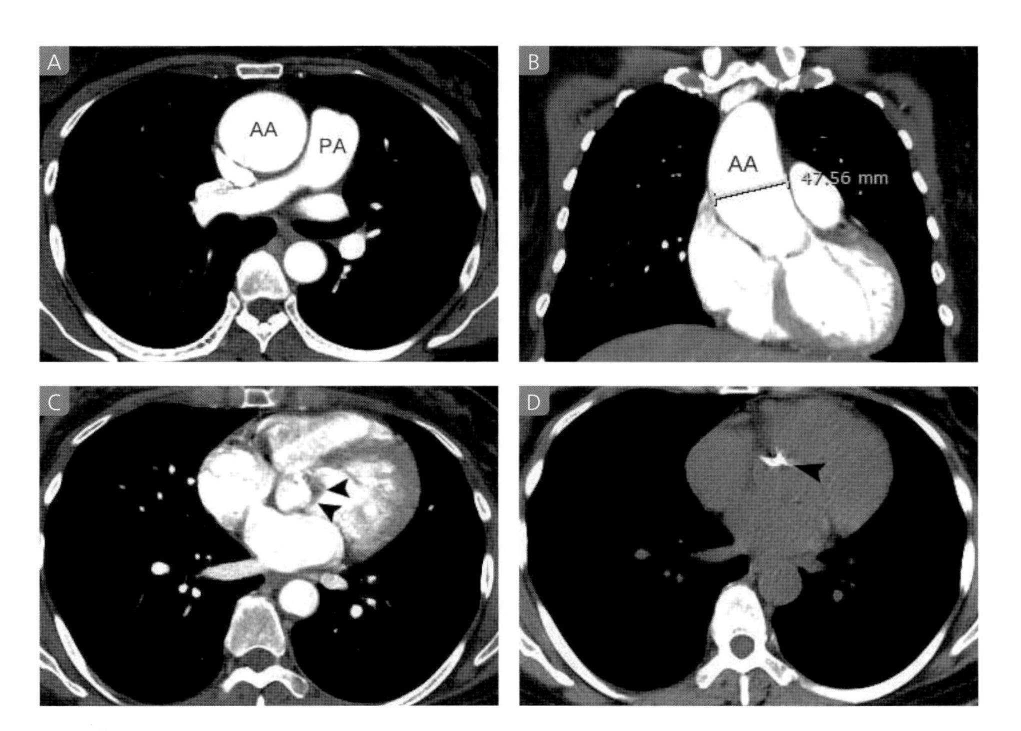

■ 그림 23-38. **이엽성 대동맥판막증과 대동맥류를 동반한 47세 여자.**
A. 횡단면 CT영상에서 폐동맥(PA)보다 상행대동맥(AA)의 크기가 커서 대동맥류가 있음을 시사한다(정상에서는 폐동맥과 상행대동맥의 크기가 비슷하다). **B.** 관상면 CT영상에서 상행대동맥(AA)의 크기는 47.6 mm로 증가되어 있다. **C.** 횡단면 CT영상에서 대동맥판막(arrowheads)이 두꺼워져있다(정상에서는 매우 얇아야한다(paper thin)). **D.** C와 비슷한 조영 전 횡단면 CT영상에서 대동맥판막에 석회화(arrowhead)가 동반되어 있다. 이러한 조합은 이엽성대동맥판막증을 시사하는 소견으로 심장에코를 시행하도록 유도하여야 한다.

상은 대동맥류의 진단에, 5 cm 이상은 마르판증후군같이 대동맥파열의 위험성이 높은 환자에서 수술적응증으로, 5.5 cm-6 cm 은 상행대동맥류의 수술적응증으로, 6.5 cm-7 cm 은 대동맥궁이나 하행대동맥류의 수술치료 적응증으로 생각한다[19]. 대동맥류의 정확한 직경측정도 중요하지만, 대동맥류의 위치, 모양, 분지혈관 침범유무 등을 자세히 분석하는 것은 대동맥류의 원인질환을 찾고 수술과 중재수술을 준비하기 위한 중요한 정보이다. 대동맥류의 모양은 크게 방추형(fusiform)과 주머니형(saccular) 대동맥류로 나뉜다. 특히, 주머니형 대동맥류의 경우, 외상성 대동맥류, 관통성 동맥궤양, 감염성 대동맥류(그림 23-37)로 감별이 축소된다는 점에서 중요하다. 대동맥류의 흔한 원인은 동맥경화, 대동맥판막질환, 혈관염, 마르판증후군(그림 23-31) 등이다. CT소견만으로 대동맥류의 원인을 정확하게 알아내기는 쉽지 않지만, 대동맥류의 위치, 모양 등이 감별에 도움이 된다. 마르판 증후군의 경우 대동맥 근부를 선별적으로 침범하여 서양 배 모양(western pear appearance)의 대동맥 근부를 보이는 것이 특징적이다[25]. 상행대동맥에 국한된 대동맥류가 있을 때에는 이엽성 대동맥판막을 의심해야한다. 특히, 60세 미만의 젊은 환자에서 원인을 알 수 없는 대동맥류가 상행대동맥에 있으면서 대동맥판막이 두꺼워지거나 석회화가 보일 때 이엽성대동맥 판막을 의심하고 심장에코나 관상동맥 CT를 시행하도록 유도하여야 한다(그림 23-38). 대동맥류가 하행대동맥에 있을 때 가장 흔한 원인은 동맥경화(그림 23-39)이다. 동맥경화는 대동맥 전반에 걸쳐오지만 하행대동맥에 가장 심하게 일어남으로 하행대동맥에 있는 방추형(fusiform) 대동맥류를 보이면 비교적 특징적이다[25]. 대동맥류가 분지혈관을 침범하고 있을 때에는 중재시술이나 수술적치료 시 내누출(endoleak)나 허혈증상과 관련이 있으므로 판독에 포함하여야 한다.

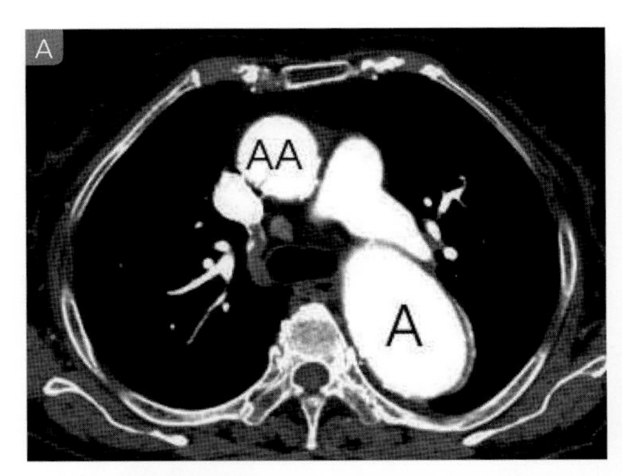

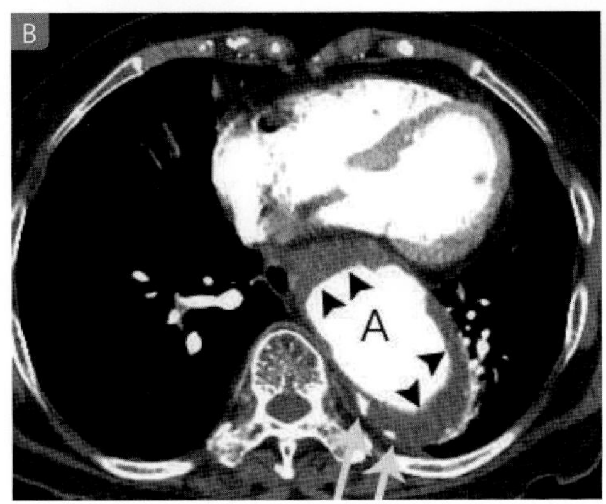

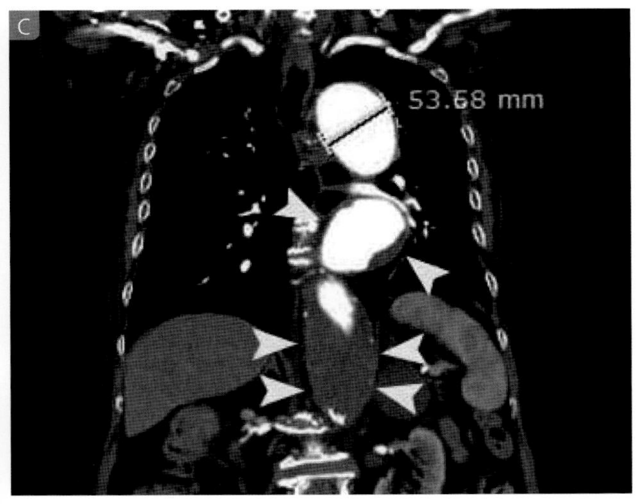

■ 그림 23-39. **동맥경화성 대동맥류**

A. 하행대동맥 근위부에 대동맥류(A)가 보인다. 상대적으로 상행대동맥(AA)은 정상이다.

B. 좌심방레벨에서의 횡단면 CT영상에서 불규칙한 동맥경화반과 혈전(arrowheads)이 보이고 동맥벽에 내막 석회화(arrows)가 보인다.

C. 관상면 영상 CT에서 근위부 하행대동맥의 직경은 53.68 mm 이다. 또한, 하행대동맥 전반에 걸쳐 동맥경화성 대동맥류(arrowheads)가 있다.

4) 대동맥염

혈관염이 대동맥을 침범하는 경우는 거세포성 동맥염(giant cell arteritis), 류마티스 관절염(rheumatoid arthritis), 강직성 척추염(ankylosing spondylitis), 베체트병, 면역글로블린 연관성 동맥염(immunoglobulin G4 related aortitis), 타카야수 동맥염(Takayasu's arteritis)등 다양하다[26, 27]. 본 교과서에서는 각각의 자세한 기술은 피하고 어떻게 혈관염을 CT로 의심할 수 있는가에 대해서 주로 살펴본다. 혈관염의 초기소견은 대동맥벽 비후(aortic wall thickening, ≥2 mm)이다. 조영증강CT에서 대동맥벽이 두꺼워보이는 경우 대부분이 동맥경화반이다. 따라서 주의하지 않으면 혈관염에 의한 초기소견인 대동맥 비후를 간과할 수 있다 [28]. 동맥경화에 의한 벽비후와 감별점은 동맥경화는 불균일한 벽비후를 보이는 반면, 혈관염에 의한 벽비후는 비교적 균일한 비후를 보이며, 조영 전 증강 CT와 비교하여 조영증강이 이루어진다는 점이다 [29]. 조영증강 CT에서 대동맥 벽비후를 보이는 다른 원인으로 대동맥 벽내혈종이 있다. 대동맥 벽내혈종은 조영 전 CT에서 HU>50로 높은 음영을 보일 때 진단할 수 있다. 그러나 실제 임상에서 혈관염에 의한 벽비후가 얇을 경우 조영 증강 여부를 정확히 알기 어려운 경우가 적지 않고, 대동맥 벽내혈종이 아급성일 때는 HU가 50이하인 경우가 있어서 감별이 어려울 수 있다. 이런 경우는 다양한 가능성을 판독문에 기술하여 스테로이드 치료로 호전을 기대할 수 있는 동맥염을 조기 진단할수 있도록 유도하여야 한다. 후기 혈관염의 소견은 대동맥류, 대동맥이나 분지혈관의 협착등으로 나타난다. 타카야수동맥염은 주로 대동맥이나 그 분지들과 같이 직경이 큰 혈관을 침범하는 염증성 질환으로 아직까지 그 원인에 대해서는 분명하지 않으나, 40세 이하의 젊은 여성에게 특히 호발하는 것으로 알려져 있다. 1990년 미국 류마티스 학회에 의하면 다음 6가지의 이상 소견; 1) 질병의 발병이 40세 이하, 2) 하지의 절뚝거림(claudication), 3) 상완동맥(brachial artery) 맥박감소, 4) 양쪽 상지의 혈압차가 10 mmHg 이상, 5) 쇄골하동맥이나 대동맥의 잡음, 6) 혈관영상의 이상소견 중 3가지를 만족하면 진단할 수 있다 [30, 31]. CT에서 Takayasu 동맥염은 동맥의 벽이 대칭적으로 두꺼워지며, 바깥쪽 벽은 외막(adventitia)의 염증으로 고음영으로 보이며, 안쪽은 내막(intima)의 부종으로 저음영으로 보이는 "이중원(double ring)"이 특징적이다(그림 23-40) [30, 31]. 초기에 쇄골하동맥을 잘 침범되는 것으로 알려져 있으므로, 중년여성에서 쇄골하 동맥이 이유없이 좁아져 있는 경우, 유의하여 대동맥을 살펴보는 것이 바람직하다.

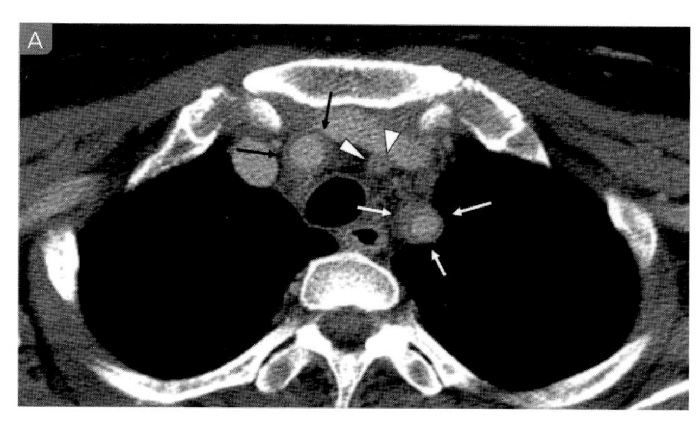

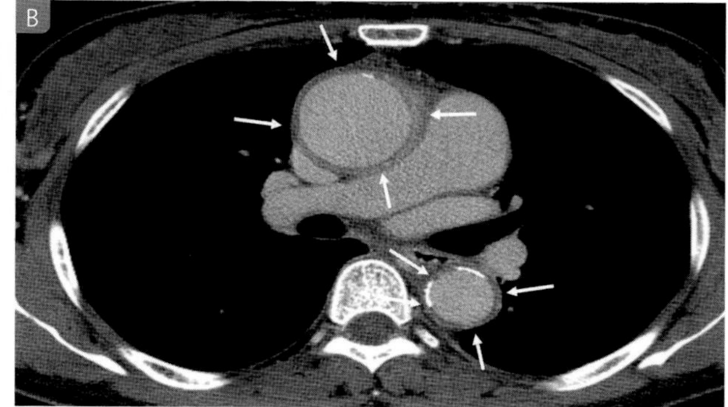

■ 그림 23-40. **흉타카야수 동맥염**
흉부 CT에서 좌측 쇄골하동맥의 심한 협착(삼각형 화살표)이 관찰되고, 우측 팔머리동맥과 좌측 총경동맥, 상행 및 하행 대동맥의 벽의 미만성으로 두꺼워져 있고, 고음영의 외벽과 저음영의 내막으로 구성된 이중 원(화살표)의 소견을 보이는 타카야수 동맥염 환자의 사진이다.

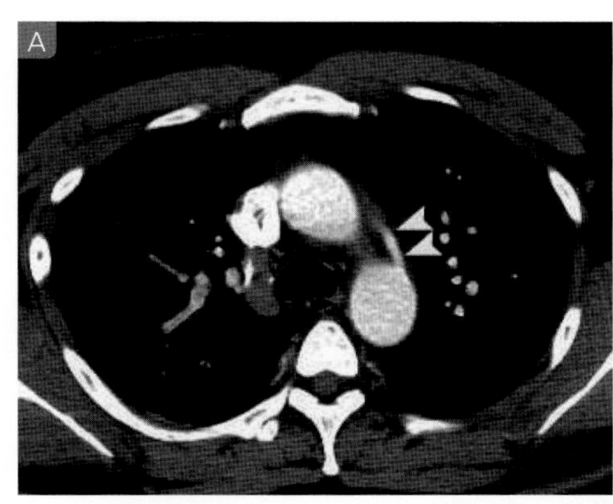

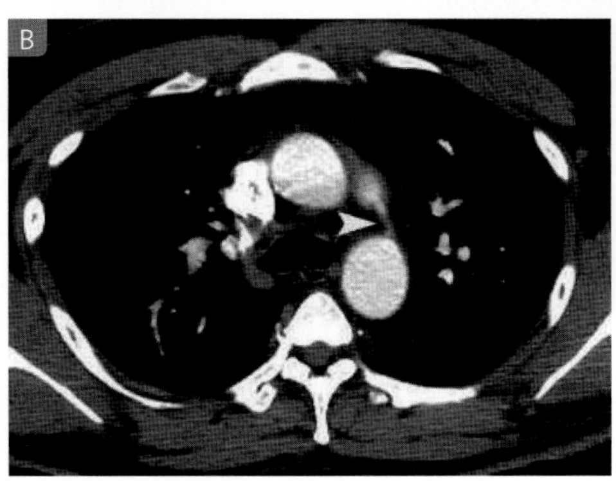

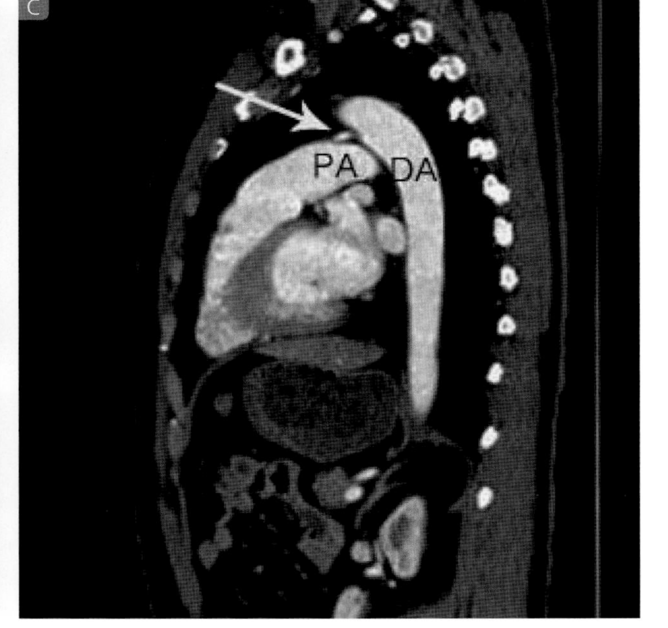

■ 그림 23-41. **흉부CT에서 우연히 발견한 동맥관 개존증**

A. 횡단면 영상CT에서 대동맥궁과 하행대동맥의 경계인 대동맥협부에서 좌폐동맥으로 연결되는 동맥관 개존증(arrowheads)이 있다.

B. A보다 약간 아래레벨에서 동맥개존증이 더 확실히 보인다.

C. 시상면 영상CT에서 하행대동맥(DA)과 좌폐동맥(PA) 사이를 연결하는 동맥관 개존증(화살표)이 보인다.

횡단면영상을 판독할 때 대동맥궁에서 하행대동맥으로 이행하는 부위는 동맥관 개존증과 외상성 가성동맥류가 흔히 발생하는 부위인데 크기가 작을 경우 놓치기 쉬우므로 이 부위는 주의를 기울여 판독해야한다.

5) 기타 질환

(1) 동맥관 개존증(patent ductus arteriosus)

성인의 흉부CT에서 우연히 발견되는 동맥관 개존증은 직경이 작아서 횡단면 영상에서 놓치기 쉬어 주의를 요한다. 따라서, 정상 동맥관의 위치인 대동맥협부가 횡단면 영상에서 어디인지를 정확히 파악하고 있는 것이 도움이 된다. 동맥관 개존증(그림 23-41)은 그 직경이 작아도 큰 압력 차이에 의해 감염성 내막염(infective endocarditis)이 발생할 수 있어서 최근에는 중재시술로 치료한다.

(2) 외상성 대동맥 가성동맥류(traumatic aortic pseudoaneurysm)

외상성 대동맥 가성동맥류(그림 23-42)는 대동맥 협부에 호발하는 데 이 부위가 상대적으로 유동성이 적은 부위여서 외상 시 큰 압력을 받기 때문으로 알려져 있다. CT에서 보이는 외상성 대동맥 가성동맥류의 위치는 대동맥 협부의 내측이다(medial portion of the lesser curvature). 동맥관 개존증과 함께 CT 횡단면 영상에서 크기가 작을 경우 놓치는 경우가

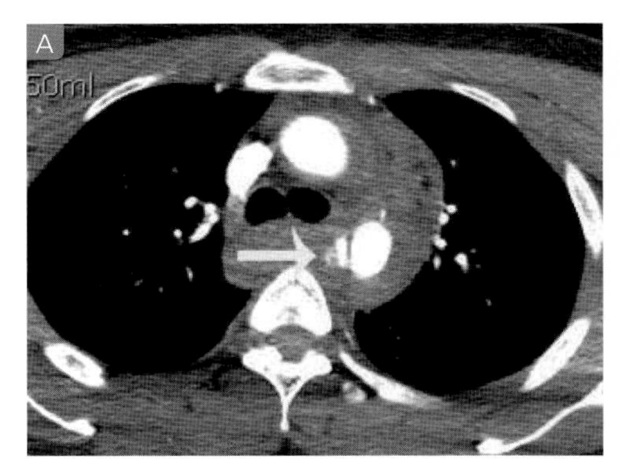

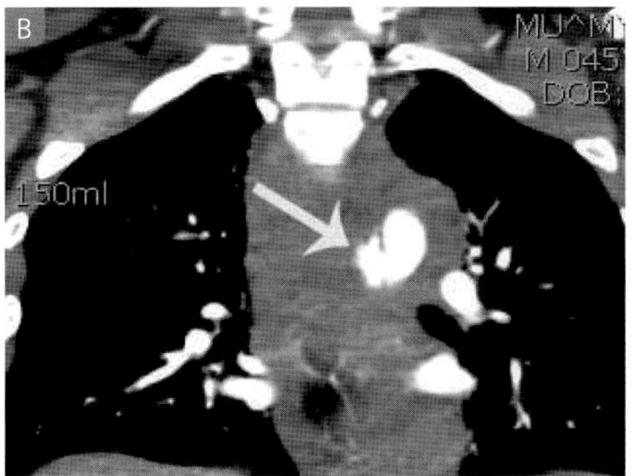

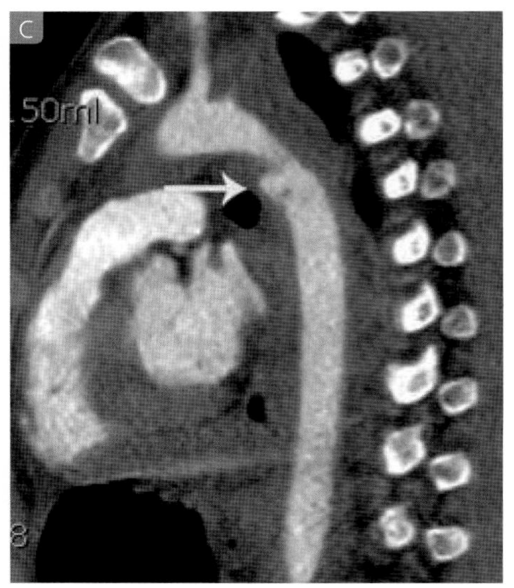

■ 그림 23-42. **자동차사고에 의한 외상성 대동맥 가성동맥류**

A. 횡측단면 영상CT에서 대동맥협부의 아래쪽 내측으로 낭성 가성동맥류(saculular pseudoaneurysm, 화살표)가 보인다. 반면 동맥관이나 동맥관 게실은 외상성 가성 동맥류보다 바깥쪽에 위치하여 감별에 도움이 된다(그림 23-40 참조).

B, C. 관상면(B) 시상면(C) CT영상에서도 같은 소견이다. 낭성 동맥류가 보일때는 관통형 동맥경화성궤양, 외상성 대동맥 가성동맥류, 그리고 감염성 대동맥류를 감별해야한다.

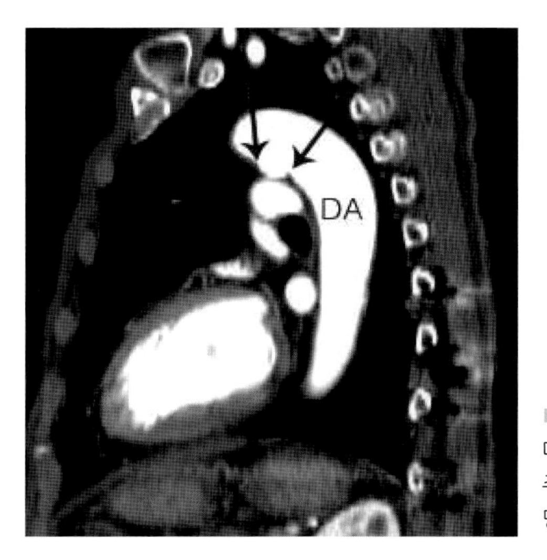

■ 그림 23-43. **외상의 병력이 없는 환자에서 동맥관게실(ductus diverticulum)의 예.**

대동맥궁에서 하행대동맥(DA)으로 이행하는 부위에 대동맥 벽으로부터 돌출된 곳이 보이는데 주변 대동맥 벽과 둔각(obtuse angle, arrows)을 이루고 종격동혈종이 없어 동맥관 게실에 합당하다.

적지 않아서 외상이 있는 환자, 특히 종격동혈종(mediastinal hematoma)가 있을 때는 이 부위를 자세히 평가하여야 한다. 동맥관 게실(ductus diverticulum)이 유사한 소견을 보일 수 있어 감별해야 한다[25]. 동맥관게실(그림 23-43)은 대동맥벽과 게실이 이루는 각이 둔각이며, 종격동혈종을 수반하지 않지만, 외상성 가성동맥류는 일반적으로 대동맥벽과의 각이 예각이고 손상판(flap)이 보이며, 종격동혈종을 동반하는 경우가 많아 구별된다.

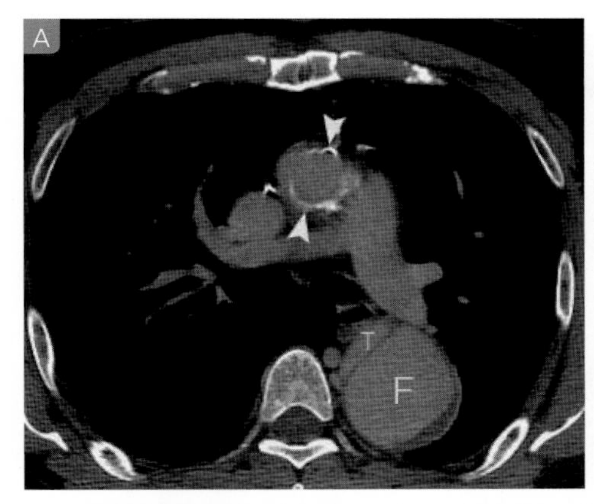

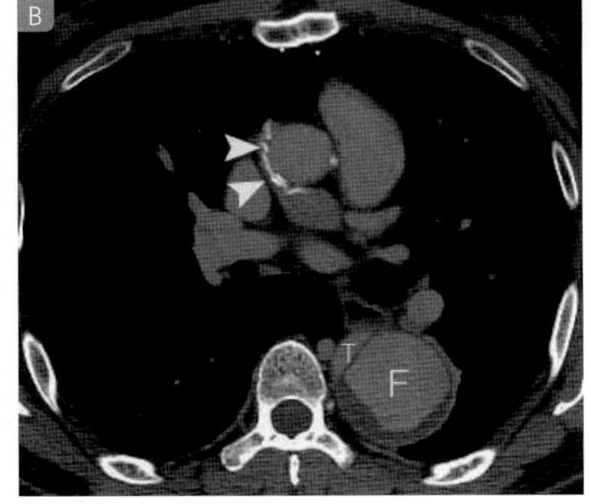

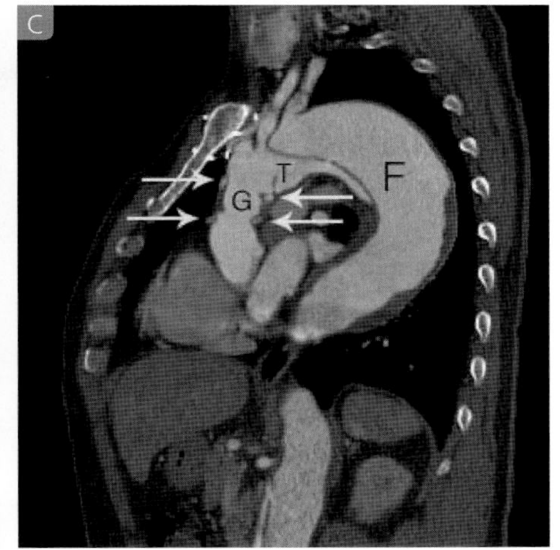

■ 그림 23-44. **Stanford type A대동맥박리의 병력이 있는 환자에서 상행대동맥 이식치환술(graft replacement) 후 변화.**
A. Stanford type A대동맥박리로 시행한 이식(graft)에 의한 고음영의 펠트 테두리(felt rim, arrowheads)가 상행대동맥에 보인다. 하행대동맥 내에는 진성내강(T)과 가성내강(F)의 변화가 보인다.
B. A보다 좀 더 근위부 상행대동맥에 이식치환술에 의한 고음염 펠트 테두리(arrowheads)가 보인다.
C. 시상면 영상CT에서 이식치환술을 한 부위(G)(화살표 사이)가 보인다. 대동맥궁과 하행대동맥은 수술적 치료를 하지 않아 기존의 대동맥박리에 의한 진성내강(T)과 가성내강(F)이 보인다.

6) 수술이나 중재시술 후 소견

대동맥 치환술을 받은 경우 조영전 CT에서 접합부위(anastomotic site)가 펠트물질(felt)에 의해 높은 음영의 고리(rim)(그림 23-44)으로 보인다. 최근 대동맥류를 가진 환자에서 대동맥스텐트(그림 23-45)로 시술하는 경우가 늘고 있어 스텐트 삽입 후 다양한 합병증(혈관내누출, 대동맥박리등의 랜딩부위손상, 스텐트 위치이상, 골절, 스텐트허탈(stent collapse)을 찾도록 노력해야 한다.

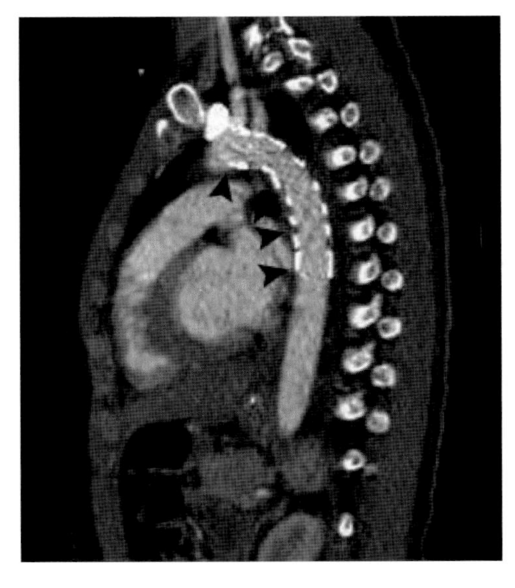

■ 그림 23-45. **외상성가성동맥류에 대한 중재적 스텐트이식 후 CT.**
그림 23-42와 동일한 환자로 중재적 스텐트 삽입 후 추적검사로 시행한 CT에서 혈관내 누출은 보이지 않는다.

참고문헌

1. Foley PW, Hamaad A, El-Gendi H, Leyva F. Incidental cardiac findings on computed tomography imaging of the thorax. BMC research notes 2010;3:326.
2. Bogaert J, Centonze M, Vanneste R, Francone M. Cardiac and pericardial abnormalities on chest computed tomography: What can we see? La Radiologia medica 2010;115:175-190.
3. Chun EJ, Choi SI, Jin KN, Kwag HJ, Kim YJ, Choi BW et al. Hypertrophic cardiomyopathy: Assessment with mr imaging and multidetector ct. Radiographics : a review publication of the Radiological Society of North America, Inc 2010;30:1309-1328.
4. McKie SJ, Hardwick DJ, Reid JH, Murchison JT. Features of cardiac disease demonstrated on ct pulmonary angiography. Clinical radiology 2005;60:31-38.
5. Lee SH, Seo JB, Kang JW, Chae EJ, Park SH, Lim TH. Incidental cardiac and pericardial abnormalities on chest ct. Journal of thoracic imaging 2008;23:216-226.
6. Lasser A. Calcification of the myocardium. Human pathology 1983;14:824-826.
7. Lim KC, Chai P, Teo LS. Incidental cardiac abnormalities on non-electrocardiogram-gated multi-detector computed tomography imaging of the thorax and abdomen. Singapore medical journal 2011;52:906-912; quiz 913.
8. Chun EJ, Choi SI, Lim C, Park KH, Chang HJ, Choi DJ et al. Aortic stenosis: Evaluation with multidetector ct angiography and mr imaging. Korean journal of radiology : official journal of the Korean Radiological Society 2008;9:439-448.
9. Jin KN, Chun EJ, Choi SI, Ko SM, Han MK, Bae HJ et al. Cardioembolic origin in patients with embolic stroke: Spectrum of imaging findings on cardiac mdct. AJR. American journal of roentgenology 2010;195:W38-44.
10. Kim EY, Choe YH, Sung K, Park SW, Kim JH, Ko YH. Multidetector ct and mr imaging of cardiac tumors. Korean journal of radiology : official journal of the Korean Radiological Society 2009;10:164-175.
11. Huang YL, Wu FZ, Wang YC, Ju YJ, Mar GY, Chuo CC et al. Reliable categorisation of visual scoring of coronary artery calcification on low-dose ct for lung cancer screening: Validation with the standard agatston score. European radiology 2013;23:1226-1233.
12. Okmen E, Sanli A, Kasikcioglu H, Uyarel H, Cam N. Left main coronary artery aneurysm associated with extensive coronary arterial calcification: Case report and review. The international journal of cardiovascular imaging 2004;20:231-235.
13. Bull RK, Edwards PD, Dixon AK. Ct dimensions of the normal pericardium. The British journal of radiology 1998;71:923-925.
14. Verde F, Johnson PT, Jha S, Fishman EK, Zimmerman SL. Congenital absence of the pericardium and its mimics. Journal of cardiovascular computed tomography 2013;7:11-17.
15. Restrepo CS, Lemos DF, Lemos JA, Velasquez E, Diethelm L, Ovella TA et al. Imaging findings in cardiac tamponade with emphasis on ct. Radiographics : a review publication of the Radiological Society of North America, Inc 2007;27:1595-1610.
16. Bogaert J, Francone M. Pericardial disease: Value of ct and mr imaging. Radiology 2013;267:340-356.
17. Prakash P, Kalra MK, Stone JR, Shepard JA, Digumarthy SR. Imaging findings of pericardial metastasis on chest computed tomography. Journal of computer assisted tomography 2010;34:554-558.
18. Stein E, Mueller GC, Sundaram B. Thoracic aorta (multidetector computed tomography and magnetic resonance evaluation). Radiol Clin North Am. 2014;52(1):195-217.23.
19. Agarwal PP, Chughtai A, Matzinger FR, Kazerooni EA. Multidetector CT of thoracic aortic aneurysms. Radiographics. 2009;29:537-52.
20. Yoo SM, Lee HY, White CS. MDCT evaluation of acute aortic syndrome. Radiol Clin North Am. 2010;48(1):67-83.
21. Takahashi K, Stanford W. Multidetector CT of the thoracic aorta. Int J Cardiovasc Imaging. 2005;21(1):141-53.
22. Yoo SM, Chun EJ, Lee HY, Min D, White CS. Computed Tomography Diagnosis of Nonspecific Acute Chest Pain in the Emergency Department: From Typical Acute Coronary Syndrome to Various Unusual Mimics. J Thorac Imaging. 2017;32(1):26-35.
23. Park GM, Ahn JM, Kim DH, Kang JW, Song JM, Kang DH, Lim TH, Song JK. Distal aortic intramural hematoma: clinical importance of focal contrast enhancement on CT images. Radiology. 2011 Apr;259(1):100-8.
24. Wu MT, Wang YC, Huang YL, Chang RS, Li SC, Yang P, Wu TH, Chiou KR, Huang JS, Liang HL, Pan HB. Intramural blood pools accompanying aortic intramural hematoma: CT appearance and natural course. Radiology. 2011 Mar;258(3):705-13.
25. Abbara S, Kalva S, Cury RC, Isselbacher EM. Thoracic aortic disease: spectrum of multidetector computed tomography imaging findings. J Cardiovasc Comput Tomogr. 2007 ;1(1):40-54.
26. Inoue D, Zen Y, Abo H, Gabata T, Demachi H, Yoshikawa J, et al. Immunoglobulin G4-related periaortitis and periarteritis: CT findings in 17 patients. Radiology. 2011;261(2):625-33.
27. Hartlage GR, Palios J, Barron BJ, Stillman AE, Bossone E, Clements SD, Lerakis S. Multimodality imaging of aortitis. JACC Cardiovasc Imaging. 2014;7(6):605-19.

28. Bloch DA, Michel BA, Hunder GG, et al. The American College of Rheumatology 1990 criteria for the classification of vasculitis. Patients and methods. ArthritisRheum1990;33:1068-1073.
29. Park JH, Choi SI, Chun EJ. Multidetector CT evaluation of various aortic diseases: diagnostic tips, pitfalls, and remedies for imaging artifacts. Int J Cardiovasc Imaging. 2012 Jun;28 Suppl 1:45-60.
30. Kim JA, Chun EJ, Choi SI, Kang JW, Lee J, LimTH. Less common causes of disease involving the coronary arteries: MDCT findings.AJR Am J Roentgenol. 2011;197:125-30.
31. Hur JH, Chun EJ, Kwag HJ, Yoo JY, Kim HY, Kim JJ, Lee KW. CT Features of Vasculitides Based on the 2012 International Chapel Hill Consensus Conference Revised Classification. Korean J Radiol. 2017 Sep-Oct;18(5):786-798.

CHAPTER

24 중재적 시술

| 허진 |

Contents

중재적 시술은 최근 들어 영상의학과에서 시행하는 중요 시술의 하나가 되었다. 초기에는 초음파 또는 투시장비(fluoroscope) 유도하 세침흡인(fine needle aspiration)과 흡인 배액술(aspiration drainage)이 주로 이루어졌으나 최근에는 영상 기기 및 시술도구가 발달함에 따라 진단목적의 시술뿐만 아니라 치료목적의 시술까지 응용의 폭이 넓어지고 있다.

Computed tomography(CT) 유도하 중재적 시술은 방사선 피폭이라는 제한점이 있지만 투과범위의 제한이 없기 때문에 주위 장기와의 상관관계를 파악하는데 있어서 초음파나 투시장비보다 우수하다. 이런 장점은 작은 국소병변이나 깊이 있는 폐병변의 중재적 시술시 유리하다. 현재 CT 유도하 중재적 시술은 진단이나 치료 목적으로 그 응용의 폭이 넓어지고 차지하는 비중이 확대되어 가고 있기 때문에 각 중재적 시술의 적응증, 시술방법, 합병증 등에 대한 이해가 중요하다.

I 경피적 폐조직 생검 (lung biopsy)

국소적 흉부질환의 진단을 위한 방법으로는 객담 세포학 검사, 기관지 내시경적 검사, 경피적 생검, 수술적 생검 등의 다양한 방법이 있으나 CT 유도하 조직 생검술은 직접 병변에서 검체를 얻을 수 있고 비교적 안전하여 흉부의 국소 병변 진단에 중요한 검사 방법이 되고 있다 (그림 24-1).

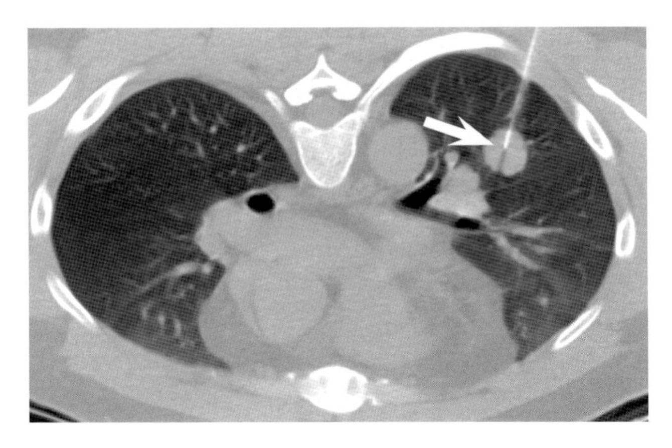

■ 그림 24-1. **56세 여자환자의 폐결절에 대한 CT 유도하 조직생검술.** 바늘 끝이 폐결절 중앙에 위치해 있어서 목표 병변을 정확하게 조준했음을 CT 영상으로 확인하고 있다(화살표). 조직생검술 결과 선암(adenocarcinoma)으로 확진이 되었다.

1. 적응증과 금기증

경피적 폐조직 생검은 악성 종양을 진단하기 위해 주로 이루어지나 최근에는 양성 종양의 확진 및 감별진단과 감염성 폐질환의 폐실질 침윤병변에서 균 동정을 위한 검사물 채취목적으로도 시행된다. 영상 유도하 폐조직 생검은 도구의 발달 및 영상 기술의 발전, 병리학적 분석 및 면역조직화학염색 기법의 발달로 임상적 적응증이 확대 되고 있다. 과거에는 주로 세침(21-22 gauge)을 이용한 흡인술로 세포진 검사(cytological examination)를 위한 시료를 채취하였으나 최근에는 좀 더 굵은 바늘(18-19 gauge) 및 생검 총(biopsy gun)을 사용한 조직 생검으로 조직학적 시료를 채취하고 있다 [1]. 대부분의 경우 경피적 생검은 흉부X-선 검사나 CT검사에서 새롭게 발견되거나 크기가 증가하는 고립성 결절 혹은 종괴로서 기관지경을 이용한 진단에 적합하지 않거나 기관지경을 통한 접근이 어려운 경우에 시행하게 된다. 그 이외에도 기저 악성 질환이 없거나 원발성 악성 종양이 둘 이상인 환자에서 다발성 폐결절이 발견된 경우나 객담 혹은 혈액 배양, 혈청 검사 및 기관지경 검사에서 진단이 이루어지지 않은 지속적인 단일 혹은 다발성 국소 폐실질 침윤병변이 있는 경우, 종격동 종양이 있는 경우, 표적치료를 위한 종양의 조직 생검 또는 재생검, 등에서도 시행하게 된다[1] (표 24-1).

경피적 폐조직 생검 시술은 다학제 모임을 통해 시술의 위험 이익 분석을 통하여 위험 보다는 이익이 상회하는 경우에 시술 할 것을 권고하고 있다. 경피적 폐조직 생검의 상대적 금기증은 병변으로의 안전한 접근로가 없는 경우, 환자의 협조가 불량한 경우, 심하게 감소된 심폐기능 (중증 폐기종, 반대 측 폐절제술, 중증 간질성 폐질환, 등) 또는 혈액학적으로 환자가 불안정한 경우, 적절히 교정이 되지 않는 응고장애가 있는 경우, 심한 폐동맥고혈압이 있거나 과혈관성 병변

표 24-1. **경피적 폐조직 생검의 적응증**

- 새롭게 발견되거나 크기가 증가하는 고립성 결절 혹은 종괴
- 기저 악성 질환이 없거나 원발성 악성 종양이 둘 이상인 환자에서 다발성 폐결절
- 진단이 이루어지지 않은 지속적인 단일 혹은 다발성 국소 폐실질 침윤병변
- 진단이 이루어지지 않은 폐문 부위 종괴
- 진단이 이루어지지 않은 종격동 종양
- 표적치료를 위한 종양의 조직 생검 또는 재생검

인 경우 등이다. 반대측 폐전절제술(pneumonectomy)이 시행이 된 환자의 경우 많은 경우에서 경피적 폐조직 생검이 금기증이 된다. 하지만 병변의 위치가 흉막(pleura)에 붙어 있거나 기흉의 위험도가 매우 낮은 병변의 경우에는 폐조직 생검을 시도해 볼 수 있다. 환자의 협조는 시술의 성공 여부를 좌우하는 중요한 요인 중의 하나이다. 호흡조절이 잘 되지 않으면 목표를 적중시키지 못할 뿐만 아니라 주위의 중요 구조물에 뜻하지 않은 손상을 입힐 수 있다[1].

2. 시술 방법

영상 유도기기의 선택은 병변의 위치와 크기, 흉부X-선 검사에서 보이는지, 열(fissure), 혈관과 수포(bulla)와 같은 주위 구조물과의 관계 등에 따라 결정된다. 초음파 유도하 폐조직 검사는 가장 안전한 방법이므로 가능한 상황이라면 초음파 유도하 폐조직 생검을 시행하는 것이 바람직하다. 흉막 병변 이거나 흉막과 붙어 있는 폐실질의 병변에 대하여 주로 초음파를 이용한다. 투시장비(Fluoroscopy) 유도 폐조직 검사는 흉부 단순촬영(Posteroanterior 와 lateral view)에서 확인 가능할 정도의 크기가 큰 병변에 대하여 주로 시행한다. 병변 근처에 혈관 등과 같은 위험한 구조물이 있거나 병변의 크기가 작아서 흉부X-선 검사에서 잘 보이지 않는 경우에는 CT 유도하 경피적 폐조직 생검을 시행하는 것이 좋다.

시술 전에 환자의 동의서가 취득 여부를 반드시 확인하여야 하며 복용 중인 항응고 약물이나 항혈소판 제제가 있을 경우 가이드라인에 따라 적절한 기간 동안 투여가 중단이 되었는지 확인하여야 한다. 와파린(Warfarin) 을 포함한 모든 항응고제는 적어도 시술 4-5일 전에 중지하여야 한다. 저분자량헤파린 제제(Low-molecular-weight heparin)를 사용하는 경우 시술 전 일회량은 중지하여야 한다. 클로피도그렐(Clopidogrel)은 5일 전 중지하여야 한다. 가이드라인에서는 아스피린(Aspirin)을 중지하는 것을 권하지 않고 있지만, 가능하다면 아스피린을 포함한 진통소염제(nonsteroidal anti-inflammatory drugs) 는 5-7일 전 중지하는 것이 선호 된다[1].

일반적으로 시술에 따른 통증은 심하지 않으므로 전 처치는 대부분 필요 없다. 시술 중에는 환자의 협조가 필수적이므로 진정제는 보통 사용하지 않으며 국소 마취만을 시행한다. 천자 위치의 피부와 피하 지방층까지 1-2%리도카인 등의 제제를 충분히 주사하여 국소마취를 한다. 시술 전에 환자에게 시술의 목적, 방법, 그리고 호흡 조절의 중요성에 대해 충분히 설명해 주면 환자의 불안감을 해소할 뿐만 아니라 시술 중 환자의 협조를 얻을 수 있다.

폐병변까지의 접근 경로는 최대한 병변으로의 최단 거리, 열(fissure)을 피할 수 있게, 그리고 합병증이 일어날 수 있는 구조물을 피하여 선택하여야 한다. 쇄골상와(supraclavicular fossa)는 혈관과 신경이 많기 때문에 피하는 것이 좋고 횡격막 근처나 10번째 갈비뼈 이하로는 내려가는 것은 피해야 하며, 바늘이 지나가는 곳에 수포, 폐기종, 공동, 심한 섬유화가 있는 부위는 피하는 것이 좋다. 흉부에서 바늘로 천자 시에 혈관이나 신경이 지나가는 갈비뼈 직하방부는 피해야 한다. 생검이나 세침흡입에 사용할 바늘의 내부 stylet을 장착한 후에 환자의 호흡을 멈춘 상태에서 생검을 얻을 폐병변까지 진입한다. 바늘 끝이 대상 병변에 정확하게 위치했는지 CT영상으로 확인 후에 내부 stylet을 제거하고 주사기와 흡인장치에 연결하여서 음압을 준 상태에서 1-2 cm 넣었다 빼었다 하는 운동(to and fro movement)을 반복하면서 흡인을 한다(그림 24-2). 채취한 시료는 유리 슬라이드에 뿌린 후 도말하여 알코올 병에 넣어 세포검사실로 보낸다. 흡인 생검 시 그 자리에서 'wet smear'를 시행하여 채취한 시료의 적절성을 검사하는 것이 진단의 정확성을 높여 반복 시술을 피하는 이상적인 방법이다. 자동총 생검을 통하여 조직을 얻을 경우에는 정상 폐조직과 종괴를 모두 포함할 수 있는 위치에서 자동총을 발사하여야 한다. 정상 조직을 포함시키는 것은 육안으로 정상과 비정상 조직이 구분되므로 목표 병변을 적중

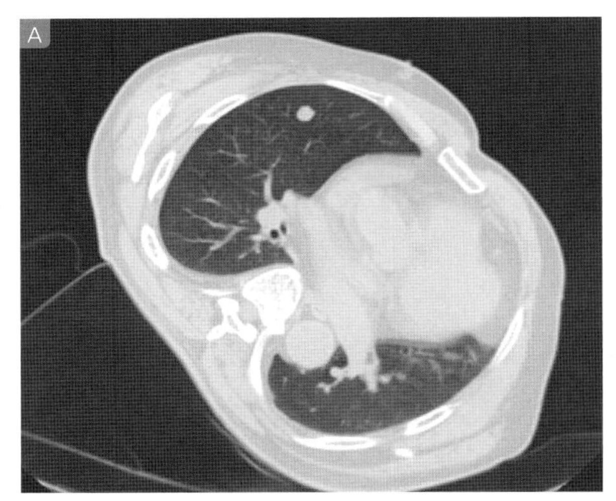
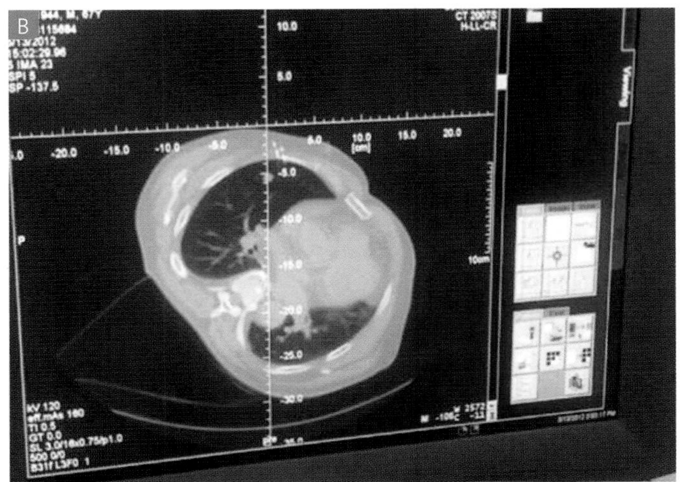
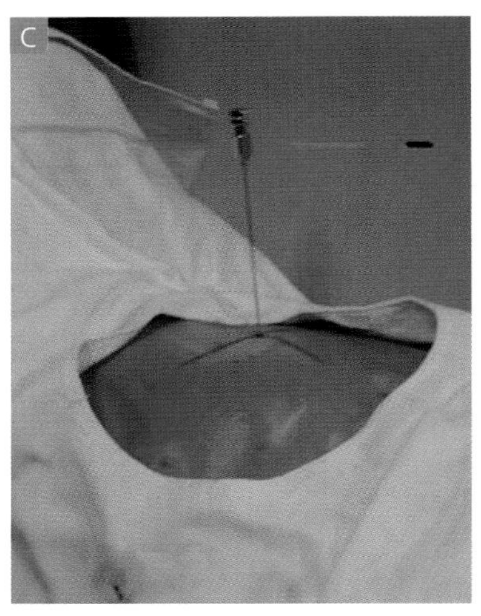
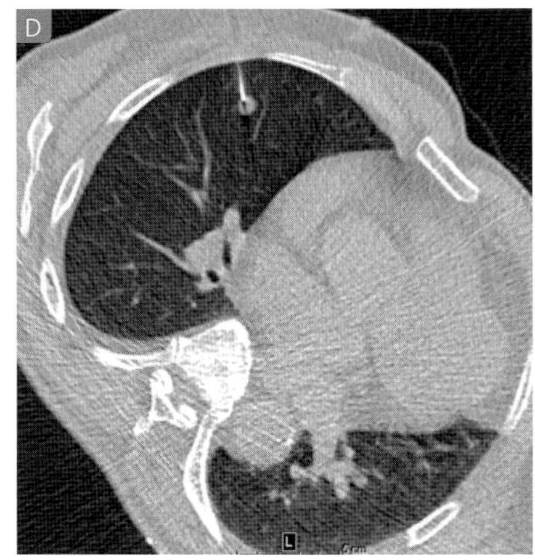
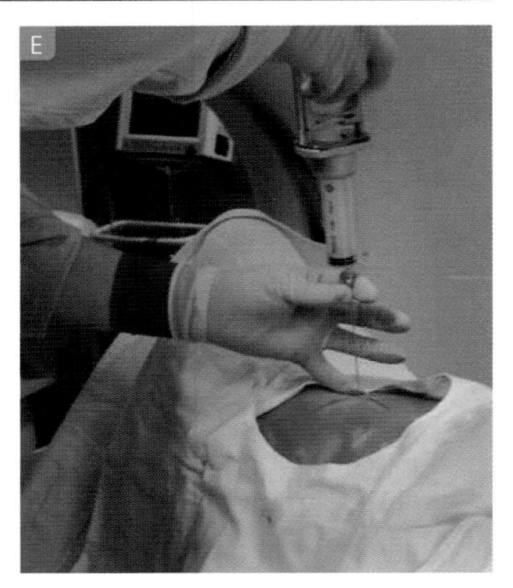

■ 그림 24-2. **67세 남자환자의 폐결절에 대한 CT 유도하 조직생검술.**
A. 폐결절까지 최단 거리 접근경로를 위하여 환자를 와위(decubitus) 자세로 시술 전 CT 영상을 촬영하였다. **B.** 모니터에서 좌표를 이용하여 천자위치 및 폐결절까지의 거리를 측정한다. **C.** 바늘을 환자의 호흡을 멈춘 상태에서 폐병변까지 진입한다. **D.** 바늘 끝이 대상 병변에 정확하게 위치했는지 CT영상으로 확인한다. **E.** 내부 stylet을 제거하고 주사기와 흡인장치에 연결하여서 음압을 준 상태에서 1-2 cm 넣었다 빼었다 하는 운동 (to and fro movement)을 반복하면서 흡인을 한다.

시켰는지를 쉽게 알 수 있는 경우가 많고, 큰 종괴의 경우 중심부가 괴사조직인 경우가 있어서 변연부에서 조직을 채취하면 진단을 높일 수 있기 때문이다. 채취한 조직은 포르말린 병에 넣어 조직 검사실로 보낸다.

3. 정확성

CT 유도하 폐조직 생검의 정확성은 대상 병변의 종류, 위치, 크기에 따라 다양하게 보고되고 있다. 경피적 폐조직 생검의 진단율은 64-97%로 다양하게 보고되고 있는데 보고된 연구들에 의하면 세침흡인술에서는 악성 폐종양의 경우 95% 이상의 높은 진단 정확도를 보이고 있지만 양성 질환의 진단에 있어서는 10-50%로 진단 정확도가 낮은 것으로 보고되고 있다. 최근 보고된 연구들에 의하면 조직생검술을 이용한 폐조직 생검시에서는 악성 폐종양의 진단 정확도는 74-95%이며 양성 질환의 진단에 있어서도 78.3-91%로 비교적 높은 진단 정확도를 보고하고 있다[1]. 폐조직 생검의 진단 정확도에 미치는 인자들로는 병변의 크기 및 위치, 시술자의 숙련도, 바늘의 종류 등이 알려져 있다. BTS 가이드라인에서는 진단 정확도를 유지하기 위하여 다음과 같은 사항을 권고하고 있다. 충분한 검체 획득률은 90%이상으로 유지할 것, 검체 결과에 대한 위양성률은 1% 이내로 유지할 것, 2 cm 이상 크기의 악성 폐종양의 민감도는 85-90% 사이를 유지할 것, 그리고 표준화된 시술방법을 구축하고 주기적으로 결과에 대한 감시(audit)를 할 것을 권고하고 있다[1].

CHAPTER 24

4. 합병증

CT 유도하 폐조직 생검은 비교적 안전한 검사로서 합병증의 발생률은 낮으며 그중 심각한 합병증의 발생률은 매우 낮은 것으로 보고되고 있다. 폐조직 생검에 의해 발생할 수 있는 합병증으로는 비교적 빈도가 높은 기흉, 객혈, 폐출혈 등이 있으며 드물게는 혈흉, 공기 색전증, 바늘 경로를 통한 악성 종양의 전이, 사망 등이 발생할 수 있다. 폐조직 생검시에 발생하는 가장 흔한 합병증은 기흉이며 세침흡인술 시행 후 기흉 발생률은 5-61%로 다양하게 보고되고 있으며, 2-17%에서는 치료를 요하는 것으로 보고되고 있다. 한편, 경피적 조직 생검의 경우 시술 후에 발생하는 기흉의 빈도는 29-54%로 다양하다(그림 24-3). 기흉의 발생 위험 요인으로는 병변의 크기 및 깊이, 생검 횟수, 흉막 통과 횟수, 생검 침의 굵기, 만성 폐쇄성 폐질환, 생검 바늘이 공기로 찬 폐실질을 통과하는지 여부 등이 보고되고 있다. 기흉 발생 시에 치료는 기흉의 양, 기저 폐질환, 환자의 증상 및 통증 정도에 따라 달라지며 경과관찰 및 산소 치료, 바늘 흉강 천자 후 흡인 또는 흉관 삽입술이 있다. 경피적 조직 생검 후에 폐출혈은 5-16.9%, 객혈은 1.25-5%로 다양하게 보고되고 있다(그림 24-4). 특히 폐병변이 흉막으로부터 2 cm 이상 깊이 위치한 경우에 조직 생검을 시행할 때 출혈의 위험성이 증가하는 것으로 보고되고 있다[1]. 객혈은 보통 치료하지 않아도 저절로 호전된다. 환자를 안심시키고 조직 검사한 쪽을 아래로 한 측와위(lateral position) 로 눕히는 것만으로 보통 충분하다. 만약 출혈이 상당하다면 적절한 치료 및 산소 공급이 필요하다. 공기 색전증의 발생률은 정확하게 알려져 있지 않다. 두개 내 혹은 관상동맥 내의 혈류에 공기가 들어가 해당부위의 색

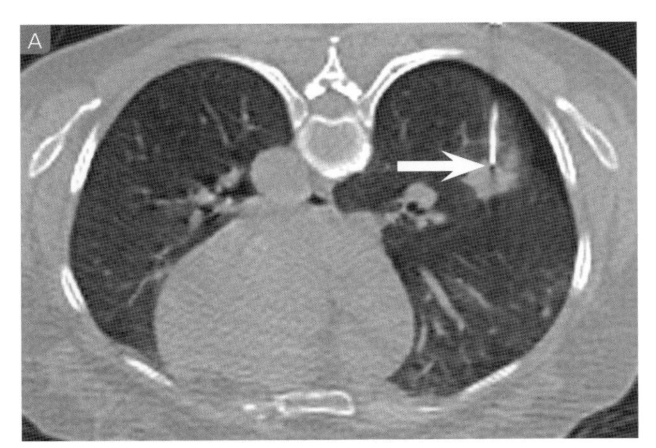

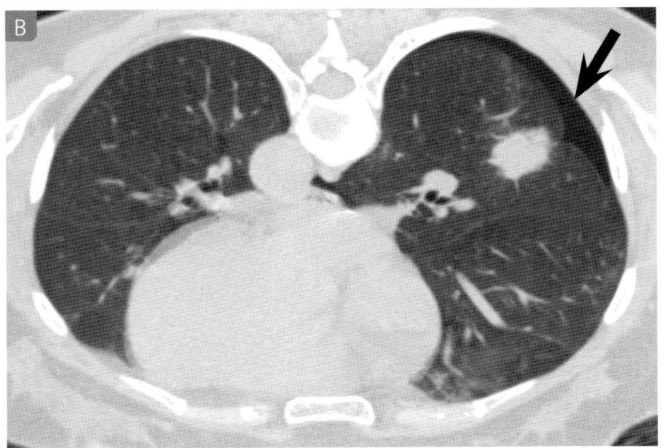

■ 그림 24-3. **55세 여자환자의 폐결절에 대한 CT 유도하 조직생검술.**
A. 세침 바늘 끝이 폐결절에 정확하게 조준했음을 CT 영상으로 확인하였다(화살표). **B.** 세침흡인 검사 후에 소량의 기흉 (화살표)이 발생하였다.

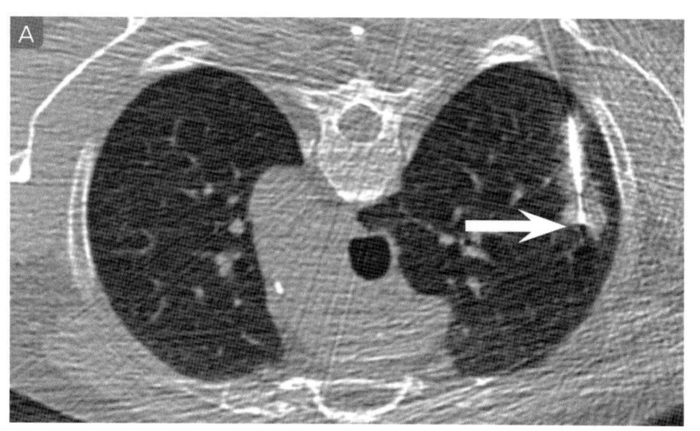

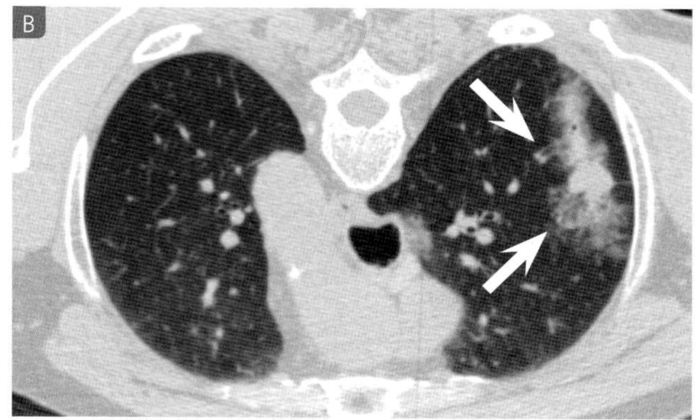

■ 그림 24-4. **66세 남자환자의 폐결절에 대한 CT 유도하 조직생검술.**
A. 조직생검 바늘 끝이 폐결절에 정확하게 조준했음을 CT 영상으로 확인하였다 (화살표). **B.** 조직생검 후에 폐결절 주위로 폐출혈에 의한 간유리음영 및 경화소견이 보인다(화살표).

전증을 유발할 수 있으며 심혈관계 혹은 신경계 증상과 징후로 발현하게 된다. 증상으로는 흉통과 급속한 순환 허탈, 전신 발작 혹은 국소 신경학적 증상 등이 나타날 수 있다. 공기 색전증의 진단은 두개내 혹은 관상동맥 혈류내 가스를 CT를 통해 발견함으로써 할 수 있다. 치료는 100% 산소와 필요한 경우 항경련제를 사용하는 것이다. 환자는 트렌델렌버그(Trendelenburg) 자세 혹은 좌측와위(left lateral decubitus)를 취한다. 스테로이드 제재와 아스피린 또한 추천된다.

II 폐병변 위치 선정 (lung localization)

CT 촬영을 이용한 건강검진이 보편화되면서 기존의 흉부X-선 검사에서 발견되지 않았던 작은 폐결절 및 국소성 간유리음영(ground-glass opacity, GGO)의 발견이 많아 졌다. 특히 최근 연구보고들에서 국소성 간유리음영이 선암의 전암병소인 비정형샘증식증(atypical adenomatous hyperplasia, AAH)이나 조기 선암(adenocarcinoma)의 발생 가능성이 높은 병변으로 보고가 된 이후에 국소적 간유리 음영성 병변에 대한 진단 및 치료방침이 중요한 문제로 대두 되고 있다[2]. 1 cm 미만의 작은 폐결절이나 국소성 간유리 음영의 조직학적 진단방법으로는 우선 경피적 폐조직 생검술이 있으나 진단 정확도는 낮은 것으로 보고되고 있다. 특히 국소성 간유리 음영의 경우 조직 밀도(cellularity)가 낮아서 경피적 폐조직 생검시에 진단 정확도가 낮은 것으로 보고되고 있다. Shimuzi 등의 보고에 의하면 96개의 국소성 간유리음영 병변의 CT 유도하 폐조직 생검의 진단율은 64.6%였으며 고형성분이 없는 순수 간유리음영의 경우에는 진단율이 51.2%로 낮았으며 병변의 크기가 10 mm 미만의 경우에는 35.2%로 진단율이 더 낮았다[3]. 따라서 현재 작은 폐결절이나 국소성 간유리음영 병변에서 수술 전의 경피적 폐생검의 진단 유효성이 낮고 최소 침습 수술인 비디오흉강경수술(video assisted thoracoscopic surgery)의 발달과 보편화로 비디오흉강경수술을 이용한 수술적 절제를 통하여 진단과 치료를 동시에 시행하는 경우가 점차 늘어나고 있다. 최근 폐실질 내에 위치한 작은 폐결절 및 간유리음영 병변의 보다 정확한 병리학적 진단을 위해 비디오흉강경수술이 시행되고 있는데, 결절의 크기가 작고 결절이 폐실질 내에 깊이 존재하는 경우, 촉지 되지 않는 경우에 진단적 수술의 실패 또는 개흉술(open thoracotomy)로 전환하여야 하는 경우가 발생한다[4]. 따라서 흉막으로부터 깊이 있는 작은 폐결절이나 국소성 간유리음영의 경우에 촉지가 되지 않기 때문에 정확한 병변의 위치선정 방법

표 24-2. **폐병변 위치선정 물질의 특성 비교**

물질	장점	단점
Hook wire	비교적 저렴한 비용으로 시술이 간편함. C-arm을 통한 확인이 필요 없음	흉강 내 이탈, 통증을 유발할 수 있음. 폐조직 손상이 가능함.
Microcoil	오랫동안 안정적으로 위치 확인이 가능하며 시술이 간편함. Hook-wire에 비하여 통증 유발이 적고 합병증 발생 빈도가 적음.	C-arm을 통하여 확인해야 함. Hook-wire에 비하여 적으나 흉강 내 이탈의 가능성 있음.
메틸렌 블루	폐조직과의 반응이 적은 비교적 안정적인 수용성 염색물질로 비교적 비용이 저렴하며 시술이 간편함.	확산현상으로 주입 후에 시간이 지나면 위치 확인이 어려움.
리피오돌	폐조직과의 반응이 적은 비교적 안정적인 유성 조영제로 확산현상이 없고 오랫동안 위치 확인이 가능함.	C-arm을 통하여 확인해야 함.
바륨	물에 녹지 않는 조영제로 비교적 비용이 저렴함. 확산되지 않기 때문에 오랫동안 위치 확인이 가능함.	염증 반응을 유발할 수 있음. C-arm을 통하여 확인해야 함.

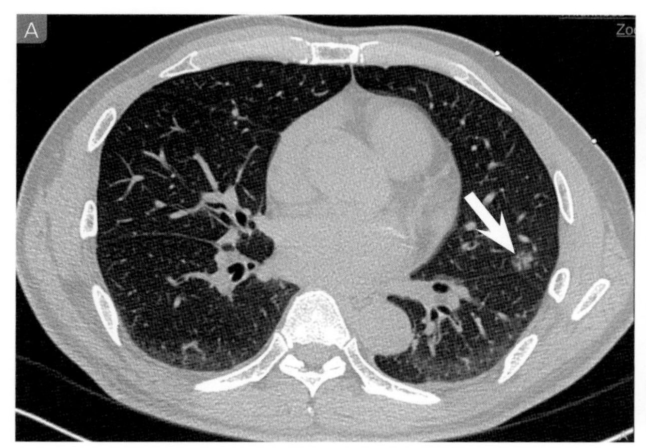

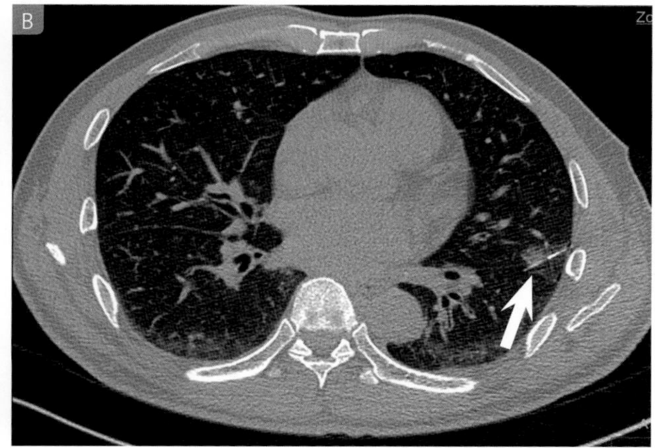

■ 그림 24-5. **57세 남자환자의 간유리음영에 대한 CT 유도하 Hook wire를 이용한 폐병변 위치선정술.**
A. 좌상엽에 10 mm 크기의 간유리음영이 관찰이 되고 있다 (화살표). **B.** CT 유도하에 간유리음영에 Hook wire가 삽입이 되어 있다 (화살표).

이 필요하며 폐병변의 위치선정 후에 비디오흉강경수술을 한 경우가 폐병변 위치선정을 하지 않고 비디오흉강경수술을 한 경우보다 수술 성공률이 높다고 보고되고 있다 [5].

폐병변 위치 선정방법에는 Hook wire나 Microcoil 등의 금속 물질(metalic material)을 병변에 직접 위치시키는 방법, 가느다란 바늘(needle)을 통해 메틸렌블루(methylene-blue) 등의 염색약을 주입하는 방법, 그리고 바륨(barium), 리피오돌(lipiodol) 등의 조영제를 주입하는 방법이 있다 (표 24-2)[6-15].

폐결절의 위치를 표시하는 방법으로 가장 많이 이용이 되는 시술방법은 Hook-wire를 병변에 직접 위치시키는 방법이다. Hook wire를 삽입하는 방법은 비교적 저렴한 비용으로 정확한 위치파악을 할 수 있으며 술기가 어렵지 않으므로 시술자에 따른 진단의 부정확성을 최소화 할 수 있다(그림 24-5) 그러나 시술의 성공률을 보면 58%에서 97.6%로 연구에 따라서 다양한 결과들을 보여 주고 있다[6-9]. 최근에 발표된 30개의 연구 2365명의 Hook-wire 시술의 메타 분석의 결과를 보면 평균 시술 성공률은 96%였다 [6]. 또한 Hook wire의 수술 전 흉강 내 이탈은 6~20%로 보고되어 있다(그림 24-6)

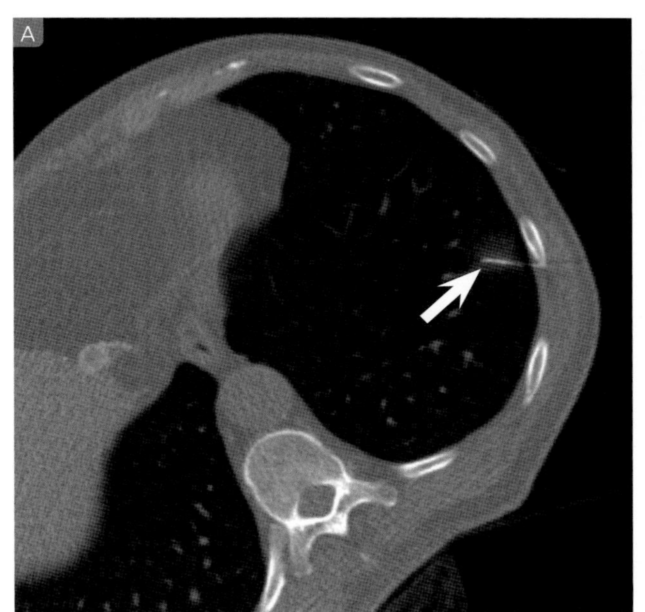

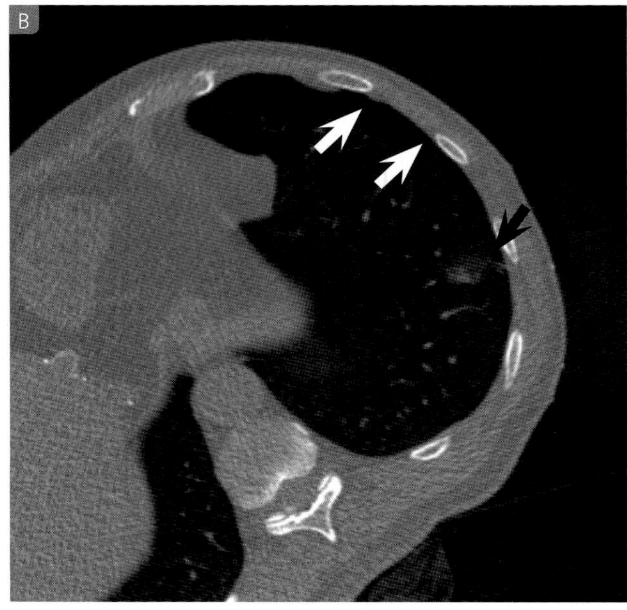

■ 그림 24-6. **60세 남자환자의 국소성 간유리음영에 대한 CT 유도하 Hook wire를 이용한 폐병변 위치선정술.**
A. 좌폐하엽에 18 mm 크기의 국소성 간유리음영에 Hook wire가 삽입이 된다 (화살표). **B.** Hook wire가 흉막강 내로 이탈 (검은 화살표)이 되어 흉막강 내에 소량의 기흉이 관찰이 된다(흰 화살표).

[7-9]. Hook-wire 시술 시에 주의해야 할 사항은 드물지만 공기 색전증이 발생할 수 있다는 점과 Hook-wire로 인하여 폐조직 손상이 유발될 수 있다는 점이다.

Microcoil를 삽입하는 방법은 비교적 간편하고 안전하게 폐병변 위치를 파악할 수 있는 시술이다. 최근에 발표된 9개의 연구 459명의 Microcoil 시술의 메타 분석의 결과를 보면 평균 시술 성공률은 97%였다[6]. Microcoil을 이용한 시술은 Microcoil의 물질적인 특성으로 인하여 Hook-wire에 비하여 합병증 발생 빈도가 적고 통증 유발 및 흉강내 이탈이 적은 것으로 보고 되고 있다 [10, 11]. 그러나 Microcoil의 위치 확인을 위하여 C-arm을 이용하여야 하는 단점이 있다.

메틸렌블루를 사용하여 폐결절의 위치를 표시하는 방법은 최소 침습 적이고 추가비용이 적게 들면서 폐결절의 위치를 표시할 수 있는 방법이다. 그러나 메틸렌블루는 수용성이기 때문에 위치 선정부터 수술까지의 시간이 오래 걸리는 경우 염색물질이 주변 폐조직 및 흉막까지 확산되어 정확한 병변을 찾기 어려워지는 제한점이 있다[12]. 따라서 메틸렌블루를 사용하여 폐결절의 위치를 표시하는 방법으로 시술을 할 경우에 시술 이후에 3시간 이내에 수술 할 것을 권장한다.

리피오돌을 사용하여 폐결절의 위치를 표시하는 방법은 폐병변 근처에 가느다란 바늘을 삽입한 이후에 소량의 리피오돌을 (0.2-0.5mL) 주입하는 비교적 간단한 방법이다(그림 24-7). 리피오돌을 사용하여 폐결절의 위치를 표시하는 방법은 비교적 안전한 방법으로 알려져 있으며 90% 이상의 위치 선정의 성공률을 보고하고 있다[6, 13, 14]. 최근에 발표된 7개의 연구 555명의 리피오돌 시술의 메타 분석의 결과를 보면 평균 시술 성공률은 99%였다[6]. 리피오돌은 유성조영제로서 확산이 되지 않고, 바륨과 같은 염증반응도 유발하지 않으며 위치선정 후에 비교적 오랜 시간동안 안정적으로 조

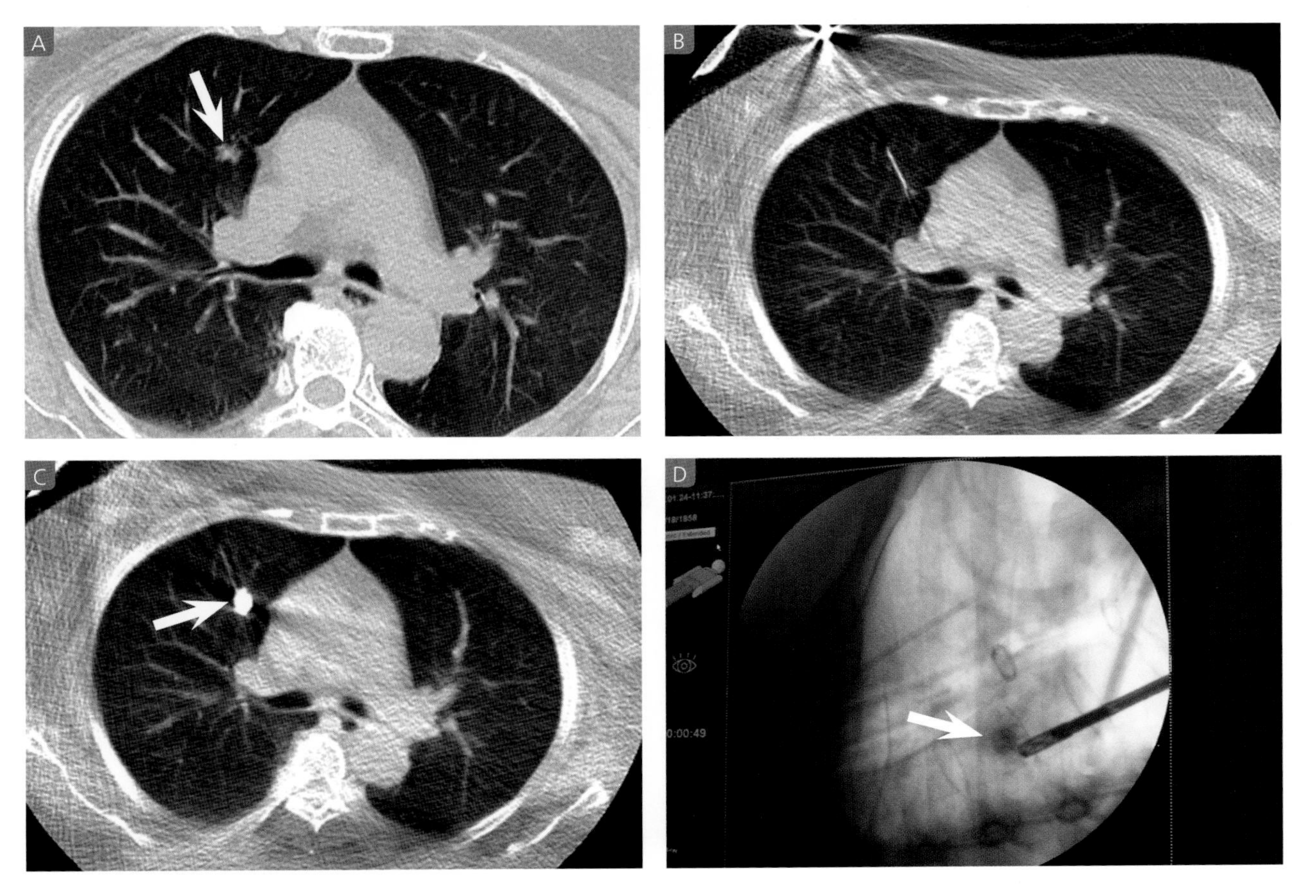

■ 그림 24-7. **56세 여자환자의 작은 폐결절에 대한 CT 유도하 리피오돌(lipiodol)을 이용한 폐병변 위치선정술.**
A. 우상엽에 10 mm 크기의 작은 폐결절이 관찰이 된다(화살표). **B.** 세침 바늘 끝이 폐결절에 정확하게 조준했음을 CT 영상으로 확인하였다. **C.** CT 유도하 세침바늘을 통하여 리피오돌 0.3 cc 를 병변에 주입하고 있으며 CT 영상에서 병변에 리피오돌(화살표)이 관찰이 된다. **D.** 폐쐐기절제술(wedge resection)전에 C-arm을 통하여 리피오돌을 이용하여 표시한 폐병변의 위치가 확인이 되었다(화살표).

직에 남아 있어서 수술이 지연이 되는 경우라도 폐병변의 위치를 확인할 수 있다. 리피오돌은 촉지 되지 않고 육안으로 확인되지 않기 때문에 C-arm을 통하여 폐병변의 위치를 확인해야 하는 단점이 있다[13, 14].

바륨을 사용하여 폐병변의 위치를 표시하는 방법도 최소 침습 적이며 추가비용이 적게 드는 방법이다. 바륨이 수용성이 아니기 때문에 확산되는 단점은 없지만 바륨 조영제가 염증반응을 일으키기 때문에 흉막으로 셀 경우에는 흉막 유착을 유발할 수 있고 바륨으로 인해 폐병변의 병리진단에 어려움을 주게 되어서 현재는 잘 사용하지 않는 방법이다[15].

폐병변 위치선정 방법은 비교적 안전한 시술방법으로 합병증의 발생률은 낮으며 그중 심각한 합병증의 발생률은 매우 낮은 것으로 보고되고 있다. 폐병변 위치선정 방법 시에 발생할 수 있는 합병증으로는 기흉, 객혈, 폐출혈 등이 있으며 드물게는 혈흉, 공기 색전증 등이 발생할 수 있는 것으로 보고되고 있다 (그림 24-8)[6, 7].

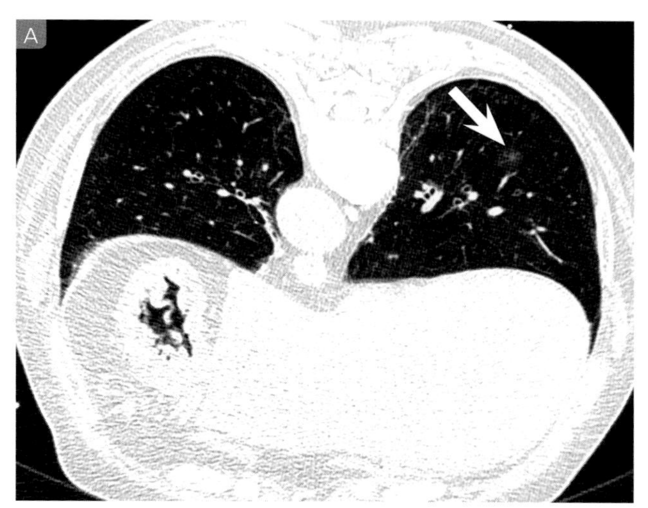

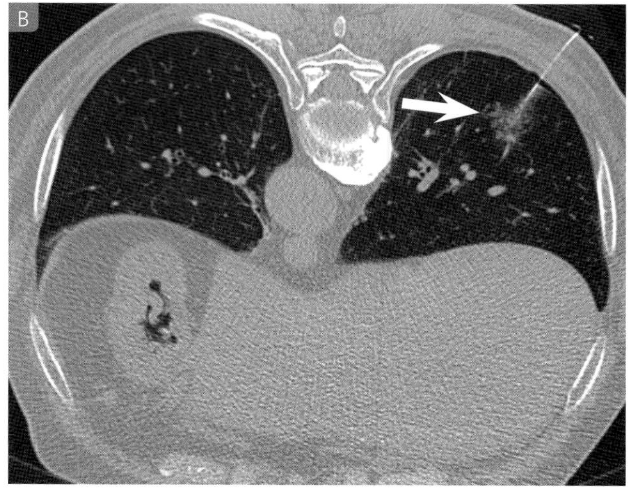

■ 그림 24-8. **66세 남자환자의 국소성 간유리음영에 대한 CT 유도하 Hook wire를 이용한 폐병변 위치선정술.**
A. 우하엽에 13 mm 크기의 작은 간유리음영이 관찰이 된다(화살표). **B.** CT 유도하 Hook wire를 이용한 폐병변 위치선정술 후에 폐출혈에 의한 경화소견이 보인다(화살표).

III 경피적 고주파 열치료술 (radiofrequency ablation)

1. 고주파 열치료술의 원리

고주파 열치료술은 최근 국소적으로 발생한 원발성 폐암 및 전이성 폐암의 국소치료에 효과적인 치료법의 하나로 시행되고 있다. 잔존 폐기능이 수술적 절제술을 시행하기에 부적절한 폐암 환자에서 대체 치료법으로 시행되고 있다.

고주파 열치료술의 작용기전을 이해하는 것은 좋은 시술 결과를 얻는 데 중요하다. 고주파란 200~1,200 kHz 대의 주기로 진동하는 교류전류이다. 이 치료법의 주된 작용기전은 전극을 통해 조직에 흘려준 교류전류가 전극 주위 조직의 세포내 이온을 불안정하게 하고 이온들 간의 마찰열을 유발함으로써 세포 내외의 수분이 기화하면서 조직의 응고성 괴사가 일어나는 기전이다[16]. 이때 발생하는 마찰열은 전류의 강도와 조사시간에 비례하며 전극과의 거리에 반비례한다. 기본적으로 고주파 발생기, 바늘전극(needle electrode), 환자 그리고 분산전극(grounding pad)으로 폐쇄회로가 이루어진다. 바늘전극과 분산전극이 활성화되고, 환자는 저항체로 작용하게 되며 교류전기장이 환자의 조직 내에서 형성된다. 금속성 전극에 비교하여 인체의 조직은 전류저항이 매우 높아서 바늘전극 주변 조직의 이온의 심한 교반(agitation)이 발생하고 이로 인해 고주파 에너지양에 비례하는 마찰열이 발생하게 된다. 고주파 에너지에 의하여 유발된 열로 인한 조직 손상 정도는 에너지가 가해지는 조직의 온도 및 온도의 유지시간과 관련된다. 대개 50~55℃로 조직온도가 상승하여 4-6분간 유지가 되면 세포내에 불가역적인 손상을 일으키게 되고 조직온도가 60~100℃로 상승하면 세포 내의 미토콘드리아나 세포질효소가 손상되어 거의 즉시 세포가 손상된다. 100℃이상으로 조직온도가 상상하면 조직이 기화되고 탄화된다[16]. 따라서 고주파 열치료술 시에 조직의 목표온도 및 치료 시간은 50~100℃로 약 4~6분간 조직온도를 유지하는 것이다. 그러나 실제로는 바늘전극에서 조직으로의 열전도가 매우 느리게 발생하므로 시술시간은 10~30분 정도 걸린다.

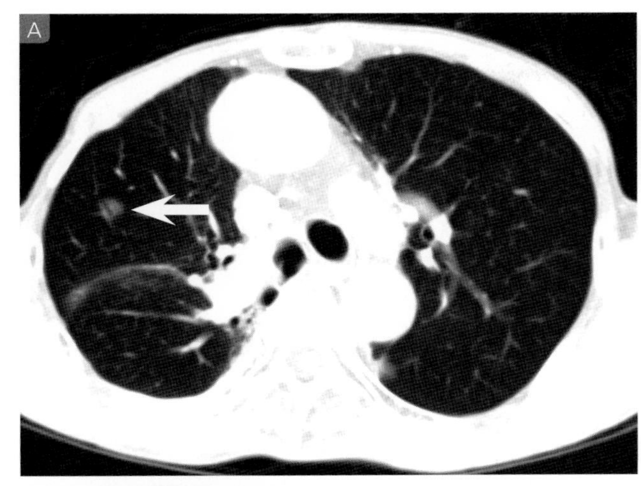

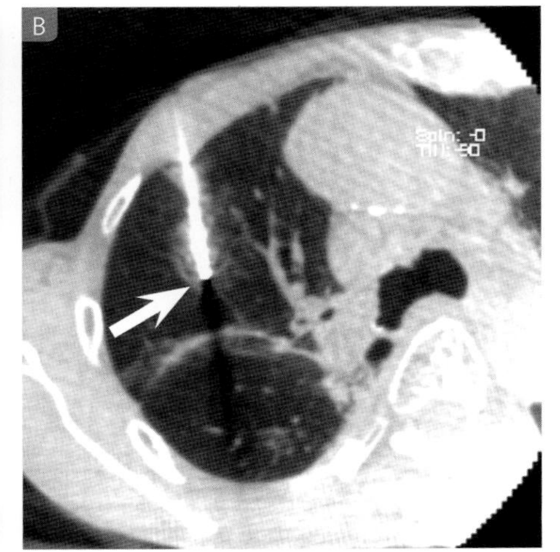

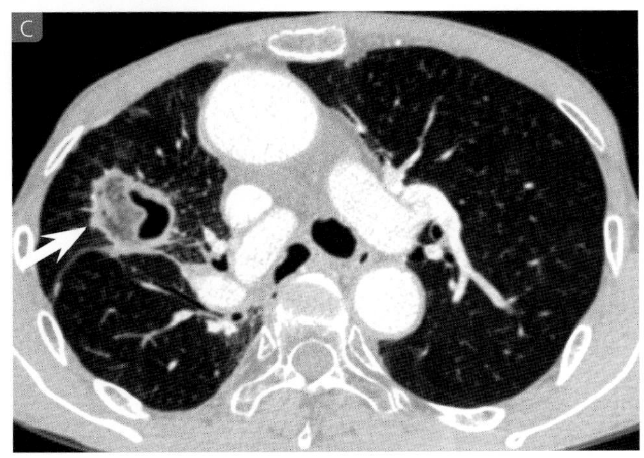

■ 그림 24-9. **66세 남자환자의 원발성 폐암에 대한 고주파 열치료술.** **A.** 우상엽에 10 mm 크기의 폐암이 관찰이 된다(화살표). **B.** 종양에 고주파 전극 (화살표)을 삽입하여 고주파 열치료술을 시행하고 있다. **C.** 고주파 열치료술 시행 1달 후에 촬영한 CT 영상에서 폐암 병변이 완전 괴사가 되고 공동이 관찰이 된다(화살표).

2. 적응증과 금기증

대개 고령, 기저질환으로 인하여 수술적 절제가 불가능하거나 수술을 거부하는 폐암 환자가 치료 대상이 된다. 현재 3 cm 이하의 종괴가 고주파 열치료술의 가장 좋은 적응증으로 되어 있다. 그 이유는 고주파 열치료술로 한번 시술에 발생시킬 수 있는 괴사의 범위가 아직 제한적이기 때문에 종괴의 크기가 치료에 대한 반응을 결정하는 주된 인자이기 때문이다. 원발성 또는 전이성 폐암을 대상으로 고주파 열치료술을 시행한 연구 보고에서도 3 cm 이하의 종괴는 전례에서 완전 괴사를 보였고 그보다 큰 종괴에서는 23%만 완전괴사를 보여 종괴의 크기에 따른 차이가 관찰되었다(그림 24-9)[17]. 전이성 폐암의 경우에도 크기가 작고 숫자가 한 개 내지 소수 (대개는 5개미만)인 경우에서도 고주파 열치료술을 시행할 수 있다. 또한 크기가 3 cm 보다 큰 경우라도 종괴에 의한 흉통, 기침, 객혈 등의 증상 완화 목적으로 고주파 열치료술을 이용할 수 있다[18].

고주파 열치료술의 상대적 금기증은 환자의 협조가 어려운 경우, 교정되지 않는 출혈성 경향이 있는 경우, 병변으로의 안전한 접근로가 없는 경우, 또는 혈액학적으로 환자가 불안정한 경우 등이다.

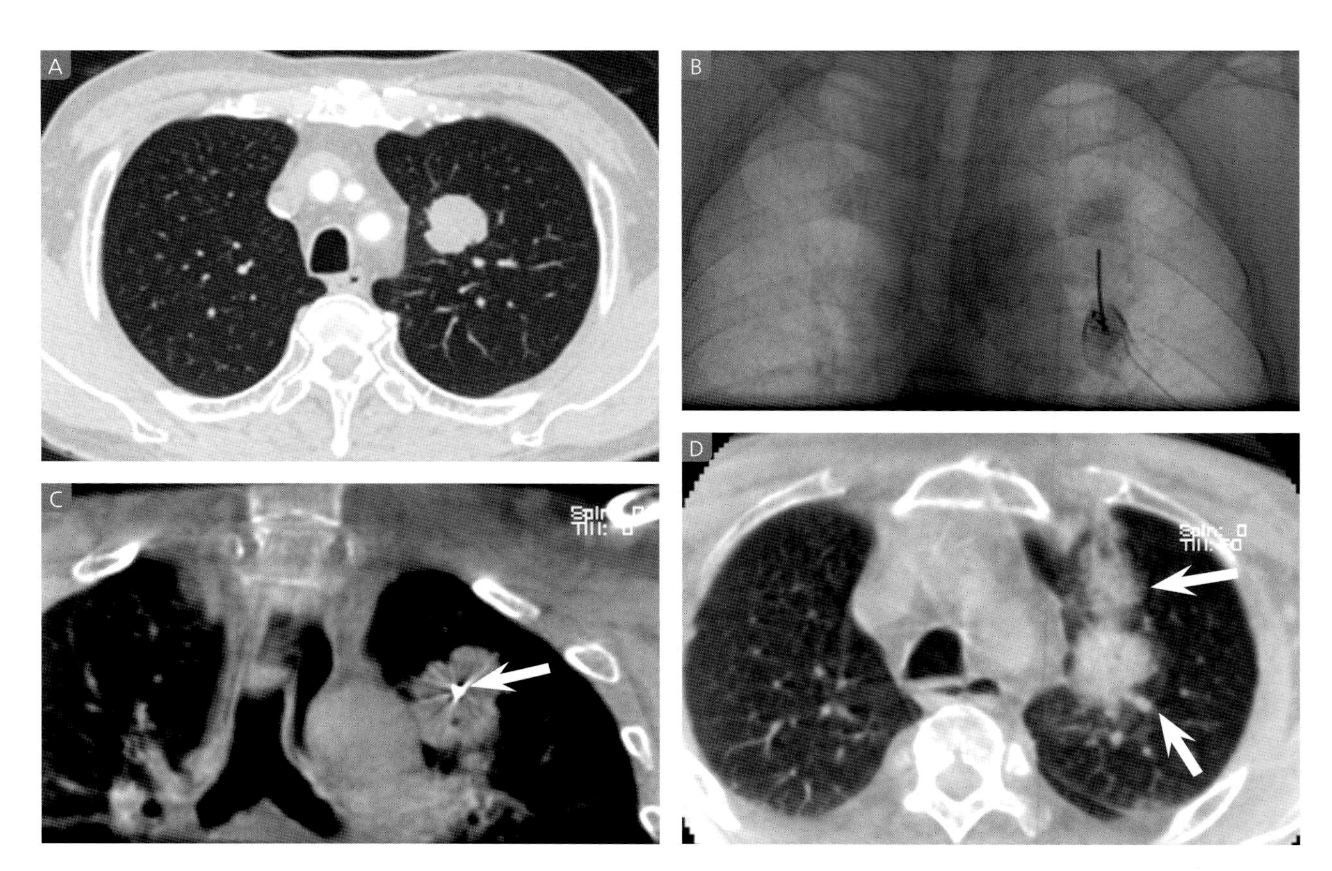

■ 그림 24-10. **70세 남자환자의 원발성 폐암에 대한 고주파 열치료술.**
A. 좌상엽에 3 cm 크기의 폐암이 관찰이 된다. **B.** 투시 유도하 종양에 고주파 전극을 삽입하였다. **C.** CT 영상에서 고주파 전극이 종양의 중앙에 위치함을 확인하였다(화살표). **D.** 고주파 열치료술 직후 촬영한 CT 영상에서 종양 주위에 간유리음영 및 경화 소견이 관찰이 된다(화살표).

3. 시술 방법

CT 유도하에 14-17 게이지의 전극을 삽입하고 고주파 전극을 종괴에 위치시킨 후 내장 바늘을 서서히 전진시키거나 식염수로 전극을 냉각시키며 고주파를 가하여 약 10-30분간 온도를 50-100℃로 유지시킨다. 대개 12-20분 정도 고주파 에너지를 전달하면 직경 3-4cm 가량의 조직에서 열에 의한 단백 변성, 괴사가 일어나게 된다. 종괴가 4-5cm 이상으로 큰 경우에는 여러 번 반복적인 시술이 필요하거나 특수하게 제작된 여러 개의 전극 다발을 이용하여서 시술을 해야 한다. 시술 직후 개략적인 치료 결과의 파악과 합병증 유무를 알아보기 위해 CT 촬영을 한다(그림 24-10).

4. 합병증

CT유도하 고주파 열치료술은 비교적 안전한 치료술로서 합병증의 발생률은 높지 않으며 그 중 심각한 합병증의 발생률은 매우 낮은 것으로 보고되고 있다. 발생할 수 있는 합병증으로는 기흉이 30-40% 발생하는 것으로 보고되고 있으며 이중 흉관삽입을 필요 하는 경우는 약 30-40% 정도로 보고되고 있다. 합병증 발생은 중심성 종양일 경우, 여러 번 반복 시술한 경우, 그리고 종양 주변에 폐기종이 있는 경우에 증가하는 것으로 보고되고 있다. 그 이외에 폐렴, 농양, 객혈 등이 발생할 수 있다. 심각한 합병증으로는 기관지흉막루(bronchopleural fistula), 혈흉, 색전증, 바늘 경로를 통한 악성 종양의 전이, 사망 등이 발생할 수 있으며 고주파 열치료술로 인한 사망은 1% 미만으로 보고되고 있다[18, 19].

5. 치료 효과

대개 고령이나 기저질환으로 인하여 수술적 절제가 불가능한 폐암 환자 또는 전이성 폐암 환자에서 고주파 열치료술을 시행하고 있으며 수술적 절제가 불가능한 폐암 1기 환자 116명을 대상으로 치료효과를 본 연구 결과에 의하면 1년, 3년, 5년 생존율은 각각 78%, 36%, 27%였다. 이 연구에 의하면 종양의 크기가 중요한 예후 예측인자였으며 3cm 보다 종양의 크기가 작은 경우의 평균 생존기간은 45개월이었으나 3 cm 보다 종양의 크기 큰 경우는 평균 생존기간이 12개월로 낮았다[18]. 전이성 폐암 환자 148명을 대상으로 한 연구에서는 치료를 한 경우 완전관해율 및 부분관해율이 각각 26%와 20%였으며 5년 생존율이 45%였다[20].

CHAPTER 24

Ⅳ 경피적 냉동 치료술

1. 냉동 치료술의 원리

냉동 치료술이란 1.5 ㎜ 크기의 매우 작은 치료침(cryoprobe)을 CT, 초음파, 복강경, 흉강경을 사용해 종양 부위에 정확히 위치시키고, 종양 세포를 얼려서 파괴시켜 재발을 막는 치료법이다. 세포는 갑자기 온도가 내려가서 얼게 되면 먼저 세포 주위의 수분이 얼면서 심한 탈수 상태가 된다. 탈수 상태가 된 세포는 단백물질과 구조가 파괴되고, 세포 내부도 얼면서 세포 내의 효소와 구조가 파괴된다. 그리고 급냉동 되면서 세포 내부에 생긴 얼음 결정은 세포막을 파괴시키게 된다. 냉동 치료술은 이와 같은 세포 파괴의 원리를 이용한 것으로 세포를 초저온 상태로 급속하게 냉동하여서 세포를 파괴시키게 된다. 우선 세포를 파괴하기 위해 아르곤(argon)과 헬륨 (helium)가스를 치료침에 주입하게 된다. 주입된 아르곤 가스는 조직내에 위치한 주사침 안에서 에너지 변화를 통하여 끝 부위의 온도를 급랭해 조직 내 온도를 -40～-60℃로 만들어 세포를 급히 얼린다. 그 후 헬륨가스를 통해 같은 기전으로 급랭된 조직을 급해동 하여 녹이게 되는데 이 과정에서 세포는 효소와 구조, 세포막이 파괴되어 괴사되게 된다. 뿐만 아니라 종양 조직으로의 영양 공급로인 혈관도 함께 파괴함으로써 종양 세포의 재발을 막는데 도움이 된다.

2. 적응증과 금기증

대개 수술적 절제가 불가능한 크기가 작은 폐암 환자가 치료 대상이 된다. 크기가 작은 단일성 폐암의 경우 치료 목적으로 냉동 치료술을 시행할 수 있다(그림 24-11). 크기가 큰 경우라도 종괴에 의한 흉통, 기침, 객혈 등의 증상 완화 목적으로 냉동 치료술을 이용할 수 있다(그림 24-12)[21-23].

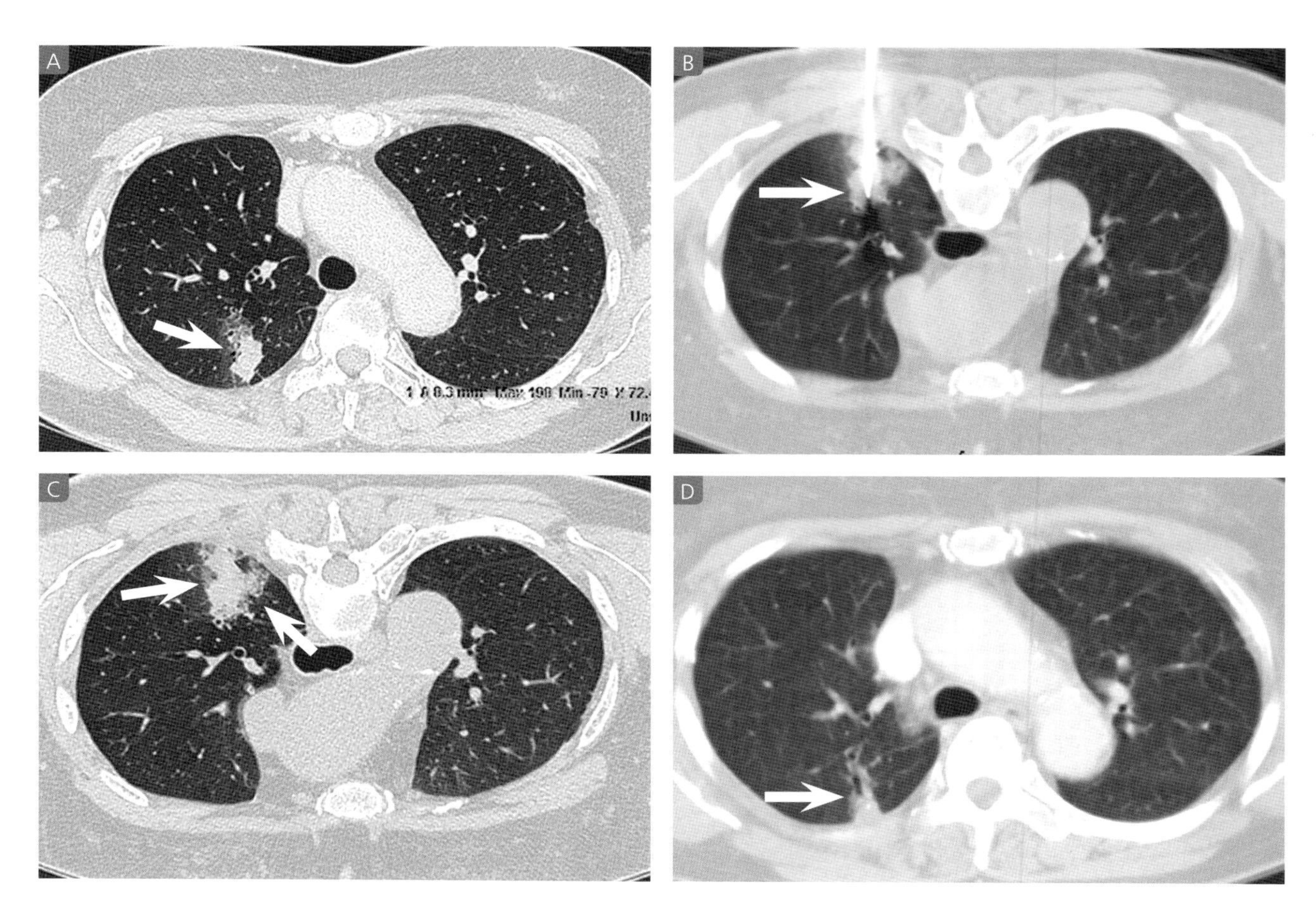

■ 그림 24-11. **65세 여자환자의 원발성 폐암에 대한 냉동 치료술.**
A. 우폐에 2.5 cm 크기의 폐암이 관찰이 된다(화살표). **B.** CT 유도하 종양에 치료침(cryoprobe)을 삽입하였다(화살표). **C.** 냉동 치료술 직후에 촬영한 CT 영상에서 종양 주위에 간유리음영 및 경화 소견이 관찰이 된다(화살표). **D.** 냉동 치료술 시행 3달 후에 촬영한 CT 영상에서 폐암의 크기가 감소하였다(화살표).

3. 시술 방법

CT 유도하에 1.5-3 ㎜ 크기의 작은 치료침을 전진시켜 종괴에 위치시킨 후 세포를 파괴하기 위해 아르곤(argon)과 헬륨(helium)가스를 치료침에 주입하게 된다. 우선 아르곤 가스를 주입하여 종양 조직 내의 온도를 -40~-60℃로 급냉동 시킨다. 이 과정에서 세포내에 얼음결절(ice ball)이 형성되게 된다. 이후에 헬륨가스를 주입하여 온도를 20℃까지 올려서 급해동하게 되는데 이 과정에서 세포의 구조 및 세포막이 파괴되게 된다. 대개 2-3회의 급냉동 및 급해동 과정을 반복하면서 치료하게 되는데 한 번의 반복 시술시간(급냉동-급해동)은 대략 10-30분 정도이다. 치료침의 크기가 2-3 mm 인 경우에 냉동시킬 수 있는 반경이 2-3 cm 정도로 알려져 있다. 크기가 2 cm 이하의 종괴의 경우에는 대개 1개의 치료침을 이용하여서 시술하게 되는데 크기가 2 cm 보다 큰 경우에는 2개 이상의 치료침을 동시에 이용하여서 시술하게 된다. 여러 개의 병변을 치료해야 할 경우에는 대개는 한 번에 동시에 치료 하지 않고 시간 간격을 두고 순차적으로 치료를 하게 된다[21].

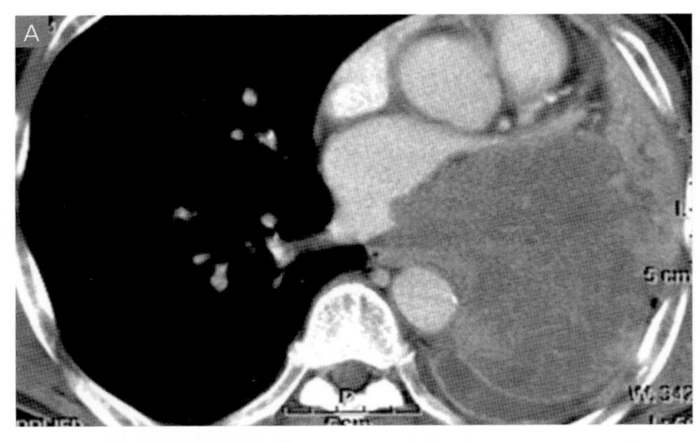

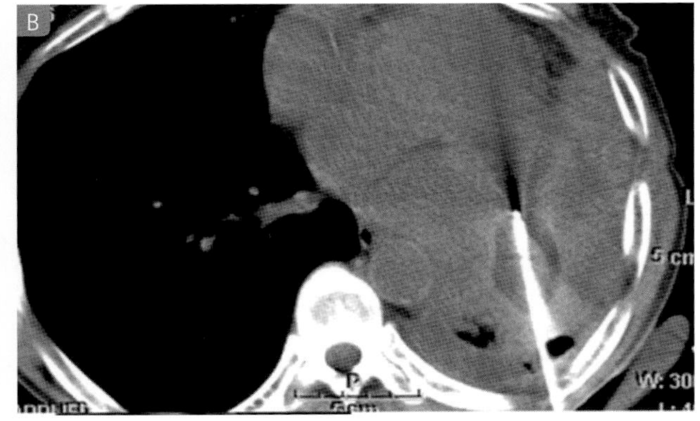

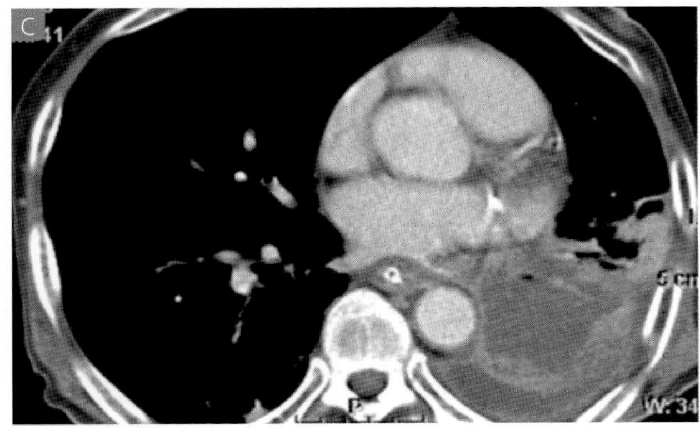

■ 그림 24-12. **68세 남자환자의 원발성 폐암에 대한 냉동 치료술.**
A. 좌폐에 심장을 침윤하는 큰 폐암이 관찰이 된다. **B.** CT 유도하 종양에 치료침(cryoprobe)을 삽입하였다. **C.** 냉동 치료술 시행 1달 후에 촬영한 CT 영상에서 폐암의 크기가 감소하였다.

4. 합병증

냉동 치료술은 콜라겐 구조물에 손상을 주지 않기 때문에 기관 및 기관지계에 손상을 주지 않고 비교적 안전하게 치료를 하는 방법으로 알려져 있다. 이러한 장점 때문에 폐암에 대한 냉동 치료술은 다른 국소적 치료법들과 비교 시 낮은 이환율, 시술 중 적은 통증, 좋은 치료 효과를 보여 많은 관심을 받고 있다. 특히 3세대 냉동 치료기기의 발달로 인하여 치료침의 크기 개선(2.4~3 ㎜→1.5 ㎜)과 함께 종양 부위와 인접해있는 주변 장기 등의 정상조직에 피해를 주지 않기 위해 자동온도감지센서와 항온기를 장치하여 치료 내내 일정한 온도를 유지시킬 수가 있어서 비교적 합병증 없이 안전하게 치료를 할 수 있는 것으로 알려져 있다.

냉동 치료술에 의해 발생할 수 있는 합병증으로는 비교적 빈도가 높은 기흉, 객혈, 흉수 등이 있으며 드물게는 혈흉, 사망 등이 발생할 수 있다. 냉동 치료술시에 발생하는 가장 흔한 합병증은 기흉이며 기흉 발생률은 12-25.9%로 보고되고 있다[21-23]. 한편 Wang 등의 보고에 의하면 흉수와 객혈은 각각 14%와 62%였으며 객혈의 경우 대개는 1주일 이내에 소실이 되었다. 냉동 치료술과 관련된 사망률은 1% (217 건 중에 2건 발생)이였다[23].

5. 치료효과

최근에 고령이나 기저질환으로 인하여 수술적 절제가 불가능한 폐암 환자 또는 전이성 폐암 환자에서의 냉동 치료술의 치료효과에 대한 연구들이 보고되고 있다. Choe 등이 수술적 절제가 불가능한 폐암 76건의 고주파 열치료술 및 냉동 치료술을 시행한 비교연구에 의하면 고주파 열치료술과 냉동 치료술을 비교한 결과 3 cm 이하의 종양에서는 완전소작(complete ablation) 비율이 각각 76.2%와 85.7%로 큰 차이가 없었으나 3 cm 이상으로 큰 종양에서는 완전소작 비율이 각각 25.8%와 0%로 차이가 있었다. 이 연구 결과는 냉동 치료술의 치료반경이 고주파 열치료술에 비하여 적다는 것을 시사한다. 완전소작 된 군과 부분소작 된 군의 생존 기간을 비교해 보면 평균 생존기간이 각각 34.6개월과 14.4개월로 통계적으로 유의한 차이를 보여서 종양 치료 시에 소작정도(완전 소작 vs 부분 소작)가 중요한 예후인자임을 보고 하였다[24]. Niu 등이 54명의 진행성 폐암(병기 4기) 환자를 대상으로 보전적 치료와 냉동 치료술을 한 군을 비교한 결과 냉동 치료술을 시행한 군이 보전적 치료만 시행한 군에 비하여 평균 생존기간이 유의하게 길었다. (14개월 vs 7개월)[25]. 전엽 절제 (lobectomy)가 불가능한 폐암 1기 환자 64명을 대상으로 부분절제(sublobar resection), 고주파 치료술, 냉동 치료술의 생존율을 비교한 연구 결과에 의하면 부분절제(25명), 고주파치료술(12명), 냉동치료술(27명)을 시행한 군에서 3년 평균 생존율은 각각 87.1%, 87.5%, 77%로 유의한 통계적 차이가 없었다[26].

참고문헌

1. Manhire A, Charig M, Clelland C, Gleeson F, Miller R, Moss H, et al. Guidelines for radiologically guided lung biopsy. Thorax 2003;58:920-936
2. MacMahon H, Naidich DP, Goo JM, Lee KS, Leung ANC, Mayo JR, et al. Guidelines for Management of Incidental Pulmonary Nodules Detected on CT Images: From the Fleischner Society 2017. Radiology 2017;284:228-243
3. 3.Shimizu K, Ikeda N, Tsuboi M, Hirano T, Kato H. Percutaneous CT-guided fine needle aspiration for lung cancer smaller than 2cm and revealed by ground-glass opacity at CT. Lung Cancer 2006;51:173-179
4. Suzuki K, Nagai K, Yoshida J, Ohmatsu H, Takahashi K, Nishimura M, et al. Video-assisted thoracoscopic surgery for small indeterminate pulmonary nodules: Indications for preoperative marking. Chest 1999;115:563-568
5. Asamura H. Minimally invasive approach to early, peripheral adenocarcinoma with ground-glass opacity appearance. The Annals of thoracic surgery 2008;85:S701-704.
6. Park CH, Han K, Hur J, Lee SM, Lee JW, Hwang SH, et al. Comparative Effectiveness and Safety of Preoperative Lung Localization for Pulmonary Nodules: A Systematic Review and Meta-analysis. Chest. 2017;151:316-328.
7. Zaman M, Bilal H, Woo CY, Tang A. In patients undergoing video-assissted thoracoscopic surgey excision, what is the best way to locate a subcentimetre solitary pulmonary nodule in order to achieve successful excision? Interact Cardivasc Thorac Surg 2012;15:266-272
8. Ciriaco P, Negri G, Puglisi A, Nicoletti R, Del Maschio A, Zannini P. Video-assisted thoracoscopic surgery for pulmonary nodules: rationale for preoperative computed tomography-guided hookwire localization. Eur J Cardiothorac Surg 2004;25:429-433
9. Chen S, Zhou J, Zhang J, Hu H, Luo X, Zhang Y, et al. Video-assisted thoracoscopic solitary pulmonary nodule resection after CT-guided hookwire localization: 43 cases report and literature review. Surgical endoscopy 2011;25:1723-1729
10. Su TH, Fan YF, Jin L, He W, Hu LB. CT-guided localization of small pulmonary nodules using adjacent microcoil implantation prior to video-assisted thoracoscopic surgical resection. Eur Radiol. 2015;25(9):2627-33.
11. Mayo JR, Clifton JC, Powell TI, English JC, Evans KG, Yee J, et al. Lung Nodules: CT-guided Placement of Microcoils to Direct Video-assisted Thoracoscopic Surgical Resection. Radiology. 2009;250:576-585.
12. Wicky S, Mayor B, Cuttat JF, Schnyder P. CT-guided localizations of pulmonary nodules with methylene blue injections for thoracoscopic resections. Chest 1994;106:1326-1328.
13. Nomori H, Horio H, Naruke T, Suemasu K. Fluoroscopy-assisted thoracoscopic resection of lung nodules marked with lipiodol. Ann Thorac Surg. 2002;74:170-173
14. Watanabe K, Nomori H, Ohtsuka T, Kaji M, Naruke T, Suemasu K. Usefulness and complications of computed tomography-guided lipiodol marking for fluoroscopy-assisted thoracoscopic resection of small pulmonary nodules: experience with 174 nodules. J Thorac Cardiovasc Surg. 2006;132:320-324
15. Lee NK, Park CM, Kang CH, Jeon YK, Choo JY, Lee HJ,et al. CT-guided percutaneous transthoracic localization of pulmonary nodules prior to video-assisted thoracoscopic surgery using barium suspension. Korean J Radiol. 2012;13:694-701.

16. Gazelle GS, Goldberg SN, Solbiati L, Livraghi T. Tumor ablation with radio-frequency energy. Radiology 2000;217:633-646
17. Lee JM, Jin GY, Goldberg SN, Lee YC, Chung GH, Han YM, et al. Percutaneous radiofrequency ablation for inoperable non-small cell lung cancer and metastases: preliminary report. Radiology 2004;230:125-134
18. Simon CJ, Dupuy DE, DiPetrillo TA, Safran HP, Grieco CA, Ng T, et al. Pulmonary radiofrequency ablation: long-term safety and efficacy in 153 patients. Radiology 2007; 243:268-275
19. Steinke K, Sewell PE, Dupuy D, Lencioni R, Helmberger T, Kee ST, et al. Pulmonary radiofrequency ablation-an international study survey. Anticancer Res 2004; 24:339-343
20. Chua TC, Sarkar A, Saxena A, Glenn D, Zhao J, Morris DL. Long-term outcome of image-guided percutaneous radiofrequency ablation of lung metastases: an open-labeled prospective trial of 148 patients. Ann Oncol 2010;21:2017-2022
21. Niu L, Xu K, Mu F. Cryosurgery for lung cancer. J Thorac Dis 2012;4:408-419
22. Kawamura M, Izumi Y, Tsukada N, Asakura K, Sugiura H, Yashiro H, et al. Percutaneous cryoablation of small pulmonary malignant tumors under computed tomographic guidance with local anesthesia for nonsurgical candidates, J Thorac Cardiovasc Surg 2006; 131:1007-1013
23. Wang H, Littrup PJ, Duan Y, Zhang Y, Feng H, Nie Z. Thoracic masses treated with percutaneous cryotherapy: initial experience with more than 200 procedures. Radiology 2005;235:289-298
24. Choe YH, Kim SR, Lee KS, Lee KY, Park SJ, Jin GY, et al. The use of PTC and RFA as treatment alternatives with low procedural morbidity in non-small cell lung cancer. Eur J Cancer 2009;45:1773-1779
25. Niu L, Chen J, Yao F, Zhou L, Zhang C, Wen W, et al. Percutaneous cryoablation for stage IV lung cancer: a retrospective analysis. Cryobiology 213;67:151-155
26. Zemlyak A, Moore WH, Bilfinger TV. Comparison of survival after sublobar resections and ablative therapies for stage I non-small cell lung cancer. J Am Coll Surg 2010;211:68-72

한국어

ㄱ

ㅂ

ㅅ

INDEX

ㅇ

ㅈ

ㅊ

INDEX

ㅋ

ㅌ

ㅍ

ㅎ

로마자

A

B

C

INDEX

D

E

F

G

H

INDEX

M

N

O

P

R

S

T

U

V

W